ISBN 978-0-428-40475-8
PIBN 11213074

# Mitteilungen

aus den

# Grenzgebieten der Medizin und Chirurgie.

Herausgegeben von

**O. Angerer** (München), **B. Bardenheuer** (Köln), **E. von Bergmann** (Berlin), **P. Bruns** (Tübingen), **H. Curschmann** (Leipzig), **V. Czerny** (Heidelberg), **von Eiselsberg** (Königsberg), **W. Erb** (Heidelberg), **C. Fürstner** (Straßburg), **K. Gerhardt** (Berlin), **K. Gussenbauer** (Wien), **A. Kast** (Breslau), **Th. Kocher** (Bern), **W. Körte** (Berlin), **R. U. Krönlein** (Zürich), **H. Kümmell** (Hamburg), **O. Leichtenstern** (Köln), **W. von Leube** (Würzburg), **E. von Leyden** (Berlin), **L. Lichtheim** (Königsberg), **O. Madelung** (Straßburg), **J. Mikulicz** (Breslau), **B. Naunyn** (Straßburg), **H. Nothnagel** (Wien), **H. Quincke** (Kiel), **L. Rehn** (Frankfurt a. M.), **B. Riedel** (Jena), **M. Schede** (Bonn), **K. Schoenborn** (Würzburg), **E. Sonnenburg** (Berlin), **R. Stintzing** (Jena), **A. Wölfler** (Prag), **H. von Ziemssen** (München).

Redigiert von

**J. Mikulicz**, Breslau. **B. Naunyn**, Straßburg.

---

**Vierter Band.**

**Mit 11 Tafeln, 13 Abbildungen, 20 Kurven, 1 graphischen Tabelle und 2 graphischen Kurventafeln im Text.**

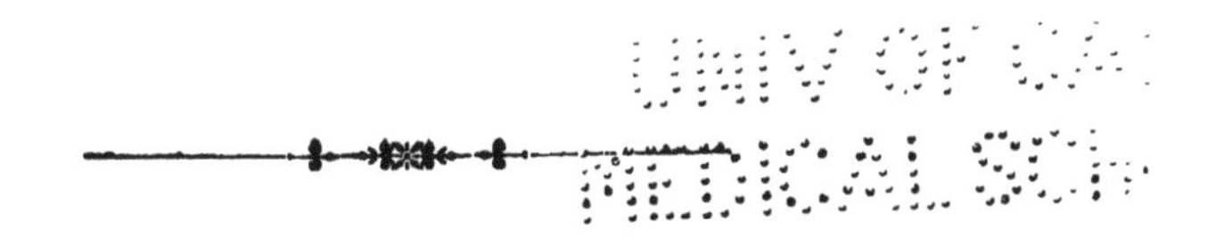


**Jena,**
Verlag von Gustav Fischer.
1899.

# Inhalt.

Seite

## IV. Heft.



## V. Heft.

# I.

# Ueber die Vorgänge bei der Cholelithiasis, welche die Indikation zur Operation entscheiden.

Einleitendes Referat für die Diskussion über dieses Thema in der gemeinschaftlichen Sitzung der Chirurgen und Internen auf der Naturforscherversammlung zu Düsseldorf.

Von

**Prof. Naunyn,** Straßburg i. E.

---

M. H. Es kann nicht Aufgabe dieser gemeinschaftlichen Sitzung sein, daß wir uns mit den internen Fragen jeder der beiden Disciplinen beschäftigen. So gut wie es den Chirurgen überlassen bleiben muß, an anderer Stelle, unter sich, auszumachen, wann ideale Cystotomie, wann einzeitige oder zweizeitige Cystotomie, wann Exstirpation der Gallenblase etc. etc. vorzuziehen sei, ebenso dürfen wir „Internen" Sie hier zweckmäßigerweise mit Auseinandersetzungen darüber verschonen, ob und wann Salicylsäure oder Durand oder gar Olivenöl am Platze sei.

Die Lehre der Cholelithiasis hat in den letzten zwei Dezennien erstaunliche Fortschritte gemacht: Von der Häufigkeit des Leidens haben wir erst neuerdings eine richtige Vorstellung gewonnen; in der Symptomatologie sehen wir heute viel klarer; davon, wie sehr unser therapeutisches Können gewachsen, gar nicht zu reden. — Wir danken diese Fortschritte zum großen Teile den Chirurgen. Ich fühle die Verpflichtung dem Herrn, der nach mir das Wort ergreifen wird, auszusprechen, wie hoch ich sein Verdienst schätze, und mit besonderer Freude betone ich von vornherein, daß ich die von ihm vertretenen Ansichten über Pathogenese und Symptomatologie in den hauptsächlichsten Punkten nicht nur acceptiere, daß sie vielmehr geradezu auch die meinen sind.

Das alte Schema, nach welchem man sich früher die Vorgänge bei der Cholelithiasis, speciell bei der Gallensteinkolik, zurechtlegte, ist hinfällig — für die meisten Fälle falsch oder unzureichend.

Dieses Schema lautet etwa so: Die Gallensteine in der Gallenblase pflegen erst bemerkbar zu werden, wenn sie Gallensteinkolik machen. Bei dieser handelt es sich darum, daß aus unbekanntem Grunde einer oder mehrere der in der Gallenblase liegenden Steine in den Ductus cysticus gelangen; ist dies geschehen, so pflegt der Stein durch Cysticus und Choledochus ins Duodenum zu wandern und die mit dieser Wanderung verbundenen physiologischen und physikalischen Vorgänge machen die Symptome der Gallensteinkolik aus: Die Schmerzen sind der Ausdruck der Reizung und des Zwanges, welche die Wand des Ductus cysticus oder des Choledochus durch den eingeklemmten Stein erleidet; das Erbrechen und zum Teil auch das Fieber sind Reflexerscheinungen, welche ebenfalls durch die Reizung der Schleimhaut ausgelöst werden. Der Ikterus und die Schwellung der Gallenblase und der Leber kommen durch Gallenstauung zustande; sie treten deshalb in der Regel erst ein, wenn der Stein im Choledochus angelangt ist, wo allein er den Abfluß der Galle aus der Leber stören kann.

Für die Gallenblasenschwellung stimmt das freilich — das wußte man längst — öfters nicht; die Gallenblase fand sich auch geschwollen, wenn der Stein nicht im Choledochus, sondern noch im Cysticus saß. — Man erdachte, um dies zu erklären, den Ventilverschluß des Cysticus: der Stein sollte hier so liegen, daß die Galle den Cysticus in der Richtung nach der Gallenblase noch passieren könne, während der Weg in umgekehrter Richtung verlegt wäre.

Eine ähnlich gezwungene Deutung erfuhr ein anderes Vorkommnis: Man fand bei Leuten, die nach schwerer Gallensteinkolik gestorben waren, den Stein nicht in dem Gallengange eingekeilt, sondern frei in der Blase liegend. Hier nahm man an, der Stein sei im Cysticus eingekeilt gewesen, schließlich aber wieder in die Gallenblase zurückgeschlüpft. — Heute wissen wir, daß es sich in diesen Befunden um etwas anderes, nämlich um Cholecystitis calculosa, handelt.

Es ist fast schwer verständlich, wie man so lange die Bedeutung der Cholecystitis und der Cholangitis für die Cholelithiasis übersehen konnte. Heute wissen wir, welche große Rolle sie beide in der Gallensteinkrankheit spielen, und damit ist der größte Fortschritt auf diesem Gebiete gemacht worden.

Die Cholecystitis und Cholangitis calculosa stellt nun auch recht eigentlich dasjenige Vorkommnis bei der Cholelithiasis dar, dessen Studium für innere Aerzte und Chirurgen in gleichem Maße wichtig ist, das beide gleichmäßig interessiert; deshalb bitte ich Sie, mir zu gestatten, daß ich zunächst bei ihr verweile. Ich fasse meine Anschauungen in einige Sätze zusammen.

1) Der Gallenblasentumor bei der Gallensteinkolik beruht meist auf Cholecystitis.

2) Die Schmerzen bei der sogenannten Gallensteinkolik sind in vielen Fällen lediglich auf Cholecystitis zu beziehen.

3) Auch der Ikterus bei der Gallensteinkolik gehört häufig der Cholecystitis oder vielmehr der sie begleitenden Cholangitis an, er ist oft ein entzündlicher Ikterus, wie RIEDEL ihn im Gegensatz zu dem „reell lithogenen" Ikterus nennt, welch letzterer dann eintreten kann, wenn der Stein im Choledochus sitzt und hier den Gallenabfluß stört.

Es kann nach dem unter 1—3 Gesagten nicht überraschen, daß

4) Fälle vorkommen, in denen eine Cholecystitis das Bild der Gallensteinkolik vortäuscht, in denen Gallensteinkolik diagnostiziert wird, während Cholecystitis vorliegt.

5) Solche Fälle von Cholecystitis können im Rahmen einer Gallensteinkolik bleibend zum Ablauf kommen. Nach wenigen Tagen hören die Schmerzen auf, die Gallenblase schwillt ab, Ikterus und Fieber, falls sie bestanden, verschwinden. Dann bleibt es oft bei der Diagnose „Gallensteinkolik".

Es kann aber auch

6) die Cholecystitis früher oder später ganz selbständig hervortreten: Die Schmerzen konzentrieren sich ausschließlich auf die Gallenblase oder sie treten auch ganz in den Hintergrund, während die Erscheinungen des Infektes (Fieber, Allgemeinleiden, Prostration) in den Vordergrund treten. Solche Fälle können dann durch den Allgemeininfekt, gelegentlich unter Hinzutreten metastatischer Herde oder von ähnlichem tödlich werden, oder sie können zu einer chronischen Cholecystitis, zum Hydrops oder Empyema vesicae felleae führen, oder sie können schließlich doch noch günstig endigen, das geschieht dann oft, aber nicht immer, unter Ausstoßung eines Steines.

7) Cholecystitis und Cholangitis vermitteln zahlreiche Folgeerkrankungen der Cholelithiasis, so die Leberabscesse, Durchbruch der Gallensteine nach außen oder in innere Organe die zahlreichen Fistelbildungen.

Das bis hierher Gesagte halte ich für ausgemacht; ich weiche auch bisher in nichts Wesentlichen von den von RIEDEL vertretenen Anschauungen ab. Weiter beginnt der Boden etwas unsicherer zu werden, was eben darin seinen Ausdruck findet, daß nun bald die bisher waltende erfreuliche Uebereinstimmung aufhört. Nur in dem folgenden Punkt kann ich noch, wenn auch schon nicht mehr ganz rückhaltslos, RIEDEL beitreten.

8) RIEDEL hat zuerst darauf hingewiesen, daß die Cholecystitis die Ursache für richtige Gallensteinkolik werden könne. Durch die seitens der entzündeten Gallenblasenschleimhaut statthabende seröse Transu-

dation werde der im Blasenhals liegende Stein in den Cysticus hineingetrieben und so die Kolik eingeleitet. Ich halte dies für nicht wenige Fälle für sehr wahrscheinlich. RIEDEL meint nun, jede Gallensteinkolik beginne mit einer Cholecystitis. Man braucht auch dem nicht zu widersprechen, jedenfalls kann ich eine andere gleich einleuchtende Ursache für die Auslösung der Gallensteinkoliken nicht beibringen.

9) Mit der Cholecystitis calculosa geht die diffuse Cholangitis Hand in Hand. Wenn die Cholecystitis die Ursache der Gallenblasenschwellung ist, so verrät sich die Cholangitis durch die schmerzhafte Anschwellung der Leber, diesem so selten fehlenden Symptom des Gallensteinanfalls, und auch der Ikterus, soweit er kein „reell" lithogener ist, d. h. in der großen Mehrzahl der Fälle dürfte wohl, wie schon unter 3 gesagt, am richtigsten der Cholangitis auf Rechnung gesetzt werden. Ich weiß wenigstens nicht, wie man sonst das schnelle Eintreten des Ikterus erklären will; in manchen Fällen erscheint er ja schon wenige Stunden nach dem ersten Beginn des Anfalls. Eine Cholangitis, die sich in die feinsten Gallengänge fortpflanzt, sagen wir eine Cholangitis capillaris, darf aber sicher als sehr geeignet gelten, durch direkte Beeinflussung der secernierenden Leberzelle selbst, besonders schnell Ikterus hervorzurufen; es wäre das ein Ikterus durch Parapedesis der Galle, wie MINKOWSKI, durch Paracholie, wie PICK sagt, Icterus akathecticus nennt ihn LIEBERMEISTER.

10) Die Cholecystitis und Cholangitis calculosa sind von Anfang an infektiös. Während normale Galle steril ist, fand man in den frischen Fällen von Cholecystitis calculosa in der Gallenblase fast stets das Bacterium coli. In älteren Fällen kann die Galle wieder steril befunden werden; das Bact. coli scheint in nicht zu langer Zeit abzusterben, einzugehen.

Diese Cholecystitis und Cholangitis colibacterica wird selten eitrig, außer wenn eigentliche Eitererreger — Staphylo- und Streptokokken — dazukommen; sie ist danach vom eigentlichen Empyem der Gallenblase und der eiterigen Cholangitis zu scheiden; doch kann auch sie, ohne eitrig zu werden, schweren und lokalen Allgemeininfekt machen, wie Krankheitsfälle und Experimente übereinstimmend zeigen. Die Experimente zeigen auch, warum das Bacterium coli bei der Cholelithiasis so schnell zur Hand ist: solange nämlich die Galle in normalem Flusse ist, kommt es in den Gallengängen nicht auf, das geschieht aber sehr leicht, sobald die Galle dort gestaut wird.

11) Demgemäß ist wirkliche Heilung der Cholecystitis und Cholangitis zu erwarten, wenn die Galle wieder in Fluß kommt, indem die Gallensteine im Anfall ausgestoßeu werden, d. i. RIEDEL's erfolgreicher Gallensteinanfall. Auch ohne daß die Steine entfernt werden, auch wenn der Anfall „erfolglos bleibt", wie RIEDEL sagt, kann er vollkommen glücklich vorübergehen, dann kann es sein, daß es sich nur

um ein Zurückgehen der Erscheinungen handelt, während die Cholecystitis doch bestehen bleibt, sie wird nur latent, um später einmal wieder auszubrechen, es kann aber auch der Gallensteinanfall, obgleich er erfolglos bleibt, wirklich heilen, wenigstens für lange Zeit; die Galle findet Abfluß neben dem Stein, oder das Bacterium coli geht ohne dies ein. Freilich hinterbleibt der Gallenstein in der Gallenblase oder in den Gallengängen: ein Fremdkörper, der früher oder später seine Rolle als solcher wieder aufnehmen kann, aber das nicht zu thun braucht.

12) Es wäre selbstverständlich äußerst wichtig, wenn man die erfolgreichen von den erfolglosen Gallensteinanfällen diagnostisch unterscheiden könnte. Das gelingt aber leider nicht.

Ein sicheres Unterscheidungsmerkmal giebt es nicht: die Symptome sind, wie Riedel selbst nachdrücklich betont, ganz die gleichen beim erfolgreichen wie beim erfolglosen Anfall und auch der Abgang von Steinen entscheidet nichts. Da, wo man sie im Stuhle findet, können immer noch welche zurückbleiben — wie oft habe ich Wochen und Monate hindurch fortgesetzt Steine im Stuhlgang gefunden und die Cholecystitis kam nicht zur Heilung. Und wenn man keine Steine findet, so beweist das keineswegs, daß der Anfall erfolglos war. Das Durchsuchen der Faeces ist schwer so konsequent durchzuführen wie nötig, denn die Steine brauchen erst Wochen nach Aufhören des Anfalles im Stuhlgang zu erscheinen und sie können, wie ich experimentell gezeigt, im Darme verloren gehen, sie können hier aufgelöst werden.

13) Außer durch die Cholecystitis und Cholangitis wird das Gallensteinleiden gefährlich durch den chronischen Obstruktionsikterus. Dieser beruht meistens auf Verlegung des Choledochus durch Steine; einer der abgehenden Steine war so groß, daß er das Ostium duodenale nicht passieren konnte; hinter ihm liegen dann wohl zahlreiche kleine — es giebt aber auch Fälle, in denen der Ductus choledochus ausschließlich mit kleinen Steinen, die einzeln noch sollten passieren können, wie ein Sack, vollgestopft ist.

Die großen Steine im Choledochus — sie können hier bis zu Wallnußgröße gedeihen — sind fast immer aus der Gallenblase eingewandert, als sie noch klein waren, dann sind sie aber an Ort und Stelle gewachsen. Dies hat nichts Ueberraschendes, denn die Bedingungen zum Wachstum der Steine bestehen in den Gallengängen gerade so gut wie in der Gallenblase und wenn in den Gallengängen Steine so viel seltener entstehen wie in der Gallenblase, so beruht dies darauf, daß dort nicht so wie hier die Ruhe zu herrschen pflegt, welche ihrer Bildung förderlich ist. Uebrigens kommt es oft genug vor, daß Steine in den Gallengängen nicht nur wachsen, sondern auch entstehen.

Die Ursache des chronischen Ikterus bei der Cholelithiasis ist aber keineswegs immer ein Stein im Choledochus, vielmehr kann der Stein auch im Cysticus liegen und den Choledochus komprimieren; das ist freilich selten und noch seltener ist es, daß sich für den chronischen Ikterus bei der Cholelithiasis auch bei der Sektion überhaupt keine sichere Ursache findet. Andererseits können gewaltige Steine im Choledochus liegen, ohne Ikterus zu machen!

14) Häufig aber, leider recht häufig, sicher in weit mehr wie der Hälfte der Fälle, findet sich als Ursache des chronischen Obstruktionsikterus Carcinom. Daß das komplizierende Carcinom für die Beurteilung des Falles von Cholelithiasis die größte Bedeutung hat, ist ohne weiteres klar. Deshalb ist es sehr zu bedauern, daß diese Komplikation sich oft der Diagnose entzieht. In manchen Fällen sind freilich die Knoten in der Gallenblasenwand deutlich zu fühlen, in anderen sichern carcinomatöse Periomphalitis oder Metastasen in der Leber, in den Lymphdrüsen oder auf dem Peritoneum die Diagnose; man soll nie vergessen, nach letzteren im Douglas zu suchen, d. h. das Rectum zu palpieren! Meist aber sind solche Metastasen nicht zu finden; dann bietet gelegentlich noch der Ascites einen wertvollen Anhaltspunkt; stärkerer Ascites bei Cholelithiasis spricht immer für Carcinom. Auch die Bedeutung der Kachexie ist nicht zu unterschätzen — wo bei Cholelithiasis sich solche schnell entwickelt, spricht das für Carcinom — bei dem chronischen Ikterus ohne Carcinom bleibt der Kräfte- und Ernährungszustand nicht selten auffallend lange gut erhalten.

Nach allem diesen ist die Cholelithiasis eine Krankheit, die durch Cholecystitis und Cholangitis und deren Folgen, durch die chronischen Ikterus und durch Carcinom, gefährlich wird.

Als eine sehr ernste Krankheit stellt sie sich nun auch thatsächlich vielfach dar. Ich habe in der Straßburger medizinischen Klinik allein etwa 250 Fälle von Cholelithiasis behandelt, von 150 dieser sind ausreichend genau geführte Krankengeschichten in meinen Händen. Von diesen 150 sind 20 gestorben, 7 starben an den Folgen der Cholecystitis und Cholangitis, Fistelbildungen, Perforationen in die Bauchhöhle, Leberabscesse etc. An Carcinom der Gallenwege starben 11 und dazu kommen noch 3 Fälle, welche mit anscheinend zweifellosem Carcinom die Anstalt vor dem Tode verließen. Das sind also im ganzen 14 Fälle von Carcinom bei Cholelithiasis. An chronischem Ikterus ohne Carcinom gingen 2 zu Grunde. Daß die Gefahr all dieser tödlichen Komplikationen mit der Dauer der Krankheit zunimmt, zeigt sich darin, daß fast alle tödlichen Fälle alte Leute mit alten Gallensteinleiden betrafen; nur 2 Todesfälle fallen auf Leute unter 50 Jahren; bei beiden bestand ganz alte Cholelithiasis mit Carcinom.

Von den 150 Fällen sind 60 geheilt.

Doch hat es sich in manchen dieser als geheilt entlassenen Fälle wohl nicht um wirkliche Heilung gehandelt. Der eine und andere Fall ging doch mit geringer Empfindlichkeit und Schwellung der Leber als geheilt hinaus, und auch in anscheinend völlig geheilten Fällen traten gelegentlich nach wenig Wochen Recidive auf.

Es ist nicht zu verwundern, daß in dem klinischen Material die Cholelithiasis sich so sehr von der schlechten Seite zeigt. Denn die Fälle mit leichter erstmaliger Cholelithiasis kommen selten in die Klinik.

In der Privatpraxis bietet die Cholelithiasis unzweifelhaft ein sehr viel erfreulicheres Aussehen. Da giebt es Fälle genug, die nach einmaligem oder einigen Anfällen dauernd geheilt, für immer oder wenigstens für Dezennien frei bleiben; in denen wir es mit den schlimmen lebensgefährlichen Konsequenzen der Cholelithiasis überhaupt nie zu thun bekommen.

Das eine aber lehrt klinisches Material wie das der Privatpraxis in gleich bestimmter Weise: unter den „Geheilten" sind nicht so wenige, die sich schon jahrelang mit dem Leiden umher trugen! Wir kommen hierauf bei der Besprechung der Fistula choledocho duodenalis sogleich noch einmal zurück.

Die Erfahrungen des Einzelnen aus der Privatpraxis, von denen ich hier spreche, lassen sich selbst wenn dieser über ein großes Material verfügt, nicht zu einer so festen Phalanx formieren wie die, welche die chirurgischen Specialisten in den Diskussionen auf diesem Gebiete gegen uns Innere aufmarschieren lassen, wenn es gilt, uns unsere Indolenz oder gar Pflichtvergessenheit in Sachen der operativen Behandlung der Cholelithiasis zu Gemüte zu führen; und doch, m. H., kann ich, und wenn ich mich noch so sehr bemühe, vollkommen objektiv zu sein, auf Grund dessen, was mich meine Praxis gelehrt, die Ueberzeugung nicht los werden, die Cholelithiasis sei eine Krankheit, welche in der weit überwiegenden Mehrzahl der Fälle auch ohne chirurgischen Eingriff einen günstigen Verlauf nimmt. Ein harmloses Leiden ist sie darum gewiß nicht — Cholecystitis und Cholangitis drohen oft mit ernsten Folgen und in der Zukunft lauert das Schreckgespenst des Carcinoms.

Das Carcinom der Gallenwege aber bleibt doch immer ein im Verhältnis zur großen Häufigkeit der Gallensteinleiden sehr seltenes Vorkommnis und Cholecystitis und Cholangitis können heilen und heilen — im Sinne der Praxis — oft genug mit und ohne Steinabgang, das zeigen denn doch zu zahlreiche Erfahrungen. Im wissenschaftlichen Sinne geheilt ist selbstverständlich die Cholelithiasis nicht, solange Steine zurückbleiben. Das Leiden wird nur latent! wenn auch für lange! Das genügt aber oft; denn wir haben es hier meist mit Leuten über 50 Jahre zu thun, da ist eine Latenz von Dezennien fast gleichbedeutend mit Genesung. Geheilt aber kann das Gallensteinleiden nur durch Entfernung der Steine werden, das betonen die Chirurgen gewiß nicht ohne Recht.

Der spontane Abgang der Steine kann erfolgen per vias naturales und durch Fistelbildung; per vias naturales können nur Steine bis zur Größe einer Erbse, höchstens eines Kirschkerns abgehen. Wenn sie erheblich größer sind, können sie die Portio duodenalis nicht mehr passieren, hier setzt ihnen die Muscularis des Duodenums einen unüberwindlichen Widerstand entgegen.

Also alle Steine, die größer sind wie ein Kirschkern, können nicht ohne Fistelbildung ausgestoßen werden. Dann ist aber der Abgang von Steinen durch Fistelbildung ein gar nicht seltenes Vorkommnis. Ich habe mir mit der Zeit eine stattliche Sammlung von Gallensteinen angelegt, die von meinen Cholelithiasiskranken in den Faeces entleert worden sind. Aus dieser Sammlung habe ich Einiges mitgebracht. Sie finden hier zahlreiche Kollektionen, deren einzelne Exemplare das, wenn ich so sagen darf, Normalmaß, d. i. die Größe eines Kirschkerns, weit überschreiten. In anderen Fällen war die Menge der auf einmal in einem Stuhlgange entleerten Steine so groß, daß danach eine Fistelbildung angenommen werden mußte; so habe ich im ganzen hier 13 Fälle, für welche ich glaube annehmen zu müssen, das die Steine durch Fistelbildung abgegangen seien.

Unter diesen meinen 13 Kranken, die ihre Steine durch Fisteln los geworden sind, befinden sich nun 5—6, welche danach geheilt und zwar für ein Dezennium oder mehr geheilt waren. Hiernach erscheint die Fistelbildung als ein conamen naturae sanandi, dessen sich diese — die Natur — nicht selten mit Erfolg bedient. Unter den Fisteln zwischen den Gallenwegen und dem Darme ist eine, deren Brauchbarkeit zur Heilung der Cholelithiasis ohne weiteres klar ist, ich meine die Cholodochoduodenalfistel. Sie kommt oft in Frage, denn nirgends — außer in der Gallenblase — bleiben die Steine häufiger liegen als im Ductus choledochus. Hier ist es, wie schon gesagt, die Portio duodenalis, die ihrer Passage die größten Schwierigkeiten entgegensetzt; hier bleibt ein größerer Stein gern liegen. Liegt der Stein hier einmal fest, dann ist sein Abgang ohne Fistelbildung nicht mehr zu hoffen, weil er weiter wächst. Die ersehnte Fistelbildung kommt dann aber in der That gar oft zustande und sie kann sich ohne jede gefährliche Komplikation vollziehen. Es bedarf dazu keiner großen Verwachsungen und von Fistelgängen ist gar keine Rede! sondern der vor der Portio duodenalis liegende Stein bringt in der Choledochuswand und weiter in der Darmwand ein Dekubitalgeschwür hervor, welches ihm direkt den Eintritt in den Darm eröffnet. So finden sich

— wie Roth gezeigt — und ich auch öfter gesehen habe, Choledochoduodenalfisteln, die von dem krankhaften Vorgang, dem sie ihre Entstehung verdanken, so wenig mehr erkennen lassen, daß sie für ein einfach erweitertes Ostium duodenale ductus choledochi genommen werden können und oft genommen worden sind. Wenn wir also auch die anderen Fisteln der pessimistischen Beurteilung, welche sie seitens der Chirurgen erfahren, preisgeben müssen, mit der Choledochoduodenalfistel dürfen wir, als einem nicht selten erfolgreichen Heilungsvorgang, rechnen.

Das sind die Anschauungen, meine Herren, welche ich mir über die für den Verlauf der Cholelithiasis entscheidenden Vorgänge und über die spontane Heilbarkeit dieser gebildet habe. Es bleibt mir nun noch übrig, das Facit für die Indikationsstellung zur Operation zu ziehen.

Ich bitte mich hier nicht mißzuverstehen: Ich bin entfernt nicht gesonnen, Indikationen für die Chirurgen aufzustellen, das wäre wahrlich höchst unangebracht, eine höchst thörichte Selbstüberhebung! denn die Erfahrungen der letzten Jahre lehren zweifellos, daß es die Chirurgen verstehen, diese Indikation selbst zu stellen. Die Ergebnisse der operativen Behandlung der Cholelithiasis sind nicht nur in den Händen der bewährten Specialisten auf diesem Gebiete, sondern ganz allgemein ganz ausgezeichnete geworden; nicht nur sind die Erfolge der Operation in der Erreichung des vorgesteckten Zieles, d. i. die Entfernung der Steine, bewunderungswürdige, sondern es ist auch die Mortalität so heruntergegangen, daß man mehr kaum noch erwarten kann! Dies zeigt, daß die Operateure sich die geeigneten Fälle auszusuchen, daß sie die Indikation zur Operation ohne uns zu stellen wissen, und ich hoffe, daß der Redner nach mir uns sagen wird, wie sie das thun. Doch sind wir in der Praxis einmal zur Mitwirkung berufen — die Frage: soll der Kranke operiert werden? muß oft auch von uns entschieden, wenigstens vorläufig beantwortet werden; denn von dieser ihrer vorläufigen Beantwortung läßt es der Kranke abhängen, ob er sich an den operierenden Arzt — den Chirurgen wendet. Also: wann sind wir nicht operierenden Aerzte verpflichtet oder berechtigt — wie man will — den Kranken an den Chirurgen zu weisen?

Ich fasse meine Ansicht hierüber wieder in einige Sätze zusammen:

a) Die Cholelithiasis ist eine Krankheit, welche gefährlich werden kann und ihre Gefahren wachsen mit ihrer Dauer. Ohne Operation kommt aber die vollständige Entfernung der Steine und also auch sichere Heilung meist nicht zustande. Die Gefahren der frühzeitigen Operation bei der Cholelithiasis sind ferner nicht groß — danach wäre also in jedem Falle von Cholelithiasis, sobald die Diagnose sicher gestellt, die operative Entfernung der Steine geboten?

So einfach und allgemein darf die Frage nicht gestellt und jedenfalls kann sie, so gestellt, nicht mit „ja" beantwortet werden. Zunächst wäre festzustellen, was man unter einer sicher diagnostizierten Cholelithiasis zu verstehen habe — ein, auch zwei kurze Anfälle von Gallensteinkolik genügen da nicht, mögen sie immerhin richtig diagnostiziert sein, das ist doch keine Frage, daß solchen oft nie weitere Erscheinungen der Cholelithiasis folgen. Da handelt es sich doch oft um vereinzelte oder ganz kleine — weiche — Steine, die glücklich alle abgegangen sind, wer möchte den Kranken dem Risiko unterziehen, daß bei der Laparotomie keine Steine gefunden werden! Viel wichtiger aber ist folgendes: Garantiert denn wirklich die Operation sichere Heilung? Das scheint mir keineswegs ausgemacht! Es passiert, wie viele Chirurgen hervorheben, bei der Operation leicht, daß einige Steine zurückbleiben; vor allem aber, wenn auch alle Steine entfernt sind, so schützt das doch nicht vor Neubildung solcher. Jedenfalls ist es Thatsache, die ich auch mehrfach erfahren habe, daß nach anscheinend gelungener Operation wieder Gallensteinanfälle auftreten und Steine per anum abgehen. Ehe die Operation als einzig sicheres Mittel zur Heilung der Gallensteinkrankheit den Kranken allgemein empfohlen werden kann, muß erst noch festgestellt werden, wie weit sie wirklich sichere Heilung garantiert. Um das zu entscheiden, sind noch weitere Erhebungen über die Häufigkeit von Recidiven nach Frühoperation bei Cholelithiasis nötig.

b) Die akute und chronische Cholecystitis.

Im Gebiete der ganzen Cholelithiasis giebt es keinen Symptomenkomplex, der mehr zu operativen Eingriffen einladet, als die Fälle von akuter Cholecystitis mit breit vorliegender Gallenblasengeschwulst; ich habe mich schon vor mehr wie sechs Jahren dafür ausgesprochen, daß man diese Fälle grundsätzlich sollte operieren lassen, denn einerseits handelt es sich wohl in allen solchen Fällen um eine infektiöse Erkrankung, deren Ausgang immer unsicher bleibt und andererseits ist die Cholecystotomie wohl nirgends leichter auszuführen.

Doch wolle man sich über folgendes klar sein: Soll der Entschluß zur Operation gefaßt werden, so muß das oft schnell geschehen, denn selbst bei heftiger Cholecystitis mit gewaltiger Gallenblasengeschwulst kann schnelle Rückbildung eintreten, so daß die Gallenblase schnell schmerzlos und kleiner wird und in wenigen Tagen der Palpation völlig entschwindet. Selbstverständlich will sich dann nicht nur der Patient, sondern auch der Chirurg, der den Fall vorher nicht gesehen, nicht mehr zur Operation entschließen. Es ist mir zweimal passiert, daß ich solche Kranke, junge kräftige Leute ohne Fieber und ohne Ikterus, mit Gallenblasentumor auf die chirurgische Klinik schickte, dort blieben sie zwei Tage zur Beobachtung liegen, dann hatte sich die Gallenblase verspurlost und nach einigen weiteren Tagen wurden die Kranken aus der chirurgischen Klinik ohne Operation geheilt entlassen.

Man wird in solchen Fällen — wenn man sie sofort zur Operation empfiehlt, nicht immer dem Vorwurf entgehen, die Angelegenheit übereilt zu haben.

Wer also Vorsicht über alles stellt, wird lieber einige Zeit abwarten und er wird dann seine Fälle wohl in der Mehrzahl ohne chirurgischen Eingriff heilen sehen!

Bei älteren Leuten, und gleichzeitig mit starkem Ikterus, dürfte dies vorsichtige Verfahren das vorläufig noch zu empfehlende sein.

Eine kurze Erwähnung verdienen hier noch die Fälle von Cholecystitis-Cholangitis acutissima mit heftigen lokalen Reizerscheinungen, hohem Fieber, schwerem Allgemeininfekt, oft sehr starkem Milztumor. Diese Fälle können akut tödlich werden durch Peritonitis — auch ohne Perforation der Blasenwand wie Potain sah — und durch den Allgemeininfekt, wie ich selbst beobachtet. Man sollte also hier sofort operieren; doch — glaube ich — werden sich die Chirurgen dazu nicht leicht entschließen, scil. wegen des schweren Allgemeinleidens und wegen der Besorgnis vor Infektion des Peritoneums durch den in solchen Fällen sehr stark infizierenden Inhalt der Gallenblase. Es wäre mir von größtem Werthe, die Meinung der chirurgischen Kollegen über diesen Punkt zu erfahren.

Daß die chronische Cholecystitis mit dem Hydrops vesicae felleae dem Chirurgen gehört, halte ich für ausgemacht. Schwierigkeiten für die Beurteilung bieten da nur die Fälle mit schwerem Ikterus bei älteren Leuten wegen des Carcinoms, wir werden sie beim chronischen Obstruktionsikterus noch einmal treffen.

c) Die chronisch-recidivierende Cholelithiasis.

Die Fälle sind bekannt: anfangs kurze, typische Gallensteinkolik, dann Recidive, die früher oder später sich mehr und mehr in die Länge zu ziehen, atypisch zu werden pflegen; am Ende oft ein wenig durchsichtiger Zustand von schmerzhaftem Gallenstein-Leberleiden mit oder ohne Ikterus. Diese Fälle stellen eine äußerst gemischte Gesellschaft dar: In den Gängen eingeklemmte Gallensteine, chronische Cholecystitis und Cholangitis, Pericholecystitis und Pericholangitis mit Adhäsionen, Fistelbildungen, Carcinom etc., auf alles muß man gefaßt sein.

Daß diese Fälle den chirurgischen Eingriff fordern, sofern er noch erlaubt ist — und darüber haben die Operateure selbst zu befinden — bedarf keiner Begründung, doch nicht, ehe nicht eine gründliche Karlsbader Kur durchgemacht ist. Die Unsicherheit der genauen Diagnose, die Möglichkeit, daß einfache Cholecystitis calculosa oder Gallensteineinklemmung vorliegt, macht es leicht verständlich, daß auch alte Fälle derart doch gelegentlich ohne Operation zur Heilung kommen, und diese Hoffnung ist hier ernst zu nehmen, denn in den Fällen dieser Art ist die Operation doch wohl oft schon — ich meine im Vergleich zu der bei frischer, reiner Cholecystitis — gefährlicher. Also doch erst eine gründliche Karlsbader Kur! Einer der anerkanntesten Operateure hat das ja am eigenen Leibe erfahren.

Gegenwärtig sind es unzweifelhaft die Fälle dieser Gruppe, in denen die Internen am häufigsten die Hilfe des Chirurgen anrufen; ich meinerseits erbitte mir auch heute für sie die Hilfe der chirurgischen Kollegen. Ich empfinde es nämlich fortwährend sehr unangenehm, daß weitere Regeln, die den Arzt bei der Auswahl der für die Operation geeigneten Fälle leiten könnten, fehlen. Vielleicht können uns da die Operateure helfen. Ueber folgende Punkte würde ich mir besonders ihre Ansicht erbitten: Welche Bedeutung hat das Vorhandensein einer fühlbaren Gallenblase. Ich war immer geneigt, auch in den kompliziertesten Fällen dieser Gruppe, ihr Vorhandensein als etwas zu nehmen, was der Operation eine bessere Prognose stellen läßt; natürlich sofern nicht Carcinom vorliegt.

Ferner: Welchen Wert hat das Bestehen von Lebertumor — natürlich einer weichen, gleichmäßig vergrößerten Leber ohne Verdacht auf Carcinom oder Cirrhose? — ich lege keinen Wert darauf.

Den gleichen Standpunkt nehme ich der Milzschwellung gegenüber ein.

Ascites scheint mir, wo er überhaupt vor der Operation nachweisbar ist, immer von ungünstiger Bedeutung zu sein, er spricht für Carcinom.

Dem Fieber vindiziere ich Bedeutung höchstens in einer Richtung, d. h. wo das eigentümliche, durch Monate protrahierte intermittierende Fieber besteht, ist dasselbe ein wichtiges Zeichen für Cholelithiasis, obgleich genau das gleiche Fieber, mit heftigen Frösten, auch bei Neubildung und sogar bei solcher ohne Ikterus und ohne jede Eiterung vorkommt.

Höheres Alter scheint mir an und für sich durchaus keine Kontraindikation.

Daß das Bestehen von Ikterus die Prognose der Operation verschlechtert, darf als ausgemacht gelten. 7 Proz. Mortalität für die Fälle „mit Ikterus“ hat sogar Kehr noch in letzter Zeit gehabt. — Dürfte aber nicht ein ganz bestimmter Unterschied nach dem Grad des Ikterus zu machen sein? Ich meine nach meinen Erfahrungen, daß nur das Bestehen von schwerem Bronzeikterus bei gesperrtem oder wenigstens sehr gestörtem Gallenabfluß in den Darm direkt üble Bedeutung hat; ein geringer Ikterus bei annähernd normaler Färbung der Faeces scheint mir unerheblich. Die Bedeutung jenes schweren Bronzeikterus scheint mir ferner viel größer bei alten Leuten — komplizierendes Carcinom?!

Die wichtigste Frage bleibt: wann, wie bald soll operiert werden? — man antworte nicht: so früh wie möglich! denn das wäre keine Antwort — sondern, falls ernstlich gemeint, Hohn!

Ich meine, sobald die Krankheit chronisch recidiv geworden ist, d. h. sobald ernste Recidive sich mehrfach gefolgt sind und eine Karlsbader Kur erfolglos geblieben ist, sei die Operation indiziert.

Ist der Erfolg der Karlsbader Kur ein wenn auch guter, doch unvollständiger, so wird es vom Grad des erreichten Erfolges abhängen, ob noch eine vorauszuschicken sei.

d) Der chronische Obstruktionsikterus.

Nicht jeder Ikterus bei Cholelithiasis gehört hierher, und auch nicht jeder, bei dem die Gallenarmut der Faeces auf Obstruktion des Choledochus schließen läßt, vielmehr sind die Fälle, in denen neben dem Ikterus Schmerzen etc. als maßgebende Erscheinungen im Krankheitsbilde vorliegen, der vorigen Gruppe beizuzählen; hier spreche ich nur von den Fällen, wo der Ikterus das entscheidende Symptom ist; Gallenblase kann fühlbar sein, aber auch fehlen; daneben dürfen noch intermittierendes Fieber, weiche Leber- und Milzschwellung bestehen.

Man findet diesen chronischen Obstruktionsikterus anscheinend nur sehr selten bei jungen Leuten; sein Grund ist meist ein Stein im Choledochus, daneben besteht aber leider häufig Carcinom der Gallenwege oder auch des Pankreaskopfes oder des Duodenum.

Es bedarf kaum einer Begründung, daß für den Obstruktionsikterus die operative Entfernung der Steine im Choledochus in Frage kommt und es liegen schon längst Fälle genug vor, in welchen die Operation glänzend glückte.

Doch sind unter den Chirurgen selbst Stimmen gegen die Zulässigkeit der Operation bei diesem Obstruktionsikterus laut geworden. Namentlich englische Aerzte, so noch neuerdings Robson, warnen geradezu vor dem operativen Eingriff in diesen Fällen von Choledochusverschluß mit intensivem (Bronze-) Ikterus. Die Operation sei wegen der Blutung zu gefährlich und vor allem, es fände sich meist Carcinom der Gallenwege. Die Größe jener Operationsgefahr zu schätzen, mag dem Chirurgen überlassen bleiben, die Enttäuschung aber, welche das komplizierende Carcinom bringt, fällt oft auf den ersten Diagnosten zurück!

Deshalb lege ich Wert darauf, zu betonen, daß eine absolute Indikation für die operative Entfernung des Steines beim Obstruktionsikterus nicht besteht; Heilung ohne Operation ist keineswegs ausgeschlossen, kann vielmehr durch Bildung der meist ganz ungefährlichen Choledochoduodenalfistel noch nach jahrelangem Bestehen des Ikterus durch obstruierenden Gallenstein zustande kommen. Deshalb empfehle ich die Operation nicht, ehe ich nicht — wenn nötig, durch längere Beobachtung — mir ein Urteil darüber gebildet habe, wie groß die Wahrscheinlichkeit für Carcinom sei; auch ohnedies eile ich nicht, denn noch nach 3—4 Monaten ist Heilung gar nicht so selten. Daß ich unter allen Umständen eine Karlsbader Kur vorhergehen lasse, ist selbstverständlich.

Mit dem, was ich soeben gesagt, ist die Frage nicht berührt, ob beim chronischen Obstruktionsikterus der Cholelithiasis eine Anastomose zwischen Gallenwegen und Darm, oder eine äußere Gallenfistel zur Beseitigung der Gallenstauung anzulegen sei. Ich halte diese Frage auf Grund des vorliegenden Materials noch nicht für spruchreif; diese Operationen sind mehrfach mit gutem Erfolge ausgeführt, doch glaube ich nicht, daß bei den Chirurgen Vorliebe für sie besteht.

Endlich und schließlich, meine Herren, will ich aber doch sagen, was ich unter der oft genannten Karlsbader Kur verstehe. Nicht nur eine sogenannte Trinkkur in Karlsbad selbst. Eine Trinkkur mit Karlsbader Wasser daheim hat auch sehr schöne Erfolge, wenn man mit ihr die konsequente Anwendung von Kataplasmen verbindet. Ich lasse die Kranken durch drei bis vier Wochen zweimal täglich je drei Stunden, d. h. von $^1/_2$9 bis $^1/_2$12 und von 3 bis 6 Uhr liegen und große, dicke Kataplasmen von Leinsaatbrei auflegen. Dabei werden vormittags und nachmittags jedesmal drei bis vier Gläser Karlsbader Wasser getrunken — viel besser das künstliche Wasser! — aber durchaus nicht Lösungen von Karlsbader Salz.

Während der ersten Stunden des Kataplasmierens wird in Abständen von 10—15 Minuten je ein Glas von 100 g genommen; das Wasser muß ganz heiß, so heiß, wie es in kleinen Schlucken vertragen wird, d. i. ungefähr 45° C, warm getrunken werden. Sind sechs bis acht solcher Gläser pro Tag „zu viel“, so schränkt man die Zahl derselben, am besten zunächst nachmittags, ein, oder verringert die Größe der einzelnen Gläser.

Die Mahlzeiten sollen während solcher Kur auf 7$^1/_2$ Uhr morgens, 1 Uhr mittags und 7 Uhr abends fallen. Hauptmahlzeit mittags.

Besonders ängstliche Diät ist unnötig, nur sind fette Speisen, rohes Obst und Salate, Hülsenfrüchte, fetter Kohl, Sauerkraut, sowie Champagner, Bier und Alkohol, besser auch Weißwein, am besten jeglicher Wein, zu meiden. Für Stuhlgang ist unter allen Umständen zu sorgen.

Weitere Mittel, welche sich in ihren Erfolgen mit der Karlsbader Kur, auch der daheim mit Kataplasmen, messen könnte, kenne ich nicht.

Aus der medizinischen Universitätsklinik zu Jena.

# II.
# Ueber sogenannten Wundscharlach.

Von
**Dr. Alexander Strubell,**
I. Assistenten der Klinik.

---

Seitdem Howard Marsh auf dem internationalen medizinischen Kongresse in London 1881 in seinem Vortrage: „On the nature of the so-called scarlet fever after operations“, und gleich nach ihm Riedinger die Frage aufgeworfen hatten: ob derartige kurz nach Verwundungen und Operationen auftretende Exantheme wirklich als Scharlach anzusehen seien und, wenn dies der Fall ist, ob dasselbe in ätiologischem Connex mit der Wunde stände, ist die Litteratur darüber stark angeschwollen. Hoffa stellte in seinem 1886 vor dem Würzburger ärztlichen Verein gehaltenen Vortrage (Volkmann's Vorträge, No. 292, Chirurgie, 1887 No. 90) die einschlägigen Fälle zusammen und schied die seiner Ansicht nach unsicheren aus. Nach ihm halten etwa 9 Fälle der Kritik stand. Brunner zählt in seiner Arbeit (Berliner klin. Wochenschr., 1895, No. 22 u. flg.) 19 Fälle auf. Die meisten derselben lassen es aber mindestens zweifelhaft erscheinen, ob wirklich der Scharlach von der äußeren Wunde ausgegangen ist, und Jürgensen hat gewiß recht, wenn er in seiner Bearbeitung des Scharlach in Nothnagel's Handbuch 1895 betont, daß in der ganzen Litteratur sich nur ein einziger Fall findet, bei welchem ohne jede Diskussion der Ausgang einer Scharlachinfektion von einer äußeren Wunde zugegeben werden muß. Diesen einzig dastehenden Fall hat Leube an sich selbst erlebt und in seinem Lehrbuch der Diagnostik der inneren Krankheiten beschrieben. Ich teile diesen Fall mit, weil derselbe von der größten Bedeutung in prinzipieller Hinsicht ist und nach mancher Seite hin eine auffallende Analogie mit dem von mir beobachteten zeigt.

Leube hatte in seiner Kindheit niemals Scharlach durchgemacht, obwohl seine Geschwister daran erkrankt waren, mit denen er auch während ihrer Erkrankung vielfach in Berührung gekommen war. Er blieb verschont, obwohl er reichlich Gelegenheit zur Infektion hatte, war also seiner Ansicht nach bis zu einem gewissen Grade immun. Während seiner ärztlichen Thätigkeit verletzte er sich bei der Sektion einer Scharlachleiche am Zeigefinger der linken Hand; die Wunde heilte schlecht und schmerzte am 7. Tage. Im Beginn des 10. Tages trat Unwohlsein und Angina auf, am 11. Erbrechen und bedeutendes Fieber, und gegen Ende des 11. Tages ein Scharlachexanthem, das entgegengesetzt dem gewöhnlichen Verhalten zuerst von der Läsionsstelle aus den Lymphgefäßen des linken Armes hinauffolgend in Gestalt eines breiten roten Streifens sichtbar wurde und sich rasch auf den übrigen Körper ausbreitete.

Der Verlauf des Scharlachs war ein mittelschwerer; die Abschuppung nahm ebenfalls am linken Arm ihren Anfang.

Es kann wohl nicht bezweifelt werden, daß hier in der That eine Scharlachinfektion durch eine äußere Verletzung hervorgerufen worden ist.

Ein dem Leube'schen ähnlicher Fall kam kürzlich in der medizinischen Klinik zu Jena zur Beobachtung.

Gottfried M. aus Völkershausen, 23 Jahre alt, zur Zeit Soldat, verletzte sich am 27. Nov. 1897 an einem Kohlenkasten leicht am Mittel- und Ringfinger der r. Hand; er verband die Wunde mit etwas Hirschtalg und that bis zum Dienstag den 7. Dez. Dienst. Von Montag bis Dienstag hatte er Wache. Schon einige Tage vorher hatte er Schmerzen in der r. Hand. Dienstag Abend bekam er Halsschmerzen. Gegen 7 Uhr abends bekam er einen regelrechten Schüttelfrost mit Zähneklappern und Gänsehaut. Um 8 Uhr legte sich Pat. ins Bett. Mittwoch früh fühlte er sich zu krank, um Dienst zu thun, und meldete sich ins Revier. Er wurde ins Bett gesteckt und mußte wegen seiner Angina gurgeln. Dabei hatte er leichte Temperatursteigerung. In der Nacht vom Mittwoch auf Donnerstag hatte er reichliche Durchfälle. Donnerstag früh heftiges Erbrechen; Fieber war mäßig. In der Nacht vom Donnerstag auf Freitag schwoll der 4. Finger der r. Hand stark an, schmerzte sehr, und es entleerte sich Eiter. Als Pat. nachts einmal aufstehen wollte, wurde er ohnmächtig und fiel um. Während der Nacht starke Temperatursteigerung, Pat. hatte Gefühl von Hitze und war morgens benommen und somnolent. Er wurde Freitag Morgen ins Lazarett übergeführt. Es fiel hier vor allem ein breiter, über den Handrücken und die Streckseite des Unterarmes medialwärts nach der Innenseite des Oberarmes und in die Achselhöhle verlaufender, brennend roter Streifen auf, der offenbar eine Lymphangitis von der Wunde aus darstellte. Außerdem hatte Pat. starke Halsschmerzen, Schwellung, Rötung und diphtheroiden Belag der Tonillen, welch letzterer nur Streptokokken enthielt, und ein mäßig intensives Scharlachexanthem an Brust, Bauch und Rücken. Pat. wurde behufs Isolierung auf die medizinische Klinik verlegt. Nachträglich wurde noch durch Herrn Stabsarzt Dr. SCHULTES, dem ich durch seine Mitteilungen zu Dank verpflichtet bin, ermittelt, daß Pat. im Oktober auf Urlaub zu Hause gewesen ist, und daß in seiner Heimat kein Scharlachfall bekannt war. Am 30. Nov. war ein Mann einer anderen Kompagnie an Scharlach erkrankt und ins Lazarett eingeliefert worden. Ueber eine Vermittelung der Infektion ließ sich nichts erfahren.

Status praesens: Freitag, den 10. Dez. früh 10 Uhr. Kräftig gebauter junger Mann; Muskulatur gut entwickelt, mittelgenährt. Temp. 40,5°. Haut elastisch; an Brust, Bauch, Rücken und Oberschenkeln ein aus kleinen roten, stecknadelkopfgroßen, über der Oberfläche kaum erhabenen brennend roten Efflorescenzen bestehendes, besonders am Bauch zu diffuser Röte konfluierendes Exanthem. Am 4. Finger der r. Hand über dem 1. Interphalangealgelenk eine 50 Pfennigstück große ulcerierte Stelle mit eiterigem Grund, von der aus über den Handrücken, die Streckseite des Vorder- und die mediale Fläche des Oberarmes ein intensiv roter, breiter, mäßig dolenter Streifen bis in die Achselhöhle sich verfolgen läßt. Achseldrüsen etwas über erbsengroß, wenig schmerzhaft. Cervicaldrüsen ebenso. Submaxillardrüsen beiderseits stark geschwollen, stark schmerzhaft. Cubitaldrüsen nicht zu fühlen, Inguinaldrüsen bohnengroß.

Das Gesicht wie der übrige Körper heiß anzufühlen; es ist gerötet, leicht cyanotisch. Zunge noch etwas belegt, doch von tiefer Röte, Papillen bereits leicht geschwellt. Mäßiger Schnupfen. Rachen und Tonsillen sind stark gerötet und geschwellt; auf der rechten Tonsille ein weißlicher Belag (Streptokokken).

An Lungen und Herz nichts Abnormes: nur starke Beschleunigung der Herzaktion.

Puls voll, weich, 120. Leberdämpfung normal; Milz perkusorrisch vergrößert, nicht palpabel.

Im Urin geringe Mengen Eiweiß, einige granulierte Cylinder. Kein Zucker.

Nervensystem: Pat. ist ziemlich benommen und somnolent.

---

Gegen Abend wurde das Exanthem noch intensiver. Temp. hoch: über 39,5°.

11. Dez. Das Exanthem fängt an, am Körper bereits etwas abzublassen. Lymphangitis noch durch intensive Rötung erkennbar. Der Finger eitert noch. Angina unverändert. Temp. bis 40°. Urinmenge bis 1650, specifisches Gewicht 1024. Eiweis in Spuren.

12. Dez. Das Exanthem ist am Körper vollkommen abgeblaßt. Lymphangitis noch deutlich.

---

Im Laufe der nächsten Woche ging das Fieber noch nicht dauernd unter 38°, die lymphangitische Rötung blaßte allmählich ab, wurde mehr braunrot, dann bräunlich.

19. Dez. Heute wurde zuerst auf der Streckseite des r. Vorderarmes entsprechend dem abblassenden lymphangitischen Streifen ein weißes Schüppchen beobachtet. Sonst am ganzen Körper keine Schuppung.

20. Dez. Heute sind 2 Schüppchen da.

Im Laufe der nächsten Tage nun entwickelte sich längs des früher intensiv roten Streifens eine deutliche lamellöse Schuppung. Die Schuppung wurde später noch deutlicher fetzenförmig als zu der Zeit, wo die Zeichnung aufgenommen ist. Außerdem trat Schuppung an den Armen, Beinen, Händen und Füßen auf, während sie am Rumpf nur angedeutet war.

Heute ist Pat. mit Ausnahme kleiner Steigerungen fieberfrei und man kann noch sehen, wie sich die Haut bei ihm an Händen und Füßen in großen Fetzen abstößt.

In kurzer Zusammenfassung sind also die wesentlichen Punkte des Falles folgende. Ein erwachsener Mann von 23 Jahren verletzte sich am Finger; die schlecht geheilte Wunde schmerzt nach etwa einer Woche; nach 10 Tagen bekommt er Schüttelfrost und Halsschmerzen, am 11. leichtes Fieber; in der Nacht vom 11.—12. Durchfälle, am Morgen des 12. Erbrechen; in der Nacht vom 12.—13. Tage nach Beginn der Prodrome schwillt der verletzte Finger stark an, Patient hat viel Hitze und wird ohnmächtig, und am Morgen des 13. resp. 3. Tages ist wie mit einem Schlage eine charakteristisch scharlachrote Lymphangitis, ein exquisites Scharlachexanthem, typische Streptokokkenangina und ein schwerer Allgemeinzustand mit hohem Fieber, Somnolenz und Benommenheit da. Das Scharlachexanthem wurde im Laufe des 3. Krankheitstages intensiver und blaßte von da ziemlich rasch ab, während die Lymphangitis und das Fieber länger bestehen blieben. Gegen Ende der 2. Krankheitswoche begann die Schuppung längs des lymphangitischen Stranges in typischer großlamellöser Weise, trat später auch an der linken Hand und den Füssen auf, während der Rumpf frei blieb. Es ist mir nicht bekannt, daß gewöhnliche Lymphangitiden, wenn überhaupt, in dieser Weise schuppen. Keine Nephritis. Die ursprüngliche Albuminurie kommt auf Rechnung des Fiebers.

Es ist begreiflich, daß am ersten Tage ein Zweifel bestehen konnte, ob das Exanthem wirklich Scharlach sei und nicht eines jener toxischen oder infektiösen Erytheme, oder gar ein von Scharlach oft sehr schwer zu unterscheidendes septisches Exanthem vorliege, wie sie Hoffa in seinem Vortrage über Wundscharlach erwähnt und sorgfältig differentialdiagnostisch ausscheidet. Später aber wurde nach dem ganzen Verlaufe die Diagnose Scharlach absolut sicher, und es kann bei der äußerst präcisen Anamnese nicht gut angezweifelt werden, daß der vorliegende Symptomenkomplex einem einheitlichen Krankheitsbilde entspricht.

Ich will mich hier nicht auf eine Erörterung über die Aetiologie des Scharlach im allgemeinen einlassen; ich will nicht die Frage ventilieren, ob das Scharlach eine modifizierte Streptokokkeninfektion ist, wie einige behaupten, oder ob die Streptokokken, die in der Scharlachangina und im Blute Scharlachkranker gefunden wurden, eine sekundäre Mischinfektion bedeuten, oder ob sie umgekehrt zuerst da sind und dem Scharlacherreger den Weg bahnen. Von Bedeutung bei meinem Falle ist, daß ähnlich wie bei dem LEUBE'schen, welcher, da die Infektion von einer Scharlachleiche ausging, über allen Zweifel erhaben ist, nach einer äußeren Verletzung und 10tägiger Zwischenzeit sich ein 2tägiges Prodromalstadium mit für Scharlach typischen Symptomen anschloß und daß darauf binnen einer Nacht ein am rechten Vorderarm und der rechten Hand auf die Wunde und ein Lymphgefäß lokalisierter, mit schweren Allgemeinsymptomen, Scharlachexanthem und Angina einhergehender Entzündungsprozeß folgte. Es genügt festzustellen, daß bei der Analogie mit dem sicheren LEUBE'schen Falle, und angesichts der Thatsache, daß die Schuppung an der Stelle der Lymphangitis in für Scharlach typischer Weise begann und somit die Diagnose Scharlach sichergestellt hat, wohl nicht daran zu zweifeln ist, daß hier die Scharlachinfektion von der äußeren Wunde ausgegangen ist. Ich halte mich somit für berechtigt, den geschilderten Fall als echten Wundscharlach aufzufassen.

Zum Schluß sei noch erörtert, ob der Fall für die Frage nach der Inkubationszeit des Scharlachs verwertet werden kann. Nach der Ansicht einer grossen Anzahl erfahrener Kliniker, ich nenne nur die Namen: THOMAS, TROUSSEAU, HENOCH, LEUBE, beträgt dieselbe 4—7 Tage (nach JÜRGENSEN 11; die Angaben schwanken zwischen 1 und 28 Tagen). Es handelt sich nun darum, wie man die längere Inkubationszeit bei dem Falle von LEUBE und dem meinigen deuten soll. Bei dem LEUBE'schen ist es ja sicher, daß das dem Finger inokulierte Gift 10 Tage zur Reifung gebraucht hat. Es wäre aber nach LEUBE's Ansicht nicht richtig auf Grund dieser einen Beobachtung die Inkubationszeit des Scharlachs anders normieren zu wollen.

Wenn es sicher steht, daß die Inkubationsdauer bei LEUBE nicht gut kürzer als 10 Tage gewesen sein kann, so kann man das auf die größere Immunität des erwachsenen Menschen und, wie ich glaube, darauf zurückführen, daß das Gift auf dem längeren Wege mehr Zeit bis zur Allgemeininfektion brauchte. Denn während doch wahrscheinlich meistens die Infektion von den Tonsillen ausgeht, war in dem LEUBE'schen und meinem Falle ein längerer, durch Lymphdrüsen gesperrter Weg zu durchlaufen. Bei meinem Falle ist es aber gar nicht möglich, den Zeitpunkt genau festzustellen, an welchem die Scharlachinfektion erfolgt ist. Es wäre daher falsch, ihn als Beweis für eine längere Inkubationsdauer verwerten zu wollen. Das Scharlachgift braucht ja nicht gleich bei der Verletzung, sondern erst später in die Wunde gekommen zu sein und dort die gewöhnliche 4—7tägige Reifung durchgemacht zu haben. Ja die Thatsache, daß am 30. November, also eine Woche vor dem Beginn der Erkrankung, ein Scharlachkranker in das Lazarett eintrat, macht es sogar wahrscheinlich, daß die Ansteckung erst nach diesem Tage erfolgt ist. Immerhin läßt sich aber die Möglichkeit einer längeren Inkubation nicht sicher ausschließen.

---

## Litteratur.

Hoffa, Volkmann's Vorträge No. 292, Chirurgie, 1887, No. 90.
Brunner, Berlin. klin. Wochenschr., 1895, No. 22 flg.
Jürgensen, Scharlach, Nothnagel's Handbuch, IV, 2.
Leube, Diagnose der inneren Krankheiten. 1.—3. Auflage, 1893, Bd. 2, S. 364.

Aus dem Laboratorium der med. Klinik zu Breslau (Geheimrat KAST).

# III.

# Experimentelle Untersuchungen über die Wirkung der Aethernarkose.

Von

**Dr. Fritz Leppmann,** Düsseldorf.

Bei den umfassenden und eingehenden Studien, welche der Erforschung des hauptsächlichsten chirurgischen Betäubungsmittels, des Chloroforms, gewidmet wurden, waren es überwiegend die „akuten" und unmittelbaren Wirkungen der Chloroformzufuhr auf den Organismus, die den Gegenstand der Bearbeitung bildeten. Erst relativ spät hat sich auch der „chronischen" Giftwirkung des Chloroforms und der Erklärung der sogenannten Spättodesfälle nach und durch Chloroform das Interesse zugewandt.

Von den älteren Bemerkungen CASPER's [1]) und VON LANGENBECK's [2]) abgesehen, haben UNGAR [3]), NOTHNAGEL [4]), JUNKERS [5]) STRASSMANN [6]) und OSTERTAG [7]) experimentell, EUGEN FRÄNKEL [8]) durch bemerkenswerte pathologisch-anatomische Beobachtungen am Menschen die Thatsache festgestellt, daß unter der Einwirkung vornehmlich längere Zeit dauernder Chloroformnarkosen degenerative Veränderungen in Gestalt einer heftigen Degeneration der parenchymatösen Organe, der Leber und der Nieren, seltener auch des Herzmuskels (FRÄNKEL) zustande kommen — Zustände, welche qualitativ von den Degenerationsvorgängen nach Zufuhr

1) CASPER's Wschr., 1850, p. 50.
2) Zur Chloroformkasuistik. Hannover 1850.
3) UNGAR, EULENBURG's Vierteljahrsschr. f. gerichtl. Med., N. F., Bd. 47.
4) NOTHNAGEL, Berl. klin. Wschr., 1866.
5) JUNKER's, Diss. inaug. Bonn 1883.
6) STRASSMANN, VIRCHOW's Arch., Bd. 115.
7) OSTERTAG, VIRCHOW's Arch., Bd 118.
8) EUGEN FRÄNKEL, VIRCHOW's Arch., Bd. 127 u. 129, 1892.

der schwersten Protoplasmagifte, wie des Phosphors und Arsens, nicht verschieden sind, wenn sie auch quantitativ hinter letzteren erheblich zurückstehen. Von anderen Gesichtspunkten aus hat KAST [1]), später gemeinsam mit MESTER [2]) in einer teils experimentellen, teils klinischen Untersuchungsreihe die Spätwirkung längerer Chloroformnarkosen festgestellt und näher analysiert, und zwar durch Beobachtung gewisser pathologischer Stoffwechselwirkungen, welche sonst nur als Folgezustände der eben erwähnten schweren „Zellgifte", insbesondere der Phosphorintoxikation, gefunden worden waren. KAST und MESTER fanden nämlich eine hochgradige Vermehrung des sog. neutralen, d. h. nicht in Form von Schwefelsäure auftretenden Schwefels, sowie eine gesteigerte Acidität [3]) des Harns. Die letztere Erscheinung brachten sie in Zusammenhang mit den Ergebnissen einer früheren Untersuchung von KAST [4]) an Tieren, die in konstanter Chlorausscheidung sich befanden und nach Chloroforminhalation regelmäßig je eine bedeutende Vermehrung der Chlorausscheidung erkennen ließen, sowie mit einer Untersuchung desselben Autors über die reduzierende Substanz im Chloroformharn [5]), nach welcher die Bildung einer — der VON MERING'schen Urochloralsäure (der Trichloräthylglycuronsäure) analogen — Trichlormethylglycuronsäure für wahrscheinlich gelten mußte. Es gelang KAST und MESTER nicht, die Form, in welcher sich das Plus von neutralem Schwefel im Chloroformharn fand, festzustellen, am nächsten lag es ihnen, einen cystenähnlichen Körper zu vermuten.

Die neueste und wohl umfassendste Bearbeitung der Nachwirkungen des Chloroforms auf den Stoffwechsel stammt von VIDAL [6]). Derselbe giebt eine ziemlich vollständige Darstellung der französischen sowohl als deutschen Litteratur der Frage und faßt schließlich das Ergebnis der früheren und seiner eigenen Arbeiten in nachstehender Uebersicht zusammen:

| | |
|---|---|
| Harnmenge | vermehrt |
| Spec. Gewicht und feste Bestandteile | „ |
| Gesamtacidität | |
| Gesamtstickstoff | |

1) KAST, Zeitschr.f. physiol. Chemie, Bd. 11.

2) KAST u. MESTER, Zeitschr. f. klin. Med., Bd. 18.

3) Vergl. hierzu auch J. PETRUSCHKY, Ueber die Einwirkung des Chloroforms und anderer Gifte auf die alkalische Reaktion der Körpersäfte. Dtsch. med. Wschr., 1891, No. 20. P. fand bei mit Chloroform sowohl als mit Arsen tödlich vergifteten Tieren eine postmortale Säuerung des Blutes.

4) KAST, Ueber die Schicksale einiger organischer Chlorverbindungen im Organismus. Zeitschr. f. physiol. Chemie, Bd. 11.

5) Idem, Berl. klin. Wschr. 1880.

6) VIDAL, Thèse de Paris, 1896.

| | |
|---|---|
| Anteil des Harnstoffs am Gesamtstickstoff | vermindert |
| „ der Harnsäure „ „ | vermehrt |
| „ „ Hippursäure am „ | vermindert |
| „ des Kreatinins am „ | vermehrt |
| „ „ Ammoniaks am „ | „ |
| Extraktivstoff | |
| Gesamtschwefel | |
| „Sauer“-Schwefel | „ |
| Sulfat- „ | „ |
| Aetherschwefelsäure | wechselnd |
| Anteil der Aetherschwefelsäure am Gesamtschwefel | „ |
| „Neutraler“ Schwefel | vermehrt |
| Phosphorsäure | „ |
| Phosphor in organischer Bindung | |
| Basische Erden | |
| Kalk und Bittererde | |
| Chloride | |
| Organisch gebundenes Chlor | „ |
| Reduzierende Substanz | „ |
| Glykosurie | zweifelhaft |
| Giftigkeit des Harns | vermehrt |
| Ikterus | möglich |
| Albuminurie | „ |

Bestimmungen der Stickstoffausscheidung nach längerer Chloroformnarkose liegen von Strassmann vor. Drei hungernde Hündinnen wurden nach Erreichung des N-Gleichgewichts mehrere Stunden chloroformiert und dann die N-Ausscheidung einige Tage weiter verfolgt. Als Resumé ergab sich besonders in dem dritten von St. angeführten Versuche, „daß nach erlangtem N-Gleichgewicht durch den Einfluß einer mehrstündigen Narkose die N-Ausscheidung um ca. $^1/_5$ steigt, 2 Tage auf dieser Höhe bleibt und dann wieder sinkt.

Mit einer besonderen Frage, nämlich der der Einwirkung der Narkose auf die Nieren, befassen sich die Arbeiten von Wunderlich [1]) und Eisendraht [2]), deren Ergebnisse wir weiter unten bei Besprechung der Aethereinwirkung noch anzuführen haben werden.

Sowohl im Vergleich zu den oben erwähnten anatomischen Untersuchungen, als namentlich auch als interessanter klinischer Beleg für die, insbesondere von Kast und Mester gefundenen, wie erwähnt, den Folgen der Phosphorintoxikation nahestehenden, Stoffwechselveränderungen, liefert eine neue Arbeit Victor Bandlers [3]) aus der Wölfler'schen Klinik über einen Fall von akuter gelber Leberatrophie nach einstündiger Narkose, für unsere Frage einen überaus interessanten Beitrag. Der 42jährige Patient, ein starker Biertrinker (bis zu 10 l

1) Wunderlich, Beitr. z. klin. Chir., 1894.
2) Eisendraht, Dtsch. Zeitschr. f. Chir., 1895.
3) Bandler, Mitteil. a. d. Grenzgeb. d. Med. u. Chir., Bd. 1.

Bier pro die), dessen Organe vor der Narkose durchaus gesund befunden worden waren, erkrankte nach der Operation einer seit 24 Stunden eingeklemmten Skrotalhernie unter den Symptomen des Icterus gravis mit schweren nervösen Symptomen, maniakalischen Delirien, Koma etc.

Im Harn reichlich Eiweiß, Gallenfarbstoff, granulierte und Epithelialcylinder.

Post mortem bot die Leber das makroskopische und mikroskopische Bild der akuten gelben Leberatrophie. BANDLER unterwarf nun Hunde und Kaninchen gleichfalls längerer Chloroformnarkose und erhielt bei beiden Tierarten hochgradige degenerative Veränderungen der Leberzellen, teilweise mit fast vollständiger Zerstörung der Zellgrenzen und Ersatz des Zellprotoplasmas durch heftigen Detritus.

Wenn hiernach durch einwandsfreie anatomische und chemische Untersuchungen festgestellt war, daß eine, längere Zeit (1 Stunde und darüber) durch Chloroformnarkose als ein zwar in seinen Folgen meist gut vorübergehender, aber für den Bestand des Organismus nicht gleichgiltiger Eingriff angesehen werden muß, lag es nahe, das an zweiter Stelle zur chirurgischen Narkose verwendete Mittel, den Aether, unter ähnlichen Bedingungen in seiner Wirkung zu studieren.

NOTHNAGEL [1]), dessen toxikologische Untersuchungen über Chloroformwirkungen von uns bereits erwähnt worden sind, hat auch dieser Frage schon vor 30 Jahren seine Aufmerksamkeit geschenkt. In seinen Versuchen an Kaninchen ließ er 2mal Aether inhalieren, 1mal injizierte er dieselben ins Unterhautzellgewebe, ein anderes Mal in den Magen. Eins der narkotisierten Tiere starb im Versuch, das andere wurde nicht getötet. Den mit subkutaner Aetherapplikation behandelten Tieren waren in 3 Tagen 17 g Aether, den anderen per os in 2 Tagen 7,5 g beigebracht werden. Bei den getöteten bezw. verstorbenen Tieren ergab die Sektion eine feinkörnige Trübung der Herzmuskelfibrillen mit mehr oder weniger undeutlicher Querstreifung derselben. Besonders bei den zuletzt genannten beiden Tieren fand N. diese Veränderungen ausgeprägt. Die Skelettmuskulatur und die Nieren waren überall normal, dagegen wurde der „Fettgehalt" der Leber bei den letzterwähnten beiden Tieren als groß bezeichnet. In dem intra vitam ausgepreßten Harn fand N. deutliche Gallenfarbstoffreaktion.

Die angeführten Versuche waren in mancher Beziehung überraschend, andererseits nicht wohl geeignet, für die Beurteilung der Aetherwirkung auf dem Wege der Inhalation ohne weiteres verendet zu werden. Als überraschend mußte insbesondere der Befund bezeichnet werden, daß das schon $2\,^1/_2$ Stunden nach der Narkose ver-

---

1) Berl. klin. Wochenschr. 1866.

wendete Tier — das einzige, welches durch Inhalation vergiftet wurde — so bedeutende Veränderungen zeigte, wie sie angeführt wurden. Selbst für viel rapider und intensiver wirkende Protoplasmagifte würde dies ein ungewöhnliches Verhalten sein. Daß bei allen untersuchten Tieren die Nieren intakt gefunden wurden, darf wohl besonders hervorgehoben werden.

Von den angeführten Bedenken ausgehend, nahm STRASSMANN[1]) 1889 Veranlassung, die NOTHNAGEL'schen Versuche zu wiederholen und kam zu wesentlich anderen Resultaten als seine Vorgänger. St. ätherisierte 5 Hunde: 2 davon gingen an interkurrenten Affektionen zu Grunde; von den 3 übrigen wurden 2 an 2 aufeinanderfolgenden Tagen zunächst 2, dann 2 1/2 Stunden lang in Aethernarkose gehalten und dann am 4. Tage getötet. Ein 3. Versuchstier wurde am 1. Tage 4 Stunden lang narkotisiert und 2 Tage darauf getötet. Makroskopische Veränderungen fanden sich nur bei den ersten dieser 3 Tiere: Es hatte eins Pneumonie und Pleuritis. Mikroskopisch fand sich bei den gesamten Versuchstieren eine „mäßige" Fettanhäufung" in der Leber, sonst nichts Abnormes. ST. selbst mißt diesem Befunde keine große Bedeutung bei, bemerkt übrigens an anderer Stelle, daß „es ihm nicht möglich war, mit reinem Aether eine gleich tief dauernde Narkose zu erzielen wie beim Chloroform".

Lange Zeit ruhte die Bearbeitung der Wirkungen des Aethers und erst in neuerer Zeit wurde sie durch den Aufschwung der Aethernarkose in der chirurgischen Praxis wieder aufs neue angeregt. Wieder war es UNGAR in Bonn, der, wie s. Z. über das Chloroform, so jetzt über den Aether eingehende experimentelle Untersuchungen anstellen ließ. Die 1894 erschienene Dissertation von SELBACH[2]) stellt sich die Frage: „Ist nach länger dauernden Aethernarkosen eine tödliche Nachwirkung derselben zu befürchten?" An die Beantwortung dieser Frage tritt der Verfasser mit zahlreichen Versuchen an Hunden, Kaninchen und Katzen heran und berichtet so eingehend und sorgfältig über die Ergebnisse derselben, daß die ausführliche Wiedergabe seiner Versuchsresultate gerechtfertigt erscheint.

SELBACH dehnte bei den Hunden die einzelnen Narkosen bis zu 5 Stunden aus und wiederholte sie in 2 Tagen bis zu 4mal, so daß er beispielsweise einen Hund insgesamt fast 13 Stunden lang Aether inhalieren ließ. Nach 24—48 Stunden wurden dann die Tiere getötet. Ueberraschenderweise fanden sich — um dies gleich vorauszunehmen — niemals bedeutenderen Veränderungen der Organe und zwar weder bei Besichtigung mit dem bloßen Auge noch unter dem

1) l. c.
2) SELBACH, Tierexperimentelle Studien, Diss., 1894.

Mikroskop. Selbst als S. den NOTHNAGEL'schen Versuchen analog subkutane Injektionen von Aether vornahm, wurde keine pathologische Gewebsdegeneration, nicht einmal das Auftreten von Gallenfarbstoff im Harn bewirkt, und doch hatte S. einzelnen Hunden insgesamt bis zu 65 g Aether injiziert. Ebenso negativ fielen seine Befunde bei Kaninchen aus, denen durch Injektion oder Inhalation bedeutende Aethermengen beigebracht wurden.

Andere Resultate dagegen erhielt SELBACH bei Katzen, deren er nur 2 untersuchte. Die erste Katze starb bei der dritten Narkose, nachdem sie an den vorhergehenden Tagen je 2 und 3 Stunden ätherisiert worden war.

Der Sektionsbefund derselben lautet:

Die Herzmuskulatur zeigt eine blaßbraune, etwas rötliche Farbe, welche stellenweise einen Strich ins gelbliche zeigt. Während der linke Ventrikel fest kontrahiert ist, ist der rechte Ventrikel schlaff, seinen Inhalt bildet schwarzer Creur. Bei der mikroskopischen Untersuchung zeigten sich viele Fibrillen mit feinsten Fettkörnchen durchsetzt, ohne freilich die Querstreifung der Fibrillen völlig dadurch zu verdecken.

Die Leber ist mehr rot als braun und zeigt einzelne gelbliche Flecke bis zu Nußgröße. Hier sind die Centra der Acini mehr rot, Peripherie gelb, aber auch im übrigen ist die acinöse Zeichnung vielfach zu erkennen, indem die Centra rot, die Peripherie mehr grau erscheint, mit einem Strich ins gelbliche. Auf Durchschnitten verhält sich alles ebenso. Die mikroskopische Untersuchung der Leber ergiebt folgendes Resultat: Die Leberzellen sind mit größeren und kleineren Fetttröpfchen vielfach erfüllt, namentlich an den gelblichen Partien. Sie haben stellenweise ihre Konturen vollkommen verloren, auch das Epithel der feinsten Gallengänge zeigt fettige Degeneration. Das Gewebe beider Nieren erscheint auffallend blaß und braungelb. In beiden sind, wie sich bei der mikroskopischen Untersuchung herausstellte, die Epithelien der geraden und gewundenen Harnkanälchen sowohl mit großen als auch mit feinsten Fetttröpfchen erfüllt, ohne daß jedoch die Epithelien in Zerfall begriffen gewesen wären. Die Membrana propria, ebenso die Glomeruli lassen nur wenige Fetttröpfchen erkennen. Die aus dem Zwerchfell entnommenen Muskelpartien, ebenso wie die den langen Bauchmuskeln und dem Quadriceps femoris entnommenen Stücke zeigen ebenfalls hier und da feinste Fettkörnchen.

Im Gegensatz zu diesem Befunde, den SELBACH als „fettige Entartung der Herzmuskulatur, der Leber und der Nieren" deutet, zeigte die zweite Katze, welche mehr als 10 Stunden narkotisiert worden war, „nur ganz geringe Spuren fettiger Entartung".

SELBACH kommt auf Grund seiner Untersuchungen zu dem Resultate, daß die Frage, welche er an die Spitze seiner Arbeit stellte, zu verneinen sei, jedenfalls könne man die Gefahr einer tödlichen Nachwirkung des Aethers als äußerst gering bezeichnen. Dagegen sei die Möglichkeit, daß bei besonderer Disposition oder bei schon vorhandenen fettigen Entartungen der inneren Organe eine das Leben gefährdende fettige Degeneration lebenswichtiger Organe sich an länger dauernde Aethernarkosen anschließen könne, nicht vollkommen auszuschließen.

Schon ehe die genannten Tierexperimente angestellt worden waren und ohne Rücksicht auf dieselben hatte man von praktisch klinischer Seite der Frage der Einwirkung des Aethers auf die Nieren seine Aufmerksamkeit geschenkt — veranlaßt durch eine gelegentliche Beobachtung, daß Patienten, welche schon früher Nephritis gehabt hatten, eine wesentliche Steigerung der Eiweißausscheidung im Anschluß an die Aethernarkose erkennen ließen. Eine Reihe amerikanischer Chirurgen wie EMMET [1]), GERSTER [2]), MILLARD [3]) hatten den Eindruck, als verschlimmere die Inhalation von Aether eine bestehende Nierenaffektion oder erzeuge sogar unter Umständen direkt eine solche an vorher gesunden Menschen. Sie stützten diese Ansicht auf die oben erwähnten Beobachtungen am Harn von Patienten, die unter länger dauernder Aethernarkose gehalten wurden. In Deutschland konnten BUTTER [4]) und FUETER [5]) diese Beobachtungen trotz sehr ausgedehnter Untersuchungen nicht bestätigen. Dem letzgenannten Autor gelang es auch nicht, an Hunden durch länger dauernde Aetherzufuhr experimentell Albuminurie hervorzurufen. Die eingehende Beantwortung der Frage durch WUNDERLICH [6]) (aus der BRUN'schen Klinik) stützt sich auf die Ergebnisse der Harnuntersuchung bei 74 Aetherisierten. Der Verfasser faßt die daraus gewonnenen Schlüsse in nachstehenden Sätzen zusammen:

„I. Bereits bestehende Albuminurie wird häufig gesteigert durch Aethernarkosen. Die Steigerung ist stets vorübergehend. (Von 5 Fällen drei.)

II. Seltener durch Aether als durch Chloroform kann Albuminurie hervorgerufen werden, die spätestens 2 Tage nach der Operation verschwindet, vorausgesetzt, daß keine Komplikationen, wie Fieber, dazu kommen.

III. Seltener durch Aether als durch Chloroform kann Cylindrurie zustande kommen (34,8 : 24,6).

IV. Besteht schon Cylindrurie, so findet sowohl bei Aether als bei Chloroform eine Steigerung derselben in den meisten Fällen statt."

WUNDERLICH bezieht die Albuminurie auf eine unter dem Einfluß des Narkoticums entstandenen Ischämie und Herabsetzung des

1) EMMET, New York medical Record, April 1889.
2) GERSTER, ebenda, Jan. 1887.
3) MILLAND, ebenda, Jan. 1889.
4) BUTTER, Ueber Aethernarkose. Zeitschr. f. klin. Chir., Bd. 40.
5) FUETER, Deutsche Zeitschr. f. Chirurgie, Bd. 29.
6) WUNDERLICH, l. c.

Blutdruckes in den Nieren, die Cylindrurie auf eine specifisch nekrotisierende Wirkung des Aethers gegenüber den Epithelien der gewundenen Harnkanälchen. Er setzt also in letzterer Beziehung die Aetherwirkung qualitativ der des Chloroforms gleich.

Im Gegensatze zu STRASSMANN und SELBACH nimmt W. an, daß der Aether im gewissen Sinne gleichfalls ein — wenn auch gegenüber dem Chloroform ungleich schwächeres -- „Zellgift" sei.

Auf den Abteilungen von SICK und SCHEDE im Hamburger Neuen Allgemeinen Krankenhause stellt EISENDRAHT[1]) 130 Harnuntersuchungen bei 70 Chloroform- und 60 Aethernarkosen an. Sein Resumé lautet wie folgt:

1) Eine bereits bestehende Albuminurie wird durch Aether häufiger als durch Chloroform gesteigert.

2) Albuminurie tritt häufiger nach Chloroform- als nach Aethernarkosen auf und zwar im Verhältnis von 32 : 25.

3) Der Einfluß derselben auf Amyloid-Niere ist gleich.

4) Cylindrurie mit und ohne Eiweiß tritt nach Chloroform- und Aethernarkosen gleich häufig auf und verschwindet rascher nach Aethernarkosen als nach Chloroformnarkosen.

BANDLER, dessen Beobachtungen beim Chloroform bereits oben erwähnt wurden, suchte die Wirkung der Aethernarkose speciell auf die Leber experimentell festzustellen — insbesondere im Vergleich zum Ausfall dieser Experimente gegenüber der Chloroformnarkose. Es wurden im ganzen 8 Versuche, je 4 an Kaninchen und Hunden, vorgenommen. Er berichtet, daß trotz wiederholt ausgedehnter Narkosen nur in 1 Fall vielleicht eine Fettanhäufung in den Leberzellen konstatiert werden konnte, ein Befund, der nach den oben angeführten Erörterungen als negativ bezeichnet werden darf.

Auf andere Körper als auf Eiweiß und reduzierende Substanzen ist der Harn Aetherisierter nur wenig untersucht worden. Gelegentlich seiner Tierversuche über Chlorausscheidung nach Chloroformnarkose fand KAST[2]) bei einem Kontrollversuche mit $4^1/_2$ stündiger Aethernarkose beim Hunde keine Steigerung der Chloride. NOTHNAGEL konnte bei seinen Versuchstieren, wie schon erwähnt, Gallenfarbstoff im Urin nachweisen. SCHIFF berichtet über Glykosurie, die nach Aetherinhalation bei Kaninchen aufgetreten sein soll. Endlich ist die bei Besprechung der Chloroformwirkung oben erwähnte „postmortale" Säuerung der Gewebssäfte von PETRUSCHKY auch nach tödlicher Aethervergiftung konstatiert worden.

Aus den vorstehend angeführten Arbeiten läßt sich jedenfalls der Eindruck gewinnen, daß im Vergleich zu Chloroform die toxischen

---

1) l. c.
2) l. c.

**Wirkungen des Aethers jedenfalls bedeutend geringfügiger sind. Nicht einmal die Frage, ob der Aether überhaupt eine fettige Degeneration parenchymatöser Organe zuwege bringt, ist anatomisch sichergestellt [1]), noch weniger sind über eine irgendwie bedeutende Ausdehnung derselben und schweren klinischen Folgen an Menschen Beobachtungen gemacht worden.**

**Es erschien nicht überflüssig, sowohl nach der anatomischen Seite, als hinsichtlich der Einwirkungen auf den Stoffwechsel die Wirkung des Aethers aufs neue einer systematischen Untersuchung zu unterziehen. Die Tierversuche wurden im Laboratorium der Breslauer medizinischen Klinik angestellt, das „klinische" Material von Harnen, die nach längerer Aethernarkose entleert wurden, verdanke ich dem gütigen Entgegenkommen des Herrn Geheimrat Mikulicz in Breslau und Professor Landau in Berlin.**

Hinsichtlich der Tierexperimente ist in technischer Beziehung über die Versuchsanordnung wenig zu sagen. Die Aethernarkose ist bekanntlich, insbesondere für Hunde, weit weniger gefährlich als die Chloroformierung und im physiologischen Laboratorium ist, wenn ich richtig informiert bin, das Chloroform durch den Aether bedeutend verdrängt worden. Wenn von einer Störung der Narkose die Rede sein konnte, so war sie höchstens der starken Salivation der Tiere zuzuschreiben, die ein häufiges Auswischen des Maules nötig machte. Die verbrauchten Aethermengen wurden, so gut es ging, gemessen. Sie betrugen rund 60 ccm pro Stunde.

Die anatomische Untersuchung wurde teils an frischen Gefrierschnitten (sowohl ungefärbt als auch nach Zusatz von Fuchsinessigsäure), teils an gehärteten, resp. mit Osmiumsäure behandelten Präparaten (Flemming und Marchi) ausgeführt. Die gehärteten Schnitte wurden mit Saffranin oder dünner Karbolfuchsinlösung behandelt. An dieser Stelle muß daran erinnert werden, daß — wie schon Ungar, Strassmann und Ostertag hervorgehoben haben — bei Hunden vor allem in den Nieren, in geringerem Maße auch in der Leber, sowie in den Muskelfasern des Herzens und des Zwerchfells normalerweise ein gewisser Grad von Fettinfiltration besteht, die insbesondere bei älteren und fetten Tieren bei der Beurteilung des Untersuchungsbefundes auf pathologische Fettanhäufung nicht außer Acht gelassen werden darf. Die Fettkugeln finden sich in der Niere in den Tubuli recti, in der Grenzschicht zwischen Mark und Rinde und geben dieser Partie des Organs mikroskopisch ein eigentümlich „gestreiftes" Ansehen. In der Leber nehmen sie gewöhnlich die Peripherie der Acini ein.

## A. Hunde.

I. Mittelgroße, gut genährte, gelbe Hündin, Gewicht 9000 g.

Am 19. Mai 1894 ätherisiert, 75 Minuten lang bis zum Erlöschen des Cornealreflexes.

---

1) Daß die trefflichen Untersuchungen Selbach's nicht ganz eindeutig sind, ist mit Recht von Rosenberg (Berl. klin. Wochenschr., 1895, No. 2) betont worden.

Die Narkose wird am 21. und 23. Mai wiederholt, das erste Mal 90, das zweite Mal 125 Minuten lang; beide Male ungestörter Verlauf. Der am 20. entleerte Urin enthält weder Eiweiß (Kochprobe, Essigsäure und Ferrcyankalium) noch reduzierende Substanz (TROMMER'sche und NYLANDER'sche Probe), noch Gallenfarbstoff (GMELIN'sche Reaktion). Am 25. Mai wird der Hund getötet. Bei der Sektion erweist sich der Panniculus adiposus als mäßig; Mesenterial- und Nierenfett ist ziemlich reichlich. Die kräftig entwickelte Skeletmuskulatur hat gleichmäßig rote Färbung, die Schleimhäute sind blaß, in den Luftwegen von der Trachea abwärts findet sich aspiriertes Blut. Die Lungen sind im allgemeinen sehr hell, nur schwach rötlich gefärbt, von bedeutendem Luftgehalt; ein abweichendes Aussehen haben nur einige unregelmäßig verteilte Bezirke von dunkelroter Farbe, deren Luftgehalt geringer, deren Blutgehalt dagegen bedeutend ist. Die Schleimhaut der Bronchen ist von normalem Aussehen. Das Herz enthält wenig Blut, es ist schlaff, seine Muskulatur gleichmäßig dunkelrot. Der Darmkanal ist mittelmäßig gefüllt. Die Farbe der Leber ist sowohl äußerlich, als auf den Durchschnitt eine gleichmäßig kaffeebraune. Die Nieren erscheinen auf ihrer Oberfläche dunkelbraun und weisen unregelmäßig verstreute gelblich grüne Höckerchen von Mohnkorngröße auf, die, wie der Durchschnitt zeigt, nur wenig in die Tiefe reichen. Auf dem Durchschnitt bietet die äußere Zone der Rückensubstanz dasselbe Aussehen wie die Oberfläche. Die Grenzschicht gegen das Mark hin läßt jedoch nicht mehr eine gleichmäßige Färbung erkennen, vielmehr wechseln in ihr regelmäßige, radiär angeordnete, gelblich-weiße Streifen mit braunem, ebenfalls deutlich radiär gezeichnetem Gewebe. Das Nierenmark selbst zeigt keine Besonderheiten. Die Blase enthält hellgelben klaren Harn, in dem sich keine normalen Bestandteile nachweisen lassen.

Mikroskopisch ist bei den Skeletmuskeln die Querstreifung durchaus gut zu erkennen; die Kerne sind gut färbbar, Fettkörnchen nicht wahrzunehmen. Die Herzmuskulatur bietet dasselbe Bild, nur daß ganz vereinzelte Fettkörnchen in den Fibrillen entdeckt werden. In den Nieren zeigen sich verschiedene große Fettkugeln in den Zellen derjenigen Tubuli recti, welche makroskopisch als zu weißen Streifen angeordnet geschildert wurden. Dagegen sind die Tubuli contorti frei von Fett. Ueberall sind die Zellgrenzen scharf, die Kerne deutlich und gut färbbar. Die oben erwähnten Knötchen stellen sich als circumscripte Anhäufungen runder Zellen dar, an deren Grenze das Gewebe blutreicher als sonst ist. Die Leber enthält mäßig reichlich Fett in feinsten und größeren Körnchen, die Zellkonturen sind auch hier gut zu erkennen und die Kerne erscheinen in jeder Beziehung normal.

II. Schwarzgelber, männlicher Hund von 10 kg Gewicht. Am 20. Mai 105 Minuten, am 31. Mai 115 Minuten, am 2. Juni 95 Minuten lang dauernde Aethernarkose. Den 4. Juni wurde der Hund ein viertes Mal ätherisiert. Nachdem die Narkose fast 2 Stunden erhalten worden war, begann das Tier eigentümliche Bewegungen, besonders mit dem Maule, zu machen, welche dahin gedeutet wurden, daß es erwachen wolle. Sobald hierauf die Maske vorgehalten wurde, nahm die Atmung einen eminent forcierten Charakter an und wurde trotz baldigen Weglassens des Aethers immer angestrengter und zugleich langsamer. Die Herzaktion blieb dabei zuerst ungestört, aber der erloschene Cornealreflex, welcher sich sonst bald wieder findet, kehrte selbst nach Minuten nicht wieder. Trotz Einleitung künstlicher Atmung starb das Tier nach 20 Minuten, nachdem es vorher noch unter würgenden Bewegungen gelblich schleimige Massen aus dem Maule entleert hatte.

Bei der Sektion fiel zunächst die starke Füllung aller Venen auf; das Tier hatte eine kräftige Muskulatur, starke Fettansammlung in den natürlichen Reservoirs. Der Blutgehalt der Lungen ist fleckweise vermehrt, aus den Bronchis quillt auf Druck eine gelblich schleimige Flüssigkeit von saurer Reaktion.

Im Herzen findet sich viel dunkles, teilweise geronnenes Blut, das Myocardium ist derb, von dunkelroter Färbung, ohne irgendwelche gelblichen oder verwaschenen Stellen. Die Farbe der Nieren ist mehr bläulichrot als bei dem ersten Hunde; die hellen Streifen in der Grenzschicht sind breiter und die Knötchen fehlen, sonst ist aber das Bild dasselbe wie bei I. Die Farbe der Leber ist rotbraun, die Gefäßzeichnung sehr deutlich. An den übrigen Organen findet sich außer der nervösen Hyperämie nichts Bemerkenswertes.

Am Herzen, der Muskulatur, der Leber und den Nieren läßt die mikroskopische Untersuchung bezüglich des Fettgehaltes und der Integrität der Zellen im wesentlichen dieselben Verhältnisse erkennen, welche bei I geschildert sind. Die Fettansammlung in den Tubuli recti ist nur etwas bedeutender, die Rundzellenanhäufungen fehlen.

III. Mittelgroße, gelbe Hündin, 9 kg schwer. Am 9. Juni 120 Minuten lang narkotisiert. Die zweite Narkose wird schon 16 Stunden nachher eingeleitet, nachdem das Tier in der Zwischenzeit kein Futter erhalten hat. Diesmal tritt die Betäubung auffallend rasch ein, der Speichelfluß ist bedeutend. Nach ungefähr 1 Stunde wird die Atmung oberflächlich und unruhig, selbst bei häufigem Abnehmen der Maske verursacht jede neue Inhalation dieselben Respirationsstörungen, daher wird diese Narkose nach 75 Minuten abgebrochen. Am 11., 13., 14. und 16. Juni wird das Tier wiederum narkotisiert und zwar je 100, 95, 120, 120 Minuten lang. Der Verlauf ist stets ein normaler. Am 18. Juni muß die Narkose nach 35 Minuten unterbrochen werden, da der aus Versehen kurz vorher sehr reichlich gefütterte Hund erbricht. Am nächsten Tage findet wiederum eine Narkose — die 8. — von 105 Minuten Dauer statt. Am 23. Juni wird das Tier getötet.

Sektion: Die Fettansammlung an den dafür „prädisponierten" Stellen ist bedeutend. Die Pleura der rechten Lunge trägt gelbliche Knötchen von Mohnkorngröße; im übrigen haben Lunge, Herz und Nieren dasselbe makroskopische Aussehen wie im Fall I. Die Färbung der Leber ist nicht gleichmäßig, sondern die Acini erscheinen in ihrem Centrum mehr rötlich, in ihrer Peripherie mehr gelblich-braun. Der Uterus enthält 6 schon ziemlich weit entwickelte Föten.

Mikroskopisch läßt sich in den Nieren ein recht bedeutender Fettgehalt der Tubuli recti nachweisen, die Tubuli contorti sind frei von Fett, die Epithelien allenthalben gut erhalten. Die Leber enthält ziemlich reichliche Fettkörnchen, besonders in der Peripherie der Acini. Zustand der Zellen wie oben. Die Herzmuskelfibrillen enthalten bei gut erhaltener Querstreifung nur wenig feinste Körnchen.

IV. Mittelgroße, schwarzgelbe Hündin, 9500 g schwer, wird vom 20—25. Juni täglich — im ganzen 5 mal — narkotisiert, zuerst 95, dann 120, 105 und 2 mal 180 Minuten lang. Narkosen tief, normal. Am 26. Juli wird das Tier getötet. Es findet sich sehr viel Fett im subkutanen, perirenalen und mesenterialen Gewebe. Herz und Leber zeigen dasselbe Aussehen wie bei III, in den Nieren ist die Ausbeutung der hellen Streifen in der Grenzschicht noch größer als bei III.

Dementsprechend fällt auch die sehr starke Fettinfiltration der Tubuli recti und der Leberzellen bei der makroskopischen Besichtigung auf, sonst aber erweisen sich die Organe, speciell Herz, Skelettmuskeln und Nieren normal.

Bei der Wichtigkeit, welche von manchen Seiten dem schwächenden Einfluß des Blutverlustes oder der Inanition für den Ausfall der toxischen Nebenwirkung des Chloroforms beigemessen wird, lag es nahe, nach STRASSMANN's Vorgange diese „prädisponierenden" Umstände im Experiment, soweit möglich, auch bei der Prüfung der Aethernarkose anzuwenden. Dies geschah im Versuch V.

V. Schwarzgelber, männlicher Hund, 7500 g schwer, wird am 26. Juni eine halbe Stunde lang in Narkose gehalten, während deren ihm 40 ccm Blut aus den vorderen Extremitäten entnommen werden. Sein Futtermaß wird von diesem Tage an sehr herabgesetzt. Am 26., 28. und 20. Juni und 1. Juli werden dem Tier 130 ccm Blut abgenommen. Am 6. bis 9. Juli dreimalige Narkose, 125, 75 und 95 Minuten lang; Tötung am 18. Juli.

Sektion: Allgemeine, starke Anämie, sehr bedeutender Schwund des Fettes, Atrophie der Muskulatur. In einem Segel der Mitralis ist ein kleiner Bluterguß zu bemerken, das Myocard ist schlaff und blaß, zeigt aber auf dem Durchschnitt eine gleichmäßige rote Färbung, nirgends verwaschene Flecken. Die Leber ist braun, ihre Acini deutlich unterscheidbar. Die Farbe der Nieren ist blasser als sonst, die Zeichnung des Durchschnitts etwas undeutlich, die weißlichen Streifen in der Grenzschicht nur ganz schwach angedeutet. Die Körpermuskulatur zeigt keine Besonderheiten.

Im mikroskopischen Bilde fehlt beim Herzen und den Skelettmuskeln jede Spur von intrafibrillärem Fett. Die Querstreifung ist normal zu sehen. Die Leberzellen enthalten ziemlich zahlreiche, große Fetttropfen, welche einigermaßen gleichmäßig verteilt, höchstens im Centrum der Acini etwas stärker gehäuft sind. Eine Schädigung der Zellen ist nicht zu konstatieren. Ebenso sind bei den Nierenepithelien die Konturen scharf, die Kerne gut färbbar. Fettkugeln finden sich nur in wenigen Tubulis rectis. Sie sind meist sehr spärlich, so zahlreich wie bei irgend einem der früher beschriebenen Tiere sind sie hier höchstens in ganz vereinzelten Tubulis zu entdecken.

Bei keinem der Versuchstiere konnte post mortem ein Befund konstatiert werden, der durch seine Eigenart es möglich gemacht hätte, die anatomische Diagnose zu stellen, daß hier aus zerfallenem Zelleiweiß an Ort und Stelle Fett entstanden und daß das letztere nicht etwa als Ablagerung überschüssigen Fettes in das gesunde Gewebe anzusehen sei.

Wie oben erwähnt, fehlt ja gerade beim Hunde das hauptsächlichste Kriterium für diese differentielle Diagnose oder sein Wert wird wenigstens sehr eingeschränkt — nämlich die Lokalisation der

Fettablagerung. Beim Menschen oder solchen Tieren, deren normale „Fettreservoirs“ relativ beschränkt sind, wird es uns leicht, wenn wir bei Ausschluß einer „Mästung“ in solchen Zellen, die normalerweise kein Fett enthalten, Fetttröpfchen finden, zu sagen, daß hier das Fett in loco auf Kosten des Zelleiweißes entstanden sein müsse. Wenn aber wie beim Hunde Nieren, Leber, Herz, Zwerchfell, kurz alle für unsere Untersuchungen in Betracht kommenden Organe schon Fett enthalten, so steigt die Schwierigkeit in dem Maße, als wir statt qualitativer Abweichungen nur quantitative Unterschiede zu beurteilen haben. Hier entscheidet der Versuch mit dem gesunden Kontrolltier, und die Thatsache, daß die Zellstruktur im ganzen erhalten ist. Nach beiden Richtungen hin haben wir unsere anatomischen Befunde geprüft. Dieselben müssen als schlechthin negativ bezeichnet werden.

## B. Katzen.

Die Narkose wurde bei diesen Tieren durch Entwickelung von Aetherdämpfen unter einer Glasglocke mittels Schwammes eingeleitet, später mit der Maske weitergeführt.

VI. Weibliche Katze, 3170 g schwer. Sie wird am 23. Aug. 140, an den folgenden Tagen 130, 120 und 125 Minuten lang ätherisiert. In der Zeit zwischen den Narkosen ist die Freßlust vielleicht etwas verändert, das sonstige Verhalten läßt keine Aenderung erkennen. Am 27. Aug. wird das Tier getötet.

Sektion: Reichliche Fettablagerung an den gewöhnlichen Ablagerungsstätten, Muskulatur nach Masse, Farbe und Derbheit normal, der Herzmuskel normal dunkelrot gefärbt, derb. Die Leber sieht gleichmäßig braun, mit einem Stich ins gelbliche, aus. Bei den Nieren ist die Oberfläche glänzend gelb, von einigen, mäßig gefüllten, Venen durchzogen. Die gelbe Färbung erstreckt sich auf dem Durchschnitt bis an die Grenzschicht, während im Gegensatz das Mark braunrot gefärbt ist und deutlich die radiäre Zeichnung erkennen läßt. Von dem Durchschnitt der Rinde kann man einen milchigen Saft abstreifen. An den übrigen inneren Organen ist nichts Auffallendes wahrzunehmen.

Mikroskopisch zeigt sich das Herzfleisch unverändert, speciell ohne Fetttröpfchen in den Fibrillen. Die Leberzellen enthalten mäßig viele, verschieden große Fettkugeln in ziemlich gleichmäßiger Verteilung. Zellgrenzen deutlich, Kern gut konturiert. In den Nieren sind die Zellen der Tubuli contorti und recti ausgestopft mit mehr oder minder großen Fettkugeln. Wird mit Aether extrahiert, so erweist sich bei nachträglicher Färbung mit Karbolfuchsin das eigentliche Zellprotoplasma auf einen geringen Raum zusammengedrängt, während die Stellen, wo früher das Fett lag, sich als total ungefärbte, große Lücken bemerkbar machen, aber die Zellgrenzen ebenso wie die Kerne sind durchaus scharf erhalten.

VII. Gelbe, weibliche Katze, 2000 g schwer, wird vom 18—21. Sept. täglich, und zwar 125, 217, 180 und 80 Minuten lang ätherisiert. Am 24. Sept. wird das Tier getötet.

Sektion: Das Tier ist etwas weniger fett als das vorige, im übrigen aber entspricht der Befund ganz dem vorher geschilderten. Nur ist die Leber nicht von durchaus gleichmäßiger Farbe, vielmehr sind die Centren der Acini mehr braunrot, die Peripherieteile mehr gelblich gefärbt.

Dem entspricht auch der mikroskopische Befund, welcher für Herz und Nieren dieselben Verhältnisse wie bei VI., für die Leber eine mäßigere, mehr die Peripherie der Acini betreffende Fettansammlung ergiebt.

Auch hier wurde geprüft, ob der Einfluß von Blutentziehungen und Hunger auf die Wirkung der Narkose von Belang sei.

VIII. Schwarzer Kater, 2070 g schwer. Vom 19—21. Sept. wird demselben kein Futter verabreicht. Am 21. ist das Körpergewicht auf 1720 g zurückgegangen, die Abmagerung unverkennbar. An diesem Tage wird das Tier von 10 Uhr bis 12 Uhr 15 Minuten ätherisiert. Es übersteht den Eingriff gut, frißt aber in den nächsten 48 Stunden wieder nichts, sieht am 28. sehr elend aus und wiegt nur noch 1650 g. Trotzdem gelingt am 28. noch eine ungestörte Narkose von 75 Minuten. Aus dieser erwacht das Tier noch, stirbt aber etwa 5 Stunden nachher.

Bei der Obduktion findet sich ein sehr weitgehender Schwund der Muskulatur und fast totaler des Unterhaut- und Mesenterialfettes. Die Muskeln sehen blasser aus als gewöhnlich, ebenso das Herzfleisch, welches schlaff und welk ist. Dabei lassen sich weder im Myocard noch in den Skelettmuskeln verwaschen-gelbliche Stellen wahrnehmen. Die Leber ist gleichmäßig kaffeebraun gefärbt, das Aussehen der Nieren weicht in keiner Weise von dem bei VII geschilderten ab.

Mikroskopisch enthält der Herzmuskel in seinen Fibrillen kein Fett, die Querstreifung ist deutlich. In der Leber finden sich bei sonst gleich gutem Zustande der Zellen weniger Fetttropfen, als bei den früher getöteten Tieren. Die Tubuli recti und contorti der Nieren sind ganz so mit Fettkörnern ausgefüllt, wie bei VII, aber auch der Befund nach Aetherextraktion stimmt mit dem von VI und VII überein.

Zur Beurteilung der Befunde bei Katzen ist daran zu erinnern, daß nach Ostertag diese Tiere in dem Herzmuskel kein Fett, in den Leberzellen nur spärliche Fetttröpfchen zeigen, während die Tubuli recti der Nieren noch ihre häufig sehr reichlichen, großen Fettkugeln enthalten. Auch Strassmann hebt hervor, daß ein beträchtlicher Fettgehalt der Nieren bei gesunden Katzen gefunden werden kann.

In vorstehenden Versuchen enthielten die Herzmuskelfibrillen niemals Fett, in der Leber bestand ein mäßiger Gehalt an Fettkörnchen, in den Nieren, besonders in Versuch VII, eine bedeutende Fettansammlung. Niemals freilich war dabei die Zellstruktur zerstört. Hinsichtlich der Fettinfiltration mag es gestattet sein, im Gegensatz zu unseren Befunden die Versuchsergebnisse Ostertag's bei chloroformierten Katzen hier anzuführen.

„Herz: a) Aether (Gesamtdauer 10 Stunden in 4 Narkosen): Gut erhaltene Querstreifung, keine Fettkörnchen in den Fibrillen. b) Chloroform (Gesamtdauer $10^1/_2$ Stunden in 4 Narkosen): Die Querstreifung ist fleckweise undeutlich, nach Essigsäurezusatz treten dort Anhäufungen feinster Körnchen scharf hervor. Diese Flecken nehmen ungefähr den vierten Teil der Muskelfasern ein.

Nieren: a) Aether: Dichte Anfüllung der Tubuli recti und contorti mit mehr oder minder großen, nicht feinsten Fettkörnern. Dabei gut erhaltene Zellgrenzen und Kern. b) Chloroform: Große Fetttropfen in den Epithelien der Tubuli recti; außerdem enthalten die gewundenen Kanälchen feinste Körnchen Fett in mittlerer Zahl."

Diese Fettmetamorphose des Herzens (auch des Zwerchfelles) und der Nieren war bei den Ostertag'schen Versuchen an Katzen durchaus konstant, auch in einem Falle, wo das Tier bei der zweiten Narkose schon starb, vorhanden.

**Die Gegenüberstellung zeigt aufs deutlichste, welch erheblicher Unterschied auch hier in der Wirkung des einen und des anderen Narkoticum hervortritt.**

## C. Meerschweinchen und weiße Ratte.

Bei den kleinen Tieren, welche demnächst für die Untersuchungen verwandt wurden, war die Technik der Narkose eine sehr einfache: die Tiere wurden in einer nicht luftdicht abgeschlossenen Glasglocke mit einem äthergetränkten Wattebausch zusammengebracht.

Nach Ostertag zeigt normalerweise das Mikroskop bei Meerschweinchen in der Leber eine mäßige Fettinfiltration, in den Nieren und dem Herzmuskel höchstens eine mittlere Menge feinster Fettkörnchen. Bei Ratten fand O. in der Norm in Nieren und Herz gar kein Fett, in den Leberzellen mehr oder minder reichliche Fettkügelchen.

IX. Schwarzweißgelbes Meerschweinchen von 600 g Körpergewicht. Dasselbe wird am 6. und 7. Nov. je 120 und 150 Minuten narkotisiert. Am 9. Nov. wird es in Narkose getötet.

Sektion: Es finden sich an Trachea und Lungen keine Besonderheiten. Der Herzmuskel ist derb, dunkelrot. Die Farbe der Leber ist braunrot mit etwas grauem Tone, die Acini deutlich zu unterscheiden. In den Nieren ist die Rinde glänzend kastanienbraun, die Markschicht blaßrötlich. Die Querstreifung der Herzmuskelfibrillen erweist sich als deutlich, Fettkörnchen sind nicht darin zu bemerken. In den Leberzellen finden sich mäßig viele Fettkügelchen, während die Zellkonturen und -kerne scharf erkennbar bleiben. Die Nierenepithelien erscheinen gleichfalls durchaus intakt, Fett ist in einigen derselben in Gestalt von feinen, an Zahl geringen, Körnchen nachweisbar.

X. Gelbweißes männliches Meerschweinchen von 460 g Gewicht. Es wird am 11. Okt. 150, am 12. Okt. 170 Minuten lang in Narkose gehalten. am 14. Okt. getötet.

Der Sektionsbefund und die mikroskopischen Bilder stimmen mit den bei IX erhaltenen in allen wesentlichen Punkten überein.

XI. Weiße Ratte, 125 g wiegend. Narkose von 120 und 185 Min. am 14. und 15. Sept. Tötung. Bei der Obduktion findet sich das Myocard dunkelrot, ohne verfärbte Stellen, derb. Die Leber sieht kaffeebraun aus. Die Oberfläche der Nieren ebenso wie die Rinde sind gleichmäßig dunkelbraun. Alle übrigen inneren Organe ohne Besonderheiten.

Bei der mikroskopischen Besichtigung finden sich Herz und Nieren durchaus intakt, die Leberzellen enthalten bei sonst unverändertem Aussehen mäßig viele Fettkügelchen.

Das Resumé dieser Versuche und ihres Vergleichs zu dem Ergebnis der ähnlich angeordneten Experimente mit Chloroformnarkose kann der Satz ausgesprochen werden:

Nach länger dauernder Aethernarkose findet sich bei Hunden, Katzen, Meerschweinchen und Ratten höchstens eine geringfügige Fetteinlagerung in den Zellen der Nieren und der Leber. Von dieser Veränderung ist es zweifelhaft, ob sie überhaupt als eine pathologische angesehen werden darf. Mit den erheblichen Veränderungen nach länger dauernder Chloroformnarkose darf sie keinesfalls in Vergleich gezogen werden.

---

Wie zu Eingang dieses Aufsatzes hervorgehoben wurde, sind durch die chemische Untersuchung des Harns als Folge der — insbesondere länger dauernden — Chloroformnarkose verschiedene Veränderungen festgestellt worden:

1) Steigerung der N-Ausscheidung, die als Ausdruck einer Zerstörung des Gewebseiweißes unter dem Einfluß des Chloroforms gedeutet wurde (STRASSMANN);

2) eine eigenartige Aenderung der Ausscheidung des Schwefels im Harn derart, daß ein gegenüber der Norm ungewöhnlich hoher Bruchteil dieses Körpers in Form von sogenanntem neutralen Schwefel ausgeschieden wird. Auch diese Erscheinung wurde nach Analogie anderer toxikologischer Erfahrungen im Sinne einer zerstörenden Wirkung des Chloroforms auf das Körpereiweiß aufgefaßt (KAST und MESTER);

3) eine nachhaltige, die Ausscheidung des im Chloroform selbst enthaltenen Chlors überdauernde Steigerung der Kochsalzausscheidung im Harn (KAST);

4) eine Vermehrung des Acidität des Urins (KAST und MESTER);

5) Auftreten reduzierender Substanzen im Harn (HEGAR, KALTENBACH u. a.);

6) Auftreten von Eiweiß im Urin;

7) Auftreten von Bilirubin und Hydrobilirubin.

Für die praktischen Zwecke unserer Arbeit sind die unter 1, 2 und vielleicht noch unter 3 erwähnten Veränderungen insofern die wichtigsten, als gerade in ihnen der Ausdruck einer unter Umständen gefahrdrohenden Schädigung des Organismus durch das Chloroform zu suchen ist. Es frägt sich, ob ähnliche, auf eine Destruktion des Körpereiweißes hindeutende Stoffwechselveränderungen auch nach Aethernarkose, speciell nach solchen von längerer Dauer, beobachtet werden können.

Untersuchungen über die N-Ausscheidung von Menschen vor und nach der Narkose lassen sich um deswillen nicht ausführen, weil die Vorbedingungen des N-Gleichgewichts aus naheliegenden Gründen nicht herzustellen sind. Wir waren darauf beschränkt, an Hunden, die in der bekannten Weise auf eine gleichmäßige Ein- und Ausfuhr des Stickstoffs gebracht waren, den Einfluß der Aethernarkose zu studieren.

Das Ergebnis dieser Untersuchungen war im wesentlichen das, daß unter mehrstündiger Aethernarkose bei im N-Gleichgewicht befindlichen Hunden zwar eine unverkennbare Vermehrung der N-Ausscheidung statthat, daß die letztere aber hinter den beim Chloroform gefundenen Werten zurückbleibt.

Ich lasse das Protokoll eines derartigen Versuches folgen:

Den 30. Juli 1897.
Brauner Hund, $15^1/_2$ kg Gewicht. Hungert seit 7 Tagen.

| Datum | Menge | Spec. Gewicht | Proz. Stickstoff | Stickstoff in g |
|---|---|---|---|---|
| 24. Juli | 465 ccm | 1,014 | 0,6545 | 3,0434 |
| 25. „ | 200 „ | 1,023 | 1,701 | 3,402 |
| 26. „ | 200 „ | 1,022 | 1,746 | 3,492 |
| 26. Juli abends 3stündige Aethernarkose | | | | |
| 27. Juli | 510 ccm | 1,018 | 1,022 | 5,2122 |
| 28. „ | 310 „ | 1,017 | 1,603 | 4,9693 |
| 29. „ | 300 „ | 1,020 | 1,9005 | 5,7015 |

Nach den Arbeiten von Kast und Mester und den Erfahrungen, welche Goldmann über die Wirkung der Phosphorvergiftung auf die Ausscheidung des neutralen Schwefels im Baumann'schen Laboratorium gewonnen hatten, schien die Untersuchung des nicht-oxydierten Schwefels ein um so interessanteres Objekt der Prüfung, als sich die letztere mit voller Exaktheit auch beim Menschen durchführen ließ.

Ich lasse nachstehend (s. p. 38) die tabellarische Uebersicht der gewonnenen Resultate folgen.

Als Durchschnittsziffer des nicht oxydierten Anteils des Schwefels im normalen Harn wurden von Salkowski, Stadthagen, Mester u. a. 16—18 Proz. angegeben.

Aus den gewonnenen Zahlen geht hervor, daß dieselben im ganzen dieser Durchschnittsziffer entsprechen. Der Vergleich der Ausscheidung des neutralen Schwefels bei einem und demselben Individuum vor und nach der Aethernarkose ergiebt so unbedeutende Steigerung, welche nur in einem Falle (Frau B.) etwas über 3 Proz. erreicht, sonst zwischen 0,5 und 2,95 schwankt. In den Versuchen von Kast und

| Name | Dauer der Narkose | Gesamt-Schwefelsäure oder saurer Schwefel aus 50 ccm Harn | | Gesamt-Schwefel aus 50 ccm Harn | | Nicht oxydierter Schwefel od. neutrl. Schwefel | Proz. Geh. d. neutr. Schwef. v. Ges.-Schw. | Prozentische Differenz dieses Verhältn. vor und nach der Narkose |
|---|---|---|---|---|---|---|---|---|
| | | $BaSO_4$ | S | $BaSO_4$ | S | S | | |
| I. Frau B. | 40 Min. | | | | | | | |
| a) vor d. Narkose | | 0,247 | 0,0339 | 0,284 | 0,039 | 0,0051 | 13,03 | |
| b) nach „ „ | | 0,3665 | 0,0503 | 0,441 | 0,0606 | 0,0103 | 16,89 | + 3,86 |
| II. Frau Br. | 55 „ | | | | | | | |
| a) vor d. Narkose | | 0,096 | 0,0132 | 0,114 | 0,0156 | 0,0024 | 15,80 | |
| b) nach „ „ | | 0,329 | 0,0452 | 0,3935 | 0,054 | 0,0088 | 16,38 | + 0,58 |
| III. Frau M. | 50 „ | | | | | | | |
| a) vor d. Narkose | | 0,197 | 0,027 | 0,2216 | 0,0304 | 0,0034 | 11,1 | |
| b) nach „ „ | | 0,3694 | 0,0507 | 0,4298 | 0,0590 | 0,0083 | 14,05 | + 2,95 |
| IV. Frau K. | 50 „ | | | | | | | |
| a) vor d. Narkose | | 0,0838 | 0,0115 | 0,0986 | 0,01354 | 0,00204 | 15,00 | |
| b) nach „ „ | | 0,380 | 0,05219 | 0,456 | 0,06263 | 0,01044 | 16,66 | + 1,66 |
| V. Frau Kr. | 1 Std. 40 Min. | | | | | | | |
| a) vor d. Narkose | | 0,0966 | 0,01327 | 0,1218 | 0,01673 | 0,00346 | 20,68 | |
| b) nach „ „ | | 0,1205 | 0,01655 | 0,1551 | 0,0213 | 0,00475 | 22,30 | + 1,62 |
| VI. Frau Sn. | 40 Min. | | | | | | | |
| a) vor d. Narkose | | 0,0937 | 0,0129 | 0,1134 | 0,0156 | 0,0027 | 17,75 | |
| b) nach „ „ | | 0,33 | 0,0453 | 0,3964 | 0,0544 | 0,0091 | 16,75 | — 0,62 |

Mester ergiebt sich nach Chloroform-Inhalation eine Steigerung um 155—192 Proz.

Die Bedeutung der Vermehrung des neutralen Schwefels ist bekanntlich keineswegs vollkommen aufgeklärt. Immerhin darf ausgesprochen werden, daß bis jetzt eine Vermehrung dieses Quotienten, des ebenso wie der Stickstoff dem Eiweißmolekül entstammenden Harnschwefels, bisher stets unter Umständen gefunden wurde, bei welchen eine Einschmelzung von Gewebseiweiß entweder höchstwahrscheinlich, oder direkt nachgewiesen ist. So fanden Munk und F. Müller [1]) bei dem Hungerkünstler Cetti eine bedeutende Vermehrung des Neutralschwefels. Dasselbe konstatierte Salkowski im Fieberharn. Endlich hat Goldmann [2]) bei mit Phosphor vergifteten Hunden eine erhebliche Steigerung der Ausscheidung nichtoxydierten Schwefels im Harn auf Kosten des oxydierten Schwefels in Baumann's Laboratorium nachweisen können.

Gerade im Hinblick auf die in der Wölfler'schen Klinik gemachten Beobachtungen über akute gelbe Leberatrophie nach protrahierter Chloroformnarkose dürften die Befunde von Kast und Mester von neuem an Bedeutung gewinnen, andererseits aber auch unsere

---

1) Berl. klin. Wschr., 1887, p. 428.

2) „Ueber die Ausscheidung des Schwefels unter dem Einflusse der Phosphorvergiftung" in seiner Dissertation: „Experimentelle Beiträge zur Lehre von der Cystinurie und der Schwefelausscheidung im Harn." Freiburg 1887.

vergleichenden Untersuchungen über die Wirkung des Aethers unter denselben Umständen von neuem gezeigt haben, wie ungleich geringfügiger der Eingriff der Aethernarkose sowohl auf die anatomische Organstruktur, als auf die Zerstörung des Gewebseiweißes und ihre Folgen für den Stoffwechsel sich gestaltet, als die entsprechende Einwirkung des Chloroforms.

Zum Schlusse der Arbeit will ich nicht verfehlen zu bemerken, daß ich den größten Teil der chemischen Untersuchungen der Freundlichkeit des Herrn Dr. phil Weiss, z. Z. in Freiburg i. B., verdanke. Herrn Geheimrat Kast gestatte ich mir an dieser Stelle meinen wärmsten Dank für die gütige Unterstützung, durch welche er die Arbeit stets gefördert hat, auszusprechen.

Aus der Königsberger chirurgischen Klinik (Prof. v. Eiselsberg).

# IV.
# Die Behandlung der Aktinomykose mit Jodkalium.

## Experimentelle und klinische Untersuchungen.

Von

Dr. **W. Prutz,**
I. Assistenzarzt.

(Hierzu Tafel I u. II.)

---

Die Jodbehandlung der Aktinomykose in der Form der internen Darreichung von Jodkalium, von Nocard und Thomassen für die tierische, von van Iterson und Netter für die menschliche Aktinomykose eingeführt, hat im allgemeinen Anerkennung gefunden. Die Berichte, die sich freilich selten über die rein kasuistische Form erheben, stimmen fast alle darin überein, daß die Wirkung des Mittels eine durchaus prompte und die Schnelligkeit ihres Eintritts oft eine geradezu erstaunliche sei. Darüber hinaus wird von verschiedenen Seiten das Jodkalium gar als Specificum gegen Aktinomykose gepriesen, es soll unter Ausschluß jeder anderen Behandlung Heilung bringen und in zweifelhaften Fällen durch seine schnelle, günstige Wirkung für sich allein die Diagnose sichern können.

Dergleichen Angaben sorgfältiger Beobachter und eine Anzahl im ganzen gleichartiger Erfahrungen in der hiesigen Klinik ließen es von hohem Interesse erscheinen, der Art und Weise dieser auffallenden Wirkung des Näheren nachzuforschen.

Auf Veranlassung meines verehrten Lehrers und Chefs, des Herrn Prof. von Eiselsberg, habe ich versucht, der Frage auf dem Wege des Tierexperimentes näherzutreten.

Dazu war zunächst notwendig, sichere Uebertragungen auf Tiere zu erhalten.

Das ist schon häufig versucht. Die Resultate waren allerdings auffallend wechselnde.

So paradox es klingt — mit dem Aktinomyces sind angeblich schon Uebertragungsversuche gemacht, ehe er als Pilz erkannt und beschrieben war. Wenigstens behauptet RIVOLTA (105), schon 1867 und 1875 die Aktinomycesdrusen beim Rinde als „corpuscoli discoïdi" beschrieben, ihre pilzliche Natur vermutet und negative Uebertragungsversuche auf Kaninchen gemacht zu haben. Fast gleich sind die Angaben von PERRONCITO (85) (Versuche 1868—73).

Ganz negativ waren die Resultate bei den Versuchen von BOLLINGER (cf. BOSTROEM 12), SIEDAMGROTZKI (114, 115), ESSER (33), ULLMANN (121), BODAMER (8), BECUE (3), JURINKA (58) und MARWEDEL (19), die teils Rinder, teils Kaninchen benutzten. Erfolgreiche Uebertragungen berichteten JOHNE (49, 50), (Rind), PONFICK (94), GUTMANN (43) (in einem Fall), J. ISRAEL (54), ROTTER (108) (einmal unter vielen Versuchen), HANAU (44), POWELL, GODLEE, TAYLOR und CROOKSHANK (98), BELSKI (4), LEGRAIN (65), MAYO (71) und SANFELICE (112). GOOCH (40) teilte eine Beobachtung mit, die fast einem Experiment gleichkommt: bei einem größeren Viehbestande hatte ein Pfuscher zur Verhütung von Rauschbrand (!) vielen Rindern Haarseile gelegt: bei einem großen Teile entwickelte sich von den Wunden aus eine Aktinomykose.

Die genannten Beobachter übertrugen meist direkt vom Rinde oder vom Menschen auf die Versuchstiere, seltener wurden Reinkulturen benutzt. Letzteres that auch ASCHOFF (1), aus dessen Beschreibung wohl deutlich hervorgeht, daß er einfach Ueberreste der eingeführten Kulturen gefunden hat, keine wirkliche Vermehrung des Pilzes im Versuchstier. Es ist das Verdienst von BOSTROEM (12), für einen Teil der angeführten Versuche wahrscheinlich gemacht zu haben, daß eben eine Verwechselung zwischen dem eingeführten Material und neu entstandenen Drusen stattgefunden hatte, und unter diesem Gesichtspunkte mußte er auch seine eigenen zahlreichen Versuche als mißlungen bezeichnen. Wie BOSTROEM einmal durch gleichzeitige Uebertragung von Tuberkulose ein Irrtum begegnete, so dürfte das gleiche der Fall gewesen sein bei den auffallenden Resultaten von GUTMANN und BELSKI. Letzterer behauptete sogar, daß mit den aktinomykotisch infizierten Kaninchen im gleichen Stall gehaltene gesunde von jenen infiziert worden seien.

Mit vollem Recht hat BOSTROEM verlangt, daß der Nachweis der gelungenen Uebertragung geführt werden müsse durch Kultur vom Versuchstier oder mindestens durch die Auffindung jüngster Wuchsformen des Pilzes in den entstandenen Knoten.

Diesen Forderungen entsprechen die so bekannt gewordenen Versuche von M. WOLFF und J. ISRAEL (125), die im Gegensatz zu allen übrigen überraschend erfolgreich waren. Von zwei Fällen menschlicher Aktinomykose erhielten sie mühelos Reinkulturen und durch Uebertragung dieser, bis in die zehnte Generation, bei Kaninchen und Meerschweinchen durchgehend positive Impfresultate. Weiter gelang die Züchtung des Pilzes aus den experimentell erzeugten Tumoren sowie die Erzeugung neuer mit diesen Kulturen in gleicher Weise, wie die direkte Uebertragung von Tier auf Tier. Die deutlich entzündliche Natur der die Drusen einbettenden Zelllager ließ überdies noch den möglichen Einwand einer bloßen Einkapselung ausschließen. Die nicht zu Untersuchungszwecken getöteten Tiere überlebten die Infektion. An einem konnte später noch eine Leberaktinomykose demonstriert werden.

Die Resultate von Wolff und Israel können füglich nicht angezweifelt werden. Sie haben später manche Kontroverse gezeitigt, und weniger der Ausgang der Tierexperimente als vielmehr die Ergebnisse der Kulturversuche, die mit zahlreichen anderen in mannigfachen Punkten in Widerspruch standen, haben vielerorts zu der Auffassung geführt, daß Wolff und Israel eine andere Streptothrixart als den gewöhnlichen Aktinomyces in Händen gehabt haben (vgl. auch Kruse bei Flügge [35]).

Es lagen also schon ziemlich ausgedehnte Erfahrungen über Tierversuche vor — in ihrer Mehrzal freilich nicht sonderlich ermutigende.

Für meine Zwecke kam neben der freilich am besten alle Anforderungen erfüllenden Methode von Wolff und Israel — der Uebertragung von Reinkulturen — noch die direkte Uebertragung von Tier und Mensch auf Tier in Frage. Der Nachweis der gelungenen Uebertragung mußte sowohl histologisch wie bakteriologisch versucht werden. Eine direkte Wirkung des Jodkaliums auf den Aktinomyces hätte sich am deutlichsten dadurch gezeigt, daß von den nicht mit Jodkalium behandelten Tieren die Weiterzüchtung des Pilzes gelang, von den behandelten nicht. Für den Fall, daß unter beiden Umständen Kulturen erhalten wurden, mußte die Nachforschung nach Unterschieden auf das histologische Gebiet verlegt werden.

Die Kultur des Aktinomyces unter dem Einfluß des Jodkalium ist der einzige Punkt, über den bereits Erfahrungen vorliegen. Chrétien (15) erwähnt, daß schon Nocard, später Dar, Dubreuilh und Bérard übereinstimmend feststellten, daß der Aktinomyces auf Nährböden, denen 1 Proz. Jodkalium zugesetzt ist, ungehindert wächst. Jurinka (58) erhielt von einem seiner Fälle während lange dauernder Jodkaliumbehandlung stets gut wachsende Reinkulturen, ebenso wie Kozerski (64) von dem seinigen. Darum mußte die eben erwähnte Eventualität im Auge behalten werden.

Darüber hinaus mußte aber auch die Möglichkeit gegeben sein, die allfällige Entwickelung aktinomykotischer Tumoren und ihre möglicherweise unter Jodkalium eintretende Verkleinerung resp. Resorption auch klinisch mit der nötigen Sicherheit zu verfolgen. Denn bei den Tieren, die mit Jodkalium behandelt werden sollten, mußte ich füglich zunächst auf den direkten Nachweis der Aktinomykose verzichten. Nun haben WOLFF und ISRAEL bei ihren Versuchstieren regelmäßig Knoten im Abdomen palpieren können, deren Vorhandensein und aktinomykotische Natur durch die Obduktion bestätigt wurden. Aber z. B. auch BOSTROEM hat das Auftreten solcher beobachtet und nachher nur eine lediglich auf Einkapselung der eingeführten Fremdkörper zu beziehende Gewebsneubildung gefunden. Es durfte also doch nicht als absolut sicher angesehen werden, daß die gleichzeitige Beobachtung von Kontrolltieren — die aus gleicher Quelle infiziert und nicht mit Jodkalium behandelt wurden — alle Irrtümer würde ausschließen lassen.

Da auch intraperitoneale Impfung beabsichtigt war, mußten zunächst noch Erfahrungen darüber gesammelt werden, was überhaupt bei der Palpation des Abdomens bei Kaninchen gefühlt werden und welche Organe resp. normale Contenta (Kotballen) event. zur Verwechselung mit Knoten Anlaß geben könnten. Dieser scheinbar nebensächliche Punkt hat im Laufe der Untersuchungen etwas mehr Schwierigkeiten gemacht, als ich erwartet hatte, und es sind mir, nachdem ich Hunderte von Malen das Abdomen von Kaninchen genau palpiert hatte, doch gelegentlich noch Fehler untergelaufen, sei es, daß ich vorhandene Tumoren übersah, sei es, daß ich gelegentlich auch normale Teile für Tumoren hielt.

Verwechselungen können bedingt werden durch die sehr bewegliche linke Niere, deren oberer Pol unter dem Rippenbogen erreichbar ist (die rechte liegt höher und ist weniger beweglich), durch Kotballen im Kolon, gelegentlich kann das stark gefüllte Cöcum, das bekanntlich sehr groß ist, ein weiches Infiltrat vortäuschen.

Die subkutane und intermuskuläre Impfung, für welche ich die vordere Bauchwand wählte, sowie die in die vordere Augenkammer waren für die Deutung der Resultate ja einfacher, schlossen aber die immerhin wünschenswerte Möglichkeit einer multiplen Lokalisation aus.

Schließlich war noch die Dosis des Jodkaliums und die Art seiner Applikation zu wählen. Die Mengen von Jodkalium, die ich brauchte, konnten nach toxikologischen Erfahrungen von Kaninchen wahrscheinlich auch längere Zeit ohne Schaden vertragen werden und sind auch vertragen worden. Sie ließen sich unter Zugrundelegung des Körpergewichts aus den beim Menschen verwandten Dosen auf durchschnittlich 0,1 g pro Tag berechnen. In einigen Fällen habe ich anfänglich kleinere Dosen (0,02—0,05), dann aber immer 0,1 gegeben, und zwar absichtlich ohne Rücksicht auf das Gewicht der einzelnen Tiere. Gelegentlich bin ich für kurze Zeit auf 0,2 gestiegen. Irgendwelche auf Jodwirkung zu beziehende Allgemeinerscheinungen habe ich nicht gesehen. Ich nahm eine 5-prozent. Lösung (anfänglich einige Male eine 2-proz.), die ich subkutan injizierte, und zwar meist unter die Bauchhaut. In Infiltrate selbst habe ich nie injiziert, auch die Nähe solcher vermieden. Die Injektionen hinterließen keine Infiltrate, nur wenn zahlreiche auf einem Gebiet gemacht waren, fanden sich nach längerer Zeit undeutliche strangförmige Verdichtungen in der Subcutis.

Meine seit Juli 1897 angestellten Versuche belaufen sich mit einigen Nebenversuchen auf insgesamt 70 in neun Versuchsreihen.

Zweimal benutzte ich als Ausgangsmaterial Unterkieferaktinomykosen vom Rinde[1]), leider beide mit Mischinfektion, fünfmal menschliche Aktinomykosen von Patienten der hiesigen chirurgischen Poliklinik, zweimal Reinkulturen. Die eine, einen alten Aktinomycesstamm des hiesigen hygienischen Instituts, verdanke ich der Güte des Herrn Prof. von Esmarch, die andere der des Herrn Dr. Král in Prag. Letztere rührte her von einem schon von Afanassiew isolierten Stamme, an dem schon Protopopoff und Hammer ihre Untersuchungen über die Kultur des Aktinomyces angestellt hatten, jetzt etwa in 25. Generation befindlich.

In Kürze seien vorher noch meine eigenen Kulturversuche erledigt. Sie sind als mißlungen anzusehen.

Bostroem verlangt nach seinen Erfahrungen — den ausgedehntesten, die wohl ein Einzelner besitzt — die Anlegung sehr zahlreicher Kulturen, nicht unter 50, in jedem einzelnen Falle. Dieser Forderung konnte ich aus äußeren Gründen nur unvollkommen nachkommen. Möglich, daß ein Teil meiner negativen Resultate darauf zurückzuführen. Das wenige aber, was ich an anscheinend positiven Resultaten erreicht habe, habe ich gewonnen bei zwei Fällen, wo ich nur wenige Kulturen angelegt hatte.

Als Nährböden verwandte ich Agar, Glycerinagar, Agar mit 1 Proz. ameisensauren Natron (Wolff und Israel), Bouillon und gelegentlich Gelatine. Anaërobe Bedingungen wurden nach Buchner hergestellt. Alle Kulturen wurden bei Brütofentemperatur (ca. 37°) gehalten, nur ältere Reinkulturen bei Zimmertemperatur, bei der der Aktinomyces des hiesigen hygienischen Instituts dann gut weiter wuchs. Er sowohl wie der Afanassiew'sche Stamm kamen übrigens nur aërob gut fort.

Meine beiden Reinkulturen erhielt ich im ersten Falle von Rinderaktinomykose und im zweiten von menschlicher Aktinomykose.

Am 19. Novbr. 1897 wurde aus Abscessen an einem Rinderunterkiefer eine größere Anzahl Drusen mit Nadeln sorgfältig isoliert und 10mal in steriler Bouillon abgespült. Zwei Röhrchen mit schrägem Agar mit 1 Proz. ameisensaurem Natron wurden mit je 2 Drusen beschickt und anaërob bei 37° gehalten. In dem einen vergrößerte sich die eine der deponierten Drusen in 6 Tagen um das $2^1/_2$-fache, während fremde Kolonien nicht auftraten. Am 6. Tage wurde ein Stückchen der Druse unter denselben Bedingungen übertragen. Die verriebenen Partikelchen wuchsen, nach abermals 6 Tagen wurde die zweite Uebertragung gemacht. Während einige sichtbare Bröckelchen schon vom nächsten Tage an eine Vergrößerung erkennen ließen, traten auf der ganzen Agarfläche vom 4. Tage ab zahlreiche feinste Tröpfchen auf, die zunächst durchsichtig klar blieben, mit zunehmender Vergrößerung allmählich sich trübten. Sie konfluierten nicht, nur wo sie dicht gedrängt standen, waren ihre Grenzen nicht ganz deutlich. Die Kolonien entwickelten sich dann nicht mehr weiter, andere

1) Ich verdanke die beiden Präparate der Güte des Direktors des hiesigen städtischen Schlacht- und Viehhofes, Herrn Maske.

Uebertragungen gelangen auch nicht mehr. Deckglaspräparate ergaben zahlreiche kokkenähnliche Elemente, Stäbchen verschiedener Länge, oft gekrümmt, und relativ wenig kurze Fäden mit deutlichen Verzweigungen. Alles färbte sich nach GRAM. Die kokkenartigen Bildungen nahmen von Tag zu Tag ab, die Stäbchen vermehrten sich, die Fädchen nicht deutlich.

Von der zweiten Generation, der Kultur, die die vielen thautropfenähnlichen Kolonien zeigte, wurden, als dieselbe 7 Tage alt war, (8. Dez. 1897) 2 Kaninchen (11 und 12) in beide vordere Augenkammern geimpft. Bei beiden wurde leider rechts die Iris verletzt, die ganze Vorderkammer füllte sich mit Blut, die Iris prolabierte, beide Augen vereiterten akut und wurden später phthisisch. Das linke Auge zeigte bei dem einen Tier (11) nichts, bei dem anderen (12) nach Ablauf einer etwas Besorgnis erregenden Reaktion ein ganz langsam sich vergrößerndes gelbweißes Körnchen in der Vorderkammer; nach etwas über eine Woche hörte es auf sich zu vergrößern und schwand dann ziemlich schnell. Nach 4 oder 5 Wochen war an dem Auge nichts weiter wahrzunehmen als die Hornhautnarbe. Es ist ja möglich, daß die Kultur schon am 7. Tage abgestorben war. Jedenfalls war das Resultat negativ.

Bei dem zweiten Fall menschlicher Aktinomykose (Reihe IV) wurden Drusen nach 10maligem Abspülen in Bouillon auf Flächen von Agar und ameisensaurem Agar verrieben und aërob und anaërob im Brütofen gehalten. Auf einem anaërob gehaltenen Röhrchen mit ameisensaurem Agar entwickelten sich sowohl auf der Fläche wie in einem Spalt, der beim Verreiben entstanden war, vom 4. Tage ab zahllose feinste Kolonien, die auf der Oberfläche glashell, in dem Spalt etwas weißlich aussahen. Sie hafteten dem Nährboden fest an. Deckglaspräparate zeigten nach GRAM gefärbte, meist gekrümmte Stäbchen, von etwas wechselnder Länge, die zum Teil Segmentierungen aufwiesen. Die am 7. Tage angelegte Uebertragung zeigte nach weiteren 4 Tagen auf ameisensaurem Agar die gleichen feinen Pünktchen, und zwar bei aërobem Wachstum, während Agarflächen und Bouillon aërob wie anaërob steril blieben. Vom 10. Tage ab wurden die Kolonien auf der Originalkultur, die sich sehr langsam vergrößerten, weißgelb und ließen auch ein Wachstum in den Nährboden hinein erkennen. GRAM war positiv, es fanden sich Stäbchen von wechselnder Länge (1,5—3,5 μ), zum Teil kommaartig, auch gelegentlich an einem Ende leicht kolbig oder hier und da mit seichten Einschnürungen. Von den am 13. Tage gemachten Uebertragungen zeigte nur ein Röhrchen mit ameisensaurem Agar ganz minimale Entwickelung, die bald völlig aufhörte, Weiterzüchtung gelang nicht mehr. Auf der Originalkultur wuchs eine dicht am Agarspalt gelegene Kolonie aërob sehr langsam weiter. Von ihr wurde — wohl zu spät — am 6. Febr. 1898 (22. Tag) ein Bröckelchen einem Kaninchen (45) in die Bauchhöhle gebracht. Das Tier zeigte keinerlei Störungen, Knoten entwickelten sich nicht. Als das Tier nach einem Vierteljahr (6. Mai 1898) getötet wurde, ergab die Sektion ein völlig negatives Resultat. — Eines der beiden von diesem Aktinomykosefall direkt geimpften Kaninchen (43), das nach 9 Tagen aus unbekannter Ursache starb, zeigte in der reaktionslosen Bauchnarbe zwischen den Muskeln eine minimale Menge weißen, bröckligen Breies. Frisch ließ sich darin ein kleines Fadenklümpchen finden, ohne Keulen. Auf einem aërob gehaltenen Röhrchen mit ameisensaurem Agar gingen bei 37° vom 4. Tage an feine wasserhelle Tröpfchen auf, die mit den direkt von den Drusen gewonnenen in allem übereinstimmten. Weiterzüchtung gelang nicht, auch vergrößerten sich die Kolonien nicht.

Was ich in diesen beiden Fällen gesehen, glaube ich für Reinkulturen halten zu dürfen. Warum sie sich nicht weiter entwickelten, ist unklar geblieben. Mehreren anderen Untersuchern (z. B. Becue, Marwedel) ist übrigens das gleiche Mißgeschick begegnet.

Später habe ich nie mehr Kulturen bekommen, die ich den beschriebenen hätte gleichstellen dürfen. Ich habe alles, was ich irgend an Kolonien erhielt, aufs sorgfältigste in dieser Richtung geprüft. Denn die von der im Tierkörper vorkommenden so weit abweichende Gestalt des Aktinomyces in der Kultur läßt leicht einmal eine Aktinomycesreinkultur als die irgend eines gleichgiltigen Stäbchens ansehen und als solche verwerfen, ehe sie genau genug untersucht ist. Darum muß alles, was sich nicht z. B. durch rapides Wachstum von vornherein als unverdächtig legitimiert, sehr genau verfolgt werden.

Bei dergleichen Resultaten bin ich nicht wohl in der Lage, zur Frage der Kultur des Aktinomyces etwas beizutragen.

Es fiel damit leider auch der Punkt weg, der vielleicht am exaktesten über etwaige Jodkaliumwirkung hätte Aufschluß geben können. Daß ein anderer Weg später doch noch zu gewissen Resultaten führte, soll noch gezeigt werden.

Ich gebe von den Tierversuchen hier nur eine allgemeine Uebersicht der Ergebnisse. Protokolle über alle Versuche sind im Anhang mitgeteilt.

Es haben sich ja im Laufe derselben, sowie bei den histologischen Untersuchungen eine ganze Reihe interessanter Einzelheiten ergeben, die aber zu der hier zur Erörterung stehenden Frage keine Beziehungen haben, so daß ich sie übergehe. Die brauchbaren Ergebnisse waren im Vergleich zur Zahl der Versuche spärlich.

Am mühsamsten gestaltete sich die Mehrzahl der Versuche, die Rinderaktinomykose zum Ausgangsmaterial hatten. Denn die beiden Fälle von Unterkieferaktinomykose des Rindes, die mir hierfür zur Verfügung standen, zeigten neben Aktinomyces andere Bakterien. Hierdurch wurde die I. Versuchsreihe völlig ergebnislos gemacht.

### I. Reihe.

Am 8. Nov. 1897 wurden sechs Kaninchen (1—6) je 2—3 zehnmal in sterilem Wasser abgespülte Drusen aus Abscessen an einem aktinomykotischen Rinderunterkiefer in die Bauchhöhle eingeführt. Alle Tiere erlagen zwischen dem 3. und 6. Tage einer allgemeinen fibrinös-eitrigen Peritonitis.

### II. Reihe.

Das Ausgangsmaterial entstammte einer anderen Rinderaktinomykose. Die Reihe umfaßt die größte Anzahl von Versuchen (28), von denen aber auch die, bei welchen der Pilz bei den geimpften Tieren gefunden wurde, für die Frage der Infektion des Kaninchens durch den Akt. bovis nicht direkt verwertet werden dürfen. Denn wenn auch der Nachweis, daß die anderen Mikroorganismen mit übertragen waren, nicht in jedem einzelnen

Fall direkt gelang, so konnte das auch nicht sicher ausgeschlossen werden. Darum durften die erhaltenen entzündlichen Tumoren nicht als rein aktinomykotische Produkte anerkannt werden, auch wenn der Pilz in ihnen gefunden wurde. Reine direkte Uebertragung ist mir in dieser Reihe nicht gelungen. Aber auch die oben bei den Ergebnissen der Kulturversuche erwähnten wenigen Uebertragungen mit meinen spärlichen Reinkulturen aus dieser Reihe blieben negativ.

Anders lagen die Verhältnisse bezüglich der Frage nach dem Verhalten des Aktinomyces gegenüber dem Jodkalium im Tierkörper. Davon später.

Für unser Thema kommen von allen hierher gehörigen Versuchen nur folgende in Betracht: einem am 20. Nov. 1897 mit 3 (zehnmal in steriler Bouillon abgespülten) Drusen in die Bauchhöhle geimpften Kaninchen (14) wurde am 46. Tage nach der Infektion (5. Jan. 1898) ein in den Bauchdecken entstandener großer Knoten. der von der Bauchnarbe bis in die rechte Oberschenkelbeuge reichte, exstirpiert. Er bestand aus mehreren großen (bis taubeneigroßen) und einer Menge kleinerer und kleinster Abscesse mit dickbreiigem, teils bröckligem, teils Glaserkitt ähnlichem, zäh-schmierigem Inhalt, alle eingebettet in Schwielengewebe von z. T. Centimeterdicke. Nach langem Suchen wurden in einem kleinen Abscess zwei degenerierte Aktinomycesdrusen gefunden.

Von sechs mit kleinen Stückchen Absceßwand von diesem Tier geimpften Kaninchen (16—21) gaben fünf nicht verwertbare Resultate, eines (16), in eine Bauchhauttasche geimpft, wurde, nachdem in zehn Tagen eine walnußgroßer Bauchdeckenknoten entstanden war, vom 10. bis 52. Tage (25. Febr. 1898) mit Jodkalium behandelt (15. Jan. 0,02, 16. Jan. 0,05, 22. Jan. 0,1, 25. Febr. 0,2), ohne augenfällige Wirkung. In dem am 54. Tage (27. Febr. 1898) exstirpierten Knoten, der dem oben beschriebenen, abgesehen von seinem geringeren Umfange, glich, wurde Aktinomyces gefunden.

Ein mit dem ersterwähnten (14) am gleichen Tage (20. Nov. 1898) auch mit drei Drusen intraperitoneal geimpftes Tier (15) bekam einen intraperitonealen Knoten und einen in den Bauchdecken im Bereich der Bauchnarbe, die bis zum 46. Tage (5. Jan. 1898) taubenei- bez. walnußgroß geworden waren. Vom 56. Tage (15. Jan. 1898) an bekam dieses Tier Jodkaliuminjektionen (15. Jan. 0,05, 22. Jan. 0,1) bis zum 82. Tage (10. Febr. 1898). Sichere Veränderungen an den Knoten konnten nicht konstatiert werden. Dann wurde der Bauchdeckenknoten exstirpiert. Es war ein mit dickem, nekrotischem Brei gefüllter Hohlraum mit bindegewebiger Wand. Alles Suchen nach Aktinomycesbestandteilen war vergeblich.

Kleine Partikelchen der Wand mit anhaftendem Brei wurden auf vier Kaninchen übertragen, auf zwei (27, 28) intraperitoneal, auf zwei (29, 30) in Bauchdeckentaschen. Eines dieser letzteren Tiere (29), das vom 3. Tage (13. Febr. 1898) ab 0,1 Jodkalium erhalten hatte, und bei dem sich in den Bauchdecken unmittelbar von der Impfung ab Abscesse gebildet hatten, die z. T. nach außen perforierten, ging aus nicht aufgeklärter Ursache (die geringfügigen Bauchdeckenabscesse schienen irrelevant) am 28. Tage (9. März 1898) zu Grunde. Die Art der Knoten war die gleiche wie früher. Hier wurde nun noch einmal Aktinomyces gefunden, nach dem bei dem Kaninchen, von dem die Uebertragung gemacht war, vergeblich gesucht wurde.

Den Berichten über die Versuche mit menschlicher Aktinomykose stelle ich kurze Notizen voran über die Patienten, die das Impfmaterial lieferten.

III. Reihe.

Polikl. Journ. No. 3559. 97/98. Carl Sch., 45 J., Schuhmacher aus Moddien, Kr. Pr. Eylau.

Anfang Juli 1897 entstand bei dem bisher gesunden Patienten eine kleine Schwellung unter dem linken Unterkieferrande, die er zunächst für einem Insektenstich ansah. Sie wuchs aber. Patient glaubte, daß er sich dadurch, daß er 8 Tage vorher ein „Mutterkorn" von einer Roggenähre gegessen hatte, die Erkrankung zugezogen haben könne, und befragte einen Arzt. Die verordneten Jodpinselungen brach er nach 8 Tagen ab, da die Schwellung trotzdem größer und härter wurde.

Am 10. Sept. 1897 findet sich unter dem linken Unterkieferrande dicht vor dem Kieferwinkel eine von hier nach unten reichende hühnereigroße prominente Schwellung unter verdünnter, geröteter Haut, sehr weich, fluktuierend, ihre Basis aber gebildet von einem derben diffusen Infiltrat.

Incision in Narkose liefert eiterähnliche Schmelzmassen und verfettetes Granulationsgewebe. Auskratzung. Tamponade mit Jodoformgaze. Ord.: Jodkalium 6/200 3 mal tägl. 1 Eßl. Nach 8 Tagen ist das Infiltrat völlig geschwunden, die Wunde secerniert nicht, Drusen werden nicht mehr gefunden, nach 3 Wochen ist die Wunde lineär vernarbt.

Am 29. Juni 1898 stellt Pat. sich vor. Die Heilung ist völlig und dauernd geblieben.

In den entleerten Erweichungsmassen wurden Drusen mikroskopisch sichergestellt. Alle Kulturen blieben steril.

Am 10. Sept. 1897 wurden drei Kaninchen (35—37) kleine Partikelchen Granulationsgewebe mit Drusen in die Bauchhöhle gebracht. Bei einem entwickelt sich in der Subcutis dicht an der Bauchnarbe ein Knötchen, das in einem Monat erbsengroß wird. Am 30. Tage (10. Okt. 1897) exstirpiert, zeigt es eine kleine centrale Höhle mit atheromähnlichem Brei in bindegewebiger Kapsel.

Die Untersuchung von Deckglaspräparaten und Schnitten sowie Kulturen sind negativ.

Von dem Knötchen werden kleine Stückchen drei Kaninchen (35—40) in die Bauchhöhle gebracht. Eins (40) zeigt erst nach mehr als $2^1/_2$ Mon. (Ende Dezbr. 1897) eine diffuse weiche Resistenz in der rechten Oberbauchgegend, geht am 94. Tage (11. Jan. 1898) zu Grunde. Die Sektion ergiebt multiple intraperitoneale Abscesse und reichliche Adhäsionen, in denen der Dünndarm zwischen oberem und mittlerem Drittel fast total abgeschnürt ist. Kulturen ergeben ein langes schlankes und ein sehr kurzes und feines Stäbchen, beide nach Gram nicht färbbar.

Woher das eine Tier die intraperitoneale Eiterung bekommen hat, ist unklar. Ein direkter Zusammenhang mit der Impfung scheint nach Lage der Sache wenig wahrscheinlich.

IV. Reihe.

Polikl. Journ. No. 5772 1897/98. Wilhelm B., 19 J., Musiker, Königsberg.

Seit nicht genau bekannter Zeit hat sich im Anschluß an Schmerzen in den linken unteren Backzähnen ein Knötchen auf der linken Wange außen vom Mundwinkel entwickelt, das nur kosmetische Beschwerden macht.

15. Jan. 1898: gut bohnengroßer ganz oberflächlicher Absceß, in der verdünnten Haut darüber eine Fistelnarbe, darunter ein diffuses, etwa Zweimarkstück-großes Infiltrat. Im Munde: Defekt des I. und II. Molaris links unten, Schleimhaut der Wange intakt. Nach der Incision wurden sichere Drusen gefunden. Am 10. Tage etwa war die Wunde fast verheilt, das Infiltrat aber nur wenig kleiner. Pat. entzog sich von da an der Behandlung.

Von zwei am 15. Jan. 1898 mit mehreren direkt dem eiterigen Brei entnommenen Drusen geimpften Kaninchen (Bauchhöhle) war eins (43), das schon mager gewesen war, am 9. Tage (24. Jan. 1898) moribund und wurde durch Chloroform getötet. Das Kulturergebnis ist ebenso wie das vom Fall selbst schon geschildert (s. p. 45). Die Organuntersuchung ergab nichts, speciell nichts von Tuberkulose.

Auch der andere Versuch ergab nichts (44).

## V. Reihe.

Polikl. Journ. No. 5764 1897/98. Marie E., Kutscherkind, Sudau Kr. Königsberg.

15. Jan. 1898. Die Mutter giebt an, das Mädchen habe sich Mitte Juli 1897 eine Granne von einer Roggenähre (nicht erfragte Auskunft!) in die Haut der linken Wange gespießt. Danach sei langsam ein rotes Knötchen entstanden, das seit einem Vierteljahr jetzige Größe habe.

Das gut entwickelte Kind, helle Blondine mit sehr zarter Haut, hat mitten auf der linken Wange eine 4 : 3 cm messende flache Vorwölbung, die in den oberflächlichsten Schichten der Haut gelegen ist. Die bedeckende Haut ist äußerst dünn, eigentümlich ziegelrot, etwas schuppend, namentlich am Rande, wo die Rötung mit fein ausgezacktem Rande noch etwas über die Grenze der Vorwölbung hinausreicht. Die Schwellung ist sehr weich, zeigt deutliche (Pseudo-)Fluktuation, ist nicht schmerzhaft.

Eine Längsincision liefert ein ganz zerfließliches ödematöses Granulationsgewebe, teils grau-rot, teils mehr gelblich, fleckweise von charakteristischer goldgelber Farbe.

Unter Tamponade mit Jodoformgaze durch einige Tage schnelle Verkleinerung der Höhle fast ohne jede Sekretion. Die Haut legt sich an, verliert ihre starke Rötung, hört auf zu schuppen. Nach $2^1/_2$ Wochen Heilung mit lineärer Narbe.

Am 2. Juli 1898 stellt Pat. sich wieder vor. Es besteht eine rötliche, ein wenig strahlige Narbe. Die Haut um sie ist etwa im Bereich der früheren Schwellung leicht bräunlich pigmentiert, namentlich am oberen Teil gegen das normale Niveau etwas zurücktretend und nicht ganz frei verschieblich. Kein Infiltrat, keine Beschwerden.

Frisch werden keine Drusen gefunden, in dem gehärteten und vollständig verarbeiteten Gewebe nur eine einzige kleine Druse.

Impfung kleiner Granulationsgewebsbröckel auf zwei Kaninchen (46, 47) bleibt ohne Resultat.

Alle Kulturen bleiben steril.

VI. Reihe.

Polikl. Journ. No. 112 1898/99. Carl B., 13 J., Arbeitersohn aus Sassau, Kr. Fischhausen.

Vor 3 Wochen wurde ein kleines schmerzloses Knötchen in der Unterkinngegend bemerkt, das langsam wuchs und damit sich steigernde Schluckbeschwerden machte.

Am 8. April 1898 findet sich ein etwa taubeneigroßes, nicht scharf begrenztes, ziemlich derbes, empfindliches Infiltrat im Mundboden dicht über dem Zungenbein, median gelegen, mit der normal aussehenden Haut leicht verlötet. Vom I. Molaris rechts unten ist nur die mit schmierigen Granulationen überlagerte cariöse Wurzel da, die extrahiert wird. Sonst Mundinneres normal. An der Wurzel und den Granulationen nichts gefunden, was als Aktinomyces angesprochen werden dürfte.

Ord.: Jodkalium 5/200 3mal tägl. 1 Eßl.

Am 21. April ist das Infiltrat nur mehr haselnußgroß, deutlich begrenzt, deutlich fluktuierend, die Haut darüber verdünnt. Incision in Bromäthylnarkose giebt schwammiges, zum Teil gelbliches Granulationsgewebe mit ziemlich reichlichen Drusen (mikroskopisch sichergestellt).

In wenigen Tagen vernarbt die Wunde, Jodkalium wird weiter gebraucht, bei der Vorstellung am 7. Mai ist nur eine lineäre Narbe ohne Spur von Schwellung da. Der Kranke soll noch 14 Tage Jodkalium nehmen. Er hat sich später nicht mehr gezeigt.

Mit einigen in Bouillon mehrfach gewaschenen und dabei etwas zerbröckelten Drusen wurden drei Kaninchen am 8. April intraperitoneal geimpft. Eines (49) bekam vom 1. Tage an Jodkalium (0,1). Bei ihm und einem anderen (48) entstanden kleine Knoten unter der Bauchhaut, die am 38. resp. 30. Tage (28., 20. 5.) exstirpiert wurden. Von dem einen gingen auf allen Röhrchen goldgelbe Staphylokokken auf (48). Beide Knötchen schlossen Seidenfäden ein!

VII. Reihe.

Polikl. Journ. No. 1229 1898/99. August P., 34 J., Besitzer aus Refusowisna, Kr. Oletzko.

Seit Ende März 1898 war in der linken Unterkinngegend ein schmerzhaftes Knötchen aufgetreten, das auf Jodpinselungen erweichte.

Am 4. Juni findet sich ein intracutanes, ganz weiches, ca. $5 : 2^1/_2 : 2$ cm großes Infiltrat außen vom Zungenbein links. Haut ganz dünn, hochrot. Incision liefert ganz schwammiges ödematöses Granulationsgewebe, zum Teil direkt gelb, darin Drusen von zum Teil hellgrüner Farbe, mit sehr schönen Keulen, ziemlich reichlich.

Nach 3 Wochen (25. Juni) ist nur noch eine lineäre Narbe vorhanden.

Die Kulturen bleiben steril. Einem Kaninchen wird eine Druse in einer Bauchhauttasche verrieben (53), einem dazu noch ein Stückchen sterilisierter Haferschlaube mit eingeführt (54). Beide zeigen während der fünfwöchentlichen Beobachtung keinerlei Erscheinungen.

VIII. Reihe.

Ausgangsmaterial waren junge, üppig wachsende Kulturen des Aktinomycesstammes des hiesigen hygienischen Instituts. Die Versuche waren völlig negativ.

IX. Reihe.

Ausgangsmaterial waren zwei von Herrn Dr. Král erhaltene Agarkulturen eines von Afanassiew isolierten Stammes. Aërob auf Agar und in Bouillon wuchsen sie üppig, sonst spärlich oder gar nicht. Nur ein Befund ist hiervon zu erwähnen:

Einem Tier wurden am 5. Febr. mehrere Kubikcentimeter einer massenhafte Körnchen enthaltenden Bouillonkultur in die Bauchhöhle gegossen (67). Bei der Tötung am 46. Tage (22. März 1898) fand sich am parietalen Peritoneum ein bohnengroßes Knötchen, dicht an der Bauchnarbe. Es umschloß drei Fremdkörper, zwei sicher, einer wahrscheinlich pflanzlicher Natur, letzterer mit Aktinomyceskeulen besetzt (s. u.).

Die Kulturen blieben steril.

Die histologische Verarbeitung des gewonnenen Materials geschah so, daß die Präparate in 10-proz. Formalinlösung oder dem Jores'schen Formalin-Salzgemisch 2—3 Tage gehärtet und dann mit Alkohol steigender Konzentration weiter behandelt wurden. Nach Celloidinimprägnation wurden die Stückchen mit dem Gefriermikrotom geschnitten — ein Verfahren, das ich seit Jahren fast ausschließlich anwende, und das, bei genügender Uebung, treffliche Resultate giebt. Zur Färbung für histologische Bilder verwandte ich Jodhämalaun mit Eosin und das sehr empfehlenswerte Thionin, zur Untersuchung auf Mikroorganismen die gewöhnliche Färbung mit Loeffler'schem Methylenblau, Gram'sche Färbung, entweder mit Vorfärbung mit Alaunkarmin oder Nachfärbung mit Bismarckbraun, und Tuberkelbacillenfärbung (Anilinwasserfuchsin, 5-proz. Schwefelsäure, Loeffler'sches Methylenblau). Ich möchte bemerken, daß ich in zweifelhaften Fällen — übrigens stets ohne Resultat — mein specielles Augenmerk auf das Vorhandensein von Tuberkulose, auch Tuberkelbacillen, lenkte, und beiläufig den auffallenden — mir aus der Litteratur nicht bekannt gewordenen — Befund registrieren, daß bei dem zweiten Fall von Rinderaktinomykose sich an anscheinend jüngeren Drusen Keulen bei Anwendung von Tuberkelbacillenfärbung ganz auffallend resistent gegen die Entfärbung in Schwefelsäure erwiesen, indem sie sogar nach $1^1/_2$-stündiger Behandlung damit noch rötliche Färbung zeigten, während sie Methylenblau nie annahmen, ebensowenig wie die Fäden je das Fuchsin festhielten.

Speciell zur Darstellung des Aktinomyces erwies sich die Gram'sche Färbung als souverän, mit einer der beiden Gegenfärbungen kombiniert. Die Bostroem'sche Färbung mit Anilingentiana und Pikrokarmin, die Weigert'sche mit alkoholischer Orseille und Gentianaviolett, sowie die von Schmorl empfohlene Kombination von Bismarckbraun, Gram-Weigert'scher Färbung und Säurefuchsin haben mir — bei freilich nicht sehr umfangreichen Versuchen — keine schönen Resultate gegeben. Dagegen glaube ich eine Doppelfärbung mit Orseille und Thionin empfehlen zu können. Sie hat mir wenigstens bei der Darstellung junger Drusen gute Dienste geleistet. Ich färbte nach Weigert's (124) Vorschrift eine Stunde in saurer alkoholischer Orseille, spülte in absolutem Alkohol, färbte 3 bis 5 Minuten mit Karbolthionin (Nicolle) und differenzierte in absolutem Alkohol. Freilich muß die Abstufung der beiden Farben erst ausprobiert werden. Versuche einer Doppelfärbung mit wässrig-alkoholischer Fuchsinlösung und Thionin gaben unvollkommene und unbeständige Resultate. Mit Thionin färben sich junge Drusen nicht.

Uebereinstimmend völlig negativ waren die Uebertragungen von menschlicher Aktinomykose. Für den 3. Fall (V. Reihe) liegt allerdings die Erklärung nahe, daß in den übertragenen Granulationsgewebsstückchen vielleicht überhaupt keine Pilzteile enthalten waren: ein Vielfaches des zu den Impfungen verwandten Materials wurde auf Schnitte verarbeitet, und in dem ganzen Stück konnte — erst nach längerem Suchen — eine einzige ganz kleine Druse nachgewiesen werden. Das ist ja kein Beweis, läßt aber doch den Wert des Impfmaterials fraglich erscheinen. Für den 1., 4. und 5. Fall (III., VI., VII. Reihe) hat der Nachweis der Lebensfähigkeit der Pilze durch gelungene Kultur nicht geführt werden können, für den 2. (IV. Reihe) möchte ich ihn nach dem Resultat der Kulturversuche wenigstens mit Wahrscheinlichkeit als erbracht ansehen. Bis zu einem gewissen Grade ersetzt werden konnte er für die anderen Fälle durch die Untersuchung der in den entleerten Massen enthaltenen Pilze: wenn auf der Höhe ihrer Entwickelung stehende Verbände gefunden wurden. Diese Möglichkeit fiel weg im 1. Fall (III. Reihe), da das spärliche Material mit Impfungen, Anlegung von Kulturen und frischer Untersuchung völlig aufgebraucht wurde. In den beiden übrig bleibenden Fällen ist einmal festgestellt worden, daß recht zahlreiche Drusen vorhanden waren, und dann zeigten sich diese auch in ihrer Mehrzahl gut entwickelt, mit schön gefärbten, gleichmäßig dicken Fäden. Abb. 1 entstammt dem 4. Fall (VI. Reihe). Sie zeigt eine schön ausgebildete Druse mit reichlichen Fäden, umgeben von dichtem Leukocytenwall. Daneben waren hier wie im 5. Fall noch offenbar jüngere Drusen vorhanden. Es liegt meines Erachtens kein Grund vor, an der Lebensfähigkeit dieser zu zweifeln.

Das reichliche Material von menschlicher und namentlich Rinderaktinomykose bot willkommene Gelegenheit, den Bau des Aktinomyces in seinen Einzelheiten genauer zu studieren, wenn ich auch nicht erwarten durfte, die klassische Beschreibung Bostroem's irgendwie vervollständigen zu können. Ich habe meist Schnitte untersucht, frisches Material konnte ich nur beschränkt benutzen.

Bezüglich des Aufbaues der Aktinomycesdruse habe ich die Angaben Bostroem's an eigenen Präparaten verfolgen können. Nur auf ein Stadium im Entwickelungskreis des Pilzverbandes möchte ich aufmerksam machen, das ich so, wie ich es gesehen, nicht ausdrücklich erwähnt gefunden habe. Es ist wohl eine ältere Form, als sie Bostroem für die entwickelte Druse beschreibt und abbildet, vielleicht der erste Anfang des Zerfalls.

Ich meine jene Bilder, in denen die Drusen der Bezeichnung als Hohlkugeln (Bostroem) insofern am strengsten entsprechen, als thatsächlich ihr Inneres nicht mehr von Pilzfäden, sondern von dem umgebenden Gewebe resp. Eiter erfüllt ist, die durch die basale Oeffnung hineindringen. Figg. 1 und 2 zeigen zwei Typen dieser Form, einen Horizontal- und einen Vertikalschnitt. Man sieht das Keimlager bei ersterer als einen geschlossenen Ring dichtest durcheinander gewirrter Fäden, außen den kontinuierlichen Keulenkranz, in dem von farblosen feinkörnigen Massen erfüllten Inneren nur wenige Fäden und im Centrum einige Kerne, wohl Leukocytenkerne.

Fig. 2 zeigt im Vergleich zur vorigen einmal, wie die Schnittrichtung (Horizontal-, Vertikal-, Schrägschnitte) auf das Bild von durchgreifendem Einfluß ist. Die Druse ist hohl, und ihr Inneres bis dicht an das Keimlager heran von Eiter erfüllt. Auch die von seiner inneren Peripherie ausstrahlenden Fäden zeigen Keulenbildung; dadurch wird dieser Vorgang in interessanter Weise illustriert. Daß er degenerativer Natur ist, bezweifelt wohl kaum jemand mehr, und daß das Material zu den Keulen die Fadenscheide liefert, daß diese quillt, scheint mir auch erwiesen. Coppen Jones (18) will die Keulen durch Anlagerung entstehen lassen. Nach dem, was ich gesehen, muß ich mich aber Bostroem durchaus anschließen. Namentlich die frische Untersuchung giebt hier wertvolle Bilder. Das hier in Rede stehende läßt nun wohl vermuten, daß die Keulenbildung unter dem schädigenden Einfluß der den Pilz umgebenden lebenden Zellen erfolgt: hier sind sie ins Innere gedrungen, und darum zeigt sich hier dieselbe regressive Erscheinung, die gewöhnlich nur an der Peripherie beobachtet wird.

Nur bezüglich der Frage der Sporenbildung habe ich aus eigenen Befunden nichts schöpfen können, was mir sie so, wie sie Bostroem schildert, hätte vor Augen führen können. Ich muß mich jenen anschließen, die den Beweis, daß die Körner, die man im Pilz selbst wie in Kulturen findet, wirklich Sporen sind, nicht für erbracht halten.

Nur nebenbei möchte ich darauf hinweisen, daß man mit der Konstatierung von Körnern in Schnitten vorsichtig sein muß. Stärkste Systeme lösen solche oft in Schräg- oder Querschnitte von Fäden auf.

Von den Tierversuchen erledigt sich zunächst in einfachster Weise jener, der als einziger bei den Uebertragungen von Reinkulturen den Aktinomyces im Tier wiederfinden ließ (IX. Reihe, Kan. 67). 44 Tage nach Einführung einer übergroßen Menge Bouillonkultur in die Bauchhöhle fand sich nur ein kleines Knötchen auf der Innenfläche der vorderen Bauchwand. Es bestand aus Bindegewebe, das in drei kleinen zellreichen Herden ebenso viele Fremdkörper umschloß. Zwei derselben waren ihrem Bau nach sicher pflanzlicher Herkunft, von dem dritten konnte dies nicht überzeugend dargethan werden. Und dieser dritte war besetzt mit kurzen, häufig kolbig geschwellten Pilzfädchen, die nur mehr höchst unvollkommen nach Gram färbbar waren (cf. Fig. 10). Es ist klar, daß das nichts anderes sein kann, als ein Rest der eingeführten Kultur, der in seiner Kleinheit in gar keinem Verhältnis steht zu den eingebrachten Mengen. Die Bindegewebsentwickelung ist auf Rechnung der drei Fremdkörper zu setzen, die eingekapselt sind. Ihre Quelle ist unklar geblieben. Sie sind bei der Operation irgendwie zufällig mit hinein geraten.

Wenn es schon ganz interessant ist, daß von dem Pilz, der in diesem Fall gewiß nur als harmloser, dazu der Resorption zugänglicher Fremdkörper auftrat, nach verhältnismäßig so langer Zeit noch erkennbare Reste da waren, so scheint mir doch das Bemerkenswerteste an dem Befunde zu sein, daß die Pilzteile sich an einen toten Fremdkörper angeschlossen haben. Einen ganz ähnlichen Befund von einem anderen Fall (II. Reihe, Kan. 16) habe ich in Fig. 9 abgebildet: auch hier haben sich Aktinomycesfäden einen — übrigens mitten in neugebildetem Bindegewebe gelegenen — Fremdkörper als Ansiedelungspunkt ausgesucht. Aus diesen zwei Bildern läßt sich ja ein allgemeiner Schluß gewiß nicht ziehen, aber die doch auffallende Angliederung an Fremdkörper erscheint insofern bemerkenswert, als man darin ein Bestreben des Pilzes zu sehen versucht sein könnte, sich einen Boden zu suchen, der nicht wie das lebende Gewebe ihn in seiner Entwickelung zu schädigen und zu hemmen dauernd bestrebt ist. Das kann aber gewiß nur eine Vermutung sein.

Man wird kaum fehlgehen, wenn man die sonst negativen Versuche mit Reinkulturen mit dem Alter der Stämme erklärt: wenigstens ist es nach Analogie wahrscheinlich, daß so lange auf künstlichen Nährböden fortgezüchtete Pilze ihre ursprünglich etwa vorhandene Virulenz dadurch verloren haben.

Die einzigen für die Frage der Jodkaliumwirkung verwertbaren Befunde gab die zweite Versuchsreihe, und es wird nun nachzuweisen sein, daß hier eine Vermehrung des Pilzes noch in der zweiten Uebertragung (von Kaninchen auf Kaninchen), und zwar obgleich die betreffenden Tiere der Wirkung des Jodkalium unterworfen waren, thatsächlich stattgefunden hat.

Einem Tier (Kan. 14) waren drei Drusen in die Bauchhöhle eingeführt worden, am 46. Tage wurde ein in den Bauchdecken entstandener großer Knoten entnommen. Er bestand aus Abscessen, die in dicke Bindegewebsschwielen eingebettet waren. Durch Kultur wurden andere Mikroorganismen in den Abscessen nachgewiesen, wie ja auch die Unterkieferabscesse beim Rinde solche enthalten hatten.

Dies ist der Grund, weshalb ich von dem histologischen Bilde der Tumoren vollkommen absehe, hier sowohl, wie, um das gleich zu bemerken, auch für alle übrigen Fälle.

Nun wurden bei diesem ersten Tier (Kan. 14) in einem kleinen Abscess zwei Aktinomycesdrusen gefunden. Nur dadurch waren sie als solche noch zu erkennen, daß GRAM'sche Färbung, sogar nur bei nicht vollkommener Entfärbung, in ihnen eine Anzahl Pilzfäden enthüllte. Fig. 3 stellt einige Fäden aus einer der beiden Drusen dar. Daneben fanden sich einige Keulen, an denen eine besondere Struktur nicht wahrgenommen werden konnte. — Es handelt sich also um fast vollkommen zu Grunde gegangene Drusen, und zwar um solche, die ihrer Größe wie ihrer Form nach bereits völlig ausgebildet gewesen sein müssen. Nirgends anders wurden Aktinomycesbestandteile gefunden — ich habe von zahlreichen Stellen große Reihen von nach GRAM gefärbten Schnitten darauf durchgesehen. Erwägt man nun, daß die in den folgenden Fällen konstatierte Vermehrung des Aktinomyces durchaus andere Bilder giebt, so ist gewiß die Erklärung berechtigt, daß das zwei der drei eingeführten Drusen sind. Acceptiert man diese meiner Ansicht nach einzig plausible Auslegung des Befundes, so fehlt nur noch die Auskunft über den Verbleib der dritten Druse. Ein glücklicher Zufall hat es gewollt, daß auch hierüber Aufklärung erhalten wurde, und zwar in einer recht überraschenden Weise.

Gleich nach Exstirpation des Tumors wurden Partikelchen von ihm auf 6 Kaninchen (16—21) übertragen. Der Weg schien gewiß von vornherein recht unsicher, und zwar um so unsicherer, je größer die Knoten waren, von denen die Uebertragungen gemacht wurden. Ich habe ihn aber trotz Einsicht in diesen Mangel in allen Fällen gewählt, um nicht vielleicht eine auch nur geringe Chance mir entgehen zu lassen. Dadurch habe ich freilich eine Reihe überflüssiger Versuche machen müssen.

In diesem Fall nun ergaben fünf Versuche kein Resultat, wohl aber der sechste (Kan. 16) ein höchst bemerkenswertes. Ein bis zum 10. Tage entstandener Bauchdeckenknoten wurde bei dem Tier bis zum 52. Tage der Einwirkung von Jodkalium ausgesetzt und am 54. Tage exstirpiert. Er bestand aus einem größeren und einer Anzahl kleinerer Abscesse, in dicke Bindegewebsschwielen eingebettet. Diese bestanden aus entzündlich infiltriertem Bindegewebe, das Herde jungen Granulationsgewebes einschloß, und hier wurden nun zahlreiche junge Drusen gefunden, verstreut über einen Bezirk von fast $1^1/_2$ cm Länge, $^1/_2$ cm Breite und wohl einigen Millimetern Dicke. Ein Teil derselben bestand aus kleinsten Fadensternchen, die nach ihrem Bau und dem Aussehen der sie bildenden Fäden wohl den jüngsten überhaupt beobachteten Aktinomycesdrusen gleichgestellt werden dürfen. Diese, in jungem Granulationsgewebe oder in kleinen Bindegewebsspalten gelegen, waren umgeben von einem Kranz von Leukocyten. Fig. 4 stellt eine solche dar. Um einen Trümmer einer älteren Druse, um ein im Absterben begriffenes Stück handelt es sich gewiß nicht: Form wie tadellose Färbbarkeit der

Fäden widerlegen eine solche Annahme. Ich will noch bemerken, daß die Druse sich auf den einen Schnitt beschränkte.

Doch ergaben sich auch andere Bilder. Fig. 5 und 6 zeigen Pilzteile, die ich mit hoher Wahrscheinlichkeit auch als junge Drusen ansprechen möchte, aber in Degeneration begriffen, die eine auf dem Wege, von Zellen umflossen zu werden, mit nur wenigen noch gut erhaltenen, meist schon gequollenen Fädchen, die andere eingeschlossen in eine prächtige Riesenzelle, in vorgeschrittenem Zerfall begriffen, so daß man nur noch aus der sternförmigen Anordnung der zum Teil schon weit von der normalen Form entfernten Fäden vermuten kann, daß auch hier eine junge Bildung vorliegt.

Der ganze Befund ist nur einer Reihe glücklicher Zufälle zu danken. Die eingeführten Drusen — und mit ihnen die Ueberzahl der daran haftenden fremden Keime, die einem in gleicher Weise infizierten Tier (13) das Leben kosteten — sind wohl in der Bauchwand zurückgehalten, vielleicht auch nachträglich noch hinausgedrängt worden. Von dem großen Knoten habe ich gerade die Stelle unter das Mikroskop bekommen, wo zwei der Drusen lagen, und nun gar noch bei der Entnahme der sechs kleinen überpflanzten Partikelchen mit dem einen Teil wenigstens der dritten Druse übertragen — und diese war wohl die einzige proliferationsfähige.

Eine Frage erhebt sich jetzt: Wie sind jene Befunde von Degeneration der jungen Drusen zu deuten, ihr Einschluß in Riesenzellen, der die Fortschaffung der toten Fremdkörper einleitet? Darf man darin eine Jodkaliumwirkung sehen? Ich glaube nicht. Ich will absehen davon, daß wir doch überhaupt in der Reaktion des Gewebes auf die Ansiedelung des Aktinomyces nichts anderes als einen dauernden Kampf gegen den Eindringling zu sehen haben, und daß in diesem Kampf die kleineren Verbände des Pilzes wahrscheinlich eher unterliegen werden als die größeren, wie davon, daß das doch auch ohne alle Einwirkung — medikamentöser oder chirurgischer Natur — geschieht, d. h., daß es eine Spontanheilung der Aktinomykose giebt, deren Verlauf, soweit er den einzelnen Pilzteil betrifft, wir uns sehr wohl in der geschilderten Form denken können. Ich will einen anderen Befund dagegen ins Feld führen: die Uebertragung des Aktinomyces in vermehrungsfähigem Zustande von einem mit Jodkalium behandelten Tier auf ein anderes, bei dem, ebenfalls nach Jodkaliumbehandlung, auch jüngste Pilzverbände gefunden wurden.

Ein mit drei Drusen in die Bauchhöhle geimpftes Kaninchen (15), das bis zum 46. Tage einen intraperitonealen und einen Bauchdeckenknoten von Taubenei- bezw. Walnußgröße bekommen hatte, wird vom 56.—82. Tage mit Jodkaliuminjektionen behandelt. Am 82. Tage wird der Bauchdeckenknoten exstirpiert und werden Stückchen von ihm auf vier Kaninchen (27—30) übertragen. Langwierige Untersuchung des exstirpierten Knotens läßt nichts von Aktinomyces finden. Eines der geimpften Tiere (29) bekommt vom 3.—28. Tage ebenfalls Jodkalium, geht an letzterem Tage zu Grunde. Die Sektion ergab keine anatomische Todesursache[1]). Der kurz nach der Uebertragung entstandene Bauchdeckenknoten zeigte makroskopisch das gleiche Bild wie die früheren. Der mikroskopische Befund stimmte mit dem des vorhin geschilderten Falles fast genau überein: in Granulationsgewebe, namentlich aber in der sehr stark entzündlich infiltrierten nächsten Umgebung der Abscesse von Wanderzellen umgebene jüngste Drusen, kleine Fadensternchen mit meist eigentümlich starren Fäden, die auch meist nicht ganz gleichmäßig dick, sondern leicht spindelförmig sind (s. Fig. 7), andere wieder anscheinend im Beginne des Zerfalls, aber nirgends von Riesenzellen eingeschlossen. Ein einziges Mal fand sich hier ein Pilzteil in einem der mit fast amorphem, nekrotischem Brei gefüllten Einschmelzungsherde frei, dicht an der Wand gelegen. Seine etwas ungewöhnliche Form — wie eine mehrstrahlige Feder etwa — weiß ich mir nicht recht zu erklären. Ich glaube aber, auch ihn für einen jungen Pilzteil halten zu dürfen. Fig. 8 stellt ihn dar.

Mit der Deutung der Befunde kann ich mich, glaube ich, kurz fassen. Sie beweisen meines Erachtens zur Evidenz, daß der Aktinomyces imstande ist, auch bei länger dauernder Einführung von Jodkalium in den Tierkörper in diesem sich zu vermehren und sogar in vermehrungsfähigem Zustande übertragen zu werden. Das eine Mal hat er sich 100, das andere Mal 110 Tage nach der Uebertragung im Kaninchenkörper aufgehalten, ist im ersten Fall am 46. Tage übertragen und vom 65.—98. Tage der Jodkaliumwirkung ausgesetzt gewesen, im zweiten Fall geschah letzteres zunächst vom 56.—82. Tage, dann wurde er am 82. Tage übertragen und vom 86.—110. Tage nochmals der Jodkaliumwirkung unterworfen. Und in beiden Fällen ist er im Körper des zweiten Tieres am Schluß dieser Periode in jüngster und, was sich daraus wohl ergiebt, lebenskräftiger Form angetroffen worden.

Ich glaube gezeigt zu haben, daß auch innerhalb des Tierkörpers eine direkte Einwirkung des Jodkalium auf den Aktinomyces nicht stattgefunden hat.

---

1) Ich möchte hier für diesen und einige ähnliche Fälle beiläufig bemerken, daß mir solche Verluste von Versuchstieren, bei denen die Sektion und die namentlich auf Tuberkulose gerichtete histologische Untersuchung von Organen nichts ergab, nur im Winter begegnet sind. Die Tiere mußten leider in einem nicht heizbaren Raum gehalten werden, und vielleicht sind diese Verluste mit der Kälte in Zusammenhang zu bringen.

Darf man also das Jodkalium nicht als specifisches Heilmittel der Aktinomykose im eigentlichen Sinne ansehen, so werden einmal die mit ihm erzielten Erfolge an der Hand der in der Litteratur vorliegenden Mitteilungen unter Anfügung der in hiesiger Klinik gewonnenen Erfahrungen nachzuprüfen, und dann zu untersuchen sein, ob sich von anderen Gesichtspunkten aus eine Erklärung für die — wie ich gleich bemerken möchte — innerhalb gewisser Grenzen nicht zu leugnende günstige Wirkung finden läßt.

Zunächst möchte ich die hier beobachteten Fälle mitteilen, um sie mit den übrigen zusammen besprechen zu können. Der erste derselben ist schon bei der VI. Versuchsreihe mitgeteilt.

II. Martha W., 15 J., Müllermeistertochter aus Kertsch, Gouv. Taurien. Aufg. 2. Mai 1896.

Anamnese. Früher gesund, Herbst 1894 an einem „schlechten“ Backzahn unten links Schmerzen, bald Schwellung der Backe. Nach Zahnextraktion keine Schmerzen, aber wechselnder Grad von Schwellung weiter. Extraktionswunde bleibt offen. Im Winter 1895/96 neben ihr Fisteln im Zahnfleisch. Neujahr 1896 Operation (welcher Art?), ohne Erfolg.

St. praes.: Zarte Blondine, blaß. Linke Gesichtshälfte, besonders um den Unterkieferwinkel, stark geschwollen, Haut gespannt; unter dem horizontalen Kieferast zwei Narben, über dem aufsteigenden die Haut 3 : 5 cm dunkelrot, von feinen Fisteln durchbohrt. Diese entleeren klares Sekret mit weißgelben Körnchen (mikr.: Aktinomyceskörner). Die Schwellung reicht vom Kieferrand zur Schläfe, vom Proc. mast. fast zum Mundwinkel. Vom 1. Molaris ab bis auf den aufsteigenden Ast ist der Knochen selbst verdickt. Ziemlich starke Kieferklemme. I. Molar l. u. fehlt. Knochenauftreibung vom Munde aus besonders deutlich. Keine Drüsenschwellung.

Vom 22. Mai ab 5,0 Jodkalium täglich. Weder die objektiven noch die subjektiven Erscheinungen werden dadurch deutlich beeinflußt.

10. Juni. In Narkose Auskratzung, Tamponade. — Bei reaktionslosem Verlauf Schluß der Wunde bis zum 12. Juli. Schwellung sehr viel geringer, Kieferklemme und Schmerzen weg. Auf Wunsch entlassen.

Wiederaufnahme 20. Okt. 1896. Seit Anfang Sept. Fisteln in der Narbe. Beschwerden mäßig. Das Infiltrat gruppiert sich jetzt wesentlich um den aufsteigenden Kieferast. 5,0 Jodkalium täglich.

29. Okt. 1896. Operation. Aufmeißelung des verdickten Unterkiefers. In ca. $1^1/_2$ cm Tiefe enden zwei in ihn führende Fisteln. Kein Sequester, Knochen stark sklerotisch. In den ausgekratzten Massen keine Körner mehr.

Zunächst reaktionslos, 7. Nov. Erysipel, über Kopf, Oberarme und Rücken in 10 Tagen ablaufend.

Ende Dezbr. Wunde vernarbt, 2. Jan. 1897 entlassen.

April 1897: Solide Narbe, Knochenverdickung bedeutend zurückgegangen. Allgemeinzustand gut.

Später nicht mehr aufzufinden.

III. August W., 37 J., Gerichtsdiener, Königsberg. Aufgen. 28. Sept. 1896.

Anamnese: 1881 Typhus. 1894 5 Wochen lang Gelbsucht. Mitte Juli 1896 stechende Schmerzen im Leibe, allmählich zunehmend. In letzter Zeit nahm der Appetit ab, gelegentlich trat Uebelkeit auf, kein Erbrechen. Fieber soll gefehlt haben.

St. praes. Großer, kräftiger, fetter Mann. Brustorgane gesund. — Abdomen: fettreiche Bauchdecken. Kein Meteorismus. Kein freier Erguß. Links vom Nabel findet sich ein harter, etwas höckriger Tumor von etwa birnförmiger Gestalt; sein größter Durchmesser liegt in der Mamillarlinie, hier reicht er von 2 Querfinger unterhalb des Nabels bis 3 Querfinger unterhalb des Rippenbogens. Der größte Querdurchmesser liegt etwas über Nabelhöhe, hier reicht der Tumor etwa 2 Querfinger über die Mittellinie nach rechts, nach links bis zur vorderen Axillarlinie. Die Grenzen sind undeutlich. Das ganze Infiltrat liegt deutlich innerhalb der Bauchdecken. Druck ist besonders links etwas schmerzhaft. Bei Seitenlage folgt das Infiltrat der Schwere und ist in rechter Seitenlage ganz gut abgrenzbar. Der Perkussionsschall über ihm ist gedämpft, die Dämpfung ist von denen der Leber und Milz getrennt.

Harn ohne pathologische Bestandteile. Prostata etwas vergrößert.

Temperatur und Puls normal.

4 g Jodkalium täglich. Lokal feuchtwarmer Umschlag.

Im Anfang leichte Erscheinungen von Jodismus. Vom 9.—12. Okt. inkl. abendliche Temperatursteigerungen (9. 38,3; 10. 38,5; 11. 39,2; 12. 37,9). Die Schmerzhaftigkeit, namentlich die spontane, nimmt erheblich zu, dabei wird das Infiltrat kleiner, die Grenzen sehr viel deutlicher, auch rückt es anscheinend der Haut näher.

14. Okt. Längsschnitt von 10 cm über die Kuppe der Schwellung. Das Gewebe ist sehr blutreich. Nach Durchtrennung des Fettes kommt man in ein schwieliges Gewebe, das von kleinen Hämorrhagien durchsetzt ist. Bei stumpfem Vorgehen kommt von links ein wenig Eiter mit Blut untermischt. In ihm fallen gelbgrünliche Körner auf. Mit der Kornzange wird eine etwa hühnereigroße Höhle eröffnet, die Granulationsgewebe und in der Mitte mißfarbigen Brei, innig mit Blut gemischt, enthält. Makroskopisch als solcher erkennbarer Eiter fehlt. Im Brei reichliche Körnchen. Die Höhle wird vorsichtig ausgelöffelt; sie reicht anscheinend durch die ganze Dicke der Muskulatur. Tamponade mit Jodoformgaze; teilweise Vereinigung der Haut.

Mikroskopisch: Aktinomycesdrusen.

Nach der Operation geht die Temperatur herunter, die Beschwerden sind völlig geschwunden.

Verlauf reaktionslos. Am 18. Okt. Tamponwechsel.

Ende Okt. zeigt die sonst schon rein granulierende Wunde, die wenig secerniert, einen kleinen Belag, von dem noch einige Drusen gewonnen werden.

Am 3. und 4. Nov. leichtes abendliches Fieber, für das ein Grund nicht zu finden ist.

Am 5. Nov. steht Pat. auf, wird am 6. mit 2 cm langer rein granulierender Wunde auf seinen Wunsch entlassen.

24. Juni 1898: Im Bereich der Narbe hat dauernd eine kleine Fistel bestanden, die keine Beschwerden machte, äußerst wenig secernierte. Pat. hat sich dauernd wohl gefühlt und seinen Dienst wahrgenommen.

Befund: Strahlige breite Narbe, zwischen oberem und mittlerem Drittel ein sondenknopfgroßer runder Defekt der Oberhaut, durch den ein kleiner blasser Granulationspfropf im Grunde einer kaum linsengroßen Höhle zu sehen ist. Unter diesem Teil der Hautnarbe eine in der Längsrichtung etwa 2 Querfinger, transversal etwa Handbreite messende, diffuse, mäßig derbe Resistenz, anscheinend auf das sehr starke Fettpolster beschränkt, höchst undeutlich begrenzt.

Deckglaspräparate des Sekrets zeigen massenhafte, nach GRAM färbbare kurze plumpe Stäbchen mit abgerundeten Enden, nichts von Fäden etc. Frische Untersuchung zeigt nichts von Drusen, auch in Schnitten des Granulationsgewebes, das in etwa Erbsengröße bei einer Auslöffelung am 27. Juni gewonnen wird, findet sich nichts davon. Beim Eingriff zeigt sich, daß überhaupt keine eigentliche Fistel besteht, nur das Granulationsknöpfchen. Heilung in wenigen Tagen.

IV. Jakob S., 29 J., Arbeiter aus Kropzen, Gouv. Suwalki. Aufg. 26. Mai 1897.

Anamnese. Bisher gesund. Vor 4 Monaten entstand ohne bekannte Ursache ein Knötchen unter dem rechten Ohr, das spontan aufbrach, später mehrere gleiche, von denen noch drei aufbrachen. Seit der Entwickelung der letzten (wann, unbestimmt) Kieferklemme. Pat. hat die Angewohnheit, Kornähren zu kauen, hat viel mit Vieh zu thun, unter dem aber keine Krankheiten vorgekommen sein sollen.

St. praes. (26. Mai 1897). Großer, kräftiger, gesund aussehender Mann. Herz und Lungen nichts Besonderes. Auf dem horizontalen Unterkieferast rechts ein etwa markstückgroßes Infiltrat, in der Mitte etwas erweicht. Von hier reichen eine Anzahl alter Narben bis zum Ohr hinauf. Etwas Kieferklemme. Um den 3. Molaris rechts unten etwas Rötung und Schwellung. Aus einer dicht am Zahn gelegenen Fistel entleert sich auf Druck etwas Eiter (der auf Drusen nicht untersucht zu sein scheint).

5 g Jodkalium täglich, muß wegen starken Jodismus nach 5 Tagen ausgesetzt werden. Inzwischen ist das Infiltrat fast ganz eingeschmolzen, die Haut über ihm verdünnt, livid.

2. Juni. In Narkose Aufsperren des Mundes mit Spekulum, Extraktion des 3. Molaris rechts unten. Incision und Auslöffelung des Infiltrates, Abtragung der verdünnten Haut. Tamponade mit Jodoformgaze.

Der entleerte eiterähnliche Brei enthält vereinzelte Drusen (mikrosk. Befund).

Weiter Jodkalium 5 g täglich. Verlauf reaktionslos, fieberfrei. Nach 5 Tagen schöne Granulationen, keine Drusen mehr zu finden. Jodkalium muß wegen Jodismus wieder ausgesetzt werden.

8. Juni mit flacher, kleiner, schön granulierender Wunde, beschwerdefrei auf seinen Wunsch entlassen.

Später nicht mehr aufzufinden.

V. Hermann U., 26 J., Besitzersohn aus Smaladunen, Kr. Niederung. Aufg. 3. Mai 1897.

Anamnese. Ein Bruder lungenkrank, sonst gesunde Familie. Pat. selbst bisher stets gesund. Im Nov. 1896 nach Heben einer schweren Last plötzlich Schmerzen in der rechten Oberbauchgegend. Lag 6 Wochen im Bett und bekam angeblich zwei Einspritzungen in die Haut über der schmerzhaften Stelle. An der Schmerzstelle soll sich eine Verhärtung gebildet haben, die aber wieder ganz zurückging. Seit 5 Wochen ist sie wieder aufgetreten, damit auch die Schmerzen. Die Anschwellung ist deutlich größer geworden.

Pat. giebt an, oft frisches Korn gegessen zu haben. Er hat viel mit Vieh zu thun, unter dem jedoch keine Krankheiten vorgekommen sein sollen.

St. praes. (3. Mai 1897): Mittelgroßer, recht kräftiger Mann von blühendem Aussehen. Herz und Lungen gesund.

In der rechten Oberbauchgegend in den Bauchdecken ein mit der Haut leicht verlötetes Infiltrat, annähernd faustgroß, etwas außerhalb der Parasternallinie den Rippenbogen berührend, lateral bis fingerbreit vor die Axillarlinie, medial bis fingerbreit rechts von der Mittellinie, nach oben 3 Finger breit über, nach unten 1 Finger breit unter den Nabel reichend. Nach oben Begrenzung scharf, nach unten und beiden Seiten weniger deutlich. Keine Hautrötung, keine Fluktuation.

5 g Jodkalium täglich.

Schon am 7. Mai im oberen Teil deutliche Erweichung und Fluktuation, am nächsten Tage an dieser Stelle ziemlich erhebliche Schmerzen. Abendliche Temperatursteigerungen. Am 10. Mai erstreckt sich die Erweichung über einen großen Teil des Infiltrats, in der Mitte tritt Hautrötung ein.

Am 11. Mai wird in Narkose ein in äußerst festes Schwielengewebe eingebetteter Absceß durch einen Längsschnitt eröffnet und sorgfältig ausgelöffelt.

In den entleerten Massen Drusen mikroskopisch nachgewiesen.

Tamponade mit Jodoformgaze. Weiter 5 g Jodkalium täglich.

Keine lokale und allgemeine Reaktion. Temperatur normal.

Die Höhle füllt sich sehr schnell aus, granuliert gut. Drusen werden nicht mehr gefunden.

25. Mai mit kleiner granulierender flacher Wunde in völligem Wohlbefinden auf Wunsch entlassen.

Nachricht vom 21. Juli 1898: dauernd gesund und frei von Beschwerden geblieben.

VI. Wilhelm H., 39 J., Arbeiter aus Schönenfeld Kr. Pr. Eylau. Aufg. 14. Juli 1897 [1]).

Anamnese. Angeblich seit Jahren lungenleidend; hat zum erstenmal nach Beendigung seiner Militärzeit schwärzliches Blut ausgeworfen. Danach 5 Jahre ziemlich beschwerdefrei. Seitdem oft, besonders nach dem Essen, Schmerzen im Leibe, die nach Gebrauch von Abführmitteln meist besser wurden. Seit Ostern 1897 auf Druck empfindliche Schwellung in der linken Unterbauchgegend bemerkt. Seit dieser Zeit Appetitlosigkeit und heftige Magenbeschwerden. Er konnte bald keine feste Nahrung mehr zu sich nehmen und magerte schnell ab. Vor 6 Wochen will er einmal eine größere Menge schwärzlichen Blutes erbrochen haben.

St. praes. (14. Juli 1897). Sehr magerer, außerordentlich blasser Mann. Herz, Lungen, Nieren nichts Besonderes. Abdomen weich, schlaff. Links ein hartes, deutlich mit den Bauchdecken verlötetes Infiltrat, von der Mittellinie bis zur Axillarlinie reichend, von der Höhe der Spina ant.

---

1) Der Fall ist von Herrn Prof. v. Eiselsberg schon aus einem anderen Gesichtspunkte mitgeteilt. Krankengeschichte und Sektionsprotokoll finden sich dort in extenso. S. Arch. für klin. Chir., Bd. LVI, S. 296.

sup. bis etwas oberhalb des Nabels. Es ist sehr druckempfindlich, überall gleichmäßig hart, an den Rändern in die Tiefe sich verlierend. Weder bei der Respiration noch beim Aufblähen des Magens wechselt es seine Lage.

5 g Jodkalium täglich. Das Infiltrat wird darauf schnell deutlich kleiner, erweicht von der Mitte her, und hier rötet sich die Haut.

21. Juli in Bromäthylnarkose Incision. In hartem Schwielengewebe liegt ein nußgroßer Erweichungsherd, der sorgfältig ausgelöffelt wird. Tamponade mit Jodoformgaze.

In den ausgekratzten Massen reichliche Mengen von Drusen mikroskopisch nachgewiesen.

Ziemlich starke Sekretion. Hier und da Temperatursteigerungen bis 38°. Pat. bleibt elend. Das Infiltrat nimmt an Größe wieder zu, die Sekretion hört nach etwas über einer Woche plötzlich auf. Es mußte Retention angenommen und darum die Incision erweitert werden. Am 31. Juli wurde Pat. abermals mit Bromäthyl (15 g) narkotisiert und ging hieran etwa $1^1/_2$ Minuten nach Beginn der Narkose zu Grunde.

Die Sektion (Prof. Nauwerck) ergab: Abgesackter, peritonitischer, aktinomykotischer Absceß, durch multiple Spontanperforationen mit dem Colon transversum und zwei Dünndarmschlingen in Verbindung stehend. — Perforation ins Peritoneum (wahrscheinlich post mortem vollendet). — Abscesse zwischen Milz und Magen — perforiertes Ulcus des Magens mit peripankreatischen Abscessen — Ulcusnarbe — weicher Milztumor — Dilatation des Herzens mit Verfettung des linken Ventrikels — Blähung und Oedem der Lungen — fetthaltige Muskatnußleber.

In den peripankreatischen Abscessen wurden Pflanzenfasern, aber keine Aktinomycesdrusen gefunden, ziemlich reichliche dagegen in dem in zwei Dünndarmschlingen und das Quercolon durchgebrochenen incidierten Absceß.

VII. Henriette R., 49 J., Besitzerfrau aus Doblendszen, Kr. Pillkallen. Aufg. 16. Mai 1898.

Anamnese. Früher keine bemerkenswerten Erkrankungen. Seit Nov. 1896 stechende Schmerzen in der rechten Leistengegend, die sich steigerten. Dann entstand hier eine Anschwellung, die allmählich handtellergroß wurde, sich blaurot färbte und manchmal sich sehr heiß angefühlt haben soll. Sie brach Weihnachten 1896 auf, entleerte Eiter, was seitdem anhielt. Im Sommer 1897 entstand eine Verhärtung unterhalb des Nabels, die schon nach 8 Tagen aufbrach, später eine dritte zwischen dieser und der ersten. Keine Wunde heilte von selbst. Im Mai 1898 brachen noch frische Fisteln auf.

Pat. hat nie mit Vieh zu thun gehabt.

St. praes. (16. Mai 1898). Große, fette Frau. Innere Organe ohne Besonderheiten. Zwischen Nabel und rechtem Lig. Pouparti handgroßes derbes Bauchdeckeninfiltrat, die Haut darüber blaurot verfärbt, von mehreren Fisteln durchbrochen, die Blut und sehr wenig dicklichen Eiter entleeren. Hierin werden frisch [1]) einige Drusen nachgewiesen, sehr schön entwickelte später in Schnitten durch Eiterklümpchen.

---

1) Hier fiel sehr auf, daß in dem Präparat einer zerquetschten Druse, die in 2-proz. Essigsäure unter Vaselineverschluß aufbewahrt wurde, noch nach einer Woche die Keulen ganz unverändert waren. Sonst sind diese bekanntlich sehr hinfällig. Ich habe seitdem nicht mehr Gelegenheit gehabt, derartiges zu beobachten.

18. Mai in Narkose Excision der Fisteln, ausgiebige Spaltung der Fistelgänge und energische Auslöffelung. Der Prozeß reicht nur an einigen umschriebenen Stellen bis in die Muskulatur. Tamponade mit Jodoformgaze.

21. Mai ziemlich starke Sekretion. 5 g Jodkalium. Am 30. Mai ist das Infiltrat aber noch ziemlich erheblich. Alkoholumschlag. Temperatur dauernd normal. Dann schwindet das Infiltrat allmählich, die Wunden granulieren gut. Am 14. Juni kleiner Absceß in einer Wunde incidiert, am 26. Juni einer in der rechten Leistenbeuge (auf Körner mikroskopisch nicht untersucht). Das Infiltrat sehr viel kleiner, bis zum 25. Juni vollkommen geschwunden, nur noch ein paar kleine rein granulierende Stellen da. Bei gutem Befinden auf Wunsch entlassen.

VIII. Dora M., 12 J., Schmiedemeistertochter aus Grajewo, Gouv. Lomza. Aufg. in die medizinische Klinik 16. Okt. 1896 [1]).

Anamnese. Aus angeblich gesunder Familie, selbst früher gesund. Anfang April 1896 Schwächegefühl, Mitte Juli Hustenanfall mit Hämoptoë. Mehrfach kleine Blutungen, dann eiteriger Auswurf, Schmerzen in der rechten Brusthälfte. Dazu Nachtschweiße, Abmagerung. Ist nie auf dem Felde beschäftigt gewesen.

St. praes. Großes, gracil gebautes, mageres Mädchen. Mehrfache Drüsenschwellungen. Thorax rechts oben vorn flach, hinten etwas vorgewölbt. Von der Mitte der rechten Scapula abwärts handtellergroßes (pseudo-)fluktuierendes Infiltrat, je ein kleineres darunter und seitlich, über diesen Haut gerötet. Rechte Thoraxhälfte bleibt bei der Atmung vorn sehr zurück, ist hinten fast unbeweglich.

Perkussion: Rechts vorn laut, deutlich tympanitisch bis zur 5. Rippe herab; hinten gedämpft, oben total, unten mit tympanitischem Beiklang. Von der hinteren Axillarlinie geht die Dämpfung schräg nach unten in die Leberdämpfung über.

Links normal, Grenzen vorn 4., hinten 11. Rippe.

Auskultation: Vorn rechts und links ziemlich scharfes Vesiculäratmen, rechts in der Höhe der 6. Rippe ziemlich lautes pleuritisches Reiben. Hinten links ebenso, rechts in den untersten Teilen abgeschwächt vesiculär, in den übrigen ganz weiches, nicht lautes Bronchialatmen, nirgends Rasselgeräusche.

Pectoralfremitus rechts hinten in den untersten Abschnitten verstärkt, in den oberen abgeschwächt, vorn verstärkt.

Etwas Husten, kein Sputum.

Herz: Dämpfungsgrenzen normal; über allen Ostien systolische Geräusche. Töne rein.

Uebriger Befund ohne Besonderheiten. Keine Zahncaries.

Zunächst wenig eiteriges Sputum ohne Tuberkelbacillen.

23. Sept. Probepunktion des großen Infiltrats: Eiter mit Aktinomyceskörnern. Am 7. Okt. Körner im Sputum gefunden. Vom 22. Okt. 1896 Jodkalium (zunächst 3 g). Im Laufe der Zeit treten zahlreiche Infiltrate am Thorax rechts auf, die erweichen und aufbrechen und eine größere Anzahl Operationen, darunter zwei eingreifendere in der chirurgischen Klinik (3. Juni 1897 und 11. Juni 1898) nötig machen. Fieber besteht namentlich in den ersten Monaten fast dauernd, später

---

1) Für die Erlaubnis zur Mitteilung der Krankengeschichte bin ich Herrn Geheimrat Lichtheim zu lebhaftem Dank verpflichtet.

werden die freien Intervalle länger, ebenso fehlt manchmal wochenlang Sputum. Mit dem Jodkalium wird allmählich gestiegen, am 25. April 1898 werden 9 g erreicht, später wird wieder heruntergegangen. Im ganzen erholt Pat. sich trotz allem beträchtlich, eine Hämoptoë am 24. Nov. 1897 stört nur vorübergehend. Die Untersuchung vor dem RÖNTGEN'schen Schirm (4. Juli 1897) zeigt die rechte Thoraxhälfte bedeutend dunkler bis auf eine normale Zone an der Basis, das Herz ist nach rechts verzogen, das Zwerchfell bewegt sich links gut, rechts wenig. Allmählich schrumpft die rechte Thoraxhälfte stark. Die Jodkaliumbehandlung wird fortgesetzt, bis Anfang Sept. 1898 hat Pat. fast 4000 g erhalten. Das Allgemeinbefinden ist gut. Aktinomyceskörner, die auch früher oft lange fehlten, sind in letzter Zeit im Fistelsekret nicht mehr gefunden, im Sputum schon seit Monaten nicht.

Ich füge die mir aus der Litteratur bekannt gewordenen Fälle an mit kürzester Wiedergabe derjenigen Daten, die ich näher feststellen konnte. Von einigen Fällen waren mir nur Referate zugänglich, einige habe ich anderen Zusammenstellungen entnommen (namentlich von BESSE (7) und MONESTIÉ (76).

9. BESSE (7). Gesicht und Nacken. $1^1/_2$ Mon. 3 g. Nicht operiert. Heilung.

10. Idem. Unterkiefer. 6 Wochen 2 g. Nicht operiert. Heilung.

11. Idem. Unterkiefer. Vorher operiert. 7 Mon. 3 g. Heilung.

12. Idem. Unterkiefer. 1 Mon. 3 g. Nicht operiert. Heilung.

13. Idem. Unterkiefer. 6 Wochen 3 g. Nicht operiert. Beinahe geheilt (nicht beendet!).

14. Idem. Unterkiefer. Einige Wochen 3—5 g. Noch in Behandlung. Nicht operiert.

15. Idem. Unterkiefer, Hals. Eine Karbolinjektion. Erweichung des Infiltrats. Schwinden der Schmerzen. Operation. Besserung. Noch in Behandlung. Wieviel Jodkalium?

16. Idem. Unterkiefer. Mehrfach vorher operiert. 3 Mon. 4 g. Nicht gebessert. Noch in Behandlung.

17. Idem. Jochbogen. Operiert. 4 g längere Zeit. Etwas gebessert. Noch in Behandlung.

18. 19. BRUNNER (13). Zweimal kein Erfolg. Operation wirksam.

20. BUZZI (14). Parotis, Massetergegend, Backe, Hals bis zur Clavicula. Schwerer Fall. Mehrfach erfolglos operiert. $2^2/_3$ Mon. 2 g. Heilung nach 1 Monat konstatiert.

21. CLAISSE (16). Zunge. Nach kleinen Dosen gebessert, Recidiv nach 5 Monaten, dann auf größere Dosen Heilung. Erste Diagnose: Lues. Probepunktion: Akt. Nicht operiert.

22. DARIER und GAUTIER (20). Kiefer, Hals. Injektionen von 5-proz. Lösung, Elektrolyse. Heilung in $1^1/_2$ Mon. Operiert?

23. DELORE (21). Kiefer, Schläfe. Uebergang auf Schädelbasis. 300 g in $4^1/_2$ Mon. Tod.

24. DONALIES (22). Bauchinfiltrat. 4 Eßl. 5/100 4 Mon. Recidiv. Nach größeren Dosen Heilung. Gesamtdauer 21 Monate. Operiert!

25. ELIASSON (30). Bauch. Nach Jodkalium viel abgestoßen. Operation erfolgreicher.

26. FREY (36). Rechter Oberschenkel dicht am Becken (Ausgang vom Proc. vermif.?). Erst operiert. 10/300 3mal tägl. 1 Eßl. einige Zeit. Heilung.

27. Idem. Zunge. Erst operiert, dann Jodkalium. Heilung.

28. HEUSSER (46). Lungen. Kurze Zeit 3mal 0,3 tägl. Besserung begann schon vorher. Nicht zu Ende geführt.

29. 30. 31. JERVELL (47). Dreimal in der Form äußerer Zahnfisteln. Erst operiert, dann Jodkalium. Schnelle Heilung.

32. Idem. Wie Angina Ludovici. Sonst wie die vorigen.

33. VAN ITERSON (57). Submaxillargegend. 2 g tägl., 250 g in 4 Mon. Heilung. Operiert?

34. Idem. Perityphlitis. Erst operiert, dann 1 g 4 Wochen. Heilung.

35. JURINKA (58). Unterkiefer. Erst operiert, dann 5 $^1/_2$ Wochen ca. 1 g. Heilung nach 1 Jahr konstatiert.

36. Idem. Wange. Schwerer Fall. Erst operiert, dann $^3/_4$ Jahre (?) 2—5 g. Schnelles Schwinden der Schmerzen. Noch nach Monaten Abscesse. Kultur stets positiv. Heilung nach 1 Jahr konstatiert.

37. Idem. Perityphlitis. Erst operiert, dann 1 Monat 5/100 3mal tägl. 1 Eßl. Heilung.

38. Idem (WÖLFLER). Wange. Besserung. Noch in Behandlung.

39. KNOX (61). Wange. Kein Erfolg. Tod.

40. KOZERSKI (64). Ganze Gesichtshälfte. Schwerer Fall. 4—14 g lange Zeit. Schnelle Erweichung und Spontanaufbruch. Operiert? Applikation per rectum vorteilhaft. Erfolgreiche Kulturversuche während der Behandlung. Nicht zu Ende geführt.

41. LEGRAIN (66). Unterkiefer. Schwerer Fall. Knochencysten! JK. innerlich und Jod lokal. Heilung ohne Operation.

42. VAN LISSA (67). Gesicht und Hals. Schwerer Fall. Bis 8 g. Heilung nach langer Behandlung. Operiert?

43. MEUNIER (73). Unterkiefer. Operationen vergeblich. Mit JK. schnelle Heilung.

44. 45. Idem. Unterkiefer. Schnelle Heilung. Operiert?

46. Idem (74). Hals. Operiert? Heilung.

47. MONESTIÉ (76). Wange. Nicht operiert. 2 g 3 Monate, lokal JK.-Salbe. Heilung.

48. Idem. Dasselbe. Dauer 4$^1/_2$ Mon.

49. Idem. Dasselbe. Dauer 5 Mon.

50. Idem. Unterkiefer. 2 g 3 Mon. Pinseln mit T. Jodi. Schnelle Erweichung und Aufbruch. Injektion von T. Jodi. Recidiv. Nicht zu Ende geführt. Nicht operiert.

51. MORRIS (77). Haut am Unterkiefer (sekundär!). 1—2 g über 4 Mon. Nicht operiert. Heilung.

52. NETTER (80). Mediastinum. 6—1 g 1 Monat. Operiert. Heilung

53. PONCET (87). Oberkiefernekrose, Gaumendefekt, Uebergang auf Schädelbasis. Bild tertiärer Lues. Erst operiert, ohne Erfolg, auf JK. schnelle Besserung (Dosis nicht angegeben). Stillstand der Wirkung. Tod.

54. Idem. Hals, bes. Perichondritis laryng. 4—6 g 10 Monate, nach Pause wieder mehrere Wochen. Schnelle Erweichung. Dann Incision. Tod.

55. Idem. Parotisgegend. 3—5 g 1 Monat, dann unregelmäßig. Nicht operiert. Besserung. Ausgang unbestimmt.

56. Idem. Schläfe, Kiefer. Vorher mehrfach operiert. 5—7 bis 9 g ca. 6 Wochen. Lokal deutliche Besserung. Tod. Keine Sektion.

57. Idem. Lungen. Vorher mehrfach operiert. 3 g ca. 2 Mon. (?). Tod.

58. Idem. Unterkiefer. Erst Operation, dann JK. Nichts Näheres angegeben. Heilung.

59. Idem (88). Unterkiefer. Nicht operiert. 4 g 6 1/2 Mon. Heilung.

60. Idem (90). Oesophagus-Trachealfistel. Oesophagotomie, Tracheotomie, Naht der Trachealfistel, die hält. Auffallende Eiterung, daran erst Akt. erkannt. JK. Schnelle Heilung.

61. Pringle (99). Thoraxwand. Operiert? In 1 Monat Heilung.

62. Ransom (103). Prostata und Rectum. 2 g innerlich, außerdem Klysmen. Operiert? In 2 Monaten Heilung.

63. Rosenfeld (107). Hals. 12 Injektionen von 3 ccm Lugol'scher Lösung, 2 g JK. innerlich (wie lange?). Operiert? Heilung nach 8 Mon. konstatiert.

64. Idem. Hals. Gleiche Behandlung. In 2 1/2 Mon. auf die Hälfte verkleinert. Nicht beendet.

65. Rydygier (111). Hals. 2mal operiert. Alle 8—14 Tage 2—4 Pravaz-Spritzen 1-proz. Lösung lokal, außerdem 1 1/2—2 g innerlich. Heilung nicht ganz sichergestellt.

66. Idem. Bauch. 1—5 Pravaz-Spritzen 1-proz. Lösung, 6mal während eines Monats. Besserung. Nicht beendet.

67. Zechmeister (128). Wange. Erst operiert, dann 2—2 1/2 g. In 4 Wochen Heilung.

68. Duguet (26). Gesicht. 2 1/2 Monate 3—5—8 g. Anscheinend nicht operiert. Besserung. Nicht beendet.

Sieht man zunächst noch von einigen gleich zu erwähnenden Punkten ab, die für die Beurteilung der Jodkaliumwirkung nicht außer Acht zu lassen sind, so ergiebt sich als Gesamtresultat: auf 66 Fälle 42 Heilungen, 7 Todesfälle (6, 23, 39, 53, 54, 56, 57), von denen der eine Bromäthyltod (6) natürlich auszuscheiden wäre, und 17 nicht beendete Fälle oder solche von unbekanntem Ausgang. Die beiden restierenden Fälle (23 und 66) sind zunächst beiseite zu lassen, weil da nur lokale Jodkaliumapplikation stattgefunden hat.

56mal war eine deutliche günstige Wirkung zu beobachten, 5mal war sie zweifelhaft (7, 17, 23, 28, 57), 5mal hat sie keinen Erfolg gezeitigt (2, 16, 18, 19, 39).

Nach der Lokalisation verteilen sich die Fälle folgendermaßen:

| | |
|---|---|
| Kiefer und Hals zusammen | 47 |
| davon geheilt | 28 |
| gebessert mit unbestimmtem Ausgang | 11 |
| mit unbestimmter Jodkaliumwirkung | 1 |
| ohne Jodkaliumwirkung | 2 |
| mit lokaler Besserung gestorben | 3 |
| ohne deutliche Besserung gestorben | 1 |
| unbeeinflußt gestorben | 1 |

Zunge 2, beide geheilt. Mediastinum 1, geheilt. Thoraxwand 1, geheilt. Lunge (davon 2 mit Durchbruch durch die Thoraxwand) . . . . . . . . . . . . . . . . 3
davon gebessert, nicht beendet . . . . . . . . . . 1
ohne deutliche Wirkung nicht beendet . . . . . . . 1
ohne deutliche Wirkung gestorben . . . . . . . . . 1
Bauch zusammen . . . . . . . . . . . . . . . . . . 9
davon geheilt . . . . . . . . . . . . . . . . . 6
gebessert . . . . . . . . . . . . . . . . . . . 1
ohne deutliche Wirkung . . . . . . . . . . . . . 1
gebessert gestorben (Bromäthyltod) . . . . . . . . 1
Prostata und Rectum 1, geheilt. Unbekannter Lokalisation 2, beide nicht beeinflußt.

Es fehlen hier ganz Fälle von Hautaktinomykose, obgleich mehrere der Mitteilungen, die in der Zusammenstellung benutzt sind, sich auf solche beziehen. Es läßt sich aber wohl für alle nachweisen, daß die Haut erst sekundär ergriffen war, meist war der Ausgangspunkt an den Kiefern zu suchen. Es ist daran festzuhalten, daß nur diejenigen Fälle zur Hautaktinomykose gerechnet werden, von denen sichergestellt werden kann, daß thatsächlich die Inokulation in die Haut stattgefunden hat, nicht auch jene häufigen Fälle, wo die Haut einfach in einen von anderer Stelle ausgegangenen Herd erst einbezogen wird. Es ist das nicht anders, als wenn von einem cariösen Gelenk aus mit tuberkulösen Granulationen ausgekleidete Fisteln weithin in der Haut sich verbreiten und eventuell zu mehr oder weniger ausgedehnten Ulcerationen führen. Ein Fall von primärer Hautaktinomykose nach Stich mit einer Aehrengranne in die Wange findet sich unter den Fällen der hiesigen Poliklinik, die mir das Material zu einem Teil der Tierversuche lieferten (V. Reihe). Der Fall zeigt auch, daß unter Umständen die Diagnose Aktinomykose erst nach genauer Untersuchung von Schnitten gestellt werden kann. Er gleicht darin einem von Lunow (68) berichteten Fall.

Ein etwas anderes Gesicht gewinnt nun ein Teil der Fälle, wenn man auf zwei Punkte eingeht, die bisher bei der Beurteilung der Jodkaliumwirkung nicht berücksichtigt zu sein scheinen: den Unterschied zwischen geschlossenen und offenen aktinomykotischen Herden und die Frequenz der Operationen bei den mit Jodkalium behandelten Fällen.

Sicher ausschließlich mit Jodkalium behandelt sind folgende:
Kiefer und Hals . . . . 13
davon geheilt . . . . 9
gebessert, nicht beendet 4

Dazu kommen zwei Fälle, die nach vergeblicher Operation unter Jodkalium heilten.
Zunge 1, geheilt,
Lunge 1, ohne deutliche Wirkung.

Bei mehreren Fällen ist es nicht ganz klar, ob sie operiert sind, bei der Mehrzahl ist es geschehen, entweder vor der Jodkaliumbehandlung oder während derselben oder am Schluß einer kurzen Jodkaliummedikation.

Weiter kamen die Patienten mit Aktinomykose im Bereich der Kiefer oder des Halses, die nicht operiert sind, in Behandlung, weil sie nach längerem Bestehen von Infiltraten Fisteln bekommen hatten, die zum Teil schon längere Zeit in Funktion waren. Der eine Fall von Zungenaktinomykose war geschlossen, hier ist aber eine Probepunktion gemacht, die Drusen entleerte, und darüber, ob der Herd nicht später aufbrach oder durch die Punktionsöffnung secernierte, ist nichts gesagt. Bei den Fällen von Buzzi (No. 20), Meunier (No. 43), die nach vergeblicher operativer Behandlung unter Jodkalium heilten, ist zu beachten, daß sie eben auch offen waren.

Die große Frequenz der operativen Eingriffe bei den mit Jodkalium behandelten Fällen beweist doch wohl, daß die betreffenden Beobachter von ihrer Notwendigkeit überzeugt waren. Insbesondere sind wohl alle zur Zeit des Beginnes der Jodkaliumbehandlung noch geschlossenen Herde operativ eröffnet worden. Hier und da mag freilich einer spontan aufgebrochen sein.

Daraus nun zu schließen, daß in diesen Fällen der endliche Erfolg der Operation allein zu danken, und die Jodkaliumbehandlung darum eigentlich entbehrlich gewesen sei, wäre freilich falsch. Letztere hat auch hier — mit den berichteten Ausnahmen — eine nicht zu verkennende Wirkung entfaltet, bestehend in einer Verkleinerung und namentlich Erweichung der Infiltrate. In subjektiver Richtung kam die Wirkung mehrfach durch schnelles Aufhören der Schmerzen zur Geltung.

Dieser Erfolg wird fast ausnahmslos von allen Beobachtern konstatiert, und die Schnelligkeit des Zurückgehens der Infiltrate mehrfach als geradezu überraschend geschildert. Auch einige der neu mitgeteilten Fälle bestätigen das, in besonders bezeichnender Weise drei der Fälle von Bauchaktinomykose (3, 5, 6). Sie zeigen eine Erscheinung, die ich mit als eine der wertvollsten Manifestationen der Jodkaliumwirkung ansehen möchte: in großen, teils wahrscheinlich, teils sicher partiell intraperitoneal gelegenen, die Bauchdecken ausgiebig mitumfassenden Infiltraten tritt unter Jodkalium eine schnelle Erweichung ein, die sich immer schärfer lokalisiert, immer näher der Oberfläche rückt, so daß schließlich nichts weiter nötig ist, als die Incision und Auslöffelung eines Abscesses. Die (entzündlichen) Tumoren so, wie sie sich bei der Aufnahme der Kranken präsentierten, operativ anzugehen, wäre gewiß in hohem Maße bedenklich gewesen. Die Jodkaliumbehandlung hat die Fälle operabel gemacht und an die Stelle schwerer, in ihrem Erfolg unsicherer Eingriffe harmlose Absceßincisionen treten lassen.

Dieser Vorteil tritt auch bei anderen Lokalisationen deutlich in die Erscheinung, vor allem bei jenen von den Kiefern ausgehenden Formen, die zu ausgebreiteten brettharten Infiltrationen führen und hier und da zu eingreifenden Operationen herausgefordert haben (vergl. den Fall von halbseitiger Unterkieferresektion von GLUCK, mitgeteilt von KATZ [59]). Hier wie dort scheint sie berufen, zwar nicht die Frequenz der Operationen, wohl aber ihre Ausdehnung zu reduzieren.

In unserem 4. Fall von Bauchaktinomykose (7) — um auf die neuen Fälle noch etwas einzugehen — lagen die Verhältnisse anders Nach der Anamnese wird man vermuten dürfen, daß der Ausgang vom Processus vermif. stattgefunden hat (Beginn mit Schmerzen in der rechten Leistengegend). Hier hatte sich aber der aktinomykotische Herd, augenscheinlich nach früher Verlötung mit der Bauchwand, vielleicht von Anfang an extraperitoneal, was ja vom Processus vermif. aus möglich ist, durch die Bauchdecken an die Oberfläche vorgeschoben. SCHLANGE (113) schildert diese Neigung zur Wanderung gegen die Körperoberfläche recht anschaulich: „Die Pilzkolonie wandert, meist geschlossen, weiter bis an die äußere Haut, wie eine Karawane, die ein fremdes Land durchquert und auf ihrem Wege die Vegetation niedertritt." In dem durchwanderten Gebiet können natürlich kleine Herde zurückbleiben, ebensogut aber auch nur eine Narbe, die den Weg bezeichnet, ein Vorgang, der ja für die Senkung von den Kiefern am Halse entlang mit Recht als so charakteristisch angesehen wird. So war es in unserem Fall: die Fisteln reichten nur an wenigen Stellen noch bis in die Muskulatur. Die Operation ging hier der Jodkaliumbehandlung voraus. Einen deutlichen Einfluß auf das Schwinden des Infiltrats hatte letztere eigentlich nicht, ob und wie weit man das Auftreten der bald nachher noch eröffneten Abscesse mit ihr in Verbindung bringen kann, läßt sich ganz sicher nicht entscheiden.

Der durch Bromäthyl tödlich verlaufene Fall (6) ist ganz besonders interessant. Am leichtesten erklärt sich der sehr merkwürdige Befund wohl, wenn man als Eintrittspforte des Aktinomyces den Magen resp. die in ihm vorhandenen Ulcera ansieht. Von ihnen gingen die intraperitonealen Abscesse aus, von denen der eine, reichlich Drusen enthaltende, sekundär an zwei Stellen in den Dünndarm und außerdem in das Colon transversum durchgebrochen war. Und diese drei — bis bleistiftdicken! — Kommunikationen mit dem Darm waren merkwürdigerweise klinisch nicht kenntlich geworden. Der Fall würde sich dem von GRILL (41) berichteten an die Seite stellen als zweiter bekannter Fall, in dem — soweit sich das sicherstellen läßt — der Eintritt des Aktinomyces durch die Magenwand stattgefunden hat. Auf die Unterschiede zwischen beiden sei hier nicht näher eingegangen.

Zweimal lagen beschränkte oberflächliche Prozesse vor (Lokalisation in der Regio submentalis, Fall 1, und in den Weichteilen am Unterkiefer, Fall 4). Beide Male brachte Jodkalium schnelle Erweichung, worauf nach Incision und Auslöffelung schnelle Heilung eintrat. Von dieser Kategorie sind noch eine Anzahl von Fällen in der Poliklinik beobachtet worden, von denen noch 4 bei den Versuchen (III., IV., V. und VII. Reihe) aufgeführt sind. Das waren ganz kleine, ganz oberflächlich gelegene Herde, die nach Eröffnung in wenigen Tagen heilten. Bei einem derselben (III. Reihe) habe ich nach der Incision noch etwas Jodkalium gegeben. Ich rechne den Fall hier gar nicht mit, weil da sicher diese Medikation auf den Erfolg von gar keinem Einfluß war. Die Nachrichten über die übrigen poliklinischen Fälle, von denen ein Teil auch mit Jodkalium behandelt wurde, sind so spärlich, daß ich sie nicht mit benutzen konnte.

Der Fall von Lungenaktinomykose (8) ist wohl am längsten von allen bekannten Fällen mit Jodkalium behandelt worden. Die Patientin hat in 2 Jahren fast 4000 g Jodkalium erhalten und hat sich dreizehn operativen Eingriffen unterwerfen müssen. Der Fall zeigt aufs augenfälligste die manchmal ungemein große Hartnäckigkeit der Affektion, auf der anderen Seite aber auch den trotz mancher Schwankungen nicht zu verkennenden günstigen Einfluß der Behandlung gerade auf die Lungenaffektion. Letzteres läßt sich weniger sagen von den zahlreichen Stellen, an denen der Prozeß die Thoraxwand durchbrach. Alle sind, auch wenn sie zunächst spontan zurückzugehen schienen, der operativen Eröffnung anheim gefallen. Ein großer Teil von ihnen ist erst während der Jodkaliumbehandlung aufgetreten, und hierin wird man wieder einen Beweis dafür sehen dürfen, wie unter dieser Medikation in der Tiefe gelegene Herde zu beschleunigtem Durchbruch nach außen angeregt werden. Auf der anderen Seite zeigt der Fall aber auch wieder, wie dann die operative Behandlung in ihre Rechte tritt.

Die Betrachtung dieser Fälle, namentlich der von schnell erweichten Bauchinfiltraten, welche die Incision unbedingt erforderten, führt auf das, was oben schon angedeutet wurde: warum ist ein Teil der Fälle thatsächlich unter Jodkalium allein, ohne Operation, zur Heilung gebracht worden? Weil Fisteln bestanden, und so die Möglichkeit gegeben war, die Pilze an die freie Oberfläche abzustoßen, wozu in den anderen Fällen erst Eröffnung nötig war. Die Beobachtung der schnellen Heilung aktinomykotischer Herde nach Eröffnung führte Garré zu der Hypothese, daß (neben dem Eindringen anderer Mikroben, speciell der Eitererreger) der Zutritt der Luft den streng anaëroben Aktinomyces allmählich töte. Abgesehen davon, daß erfahrungsgemäß auch kleine oberflächliche aktinomykotische Herde lange nach Fistelbildung noch bestehen bleiben können, fehlt meines Erachtens auch die wesentlichste Voraussetzung für diese Erklärung, insofern als wir jetzt wissen, daß der Aktinomyces durchaus nicht so streng anaërob ist. Nicht nur die bei seiner Kultur gewonnenen Erfahrungen, sondern gerade jene Beobachtungen an oberflächlichen Herden zeigen wohl deutlich, daß diesem Faktor, wenn überhaupt, jedenfalls nur eine ganz untergeordnete Bedeutung zukommt. Nicht der Zutritt der Luft oder anderer Organismen, sondern die mechanische Entfernung des Erregers spielt eine Hauptrolle bei der Heilung. Auch dieses schildert SCHLANGE treffend: „Das Wesentliche ist, daß der Heilungsprozeß bei der Aktinomykose ein mechanischer ist; die Pilze verlassen den Körper etwa so, wie das ein Fremdkörper, ein kleiner Sequester, thut. So kommt es nicht selten zur Spontanheilung der Aktinomykose." Wenn er dann aber weiter sagt: „Ich stehe nicht an zu behaupten, daß weitaus die meisten Fälle ohne unser Zuthun heilen würden", so geht er damit doch wohl zu weit. Solche Fälle kommen vor, sind bei Menschen wie bei Tieren einwandsfrei beobachtet worden, aber wirklich häufig sind sie wohl nicht, und nicht nur deshalb, weil operative Behandlung der Spontanheilung zuvorkommt. Auch solche kleinen oberflächlichen Herde soll man behandeln, auch ihnen ist nicht zu trauen, der eine oder andere kann doch einmal in einer anderen Richtung noch weitergehen, wo er weniger Widerstand findet als an der zähen Haut, und damit in ein Gebiet ausweichen, wo er schwerer, vielleicht gar nicht mehr zugänglich ist. Das eine will ich zugeben, daß diese Formen einer Jodkaliumbehandlung gemeinhin nicht bedürfen: eine einfache Spaltung der Haut bringt den Herd an die Oberfläche, und danach heilt er schnell aus, namentlich, wenn er noch ausgelöffelt ist. Eine Vorbereitung — Erweichung — durch Jodkalium ist da nicht mehr nötig. Es muß überhaupt das Ziel der Behandlung sein, die Kommunikation mit der Oberfläche herzustellen. Wird sie operativ bewirkt, so wird es sich ja wohl immer nur um die Haut handeln können. Außerdem ist der Fall denkbar, daß ein gut begrenzter Herd an eine innere Oberfläche, in den Darm, durchbricht und ohne Zurücklassung von Depots auf diesem Wege ausheilt. Die Forderung der Herstellung einer Kommunikation mit der Oberfläche würde ideal nur dann erfüllt sein, wenn sie für die nächste Umgebung jedes einzelnen Pilzverbandes geschehen könnte. Das ist in praxi natürlich nicht möglich. Man wird dem Ziel aber um so näher kommen, je sorgfältiger man alles, was sich wegräumen läßt, auslöffelt. Höhlen werden dann tamponiert, und so auch tiefer gelegene Herde gleichsam an die Oberfläche gebracht.

Daß außer der Ausstoßung noch andere Wege der Bekämpfung des Pilzes im Körper offen stehen, ein Ueberwinden desselben durch das umgebende Gewebe, die Abtötung eingeschlossener Pilzelemente und ihre Fortschaffung, sei hier nur angedeutet. Diese möglichen Modalitäten der Heilung sind namentlich in ihren Einzelheiten der

Untersuchung kaum zugänglich, und unsere Kenntnis hält mit den Vermutungen, die man über diesen Punkt hegen kann und hegt, nicht Schritt.

Diese Betrachtungen finden ihre Bekräftigung auch in dem Verlauf unserer Fälle, und, was das wesentlichste ist, auch diese lassen der Wertschätzung der Jodkaliumtherapie im allgemeinen beistimmen. Gegenüber der manchmal geäußerten Neigung, sie als die souveräne Therapie der Aktinomykose hinzustellen, muß aber eben darauf hingewiesen werden, daß ihr Wert nicht darin liegt, daß sie eine operative Behandlung entbehrlich macht, vielmehr darin, daß sie im einzelnen Fall die Herde so vorbereitet, daß diese entweder durch einen kleinen Eingriff zu beseitigen sind, oder daß sie dieselben überhaupt erst wirksamer operativer Behandlung zugänglich macht.

Ueber anders geartete medikamentöse Behandlung sind hier Erfahrungen nicht gesammelt worden, wenn man absehen will von der gewiß empfehlenswerten Verwendung der Jodoformgaze zur Tamponade eröffneter aktinomykotischer Herde. Lokale Injektionen von Jodkaliumlösung haben angewandt Darier und Gautier (20) (5 Proz.) und Rydygier (111) (1 Proz.), erstere mit folgender Elektrolyse. Wölfler (Jurinka) (58) hat sie einmal versucht, aber wegen starker Schmerzhaftigkeit aufgegeben. In Klysmen haben Jodkalium gegeben Ransom (40) und Kozerski (62). Von Jodpräparaten sind noch empfohlen Jodtinktur (Duguet (26) und Monestié) (76), Lugol'sche Lösung (Legrain (66) und Rosenfeld) (107), Jodkalisalbe (Monestié), Jodoformglycerin (Korff) (63) lokal, Thyreoidextrakt (Pringle) (100, 101) innerlich. Von anderen Mitteln sind versucht Tuberkulin, einmal von Billroth (v. Eiselsberg) (29) mit Erfolg, von Czerny (Frey) (36) und Friedrich (37) ohne Wirkung; von Ducor (23) Antistreptokokkenserum (3 Injektionen), von Ziegler (129) ein aus Kulturen von Staphylococcus aureus hergestelltes Proteïn (25 Injektionen). Raffa (102) versuchte Methylviolett, Duguet (27) 25-proz. Karbolglycerin, Korff (63) (Schinzinger) — der übrigens, wohl als einziger, die Jodkaliumbehandlung für die ungeeignetste erklärt — neben Jodoformglycerin 5-proz. Karbolsäure und 1 °/₀₀ Sublimat. Köttnitz (62) empfahl zur lokalen Behandlung lebhaft Arg. nitr.-Stifte, Staub (117) für Hautaktinomykose Chrysarobin, Resorcin und Ichthyolpflaster.

Jodtinktur und Lugol'sche Lösung werden neben der internen Darreichung von Jodkalium auch von den Tierärzten oft benutzt. Deren Erfahrungen mit dem Jodkalium sind, wie ich nicht unterlassen will zu erwähnen, im allgemeinen recht günstige, was zahlreiche Mitteilungen bezeugen. Auch hier ist es wiederholt als Specificum bezeichnet worden (z. B. Ostertag [83]), wenn auch Mitteilungen über erfolglose Anwendung nicht fehlen (Engel [31], Noack [81], Perinni [84]).

Die weitere Darreichung von Jodkalium nach vollendeter solider Vernarbung, wie sie z. B. Jurinka empfiehlt, wird ihren Zweck, die Verhütung eines Recidivs, kaum erfüllen. Eintritt oder Ausbleiben eines solchen wird vielmehr davon abhängen, ob zur Zeit des Abschlusses der Behandlung — der operativen und medikamentösen — noch irgendwo in der Tiefe Pilzdepots zurückblieben. Nur in dem

Sinne wird man hier der Fortsetzung der Jodkaliumtherapie eine gewisse Bedeutung zuerkennen dürfen, als sie solche Depots durch beschleunigte Erweichung schneller kenntlich machen und zu früherem Durchbruch führen könnte, als es bei unbeeinflußtem Verlauf geschehen würde. Eine wirklich palliative Wirkung darf ihr nicht zuerkannt werden. Ist kein Pilz zurückgeblieben, so ist das Jodkalium überflüssig, haftet noch irgendwo einer in der Tiefe, so wird es ebenso wenig als vorher für sich allein sichere Heilung bringen können.

Was leistet nun das Jodkalium in diagnostischer Beziehung? Die schnelle Erweichung der Infiltrate soll nach manchen im Zweifelsfalle direkt die Diagnose sichern. Es ist klar, daß die Unterscheidung von Lues gerade durch den schnellen Schwund der Infiltrate oft fast unmöglich werden kann. Wie schwer sie im einzelnen Fall sein kann, zeigt die Beobachtung von Poncet (87), wo eine Oberkieferaktinomykose zu ausgedehnter Zertörung des harten Gaumens geführt hatte. Hier wurde wegen der prompten Jodkaliumwirkung zunächst Lues angenommen, bis nähere Untersuchung erst den Prozeß als aktinomykotischen erkennen ließ (Sektion). So weit geht die Aehnlichkeit ja wohl nicht oft, aber vor der Verwechselung mit Lues wird man gerade in den unklaren Fällen, für die in erster Linie die diagnostische Brauchbarkeit des Jodkaliums in Anspruch genommen worden ist, immer auf der Hut sein müssen.

Die oben berichteten Fälle von geschlossenen Bauchaktinomykosen zeigen eine Erscheinung, die sich unter Umständen mit Vorsicht zur Unterscheidung dürfte verwerten lassen: die Erweichung des Infiltrats war begleitet von manchmal erheblicher spontaner und Druckempfindlichkeit und dem Auftreten von Fieber. Namentlich ersteres kommt bei der Resorption von Gummen wohl kaum vor. Die schmerzhaften periostalen Infiltrate bei Lues dürften zu Verwechselungen keinen Anlaß geben.

Aber gewiß wird man daraus Aktinomykose nur mit einer gewissen Wahrscheinlichkeit diagnostizieren. Die Sicherheit giebt unter allen Umständen erst der Nachweis des Aktinomyces, und zwar des ausgebildeten Pilzverbandes in der Form der sog. Druse. Der Nachweis verzweigter einzelner Fäden, frisch oder im Deckglaspräparat nach Gram gefärbt, kann nur dann als allenfalls genügend anerkannt werden, wenn es darauf ankommt, bei einer schon sicher erkannten Aktinomykose festzustellen, ob das Sekret oder ausgekratzte Massen noch etwas von dem Pilz enthalten.

Für sich allein also wird die Verkleinerung und Erweichung der Infiltrate unter Jodkalium ebensowenig entscheidend sein wie etwa die von v. Esmarch (32) so charakteristisch genannte „brettharte" Infiltration, die, wenn ausgeprägt vorhanden, ja den Verdacht auf Aktinomykose zu einem dringenden macht.

Die Frage, wie die Jodkaliumwirkung zustande kommt, ist schon früh dahin beantwortet worden, daß vermutlich nicht der Pilz als solcher, sondern das Gewebe beeinflußt wird. NETTER (80) spricht von einer Stärkung der anatomischen Elemente gegen den Pilz, von einer Erhöhung der Widerstandsfähigkeit der Gewebe. Auch MORRIS (77) z. B. sagt, der Pilz werde wohl nicht getötet, das Jodkalium bewirke seine Entleerung oder Resorption (nach Abtötung durch das Gewebe). JURINKA (58) vermutet, daß das Jodkalium den Pilz wohl nicht töte, aber in seiner Entwickelung hemme, sagt aber an anderer Stelle wieder, ob die Heilung durch Hervorrufung guter Granulationen oder durch Herabsetzung der Virulenz des Aktinomyces eingeleitet werde, sei nicht zu entscheiden. Im großen und ganzen treffen sich diese verschiedenen Anschauungen darin, daß die Beeinflussung, wenn man so sagen darf, auf dem Umweg über das Gewebe zustande käme; all die Erklärungen umschreiben aber doch nur den einen Satz: wir wissen es nicht.

Der Vergleich mit der Wirkung des Jodkalium auf die Produkte der Lues, namentlich die Spätformen, liegt auf der Hand. In einem Punkte freilich würde er sich nicht durchführen lassen: wir kennen den Erreger der Lues nicht und können darum nicht erkunden, ob er durch Jod direkt beeinflußt wird. Vom Aktinomyces ist schon von NOCARD, dann von DAR, DUBREUILH und BÉRARD gezeigt, daß er auf jodkaliumhaltigen Nährböden wächst, KOZERSKI und JURINKA konnten ihn während energischer Jodkaliumbehandlung züchten, und meine Versuche haben — in nicht vorausgesehener Uebereinstimmung damit — wohl gezeigt, daß auch innerhalb des Körpers, des Versuchstieres wenigstens, die Proliferationsfähigkeit des Pilzes durch Jodkalium nicht aufgehoben wird.

Also spielt die Jodkaliumwirkung im Gewebe ab. Welcher Art sie ist, kann man nur vermuten. Vielleicht so, daß das den Pilz unmittelbar umgebende Gewebe, das, wenn man so sagen darf, zu ihm gehört, unter seinem Einfluß steht, gegen das übrige sich demarkiert und nekrotisch wird. Außerhalb der Grenze tritt eine Resorption des entzündlich neugebildeten Gewebes ein, hervorgerufen durch das Jodkalium, vielleicht zum Teil dadurch gefördert, daß durch die Nekrose des den Pilz umgebenden Gewebes nun mit dem übrigen nicht mehr ein infektiöser, sondern ein neutraler Fremdkörper in direkter Berührung steht. Mit seinem Gewebslager ist dem Pilz zwar sein eng ihn umklammernder Feind gestorben, aber auch sein lebender Nährboden genommen. Nur wenn er an die Peripherie gelangt, wieder in lebendem Gewebe wurzeln kann, das ihm Nahrung spendet, kann er weiter fortkommen. Sonst stirbt er — nach unbekannter Zeit — allmählich (sekundär) ab und kann dann mit dem nekrotischen Gewebe der Resorption anheimfallen; oder beide, die tote Masse und der von ihr eingebettete lebende Pilz, werden an die Oberfläche geschafft und entfernt.

Ich bin mir wohl bewußt, daß diesen Ueberlegungen keine zwingende Logik innewohnt, daß ich damit nichts Besseres an die Stelle des alten setze. Wie bei der Lues können wir die Wirkung des Jodkalium auch hier nur erkennen und benutzen, nicht wohl erklären. Der Reagensglasversuch und das Tierexperiment zeigen sie nicht, die klinische Beobachtung aber macht sie über jeden Zweifel erhaben, und dieser werden wir folgen.

Ich fasse das Resultat der Untersuchungen dahin zusammen:

Der auf das Versuchstier übertragene Aktinomyces ist imstande, sich in demselben zu vermehren, auch während länger dauernder Einfuhr von Jodkalium. Er kann unter diesen Umständen auch von einem Versuchstier auf das andere übertragen werden und wird in diesem, nachdem er auch hier der Wirkung des Jodkalium ausgesetzt gewesen war, noch in jüngster Entwickelungsform angetroffen. Das Jodkalium vernichtet im Versuchstier nicht die Lebensfähigkeit des Aktinomyces.

Es ist also kein Specificum im eigentlichen Sinne gegen Aktinomykose.

Die beim Menschen durch den Aktinomyces hervorgerufene entzündliche Gewebsneubildung wird durch Jodkalium in der Art beeinflußt, daß eine Resorption der entzündlichen Produkte eingeleitet und die den Pilz selbst beherbergenden Herde zu schneller Einschmelzung geführt werden. Durch die Resorption in ihrer Umgebung und durch ihre Erweichung werden die Herde kenntlicher. Ihre ursprünglich schon vorhandene Neigung zum Durchbruch nach außen wird gesteigert. Steht ein Herd mit der Körperoberfläche (oder mit einem nach dieser sich öffnenden epithelbekleideten Hohlraum [Darm]) in offener Kommunikation, so kann auch allein unter dem Einfluß des Jodkalium die Ausheilung eingeleitet werden. Diese geht dann also ebenso vor sich wie die bei einem Teil der Aktinomycesfälle eintretende Spontanheilung.

Eine entscheidende diagnostische Bedeutung kommt dem Jodkalium für sich allein gegenüber der Aktinomykose nicht zu.

Die Jodkaliumbehandlung ist nicht imstande, die operative Behandlung der Aktinomykose zu verdrängen, wohl aber berufen, sie einzuschränken. Sie kann den aktinomykotischen Herd so „vorbereiten“, daß gegebenenfalls an Stelle eines schweren Eingriffs nur ein relativ unerheblicher notwendig wird, und macht manche Fälle überhaupt erst mit Aussicht auf guten Erfolg operabel (Bauchaktinomykose). Ist sicher nur ein kleinster oberflächlicher Herd vorhanden, so ist das schnellste Verfahren die sofortige Eröffnung und Auslöffelung, ohne vorhergehende Jodkaliumbehandlung.

Die Wirkung des Jodkalium tritt nicht in allen Fällen in die Erscheinung, ist aber bei der überwiegenden Mehrzahl zweifellos vorhanden. Darum ist seine Anwendung im Prinzip in jedem Falle von Aktinomykose angezeigt.

## Anhang.

### Protokolle.

#### I. Reihe.

8. Nov. 1897. Von einem Rinderunterkiefer mit aktinomykotischen Abscessen voll weißen, intensiv übelriechenden Eiters, der zahlreiche Drusen, daneben massenhafte Stäbchen (anscheinend verschiedene Arten) enthält, wird eine Anzahl Drusen mit Nadeln entnommen und 10mal nacheinander in sterilem Wasser energisch abgespült.

Kan. 1—6. Je 2—3 werden 6 Kaninchen in die Bauchhöhle eingeführt. Alle Tiere sterben zwischen dem 3. und 6. Tage nach rapider Abmagerung. Sektionsergebnis übereinstimmend: allgemeine fibrinöseitrige Peritonitis.

Kultur: Abgespülte Drusen auf schrägem Agar und ameisensauerem Agar verrieben, aërob wie anaërob bei 37° gehalten. Sämtliche Röhrchen bedecken sich in den ersten 24 Stunden mit dichten Bakterienrasen, die denselben übeln Geruch wie der Eiter zeigen.

#### II. Reihe.

19. Nov. 1897. Rinderunterkiefer mit großen aktinomykotischen Abscessen. In diesen faulig-säuerlich riechender, teils dünnflüssiger, teils bröckliger Eiter, rein weiß, gelblich oder gelbgrau, mit unzähligen Drusen.

Kultur s. Text S. 44.

Kan. 7. 19. Nov. 1897 mit (gewaschenen) Drusenstückchen in beide vordere Augenkammern geimpft. Rechts nach Schwinden der anfänglich starken Injektion nichts, links langsame Vereiterung des Bulbus. † 25. Jan. 1898 (Todesursache?). Sektion und mikroskopische Untersuchung der inneren Organe negativ. Linkes Auge: Bulbus phthisisch, Cornea gefaltet, getrübt. Dicker rahmiger Brei. Frisch und in Schnitten nichts von Aktinomykose. — Kultur: ein aërob wie anaërob schnell wachsendes kurzes feines Stäbchen, nach Gram nicht färbbar.

Kan. 8. Von dem zweiten Röhrchen der Drusenaussaat (cf. Text) war am 1. Dez. 1897 von einer langsam vergrößerten Druse ein Agarstich angelegt, in dessen Tiefe zwei Kolonien sich nur entwickelten und langsam wuchsen. — 28. Dez. 1897 Impfung davon in die Bauchhöhle. Keinerlei Reaktion. Ein am Ende der zweiten Woche aufgetretenes kleines Knötchen in der Bauchnarbe schwindet in den nächsten Tagen. Am 21. Tage (17. Jan. 1898) diffuse ziemlich weiche Resistenz im Mittelbauch. Dann schnelle Abmagerung, Verfall, nach 24-stündiger Agone Exitus 27. Jan. 1898. Sektion: Kolon und Coecum breit mit vorderer Bauchwand verklebt. Multiple intraperitoneale Abscesse von Hanfkorn- bis Hühnereigröße, die größeren mit bis 1 mm dicker bindegewebiger Kapsel, gelbrötlich, außen ganz glatt. Uebrige Sektion nichts Besonderes. Frisch, auf Deckgläschen und in Schnitten nichts von Aktinomykose. Kleine, nach Gram nicht färbbäre Stäbchen, dieselben in Reinkultur (wie bei Kan. 7).

Kan. 9. Stückchen Wand nebst anhaftendem Inhalt aus einem frisch eröffneten intraperitonealen Absceß von Kan. 8 in Bauchhauttasche. Keine Reaktion. Bis zum 11. Tage entsteht ein halbbohnengroßes Knötchen in den Bauchdecken, das in einigen Tagen spontan schwindet.

Kan. 10. Wie 9, 27. Jan. 1898. Nach 3 Tagen linsengroßer Bauchdeckenknoten, bis zum 18. Tage doppelt erbsengroß werdend, bis zum Ende der 5. Woche spontan resorbiert.

Kan. 11. Impfung mit Reinkultur in beide vordere Augenkammern am 8. Dez. 1897. Verlauf und Befund s. Text S. 45.

Kan. 12. Infektion wie bei 11. Verlauf und Befund s. dort.

Kan. 13. Am 20. Nov. 1897 drei (in Bouillon abgespülte) Drusen in die Bauchhöhle eingeführt. Zunächst keine Reaktion, dann Abmagerung, schließlich schneller Verfall, † am 21. Tage (10. Dez. 1897). Sektion: Großer Absceß mit weißem rahmigem Eiter zwischen Bauchwand und Coecum deutlich abgekapselt. Um ihn zahlreiche ganz kleine, frische Abscesse, freier krümliger Eiter in reichlicher Menge zwischen den benachbarten Schlingen, alles vom Absceß weg abnehmend. Därme injiziert, leichter abstreichbarer Beschlag auf den noch glänzenden Schlingen. — Nichts von Aktinomyces. Deckglas: verschiedene Stäbchen, ein sehr kleines feines in großer Ueberzahl. Gram negativ. Kulturen gehen nicht an (Grund?).

Kan. 14. Infiziert 20. Nov. 1897 wie 13. Keine Reaktion. In den ersten 3 Wochen nichts. Das Auftreten der Infiltrate wurde zunächst nicht beobachtet. Es bilden sich in den Bauchdecken, vom Bauchschnitt abwärts bis in die rechte Schenkelbeuge mehrere nicht distinkt begrenzte, in einer Reihe gelegene Knoten, der kleinste zunächst der Bauchnarbe, nach unten zunehmend. Am 44. Tage (3. Jan. 1898) sind sie erbsen- bis über taubeneigroß, hart, nicht fluktuierend, anscheinend druckempfindlich. Am 46. Tage (5. Jan. 1898) Exstirpation. Die kleinsten Knoten oben werden zurückgelassen, ebenso die äußerste Kuppe des untersten. Hier tritt auf der Abtragungsfläche rahmiger Brei zu Tage. Die Knoten liegen innerhalb der Bauchmuskeln, das Peritoneum kommt nicht zu Gesicht. Das den Tumor umgebende Bindegewebe ist stark ödematös, die Muskulatur sehr blutreich.

Exstirpierter Knoten. Ca. 8 cm lang, bis 3 cm breit und dick. $1^1/_2$—5 mm breite Kapsel festen Bindegewebes von rötlicher bis grauweißer Farbe. Den Hauptteil des Tumors bilden Absceßhöhlen, und zwar zwei größere und eine ganze Anzahl kleinerer. Die Innenfläche der größeren ist teils graurötlich chagriniert, teils gelblich. Der Inhalt besteht teils aus dickem grauweißem Brei, teils aus weißem, dickem, zähem Eiter.

Die kleineren Abscesse enthalten teils Brei, teils Eiter. Wo die beiden großen Abscesse grenzen, ist die bindegewebige Schwarte zum Teil mehr als 1 cm dick. Hier sind kleinste Abscesse eingesprengt.

In dem Eiter kleine, meist schneeweiße Körnchen. Bei der Isolierung fällt schon ihre geringe Konsistenz auf. Sie erweisen sich auch lediglich als Eiterklümpchen. Deckglaspräparate: lange schlanke und feine kurze Stäbchen. GRAM negativ, Kultur ebenso.

Mikroskopische Untersuchung.

Nach GRAM färbbare Bakterien fehlen. In Methylenblauschnitten Stäbchen in den Erweichungsherden.

Mehrere Schnitte von einem Stückchen der ganz dicken Wand zwischen den beiden großen Abscessen, die ein von einem Bindegewebsring eingeschlossenes Konglomerat verschiedengestaltiger kleinster Erweichungsherde zeigen, finden sich in einem der kleinsten Herde zwei unregelmäßig gestaltete, homogene, etwas glänzende Gebilde, die nur an der Peripherie feine Körnung zeigen. Sie färben sich nicht mit Eosin, Methylenblau und Thionin, wohl aber mit Bismarckbraun. GRAM'sche Färbung enthüllt in ihnen an einem Teil der Peripherie angeordnete, meist radiär stehende, nach außen keulenförmig endende Aktinomycesfäden. Teils sind die Keulen (bei unvollkommener Entfärbung) gut homogen gefärbt, teils zeigen sie auf nur blaßviolettem Grunde unregelmäßig gestaltete und angeordnete Körner oder unregelmäßig konturierte, manchmal wie aus einer Reihe Spindeln zusammengesetzte blauschwarze Fäden (s. Abb. 8).

In den ersten Tagen nach der Operation Tier matt, magert ab, erholt sich dann. Die Naht geht auf. Nach 10 Tagen (15. Jan. 1898) klafft sie ganz. Vom 15. Jan. 1898 ab 0,1 Jodkalium täglich subkutan. Die Wundhöhle schrumpft stark. Am 24. Tag p. op. (29. Jan. 1898) am oberen Ende Knötchen unter der Haut, von hier setzt sich eine ganze Reihe solcher, bis erbsengroßer, in der Muskulatur der rechten Bauchseite fort fast bis zum Rippenbogen. Der Strang wächst, ist am 2. Febr. 1898 kleinfingerdick, am 13. Febr. hinten hühnereigroß. Vom 19. Febr. ab 0,2 Jodkalium. Dauerndes Wachstum, von Anfang März ab Erweichung, schließlich große heiße Abscesse. Exstirpation des Infiltrats am 6. März 1898. Hinten bleibt ein kleines Restchen Absceßwand zurück. Umgebendes Gewebe blutreich, auffallend starke Gefässe. Knoten 12 cm lang, vorn daumendick, hinten über hühnereigroß, besteht aus Mengen von Abscessen mit rahmigem Eiter. Kultur: kleine sehr feine Stäbchen, kulturell und morphologisch identisch mit den auch anderwärts gefundenen. GRAM negativ. — Histologisch: eitrig infiltriertes Bindegewebe mit Abscessen.

Kein Jodkalium mehr. Die große Wunde verkleinert sich sehr langsam. Beugekontraktur in Hüft- und Kniegelenk. Anfang Mai wieder Absceß, † am 176. Tage, 15. Mai 1898. Sektion: lokal einige stinkende Abscesse mit graunekrotischen Wänden. Sonst allgemeine Atrophie.

Kan. 16. Kräftiges Tier. Am 5. Jan. 1898 Stückchen Absceßwand von 14 in Bauchhauttasche. Nach 6 Tagen haselnußgroßer, nach 10 Tagen walnußgroßer Bauchdeckenknoten. Vom 10. Tag 0,02, 11. Tag 0,05, 17. Tag 0,1 Jodkalium, diese Dosis weiter bis 51. Tag. 52. Tag 0,2 Jodkalium. Am 54. Tag (27. Febr. 1898) Exstirpation des Knotens: ein größerer, mehrere kleinere käsige Abscesse in straffem Bindegewebe. Mikroskopischer Befund: Entzündlich infiltriertes zellreiches Bindegewebe mit eingelagerten Abscessen. In dem Gewebe zahlreiche Aktinomycesteile, teils in Eiterkörperchen und Epitheloidzellen eingebettete gut erhaltene junge Drusen, teils in Zerfall begriffene ebenfalls wohl junge, in Riesenzellen eingeschlossen oder auf dem Wege dazu (cf. Text). — Kulturen: nichts.

27. Febr. 1898 Stückchen Absceßwand in Bauchhöhle desselben Tieres. Vom 2. Tage ab schnell wachsende diffuse Bauchinfiltrate. Jodkalium weiter. † 20. März 1898. Sektion: Peritonitis. Stäbchen.

Kan. 22. Mit 16 zusammen von dessen Absceß 27. Febr. 1898 intraperitoneal infiziert. Keine Reaktion. Bauchbefund unsicher trotz Bauchbruch. Erst 8. April Knoten gefunden, exstirpiert: ganz beweglicher intraperitonealer Knoten zwischen zarten Adhäsionen, kleinhaselnußgroß. Bindegewebskapsel, breiiger Inhalt. Deckglas und Kultur: nichts. Histologisch: Bindegewebsmantel, Erweichungsherd. Keine Mikroorganismen.

8. April demselben Tier Stück seines Knotens in die Bauchhöhle zurückgethan. Getötet 10. Juni 1898. Befund wie vor.

Kan. 23. Infektion wie 22 (16). Keine Reaktion. 8. April Bauchknoten exstirpiert, haselnußgroß. Bindegewebsknoten mit vielen kleinen Erweichungsherden mit atherombreiähnlichem Inhalt. — Deckglas, Kultur: negativ. — Histologisch: wie vor.

Kan. 24. Infektion wie 22 und 23 (16). Nach 6 Tagen aufbrechender Bauchdeckenabsceß, übelriechend. Tier dann in Verlust geraten.

Kan. 17. Infiziert 5. Jan. 1898 von 14 in Bauchhauttasche, wie 16. 11. Jan. Impfstück deutlich vergrößert, mit Bauchdecken verlötet, hart. 22. Jan. haselnußgroß; subkutan beweglich. Wird bis zum 2. Febr. kleiner, dann größer, erweicht, perforiert, heilt bis Ende Februar ab.

Kan. 18. Infektion wie 17, 5. Jan. 1898. 15. Jan. Impfstück etwas größer, 26. Jan. kleiner, 2. Febr. haselnußgroß, erweicht, perforiert dann (7. Febr.), verschwindet dann in 10 Tagen ganz.

Kan. 19. Infiziert 5. Jan. 1898 wie 16—18, aber intraperitoneal. Bauchdeckenknoten. Vom 15. Jan. 0,02, 16. Jan. 0,05 Jodkalium. Magert schnell ab. † 22./23. Jan. 1898. Sektion: zwei Bauchdeckenabscesse. Große flache intraperitoneale Abscesse zwischen vorderer Bauchwand und den mit ihr verwachsenen Eingeweiden, großer Absceß vor der Leber. Multiple Leberabscesse. Im Eiter Stäbchen (Gram negativ). Vom histologischen Befund interessant starke Bindegewebswucherung in der Leber, starke Vermehrung der Gallengänge, ein Lebersequester in einem Absceß.

Kan. 20. Infektion wie bei 19. Jodkalium ebenso. Verlauf der gleiche, † 21. Jan. 1898. Sektion: multiple intraperitoneale Abscesse und Adhäsionen. Befund auch hier sonst wie beim vorigen.

Kan. 21. Infektion wie bei 16—19. Nach 6 Tagen taubeneigroßer Bauchdeckenabsceß. Incidiert 11. Jan. 1898, ein Stück in eine andere Hauttasche gebracht. Auch hier Absceß. Spontanheilung 13. Febr. perfekt.

Kan. 25. Infiziert von 14 nach der zweiten Operation am 6. März 1898, Stückchen Absceßwand in Bauchhöhle. † nach 18 Tagen. Allgemeine fibrinös-eitrige Peritonitis mit zum Teil auffallend festen Verklebungen. Abgekapselte Abscesse an der vorderen Bauchwand. — Kultur: dieselben Stäbchen wie bei 14.

Kan. 26. Infiziert wie 25. Bleibt gesund, Knoten werden nicht gefunden. Getötet 28. Mai: zwei kleine zwischen Adhäsionen eingebettete bewegliche Knoten, wie gewöhnlich gebaut. — In Kultur und Schnitten keine Mikroorganismen.

Kan. 15. Geimpft 20. Nov. 1897 mit 13 und 14 zusammen mit drei Drusen von Rinderaktinomykose intraperitoneal. Anfänglicher Verlauf wie bei 14. 3. Jan. 1898 hartes knolliges, fast taubeneigroßes Infiltrat in den Bauchdecken links von der Bauchnarbe, im oberen Teil des Abdomens großer, undeutlich begrenzter, ziemlich verschieblicher Tumor. 15. Jan. 1898: Beide vergrößert. Beginn der Jodkaliuminjektionen (0,05, vom 22. Jan. ab 0,1 täglich). Vor dem Bauchdeckenknoten ist ein zweiter kleinerer aufgetreten. Unter Jodkaliumwirkung keine deutliche Aenderung an den Bauchdeckenknoten, der intraperitoneale vergrößert sich langsam, neben ihm wird noch ein kleinerer entdeckt. Am 82. Tag, nach 26-tägiger Jodkaliuminjektion (10. Febr. 1898), Exstirpation der Bauchdeckenknoten. Befund: Bindegewebskapsel mit nekrotischem Brei. — Deckglas: nichts. — Kultur: vereinzelte Kolonien des kleinen feinen Stäbchens. — Mikroskopisch: Bindegewebe, amorpher Brei, nichts von Aktinomyces.

Reaktionsloser Verlauf. Vom 17. Febr. 1898 ab wieder Jodkalium. Während der nächsten zwei Wochen vergrößert sich der große intraperitoneale Knoten noch, bleibt dann stationär. Vom 28. Febr. ab 0,2 Jodkalium. Tier dauernd munter, sehr gut genährt. 2. April 1898 (133. Tag) durch Nackenschlag getötet. Sektion: zwischen zarten Adhäsionen ein halbkindsfaustgroßer und zwei etwa halbhaselnußgroße gelbweiße Knoten mit leicht höckeriger Oberfläche. Durchschnitt: dünner Bindegewebsmantel, innen sehr fester zäher weißer Brei. — Deckglas und Kultur negativ. — Mikroskopisch: Bindegewebe; amorpher Brei. Nichts von Mikroorganismen.

Kan. 27. Infiziert 10. Febr. 1898 mit Stückchen vom Bauchdeckenknoten von 15 intraperitoneal. Nach 3 Tagen sehr empfindliche Infiltration der Nahtlinie, nach 7 Tagen haselnußgroßer Bauchdeckenabsceß perforiert. Zwei Tage später (19. Febr. 1898) im Bauch doppeltbohnengroßer höckeriger beweglicher Knoten. Beginn mit Jodkalium. Der intraperitoneale Knoten vergrößert sich noch etwa 14 Tage lang langsam, der Bauchdeckenabsceß secerniert etwa ebensolange, schwindet dann im Lauf von 10—12 Tagen. Vom 9. April 1898 (nach 42-tägiger Behandlung) kein Jodkalium mehr, vom 22. April 1898 nochmals für 1 Woche. Zustand bleibt unverändert. 18. Juni 1898 getötet. Knoten: dünner Bindegewebsmantel mit dickem Brei. Resultat kulturell und mikroskopisch negativ.

Kan. 28. Infiziert 10. Febr. 1898 von 15 mit der Hälfte des kleinen Bauchdeckenknötchens. Verlauf fast genau wie bei 27, nur wird der intraperitoneale Knoten hier hühnereigroß. Jodkalium in denselben Fristen und Dosen wie 27, keine Wirkung. Getötet 18. Juni 1898. Sektion: hühnereigroßer etwas höckeriger Knoten in zarten, sehr gefäßreichen Adhäsionen. Neben ihm ein haselnußgroßer gleicher (nie gefühlt!). Uebriges normal. — Befund am Knoten wie bei 27.

Kan. 29. Infiziert am 10. Febr. 1898 mit Stückchen von 15 in Bauchhauttasche. Nach 3 Tagen schon haselnußgroßer weicher Knoten in Zusammenhang mit der Bauchnaht. Beginn mit Jodkalium (0,1). Am 7. Tage (17. Febr. 1898) ist der walnußgroß gewordene Bauchdeckenabsceß perforiert. Schnitte durch den Inhalt: nichts von Aktinomykose. Vom 10. Tage schiebt sich der Prozeß links von der Bauchnaht nach hinten vor, bis zum 20. Tage etwa 4 cm weit. Tier magert ab. † 9. März 1898 (28. Tag) nach 25-tägiger Jodkaliumanwendung. — Sektion: in den Bauchdecken eine Reihe von Abscessen mit zum Teil dicker bindegewebiger Wand. Uebrige Sektion negativ, ebenso histologische Untersuchung der Organe. Speciell nichts von Tuberkulose. — Histologische Untersuchung: Bindegewebe, namentlich in den inneren Schichten stark infiltriert, Erweichungsherde mit fast amorphem Inhalt einschließend. An deren Peripherie relativ zahlreiche augenscheinlich ganz junge Aktinomycesdrusen. In einem Erweichungsherd dicht an der Wand eine anscheinend auch junge Form von eigentümlich büschelförmiger Gestalt (s. Abb. 7 und 8).

Kan. 30. Infiziert 10. Febr. 1898 von 15 unter Bauchhaut. Bauchdeckenabsceß, halbpflaumengroß, am 7. Tage perforierend. Vom nächsten Tage ab Jodkalium. In den nächsten Tagen noch etwas Wachstum, dann Verkleinerung. Noch mehrfach Perforation. Untersuchung des Inhalts negativ. Vom 3. März ab kein Jodkalium mehr. Von da an Spontanheilung in etwa 3 Wochen.

Kan. 31. Infiziert 2. April 1898 mit Partikelchen vom intraperitonealen Absceß des getöteten Kan. 15. Zunächst keine Reaktion. Nach $2^1/_2$ Wochen Abmagerung. Nie Knoten zu fühlen. † 22. Tag (23. April 1898). Sektion: Allgemeine fibrinös-eitrige Peritonitis mit molkigem, flüssigem Exsudat, Beläge wieder zum Teil bröckelig, besonders auf Coecum und Colon ascendens, auch bis zur hinteren Bauchwand reichend. Absceßchen zwischen den Mesenterialblättern. Sonst nichts Besonderes. Eiter: Stäbchen; GRAM negativ.

Kan. 32. Infiziert wie 31. Das Tier gerät in Verlust.

Kan. 33. Infiziert wie 31, aber nicht intraperitoneal, sondern in Bauchhauttasche. Nur kleine Schwellung, die in ca. $2^1/_2$ Wochen spontan schwindet.

Kan. 34. Infektion und Verlauf wie bei 33.

III. Reihe.

Krankengeschichte etc. siehe Text.

Kan. 35. 10. Sept. 1897. Partikelchen schlaffen Granulationsgewebes mit Drusen in die Bauchhöhle. Keine Reaktion. Keine Entwickelung von Knoten. Beobachtung mehrere Monate.

Kan. 36. Ebenso.

Kan. 37. Infiziert 10. Sept. 1897 wie 35 und 36. Keine Reaktion. Es bildet sich ganz allmählich in der Subcutis ein anfänglich mit der Bauchwand verlötetes, später bewegliches schlaffes Knötchen aus, das in einem Monat erbsengroß wird. Exstirpation 10. Okt. 1897. Befund: straffes blasses Bindegewebe, in der Mitte eine kleine Höhle mit dickem, teils bröckeligem, teils scholligem weißem Inhalt. Frische Untersuchung: amorpher Detritus. Deckglas, Kultur: nichts. Schnitte: Bindegewebe, innen amorpher körniger Brei. Keine Mikroorganismen.

Kan. 38. 10. Okt. 1897 Stückchen des Knötchens vom Kan. 37 in die Bauchhöhle. Monatelang gesund, keine Knoten.

Kan. 39. Ebenso.

Kan. 40. Geimpft wie die vorigen. $2^1/_2$ Monate lang völlig normal. Ende Dezbr. in der rechten Oberbauchgegend diffuse ganz weiche Resistenz, Größe nicht genau bestimmbar. 3. Jan. Infiltrat größer. Magen stark gebläht, sehr prall, deutlich zu fühlen, darunter ebensolche Darmschlinge Bei Druck auf diese deutliches Gurren. Fortgesetzter Verfall, † 10./11. Jan. 1898. Sektion: Multiple intraperitoneale Abscesse und Stränge, durch einen der letzteren oberer Dünndarm fast völlig abgeknickt. Kultur: zwei Stäbchen, ein langes schlankes und ein kurzes, sehr feines. GRAM negativ.

deckentasche. 15. Jan. pfennigstückgroßes flaches Infiltrat, mit der Muskulatur verlötet. Vom 19. Jan. ab Verkleinerung. Totale Resorption bis zum Ende der dritten Woche.

Kan. 42. Infektion wie beim vorigen. 15. Jan. markstückgroßes weiches flaches Infiltrat, mit Muskulatur und Haut verlötet. Im Laufe der nächsten Woche Einschmelzung unter Vergrößerung, dann etwas Abnahme, 1./2. Febr. 1898 Spontanperforation, Resorption des Restes bis Ende Febr. vollendet.

## IV. Reihe.

Krankengeschichte, Kulturversuche etc. siehe Text.

Kan. 43. 15. Jan. 1898 etwas Brei mit Drusen intraperitoneal eingeführt. Nach 2 Tagen feine streifenförmige Infiltration entlang der Bauchnaht, schnell schwindend. Das Tier wird nach 9 Tagen moribund gefunden und durch Chloroform getötet. Sektion bis auf minimale Menge weißlichen Breies in der reaktionslosen Bauchnarbe negativ. Kulturversuche siehe Text. Mikroskopische Untersuchung von Organen negativ; speciell keine Tuberkulose.

Kan. 44. Infiziert wie das vorige. Keine Knoten etc. † Ende April. Sektion etc. völlig negativ.

Kan. 45. Impfung in die Bauchhöhle von einer Kultur am 6. Febr. 1898. Vergl. Text. Getötet nach einem Vierteljahr. Sektion etc. negativ.

## V. Reihe.

Krankengeschichte etc. siehe Text.

Alle konservierten Teile des bei der Operation gewonnenen Granulationsgewebes werden auf Schnitten durchsucht; es findet sich nur eine kleine Druse.

Kan. 46. 15. Jan. Stückchen frischen Granulationsgewebes in Bauchhöhle eingeführt. Keine Erscheinungen, abgesehen von einzelnen kleinsten, ganz flüchtigen Infiltraten im Bereiche der Bauchnaht. † 4. März. Sektion ganz negativ.

Kan. 47. 15. Jan. Stückchen Granulationsgewebe in subperitoneale Tasche. Nach 2 Tagen linsengroßes Infiltrat hier, in 5 Tagen doppeltbohnengroß werdend. Dann etwas Erweichung, Verlötung mit Haut, Perforation. Bis Mitte der vierten Woche totale Resorption des Restes.

## VI. Reihe.

Krankengeschichte, Kulturversuche siehe Text.

Kan. 48. 21. April 1898 einige Stückchen kräftig in Bouillon gespülter Drusen in die Bauchhöhle gebracht. Keine Reaktion. Allmählich unter der Bauchhaut im Bereich der Naht ein Knötchen; wächst langsam, wird an seinem einen Ende beweglich, bleibt am anderen mit der Muskulatur verlötet. Im Bauch nichts. Am 30. Tage (20. Mai 1898) Exstirpation des Knötchens: Bindegewebsmantel, feinstreifig, im etwas körnigen Centrum kleinste graugelbe Einsprengungen. Kultur: auf allen (35) Röhrchen Staphylococcus aureus. Histologisch: Seidenfaden, von Eiter umgeben, mit viel Staphylokokken: abgekapselter Absceß.

20. Mai. Stückchen des Knötchens demselben Tier in die Bauchhöhle. † 24. Mai abends. Sektion 25. Mai: Peritonitis. Das eingeführte Stückchen am Netz klebend. Kultur (Sektion nach 18 Stunden): zwei Stäbchen, keine Staphylokokken.

Kan. 49. Infiziert wie voriges. Vom 1. Tage ab Jodkalium. Langsam entstehendes Bauchdeckenknötchen. Exstirpation 28. Mai. Aussehen wie beim vorigen Fall. Kultur negativ. Schnitte: eingekapselter Seidenfaden. Ziemlich viel Leukocyten. Keine Kokken.

Kan. 50. Infiziert wie vorige. Bleibt gesund. Getötet 30. Juni 1898. Sektion völlig negativ.

Kan. 51. Infiziert 20. Mai 1898 mit Stückchen des Knotens von 48. † 4. Juni 1898, Peritonitis.

Kan. 52. Wie voriges. Bleibt gesund.

VII. Reihe.

Krankengeschichte, Kulturversuche siehe Text.

Kan. 53. Eine (abgespülte) Druse wird in einer Hauttasche verrieben. Keine Reaktion. Während der fünfwöchentlichen Beobachtungszeit tritt kein Infiltrat auf.

Kan. 54. Ebenso, außerdem wird noch ein Stückchen sterilisierter Haferschlaube in die Hauttasche gethan, das dann von außen deutlich zu fühlen ist. Während der fünfwöchentlichen Beobachtung keine Aenderung.

VIII. Reihe.

Das Ausgangsmaterial gab ein alter Aktinomycesstamm des hiesigen hygienischen Instituts, schon lange in Reinkultur. Er wuchs aërob üppig auf Agar und in Boillon, anaërob spärlich, ebenso auf Agar mit 1 Proz. ameisensaurem Natron. Das Wachstum begann am 2. oder 3. Tage, nach 2—3 wöchentlichem Aufenthalt im Brütofen wuchsen die Kulturen auch bei Zimmertemperatur gut weiter. In Bouillon entwickelten sich weißliche Körnchen, die, solange sie klein waren, etwas durchscheinend waren, allmählich opaker wurden. Noch nach $^3/_4$ Jahren gelangen Uebertragungen, am besten in Bouillon.

Kan. 55—57. 27. Juli 1897 etwa linsengroße Stückchen dicht mit Kolonien besetzter Agarfläche von einer 10 Tage alten üppig wachsenden Kultur in die Bauchhöhle eingeführt. Keine Reaktion. Tiere getötet nach 44 Tagen (8. Sept. 1897): Sektion negativ, nur bei einem (57) scheint ein linsengroßes saffrangelbes Knötchen, das in der Mitte etwas weicher ist, verdächtig. Darum werden Stückchen von ihm zwei Kaninchen (58, 59) in die Bauchhöhle gebracht. Kulturen bleiben steril. Die histologische Untersuchung klärt den Irrtum auf: es war eine kleine Lymphdrüse mit Fettkapsel.

IX. Reihe.

Ausgangsmaterial Agarkulturen eines von Afanassiew isolierten Stammes (von Protopopoff und Hammer beschrieben).

Kan. 60. 13. Jan. 1898 eine Kolonie von einer 10 Tage alten Reinkultur in Bauchhauttasche. In den nächsten 4 Tagen ein kleines Knötchen, das kaum halbhanfkorngroß wird, dann schnell schwindet.

Kan. 61. 13. Jan. 1898: Agarstückchen mit 6 Kolonien derselben Kultur in Bauchhauttasche. Nach 2 Tagen linsengroßes Infiltrat der Bauchwand, eine Woche später beginnende Verkleinerung, nach ca. 40 Tagen ganz resorbiert.

Kan. 62. 26. Jan. 1898: Stück einer 4 Tage alten, sehr üppig wachsenden Agarflächenkultur in Bauchhauttasche. Bis zum Ende der dritten Woche erbsengroßes Knötchen. 13. Febr. Jodkalium. 19. Febr.

Gasabsceß auf dem Rücken (von Injektion). † daran (Incision vergeblich) 28. Febr. 1898.

Kan. 63. Impfung wie beim vorigen. Am 4. Tage hanfkorngroßes Knötchen, das in wenigen Tagen schwindet.

Kan. 64. Wie vorige. Nach 4 Tagen kleinstes Knötchen, das bis zum 12. Tage etwas wächst. Schwindet total in weiteren 14 Tagen.

Kan. 65. Infektion wie vorige. Nach 2½ Wochen (13. Febr. 1898) kaffeebohnengroßes Knötchen aus der Subcutis exstirpiert. Befund: glatte Hülle, atherombreiähnlicher, etwas krümlicher Inhalt. Mikroskopisch frisch: Keine Drusen, keine Fäden, zerfallene Rundzellen und namentlich amorpher körniger Detritus. Deckglaspräparat: nichts. Mikroskopisch: dünne Bindegewebskapsel, innen amorpher körniger Brei mit wenigen Rundzellen. Nichts von Pilzteilen. Kultur: nichts.

13. Febr. demselben Tier ein Partikelchen von dem Knötchen in die Bauchhöhle gebracht. Hier wird eine Zeit lang irrtümlich die auffallend kleine linke Niere für einen Knoten gehalten. Darum 4.—26. März Jodkalium. 8. April getötet. Sektion negativ.

Kan. 66. 13. Febr. mit Stückchen des exstirpierten Knotens vom vorigen in die Bauchhöhle geimpft. Bleibt dauernd normal.

Kan. 67. 5. Febr. mehrere Cubikcentimeter einer sehr üppigen Bouillonkultur in die Bauchhöhle gegossen. Keinerlei Reaktion. Eine im Bereich der primär heilenden Bauchwunde auftretende kaum hanfkorngroße Schwellung (9. Febr.) verschwindet in wenigen Tagen (12. Febr.). Befund dauernd negativ. Getötet nach 44 Tagen (22. März 1898). Auf der Innenfläche der vorderen Bauchwand nahe der Narbe ein halbbohnengroßes längliches schlaffes Knötchen. Oberfläche glatt, gelbfleckig. Schnittfläche weiß mit einigen gelben oder leicht grauen kleinsten Einsprengungen. Nichts abstreichbar. Uebrige Sektion negativ. — Kulturen: nichts. — Histologisch: Bindegewebe, darin drei Fremdkörper, zwei sicher, einer wahrscheinlich pflanzlicher Natur. Um zwei derselben Rundzellenanhäufungen. Der eine Fremdkörper, ein längliches Stäbchen, ist mit kleinen Aktinomyceskeulen besetzt, die nach Gram nur bei unvollkommener Entfärbung sich teilweise blaß violett färben (s. Abb. 10).

Kan. 68. 5. Febr. 1898 Stückchen einer 5 Tage alten üppig wachsenden Agarflächenkultur in die Bauchhöhle eingeführt. Keinerlei Reaktion. Getötet 8. April. Befund negativ.

Kan. 69. Impfung wie beim vorigen. Kein Befund. † nach Abmagerung 27./28. Febr. 1898. Sektion: negativ. Ebenso histologische Untersuchung von Organen und Kultur (speciell nichts von Tuberkulose).

Kan. 70. Impfung wie vorige. Nach 4 Tagen (9. Febr. 1898) 3 cm langes spindelförmiges Infiltrat, mit Muskulatur wie Haut verlötet. Schwindet spontan in 14 Tagen. Getötet 8. April. Sektion negativ.

---

## Litteratur.

1) Aschoff, Ein Fall von primärer Lungenaktinomykose. Berl. klin. W., 1895, No. 34—36.

2) Babes, Ueber einige pathologisch-histologische Methoden und die durch dieselben erzielten Resultate. Virchow's Archiv, Bd. 105, 1886, p. 513.

3) Becue, De l'actinomycose. Thèse de Lille, 1892.
4) Belski, Versuche mit Uebertragung der Aktinomykose. Archiv für Veterinärmedizin, 1891.
5) Bérard, Traitement de l'act. par l'iodure de potasse. Thèse de Bordeaux, 1894.
6) Idem, De l'act. humaine. Gaz. des hôp., 1896, No. 26 und 29. Ref. Hildebrand's Jahresber., 1896.
7) Besse, J., De l'act. cervico-faciale Thèse de Lyon, 1895.
8) Bodamer, The pathol: of act., with record of cases and experiments. Amer. Journ. of comp. med., 1889, p. 105 und 195.
9) Bogg, Aktinomykose. Münchener tierärztl. Wochenschr., 1894, p. 126. Ref. Virchow-Hirsch, 1894, I, p. 661.
10) Bollinger, Ueber eine neue Pilzkrankheit beim Rinde. Centralbl. für die med. Wissensch., 1877, No. 27.
11) Borelius, Ueber die Aktinomykose in Beckinge. Hygiea 1896, No. 8. Ref. Hildebrand's Jahresber., II, p. 176.
12) Bostroem, Untersuchungen über die Aktinomykose des Menschen. Beitr. zur path. Anat. etc., herausg. von E. Ziegler, IX, 1, 1890.
13) Brunner, Beiträge zur Kenntnis der Aktinomykose in der Schweiz. Korrespondenzbl. für Schweizer Aerzte, 1896, No. 12.
14) Buzzi, Osservazioni sopra un caso di act. nell' uomo guarito col ioduro di potassio. Rif. med., 6. Mai 1893.
15) Chrétien, Semaine méd., 1895, No. 3.
16) Claisse, De l'act. linguale primitive. Presse méd., 1897, No. 26. Ref. C. f. Ch., 1898, No. 10.
17) Claussen, Aktinomykose der Zunge. Mitt. für Tierärzte, 1896, H. 1. Ref. Virchow-Hirsch, 1896, I, p. 517.
18) Coppen-Jones, Ueber die Morphologie und systematische Stellung des Tuberkelpilzes und über die Kolbenbildung bei Tuberkulose und Aktinomykose. Centralbl. für Bakt., Bd. 17, 1895, p. 1 und 70.
19) Czerny und Heddaeus, Beitrag zur Pathologie und Therapie der Wurmfortsatzentzündung. Beiträge zur klin. Chir., 1898, Bd. 21, p. 513.
20) Darier et Gautier, Un cas d'act. de la face. Ann. de dermat. et de syph., Bd. 2, 1891.
21) Delore, Act. cérébrospinale. Méningite suppurée. Gaz. hebd., 1896, No. 42. Ref. Hildebrand's Jahresber., 1896.
22) Donalies, Die Aktinomykose des Menschen. Diss. Halle, 1893.
23) Ducor, Un cas d'act. de la face. La Méd. mod., 1896.
24) Idem, Act. circonscrite datant de neuf ans. Gaz. des hôp., 1896, No. 36. Ref. Hildebrand's Jahresber., 1896.
25) Idem, Contribution à l'étude de l'act. en France etc. Ibid. 1896, No. 97 und 102. Ref. ibid.
26) Duguet, Bulletin de l'Acad. de Méd., 31. Dezbr. 1895.
27) Idem, Sur un cas de guérison d'act. Sem. méd., 1896, No. 36.
28) Ehrhardt, J., Aktinomykose. Schweizer Archiv für Tierheilkunde, Bd. 38, 1896, No. 77. Ref. Virchow-Hirsch, 1896, Bd. 1, p. 517.
29) v. Eiselsberg, 20. Chirurgen-Kongreß, Abt. 1, p. 62, 1891.
30) Eliasson, Ueber die Aktinomykose des Menschen. Hygiea, 1896, No. 10. Ref. Hildebrand's Jahresber., Bd. 2, p. 175.
31) Engel, Veterinarius, 1893, No. 12 (ungarisch). Ref. Virchow-Hirsch, 1893, Bd. 1, p. 652.

32) v. ESMARCH, 15. Chirurgen-Kongreß, Abt. 1, p. 111, 1886.
33) ESSER, Die Uebertragung der menschlichen Aktinomykose auf das Rind. Preuß. Mitt., 1892, p. 80. Ref. VIRCHOW-HIRSCH, 1882, Bd. 1, p. 528.
34) FAIRWEATTER, The progress and treatment of a case of act. etc. Brit. med. Journ., 27. Juni 1896.
35) FLÜGGE, Die Mikroorganismen, 3. Aufl.
36) FREY, Klinische Beiträge zur Aktinomykose. Beiträge zur klin. Chir., Bd. 19, 1897, p. 577.
37) FRIEDRICH, Tuberkulin und Aktinomykose. Deutsche Zeitschr. für Chir., 43. Bd., 1896, p. 579.
38) GALLI-VALERIO, Actinomicosi e pseudo-act. Gazzetta degli osped. e delle clin., 1896, No. 149. Ref. Centralbl. für Bakt., Bd. 21.
39) GAUTIER, Ann. de dermat., 1891, p. 449.
40) GOOCH, Ist Aktinomykose durch subkutane Impfung übertragbar? Journ. of comp. path. and ther., Bd. 7, 1894, p. 59.
41) GRILL, Ueber Aktinomykose des Magens und Darms beim Menschen. Beiträge zur klin. Chir., Bd. 13, 1895, p. 551.
42) GRÜN, Lokale Behandlung der Aktinomykose. Münchener tierärztl. Wochenschr., 1895, p. 1. Ref. VIRCHOW-HIRSCH, 1895.
43) GUTMANN, Actinomyces bovis. Archiv für Veterinärmed., 1882, VIRCHOW-HIRSCH, 1882.
44) HANAU, Korrespondenzblatt für Schweizer Aerzte, 1889, No. 6. Cf. BOSTROEM, No. 12.
45) HAVAS, Behandlung der Aktinomykose mit Jodkalium. Veterinarius, 1893, No. 7. (Ungarisch.) Ref. VIRCHOW-HIRSCH, 1893, Bd. 1, p. 652.
46) HEUSSER, Ein Fall von primärer Aktinomykose der Lungen. Berl. klin. Wochenschr., 1895, No. 47.
47) JERVELL, Fire Tilfallde af Aktinomykose etc., 1895. Ref. Centralbl. für Bakt., Bd. 18.
48) IGNATIEW, Ueber Heilung der Aktinomykose. St. Petersburger Journ. für allgem. Veterinärmed., 1893, p. 4. Ref. VIRCHOW-HIRSCH, 1893, Bd. 1, p. 651.
49) JOHNE, Die Aktinomykose ist eine durch Impfung übertragbare Infektionskrankheit. Centralbl. für die med. Wissensch., 1880, No. 48.
50) Idem, Weitere Beiträge zur Kenntnis des Strahlenpilzes. Ibid., 1881, No. 15.
51) ISRAEL, J., Neue Beobachtungen auf dem Gebiet der Mykosen des Menschen. VIRCHOW's Archiv, Bd. 74, 1878, p. 15.
52) Idem, Einige Bemerkungen etc. Ibid., Bd. 87, p. 364, 1882.
53) Idem, Ein Schlußwort zur Geschichte der Aktinomykose. Ibid., Bd. 88, p. 191.
54) Idem, Erfolgreiche Uebertragung der Aktinomykose des Menschen auf das Kaninchen. Centralbl. für die med. Wissensch., 1883, No. 37.
55) Idem, Klinische Beiträge zur Kenntnis der Aktinomykose. Berlin 1885.
56) Idem, Ein Beitrag zur Pathogenese der Lungenaktinomykose. Archiv für klin. Chir., Bd. 34, 1886, p. 160.
57) VAN ITERSON, Ned. Tijdschr. voor Geneesk., 1892, No. 23. Cf. 58.
58) JURINKA, Zur kons. Behandlung der menschlichen Aktinomykose. Diese Zeitschr., Bd. 1, 1896, p. 139.

59) Katz, Berliner med. Gesellsch., 6. Nov. 1895. Berl. klin. Wochenschr., 1895, p. 1013.
60) van Kempen, Aktinomykom in het strottenhoofd eener Koe. Holl. (tierärztl.) Ztschr., Bd. 20, 1894, p. 332. Ref. Virchow-Hirsch, 1894, Bd. 1, p. 661.
61) Knox, Act. of the cheek and neck. Glasgow. Journ., May 1896.
62) Köttnitz, Deutsche med. Wochenschrift, 1891, No. 36, p. 1047.
63) Korff, Ein Beitrag zur Behandlung der Aktinomykose. Memorab. Bd. 59, p. 2. Ref. Hildebrand's Jahresber.
64) Kozerski, Ein Fall von Aktinomykose der Haut, behandelt mit großen Dosen Jodkali. Medycyna, 1896, No. 24 und 25. Ref. Virchow-Hirsch, 1896, Bd. 2, p. 223.
65) Begrain, Sur un cas d'act. de la face. Ann. de dermat., Bd. 2, 1891, p. 772.
66) Idem, Act. du menton et du maxillaire inf. Ann. de dermat., Ibid., Bd. 6, 1895, p. 682.
67) van Lissa, Bijdrage tot de Jodkaliumbehandeling van Akt. Ned. Tijdschr. voor Geneesk., 1895, No. 7.
68) Lunow, Beiträge zur Diagnose und Therapie der Aktinomykose. Diss. Königsberg, 1889.
69) Magnussen, Beiträge zur Diagnostik und Kasuistik der Aktinomykose. Diss. Kiel, 1885.
70) Mathis, Zur Behandlung der Aktinomykose mit Jodkalium. Lyon méd. 1893, p. 518.
71) Mayo, Act. bovis or „lump jaw". Journ. of comp. med. and vet. Arch., Bd. 14, 1893, p. 163. Ref. Virchow-Hirsch, 1894, Bd. 1, p. 661.
72) Meisinger, Aktinomycesbehandlung mit Jodkalium. Tierärztl. Centralbl., 1896, No. 2. Virchow-Hirsch, 1. Bd., 1896, p. 517.
73) Meunier, Trois nouveaux cas d'act. Le Bull. med., 1895, No. 57, p. 675.
74) Idem, Gazette méd. de Paris, 1895, No. 29.
75) Milton, Lancet, 11. Nov. 1893, p. 1222.
76) Monestiè, De l'act. cutanée. Thèse de Paris, 1895.
77) Morris, Malcolm, Act. involving the skin and its treatment by iodide of potassium. Lancet, 6. Juni 1896.
78) Moussu, Progn. und Behandlung der Aktinomykose des Unterkiefers beim Rind. Rec. de Méd. vét. 1896, p. 465. Ref. Virchow-Hirsch, 1896, Bd. 1, p. 517.
79) Nelhiebel, Ueber Aktinomykose. Tierärztl. Centralbl., 1895, p. 221. Virchow-Hirsch, 1896, Bd. 1, p. 517.
80) Netter, Soc. méd. des hôp., 3. Nov. 1893. Tribune méd. 1893.
81) Noack, Bericht über das Veterinärwesen im Königreich Sachsen, 1894, p. 128. Virchow-Hirsch.
82) Nocard, Soc. centr. de méd. vét., 1885.
83) Ostertag, Die Jodtherapie der Aktinomykose. Monatsh. für Tierheilk. Bd. 4, 1893, p. 208.
84) Perinni, Ueber die Aktinomykose der Rinder. Koch's Monatsschr., Bd. 18, p. 168. Virchow-Hirsch, 1893.
85) Perroncito, Ueber den Actinomyces bovis und die Sarkome der Rinder. Dtsche Ztschr. für Tiermed., Bd. 5, 1879, p. 33.

86) Pilz, Aktinomykose bei einem Pferde. Ztschr. für Veterinärk., Bd. 5, p. 12. Virchow-Hirsch, 1893.
87) Poncet, De l'act. humaine à Lyon. Gazette hebd., 20. April 1895. No. 16.
88) Idem, Note sur un nouveau cas d'act. de la face, joue et région temporo-maxillaire. Médication iodurée. Mercredi méd., 18. Juni 1895, No. 25.
89) Idem, Soc. nat. de Méd. de Lyon, 9. Dezbr. 1895. Lyon méd. 22. Dezbr. 1895.
90) Idem, Sur un cas de fistule trachéo-oesophagienne d'origine actinomycosique. Bull. de l'Acad. de Méd., 14. April 1896.
91) Idem, Sarcome act. du maxillaire inf. Lyon méd., 1896, No. 27. Cf. No. 24.
92) Idem, Act. chronique. Lyon méd., 1896, No. 50. Cf. No. 21.
93) Poncet et Bérard, De l'Act., particulièrem. en France. Lyon méd., 1. Aug. 1897, Bd. 85, p. 467.
94) Ponfick, Die Aktinomykose des Menschen. Berlin 1882.
95) Idem, Zur Geschichte der Aktinomykose. Virchow's Archiv, Bd. 87, p. 541.
96) Idem, Letztes Wort zur Aktinomycesfrage. Ibid., Bd. 88, p. 195.
97) Idem, Ueber Aktinomykose ohne Aktinomyces. Breslauer ärztl. Ztschr., 1885, No. 3.
98) Powell, Godlee, Taylor, Crookshank, On a case of act. hom. Med. and chir. Transact., Bd. 72, 1890. Ref. Virchow-Hirsch, 1890, 1. Bd., p. 271.
99) Pringle, On a case of act. extensively involving the skin. Lancet, 1894, Bd. 2, p. 1152.
100) Idem, Med. and chir. Transact., Bd. 78. Cf. No. 77.
101) Idem, Brit. Journ. of Dermat. Jan. 1896. Cf. No. 77.
102) Raffa, Rif. med., Bd. 1, 1892, p. 327. Cf. No. 58.
103) Ransom, Brit. med. Journ. 1894, p. 1724. Cf. No. 58.
104) Reeks, Treatment of act. Journ. of comp. path. and ther., Bd. 6, 1894, p. 96. Ref. Virchow-Hirsch, 1894, Bd. 1, p. 662.
105) Rivolta, Sul cosi detto mal del rospo del frutta e sull' actinomyces bovis di Harz. Clin. vet. etc., 1878, No. 7—9. Virchow-Hirsch.
106) Idem, Ueber die Priorität der Beschreibung der Formen der Aktinomykose und ihrer eigentümlichen Elemente bei den Rindern. Virchow's Archiv, Bd. 88, p. 389.
107) Rosenfeld, Aktinomykose. Centralverband deutscher Aerzte in Böhmen. Prager med. Wochenschr., 1896, No. 49. Ref. Hildebrand's Jahresber., Bd. 2, p. 177.
108) Rotter, Tageblatt der 60. Versammlung deutscher Naturforscher und Aerzte. Wiesbaden 1887, p. 272.
109) Rovsing, Et Tilfallde af Aktinomykose. Hosp. Tid. R. 3, Bd. 5, 1888. Ref. Virchow-Hirsch, Bd. 2, 1888, p. 503.
110) Ruge, Verein für innere Medizin in Berlin, 18. Mai 1896. Deutsche med. Wochenschr., Vereinsbeilage, 1896, No. 23.
111) Rydygier, Wiener klinische Wochenschrift, 1895, No. 37.
112) Sanfelice, Beiträge zur Kenntnis der Aktinomykose der Leber bei Rindern. Archiv für wissensch. und prakt. Tierheilkunde, 1896. Ref. Centralbl. für Bakt., Bd. 19.
113) Schlange, Zur Prognose der Aktinomykose. 21. Chir.-Kongr. Abt. 2, p. 241, 1892. Diskuss. Abt. 1, p. 45, 46.

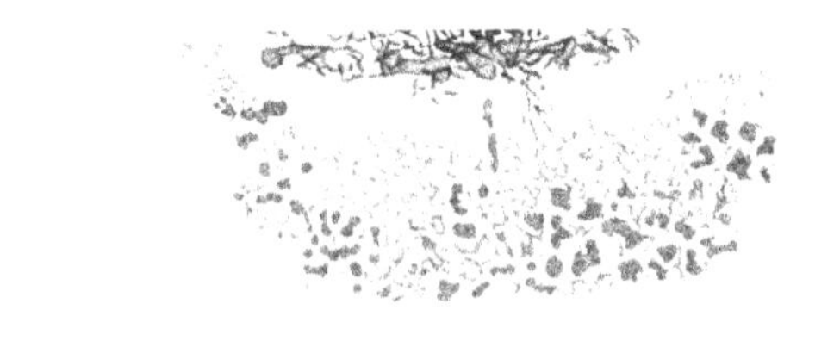

Fig. 4.

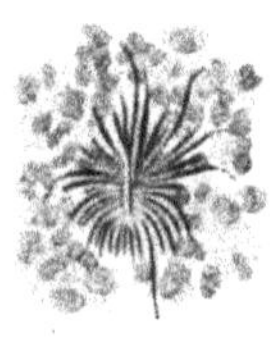

Fig. 3.

Fig. 2.

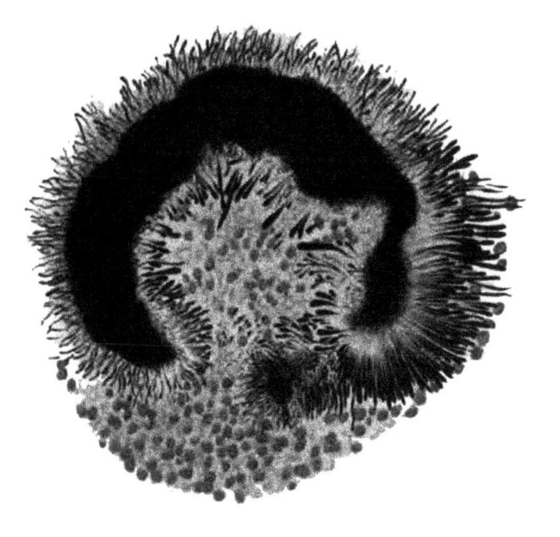

Prutz. Verlag von Gustav Fischer in Jena. Lith. Anst. v. E. A. Funke, Leipzig.

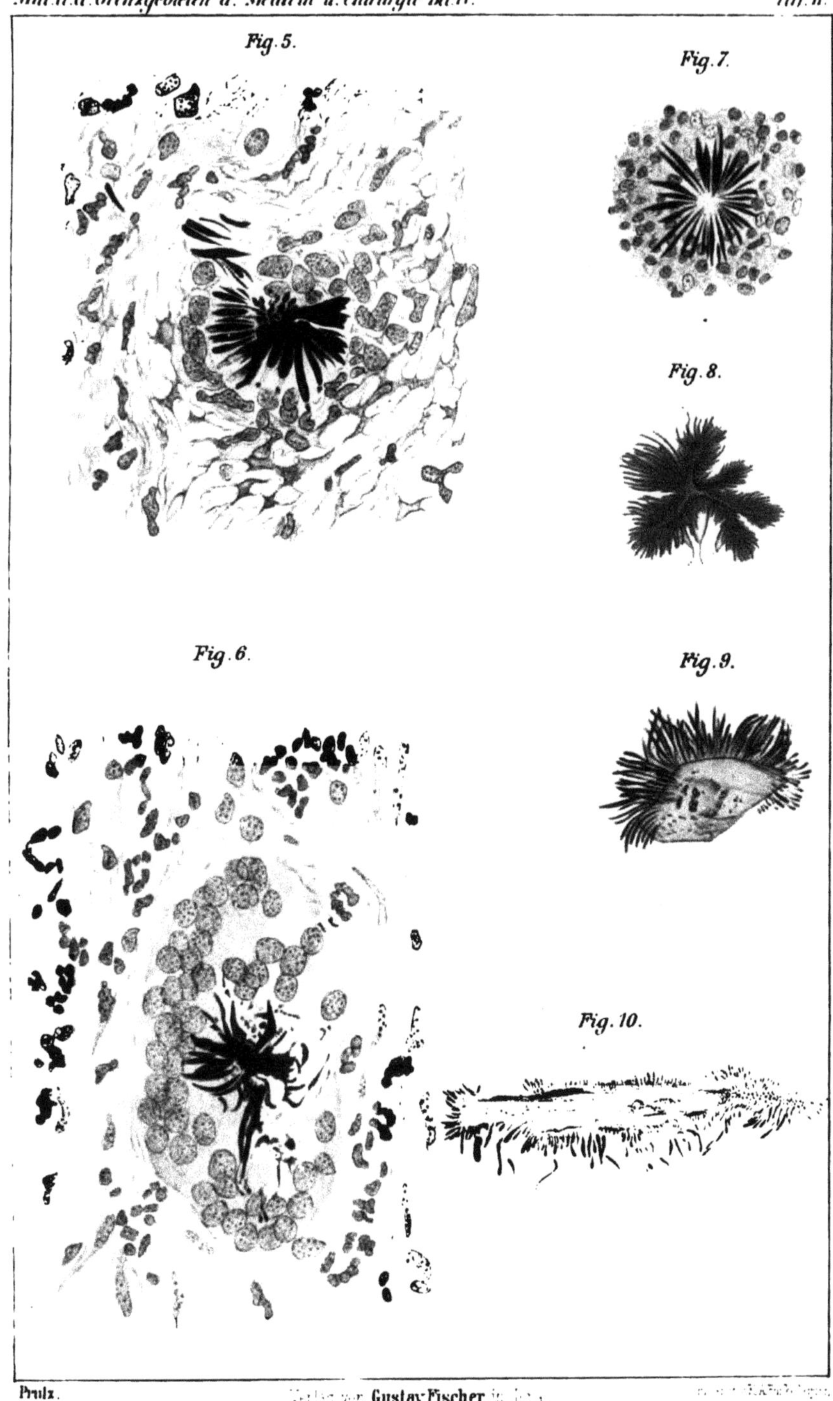


Prutz. Verlag von Gustav Fischer

114) SIEDAMGROTZKY, Aktinomykose. Bericht über das Veterinärwesen im Königreich Sachsen, 1878, p. 28. Ref. VIRCHOW-HIRSCH, 1878.
115) Idem, Epulis vom Rinde mit Aktinomyces bovis. Ibid., 1879.
116) SOUCAIL, Erfolgreiche Behandlung dreier Fälle von Aktinomycesgeschwülsten des Kiefers durch große Gaben von Jodkalium. Rev. vét. 1893, p. 65. VIRCHOW-HIRSCH, 1893, Bd. 1, p. 651.
117) STAUB, Zur Therapie der Hautaktinomykose. Therap. Monatshefte Okt. 1894.
118) TRINCHERA, Clin. vet., Bd. 16, 1893, p. 485. VIRCHOW-HIRSCH, 1893, Bd. 1, p. 652.
119) TRUELSEN, Aktinomykose bei Pferden. Berliner tierärztl. Ztschr., 1893, p. 39. VIRCHOW-HIRSCH, 1894, Bd. 1, p. 661.
120) TULLBERG, Lokale Behandlung der Aktinomykose mit Arseniksalbe. Svensk Veterinärtidskrift, Bd. 1, 1896, p. 252. VIRCHOW-HIRSCH, 1896, Bd. 1, p. 517.
121) ULLMANN, Beitrag zur Lehre von der Aktinomykose. Wiener med. Presse, 1888, No. 49—51.
122) WALLEY, The abortive treatment of act. The Veterin., Bd. 59, 1886, p. 53. Ref. VIRCHOW-HIRSCH, 1886, Bd. 1, p. 550.
123) WALTHER, Bericht über das Veterinärwesen im Königreich Sachsen, 1894, p. 127. VIRCHOW-HIRSCH, 1894, Bd. 1, p. 661.
124) WEIGERT, Zur Technik der mikroskopischen Bakterienuntersuchungen. VIRCHOW's Archiv, Bd. 84, p. 275.
125) WOLFF, M., und ISRAËL, J., Ueber Reinkultur des Aktinomyces und seine Uebertragbarkeit auf Tiere. VIRCHOW's Archiv, Bd. 126, 1891, p. 11.
126) WOLFF, M., Demonstrationen von Aktinomykosepräparaten. Berliner klin. Wochenschr., 1894, No. 12.
127) WORTLEY, Act. of the stomach. The Veterin., Bd. 59, 1886, p. 313. Ref. VIRCHOW-HIRSCH, 1886, Bd. 1, p. 550.
128) ZECHMEISTER, Wiener med. Blätter, Bd. 18, 1893, p. 18. Cf. No. 58.
129) ZIEGLER, Aktinomykose des Gesichts und Halses. Behandlung mit Bakterienproteïnen. Münchener med. Wochenschr., 1892, No. 23.

---

## Erklärung der Figuren auf Tafel I u. II.

Sämtliche Zeichnungen sind mit dem ABBE'schen Zeichenapparat in Objekttischhöhe (also Bilddistanz ca. 18 cm) angefertigt. Herrn Maler H. BRAUNE bin ich für die hervorragende, ungemein treue Wiedergabe der Präparate zu lebhaftem Danke verpflichtet.

Fig. 1. Horizontalschnitt einer Druse, wohl nahe der Kuppe. Keimlager als geschlossener Ring. Keulen ungefärbt. Centrum fast ohne Fäden, in ihm einzelne Leukocyten.

Menschliche Aktinomykose (VI. Reihe), 14 Tage mit Jodkalium behandelt.

Färbung: Alaunkarmin, GRAM.

ZEISS Obj. F, Ok. 1. Tubuslänge 160 mm.

Fig. 2. Vertikalschnitt einer Druse, fast median. Entwickelung von Keulen in den centralen Hohlraum. Dieser mit Zellen gefüllt.

Schnitt aus Eiter von Rinderaktinomykose (II. Reihe).

Färbung: GRAM, unvollkommen entfärbt, Bismarckbraun.

ZEISS Obj. F, Ok. 1, Tub. 160 mm.

Fig. 3. Degenerierte, körnig zerfallene Fäden mit gequollener Scheide.

Aus einer vor 46 Tagen vom Rind auf ein Kaninchen übertragenen Druse (II. Reihe, Kan. 14).

Färbung: Gram, unvollkommen entfärbt, Bismarckbraun.

Zeiss homog. Imm. $^{1}/_{18}$, Ok. 3, Tub. 160 mm.

Fig. 4. Junge Druse in Granulationsgewebe, von Eiterkörperchen umgeben.

Am 46. Tage nach der Impfung vom Rind von Kaninchen (14) auf Kaninchen (16) übertragen, letzteres vom 10.—52. Tage mit Jodkalium behandelt. Präparat vom 54. (100.) Tage.

Färbung: Alaunkarmin, Gram.

Zeiss Obj. F, Ok. 1, Tub. 160 mm.

Fig. 5. Pilzteil (junge Druse?) in Bindegewebe. Beginnender Einschluß in Riesenzelle.

Gleicher Fall wie Fig. 4 (Kan. 16).

Färbung: Alaunkarmin, Gram.

Hartnack homog. Imm. $^{1}/_{12}$, Zeiss Ok. 3, Tub. 160 mm.

Fig. 6. Pilztrümmer in großer Fremdkörperriesenzelle.

Gleicher Fall wie Fig. 4 und 5.

Färbung, Vergrößerung wie Fig. 5.

Fig. 7. Junge Druse in Granulationsgewebe.

Am 82. Tage nach Impfung vom Rinde nach vorgängiger 26tägiger Jodkaliumbehandlung von Kaninchen (15) auf Kaninchen (29) übertragen, letzteres vom 3.—28. Tage ebenfalls mit Jodkalium behandelt. Präparat vom 28. (110.) Tage.

Färbung: Alaunkarmin, Gram.

Zeiss Obj. F, Ok. 1, Tub. 160 mm.

Fig. 8. Wahrscheinlich junger Pilzteil von ungewöhnlicher Büschelform, frei in nekrotischem Brei liegend.

Gleicher Fall wie Fig. 7.

Färbung: saure alkohol. Orseille, Karbolthionin.

Zeiss Obj. F, Ok. 1, Tub. 160 mm.

Fig. 9. Im Bindegewebe gelegener, von Wanderzellen umgebener Fremdkörper mit anhaftenden Aktinomycesfäden.

Gleicher Fall wie Fig. 4—6.

Färbung: polychromes Methylenblau.

Zeiss Obj. F, Ok. 1, Tub. 160 mm.

Fig. 10. Degenerierende Aktinomycesfäden, an einem (bei der Operation zufällig mit eingeführten) Fremdkörper haftend.

44 Tage nach Einführung einer großen Menge Bouillonkultur (sehr lange kultivierter Stamm) in die Bauchhöhle (Kan. 67) als einziger Rest gefunden.

Färbung: Gram, unvollkommen entfärbt, Bismarckbraun.

Zeiss Obj. D, Ok. 3, Tub. 160 mm.

---

## Corrigenda.

Auf pag. 48, Zeile 14 von unten, muß es heißen: (38—40) anstatt (35—40).

# V.

# Ueber die Behandlung des perforierenden Magen- und Duodenalgeschwüres.

Von

**Prof. K. G. Lennander.**

Das perforierende Magengeschwür[1]) kommt am häufigsten vor bei Frauen zwischen 16 und 30 Jahren, bei Männern zwischen 40 und 50 Jahren. Das Duodenalgeschwür ist häufiger bei Männern als bei Frauen. Im Magen kommen Perforationen am häufigsten an der vorderen Wand vor, und zwar öfter in der Nähe der Cardia als am Pylorus; sie kommen oft an der kleinen Curvatur vor, selten in der Nähe der großen. Auch Geschwüre an der hinteren Wand führen zur Perforation und in den nicht ganz seltenen Fällen, in denen gleichzeitig an der vorderen und an der hinteren Wand Durchbruch von Geschwüren stattgefunden hat, haben diese oft einander gegenüber gelegen. Im Duodenum findet sich das perforierende Geschwür am häufigsten an der vorderen (oder richtiger an der rechten) Seite, nach dem Pylorus zu. Sie können indessen überall in der Pars horizontalis superior duodeni vorkommen, äußerst selten befinden sie sich weiter unten im Darme.

Wenn ein Geschwür im Magen oder im Duodenum sich frei nach der Bauchhöhle zu öffnet, lehrt eine hundertfältige Erfahrung, daß bei innerlicher Behandlung der gewöhnliche Ausgang der Tod ist. Hiervon finden sich in der Litteratur einige wenige sicher festgestellte Ausnahmen, denen allen der Umstand gemeinsam ist, daß der Magen

1) Teilweise vorgetragen auf dem nordischen Chirurgenkongreß in Helsingfors im August 1897, wo dieser Vortrag das dritte Referat über „Die Behandlung der nicht malignen Magenaffektionen“ bildete. Er ist von neuem durchgearbeitet im Winter 1898 unter Benutzung der neuesten Litteratur und eigener seitdem beobachteter Fälle. Auch veröffentlicht in den Upsala Läkarefören. Förhandl. N. F. Bd. 2 u. 3.

zur Zeit des Durchbruches leer war (Pariser [1]). In sehr seltenen Fällen kann der Tod unmittelbar nach der Perforation eintreten als eine direkte Wirkung des Shocks; manche Autoren geben an, daß der Tod am häufigsten binnen 20—28 Stunden erfolgt; das gewöhnlichste dürfte indessen sein, daß solche Patienten zwei oder mehrere Tage leben und an diffuser Peritonitis sterben. Selten begrenzt sich die Bauchfellentzündung.

Findet der Durchbruch zwischen vorher gebildete Adhäsionen statt, so kann die Entstehung einer diffusen Peritonitis dadurch verhindert werden. Es entsteht dann ein sogenannter intraperitonealer Absceß, der oft den Typus eines Pyothorax oder eines Pyopneumothorax subphrenicus annimmt, sich aber selten nur an der Vorderseite des Magens oder des Duodenums oder in der großen Bursa omentalis entwickelt. Mit äußerst geringen Ausnahmen ist der tödliche Ausgang bei dieser begrenzten eiterigen Peritonitis bei innerlicher Behandlung ebenso sicher eingetreten, wie bei der diffusen, obwohl er Wochen oder Monate zögern kann.

Die nächsten Folgen eines frei in die Bauchhöhle stattfindenden Durchbruchs hängen von dem Inhalte des Magens ab, von der Menge und der mehr oder weniger infektiösen Beschaffenheit desselben. In Fällen, in denen der Durchbruch kurz nach einer reichlichen Mahlzeit erfolgte, hat man bei der Operation schon nach Verlauf von $3^1/_2$ bis 6 Stunden eine vollständige diffuse eiterige Peritonitis feststellen können. In solchen Fällen können die dem Durchbruch folgenden Symptome des Shock direkt in die Symptome des Kollapses übergehen, der der diffusen Peritonitis angehört. Wenn die Menge des Mageninhaltes gering und dieser relativ steril ist, ist es nicht ungewöhnlich, daß der Pat., besonders wenn er Morphium subkutan oder per rectum erhalten hat, sich nach einigen Stunden so wohl befindet, daß weder er selbst, noch ein weniger erfahrener Arzt ahnt, was vor sich gegangen ist, oder was bevorsteht. Das Einnehmen einer geringen Menge von Nahrung oder Getränke oder von Medikamenten reicht indessen sehr oft hin, um unmittelbar neue Perforationssymptome hervorzurufen. Am wichtigsten nächst dem Grade der Füllung des Magens und der Beschaffenheit seines Inhaltes ist die Lage der Perforation und danach die Körperstellung, in der sich der Pat. befand, sowie der Grad der Körperanstrengung, bei der der Durchbruch wahrscheinlich stattgefunden hat.

Bei vollem Magen und Sitz der Perforation an der Vorderseite des Magens kann der Mageninhalt mit einem Male überall hin rinnen, auch vor dem Colon transversum und Omentum direkt hinab in das Becken. Beim Sitze des Durchbruchs an der hintern Seite ergießt

---

1) Siehe auch Fall XIV und XV.

sich der Mageninhalt unter gewöhnlichen anatomischen Verhältnissen zuerst nur in die Bursa omentalis, er kann sich aber später auch seinen Weg durch das Foramen Winslowii bahnen und sich dann in derselben Weise weiter verbreiten, wie sie sich bei dem gleich zu erwähnenden Duodenalgeschwür findet.

Tritt eine geringere Menge Mageninhalt aus einer an der Vorderseite des Magens gelegenen Perforationsöffnung aus, so wird er längs des Colon transversum und des Omentum entweder nach rechts oder nach links, oder nach beiden Seiten hin geleitet. Je näher die Perforationsöffnung an der Cardia liegt, desto mehr Wahrscheinlichkeit ist vorhanden, daß der linke subphrenische Raum sofort erreicht und infiziert wird. Bei einer Perforation des Duodenum oder des Magens in der Nähe des Pylorus rinnt der Darm- oder Mageninhalt vor der rechten Niere und nach rechts von ihr zwischen diese, die Leber und das Mesocolon an der Flexura hepatica. Er kann dabei in seiner Ausbreitung etwas gehemmt werden von der Peritonealfalte, die die Flexura coli hepatica oder das Colon ascendens mit der rechten Bauchwand zu verbinden pflegt. Der Inhalt kann sich nach oben zwischen der Leber und dem Diaphragma ausbreiten; er kann über die genannte Peritonealfalte, wenn sie vorhanden ist, weggehen, die ganze rechte Lumbalgegend ausfüllen und von hier aus längs der Außenseite des Coecum durch die Fossa iliaca hinab bis zum kleinen Becken fließen, um von hier aus längs der Flexura sigmoidea oder der Wurzel des Mesosigmoideum in die linke Fossa iliaca sich auszubreiten. Diese Art der Ausbreitung des Magen- und Darminhaltes, und, im Zusammenhang damit, der eiterigen Peritonitis ist ohne Zweifel charakteristisch für Duodenalgeschwüre oder Geschwüre in der Nähe des Pylorus, unter der Voraussetzung, daß nicht viel Mageninhalt auf einmal ausgetreten ist.

Auf diese Weise kann in den peripherischen Teilen des Unterleibs eine große, mehr oder weniger zusammenhängende Eiterhöhle entstehen, die in manchen Beziehungen dankbarer zu behandeln ist, als eine eiterige Peritonitis zwischen den Dünndärmen[1]).

Das kleine Becken wird oft fast unmittelbar nach erfolgtem Durchbruche infiziert. Wie schon erwähnt, läuft der Mageninhalt entweder vor dem Ligam. gastrocolicum, dem Colon und Omentum direkt hinab in das kleine Becken oder durch die rechte Lumbalgegend und die Fossa iliaca, aber er kann auch durch die linke Lumbalgegend und durch die linke Fossa iliaca laufen: auch noch einen vierten Weg giebt es, nämlich längs einer vom Colon transversum gebildeten Rinne n denjenigen Fällen, in denen dieser Darmteil als eine V-förmige Schlinge sich hinab nach der Symphyse zu erstreckt (vgl. Fall I).

1) Vergl. meine Ausführungen in der Diskussion über die Behandlung der Peritonitis beim XXVI. Kongr. d. deutsch. Gesellsch. f. Chir. Berlin 1897; s. a. das Referat über den Kongreß im Ctrlbl. f. Chir.

Unter die allgemeine diffuse Peritonitis darf man bloß diejenigen Fälle rechnen, in denen das Peritoneum fast in seiner ganzen Ausdehnung ergriffen ist. Man muß einen Unterschied machen zwischen einer Peritonitis oberhalb und einer solchen unterhalb des Colon transversum und bei letzterer wieder zwischen Peritonitis in den peripherischen Teilen der Bauchhöhle und solcher zwischen den Dünndarmschlingen.

Außer den Fällen, in denen die Eiterbildung auf den rechten oder linken subphrenischen Raum oder auf die Gegend vor dem Magen beschränkt ist, finden sich nämlich auch Fälle beschrieben, in denen die eiterige Entzündung über den ganzen oberhalb des Colon transversum gelegenen Teil der Bauchhöhle ausgebreitet gewesen ist, während der unterhalb desselben gelegene Teil mit der großen Serosafläche der Dünndarmpackete gesund war (z. B. SCHUCHARD's Fall).

Nach diesen allgemeinen Erörterungen über das Magen- und Duodenalgeschwür und die Ausbreitung des krankhaften Prozesses über das Bauchfell gehe ich zur Diagnose und Behandlung über.

Die Behandlung muß darin bestehen, daß das durchgebrochene Geschwür geschlossen oder von der Bauchhöhle abgeschlossen und die letztere gereinigt wird. Da die Aussichten auf Rettung bei einer mehr allgemein gewordenen Peritonitis äußerst gering sind, so müssen wir bestrebt sein, so zeitig zu operieren, daß eine solche Peritonitis noch nicht Zeit gehabt hat, sich zu entwickeln; ihrem Ausbruch zuvorzukommen, muß unser Zweck sein. Deshalb ist es von außerordentlicher Bedeutung, daß der Arzt, der den Kranken zuerst zu sehen bekommt, sofort die richtige Diagnose stellt und ihn unter Beobachtung der erforderlichen Vorsichtsmaßregeln unmittelbar in chirurgische Behandlung bringt.

Die Diagnose der Perforation des Magen- oder Duodenalgeschwürs ist im allgemeinen leicht. Sie gründet sich darauf, daß die Anamnese die Symptome des Magengeschwürs oder der Dyspepsie ergiebt, daß plötzlich ein heftiger Schmerz im Epigastrium eintritt, nicht selten mit dem Gefühl der inneren Zerreißung, mit dem Gefühl des unmittelbar bevorstehenden Todes u. s. w. Hierauf folgt in manchen Fällen allgemeiner Shock mit kleinem, leerem Puls, Kälte der Extremitäten u. s. w. In anderen Fällen wird der Allgemeinzustand sehr wenig angegriffen, nur der anhaltende Schmerz beherrscht das Krankheitsbild. Der Schmerz wird gewöhnlich am stärksten im Epigastrium gefühlt, er kann aber auch in der Nabelgegend [1]), oft auch in einem der Hypochondrien, besonders im linken, sich befinden. Wenn er zuerst im rechten Hypochondrium oder, wie es manchmal

---

1) Nach rechts zu unterhalb des Nabels in Fall XIII (Duodenalgeschwür).

der Fall ist, oberhalb der rechten Leistenbeuge gefühlt wird, so spricht das für Duodenalgeschwür.

Man muß indessen bedenken, daß die Perforation das erste Symptom eines bis dahin latent verlaufenen Magengeschwürs sein kann und daß der Durchbruch selbst nicht immer einen so heftigen Schmerz mit sich bringt, daß der Pat. den Zeitpunkt, an dem er stattgefunden hat, genau anzugeben vermag. Ferner muß hervorgehoben werden, daß cardialgische Anfälle ohne Perforation mit demselben das ganze Krankheitsbild beherrschenden Schmerz im Epigastrium vorkommen können, auch mit denselben Shocksymptomen und auch mit derselben Spannung der Bauchmuskulatur, über die wir sofort sprechen werden. In zwei derartigen Fällen hat man operiert und ein normales Peritoneum gefunden. Beide Pat. sind genesen (Al. Thomsen, Jowers).

Ein dermaßen heftiger Schmerz wie der, von dem hier die Rede ist, kommt kaum anders vor, als bei Magen- und Darmperforationen, sowie dann, wenn sich eine entzündete Gallenblase, mit Eiter erfüllte Tuben oder umschriebene eiterige Peritonitiden frei in die Bauchhöhle entleeren. Der einzige Schmerz, der damit dürfte verglichen werden können, ist wohl der bei einer sehr heftigen Strangulation einer Darmpartie.

Bei der Untersuchung eines Pat., bei dem Verdacht auf Perforation eines Magen- oder Duodenalgeschwürs bestehen kann, hat man ferner danach zu fragen, wann und was Pat. zuletzt aß oder trank, ob er kurz vorher etwas verzehrte, was er in dem Augenblicke that und in welcher Körperstellung er sich befand, als der heftige Schmerz zuerst auftrat.

Man hat gewöhnlich angegeben, daß Erbrechen nach erfolgter Perforation nicht vorkomme. Das ist aber nicht richtig; Erbrechen findet sich nicht selten in den Krankengeschichten verzeichnet, bei manchen Kranken ist sogar anhaltendes Erbrechen vorhanden gewesen. Das scheint besonders bei Perforationen in der Nähe des Pylorus oder im Duodenum der Fall gewesen zu sein.

In den nächsten Stunden nach erfolgter Perforation, ja sogar den ersten und zweiten Tag danach, hat man sicher nicht das oft beschriebene Bild der diffusen Peritonitis mit Facies Hippocratica, aufgetriebenem Bauch und verschwindendem, kleinem und hastigem Puls zu erwarten. Nur in wenigen Krankengeschichten findet sich bei der ersten Untersuchung, kurz nach der Perforation, verzeichnet, daß der Bauch aufgetrieben war, und in diesen Fällen hat man guten Grund, anzunehmen, daß eine große Menge Gas auf einmal in die freie Bauchhöhle hinein gelangt sei. Das Charakteristische ist im Gegenteil, daß der Bauch eingezogen ist, fast bootförmig, daß die Bauchmuskeln, vor allem die oberen Teile der Musc. recti, gespannt sind. Man fühlt deshalb bei der Palpation geradezu nichts anderes, als diese Rigidität in der Bauchwand. Der Bauch bewegt sich nicht; die Respiration hat costalen Typus. Es besteht oft diffuse Empfindlichkeit, aber fast immer findet sich ein bestimmter Punkt oberhalb des Nabels mit ausgeprägter Empfindlichkeit gegen Druck. Die Leberdämpfung kann zu finden, oder auch nicht nachweisbar sein; im letzteren Falle deutet es entweder auf freies Gas in der Bauchhöhle hin oder auch darauf, daß eine Darmschlinge sich nach oben zwischen die Leber und das Diaphragma gedrängt hat, oder möglicherweise nur, daß die gespannte Bauchhaut wie ein Trommelfell bei der Perkussion mit vibriert (Ackermann). Worauf beruht nun diese krampfartige Spannung der Bauchwand? Sie ist durch den Schmerz hervorgerufen und ihr Zweck ist, die Baucheingeweide zu immobilisieren und ein weiteres Austreten von Magen- oder Darminhalt zu verhüten (deshalb darf nicht viel Morphium gegeben werden!). Diese Rigidität der Bauchwand kommt bei allen Perforationen vor und läßt erst später nach, in dem Maße, in dem sich die Peritonitis ausbreitet; dabei folgt Darmparese und Auftreibung des Bauches. In Fällen, in denen sehr schwerer Shock vorhanden war, ist es vorgekommen, daß die Rigidität der Bauchwandung nicht eher zu beobachten war, als bis der Shock nachzulassen begann. Wenn sich kein Shock findet, kann der Puls wohl eine Frequenz von z. B. nur 80 haben, voll und gespannt sein. Die Temperatur muß genau beobachtet und soll im Rectum gemessen werden. Eine geringe Erhöhung bis zu 37,8, 38, 38,2 oder mehr ist ein Zeichen einer beginnenden Peritonitis.

Findet sich bereits eine mehr allgemeine Peritonitis, dann kann die Diagnose des perforierenden Magen- oder Duodenalgeschwürs viel schwerer sein; oft hat man die Diagnose auf Appendicitis mit Peritonitis gestellt. Das gilt z. B. von der Mehrzahl der Operationen, die wegen Duodenalgeschwür ausgeführt worden sind. Nicht selten hat man auch geglaubt, eine innere Einklemmung mit Peritonitis u. s. w. vor sich zu haben. Wenn Peritonitis vorhanden ist, muß man sich über deren Ausdehnung, sowie über den Weg oder die Wege Rechenschaft zu geben suchen, auf denen die Ausbreitung stattgefunden hat. Ferner muß man zu bestimmen suchen, ob sich flüssiges Exsudat (Serum, Eiter) findet, ob dieses in der Bauchhöhle beweglich oder ob es in einem Raume oder in mehreren Räumen abgekapselt ist. Hat sich eine allgemeine Peritonitis schnell entwickelt und Kompressionssymptome von Seite der linken Lunge zeigen, daß eine größere Flüssigkeitsmenge im linken subphrenischen Raume vorhanden ist, dann kann man fast sicher sein, daß die Peritonitis vom Magen ausgegangen ist, wenn nicht eine andere annehmbare Ursache entdeckt werden kann.

Sobald die Diagnose der Perforation eines Magen- oder Duodenalgeschwürs gestellt ist, wird alles zur unmittelbaren Operation angeordnet. Dabei ist zu beachten, daß Salzlösung und Kompressen (oder Schwämme) zur Reinigung der Bauchhöhle in hinreichender Menge vorhanden sein müssen.

Im allgemeinen ist angegeben worden, daß die Operation verschoben werden soll, bis der Shock vorüber ist; der beste Zeitpunkt für die Operation sei, wenn der Shock aufgehört hat und ehe der Kollaps beginnt, der mit der diffusen Peritonitis folgt. Meine Ansicht ist aber, daß man operieren soll, sobald man imstande gewesen ist, alles für eine schwere Operation in Bereitschaft zu bringen. Der Shock beruht darauf, daß sich ein fremder Inhalt in der Bauchhöhle findet; dieser ist es, der den Schmerz, die Spannung in den Bauchmuskeln und die unvollständige Respiration hervorruft; er wird resorbiert und vergiftet den Organismus. Das Hilfsmittel ist die Operation, nämlich die Narkose gegen den Schmerz und der Bauchschnitt zur Verminderung des intraabdominalen Druckes; dadurch erlangen Herz und Lungen Spielraum und die Bauchhöhle wird von dem fremden Inhalte befreit. Während die Vorbereitungen zur Operation getroffen werden, wird der Shock bekämpft durch Erwärmung des Patienten, durch subkutane Anwendung von Stimulantien für das Herz — Kampher, Strychnin — durch Frottierung der Extremitäten, durch warme Klystiere mit Kognak. Durch Aethernarkose und einen gewärmten Operationstisch wird das Risiko einer Operation während des Shocks sehr bedeutend vermindert. Wenn der Pat. stark cyanotisch ist, dann ist es am besten, den Bauchschnitt ohne Narkose unter SCHLEICH'scher Infiltrationsanästhesie zu machen. Die Kraft des Herzens wird gehoben, sobald der intraabdominale Druck abnimmt. Dann kann man mit der Aethernarkose beginnen.

Die Operation. Der Bauchschnitt wird lang gemacht, 15—20 cm, und sofort, wenn es nötig ist, mit Querschnitten nach links oder nach rechts oder nach beiden Seiten verbunden, so daß man sich schnell vollständig orientieren kann. Zur Entdeckung des Geschwürs wird man geleitet durch sichtbaren Mageninhalt, durch Injektion oder durch frische Beläge an der Serosa des Magens, durch Vorhandensein von Adhäsionen, Verdickungen oder Sehnenflecken an dieser Serosa. Ueber die gewöhnliche Stelle der Perforationen habe ich schon vorher gesprochen. Womöglich werden alle Verwachsungen gelöst, so daß man den ganzen Magen hervorholen kann. Ist er voll, so kann man ihn durch Einführung einer Oesophagussonde entleeren — wobei man jedoch die Gefahr des Eindringens von Mageninhalt in die Trachea sorgsam vermeiden muß — oder dadurch, daß man den Inhalt durch die Perforationsöffnung ausdrückt, nachdem dieser Teil des Magens vollständig aus dem Bauche hervorgezogen worden ist. Findet man das Geschwür nicht an der vorderen Seite, so sucht man es an der hinteren, nachdem man eine Oeffnung in dem Omentum minus oder besser in dem Ligamentum gastro-colicum gemacht hat. Was soll man nun mit der Perforationsöffnung thun? In einzelnen, dafür besonders günstigen Fällen kann man das ganze Geschwür ausschneiden und den Magen auf die gewöhnliche Weise zunähen. Dazu eignen sich indessen nur äußerst wenige Geschwüre, und eine reiche Erfahrung hat gezeigt, daß es die beste Technik ist, das Geschwür einzufalten, so daß man breite Serosaflächen ohne Zerrung aneinander legt und sie durch eine Reihe oder besser durch zwei Reihen Serosasuturen vereinigt. Die Naht kann, wenn man es für nötig hält, zweckmäßig mit Omentum bedeckt werden, was natürlich auch so auszuführen ist, daß keine Zerrung oder Knickung des Magens oder Darmes dabei entsteht. Wenn man die Naht nicht für sicher genug hält, so bedeckt man sie mit Jodoformgaze, die man mit feinem Catgut an dem Magen befestigt und aus der Bauchwunde herausleitet. Geschwüre in der Nähe der Cardia und vor allem am Pylorus, sie mögen sich im Magen oder im Duodenum befinden, müssen so genäht werden, daß keine Verengung entstehen kann. Am Pylorus werden deshalb alle Geschwüre rechtwinkelig gegen die Längsrichtung des Magens oder des Darmes vereinigt. Es kommt aber auch vor, daß man die Perforationsöffnung nicht zusammennähen kann; in solchen Fällen sind folgende verschiedene Verfahren bisher angewendet worden und jedes von ihnen hat wenigstens einmal zur Heilung geführt. 1) Das Magengeschwür ist mit dem Bauchschnitte vernäht worden, 2) Der Magen ist mittels eines Rohres drainiert worden, um das herum mit Gaze tamponiert wurde. 3) Man hat versucht, die Oeffnung durch Serosasuturen so viel als möglich von der Bauchhöhle abzuschließen und hat sie dann tamponiert (Landerer[1]). 4) Man hat den Magen dadurch geschlossen, daß man ein Stück Omentum über die Oeffnung näht (Braun), oder 5) man hat in die Oeffnung ein Stück Omentum gestopft und dann das Omentum mit Suturen rings um die Oeffnung befestigt (Bennet). 6) Man hat die Gastroenterostomie gemacht oder wenigstens vorgeschlagen, wenn die Oeffnung in der Nähe der großen Kurvatur lag. Sobald die Oeffnung geschlossen ist, hat man nachzuforschen, ob nicht etwa noch eine weitere Perforation vorhanden ist. Zur hinteren Seite des Magens bahnt man sich, wie bereits gesagt, den Weg durch das Omentum minus oder am leichtesten und besten durch das Lig. gastro-colicum.

Wenn man sich überzeugt hat, daß der Magen und das Duodenum ganz sind, dann kommt die allerschwerste Aufgabe, nämlich die Bauchhöhle zu reinigen. Es gilt dabei, alles, was infiziert ist, zu reinigen, ohne den Infektionsstoff auf andere Teile der Bauchhöhle zu verbreiten, die noch von Infektion frei sind. Darauf hat man natürlich schon

---

1) Vergleiche auch Fall V.

von Anfang der Operation an achten müssen und hat deshalb den Bauchschnitt so groß gemacht, daß man sich sofort darüber klar werden konnte, ob auch die Bauchhöhle unterhalb des Colon transversum infiziert war und ob die Gegenden über und unter dem rechten Leberlappen noch frei waren, um sie, wenn dies der Fall war, von der infizierten Umgebung des Magens abgeschlossen zu halten.

Die Ausspülung der Bauchhöhle mit Salzwasser ist die für die Serosa am meisten schonende Art der Reinigung; sie ist passend, wenn man sich davon überzeugt hat, daß die ganze Bauchhöhle infiziert ist, und dann besonders, wenn sich nur wenige, leicht lösbare Adhäsionen finden. Die Ausspülung muß vollständig systematisch ausgeführt werden, am liebsten von mehreren Bauchschnitten aus (vergl. Fall IV und V), so daß jeder Teil der Bauchhöhle gereinigt wird. Während der Ausspülung bemerkt man oft, daß der Puls sich hebt und das Gesicht sich rötet. Man muß jedoch immer vorsichtig sein bei der Ausspülung in der Nähe des Plexus solaris und oben unter dem Diaphragma. Es kommt nämlich dabei nicht selten vor, daß die Respiration nachläßt und der Puls sich ändert. Das Spülwasser muß warm sein, ungefähr 40°, nicht kälter als 39, nicht wärmer als 41°[1]) ist unsere Regel[2]). Gewisse englische Chirurgen wenden höhere Grade an, 110—115° F, (43,4—46° C) und betrachten eine so hohe Temperatur als die Bedingung zur Vermeidung von Respirations- und Pulsstörungen. Die unter allen Verhältnissen am meisten anwendbare Methode der Reinigung der Bauchhöhle besteht in Austrocknung mit in warmes Salzwasser getauchten und ausgerungenen Gazekompressen. Auch hierbei soll man ganz methodisch zu Werke gehen. Am schwierigsten, aber auch am wichtigsten ist die Reinigung oben unter dem Diaphragma. Sie setzt die Lösung aller Adhäsionen voraus. Die Hand wird auf beiden Seiten am Ligamentum suspensorium hepatis zwischen die Leber und das Diaphragma bis zum Ligam. coronarium und zu den Ligam. triangularia emporgeschoben und dies wird wiederholt, bis der Raum zwischen Leber und Zwerchfell vollständig rein und trocken ist. Auf dieselbe Weise verfährt man dann links zwischen Leber und Magen bis hinauf zum Ligam. triangulare und zur Appendix fibrosa des linken Leberlappens, sowie um die Cardia herum und weiter zwischen Magen und Milz und längs des Diaphragma bis herab zur ventralen Seite der linken Niere und an der Milz vorbei bis zum Ligam. phrenicocolicum. Ein Anatom hat auf Veranlassung von Fall IV mir vorgeschlagen, mit einem gekrümmten Thermokauter das Ligam. triangulare sin. zu durchbrennen, um dadurch den Recessus phrenico-hepaticus

1) Vergl. Fall XIII.

2) Im Herbst 1898 haben wir das Spülwasser (0,9-proz. Salzlösung) 43—44° C warm angewendet.

zu öffnen und vollständig um den linken Leberlappen herum zu kommen. Danach wird der Raum zwischen der rechten Niere und der Leber, sowie zwischen dieser und dem Colon und nach oben hinter der Leber gereinigt. Nun folgen die Lumbalgegenden und beide Fossae iliacae. Schwer zugänglich ist auf beiden Seiten der Raum um die Wurzel des Dünndarmmesenteriums herum. Zuletzt kommt das kleine Becken daran, das, wie wir schon gesehen haben, oft sehr zeitig infiziert wird. In manchen Fällen dürfte man zweckmäßig die Austrocknung mit der Ausspülung vereinigen können, besonders da eine kurz dauernde Ausspülung mit warmer Flüssigkeit im unteren Teile der Bauchhöhle immer einen günstigen Einfluß auf den Allgemeinzustand zu haben scheint. Die meisten Patienten, die gerettet wurden, sind mit Ausspülung behandelt worden. Das beruht darauf, daß bisher die meisten Operationen in England und Amerika ausgeführt worden sind, wo die Ausspülung der Bauchhöhle sehr im Gebrauch ist. Es sind indessen auch Patienten gerettet worden nach einfacher Austrocknung der Bauchhöhle, sowohl mit Schwämmen, als auch mit trockenen oder feuchten Kompressen. Nichts erschwert die Reinigung der Bauchhöhle so sehr — um nicht zu sagen, macht sie unmöglich — als der Meteorismus.

Wir gelangen nun zu einer Frage, die nicht weniger schwer zu beantworten ist, nämlich: in welchen Fällen soll man drainieren und wie soll man drainieren. In der Litteratur finden sich verschiedene Krankengeschichten, die zeigen, daß Patienten vollkommen ungestört genesen sind, ohne daß irgendwelche Drainage angewendet worden ist. In mehreren von diesen Fällen waren die Verhältnisse von der Art, daß wenigstens ich es für einen Kunstfehler angesehen haben würde, wenn ich nicht unter gleichen Umständen drainiert hätte. Auf der anderen Seite finden sich auch Fälle mit tödlichem Ausgange, die den Eindruck machen, als wenn die Drainage die Patienten gerettet haben würde. Wir wissen nun alle, daß die Drainage des Peritoneums eine sehr schwierige Sache ist. Ich glaube, daß eine Vereinigung der Drainage durch Rohr oder durch Rohr und Gaze und der Tamponade mit Gaze die glücklichste Methode ist. Die Begriffe Drainage und Tamponade fasse ich hierbei so auf, daß es die Aufgabe sowohl der Drainage, als auch der Tamponade ist, Flüssigkeit abzuleiten, aber die der Tamponade außerdem noch, durch rasch entstehende Adhäsionen einen gewissen Teil der Bauchhöhle vollständig von der übrigen Serosa zu isolieren. Man legt Drainrohre oder am besten Rohre und Gaze überall da ein, wo man erwarten kann, daß sich Flüssigkeit während der nächsten Stunden nach der Operation ansammeln werde. Man macht eine ausgebreitete Tamponade mit steriler Gaze überall, wo man eine ernstlichere Infektion fürchtet und deshalb wünscht, womöglich die infizierte Fläche von der übrigen Bauchhöhle abzuschließen. Wie soll dies nun in die Praxis übertragen werden? Man breitet sterile Gaze an beiden Seiten des Lig. suspensorium zwischen Leber und Diaphragma aus, sowie weiter nach links zwischen Magen und Diaphragma. Man drainiert in beiden Lumbalgegenden, wobei das Drainrohr auf der linken Seite an dem Ligamentum phrenico-colicum vorbei und über diesem längs der Außenseite der Milz bis zur Mitte des Diaphragma geführt wird, womöglich nach Durchschneidung dieses Ligamentes, um das Drainrohr weiter nach hinten zu bringen; auf der rechten Seite wird das Drainrohr oberhalb des Mesocolon transversum an der ventralen Seite der rechten Niere bis zum Duodenum vorgeschoben. Das kleine Becken wird bei Männern oberhalb der Symphyse drainiert, bei Weibern am besten von der Vagina aus. Regel ist es, daß man niemals an anderen Stellen drainieren oder tamponieren soll, als an solchen, wo das Peritoneum infiziert gefunden wird oder wo man bestimmte Veranlassung hat, zu glauben, daß sich daselbst Flüssigkeit ansammeln wird. Bei gewöhnlicher Rückenlage sind die Lumbalgegenden und das kleine Becken die am tiefsten liegenden Punkte in der Bauchhöhle.

Die Bauchnaht kann zweckmäßig ausgeführt werden durch eine sogen. Achternaht mit Silkwormgut oder durch grobe, die ganze Bauchwand fassende Suturen aus Silber oder Aluminiumbronce. Man muß nämlich auf Suppuration in der Bauchwunde gefaßt sein und die Naht muß auch rasch ausgeführt werden können. Oft muß man die ganze Bauchwunde offen lassen.

Die Nachbehandlung muß teils darauf hinausgehen, durch stark absorbierenden Verband alle drainierten oder tamponierten Stellen der Bauchhöhle rasch trocken zu legen, teils darauf, dem Magen Ruhe zu geben und doch die Kräfte des Patienten zu heben und der Darmparese entgegenzuwirken. Hat man sowohl mit Gaze als mit Rohren drainiert, so wird das Rohr herausgenommen, sobald die Sekretion aufgehört hat, aber die Gaze bleibt liegen, bis sie gelockert wird. Hat man nur mit Rohren drainiert, so kann man gewöhnlich bald das grobe Drainrohr im kleinen Becken durch einen Nélaton'schen Katheter ersetzen. Schwieriger ist es mit den Drainrohren unter dem Diaphragma, weil es nicht zu gelingen pflegt, wenn man ein gröberes Rohr entfernt hat, ein dünneres von derselben Länge einzuführen. Es ist deshalb am besten, diese Rohre recht lange liegen zu lassen, bis man begründete Veranlassung hat, anzunehmen, daß keine fernere Eiterbildung unter dem Diaphragma vorkommen wird. 3—5, vielleicht am besten 7 Tage lang, wird keine Nahrung per os gegeben, sondern nur subkutan (Salzlösung [1]), steriles Olivenöl in Gaben von

1) Vom Herbst 1897 an habe ich zur Salzlösung bisweilen 2—3 Proz. Alkohol und 5—10 Proz. Traubenzucker zugesetzt. Ich habe diese Koch-

60—100 ccm täglich) oder per rectum oder intravenös (Salzlösung). Warmes (ca. 40° C) gekochtes Wasser kann man noch mit Vorteil eßlöffelweise per os geben, sobald das Erbrechen aufgehört hat, und ich möchte glauben, daß es zweckmäßig ist, damit eine Kur mit Wißmut oder Alkalien zu verbinden. Vor den ernährenden Klystieren werden täglich Darmausspülungen angewendet, um die Darmentleerung und den Abgang von Darmgasen zu befördern. Nach einer Woche beginnt man mit einer wohl überlegten Diätkur gegen Magengeschwür und setzt diese mehrere Wochen lang fort. Die Patienten müssen lange im Bett liegen bleiben. Nicht aus Furcht davor, daß die Suturen nicht halten könnten, verordne ich zu Anfang vollständige Abstinenz und dann eine wohl durchgeführte Diätbehandlung und langes Bettliegen, sondern deshalb, daß das Magengeschwür oder die Magengeschwüre zur Heilung gebracht wird, denn dafür ist ja durch die Einfaltung der Perforation hinter die Serosanaht nichts geschehen. Recidive von Magengeschwüren dürften oft vorkommen. Ich kenne 2 Fälle, in denen die Patienten binnen einem Jahre nach der Operation starben, der eine an Perforation (Landerer), der andere an Darmblutung (Fall V), sowie andere Fälle, in denen Ulcussymptome binnen des ersten Jahres nach der Operation zum Bettliegen zwangen. Deshalb ist womöglich auch noch nach der Entlassung eine geordnete Lebensweise beizubehalten.

Die meisten Todesfälle nach der Operation haben auf diffuser Peritonitis beruht, ziemlich viele auf abgekapselter Eiterbildung unter dem Diaphragma und manche auf einer auf das kleine Becken beschränkten Eiterbildung, sowie einige auch auf Verengung und Knickung am Pylorus. Es steht zu hoffen, daß durch eine sorgfältigere Reinigung besonders des Raumes unter dem Diaphragma und durch zweckmäßige Tamponade und Drainage es gelingen dürfte, die Zahl der Todesfälle an begrenzter eiteriger Peritonitis sehr bedeutend vermindern zu können.

Abgekapselte Eiterbildungen im kleinen Becken sind auf jeden Fall leicht zu diagnostizieren und zu behandeln. Weit gefährlicher sind die sogen. subphrenischen Abscesse, weil sie mit oder ohne Perferation des Diaphragma leicht zur Infektion der Pleurasäcke, der Lungen oder des Pericardium oder zu Pyämie oder Septikämie Veranlassung geben. Das Peritoneum am hinteren Diaphragma kann auch vom Eiter durchbrochen werden in der Art, daß sich in einer Lumbalgegend oder in beiden an der ventralen Seite der Nieren extra-

---

salz-Alkohol-Zuckerinfusionen in Dosen von 300—500 ccm ein- oder zweimal täglich gegeben. Nach 5 Proz. Traubenzucker haben wir nicht ein einziges Mal Zucker im Harn gefunden, nach 10 Proz. haben wir Spuren von Zucker gefunden. Oft habe ich Infusionen von nur Alkohol-Salzlösung oder Traubenzucker-Salzlösung gegeben.

peritoneale Eitersenkungen bilden. In den Pleurasäcken und im Pericardium kommen im Zusammenhange mit subphrenischen Eiterhöhlen alle Formen von Entzündung vor, auch eine purulente, und sogar Pyopneumothorax ohne Durchbruch durch das Diaphragma. Einer meiner Pat. (Fall IV) starb an purulenter Pericarditis 2 Monate und 3 Wochen nach der Operation, nachdem sie schon 3 Wochen vorher als gesund entlassen worden war. Unter dem Centrum tendineum des Diaphragma fand sich eine kleine Eiterhöhle, die mit dem Pericardium nicht in Verbindung stand. Nach meiner Ansicht dürfen subphrenische Abscesse nur in solchen Fällen mittels transpleuraler Operation operiert werden, wenn sich ein Empyem in der Pleurahöhle findet, durch das man hindurch muß. In den übrigen Fällen wird teils der Schnitt längs des Thoraxrandes nach vorn zu oder in der Lumbalgegend gemacht, teils die von LANNELONGUE 1887 vorgeschlagenen und nun neuerdings von MONOD und VANVERTS[1]) wieder aufgenommene Operation, die Resektion des Thorax bis zum Anheftungsrand der Pleura hinauf. Besonders durch Anwendung der zuletzt genannten Methode dürfte man oft bis zu der subphrenischen Eiteransammlung vordringen und sie offenlegen können, ohne vorher durch eine gesunde oder nur von seröser Entzündung ergriffene Pleurahöhle hindurch zu müssen. Wo es möglich ist, sucht man die subphrenischen Abscesse auch von ihrem am weitesten nach unten und hinten gelegenen Punkte aus zu drainieren.

In solchen Fällen, in denen man die Perforation eines Magen- oder Duodenalgeschwürs nicht diagnostizieren kann, sondern nur eine sowohl oberhalb als unterhalb des Colon transversum ausgebreitete Peritonitis, beginnt man mit einem Bauchschnitt oberhalb der Symphyse. Von hier aus untersucht man den Processus vermiformis und die Tuben, achtet auf die Ausdehnung des Darmes und auf die gewöhnlichen Bruchpforten; findet man keine annehmbare Quelle der Peritonitis, so kann man entweder den Bauchschnitt nach oben verlängern oder oberhalb des Nabels einen neuen Bauchschnitt anlegen.

Hat man Eiter in abgekapselten Höhlen im Unterleib diagnostiziert, dann ist es am besten, nachdem man das Magengeschwür zusammengenäht hat, jede Höhle durch einen besonderen Schnitt direkt nach außen auf dem kürzesten Wege zu eröffnen und zu drainieren. Wenn man in einem solchen Falle die Wandungen zwischen den einzelnen Höhlen zerreißt und diese von einem einzigen Bauchschnitte aus ausspült, so infiziert man sicher die ganze noch gesunde Serosa und der Patient stirbt. Wenigstens ist das meine Erfahrung.

In denjenigen Fällen, in denen die Perforation eines Magen- oder

---

1) Revue de Gynécol. et de Chir., abd., T. 1, p. 499. Verf. hat eine solche Operation ausgeführt.

Duodenalgeschwürs zu einer begrenzten eiterigen Peritonitis geführt hat, wird die Eiterhöhle auf dem nächsten Wege geöffnet. Oft handelt es sich um subphrenische Abscesse; diese werden in der schon angegebenen Weise operiert. Bisher dürfte man sich in diesen Fällen selten um die Perforationsöffnung im Magen oder Duodenum bekümmert haben. Bei Sektionen hat man oft das Magengeschwür geheilt gefunden. Mc Cosh hat indessen bei zwei Operationen wegen subphrenischer Abscesse nach dem Magengeschwür gesucht und es zusammengenäht; der eine Patient wurde gesund. Ich für meinen Teil glaube, daß es hier, wie bei Perityphlitis, günstig ist, wenn man radikal operieren kann. Nur in relativ zeitig operierten Fällen kann jedoch eine derartige Sutur der Perforationsöffnung in Frage kommen, soweit ich es beurteilen kann. Man soll dann versuchen, direkt in die Eiterhöhle einzudringen, diese vollständig zu entleeren und zu reinigen, dann alle Adhäsionen zerreißen, das Geschwür zusammennähen und durch Tamponade den ganzen infizierten Bezirk von der übrigen Bauchhöhle absperren. Sich so günstige Verhältnisse zu denken, daß man das Geschwür vernähen könnte, ohne die Adhäsionen zu lösen, ist kaum möglich.

## Kurze Uebersicht über die Kasuistik des Verfassers.

Nicht operierte subphrenische Abscesse nach Perforation des Magens — 33 Jahre alte Frau — Heilung (Fall XIV); diffuse Peritonitis im Epigastrium und in den peripherischen Teilen der Bauchhöhle nach Perforation des Magens (?) — 38 Jahre alter Mann — Heilung (Fall XV).

Operiert wurden 13 Fälle.

Von diesen 13 Patienten haben 7 an einer über die ganze Bauchhöhle oder über den größten Teil derselben ausgebreiteten diffusen Peritonitis gelitten, die 3mal nach dem Durchbruch von Duodenalgeschwüren (25 Jahre alte Frau, 34 Jahre alte Frau, 37 Jahre alter Mann) entstanden war, 3mal nach Durchbruch von Geschwüren an der Vorderseite des Magens (24 Jahre alte Frau, 41 Jahre alte Frau, 48 Jahre alter Mann)[1] und 1mal an der Hinterseite des Magens (22 Jahre alte Frau). In 5 Fällen ist das Geschwür aufgefunden worden und in 4 konnte es vollständig durch die Naht geschlossen werden, in 1 Falle unvollständig durch Sutur und Tamponade. Diese 5 Patienten sind 15, 21½, 26, 48 und 60 Stunden nach erfolgter Perforation operiert worden; diejenigen, die nach 15 und nach 60 Stunden operiert wurden, starben an diffuser Peritonitis. Bei den 3 übrigen heilte die diffuse Peritonitis, aber der zuerst erwähnte starb am 17. Tage nach der Operation an Sepsis, die von

1) In diesem Falle war das Geschwür möglicherweise ein Duodenalgeschwür.

einem vollständig ausdrainierten subphrenischen Abscesse ausging; die 2. Patientin starb 2 Monate 22 Tage nach der Operation an purulenter Pericarditis, die mit einem kleinen subphrenischen Absceß in Zusammenhang stand, nachdem sie 3 Wochen vorher aus dem Krankenhause entlassen worden war, zu dieser Zeit, wie es schien, ganz gesund; der 3. Patient wurde gesund und arbeitsfähig entlassen, aber er starb $3^1/_2$ Monate danach infolge einer Blutung im Darmkanal (Duodenalgeschwür?). Die beiden übrigen Fälle von diffuser Peritonitis betrafen Patienten, von denen der eine 3—4 Tage, der andere 7 Tage nach erfolgter Perforation operiert wurde mittels Bauchschnitts zur Entleerung des Eiters, beide starben 3—4 Tage nach der Operation.

In 1 Falle fand sich eine phlegmonöse Gastritis — 29 Jahre alte Frau — (Fall XII).

In 5 Fällen hat sich eine abgekapselte eiterige Peritonitis (entweder sogen. subphrenischer Absceß oder Eiterbildung an der Vorderseite im Epigastrium) gefunden, die 1 mal mit Sicherheit von einem geborstenen Duodenalgeschwür ausging (54 Jahre alte Frau), 1 mal (subphrenische Eiterhöhle auf der rechten Seite), mit Wahrscheinlichkeit von einem ebensolchen Geschwüre (52 Jahre alter Mann), 2 mal von perforierten Magengeschwüren aus (22 Jahre alte Frau, 16 Jahre altes Frauenzimmer) und 1 mal nach Einnehmen von Phosphor als Abortivum entstanden war (25 Jahre altes Frauenzimmer). Von diesen Patienten sind 3 nach der Operation gesund geworden; gestorben sind 2 Frauenzimmer, die eine 54, die andere 20 Jahre alt; bei der 54 Jahre alten Patientin wurde das Duodenalgeschwür genäht; sie starb 46 Tage danach an Pyämie, möglicherweise von Decubitus ausgehend — in der Bauchhöhle war alles in bester Ordnung.

Diese Kasuistik umfaßt alle Fälle, die in der chirurgischen Klinik in Upsala in der Zeit vom 1. September 1888 bis zum 1. März 1898 beobachtet worden sind.

Fall I. Dienstmädchen, 25 Jahre alt, aufgenommen am 23. Mai, gestorben am 27. Mai 1890. Diffuse Peritonitis nach Perforation eines Ulcus duodeni — Incision in der rechten Fossa iliaca 3—4 Tage nach dem Durchbruche — Tod $3^3/_4$ Tage danach. Sektion: Ulcus duodeni perforans.

Patientin hat seit 3—4 Jahren Zeichen eines Magengeschwürs gehabt, doch ohne daß diese irgend von schwerer Art waren. Blutiges Erbrechen ist nie vorhanden gewesen. Einige Tage vor der Aufnahme in das Krankenhaus wurden jedoch die Magensymptome schwerer und es kam Empfindlichkeit über den ganzen Bauch und Meteorismus hinzu. Die Kranke wurde am 23. Mai in der chirurgischen Klinik aufgenommen.

Untersuchung des Unterleibes. Der Bauch ist ganz bedeutend aufgetrieben, am stärksten nach links von der Mittellinie unterhalb des Nabels, wo eine langgestreckte Erhöhung hervortritt, die von den übrigen aufgetriebenen Teilen des Bauches sich abhebt. Die Respiration ist fast ganz und gar costal. Bei der Palpation gab die Patientin Schmerz an unterhalb des Colon transversum, am meisten über dem Coecum und dem Proc. vermiformis. Die Druckempfindlichkeit war auch bedeutend über dem Colon ascendens; im Epigastrium selbst war sie am geringsten. Bei der Perkussion ergab sich etwas gedämpft tympanitischer Schall in beiden Lumbalgegenden, sowie über dem rechten Ligam. Poupartii bis zu einer Höhe von 2—3 cm, am meisten über dem medialen Teile des Ligamentes. Bei der Untersuchung vom Rectum aus konnte keine abnorme Völle in der Fossa Douglasii mit Sicherheit konstatiert werden; doch glaubte der Untersuchende etwas größere Völle rechts als links zu bemerken. Nach rechts zu gab die Patientin einen gewissen Grad von Empfindlichkeit bei der Palpation an. In Bezug auf den Uterus und dessen Adnexa ergab sich nichts Bemerkenswertes.

Bei der Probepunktion über dem rechten Ligam. Poupartii erhielt man eine von Fibrinfetzen etwas flockige, dünnflüssige, geruchlose Flüssigkeit.

Harn eiweißfrei. Temperatur normal.

Diagnose: Perforationsperitonitis mit Exsudat im rechten Teile der Bauchhöhle: Ausgangspunkt im Magen oder im Processus vermiformis.

Operation sofort an demselben Tage. Incision längs der rechten Crista ilei und des rechten Ligam. Poupartii. Dabei wurde in den tieferen Teilen der Bauchwandung eine größere ödematöse Anschwellung bemerkt. Nachdem die Fascia transversa gespaltet war, wurde das Bauchfell mit der größten Vorsicht geteilt; es war höchst bedeutend verdickt (akute Anschwellung) und stark injiziert. Aus der Bauchhöhle kam sofort eine ansehnliche Menge Flüssigkeit von demselben Aussehen wie bei der Probepunktion heraus. Der Peritonealschnitt wurde sowohl nach rechts als auch nach links erweitert, wobei mehrere Dünndarmschlingen und Coecum in die Wunde vortraten. Die durch die Incision geöffnete Höhle war in den Teilen, die man übersehen konnte, von der übrigen Peritonealhöhle vollständig abgekapselt durch Verlötungen, sowohl zwischen den Darmschlingen untereinander, als auch zwischen diesen und dem Peritoneum parietale. Die in der Wunde sichtbaren Dünndarmschlingen waren stark injiziert und mit dickem, gelbweißem Belag bedeckt, der an mehreren Stellen leicht ablösbar war. Die abgekapselte Höhle setzte sich sowohl nach unten in das kleine Becken, als nach oben über das Colon ascendens fort. Die obere Grenze der Höhle konnte mit dem eingeführten Finger nicht erreicht werden. Die ganze Höhle wurde ausgetrocknet, so gut es ging. Danach wurde der Processus vermiformis hervorgezogen; er wurde etwas injiziert gefunden, aber im übrigen vollkommen normal.

In den oberen und den unteren Wundwinkel wurden Glasröhren und Jodoformtampons eingeführt; die Mitte der Wunde wurde geschlossen.

Die Operation wurde unter Aethernarkose ausgeführt und dauerte $^3/_4$ Stunden.

Am Abend war der Zustand recht gut. Keine Temperatursteigerung.

24. Mai. Perkussionsverhältnisse über dem Bauch unverändert. Die Empfindlichkeit ist vielleicht etwas geringer als vor der Operation. Reichliche Absonderung in der Wunde.

25. Mai. Sekretion aus der Wunde äußerst profus, so daß der Verband im Laufe des Tages mehrere Male gewechselt werden mußte. Das Sekret hat heute ein dunkles, gallig gefärbtes Aussehen bekommen. Perkussion über dem Bauch wie vorher. Schmerzen und Meteorismus mehr ausgeprägt als vorher. Abgang von Flatus nach Kamillenklystier.

26. Mai. Keine Temperatursteigerung. Harn fortwährend eiweißfrei. Sekret aus der Wunde eben so profuß wie gestern und von demselben Aussehen. Typische Facies Hippocratica. Fortwährend Erbrechen, aber nicht von fäkalem Charakter.

27. Mai. Pat. starb heute Morgen.

Sektion (Prof. HEDENIUS). Die Operationswunde wurde nach oben längs der Außenseite des Colon ascendens verlängert. Bei Druck kam aus dem kleinen Becken eine Menge gelben Eiters heraus, aber nach oben zu in der rechten Lumbalgegend und unter der Leber fand sich nur eine unbedeutende Menge Flüssigkeit von dunklem Aussehen. Ueber dem ganzen rechten Leberlappen fanden sich in reichlicher Menge fibrinöse Beläge, dei sich bis in die Kuppel des Diaphragma hinauf erstreckten; keine Flüssigkeit oder nur eine höchst unbedeutende Menge. Dagegen fand sich eine große Eiterhöhle, begrenzt von der vorderen Bauchwand, dem Lig. suspensorium, dem linken Leberlappen, dem Magen und dem Colon transversum, und gelben, dünnflüssigen Eiter enthaltend; die Wandungen sind mit einige Millimeter dicken Fibrinbelägen bedeckt. Von dieser Höhle ging eine kleinere aus nach unten zwischen die Zweige einer Schlinge des Colon transversum, die sich gerade nach unten erstreckte und fast bis an die Symphyse reichte. Auch in der linken Lumbalgegend wurde eine kleinere Eiterhöhle mit fibrinösem Belag angetroffen. Dünndärme aufgetrieben, durch fibrinöse Beläge mit einander verlötet. Flexura sigmoidea zusammengefallen, harte Skybalaklumpen enthaltend. Dünndärme im kleinen Becken zusammengefallen, gefaltet, stellenweise adhärent. Als alle Darmschlingen aus dem kleinen Becken herausgehoben waren, traf man auf eine Eiteransammlung hinter der Blase und vor dem Uterus. Schleimhaut der Harnblase blaß. Das linke Ovarium zeigte eine walnußgroße Cyste, das rechte eine kleinere Cyste, ohne purulente Ansammlung. In der linken Tuba fand sich kein Sekret, die rechte dagegen war aufgetrieben und enthielt ziemlich dickflüssigen, bräunlich-grauen Eiter in ihrem abdominalen Teile, dagegen nicht im uterinen Teile. In der Cervix uteri war die Schleimhaut mit zähem Schleim belegt, ebenso, obwohl in geringerem Grade, im Cavum uteri, der Fundus war mit dicken Fibrinschichten überkleidet. Nach rechts vom Rectum fand sich etwas Eiter, auch bestanden Adhärenzen zwischen dem Rectum und den Dünndärmen. Zwischen dem linken Leberlappen und dem Magen war kein Eiter vorhanden, auch fanden sich keine Adhärenzen und das Peritoneum hinter dem Magen war ebenfalls glatt. In der Fossa iliaca hinter dem Coecum kein Zeichen von Eiterbildung.

Oberfläche des Magens glatt, eine kleine Stelle an der Vorderseite ausgenommen, die teils der Absceßhöhle entsprach, teils an der vorderen Bauchwand adhärierte, sowie eine andere Stelle, die durch Fibrinbeläge mit der Milz zusammenhing. Die Schleimhaut des Magens zeigte ganz dicken Belag von zähem Schleim, der sich nur mit Schwierigkeit ablösen ließ, und stellenweise Blutungen. An der Curvatura minor eine kleine Narbe, die möglicherweise auf geheiltes Magengeschwür hindeuten konnte. In der hinteren Wand des Duodenum, unmittelbar unterhalb der Valvula pylori, fand man ein Geschwür von der Größe eines kleinen Zwanzigpfennigstückes, in dessen Boden unbeschädigte schieferbraune Serosa, ohne Zeichen von Peritonitis. Dagegen fand sich an der Seite davon, gerade an der Curvatura major, ein größeres Geschwür mit deutlich pigmentiertem Boden. Von hier aus führte eine direkte Perforation teils in die große Eiterhöhle vor dem Magen, teils zu der unteren am Colon transversum. Auch dieses Geschwür lag im Duodenum, berührte aber mit seinem Rande den Pylorus. Weiter nach unten im Duodenum wie auch an mehreren Stellen im Dünndarm erschien die Schleimhaut lebhaft injiziert, entsprechend fibrinösen Belägen an der Außenseite.

Im übrigen war keine Veränderung in den Organen nachzuweisen. Herz und Pleurasäcke waren gesund.

Epikrise. Patientin hatte schon lange gelinde Symptome eines Magen- oder Duodenalgeschwüres gehabt. Man mußte deshalb zunächst an eine Perforationsperitonitis denken, die von einem solchen Geschwüre ausging. Das Resultat der lokalen Untersuchung sprach dagegen mehr für eine Perforation des Proc. vermiformis. Das Exsudat bei der Probepunktion deutete hingegen mehr auf eine Perforation des Magens oder des Duodenums. Bei der Operation wurde der Proc. vermiformis gesund gefunden; die obere Grenze der großen Eiterhöhle die längs des Colon ascendens lag, konnte nicht erreicht werden. Nach der Operation war die Sekretion sehr profus und nahm ein dunkles, gallig gefärbtes Aussehen an; man konnte deshalb mit großer Gewißheit darauf schließen, daß sich im Duodenum oder im Pylorusteil des Magens ein Geschwür befand.

Das perforierende Geschwür im Duodenum saß so versteckt, daß man es trotz beharrlichem und systematischem Suchen bei der Sektion beinahe übersehen hätte. Es wurde erst gefunden, als man Magen und Duodenum aufgeschnitten und aus der Leiche herausgenommen hatte.

Es ist bemerkenswert, daß die heftigen Schmerzen, die den Augenblick des Eintretens der Perforation zu bezeichnen pflegen, in diesem Falle nicht vorhanden gewesen zu sein scheinen. Ferner verdient hervorgehoben zu werden, daß die Empfindlichkeit gegen Druck 3—4 Tage nach dem Durchbruch im Epigastrium am geringsten gewesen ist.

Fall II. Dienerin, 34 J. alt. Perforation eines Duodenalgeschwüres — wenigstens 7 Stunden lang auf die rechte Bauchhälfte beschränkte Peritonitis, dann explosionsartiger Ausbruch in der ganzen Bauchhöhle unter Kollapssymptomen — nach 15 Stunden Naht des Geschwüres und Ausspülung der Bauchhöhle mit Kochsalzlösung — nach weiteren 24 Stunden Tod.

Matilda C. wurde am 19. Nov. 1894 aufgenommen und starb am 20. Nov. Seit 12—14 Jahren war sie magenleidend und hatte mehrere Male Magenblutungen. Bluterbrechen zuletzt vor der Aufnahme am 12. und 13. Nov. Zu derselben Zeit schwarze Stuhlentleerungen. Am 17. Nov. nachmittags wurde die Kranke in der medizinischen Abteilung des akademischen Krankenhauses aufgenommen; sie klagte über heftige Schmerzen in der Magengegend; mitunter trat Erbrechen geringer, nicht blutiger Massen auf. Das ganze Epigastrium war sehr empfindlich, am meisten nach rechts von der Mittellinie, mitten zwischen dem Proc. ensiformis und dem Nabel, an den übrigen Teilen des Bauches bestand keine Empfindlichkeit. Pulsfrequenz 84, Puls regelmäßig, kräftig. Temp. (im Rectum) 37 °. Stuhlentleerung am vorhergegangenen Tag, vorher war 3—4 Tage lang keine vorhanden gewesen. Seit einer Woche hatte die Pat. fast gar nichts zu sich genommen. Es wurden Eisblase, Eispillen verordnet und nichts zu essen gegeben.

18. Nov. morgens. Während der Nacht Schmerzen wie vorher und ein Paar mal etwas Erbrechen. Allgemeinzustand fortwährend gut. Es wurden Opiumtropfen verordnet. An demselben Tage 12 Uhr mittags: Die Schmerzen haben an Intensität zugenommen, Pat. jammert heftiger als vorher; sie sagt, daß die Schmerzen sich nach der rechten Seite gezogen haben. Jetzt ist nicht mehr, wie vorher, nur das Epigastrium empfindlich, sondern die ganze rechte Seite vom Rippenrande bis zum Lig. Poupartii; dagegen ist links keine Empfindlichkeit vorhanden. Kein Erbrechen. Puls und Allgemeinzustand nicht verändert. Es wurden 1,5 cg Morphium subkutan und Stuhlpillen mit je 5 cg Opium alle 3 Stunden verordnet. An demselben Tage 7 Uhr nachmittags: Die Schmerzen, die seit der letzten Ordination an Stärke abgenommen hatten, beginnen wieder zuzunehmen. Fortdauernd keine Empfindlichkeit in der linken Seite, dagegen stark ausgesprochene Empfindlichkeit im Epigastrium und in der rechten Seite. Puls 88, regelmäßig. Kein Erbrechen, kein Meteorismus. Allgemeinzustand nicht schlechter als vorher. An demselben Tage 10 Uhr abends: Die Schmerzen haben dermaßen zugenommen, daß Pat. vornüber gebeugt im Bett kauert und jammert. Die Empfindlichkeit ist nun über den ganzen Bauch ausgebreitet und stark ausgesprochen. Puls klein, 106 in der Minute. Pat. ist bleich im Gesicht, mit kaltem Schweiß bedeckt, Temp. 37,8 °. Sie sagt, daß es „im Magen herumfährt". Es wurden 1,5 cg Morphium subkutan verordnet. An demselben Tage Mitternacht 12 Uhr. Pat. hat geschlafen. Puls 130, klein. Aussehen mehr heruntergekommen als vorher. Im Epigastrium findet sich ein Oedem, das nach unten ziemlich begrenzt ist, sich nicht ganz bis an den Nabel erstreckt und nach oben die Rippenränder auf beiden Seiten überschreitet. Die Empfindlichkeit ist, wie vorher, über den ganzen Bauch ausgebreitet, die linke Seite fühlt sich mehr resistent an, wahrscheinlich wegen der stärkeren Spannung der Muskeln. Pat. wünscht, sich der vorgeschlagenen Operation zu unterziehen. Am 19. Nov. 2 Uhr morgens. Puls sehr klein, über 140 in der Minute. Pat. wird in die chirurgische Abteilung überführt.

2 Uhr 30 Min. früh Operation, die in Abwesenheit des Verfassers von dem damaligen Unterchirurgen Med. Lic. Barthold Carlson, wenigstens 15 Stunden nach dem Eintritte der Perforation ausgeführt wurde. Schwache Chloroform-Aethernarkose. Der Schnitt wurde durch den linken Musc. rectus vom unteren Thoraxrande bis zur Höhe der Nabelebene geführt. Die Gewebe unter dem Musc. rectus waren sämtlich ödematös. Als das Peritoneum geöffnet wurde, traten Gase und reichliche graugrüne schleimige Massen aus. Das Peritoneum viscerale und parietale, war, soweit man es überblicken konnte, gerötet, wollig und hier und da von Blutungen durchsetzt. Nirgends konnte man eine Abkapselung oder eine Adhäsion entdecken, außer an einer Stelle, wo der Magen durch sehr schwache Adhäsionen an den linken Leberlappen und an den medialen Teil des rechten geheftet war. Der Magen wurde von der Leber abgelöst, wobei eine geringe Menge Blut und Mageninhalt zum Vorschein kam. In

dieser Richtung hatte man also die Perforation zu suchen, sie fand sich an der Vorderseite des Magens oben gegen die Curvatura minor hin, ungefähr am Pylorus. Das Geschwür war so groß, daß es bequem eine Fingerbeere aufnahm. Seine Ränder waren glatt, ziemlich dick und etwas infiltriert; es war fast kreisrund. Nach Reinigung wurde das Geschwür zusammengenäht. In der Längsrichtung des Magens wurde die Serosa von beiden Seiten des Geschwürs her aneinandergelegt und durch zwei Reihen fortlaufender Seidennähte befestigt. Am weitesten nach oben gegen die Leber hin machte dies große Schwierigkeit, teils infolge des Bauchinhalts, der beständig zufloß und das Operationsfeld füllte, teils infolge der Schwierigkeit, die es bereitete, die Leber abzuhalten und das Geschwür nach vorn zu bringen. Hiernach wurde die Bauchhöhle mit ungefähr 20 Litern Kochsalzlösung ausgespült. Schließlich wurde Jodoformgazetamponade an das genähte Magengeschwür angelegt und in der Mitte der Bauchwunde nach außen geleitet. Die Bauchwunde wurde mittels Etagennaht in gewöhnlicher Weise geschlossen.

Vor der Operation erhielt Patientin eine subkutane Injektion von 2 Spritzen Kamphor (40 cg) und ebensoviel während der Operation. Nach der Operation erhielt sie alle 2 Stunden Klystiere mit Cognac und Traubenzucker und dazwischen alle 2 Stunden je eine Spritze Kamphor.

Sofort nach der Operation wurden 700 ccm Kochsalzlösung subkutan injiziert. Der Puls war nach der Operation nicht zu zählen, am Morgen 120 in der Minute. Zu Mittag wurden einmal 120 Schläge in der Minute gezählt, der Puls war klein, aber einigermaßen regelmäßig. Kein Erbrechen. Keine Stuhlentleerung. Unbedeutende Harnentleerung.

Patientin starb den 20. Nov. früh 4 Uhr.

Auszug und Zusammenfassung des Sektionsberichtes (Prof. Sundberg) 20. Nov.

200—300 ccm stark trüber Eiter von gelblich brauner Farbe fanden sich in der Bauch- und Beckenhöhle und eine überall ausgebreitete fibrinös-purulente diffuse Peritonitis. Der Prozeß ist in der rechten Hälfte des Bauches entschieden älter als in der linken. Auf der rechten Seite sind nämlich die Därme weniger gerötet, aber untereinander und mit dem Netz durch eiterig infiltrierte, fibrinöse Pseudomembranen verlötet. Ebensolche Membranen überkleiden den 3—4 Monate schwangeren Uterus, der das kleine Becken fast ausfüllt. Links hingegen werden die Därme als stark gerötet beschrieben und nur an einzelnen Stellen durch Beläge vereinigt.

Vom Herzen wird bemerkt, daß das Herzfleisch etwas mürbe und von rotbrauner Farbe war. In den Lungen bestand diffuse katarrhalische Bronchitis, die sich durch die Trachea bis zur Cartilago cricoidea fortsetzte (Aetherwirkung?). Nieren sehr schlaff und etwas vergrößert — akute Nephritis.

Als das Duodenum mit Ausnahme seines obersten Teiles aufgeschnitten worden war, wurde der Zeigefinger der linken Hand durch den Pylorus in den Magen eingeführt und man fühlte dabei etwas Verengung in einer Ausdehnung von einigen Centimetern. Im Magen fanden sich 3 Geschwüre, die sich nur bis zur Submucosa erstreckten. Das größte war 2 × 1,5 cm groß und lag etwas näher am Pylorus als an der Cardia in der hinteren Magenwand ganz nahe an der kleinen Curvatur. Das kleinste Geschwür lag in der Nähe des Pylorus und der großen Curvatur und das 3., mit einem Durchmesser von 0,8 cm, ganz im Pylorus.

An der lateralen Fläche der Pars horizontalis superior des Duodenum fand sich ein vollständig zugenähtes Geschwür dicht unterhalb der Valvula pylori. Nach Aufschneiden der Nähte sah man, daß die Längsachse des Geschwürs parallel mit der Valvula pylori lag und 2 cm maß, seine Breite von rechts nach links maß 1 cm. Sein oberer Rand war schräg abfallend, der untere unterminiert. Die Schleimhaut lag in ziemlich breiten, strahligen Falten von dem Geschwür aus nach dem Duodenum zu.

Leber von Konsistenz etwas teigig.

Epikrise. Die Sektion zeigte 3 oberflächliche Magengeschwüre. Das perforierende Geschwür fand sich hingegen in der rechten Wand der Pars horizontalis duodeni.

Die Serosaflächen waren in der Längsrichtung des Magens zusammengenäht worden und infolgedessen war der Pylorus verengt. Geschwüre in der Nähe des Pylorus müssen stets in der Längsrichtung des Körpers zusammengenäht werden.

Der Durchbruch war auch dieses Mal [1]) nicht mit einem so heftigen Schmerzausbruche verbunden, daß man bestimmt wissen konnte, wann er eingetreten war. Die Patientin begann während des Vormittags immer mehr zu jammern, bei der Untersuchung um 12 Uhr mittags sagte sie, daß sich der Schmerz nach der rechten Seite gezogen hätte. Empfindlichkeit bestand nicht nur, wie vorher, im Epigastrium, sondern in der ganzen rechten Seite, vom Rippenrande bis zum Ligam. Poupartii. Noch nach 7 Stunden fand sich keine Empfindlichkeit in der linken Seite. Der Allgemeinzustand war fortwährend gut, die Pulsfrequenz betrug 88. Leider wurde das kleine Becken weder von der Vagina, noch vom Rectum aus untersucht.

Es ist nun meine Ueberzeugung, daß die erste Ausbreitung der Peritonitis in diesem Falle wesentlich deshalb so langsam vor sich ging, weil das Geschwür an der lateralen (rechten) Seite des Duodenum saß. Von hier aus rinnt nämlich der Darminhalt zwischen der unteren Leberfläche und dem Mesocolon transversum in die rechte Lumbalgegend herab und dann am Coecum vorbei in das kleine Becken. Erst wenn dieses gefüllt ist und wenn auch die rechte Lumbalgegend keinen Raum mehr bietet, fließt der Darminhalt nach links über die Vorderseite des Magens hinweg und längs des Colon transversum sowie quer über dasselbe hinweg. So wird auch die linke Seite der Bauchhöhle vom Diaphragma herab bis zum kleinen Becken infiziert.

Oft geht, wie in Fall I, das Colon transversum in seinem rechten oder mittleren Teile mit einer Schlinge hinab gegen die Symphyse zu. Der Raum zwischen den Schenkeln in einer solchen Schlinge ist eine präformierte Rinne für Magen- oder Darminhalt. Ist dieser in etwas

---

1) Vergl. Fall I.

größerer Menge in das kleine Becken hinab gelangt, so wird er vermittelst der Peristaltik bald zwischen allen Dünndärmen umhergeführt.

Wenn ein voller Magen reißt, rinnt dessen Inhalt natürlicherweise quer über das Colon transversum und Omentum hinab über die Dünndärme hin. Wenn der Magen aber relativ leer ist, so bildet nach meiner Ueberzeugung das Colon transversum und das Omentum eine ziemlich sichere Schranke, wird rasch mit der vorderen Bauchwand verlötet und leitet die Flüssigkeit nach rechts und links ab, die Lumbalgegenden und die subphrenischen Räume werden infiziert und danach erst das kleine Becken.

Wenn, wie in Fall I, die Peritonitis am meisten über die rechte Seite der Bauchhöhle ausgebreitet ist, und noch mehr, wenn man, wie in Fall II, bestimmt nachweisen kann, daß die Peritonitis lange (hier mehr als 7 Stunden) auf die rechte Seite des Bauches und das Epigastrium beschränkt gewesen ist, so hat man allen Grund, an ein Duodenalgeschwür zu glauben (vergl. die Epikrise zu Fall III).

Eine andere Ursache dafür, daß die Peritonitis in diesem Falle sich langsam ausbreitete, lag noch darin, daß der Magen aller Wahrscheinlichkeit nach relativ leer war. Doch dürfte dieses für Magengeschwüre so äußerst bedeutungsvolle Moment bei Duodenalgeschwüren von etwas geringem Gewicht sein, weil der Zufluß von Galle und Pankreassaft auf jeden Fall dem Duodenum beständig eine ziemlich beträchtliche Menge von Flüssigkeit zuführt.

Als auch die linke Bauchhälfte ergriffen war, breitete sich die Entzündung mit reißender Geschwindigkeit aus. Binnen 3 Stunden bestand Empfindlichkeit über den ganzen Bauch. Nicht weniger gewaltsam war die Einwirkung auf den Allgemeinzustand, der noch 7 Stunden nach dem Durchbruche als „nicht schlimmer als vorher" charakterisiert worden war, mit einer Pulsfrequenz von 88; 3 Stunden später war der Puls klein, 106, obwohl die Temperatur im Rectum nicht höher als 37,8° war; 2 Stunden danach betrug die Pulsfrequenz 130 und nach weiteren 2 Stunden war der Puls klein und hatte 140 Schläge. Das gleicht nicht nur einer Vergiftung, das ist eine Vergiftung.

In einer ungefähr 12 Stunden nach dem Durchbruch gemachten Aufzeichnung heißt es, daß sich die linke Seite „mehr resistent" anfühlte, „wahrscheinlich wegen der stärkeren Spannung der Muskeln". Es ist immer so, daß der Bauch am meisten gespannt ist in den Teilen, in denen die Peritonitis am frischesten ist. Auch das Sektionsprotokoll zeigt deutlich, daß die Peritonitis auf der rechten Seite älter war.

Die Naht des Geschwürs hatte gut gehalten, aber die diffuse Peritonitis hatte durch die Operation kaum etwas in ihrem Fortschreiten aufgehalten werden können.

**Die Patientin, die unter dem Einflusse einer sehr bösartigen Infektion stand, wurde absolut zu spät operiert. Es dürfte keine bessere Illustration dafür geben, wie entsetzlich leicht es ist, durch einen Aufschub der Operation alle Aussichten sich aus den Händen reißen zu lassen. Ich kann nicht umhin, die Aufzeichnungen für die Tage vor der Operation, 18. und 19. Nov., zum erneuten Durchlesen zu empfehlen.**

Fall III. Dienerin, 24 J. alt; perforierendes Magengeschwür — nach 21½ Stunden Sutur des Magengeschwürs und Drainage des kleinen Beckens durch die Vagina — subphrenischer Absceß und seröse Pleuritis, operiert am 11. Tage — Tod am 17. Tage — Magengeschwür geheilt' keine Peritonitis, der subphrenische Absceß vollständig ausdrainiert. Todesursache: akute Degeneration innerer Organe.

Emma A., 24 J. alt, Dienerin, aufgenommen im Krankenhause am 30. März 1893, gestorben am 15. April desselben Jahres.

Der Vater der Kr. leidet, solange sich diese zurück erinnern kann, an einem Magenleiden, selbst hat sie immer einen „schwachen Magen" gehabt. Im Anfang des J. 1892 trat Verschlimmerung ihres Zustandes ein, die Eßlust verschwand fast ganz und es entstand Empfindlichkeit und brennender Schmerz in Magengrube, mehr nach links als nach rechts zu. Besonders war der Schmerz heftig an einem Punkte, der 4 bis 4,5 cm nach links vom Nabel und dicht über demselben lag; von hier aus strahlte er nach allen Richtungen hin aus, am meisten aber nach dem Rücken. Pat. hatte mitunter Erbrechen, bemerkte aber nie, daß das Erbrechen dunkel gefärbt war. Im Sommer war Pat. gesund, Mitte Dez. aber erkrankte sie rasch von neuem an den angeführten Erscheinungen, lag aber nur 4 Tage zu Bett, obwohl sie sich bis Ende Januar schlecht befand. Danach schien sie ganz munter zu sein bis 14 Tage vor der Aufnahme, wo die alten Symptome allmählich wiederzukehren begannen. Besonders fühlte sich Pat. unwohl an den Morgen. Mitunter Uebelkeit, aber kein Erbrechen. Am Abend des 29. März, als sie mit Plätten beschäftigt war, fühlte sie 7 Uhr 30 Min. ganz plötzlich Stuhldrang und wollte hinausgehen, kam aber nicht weiter als bis zur Thüre, wo sie, ganz überwältigt von Schmerz im Bauche, zusammenbrach. Sie mußte zu Bett gebracht werden.

Während des Tages hatte sie zum Frühstück nur ein Butterbrod und zu Mittag nur ein kleines Stückchen Fleisch genossen.

Die Schmerzen dauerten die ganze Nacht unvermindert fort und nahmen eher zu, als ab. Sie hatte wiederholt Brechneigung, aber kein Erbrechen gehabt. Am 30. März bekam sie von einem hinzugerufenen Arzt eine Morphiuminjektion und wurde danach 10 km weit nach Upsala in das Krankenhaus gebracht.

Status praesens am 30. März 1893, 10 Uhr vormittags.

Gesichtsfarbe bleich. Sensorium etwas benommen. Temp. 39,2°. Puls 104 (14 Stunden nach dem Durchbruch).

Der Bauch ist gespannt und aufgetrieben, über den ganzen Bauch besteht Empfindlichkeit, besonders empfindlich ist ein 5—6 cm nach rechts und etwas nach oben von dem Nabel gelegener Punkt. Von hier gehen die Schmerzen, wie Pat. angiebt, aus und verbreiten sich dann über den ganzen Bauch. Der hintere Fornix vaginae erscheint in einem gewissen Grade nach unten ausgebuchtet und hier besteht bedeutende Empfindlichkeit gegen Druck.

Auf Grund der Angaben über den früheren Gesundheitszustand der Pat., der Geschichte ihrer heftigen Erkrankung und des Befundes bei der Aufnahme wurde die Diagnose auf beginnende diffuse Peritonitis nach Perforation eines Magengeschwürs gestellt. Man hoffte, daß sich dieses an der Vorderseite des Magens befinde, weil sich die am meisten ausgesprochene Empfindlichkeit gegen Druck 5 cm nach rechts über dem Nabel befand. Es wurde beschlossen, sofort zu operieren, aber die Pat., die unter dem Einflusse einer starken Morphiumdosis stand, verweigerte die Operation entschieden. Nicht eher als 4 Uhr nachmittags willigte sie in die Operation ein. Die Temperatur betrug zu dieser Zeit 39,4°, der Puls hatte 120 Schläge und war ganz schwach, aber gleichmäßig. Der Allgemeinzustand war entschieden viel schlechter als vormittags.

Die Operation wurde nachmittags 4 Uhr 45 Min., ungefähr 21 $^1/_2$ Stunden nach eingetretener Perforation, vorgenommen.

Die Narkose wurde mit Chloroform eingeleitet und mit Aether fortgesetzt. Zuerst wurde die Fossa Douglasii durch eine Incision im hinteren Fornix vaginae geöffnet, wobei eine bedeutende Menge dünnes, gelbgraues, sehr stinkendes Exsudat abging. Mit Hülfe eines Uteruskatheters wurde das kleine Becken mit Kochsalzlösung ausgespült. Zwischen den in das Becken herabhängenden Dünndarmschlingen wurden keine Adhärenzen gefühlt. Von der Vagina aus wurde ein Drainrohr eingelegt, das mit Jodoformgaze umwickelt und so lang war, daß es, mit sterilen Verbandstoffen umgeben, bis vor die Vulva herausgeleitet werden konnte.

Danach wurde der Bauch in der Mittellinie geöffnet, dicht oberhalb des Nabels. Hier sah man kein Exsudat. Die Magenwand war lebhafter injiziert als gewöhnlich, sah aber übrigens gesund aus. Die Bursa omenti majoris wurde geöffnet; an der Hinterseite des Magens konnte man keine Veränderungen sehen oder fühlen. Die Incision in der Bauchwand wurde nach oben bis zum Proc. ensiformis verlängert. Man fand die Leber durch fibrinöse Beläge mit dem Magen verklebt. Als man die Leber ablöste und in die Höhe hob, kam grün gefärbter, schleimiger Mageninhalt hervor aus einer ungefähr 1,5 cm langen und 0,5 cm breiten Oeffnung mit gelben nekrotischen Rändern. Um besseren Raum zu gewinnen, wurde ein Querschnitt durch die mediale Hälfte des linken Musc. rectus gelegt. Da man die Lösung etwa vorhandener Adhärenzen fürchtete, war es nicht möglich, die Lage des Geschwürs genau zu bestimmen; es war wahrscheinlich, daß es an der kleinen Curvatur in der Nähe des Pylorus lag, mit der Längsrichtung rechtwinklig gegen die kleine Curvatur. Mit großer Schwierigkeit wurden 4 Seidensuturen durch die Serosa und Muscularis gelegt und außerhalb dieser ersten Reihe wurden 2 weitere Serosasuturen angelegt. Eine mehrere Quadratcentimeter großes Stück vom Omentum minus wurde über die Nähte gebreitet und mit Seidennähten an der Magenwand befestigt. Am Colon transversum wie an den Dünndärmen unterhalb der großen Curvatur fanden sich keine Zeichen von Peritonitis. Zwischen dem rechten Leberlappen und dem Mesocolon transversum fand sich ziemlich viel Exsudat von demselben Aussehen wie das im kleinen Becken, aber ohne Geruch. Es wurde, so gut es ging, mit sterilen Kompressen ausgetrocknet; Ausspülung wurde nicht vorgenommen. Zwischen Leber und Magen wurden ein Paar Jodoformgazetampons gelegt, ein Paar andere zwischen Leber und

Mesocolon. Das zusammengenähte Magengeschwür wurde vollständig mit Jodoformgaze bedeckt. Alle Tampons wurden durch den oberen Teil der Wunde in der Mittellinie nach außen geleitet. Bauchnaht.

**Durch die Operation ist es sicher bewiesen, daß eine fibrinös-purulente Peritonitis mit beginnender Askapselung zwischen der Leber und dem rechten oberen Teil des Magens vorhanden war, ferner, daß ein sero-purulentes Exsudat zwischen dem rechten Leberlappen und dem Mesocolon und dem Colon transversum vorhanden war, sowie daß ein gleiches Exsudat, aber mit stinkendem Geruch, das kleine Becken füllte. Es ist deshalb wahrscheinlich, daß der Mageninhalt an der oberen und äußeren Seite des Colon transversum und dessen Mesocolon und am Colon ascendens herab und dann am Coecum vorbei bis an das kleine Becken gelaufen war.**

Am Abend hatte die Pat. unbedeutende Schmerzen und ein paar Anfälle von Erbrechen. Spät abends wurden knapp 1 cg Morphium und 2 Spritzen Kamphor, sowie 525 ccm Kochsalzlösung, alles subkutan, gegeben. Der Puls war recht gut und hatte 100 Schläge in der Minute, die Temperatur betrug 38,4 °.

31. März. Temperatur 39,2—39,5; Puls 116—112. Eine unbedeutende Menge Flüssigkeit floß durch das Drainrohr in der Vagina ab. Flatus gingen teils spontan, teils mit Hilfe eines Darmrohrs ab. Am Nachmittage eine ganz reichliche halbfeste Entleerung durch das Darmrohr. 400 ccm Kochsalzlösung subkutan.

1. April. Temperatur 38,9—39,3; Puls 104—108. Fortwährend keine Schmerzen. Fast keine Sekretion aus der Wunde. Keine Empfindlichkeit oder Dämpfung am Bauche. Flatus und halbfeste Faeces sind abgegangen.

2. April. Temperatur 38,9—39,0; Puls 96—96. Das Drainrohr wurde aus der Vagina und aus dem kleinen Becken genommen. Die Oeffnung im hinteren Fornix vaginae war ziemlich groß; man fühlte mit einander zusammengelötete Darmschlingen. Stuhlentleerung 3 mal während des Tages.

3. April. Temperatur 38,5—38,7; Puls 100. Guter Schlaf in der Nacht. Keine Schmerzen, keine Empfindlichkeit oder Auftreibung im Bauche. Zu Mittag 425 ccm Kochsalzlösung subkutan. Man hat begonnen, der Patientin eine Mischung aus Milch und Vichywasser zu verabreichen. Die ganze Zeit ist die Harnentleerung spontan vor sich gegangen.

4. April. Temperatur 38,2—38,5; Puls 88. Der Harn, der mit dem Katheter entleert wurde, enthielt Spuren von Eiweiß.

5. April. Temperatur 38,0—38,5; Puls 96—100. Patientin hat angefangen Bouillon mit Ei zu genießen.

6. April. Temperatur 38,1—38,5; Puls 96—104. Ueber dem Bauche keine Empfindlichkeit, keine abnorme Dämpfung. Sämtliche Tampons wurden ausgezogen. Ausspülung der Wundhöhlen mit Kochsalzlösung. Glycerineingießung, ohne daß etwas an die Oberfläche kam. Neue Jodoformtampons wurden eingelegt. Wunde in der Vagina fast geheilt.

7. April. Temperatur 38.3—39; Puls 96—120. Patientin klagt über starkes Stechen in der linken Seite. Ein schwaches Reibegeräusch kann am Abend gehört werden.

8. April. Temperatur 39,5—39,7; Puls 116—120. Bei der Perkussion erhält man heute über der linken Seite der Brust fast matten Ton an einem Bezirk, dessen obere Grenze eine konvexe Bogenlinie bildet. Das vordere Ende des Dämpfungsbezirks liegt ungefähr 2 cm unterhalb der Mamilla, sein höchster Punkt liegt in der vorderen Axillarlinie in gleicher Höhe mit der Mamilla.

Im 8. Interkostalraume, dicht hinter der mittleren Axillarlinie, wurde eine Probepunktion gemacht, wobei eine fast klare, seröse, gelbliche Flüssigkeit erhalten wurde. Daraus wurde ein gefärbtes Deckglaspräparat gemacht, in dem Eiterkörperchen, aber keine Bakterien nachgewiesen wurden. Von der genannten Stelle aus wurde nun der Versuch gemacht, die Pleurahöhle mittels Potains Apparat zu entleeren, wobei jedoch nicht mehr als 50 ccm Exsudat von der genannten Beschaffenheit erhalten wurden. Bei einem neuen Versuch im 7. Interkostalraume wurde ebenfalls nur eine geringe Menge Exsudat erhalten.

9. April. Temperatur 39,5—40,5; Puls 116—134. Der Schall über dem Dämpfungsbezirke ist heute noch matter. In der linken mittleren Axillarlinie hört man entferntes bronchiales Respirationsgeräusch, näher am Herzen ist es vesikular. Resektion der 9. Rippe in der Scapularlinie. In der Pleurahöhle fand sich seröses Exsudat. Der untere Lungenlappen war mit dem Diaphragma durch fibrinös-eiterige Membranen verlötet; er wurde vom Diaphragma abgelöst. An der Stelle, wo der Belag am dicksten war, fühlte sich die Zwerchfellwölbung fester an als an den übrigen Stellen. Hier wurde zuerst eine Probepunktion gemacht, wobei eine blutige Flüssigkeit gewonnen wurde, die möglicherweise Eiter enthielt. Dann wurde an derselben Stelle eine Incision gemacht. Man gelangte in eine kleine Höhle zwischen dem Zwerchfell und dem linken Leberlappen, in der sich vielleicht 10 ccm dicker, gelber Eiter fand. Die Oberfläche der Leber (der Milz) [1]) wurde lädiert. Eine heftige venöse Blutung konnte augenblicklich durch Jodoformgazetamponade gestillt werden. Die Pleurahöhle wurde mit steriler Gaze tamponiert, hauptsächlich um die Tamponade der subphrenischen Höhle zu stützen. Verband mit Torfmullkissen.

10. April. Temperatur 40,5—40,0; Puls 160—134. Der Verband ist 4 mal gewechselt worden und war von einer serösen Flüssigkeit durchtränkt, die beim ersten Mal etwas blutig gefärbt war. Die sterilen Tampons wurden aus der Pleurahöhle entfernt. Die Jodoformgaze wurde zurückgelassen.

11. April. Temperatur 40,5—40,0; Puls 156—156—138.

12. April. Temperatur 40,0—39,4; Puls 140—136. Die Jodoformgazetampons wurden aus der subphrenischen Höhle herausgenommen und neue eingelegt. Geringe, aber sehr übelriechende Sekretion.

13. April. Temperatur 39,8—39,5; Puls 136.

14. April. Temperatur 40,1—39,5; Puls 136—136. Die Kräfte sinken, Patientin giebt an, daß sie ganz ohne Schmerzen sei.

15. April. Temperatur 40,6; Puls 148. Patientin starb 8 Uhr 30 Min. vormittags.

Auszug aus dem Obduktionsprotokoll, 17. April (Prof. Sundberg).

---

1) Vergl. das Sektionsprotokoll.

Das Peritoneum ist blaß, mit Ausnahme von Teilen unter dem linken Diaphragma, die besonders beschrieben werden sollen. Därme im allgemeinen mäßig mit Gasen gefüllt; Coecum und Colon descendens stark mit Gas gefüllt. Umgebungen des Coecum und des Processus vermiformis gesund, ebenso das Bindegewebe hinter dem Colon ascendens.

Die Vorderseite des Magens ist zum großen Teile von adhärierendem Omentum bedeckt. An der Curvatura minor liegt die Leber leicht adhärierend mit dem Magen. Nach Aufheben des Magens bemerkt man, daß dessen hintere Fläche vollständig gesund ist, ohne Verlötungen oder Belag. Nach links vom Ligamentum teres, zwischen diesem und der Leber, findet sich ein dünner Belag von grünlich gelbem Eiter, an der Seite begrenzt durch die lockere Verlötung zwischen der oberen Fläche des linken Leberlappens und dem Diaphragma, die später beschrieben werden soll.

Der Herzbeutel enthält einen Eßlöffel klarer Flüssigkeit. Das Herz ist an Consistenz sehr schlaff, die linke Kammer etwas weiter als gewöhnlich. Myokardium sehr blaß, es zerreißt bei Fingerdruck, hellbraun von Farbe, fast lehmfarbig, beim Schaben mit dem Messer zeigt es sich leicht ablösbar.

Die Milz, die bedeutend vergrößert ist, ist weich wie Brei, ihr oberes Ende ist an einer begrenzten Stelle seiner Kapsel beraubt und umgrenzt mit dieser Fläche samt Omentum und der oberen Fläche des linken Leberlappens einen wallnußgroßen Absceß, der durch einen Schnitt direkt durch das Diaphragma in die linke Pleurahöhle mündet. Die obere Fläche des linken Leberlappens ist im übrigen leicht adhärent mit dem Diaphragma.

Die Schleimhaut des Magens blaß. An der Mitte der kleinen Curvatur findet sich ein langgestrecktes, einfaches Geschwür, das bis in die Muscularis geht und narbig geheilt und an der Peripherie mit dünnem Schleimhautgewebe bedeckt ist. Das Geschwür ist ungefähr 4 cm lang und 2 cm breit. An dessen Außenseite finden sich sitzen gebliebene Suturen, wogegen die im Operationsbericht erwähnte Bedeckung mit Omentum bei der Obduktion gelöst war.

Leber und Nieren stark parenchymatös entartet, trocken, körnig, mit undeutlicher Zeichnung.

Es ist bemerkenswert und muß besonders betont werden, daß das Peritoneum im kleinen Becken ein gesundes Ansehen hatte und daß keine Verlötungen gefunden wurden, weder zwischen den Eingeweiden des Beckens, noch zwischen diesen und den in das Becken herabhängenden Darmschlingen, noch zwischen den Darmschlingen gegenseitig. Es ist gleichfalls wert, betont zu werden, daß das Peritoneum an der unteren Leberfläche und am Colon transversum ein gesundes Aussehen hatte und daß zwischen dem Colon oder dem Mesocolon und der Leber keine Verwachsungen vorhanden waren [1]).

Auf Grund der Abwesenheit von Abscessen und inneren Blutungen nahm man an, daß die akuten Degenerationen in den inneren Organen

1) Vom Verfasser unmittelbar nach der Obduktion aufgezeichnet, bei der er zugegen war.

als Folge einer Intoxikation aufzufassen seien, die von dem subphrenischen Abscesse ausging. Könnten wohl in diesem Falle die Intoxikationsphänomene deshalb stärker gewesen sein, weil die Milz einen Teil der Absceßwand ausmachte?

Epikrise. Zu den epikritischen Bemerkungen, die von mir im Jahre 1893 gleichzeitig mit dem Journal aufgeschrieben worden sind und die sich in diesem finden, sind noch folgende hinzuzufügen:

Zuvörderst fesseln die heftigen Schmerzen, die in diesem Falle dem Durchbruche folgten, obwohl der Magen zu dieser Zeit leer war und keine Nahrungsmittel enthielt, unsere Aufmerksamkeit. Ob Patientin möglicherweise Wasser vorher getrunken hatte, findet sich im Journal nicht angegeben.

Als Patientin nach 14½ Stunden in das Krankenhaus kam, fühlte sie sich nach der Morphiumdose, die ihr ein Paar Stunden vorher subkutan beigebracht worden war, so wohl, daß es unmöglich war, sie davon zu überzeugen, daß ihr Zustand irgend beunruhigend sei —, sie meinte, wenn sie nur in Frieden gelassen würde, würde sie bald gesund werden. Dieser Zustand währte ungefähr 6 Stunden. Dieser Umstand zeigt, wie gefährlich es ist, das Urteil der Patienten (in manchen Fällen auch sein eigenes oder das der Kollegen) über den wirklichen Zustand durch Narkotica irrezuleiten. Als sie schließlich in die Operation willigte, waren die Aussichten natürlich viel schlechter, als sie sofort nach der Aufnahme gewesen wären. Dessenungeachtet glaube ich, daß die Patientin hätte gerettet werden können, wenn die Operation konsequent durchgeführt worden wäre, wie ich es nunmehr thue, gerade auf die Erfahrung gestützt, die ich in diesem Falle gemacht habe. Wir wollen deshalb betrachten, was wir von einer gründlichen Erwägung des Operations- und Sektionsprotokolles zu lernen haben.

Obgleich das Magengeschwür in der Mitte der kleinen Curvatur gesessen hatte, ist doch der Mageninhalt dem Wege gefolgt, den ich für Duodenalgeschwüre (s. die Epikrise zu Fall II) in der rechten Wand des Duodenum angegeben habe, nämlich zwischen der unteren Leberfläche und dem Colon und Mesocolon transversum und dann längs des Colon ascendens am Coecum vorbei hinab in das kleine Becken. Vermutlich ist recht viel Inhalt auf einmal ausgetreten und sofort auf diesem Wege hinunter in das Becken gelaufen, danach zu urteilen, daß schon nach 14—15 Stunden eine diagnostizierbare diffuse Beckenperitonitis mit Exsudat vorhanden war, das bei der Operation 6 Stunden später stinkend befunden wurde. Auch zwischen der unteren Leberfläche und dem Mesocolon fand sich ein ähnliches, jedoch nicht stinkendes Exsudat. Daß das Exsudat an dieser Stelle nicht übelriechend war, kann möglicherweise darauf beruhen, daß sich die purulente Peritonitis hier langsamer entwickelte, weil das allermeiste des Mageninhaltes in das kleine Becken hinab gelaufen war; denn ein schlechter Geruch scheint in diesem Falle für das fertig gebildete Exsudat charakteristisch gewesen zu sein, wie man daraus sieht, daß auch der Inhalt in dem subphrenischen Absceß und später in der Pleurahöhle äußerst übelriechend war.

Das kleine Becken wurde von der Vagina aus ausgespült und drainiert. Der Raum zwischen der Leber und dem Mesocolon wurde ausgetrocknet und drainiert. Eine allgemeine Ausspülung wurde nicht gemacht, weil das Peritoneum in seinen übrigen Teilen vollkommen gesund erschien, mit Ausnahme der lokalen Peritonitis, die sich zwischen dem linken Leberlappen und dem Magen um das Magengeschwür herum fand. Hier löste ich so viele Adhärenzen, als notwendig war, um zu dem Magengeschwür zu gelangen; die übrigen ließ ich, weil ich befürchtete, daß durch deren Lösung der subphrenische Raum infiziert werden könnte. Der Ausgang zeigte jedoch, daß dieser Raum bereits infiziert war. Patientin wurde zu meiner Verwunderung nie vollständig fieberfrei. Sie hatte außerdem etwas Eiweiß im Harn und aus dem ganzen Befinden schien hervorzugehen, daß es nicht gut mit ihr stand. Starkes Stechen in der linken Seite am 9. Tage im Vereine mit hoher Temperatur, Pulsfrequenz und Reibungsgeräuch deuteten auf einen subphrenischen Absceß hin, der auf die Pleura übergegriffen hatte. Als sie dann am 11. Tage nach dem Auftreten der Pleuritis operiert wurde, fand sich, daß die Pleuritis serös war, außer zwischen der Basis der Lunge und dem Diaphragma, die durch eiterige Beläge vereinigt waren. Die subphrenische Eiterhöhle war so klein, daß man ihren Inhalt nicht höher als 10 ccm schätzen konnte, und doch ist dieser kleine, vollständig eröffnete und austamponierte Absceß durch eine von ihm ausgehende Intoxikation, möglicherweiße vermittelt durch eiue Infektion der Milz, die Todesursache geworden. Aus dem Sektionsprotokoll geht es bestimmt hervor, daß diese kleine Höhle von keiner anderen Richtung aus geöffnet werden konnte, als vom linken Pleuraraum aus, und ferner, daß sich kein subphrenischer Absceß weiter fand, obwohl deutlich zu erkennen war, daß die Serosa des ganzen linken Leberlappens infiziert war. Dies geht teils daraus hervor, daß sich zwischen dem Ligam. teres und dem linken Leberlappen ein dünner, eiteriger Belag fand, teils daraus, daß die übrigen Teile dieses Leberlappens und das Diaphragma durch eine „lockere Verlötung" miteinander verbunden waren.

In den übrigen Teilen der Bauchhöhle fand sich bei der Sektion ein ganz gesundes Peritoneum. Verwachsungen, die 3 Tage nach der Operation zwischen Darmschlingen im kleinen Becken gefühlt wurden, waren 12 Tage später, zur Zeit des Todes, vollständig gelöst. Das große (4×2 cm) Magengeschwür, das der Länge nach an der kleinen Curvatur lag, hatte binnen 17 Tagen narbig geheilt und an der Peripherie mit Schleimhaut bedeckt werden können.

Es war also deutlich, daß die Behandlung des Peritoneums unterhalb der Leber und des Magengeschwüres richtig war; ob man aber wohl auch von der fibrinös-purulenten Peritonitis, die sich bei der Operation zwischen dem Magen und der Leber fand, dasselbe sagen kann? Nein; hier hätten, nachdem das Magengeschwür vernäht war, alle Adhärenzen vollständig gelöst werden müssen und dann hätte man mit steriler Gaze die sichtbar infizierten Flächen der Leber und des Magens bedecken sollen, während man mit in warme Kochsalzlösung getauchten, ausgerungenen Kompressen den ganzen linken subphrenischen Raum austrocknete. Dann hätte drainiert werden müssen, z. B. mit Jodoformgaze zwischen Leber und Diaphragma, mit Gaze und Drainrohr zwischen dem Magen und der Leber, an der Cardia vorbei bis zum Diaphragma hinauf, sowie möglicherweise auch durch eine besondere Oeffnung am weitesten hinten in der linken Lumbargegend mittels eines weiten Drainrohrs, das zwischen dem hinteren Teil der Milz und dem Zwerchfell nach dessen linker Mitte zu geführt wurde. Auf diese Weise muß man einer subphrenischen Eiteransammlung zuvorkommen können in Fällen, in denen sich bei der Operation noch keine findet, und die Wiederbildung hindern, wenn sich Eiter vorfindet. Auf dieselbe Weise muß man mit der rechten Seite des Diaphragma verfahren, wenn diese als infiziert betrachtet werden kann. Stets muß man durch ein Drainrohr von grobem Kaliber, das von der rechten Seite des Duodenum aus der hinteren Bauchwand vor der Niere oberhalb des Colon transversum folgt und in der rechten Lumbalgegend, gerade am Rande des rechten Musc. erector dorsi ausgeleitet wird, den Raum zwischen der unteren Leberfläche und dem Colon vollständig ausdrainieren. Ich bin überzeugt davon, daß das die beste Art zu verfahren ist, obgleich derselbe Zweck in diesem Falle vollständig erreicht wurde durch eine Gazedrainage zwischen der Leber und dem Colon, die durch die vordere Bauchwunde herausgeleitet wurde.

Die schlimme Einwirkung auf die Lunge, die durch den Pleuraraum hindurch ausgeführte Operationen wegen subphrenischer Abscesse in den Fällen mit sich bringen, wo man einen akuten Pneumothorax nicht vermeiden kann, ist auch bei dieser Pat. sichtbar gewesen (vgl. die Epikrise zu Fall VIII).

Fall IV. Hausfrau, 41 J. alt. Am 16. Okt. Durchbruch eines Magengeschwüres an der vorderen Wand an der kleinen Curvatur — diffuse Peritonitis mit dünnem Eiter in der ganzen Bauchhöhle, besonders in reichlicher Menge unter dem linken Zwerchfellgewölbe. — Am 27. Oktober, 26 Stunden nach dem Durchbruche, Sutur des Magengeschwüres, Ausspülung der Bauchhöhle mit ca. 50 l Kochsalzlösung und Drainage mit Gaze und Drainrohr im Epigastrium, in beiden Lumbalgegenden, oberhalb der Symphyse und in der Vagina. — 23. Nov. eine Ansammlung von stinkendem Eiter unter dem linken Diaphragma beginnt sich durch die Drainöffnung in der linken Lumbalgegend zu entleeren — am 2. Dez. wurde die linke Pleurahöhle mit dem POTAIN'schen Apparat angezapft und es wurden 2 l seröser Flüssigkeit entleert. — Am 21. Dez. wurde die Pat. gesund entlassen (s. weiter den Zusatz zu Fall IV. p. 131/132.)

**Anna Charlotta J., 41 J. alt, Hausfrau, aufgenommen am 17. Okt. 1896. entlassen am 21. Dez. desselben Jahres.**

Pat. hatte beständig träge Darmentleerung, nur einen Tag um den anderen oder alle 3 Tage. Seit ungefähr 5 Jahren hat sie periodenweise an krankhaften Symptomen von Seite des Magens gelitten: Sodbrennen, Aufstoßen von saurer Flüssigkeit, Schmerz in der Magengrube, sowie, obwohl seltener, Erbrechen. Das Erbrochene war schleimig gewesen und hatte Speisereste enthalten, aber kein Blut, weder in unzersetzter, noch in zersetzter Form. Die Ursache der Verdauungsstörungen liegt vielleicht in reichlichem Genuß von Kaffee. Im August 1895 begann sie an anfallsweise auftretendem Schmerz in der Magengrube zu leiden; die Anfälle, die ungefähr eine Stunde dauerten, waren so heftig, daß sie sich niederlegen mußte, solange sie vorhanden waren. Sie fühlte sich dabei sehr elend und schwach. Sie begab sich in ärztliche Behandlung, bekam Medizin und wurde gegen Weihnachten desselben Jahres wieder gesund. Sie blieb gesund und arbeitsfähig und frei von ihren Indigestionssymptomen bis Ende September 1896. Zu dieser Zeit begann sie manchmal an geringem Schmerz in der Magengrube zu leiden und wurde von neuem matt und schwach. Die Stuhlentleerung war fortwährend träge; sonst bestanden keine krankhaften Symptome.

Ganz plötzlich bekam sie am 16. Okt. etwa um 5 Uhr nachmittags einen äußerst heftigen Schmerz in der Magengrube. Der Schmerz verbreitete sich in kurzer Zeit über den ganzen Bauch, der immer mehr aufgetrieben wurde; auch auf die linke Brusthälfte breitete sich der Schmerz aus. Gegen 2 Uhr morgens am 17. Okt. bekam sie ein Klystier; danach erfolgte kein nennenswerter Abgang von Gasen und nur unbedeutende Darmentleerung. Die letzte vorhergegangene Darmentleerung hatte am 16. morgens stattgefunden. Der Schmerz dauert fort; Blähungen gingen nicht ab; kein Erbrechen. Seit dem 16. Okt. mittags, also 4 Stunden vor dem Anfalle, hatte die Kr. nichts verzehrt. Am 17. Okt. wurde sie zu Wagen unter heftigen Schmerzen den 25 Kilometer weiten Weg bis zum Krankenhause in Upsala transportiert, wo sie 2 Uhr 30 Min. nachmittags aufgenommen wurde.

Status praesens 3 Uhr nachmittags. Temperatur 37,9°, Respirationsfrequenz 40, Puls ungleichmäßig, etwas klein, Frequenz 100. Bauch unterhalb des Nabels ziemlich stark ausgedehnt; er fühlt sich in der rechten Hälfte weicher an als in der linken. Darmschlingen zeichnen sich nicht besonders ab. Perkussionsschall tympanitisch; in der rechten Lumbalgegend starke Dämpfung vorn bis zu einer senkrechten Linie durch die Spina ilei anterior superior. Der ganze Unterleib ist schmerzhaft und der Schmerz erstreckt sich auf der linken Seite bis hinauf zur Achsel. Pat. ist empfindlich gegen Druck über den ganzen Unterleib, auch stark empfindlich in beiden Lumbalgegenden.

Bei Darmeingießung[1]) fühlte Pat. erst Spannung, als ungefähr ein Liter Flüssigkeit in den Darm gelaufen war. Bei der Ausspülung des Magens wurde eine geringe Menge Flüssigkeit von saurem, nicht fäkalem Geruch erhalten.

Der Harn enthielt Spuren von Eiweiß und reducierende Substanz[2]), sein spec. Gewicht betrug 1,034.

Bei der vom Verf. (6 Uhr 45 Min. abends) vorgenommenen Untersuchung wurde Empfindlichkeit über dem ganzen Unterleib gefunden, der hoch oben im Epigastrium und dicht unterhalb des Nabels am meisten aufgetrieben war. Wo man an den Unterleib griff, spannten sich die Muskeln, am meisten im Epigastrium und in der linken Lumbalgegend, danach in der rechten Lumbalgegend, am wenigsten aber in der rechten Fossa iliaca. Sie klagte über intensives Stechen, das sie in das Epigastrium und in den unteren Teil der linken Thoraxhälfte verlegte. Hier war der Perkussionsschall gedämpft, fast matt in einem Bezirk zwischen der 8. bis 9. und 12. Rippe, sowie von der hinteren Axillarlinie bis zum Rückgrat. Das Respirationsgeräusch war hier an einer Stelle bronchial. Ueberall in dem genannten Bezirk fand sich zischendes Exspirium. Wenn Pat. eine längere Zeit auf der rechten Seite lag, war die Dämpfung viel weniger deutlich.

Da die Kr, die vorher lange an Magensymptomen gelitten hatte plötzlich mit sehr heftigen Schmerzen erkrankte, die zuerst im Epigastrium gefühlt wurden und dann sich über den ganzen Unterleib ausbreiteten, und da sie nun deutlich eine diffuse Peritonitis hatte, die am meisten ausgesprochen im Epigastrium war, sowie unter dem linken Zwerchfellgewölbe und in den beiden Lumbalgegenden, sich aber auch im kleinen Becken fand, so wurde die Diagnose auf ein perforierendes Magengeschwür gestellt, und auf Grund der Ausbreitung des Exsudats wurde es für wahrscheinlich gehalten, daß das Geschwür ganz hoch oben an der vorderen Seite des Magens lag.

Die Operation wurde unter Narkose ausgeführt, die mit Chloroform (4 ccm wurden verbraucht) eingeleitet und mit Aether (ungefähr 150 ccm) fortgesetzt wurde. Eine Stunde vorher hatte die Pat. 40 cg Kampher und 1 mg Strychnin subkutan erhalten.

Incision in der Mittellinie im Epigastrium. Das subseröse Bindegewebe war ödematös. Nach Eröffnung des Peritonaeum lief eine Menge schmutzig gefärbten Exsudats ab. In der Wunde sah man den Magen, der lebhaft injiziert war. Um mehr Raum zu schaffen, wurde der mediale Teil des rechten Musc. rectus durchschnitten. Man fand das Geschwür ganz hoch oben unter dem linken Leberlappen an der Curvatura minor: die Perforationsöffnung hatte den Umfang einer kleinen Erbse, ihre Ränder

---

1) Als Diagnose wurde anfangs Volvulus oder innere Einklemmung angenommen, deshalb Darm- und Magenausspülung.

2) Der Urin wurde später zuerst 14 Tage nach der Operation untersucht und gab da weder Reaktion auf Eiweiß, noch auf Zucker.

waren graulich von fibrinösem Belage. Bei dem Versuch, den Magen vorzubringen, quoll eine Menge Mageninhalt heraus, der zum größten Teil aus einer dünnen, wässerigen Flüssigkeit bestand, die mit einem zähen Schleim gemischt war. Der Magen wurde mit 2 Reihen Serosasuturen (Catgut Nr. 2) zusammengenäht. Ein herabhängender Lappen vom Omentum minus wurde über die Sutur gebreitet. Auf die Suturstelle wurden außerdem eine ganze Menge Itrolgazetampons gelegt. Die Bauchwunde wurde teilweise vernäht. Durch den lateralen Teil des Querschnittes wurden zwei fingerdicke Drainrohre eingelegt, oben zwischen den rechten Leberlappen und das Diaphragma. Darauf wurde eine Incision in der rechten Lumbalgegend nach außen vom Colon ascendens gemacht und ein Drainrohr von grobem Kaliber zwischen das Mesocolon des Colon transversum und den rechten Leberlappen nach vorn bis zur Mittellinie eingelegt. Dann wurde eine Incision in der linken Lumbalgegend gemacht und ein gleiches, mehr als daumendickes Drainrohr wurde vor der Milz zwischen diese und das Diaphragma eingelegt. Dann wurde eine 3 cm lange Incision zwischen der Symphyse und dem Nabel gemacht. Mit einer gebogenen Zange wurde der hintere Fornix vaginae perforiert und ein Drainrohr von grobem Kaliber in das kleine Becken eingelegt und durch die Vagina ausgeführt. Von der Bauchwunde aus wurde eine KEITH'sche Glasröhre hinab in das kleine Becken geführt und durch diese Röhre ein NÉLATON'scher Katheter. Alle diese Rohre wurden an ihren Stellen mittels Silkwormgutsuturen fixiert.

Ueberall hatte man dasselbe schmutzig-grauliche, dünne Exsudat gefunden.

Ausspülung der Bauchhöhle mit ungefähr 50 Litern Kochsalzlösung von 0,9 % und ungefähr 40° C Temperatur. Um die Röhren herum wurde mit Itrolgaze tamponiert. Steriler Verband, der zu Anfang alle 3 Stunden gewechselt werden sollte.

18. Okt. Zustand ganz zufriedenstellend. Puls regelmäßig, 80—100—106. Temp. 38,3°—38,6°. Pat. hat in der Nacht auf den 18. zeitweise geschlafen, ebenso im Verlaufe des Tages; sie klagt etwas über Durst. Blähungen gehen teils spontan ab, teils bei Darmausspülungen. Behandlung: Kampher alle 3 Stunden schon seit der Operation. Verbandwechsel alle 3 Stunden. Darmausspülungen ein paar Mal im Verlauf des Tages. Alle 3 Stunden Cognac-Traubenzuckerlösung in Klystieren; dabei etwas Gefühl von Spannung. Am Vormittag 2 Liter Kochsalzlösung intravenös. Harnmenge im Laufe des Tages 250 ccm.

19. Okt. Zustand befriedigend. Puls regelmäßig, 90—90; Temp. 37,7°—38,5°. Schlaf wie vorher. Behandlung: Kampher wie am vorhergehenden Tage; $^1/_4$ mg Digitalin subkutan. Verbandwechsel, Darmausspülungen, Klystiere wie am vorhergehenden Tage. Am Abend 1 l Kochsalzlösung subkutan. Harnmenge im Verlaufe des Tages 775 ccm.

20. Okt. Puls 80—82; Temp. 37,5°—38,2°. Behandlung: Kampfer wie vorher. Klystiere und Darmausspülungen ebenso. Am Abend 1 Liter Kochsalzlösung subkutan. Pat. hat heute angefangen, Milch, zu gleichen Teilen mit Vichywasser gemischt, je einen Eßlöffel voll ungefähr alle Viertelstunden, zu genießen. Am Abend wurde das Drainrohr aus der Vagina entfernt, die danach mit Dermatolgaze austamponiert wurde. Verbandwechsel 2mal. Harnmenge 650 ccm.

21. Okt. Puls 80—80; Temp. 37,4°—38,3°. Behandlung ungefähr wie am vorhergehenden Tage, doch nur einmal Verbandwechsel. Harnmenge 625 ccm.

22. Okt. Puls 78—82; Temp. 37,5°—38,2°. Harnmenge 700 ccm. Ein Liter Kochsalzlösung subkutan. Pat. hat angefangen, Wein und Wasser zu trinken (1/5 Marsala, 4/5 Wasser).

23. Okt. Puls 78—100; Temp. 37,6°—38,5°. Die Kost wurde vermehrt durch Hafersuppe und Beeftea. Das Glasrohr oberhalb der Symphyse wurde entfernt, der Katheter bleibt liegen. Am Abend Codein subkutan als Schlafmittel.

24. Okt. Puls 86—90; Temperatur 37,7—38,5°. Die Drainrohre in den beiden Lumbalgegenden wurden entfernt, ebenso ein Rohr unter der Leber. In sämtlichen Drainöffnungen ziemlich viel Eiter. In den Lumbalgegenden wurden Jodoformgazetampons eingelegt. Aus der Wunde in der Mittellinie wurden die Tampons entfernt mit Ausnahme desjenigen, der nach dem Magengeschwür führte. Es wurde Glycerin eingegossen und es kam etwas Eiter heraus. Erst heute wurde mit den ernährenden Klystieren aufgehört, da sie Spannung im Bauche hervorriefen.

25. Okt. Puls 84—94; Temperatur 37,5—38,4°. Patient hat angefangen „Mellins food" zu nehmen.

26. Okt. Puls 80—90; Temperatur 37,5—38,4°. Die beiden noch zurückgebliebenen Rohre, eins zwischen Leber und Diaphragma, das andere oberhalb der Symphyse, wurden entfernt. Heute und in der Folge wird am Tage kein Kamphor mehr gegeben, aber in der Nacht immer noch 2 mal (bis mit dem 3. Nov.).

27. Okt. Puls 78—80; Temperatur 37,4—38,0°. Man fängt an, der Patientin Cacao zu geben.

28. Okt. Puls 78—88; Temperatur 37,3—37,7°. Darmentleerung immer zufriedenstellend.

29. Okt. Puls 76—84; Temperatur 37,1—37,8°. Sagosuppe zu Mittag.

30. Okt.—7. Nov. Temperatur an den Morgen 37,0—37,2°, an den Abenden 37,6—37,8; Puls morgens 70—72, abends 80—88. Die Ernährung wurde allmählich geändert, so daß sich dabei immer mehr Nahrungsmittel von fester Form befanden. Der Verbandwechsel ist bisher jeden Tag vorgenommen worden. Die Sekretion aus den Wunden, mit Ausnahme derjenigen in den Lumbalgegenden, hat aufgehört; aus letzteren noch etwas Sekretion, am meisten aus der linken. Klystiere abends mit folgender Stuhlentleerung.

14. Nov. Patientin leidet seit einigen Tagen an diffuser Bronchitis mit reichlichem, teilweise eiterhaltigem Auswurf. Ueber beiden Lungen werden zahlreiche Rhonchi gehört. Die Temperatur hat an den beiden letzten Abenden 38 und 38,7° betragen, die Pulsfrequenz gestern Abend 88, vorher ist sie geringer gewesen. Die Sekretion aus den Wunden hat aufgehört.

17. Nov. Bronchitis vermindert.

26. Nov. Die Abendtemperatur betrug am 14. Nov. 38, am 15. Nov. 37,9°, seitdem ist sie stets niedriger gewesen, im allgemeinen 37, höchstens 37,4°. Der Puls hat morgens meist 70 Schläge gehabt, abends am 14. und 15. Nov. 90, seitdem 76—80. Seit einigen Tagen hat stinkender Eiter aus der Wunde in der linken Lumbalgegend auszufließen begonnen. Ueber dem unteren Teile der linken Lunge findet sich deutliche Dämpfung. Der Dämpfungsbezirk erstreckt sich nach vorn bis zur mittleren Axillarlinie, folgt der 10. Rippe bis zur Scapularlinie und senkt sich dann nach unten gegen die Wirbelsäule hin. Ueber demselben Bezirk schwaches bronchiales Atmen: kein Pectoralfremitus.

Um den Eiter abzuleiten, wurde ein NÉLATON'scher Katheter durch die Lumbalwunde und unter das Diaphragma eingelegt. Der Eiter enthält teils Streptokokken, teils lange schmale Stäbchen in einzelnen Exemplaren.

30. Nov. Da die Eitersekretion fortdauerte, wurde ein Versuch gemacht, 2 Katheter neben einander einzulegen; dieser Versuch mißglückte indessen wegen Mangels an Raum für die Röhren. Deshalb wurde eine Einspritzung von Glycerin in die Höhle gemacht; das Glycerin brachte jedoch keinen Eiter mit heraus; die Höhle war deutlich leer.

3. Dez. Patientin ist immer afebril, Temperatur 36,6—37,5 °, höchste Pulsfrequenz 76. Bei der heutigen Untersuchung fand sich, daß die Dämpfung an der hinteren Seite der linken Lunge bis hinauf zur Spina scapulae reichte. Man mußte deshalb annehmen, daß hier eine seröse Pleuritis vorlag, was auch durch die Probepunktion bestätigt wurde. Danach wurden 2 l einer grünlichen, in dicken Schichten ziemlich durchsichtigen und nur schwach trüben Flüssigkeit abgezapft. Eine Probe der Flüssigkeit wurde zur bakteriologischen Untersuchung an Prof. SUNDBERG geschickt. Die Kulturen blieben steril.

7. Dez. Patientin ist fortwährend afebril; sie fühlt sich erleichtert Auf die Dämpfung an der hinteren Seite der linken Lunge ist ein etwas kurzer Schall über dem unteren Teil derselben gefolgt. Respirationsgeräusch vesikulär, aber etwas entfernt.

9. Dez. Der Katheter ist heute herausgeglitten; seit dem 30. Nov. ist keine nennenswerte Eitersekretion mehr vorhanden gewesen. Ein Versuch, den Katheter von neuem einzuführen, mißlang.

15. Dez. Patientin hat heute das Bett verlassen dürfen.

16. Dez. Heute erfolgte eine spontane Darmentleerung, deshalb wurden die Klystiere weggelassen. Jetzt ist kein deutlicher Unterschied mehr zwischen der rechten und der linken Lunge in Bezug auf die Auskultation und Perkussion.

21. Dez. Patientin wurde nach Hause entlassen. Magen, Därme und Lungen funktionierten normal.

Fall V. Mann, 48 Jahre alt. Am 4. Nov. perforierte ein Magengeschwür[1]) an der Vorderseite in der Nähe des Pylorus — diffuse Peritonitis mit dünnem, frei beweglichem Eiter in der ganzen Bauchhöhle — nach 48 Stunden, am 6. Nov., unvollständige Sutur des Magengeschwürs, was außerdem durch Tamponade von der Bauchhöhle abgesperrt wurde; Ausspülung der Bauchhöhle mit 25 Litern Kochsalzlösung; Drainage mit Gaze und Rohren im Epigastrium, wobei ein Rohr zwischen Magen und Diaphragma, und eins zwischen den linken Leberlappen und das Diaphragma gelegt wurde; Drainage nur mit Rohren in beiden Lumbalgegenden, in beiden Fossae iliacae und über der Symphyse — von der diffusen Peritonitis vollständig genesen, hat Pat. nach $1^1/_2$ Monaten eine Magenfistel behalten (siehe Zusatz zu Fall V, p. 133).

K. J. L., 48 Jahre alt, Tischler, wurde am 6. Nov. 1896 aufgenommen und am 31. Jan. 1897 gesund entlassen.

---

1) Es ist möglicherweise ein Duodenalgeschwür gewesen, denn Patient starb im Mai 1897 an Blutung in den Darmkanal.

Anamnese. Seit 10—12 Jahren Störungen im Magen. Vor 8 Jahren war gelegentlich einmal eine große Menge Blut in der Darmentleerung. Sonst sind keine sicheren Zeichen von Magengeschwür vorhanden. Im Sommer des vergangenen Jahres fühlte sich Patient wohler als sonst auch im Herbst war der Zustand relativ gut.

Am 4. Nov. hatte Patient um 12 Uhr seine Mittagsmahlzeit eingenommen, die aus Suppe, Fleisch und Brot bestand. Ungefähr um 3 Uhr nachmittags war er mit Hobeln beschäftigt, als plötzlich sehr heftige Schmerzen im Unterleibe auftraten, besonders an der linken Seite unterhalb des Nabels; dabei hatte Patient einige Augenblicke lang eine Empfindung, als wenn „etwas rund im Unterleibe herum schnurrte", der aufgetrieben und gespannt wurde. Patient mußte sich sofort zu Bett legen. Am Abend gingen nach einem Klystier einige Faeces und Gase ab. Der Schlaf war in der Nacht durch die Schmerzen gestört.

Am 5. Nov. morgens nahm Patient Ricinusöl, das Erbrechen hervorrief. Sobald Patient Wasser trank, bekam er ebenfalls Erbrechen. Das Erbrochene bestand aus bräunlicher Flüssigkeit von schlechtem Geruch und Geschmack. Nahrung konnte Patient nicht zu sich nehmen. Da der Zustand unverändert blieb, wurde Patient am 6. Nov. zu Wagen bei schlechtem Wege den über 28 km weiten Weg nach Upsala gebracht. Auf der Reise hatte er heftige Schmerzen und Erbrechen ungefähr alle 10 Minuten. Er wurde in der chirurgischen Abteilung des akademischen Krankenhauses am 6. Nov. ungefähr 1 Uhr 30 Minuten nachmittags aufgenommen.

Status praesens sofort nach der Aufnahme.

Temperatur 38,4°; Puls 74. Harn klar, ohne Eiweiß. Schmerzen am ärgsten in der Nabelgegend und im Epigastrium. Patient liegt auf der linken Seite; bei einer anderen Körperlage nehmen die Schmerzen zu. Geringe Cyanose an Lippen und Wangen. Der Bauch ist überall etwas empfindlich gegen Druck, am meisten ganz oben im Epigastrium, danach links vom Nabel. Er ist mäßig aufgetrieben und, sobald man daran greift, spannt Patient die Bauchmuskulatur etwas. Wenn Patient eine Weile ruhig auf dem Rücken gelegen hat, ist der Perkussionsschall gedämpft unmittelbar über beiden Ligam. Poupartii und in beiden Lumbalgegenden bis gegen die Mamillarlinien nach vorn. Leberdämpfung kann medial von der rechten Mamillarlinie nicht wahrgenommen werden. Wenn sich Patient auf die eine oder die andere Seite legt, so ändert sich der Perkussionsschall alsbald, so daß es deutlich ist, daß die Flüssigkeit in der Bauchhöhle nicht eingekapselt ist. Patient klagt nicht über Seitenstechen, hat keinen Hustenreiz, aber bei der Untersuchung der linken Thoraxhälfte findet man dessenungeachtet, daß der Perkussionsschall an der Rückenseite matt ist bis zur 8.—9. Rippe hinauf; nachdem Patient aber eine Zeit lang auf der rechten Seite gelegen hatte, klärte sich der Perkussionsschall auch hier auf.

Auf Grund der anamnestischen Angaben und deshalb, weil Patient im obersten Teile des Epigastrium so sehr empfindlich war, sowie deshalb, weil das Exsudat deutlich in der ganzen Bauchhöhle ausgebreitet war und auch den Raum unter der linken Zwerchfellswölbung einnahm, wurde es für sicher angesehen, daß Patient an einer diffusen Peritonitis litt, und als die Ursache derselben dachte man sich ein perforiertes Geschwür an der Vorderseite des Magens.

Operation am 6. Nov. 1896, 48 Stunden nach dem Eintritte der Perforation. Chloroform-Aethernarkose.

Zuerst wurde eine 4 cm lange Incision zwischen dem Nabel und der Symphyse gemacht. Schon die Außenseite des Peritoneum parietale war stark injiziert. Als das Peritoneum eröffnet wurde, floß ein dünnes, graues, eiteriges Exsudat aus. Die sichtbaren Därme waren diffus gerötet. Nirgends fanden sich Adhärenzen und in der Blinddarmgegend erschien alles normal. Danach wurde ein Längsschnitt zwischem dem Processus ensiformis und dem Nabel gemacht. Das subseröse Bindegewebe war reichlich ödematös durchtränkt. Als das Peritoneum geöffnet wurde, ging Luft und Flüssigkeit ab, letztere wurde bald grün gefärbt von beigemischter Galle. Um Platz zu schaffen, wurde es notwendig, einen Teil des linken Musc. rectus zu durchschneiden. Danach konnte man das Geschwür sehen, das einen Durchmesser von wenigstens 0,5 cm hatte, scharfe Ränder zeigte und etwas nach links von der Mittellinie lag, hoch oben unter der Leber. Es war nicht daran zu denken, die Excision des Geschwüres auszuführen. Magen und Pylorus waren durch alte Adhärenzen in ihrer Lage fixiert, so daß die Anlegung der Naht in loco hoch oben unter dem Thoraxrand und der Leber ausgeführt werden mußte. Mit großer Schwierigkeit wurden parallel mit der kleinen Curvatur 3 Suturen mit Catgut No. 3 angelegt, und mit deren Hilfe versuchte man das Geschwür von Seite zu Seite zu decken. Das gelang indessen nicht vollständig, weil die Magenwand nicht hinlänglich beweglich war. Aus Furcht davor, eine Knickung des Pylorus zustande zu bringen, wagte man dessenungeachtet nicht, mehr Suturen anzulegen, sondern begnügte sich damit, das Geschwür und seine Umgebung mittels reichlicher Jodoformgazetamponade zu bedecken. Während der ganzen Zeit, die die Vernähung des Geschwürs in Anspruch nahm, lief eine große Menge teils grün gefärbter, teils fast schnupftabakfarbiger, trüber Flüssigkeit aus dem Magen. Daraus war deutlich zu entnehmen, daß die Suturen und die Jodoformgazetamponade den Mageninhalt nicht lange zurückhalten würden, deshalb wurde eine Kompresse aus $^1/_2$ m steriler Gaze an das Colon transversum und das Omentum gelegt. Das eine Ende dieser Kompresse wurde samt der Jodoformgazetamponade durch die Bauchwunde nach außen geleitet. Der linke Leberlappen war teilweise durch frische Adhäsionen an den Magen geheftet, aber er war dagegen, wie man bemerkte, nicht adhärent mit dem Diaphragma. Nach links von der Jodoformgazetamponade wurde ein kleinfingerdickes Gummirohr zwischen den Magen und das Diaphragma eingelegt; ein gleiches Rohr wurde zwischen den linken Leberlappen und das Diaphragma gleich links vom Ligamentum teres eingelegt. Um den rechten Leberlappen untersuchen zu können, wurde dann ein Querschnitt durch den medialen Teil des rechten Musc. rectus gemacht. Der rechte Leberlappen war nach oben geschoben und so weit man fühlen konnte, durch alte Verwachsungen intim mit der Serosa des Diaphragma vereinigt. Mit Hilfe einer gekrümmten Zange, die durch den Bauchschnitt eingeführt wurde, wurde alsdann eine 2 Finger weite Oeffnung, zuerst in der rechten und dann in der linken Lumbalgegend, gemacht. Auf der rechten Seite wurden keine Verwachsungen gefühlt, hier, wie auch auf der linken Seite, lief ein helles, eiteriges Exsudat aus. Auf der linken Seite fühlte man eine Menge starker Bindegewebestränge, die die Milz mit der Serosafläche des Diaphragma verbanden, so daß das Drainrohr nicht, wie man wollte, an die Außenseite und hinter die Milz gelegt werden konnte. In der linken Lumbalgegend wurde nur ein Drainrohr von grobem Kaliber gelegt, in die rechte wurden

2 Drainrohre eingelegt. In beiden Fossae iliacae wurden gleich medial von den Spinae ilei anteriores superiores Oeffnungen angelegt, durch welche fingerdicke Kautschukrohre eingeführt wurden. Durch den unteren Teil des zuerst beschriebenen Schnittes, in der Mittellinie oberhalb der Symphyse, wurde eine Glasröhre in der Richtung nach dem kleinen Becken zu eingelegt und durch diese Glasröhre wurde ein NÉLATON'scher Katheter bis zum Boden der Fossa Douglasii eingeführt. Als nun alle diese Rohre eingelegt und mit Suturen an ihren Plätzen befestigt waren, wurde eine Ausspülung gemacht, die, soweit möglich, die ganze Peritonealhöhle treffen sollte, indem ein gekrümmter Uteruskatheter durch die verschiedenen Bauchschnitte eingeführt und nach allen den verschiedenen Richtungen nacheinander im Bauche gerichtet wurde. Es lief aus den meisten Röhren zugleich ab. Zu Anfang war die Flüssigkeit sehr trüb, aber bald floß sie klar aus allen Rohren. Es war deutlich, daß die Respirationsbewegungen die Ausspülung des Bauches in hohem Grade beförderten. Als man nach dem Diaphragma zu spülte, bekam Patient Singultus. Auf das Herz schien die Ausspülung nicht einzuwirken; der Puls hielt sich auf einer Frequenz von 80 und Pat. war am Schlusse der Operation nicht cyanotisch. Ungefähr 25 Liter physiologischer Kochsalzlösung wurden zu der Ausspülung verbraucht, ihre Temperatur war im Allgemeinen nur 40° C, die niedrigste 39, die höchste 41°. Danach wurden die Teile der Bauchwunden, in denen sich keine Drainrohre oder Tampons befanden, mit starken, alle Teile der Bauchwand umfassenden Seitennähten geschlossen. Die Operation hatte ungefähr 1³/₄ Stunden gedauert, die Narkose 1¹/₄ Stunde.

Der Gedankengang bei der ausgeführten Operation war also 1) das Magengeschwür zu schließen; 2) mit einer für den Körper unschädlichen Flüssigkeit die ganze Peritonealhöhle auszuspülen; 3) während der erforderlichen Zeit bei der Nachbehandlung die verschiedenen Teile der Bauchhöhle, solange dies sich thun ließ, drainirt zu erhalten.

Die Nachbehandlung wurde genau wie in Fall IV geleitet.

6. Nov., am Operationstage: abends Temperatur 37,9; Puls 76.

7. Nov. Temperatur 38,5—38,6°; Puls 78—74; Harnmenge 1550 ccm, Harn frei von Eiweiß und Zucker, specifisches Gewicht 1,032. 9 Uhr vormittags erhält Patient reichlich 2 Liter Kochsalzlösung intravenös. Patient ist matt, fühlt aber keine Schmerzen; er hat in der Nacht und am Tag zeitweise geschlafen.

8. Nov. Temperatur 38,6—38,8°; Puls 68—68. Harnmenge 695 ccm. An Stelle des einen der ernährenden Klystiere wurden 500 g physiologischer Kochsalzlösung und 100 g Cognac per rectum gegeben. Morgens 50 g Olivenöl subkutan. Aus dem Rohre im Epigastrium reichliche Sekretion mit Mageninhalt. Abends 8 Uhr 1 Liter Kochsalzlösung subkutan.

9. Nov. Temperatur 38,1—38,5°; Puls 64—60; Harnmenge 1450 ccm. Während der Nacht ist aus der Wunde im Epigastrium eine Flüssigkeitsmenge von ungefähr 400 g abgegangen, die durch Wägung des Verbandes bestimmt wurde. Um 8 Uhr abends 1 Liter physiologischer Kochsalzlösung subkutan. Tagesharn sauer, specifisches Gewicht 1,029, ohne Eiweiß und reduzierende Substanz; Harnstoff 33 ‰.

10. Nov. Temp. 37,9 - 38,6°; Puls 64—70; Harnmenge 1500 ccm. Bisher hat Pat. nur gekochtes Wasser per os bekommen; von nachmittags

2 Uhr an bekommt Pat. bis auf weiteres 1 Stunde um die andere Tag und Nacht einen Tassenkopf voll „Mellins food“. Von nun an soll bis auf weiteres eines der ernährenden Klystiere am Tage und eines in der Nacht durch ein Klystier mit 500 ccm Kochsalzlösung ersetzt werden.

11. Nov. Temperatur 37,6—38,0 °; Puls 64—68; Harnmenge 1250 ccm. Morgens 50 g Olivenöl subkutan.

12. Nov. Temperatur 37,5—38,2 °; Puls 76—70; Harnmenge 1310 ccm. Nahrung per os: Eine Obertasse Hafermehlbrei und eine Obertasse „Mellins food“ abwechselnd 1 Stunde um die andere.

13. Nov. Temp. 37,4—38,2 °; Puls 66—76; Harnmenge 1250 ccm, Harn eiweißfrei mit 21 ‰ Harnstoff.

20. Nov. Während der ganzen Woche hat die Besserung Fortschritte gemacht. Schon am 15. ist das letzte Drainrohr gegen einen Jodoformgazetampon umgetauscht worden. Die Anzahl der ernährenden Klystiere wurde vermindert, die per os eingeführte Nahrung vermehrt mit mehr Abwechselung darin. Pat. hat indessen immer noch abendliche Temperatursteigerungen gehabt, gestern sogar 38,7 °. Die Ursache davon liegt darin, daß um den sterilen Tampon, der bei der Operation an das Colon transversum und Omentum eingelegt wurde (vergl. den Operationsbericht), sich eine mit Speiseresten und stinkendem Eiter gefüllte Höhle gebildet hatte. Mit großer Mühe gelang es, die Kompresse in loco zu zerschneiden und in Stücken zu entfernen. Die Höhle ist nach allen Richtungen hin gut begrenzt; sie wurde mit Kochsalzlösung ausgespült und mit einem Nélaton'schen Katheter und Jodoformglyceringaze drainiert.

20. Dez. Pat. ist seit dem 23. Nov. vollständig fieberfrei. Alle Drainöffnungen haben sich allmählich geschlossen und alles könnte nun gut sein, wenn Pat. nicht eine Magenfistel hätte, die, schwer zugänglich, unter der Leber liegt. Man hat seit einigen Tagen versucht, den Kanal mit einer Paste aus Terpentinsalbe und Kreide auszufüllen, wobei man gleichzeitig die äußere Oeffnung mit einem Kautschukballon gedeckt hat. Dessen ungeachtet dringt der Mageninhalt leicht heraus. Zweimal hatte Pat. schwere cardialgische Anfälle (Ulcusschmerzen?) gehabt. Seit dem 5. Dez. hat er täglich 400 ccm 44 ° C warmes Karlsbader Wasser bekommen. Sein Körpergewicht nimmt zu.

Epikrise zu Fall IV und V (vergl. die Zusammenfassungen der Fälle vor den Krankenjournalen und die epikritischen Bemerkungen zwischen den letzteren).

Die beiden Fälle sind für mich von größtem Interesse gewesen und haben mir die größte Freude bereitet, da ich nach meiner Erfahrung an von der Appendix oder vom Dünndarm und Dickdarm ausgegangenen Perforationsperitonitiden nie gewagt hatte, an die Möglichkeit zu denken, daß ein Patient, bei dem die ganze seröse Hülle der Bauchhöhle erkrankt ist, würde genesen können. Soweit ich recht urteilen kann, ist aber dies bei diesen 2 Patienten der Fall gewesen. Ueberall fand sich in der Bauchhöhle bei denselben ein dünner, schmutziger Eiter und die Serosa war lebhaft injiziert. Dagegen fanden sich keine Beläge oder Abkapselungen außer in unmittelbarer Nähe des Magengeschwürs. Es ist ferner höchst erfreulich und mit den allgemeinen Erfahrungen nicht übereinstimmend, daß es uns gelang, 2 Patienten mit diffuser Perforationsperitonitis durch Operationen zu retten, die erst 26 und 28 Stunden nach dem Durchbruch ausgeführt wurden.

Eine solche Peritonitis setzt einen schwachen Infektionsstoff voraus; und das kann man bei diesen Patienten mit Grund annehmen, die wahrscheinlich einen an Salzsäure sehr reichen Magensaft gehabt haben und bei denen der Durchbruch 3—4 Stunden nach der Nahrungsaufnahme stattfand.

In beiden Fällen hatte die Peritonitis eine schwächere Einwirkung auf das Allgemeinbefinden als gewöhnlich. Doch war in Fall IV eine Pulsfrequenz von 100 bei einer Rectumtemperatur von 37,9° und etwas Eiweiß im Harne vorhanden, wohingegen der Patient in Fall V, der nach seiner eigenen Angabe immer einen ungewöhnlich langsamen Puls hatte, eine Pulsfrequenz von 74 bei einer Rectumtemperatur von 38,4° hatte; das Gesicht war bei diesem cyanotisch.

Beide hatten auf dem langen Transport, 25—28 km, schrecklich gelitten.

Unter den mehr lokalen Symptomen ist zu bemerken, daß beide Patienten aufgetriebenen Leib und vollständig gehinderten Abgang der Darmgase hatten. Die Patientin in Fall IV hatte kein Erbrechen, aber der Patient in Fall V wurde unaufhörlich von Erbrechen gequält, seit er sich selbst mit Ricinusöl behandelt hatte.

Ferner wurde Oedem im subserösen Bindegewebe bei beiden Kranken beobachtet.

Wie gering man auch die Infektion in Fall IV veranschlagen mag, so war sie doch kräftig genug, um, trotz Ausspülung und Drainage, Veranlassung zu einer Ansammlung von stinkendem Eiter unter der linken Hälfte des Diaphragma 5 Wochen nach der Operation zu geben und etwas später zu einem großen serösen Erguß in der linken Pleurahöhle. Glücklicherweise hatte der Eiter Gelegenheit, durch den alten Drainrohrkanal abzufließen.

In beiden Fällen hatte ich Gelegenheit, das praktisch anzuwenden, was mich das Mißgeschick in Fall III gelehrt hatte. Um eine Peritonitis bei einem perforierenden Magengeschwür überwinden zu können, muß man 1) das Geschwür zusammennähen oder von der Bauchhöhle absperren können; 2) muß man den Teil der Bauchhöhle, der infiziert ist, reinigen können und 3) muß man alle infizierten Teile der Peritonealhöhle drainieren, wo die Erfahrung — von Operationen und Sektionen her — gezeigt hat, daß Exsudat sich zu sammeln pflegt.

Fälle, die zur Reinigung der Bauchhöhle durch Ausspülung mehr geeignet wären als diese beiden, kann man sich nicht denken, Eiter war in ihnen überall vorhanden, aber doch waren keine Verwachsungen vorhanden, die das Vordringen der Flüssigkeit auch in die verborgensten Winkel hätten hindern können. Die Ausspülung war weit davon entfernt, Kollaps zu verursachen, im Gegenteil schien sie als Stimulus zu wirken.

Die Drainage entsprach meinen Erwartungen. An so gefährlichen Punkten, wie unter dem linken Teile des Diaphragma, muß man indessen das Drainrohr länger liegen lassen, als ich es im Fall IV gethan habe, oder das Rohr ist vielleicht besser mit Gaze oder sterilem, hydrophilem Dochtgarn zu umgeben, das noch eine Zeit lang liegen bleibt, nachdem man das Drainrohr entfernt hat.

Seit langer Zeit habe ich Kochsalzlösung (künstliches Serum) fleißig subkutan und per rectum angewendet, um die Infektionen durch vermehrte Diurese und Diaphorese zu bekämpfen. Im Jahre 1896 habe ich diese Lösung oft intravenös in Dosen von 1—2 Litern angewendet. In den Journalen von Fall IV und V habe ich alle Kochsalzlösung, die gegeben wurde, und die Harnmenge, die gleichzeitig jeden Tag gemessen wurde, aufgezeichnet, für 2 Tage finden sich im Journal von Fall V auch die Harnstoffbestimmungen.

Im Journal von Fall V finden sich 2 subkutane Injektionen von je 50 ccm sterilem Olivenöl verzeichnet. Patient bekam jedoch mehrere derartige Injektionen, obgleich sie nicht aufgezeichnet worden sind. Sei 2 Jahren habe ich vielleicht in 15 Fällen einmal oder mehrere Male subkutane Inkektionen von 50—100 ccm sterilen Olivenöls angewendet. Die Einspritzungen sind etwas schmerzhaft, werden aber gut vertragen; nach 12 bis 18 Stunden sind 100 ccm Oel vollständig resorbiert. Es besteht kein Zweifel darüber, daß Fetteinspritzungen eine besonders rationelle Art sind, bei sehr heruntergekommenen Patienten, die nicht essen können, dem Körper Verbrennungsstoffe zuzuführen. Leube's Untersuchungen waren es, die mich zu diesem Versuche veranlaßten [1]).

Zusatz zu Fall IV und V.

Mit Ausnahme der Fälle VI, XI, XII, XIII und XV, die in den Jahren 1897 und 1898 behandelt wurden, wurde diese Kasuistik mit den dazugehörigen Epikrisen in den Weihnachtsferien 1896—97 redigiert, mit der Absicht, sie sofort zu veröffentlichen; hierzu fand ich indessen nicht eher Zeit als jetzt. Hierdurch wurde es mir möglich, ein Paar Nachträge traurigen Inhalts zu den Krankengeschichten der Fälle IV und V zu machen. Während ich Anfang Januar 1897 verreist war, kam Charlotta J. (Fall IV) wieder in das Krankenhaus. Nach ihrer Heimkehr war sie elend geworden, hatte beständig Diarrhöe gehabt und die Eßlust verloren. Dagegen hatten sich nie irgendwelche Symptome von Peritonitis gezeigt. Als sie wieder aufgenommen wurde, war sie sehr schwach und bot die Symptome von Exsudat sowohl in der linken Pleurahöhle, als auch im Pericardium. Aus der Pleurahöhle

1) Diese Epikrise ist in den Weihnachtsferien 1896/97 geschrieben.

wurden 600 ccm klarer Flüssigkeit abgezapft. Hiernach war Patientin so angegriffen, daß die Punktion des Pericardium nicht ratsam erschien. Die Temperatur war 36,8° C. Patientin starb nach einigen Stunden.

Aus dem Sektionsprotokoll (Amanuensis A. DAHLSTRÖM) sei folgendes angeführt.

Nach der Eröffnung der Bauchhöhle fand sich der die transversale Narbe im Epigastrium zunächst umgebende Teil der Bauchwand durch ganz festes Bindegewebe mit den dahinter liegenden Teilen des Omentum majus und der Leberkapsel verbunden. Ein Zipfel des Omentum war in der linken Lumbalgegend an die daselbst befindliche Narbe festgelötet. Von der Narbe oberhalb der Symphyse ging ein einige Centimeter langer Bindegewebsstrang zu einer Dünndarmschlinge. Die Leber überschritt in der rechten Mamillarlinie den Thoraxrand um 3 cm. Magen abwärts verschoben, sein unterer Rand reichte bis 6 cm unter die Nabelhöhe. Peritoneum glatt und glänzend, in der Umgebung der Narben etwas verdickt. Die Bauchhöhle enthielt eine geringe Menge klarer, gelblicher, dünnflüssiger Flüssigkeit.

In der linken Pleurahöhle ungefähr 200 ccm fast klarer, schwach blutig gefärbter Füssigkeit. Die linke Lunge lag zusammengefallen hinter dem Herzbeutel, die rechte war durch lockere Adhärenzen mit der Brustwand verwachsen.

Pericardium in hohem Grade ausgedehnt, nach rechts zu bis zur Mamillarlinie, nach oben bis zu den Sternoclaviculargelenken, es verdeckte die linke Lunge vollständig. Nach Eröffnung des Herzbeutels wurden aus der Pericardialhöhle 1600 ccm grünlich-grauer, trüber, fast breiartiger Flüssigkeit entleert, die kleinere Fibringerinnsel enthielt. Pericardium verdickt, an der Innenseite grau-grünlich verfärbt.

Linke Pleura überall glatt und glänzend, einige kleinere, punktförmige Blutungen zeigend. Bronchitis catarrhalis dextra.

Milz in geringem Grade vergrößert, von etwas lockerer Konsistenz; Schnittfläche blaß, unter dem Finger leicht zerreißend.

Nieren etwas groß und blaß. Schnittfläche nicht aufquellend, Zeichnung deutlich, Kapsel leicht ablösbar.

Ueber dem linken Leberlappen fand man eine apfelgroße Höhlung mit grau-grünen, wolligen Wänden und eiterigem Inhalt. Die untere Begrenzung der Höhle wurde von der oberen Fläche des linken Leberlappens gebildet. An den Seiten war die Höhle durch Bindegewebe abgegrenzt, das nach links zu dickere Schwielen zwischen dem linken Leberzipfel, der Bauchwand und dem Diaphragma über der Milz bildete. In diesen Schwielen fand sich noch ein Absceß, der mit dem vorher erwähnten zu kommunizieren schien. Dieser Absceß lag dicht unter dem Pericardium, wo es mit dem Diaphragma verwachsen war; es konnte indessen keine offene Verbindung zwischen der Absceßhöhle und der Pericardialhöhle durch Sondierung festgestellt werden, auch schien keine Narbe darauf hinzudeuten, daß eine derartige Verbindung vorhanden gewesen sei. Ebensowenig konnte ein Gang zwischen den Absceßhöhlen und der Narbe in der linken Lumbargegend entdeckt werden.

Cor villosum et reticulatum. Myocarditis parenchymatosa levis.

Leber ziemlich groß, etwas weich.

Magen vergrößert, sanduhrförmig infolge von Narbenschrumpfung in seiner Mitte. Der rechte Teil der Curvatura minor und die vordere Wand der Pars pylorica waren samt dem Omentum minus durch lockere Adhärenzen mit der transversalen Bauchnarbe und durch ganz festes Bindegewebe mit dem unteren Leberrande verbunden. Im übrigen war der Magen nur durch ganz lockere Verbindungen an den genannten Bindegewebsschwielen im obersten Teile der Bauchhöhle adhärent. An dem zusammengeschnürten Teile des Magens lag an der Hinterseite in der Mitte derselben eine strahlige, dunkel-schieferfarbige Narbe von etwa 14 mm Durchmesser. Einige Fingerbreiten oberhalb dieser lag in der Curvatura minor eine andere Narbe und dicht vor dieser an der vorderen Fläche des Magens eine dritte, ebenfalls strahlige Narbe.

Pankreas und Duodenum boten nichts Ungewöhnliches im Aussehen.

Därme etwas hyperämisch, im übrigen aber ohne bemerkenswerte Veränderungen.

Außer an den im Protokoll besonders angeführten Stellen war das Peritoneum überall gesund und ohne Verwachsungen.

Aus dem Sektionsprotokoll geht hervor, daß die Todesursache purulente Pericarditis war — 1600 ccm Eiter — die von einem apfelgroßen, subphrenischen Absceß direkt unter dem Pericardium ausgegangen war. Nach links davon fanden sich Reste von der subphrenischen Eitersammlung, die sich durch die Drainöffnung unterhalb der 12. Rippe während des Aufenthaltes der Patientin im Krankenhause entleert und damals zu einer serösen Pleuritis Veranlassung gegeben hatte. Es ist klar, daß der linke subphrenische Raum bei der Operation nicht hinlänglich gereinigt und unvollständig drainiert worden war. Ferner wurde die Drainage, die vorhanden war, zu zeitig entfernt.

Diese Frau starb 2 Monate und 22 Tage nach der Operation.

Fall V. Die Fistel heilte ziemlich bald und geheilt und gesund verließ Patient das Krankenhaus am 31. Jan. 1897. Er war seitdem vollständig arbeitstüchtig bis Mitte Mai, wo er wieder Schmerzen bekam, die auf ein neues Ulcus deuteten. Eine Woche später starb er, nachdem er mehrere reichlich blutige Darmentleerungen gehabt hatte Die Todesursache war daher wahrscheinlich Duodenalgeschwür und Verblutung.

Fall VI[1]). Dienerin, 22 J. alt, wurde aufgenommen am 6. Febr. und starb am 10. Febr. 1897. Vor 3 Jahren hatte Pat. einen Monat lang an Magensymptomen gelitten; sie wurde in der medizinischen Abteilung des akad. Krankenhauses zu Upsala unter der Diagnose Ulcus ventriculi vom 20. Nov. 1895 bis 23. Jan. 1896 behandelt und gesund entlassen. Seit Oktober 1896 von neuem Magensymptome. Perforation am 31. Jan. 1897, 1 Uhr nachmittags. Pat. glitt auf einer Treppe aus; Erbrechen ohne Blut, erst Schmerzen in der rechten Fossa iliaca, dann in der ganzen linken Seite des Bauches bis zum Herzen hinauf. Zu-

1) Auszug aus dem Journal und dem Sektionsprotokoll.

stand des Magens bei der Perforation: $3^1/_2$ Stunden vorher hatte Pat. „etwas Milch und Zwieback genossen“. Zeit zwischen der Perforation und der Operation: 6 Tage. Diagnose: Diffuse Peritonitis nach Perforation des Magens mit einem abgekapselten Herd im kleinen Becken und einem unter dem linken Diaphragmagewölbe. Operation am 6. Febr. Wegen des schlechten Kräftezustandes der Pat. wurde nur Incision und Drainage von der Vagina aus und eine Incision in der linken Lumbalgegend gemacht; hier wurde Tamponade mit sterilen Kompressen ausgeführt zur Bildung von Adhärenzen um den subphrenischen Absceß herum zur sekundären Entleerung desselben. Operationsbefund: An beiden Incisionsstellen serofibrinöse Peritonitis. Adhärenzen zwischen Milz und Colon und darüber. Nachoperation am 9. Febr. Spaltung des Peritoneum parietale bis zur Milz. Weder zwischen Milz und Diaphragma, noch oberhalb der Milz wurde Eiter gefunden. Die Eiterhöhle mußte sich doch später auf diesem Wege entleert haben (s. d. Sektionsprotokoll). Drainage mit Rohr und Gaze. Ausgang der Krankheit: Tod 4 Tage nach der ersten Operation.

Obduktionsbefund. Magen: An der hinteren Wand an der Curvatura minor ein perforierendes Geschwür. Peritonealhöhle: Eine abgekapselte Eiterhöhle an der Peripherie der Bauchhöhle, sich von der rechten Diaphragmawölbung und von der unteren Fläche des rechten Leberlappens längs des Colon ascendens und des Coecum abwärts bis in das kleine Becken erstreckend und von hier aus nach oben vor der Flexura sigmoidea bis zur Höhe der Spina ossis ilei sinistra. Durch das Foramen Winslowii stand diese Eiterhöhle in Verbindung mit einer Eiteransammlung hinter dem Magen. Außerdem fanden sich ein abgekapselter und ausdrainierter subphrenischer Absceß auf der linken Seite und eine durch die Vagina ausdrainierte Höhle unterhalb des rechten Ovarium. Es fanden sich auch noch zwei weniger große Eiterhöhlen, eine im Omentum majus und eine hinter dem rechten Leberlappen. Die Teile des Peritoneum, die mit den erwähnten Eiteransammlungen nicht in Beziehung standen, waren blaß oder in geringem Grade hyperämisch. Uebrige Organe: Infektionsmilz, Parenchymatöse Entartung des Herzens, der Leber und der Nieren. (Prof. SUNDBERG.)

Epikrise. Der Mageninhalt ist durch das Foramen Winslowii und dann dem Colon und Mesocolon transversum folgend, nach rechts geflossen und hat sich dann zum Teil nach oben zwischen Leber und Diaphragma ausgebreitet, zum Teil nach unten längs der Außenseite des Colon ascendens und des Coecum hinab bis in das kleine Becken zwischen Uterus und Blase, und weiter nach oben in die linke Fossa iliaca. Diesen Weg entlang fand sich eine zusammenhängende Eiterhöhle. Der linke subphrenische Absceß ist durch Ausbreitung der Entzündung auf den linken oberen Teil der Bursa omentalis und weiter durch das Ligamentum phrenico-gastricum bis zum Diaphragma gebildet worden. Im übrigen bestand in der Bauchhöhle wesentlich serofibrinöse Peritonitis, die nach der Drainage heilte. Der Inhalt in der Eiterhöhle auf der rechten Seite war gashaltig, die Spannung in der Höhle war nicht groß. Der Perkussionsschall war tympanitisch, und bei der Palpation fand sich keine besonders vermehrte Resistenz oder bestimmt hervortretende

**Empfindlichkeit. Aus diesen Umständen erklärt es sich, daß die weit ausgedehnte Eiterhöhle während des Lebens nicht diagnostiziert worden ist.**

Fall VII. Frau, 54 Jahre alt, am 5. Mai 1895 ein kleiner Durchbruch eines Duodenalgeschwüres nahe am Pylorus — rasch vorübergehende Symptome einer mehr diffusen Peritonitis, zurückbleibende empfindliche Resistenz im Epigastrium. — Am 14. Mai wurden mehrere kleine, vom Omentum majus begrenzte Abscesse geöffnet oder entfernt; Sutur eines Duodenalgeschwüres; ideale Cholecystotomie mit Extraktion von 8 Steinen; teilweise Tamponade der Bauchwunde. — 1. Juli (nach 7 Wochen) Tod an Decubitus und einem schmelzenden Lungeninfarkt, wahrscheinlich in Zusammenhang mit einem schmelzenden Thrombus in der rechten Vena iliaca. — In der Bauchhöhle keine Peritonitis; das zusammengenähte Duodenalgeschwür geheilt; in der hinteren Wand des Duodenum ein in das retroperitoneale Bindegewebe perforierendes Geschwür.

Lovisa E., 54 J. alt, aufgenommen am 8. Mai, gestorben am 1. Juli 1895.

Pat. giebt an, daß sie vollkommen gesund gewesen sei bis vor 5 Jahren. Damals begannen Uebelkeit und Erbrechen einzutreten, die sich besonders nach dem Essen einstellten. Vorher hatte Pat. alle Art von Nahrung gut vertragen, wurde aber nun, besonders nach fetten Speisen, sehr oft unwohl, bekam Aufstoßen von „warmem, bitterem Wasser“ und einen „gelinden reibenden Schmerz“ in der Magengrube. Das Erbrochene war nicht mit Blut vermischt. Während dieser Zeit war Pat. beständig empfindlich auf einer sich vom Nabel bis zum Processus xiphoideus erstreckenden Stelle. Während die Empfindlichkeit stets vorhanden war, traten Uebelkeit und Erbrechen nur hier und da auf, ungefähr alle 14 Tage, und konnten einen halben Tag dauern, wonach sich Pat. wieder gesund nnd wohl fühlte. Sie war fast stets verstopft und hatte nur alle 3 Tage Stuhlentleerung.

So blieb der Zustand der Pat. bis zum 17. April 1894. Da bekam sie einen Anfall von heftiger Uebelkeit mit Erbrechen nicht mit Blut gemischten oder schwarz gefärbten Mageninhaltes; bald erfolgte indessen eine reichliche dunkelrote Darmentleerung, die auch feste Blutgerinnsel enthielt. Später, an demselben Abende, trat noch eine geringere gleiche Darmentleerung ein.

Pat. hatte 3 normale Entbindungen durchgemacht, die letzte vor mehr als 20 Jahren. Schon seit dieser Zeit hatte sie einen „großen Magen“ gehabt. Während des letzten Jahres indessen hatte die Diastase der Musculi recti in höchst bedenklichem Maße zugenommen. Der Bauch zeigte sich deshalb mehr gespannt wie früher, besonders nach den Mahlzeiten, denen oft Uebelkeit und Erbrechen folgten.

Am 5. Mai 1895 fühlte Pat. plötzlich einen heftigen Schmerz im Bauche. Hiernach wurde die Vorbuchtung des Magens zwischen den Musculi recti bedeutend größer und mehr gespannt als vorher. Pat. war infolge der Schmerzen unvermögend, sich zu rühren. Da dieser Zustand fortdauerte, suchte sie am folgenden Tage um Aufnahme in der medizinischen Abteilung des akademischen Krankenhauses nach und wurde am 8. Mai der chirurgischen Abteilung überwiesen.

6. Mai. Abendtemperatur 38,2 °. Eine unbedeutende „griesige“ Darmentleerung, die erste seit dem Schmerzanfalle.

Status praesens am 7. Mai. Körperfülle, Muskulatur und Kräfte sehr reduziert. Ausstülpung von gasgefüllten Därmen von der Größe eines Mannskopfes zwischen den Musc. recti von der Symphyse bis 4 cm oberhalb des Nabels. Nach oben und etwas nach rechts von dieser „Hernia“ fühlte man eine sehr empfindliche Resistenz, deren Grenzen nicht bestimmt werden konnten.

Temp. 37,2 °—37,1 °, dann afebril.

19. Mai. Seit der Meteorismus des Unterleibs nach dünnen Darmentleerungen und reichlichem Abgang von Flatus allmählich abgenommen hat, ist die Resistenz im Epigastrium deutlicher hervorgetreten. Sie ist quer gelegen, auf ihrer vorderen Fläche glatt und eben, dagegen an ihrem unteren Rande, der 13 cm unterhalb des Proc. xiphoideus liegt, uneben und eingekerbt. Sie reicht 11 cm nach rechts über die Mittellinie, ist nach rechts (von oben nach unten) am breitesten und wird nach der Mittellinie zu rasch schmäler und verschwindet links von derselben bald. Der Perkussionsschall über dieser Resistenz ist tympanitisch.

Operation am 14. Mai. Längsincision durch den rechten Musc. rectus, unmittelbar nach rechts von der Resistenz. Bei der Lösung dieser von der Bauchwand traf man auf mehrere kleinere Abscesse mit dickem, fast käsigem, weißlich-gelbem Eiter, von denen der größte etwas kleiner als eine Wallnuß war. Zuletzt wurde ein kleines Loch bloßgelegt, aus dem Gase und flüssiger Mageninhalt hervordrangen. Man nahm an, daß es im Pylorusteil des Magens liege, und schloß es mit 2 Reihen Suturen. Danach wurde die Gallenblase blosgelegt, die mit dem Duodenum und Colon transversum zusammengewachsen war. Sie wurde von diesen Därmen abgelöst und geöffnet, weil man fühlte, daß sie Steine enthielt. Es wurden 8 Gallensteine gefunden, die ganz schwarz waren und in der Form etwa an eine Maulbeere erinnerten, obwohl sie nur $^1/_3$ so groß waren. Die Gallenblase wurde mit einer Schleimhautsutur aus Catgut zusammengenäht und 2 Reihen Serosanähten, die innere von Seide, die äußere von Catgut.

Ein großer Teil des Omentum majus wurde exstirpiert.

An das zugenähte Geschwür im Magen [1]) und an die Teile des Omentum und Colon, wo die Abscesse gefunden wurden, wurden Jodoformgazetampons gelegt, die mit feinem Catgut an die Serosa um diese Teile herum genäht wurden.

26. Mai. Pat. hat die Operation gut vertragen und ist immer fieberfrei gewesen bis zum 23. Mai, wo die Abendtemperatur auf 38,0 ° stieg, am 24. Mai war sie 38,1 °. Auch die Morgentemperatur war die letzten 5 Tage allmählich gestiegen, von 37,1—37,7 °. Man hielt es deshalb für geboten, am 25. Mai unter Narkose ein paar Tampons zu entfernen, die sich bisher nicht hatten von ihrer Stelle lösen lassen. Nur ein Tampon konnte entfernt werden, trotzdem, daß man einen Querschnitt in den rechten Musc. rectus gemacht hatte. In der Wunde und in der Umgebung der Tampons sah alles rein aus. Am Nachmittag nach der Operation hatte die Pat. mehrere Schüttelfröste und die Temperatur stieg ununterbrochen bis 41,5 ° abends 8 Uhr 20 Min. Dann sank sie und betrug am 26. morgens 38,1 und abends 37,7 °.

27. Mai. Rechter Fuß und Unterschenkel geschwollen. Thrombose in der Vena saphena parva et magna.

---

1) Duodenum (s. das Sektionsprotokoll).

In den 5 Wochen, die Pat. noch lebte, hatte sie nie eine Störung von seiten des Magens oder des Unterleibes. Sie starb am 1. Juli 1897.

Die Sektion (Assistent A. Pettersson) ergab Decubitus dorsalis, teilweise in Schmelzung begriffene Thrombose in der Vena saphena magna und in der Vena iliaca dextra; im oberen Lappen der rechten Lunge ein größerer, schmelzender Infarkt; bedeutende Fettentartung des Myocardium. Im Unterleib war alles, was mit der Operation in Zusammenhang gebracht werden konnte, vollständig in Ordnung: das vernähte Duodenalgeschwür war vollständig geheilt; an der hinteren Wand des Duodenum, gleich rechts vom Pylorus, fand sich ein fast markstückgroßes Geschwür, dessen Boden von verdicktem retroperitonealen Gewebe gebildet wurde; außerdem kleine frische Hämorrhagien im oberen Teile des Duodenum. Keine Abscesse in der Leber.

Epikrise. In der Anamnese ist zu beachten teils der konstante Schmerz in der Mittellinie, teils der Umstand, daß Patientin blutige Darmentleerungen hatte, während das Erbrochene zu gleicher Zeit kein Blut enthielt. Beides stimmt wohl mit einem Duodenalgeschwür zusammen, das letztere Verhalten ist bei einem Magengeschwür kaum denkbar.

Dem Durchbruch des Duodenalgeschwürs folgten, wie es ja sehr häufig der Fall ist, heftige Schmerzen. Als diese vorbei waren, wurde das Krankheitsbild dadurch getrübt, daß die gewaltig mit Gasen gefüllten Därme sich zwischen den Musc. recti nach außen drängten. Nach und nach konnte man indessen sehen, daß hier weder von einer inneren Einklemmung, noch von einer diffusen Peritonitis die Rede sein konnte; es wurde klar, daß man eine lokale Perforationsperitonitis vor sich hatte. War diese vom Magen (Duodenum) oder von der Gallenblase ausgegangen? Ich war am meisten zu der letzteren Annahme geneigt. Bei der Operation stieß man auf mehrere, gegen wallnußgroße Abscesse, die von der vorderen Bauchwand, dem Omentum, dem Colon transversum und dem Magen begrenzt wurden; der Eiter enthielt Streptokokken in Reinkultur. Der Ausgangspunkt dieser Abscesse war eine Perforation an der vorderen Seite des Duodenum, unmittelbar am Pylorus.

Dabei fand sich allerdings auch die adhärente Gallenblase mit 8 maulbeerähnlichen Pigmentsteinen, die jedenfalls ganz schmerzhaft sein mußten. Die Galle war steril in aëroben Kulturen.

Bei der Sektion war alles geheilt und klar im Operationsbereiche Von großem Interesse ist es, daß Patientin noch ein anderes perforierendes Geschwür im Duodenum hatte; dieses saß an der hinteren Seite und war deshalb auf das retroperitoneale Bindegewebe übergegangen.

Obwohl die Sektion zeigte, daß in der Operationsgegend alles in bester Ordnung war, glaube ich doch, daß die Nachoperation am 26. Mai ein großer Fehlgriff war. Die Tampons hätten in Ruhe gelassen werden müssen, bis sie sich selbst gelöst hätten.

Es geschieht sehr selten, daß sich nach Durchbruch des Magens oder des Duodenum begrenzte suppurative Peritonitis an der Vorderseite dieser Organe bildet; deshalb habe ich genau über diesen Fall berichten wollen. Viel gewöhnlicher ist die Entstehung eines subphrenischen Abscesses; dieser kann sich indessen über die Vorderseite des Magens nach unten erstrecken. Eine derartige Ausbreitung war in Fall VIII wahrscheinlich gewesen, in dem ich im Jahre 1889 operierte und dessen Krankengeschichte von Dr. Axel Häggqvist (Upsala läkareფören. förhandlingar, Bd. 25, p. 108) veröffentlicht worden ist.

Fall VIII. Eine 25 Jahre alte, im 3.—4. Monat schwangere Frau hatte Phosphor eingenommen, um Abortus hervorzurufen. Am 23. Juli 1889 abortierte sie. Nahezu 7 Wochen lang befand sie sich in einem pyämischen Zustand mit häufigen Schüttelfrösten und großen Temperatursprüngen, einmal sogar 5° C betragend. Am 6. Sept. fand sich die Bauchwand vorgebuchtet, resistent und empfindlich im linken Epigastrium bis zur Nabelhöhe hinab. Nach Incision trat eine stinkende, eiterige, schmierige Masse aus, die mit Blutgerinnseln gemischt war. „Mit dem in die Eiterhöhle eingeführten Finger konnte man nach hinten zu die Wirbelsäule palpieren; nach oben hinten fühlte man links die Milz, rechts den linken Leberlappen. Weiter fühlte man die Diaphragmawölbung in großer Ausdehnung und nach hinten und oben lag zusammengedrückt etwas, was man für den Magen hielt." Pat. wurde gesund entlassen und war nach 3 Jahren noch gesund.

Entweder hatte der Phosphor eine Ulceration, die allmählich den Magen perforierte, verursacht, oder auch eine phlegmonöse Gastritis, die schließlich ebenfalls Durchbruch durch die Serosa veranlaßte.

Es ist nicht möglich, über die Lage des Abscesses etwas zu sagen, da ich den Magen nicht sicher erkennen konnte. Ich nahm jedoch an, daß er vor dem Magen liege.

Eine ähnliche Ausbreitung hatte die eiterige Peritonitis auch in einem Falle, auf den Dr. P. Söderbaum in Falun meine Aufmerksamkeit lenkte. Er ist zum Teil dadurch von Interesse, daß es ein Sanduhrmagen war, der perforiert wurde, zum Teil dadurch, daß Pat. alle ihre unangenehmen Empfindungen nach dem Herzen verlegte. Er ist von dem behandelnden Arzte Dr. Psilander in Falun (Gefleborgs-Dala Läkarefören. förhandl.. H. 17, p. 65) beschrieben. Eine 56 Jahre alte Frau, die seit 16—17 Jahren an heftiger Cardialgie mit dyspeptischen Symptomen litt, bekam plötzlich am 1. Nov. 1887 einen Anfall von heftigen Schmerzen in der Herzgegend mit schwerer Dyspnoë. Kollabiert, aber bei Bewußtsein, führte sie selbst ihr Leiden auf das Herz zurück. Sie hatte Empfindlichkeit im linken Epigastrium, aber kein Erbrechen. Sie starb am 7. Nov. Von der Sektion heißt es, daß der Magen an seinem linken Drittel sanduhrförmig zusammengeschnürt war und an der zusammengeschnürten Stelle eine Oeffnung war, die 2 Finger faßte; daselbst fand sich eine für den kleinen Finger durchgängige Perforation des Magens mit kallösen Rändern, die in eine ziemlich große Höhle leitete; diese war nach oben vom Diaphragma und vom linken Leberlappen begrenzt und an den übrigen Stellen teils vom rechten Leberlappen, teils von Omentum, Magen und Därmen; die Begrenzungen der Höhle ließen sich leicht ablösen; Zeichen von allgemeiner Peritonitis fehlten.

**Auch hier ist es unmöglich, sich einen klaren Begriff von der Lage der Eiteransammlung zu machen, aber, da sich unter den Begrenzungen derselben der linke Leberlappen, Omentum und Därme finden, scheint wohl guter Grund zu der Annahme vorhanden zu sein, daß sie sich vor dem Magen befand.**

Fall IX. Dienstmädchen, 20 Jahre alt, aufgenommen am 2. Mai, gestorben am 16. Mai 1890; Ulcus ventriculi perforans (15. April) — subphrenischer Absceß — Pleuritis serosa sin. — Entleerung und Drainage (2. Mai) des Abscesses durch die linke Pleurahöhle — Entleerung und Drainage (13. Mai) eines Abscesses im Epigastrium — 14. Mai diffuse Peritonitis — 16. Mai Tod. Sektion: Ulcus perforans curvaturae minoris ventriculi; zwei miteinander kommunizierende subphrenische Höhlen, von denen die eine nach hinten ausdrainiert ist, während die andere sich nach der freien Peritonealhöhle geöffnet hat.

Im Jahre 1888 hatte Pat. in der letzten Hälfte des Sommers einen „akuten Magenkatarrh“. Schon seit dem Nov. 1889 hat sie die gewöhnlichen Zeichen eines Ulcus ventriculi dargeboten.

In der Nacht vom 14. zum 15. April 1890 bekam sie einen besonders heftigen Anfall von Schmerz im Magen, der nach dem Rücken zu sowie nach oben in die Brust ausstrahlte, und schmerzhaftes Erbrechen. Das Erbrochene bestand am häufigsten aus einer geringen Menge dunkelbrauner, bisweilen rein blutig gefärbter Flüssigkeit. Dunkles Blut kam in der ersten Darmentleerung vor, die die Pat. nach dem Anfalle hatte. Sie wurde am 15. April in der medizinischen Abteilung des akademischen Krankenhauses aufgenommen und bis zum 2. Mai behandelt, wo sie behufs der Operation in die chirurgische Abteilung verlegt wurde. Während des Aufenthalts in der medizinischen Abteilung traten die Symptome von seiten der Brust auf, die im folgenden Status praesens angegeben sind. Pat. hatte während dieser Zeit Fieber gehabt, das in den 6 letzten Tagen bis zu 39 und 39,9 ° an den Abenden stieg. Bei einer Punktion der linken Pleurahöhle hatte sich die Spritze mit Eiter gefüllt.

Status praesens am 2. Mai 1890.

Temperatur 37,8—39,0 °; Puls 112, kräftig. Der Harn enthält kein Eiweiß.

Subjektive Symptome. Pat. ist sehr matt und fühlt mitunter geringes Stechen in der linken Seite der Brust.

Objektive Untersuchung am 2. Mai 1890.

Der Unterleib ist nicht aufgetrieben. Bei der Palpation giebt Pat. in der Magengegend Schmerz zu erkennen, aber nicht an den übrigen Stellen des Unterleibs. Grenzen der Leber normal.

Inspektion der Brust. Der Brustkorb ist von normaler Wölbung, kräftig gebaut. Fossae infra- und supraclaviculares etwas tiefer auf der linken als auf der rechten Seite. Angulus subcostalis ein rechter. Respirationstypus überwiegend costal. Die rechte Brusthälfte nimmt mehr an der Atmung teil als die linke. Die Fossa supraclavicularis und die

Fossa jugularis sinken auf der linken Seite während des Inspirationsaktes ein. Die Fossa supraclavicularis dextra dagegen vertieft sich nicht während der Inspiration. Auf beiden Seiten geringe Einsenkung der Intercostalräume bei der Inspiration.

Palpation. Die Resistenz kann nicht untersucht werden, da Pat. an der linken Thoraxhälfte lebhaften Schmerz bei Druck zu erkennen giebt. Der Pectoralfremitus ist an der linken Seite unterhalb der Mamillarebene verschwunden; in den Fossae infraclaviculares ist er gleich auf beiden Seiten.

Perkussion. Links. In der Fossa infraclavicularis ist der Schall tympanitisch. Unterhalb der transversalen Mamillarebene und nach hinten von der vorderen Axillarlinie ist der Schall stark gedämpft und wird nach unten zu rein matt. Oberhalb und nach vorn von den genannten Linien hat der Schall stark tympanitischen Anstrich. Längs des linken Rippenbogens und einige Centimeter nach unten davon ist der Schall gedämpft tympanitisch; weiter nach unten über dem Unterleib ist er klar tympanitisch. Auf der rechten Seite nichts Bemerkenswertes.

Auskultation. In der linken Fossa infraclavicularis hört man vesikuläre, etwas raue Respiration. Unterhalb der Mamillarebene und nach hinten von der vorderen Axillarlinie ist das Respirationsgeräusch entfernt, bronchial; im unteren Teile ist es kaum hörbar. Auf der rechten Seite findet sich nichts Bemerkenswertes.

Herz. Das Herz ist nicht verschoben, nach keiner Richtung hin, nicht vergrößert. Herztöne rein.

Operation am 2. Mai.

Im 7. Intercostalraume wurde eine Probepunktion gemacht, wobet teils Luft, teils etwas Eiter abging. Danach wurde die Incision gemachi und in der hinteren Axillarlinie wurden 6 cm von der 7. Rippe weggenommen. Bei der Punktion durch die Pleura erhielt man nun Luftblasen (?) und ein ganz klares seröses Exsudat. Nach Einschnitt in die Pleura erschienen nur gespannte Blasen von der Größe einer Wallnuß bis zu der eines Hühnereies; diese Blasen hatten eine durchscheinende Wandung und einen klaren Inhalt. Die Wandungen wurden mit dem Finger zerrissen, soweit dieser reichen konnte, und dann mit einer geknöpften Sonde. In der mittleren Axillarlinie, dem Dämpfungsbezirk entsprechend, war das Diaphragma nach oben geschoben bis in gleiche Höhe mit der resezierten Rippe. Zwei Probepunktionen wurden gemacht, eine nach unten und eine nach vorn von der Hautwunde, mit der Absicht, einen passenden Platz für eine Incision in den subphrenischen Absceß zu finden, ohne die Pleurahöhle infizieren zu müssen. Bei der einen kam Luft [1]) und Blut zum Vorschein, bei der anderen nur Blut. Dann wurde eine 3. Punktion durch das Diaphragma gemacht und dadurch erhielt man relativ dünnflüssigen, stark stinkenden Eiter. Es wurde nun beabsichtigt, eine neue Hautincision unterhalb der Operationswunde zu machen und das Diaphragma an die Brustwand fest zu nähen, es wurde aber davon abgestanden, weil schon Eiter durch die Punktionswunde in die Pleurahöhle eingedrungen war. Bei dem Versuche, die Punktionsöffnung stumpf zu erweitern, kam man in eine Höhle in oder unter dem Diaphragma

1) Daß man Luft in die Spritze bekam, kann sowohl bei dieser als auch bei der vorhergehenden Punktion darauf beruht haben, daß die Spritze undicht war.

(möglicherweise wurde diese Höhle von dem Operateur [1]) gemacht). Als man weiter eine feste Wand durchdrungen hatte, kam man in einen Absceß, dessen Wände außer nach außen, wo Milz gefühlt wurde, nicht palpiert werden konnten. In dem Absceß fand sich Luft und stinkender Eiter. Die Absceßhöhle und die Pleurahöhle wurden mit mehreren Litern Salicylsäurelösung (1 : 1000) durchspült. Zwei weiche Drainrohre wurden in die Absceßhöhle eingelegt, 2 Jodoformgazetampons in die Pleurahöhle. Zur Narkose wurde zuerst Chloroform, dann Aether angewendet. Pat. war während eines großen Teiles der Operation wach.

Nach der Operation befand sich die Pat. verhältnismäßig gut; vom 4. Mai an wurde die Absceßhöhle täglich mit Salicylsäurelösung ausgespült, vom 7. Mai an wurde Jodoformglycerin in die Höhle gespritzt. Die Sekretion nahm sehr rasch ab, ohne indessen vollständig aufzuhören. Am 6. Mai wurden die Tampons aus der Pleurahöhle entfernt, die sich als trocken erwies. Schon am 9. Mai begann Pat. von heftigem Husten geplagt zu werden und in der rechten Lunge fanden sich Zeichen einer bronchopneumonischen Infiltration.

13. Mai. Im oberen Teile des Epigastrium, dicht unter dem Proc. ensiformis, sah man heute eine deutliche Erhöhung der Haut, die gegen Druck schmerzhaft war. Die Haut war hier gerötet und die Perkussion gab hier stark gedämpften tympanitischen Schall. Keine deutliche Fluktuation. Eine Probepunktion ergab dünnflüssige, graulich gefärbte, stinkende Flüssigkeit. Allgemeinzustand schlecht. Ueber der genannten Stelle wurde eine ein paar Centimeter lange Incision in der Linea alba gemacht, wodurch man in einen ziemlich großen Raum gelangte, der mit solcher Flüssigkeit gefüllt war, wie die Punktion ergeben hatte. Mit einem eingeführten Finger konnte man nach unten den Magen palpieren, nach oben das Diaphragma und nach rechts die Leber. Eine Kommunikation mit dem alten Absceß (unter dem Diaphragma) konnte nicht mit Sicherheit nachgewiesen werden. Drainage mit Jodoformgaze. Schon am folgenden Tage, am 14. Mai, begannen Zeichen einer diffusen Peritonitis sich einzustellen. Die Kräfte der Pat. waren in stetem Sinken begriffen und sie starb am 16. Mai.

Aus dem sehr ausführlichen Sektionsprotokoll (Prof. Sundberg) sei folgendes angeführt. 1 cm nach rechts von der Mittellinie, dicht unter der Spitze des Proc. ensiformis, findet sich eine 5 cm lange Schnittwunde, durch die man in eine mit einem Jodoformgazetampon ausgefüllte, walnußgroße, von graulich grünen Fetzen ausgekleidete Höhle gelangt. Der Boden der Höhle wird von der oberen Fläche des linken Leberlappens, ihre vordere Wand von der Bauchwand gebildet. Durch eine in der Leberfläche befindliche Oeffnung kann eine Sonde in ihrer ganzen Länge schräg nach hinten und links eingeführt werden. Längs der Ausdehnung der 7. Rippe befindet sich an der hinteren äußeren Seite der linken Brusthälfte eine andere, 14 cm lange Schnittwunde, in die ebenfalls ein Tampon eingelegt ist. Nachdem dieser Tampon entfernt wurde, kam der Finger in seiner ganzen Länge in einen Kanal mit rauhen Wänden geführt werden, der nach unten und etwas nach vorn verläuft.

---

1) Vergleiche das Sektionsprotokoll, aus dem hervorgeht, daß die Probepunktion durch die Lunge und das Diaphragma gemacht wurde und daß die hier erwähnte kleine Höhle zwischen der Lunge und dem Diaphragma lag.

In der Bauchhöhle findet sich überall eine diffuse purulente Peritonitis. Bei Lösung des Colon transversum und ascendens quollen unter dem vorderen Leberrande ungefähr 100 ccm stinkenden gelblich grünen Eiters hervor. An der Curvatura minor des Magens fand sich ein rundes Loch von etwa 14 mm Durchmesser, mit eingekerbten Rändern. Eine Sonde gelangte durch dieses Loch in den Magen.

Wird die Leber nach unten und rechts gedrückt und der linke Thoraxrand in die Höhe gehoben, so erhält man einen Einblick in eine zusammengefallene Absceßhöhle, die mit graulich gelben Fibrinfetzen ausgekleidet ist und zwischen einem Teil der oberen Fläche des linken Leberlappens, dem Diaphragma und dessen Anheftung an die Rippen, sowie der Milz und der kleinen Curvatur des Magens liegt. Der Teil der Absceßwand, der von der Diaphragmaanheftung gebildet wird, liegt in der oberen äußeren Ecke oberhalb dem oberen Ende der Milz und ist 5 cm lang und 3 cm breit; der untere Teil der Absceßwand liegt in gleicher Höhe mit dem vorderen Teile des resezierten Stückes der 7. Rippe und kreuzt auch den 6. Intercostalraum und die 6. Rippe schräg nach vorn. An der Oberfläche des Diaphragma findet sich ein Loch von 14 mm Durchmesser, durch welches der Finger nach oben und außen durch die Operationswunde auf der linken Seite geführt werden kann. Nach rechts steht die Höhle in Verbindung mit einer anderen Eiterhöhle, die zum größeren Teile in einer ulcerativen Aushöhlung an der vorderen Fläche des linken Leberlappens bis in den Lobulus quadratus belegen ist. Von diesem Herde aus fließt Eiter frei nach rechts und unten in die Bauchhöhle aus und nach vorn zu gelangt man durch einen Kanal quer durch den linken Lappen in die vorher erwähnte, durch den Operationsschnitt an der vorderen Seite des Unterleibs geöffnete Absceßhöhle zwischen der vorderen Leberoberfläche und der Bauchwand.

Der Magen enthält ungefähr 300 ccm dünnflüssiger, grünlich-brauner Flüssigkeit. Seine Schleimhaut ist blaß. In der Curvatura minor, etwas näher am Pylorus als an der Cardia, findet sich ein etwas unregelmäßig rundes, kraterförmiges Geschwür mit terrassenförmigem Boden, das die ganze Dicke des Magens durchdringt und in seiner Mitte ein rundes Loch von 14 mm Durchmesser mit gekerbten Rändern hat.

In der rechten Lunge Bronchitis diffusa und Bronchopneumonie.

Der obere Lappen der linken Lunge ist an seiner Oberfläche glatt, blaurot; die Konsistenz ist elastisch, die Schnittfläche blaurot, bei Druck quillt aus ihr eine lufthaltige, gelblichweiße Flüssigkeit in mäßiger Menge hervor. Der vordere Rand der linken Lunge zeigt dicht aneinandersitzende Luftblasen von der Größe eines Stecknadelkopfes bis zu der eines Hanfkornes. Der untere Lappen ist stark adhärent, sowohl an der Thoraxwand, als am Diaphragma, mittels eines weißlich-gelben, ziemlich dicken Belags. Im unteren äußeren Rande der linken Lunge findet sich ein mit gelblich-grünen Membranen ausgekleidetes Loch, das seiner Lage nach der beschriebenen Operationsöffnung in der linkan Seite entspricht und so groß ist, daß ein Finger hindurch geht. Von der Operationsöffnung in der Brustwand aus kommt man so durch diesen Kanal in die Lunge und durch ein gegenüber liegendes Loch im Diaphragma in den subdiaphragmalen Absceß. Der ganze Lappen zeigt sich an Konsistenz fest und knistert nicht bei Druck. Die Schnittfläche ist glatt, dunkel rotbraun und bei Druck dringt aus ihr eine geringe Menge blutig gefärbter, nicht schäumender Flüssigkeit. Die Bronchien enthalten keine fremden Stoffe, ihre Schleimhaut zeigt Gefäßinjektion und ist unbedeutend mit Schleim belegt.

Epikrise. Man hatte bei der Operation erwartet, ein Empyem oder einen subphrenischen Absceß zu finden, statt dessen fand man eine multilokulare seröse Pleuritis, wie ich es nennen möchte, und einen subphrenischen Absceß.

Die Sektion zeigte, daß die subphrenische Eiterhöhle am tiefsten Punkte geöffnet war, wo sie am Diaphragma lag. Dessenungeachtet war der Schnitt durch die Lunge gegangen. (Vergl. die Anmerkung zum Operationsbericht.)

Ferner wurde wahrgenommen, daß man von dem geöffneten und entleerten subphrenischen Abscesse aus in 2 andere Eiterhöhlen gelangen konnte, von denen die eine am weitesten nach rechts in offener Verbindung mit der freien Peritonealhöhle stand, die andere durch die Operation am 13. Mai entleert worden war. Außerdem war durch eine Festlötung des Colon transversum etwas Eiter am vorderen Leberrand abgeschlossen. Das Magengeschwür stand offen und lag in der Curvatura minor selbst. Vergleicht man diese Angaben im Sektionsprotokoll mit dem Status praesens, wo es heißt, daß längs des linken Thoraxrandes und einige Centimeter nach unten zu der Perkussionsschall gedämpft tympanitisch war, so drängt sich die Frage auf, ob diese Patientin nicht am besten durch einen vorderen Schnitt operiert worden wäre. Nachdem die freie Bauchhöhle durch Kompressen abgesperrt worden wäre, hätte man nach und nach alle Höhlen öffnen und entleeren, das Magengeschwür zusammennähen und zuletzt versuchen können, eine Gegenöffnung für ein starkes Drainrohr anzulegen, das in der Lumbalgegend durch eine besondere Incision nach außen geführt werden müßte, nach Ablösung des Peritoneum vom Diaphragma, oben an der Milz vorbei. Es ist sogar möglich, daß man die Incision längs des Thoraxrandes in der Weise hätte anlegen können, daß man direkt in die Eiterhöhle gelangte und das meiste von dem Eiter entleeren konnte, ehe man nötig hatte, Adhärenzen zu lösen.

Die Diagnose war indessen auf Empyem der Pleura in Zusammenhang mit einem subphrenischen Absceß gestellt worden. Es war deshalb natürlich, daß man erst die Pleurahöhle zu öffnen hatte. Als man gefunden hatte, daß die Pleuritis serös war, wäre es wahrscheinlich am klügsten gewesen, wenn man die erwähnte vordere Incision gemacht hätte. Hätte man nicht gewagt, die Eiterhöhlen nach vorn zu entleeren, hätte man mit Hilfe eines POTAIN'schen Apparates den Eiter durch den Pleuraraum hindurch aspirieren können und dann in der Weise, wie es vorher auseinandergesetzt worden ist, das Magengeschwür nähen und aus der Lumbalgegend herausdrainieren können.

Um die hier beschriebene mehrräumige Pleuritis zu erklären, ist es am einfachsten, anzunehmen, daß die Gegenwart eines Pyopneumothorax subphrenicus zuerst eine adhäsive Pleuritis hervorrief und dann einen serösen Erguß zwischen die Adhärenzen hinein. An der Stelle aber, wo er am stärksten war — zwischen der Lungenbasis und dem Diaphragma — war kein Platz für einen Erguß geblieben. Es ist wahrscheinlich, daß die dünnen Scheidewände verschwunden wären, je mehr sich die Flüssigkeit vermehrte.

In allen Fällen von Pleuritis im Zusammenhange mit einem subphrenischen Absceß muß man meiner Meinung nach nach einer vollkommen exakten Diagnose streben, ob der Erguß serös oder eiterig ist, um nicht unnötig die Pleurahöhle durch eine Incision zu öffnen, wo Punktion und Adspiration des Pleuraraumes hinlänglich sein könnte. Alle an Peritonitis Leidenden haben große Neigung zu Bronchitis und Bronchopneumonie; hat man nun durch eine Pleuraincision die eine Lunge kollabieren lassen, dann wird eine Bronchitis viel gefährlicher als sonst. Diese Patientin litt an einem schrecklichen Husten, der ihren ganzen Körper erschütterte. Nach meiner Auffassung ist es der Husten gewesen, der die Adhärenzen zwischen dem rechten Teil des Abscesses und der freien Peritonealhöhle sprengte, und die unmittelbare Folge davon war diffuse eiterige Peritonitis.

Fall X. 16 J. altes Mädchen; am 18. Okt. Durchbruch eines Magengeschwürs — subphrenischer Absceß. — Am 24. Okt. Schnitt längs des unteren Thoraxrandes mit Ablösung des Peritoneums hoch oben am oberen Pol der Niere vorbei, ohne daß Eiter angetroffen wurde; am 28. Okt. entleerte sich der Absceß durch die Operationswunde — nach $2^1/_2$ Mon. wurde Pat. gesund und geheilt entlassen.

Lilia H., 16 J. alt, aus Heby (Län Vesterås), aufgenommen am 21. Okt. 1895, entlassen am 12. Jan. 1896.

Die Mutter und eine Schwester leiden an Magengeschwür. Nach einem Nervenfieber, das Pat. vor 3—4 J. 16 Wochen lang an das Bett fesselte, fühlte sie sich schwach. Seit Mitte des Sommers 1895 litt sie an Cardialgie ohne Erbrechen und ohne Zeichen von Blut in den Darmentleerungen. Am 18. Okt. 1895 9 Uhr vormittags war Pat. damit beschäftigt, Waffeln zu backen und hatte eben eine Tasse Kaffee getrunken und einige warme Waffeln gegessen, als sie plötzlich bei der Arbeit von äußerst heftigen Schmerzen befallen wurde, die von der linken Seite aus über Bauch, Brust und Schultern ausstrahlten. Das Genossene war wieder ausgebrochen worden; es fand sich kein Blut in dem Erbrochenen und weiteres Erbrechen stellte sich nicht ein. Die Schmerzen dauerten den ganzen Tag fort. Der Unterleib wurde bedeutend aufgetrieben und empfindlich gegen Druck. Kein Abgang von Blähungen. In der Nacht wurden die Schmerzen geringer.

19.—20. Okt. verzehrte Pat. ein Paar Eisenkuchen und etwas Milch und Wasser. Am 20. Okt. 2 natürliche Darmentleerungen. In der Nacht zum 21. Okt. wurden die Schmerzen wieder äußerst heftig. Sie wurden, wie vorher, am meisten in der linken Seite und an den Schultern gefühlt.

Die Respiration war während der ganzen Zeit oberflächlich gewesen, da tiefe Inspiration mit heftigen Schmerzen in der linken Seite verbunden war.

Am 21. Okt: wurde Dr. FRIBERG.in Sala hinzugerufen; er stellte die Diagnose: Ulcus ventriculi perforans mit subphrenischem Absceß, verbot alle Nahrungsaufnahme per os, sogar Wasser, und ordnete die Ueberführung der Kr. im Bett mittels der Eisenbahn nach Upsala an demselben Nachmittage an.

Temp. 39°; Puls 120. Natürliche Darmentleerung und Abgang von Blähungen.

Status praesens am 22. Okt. Temp. 38,2°—38,0°, Puls 104—104. Pat. ist sehr blaß, aber übrigens recht munter. Harn eiweißfrei. Sie klagt über Schmerz in der linken Seite beim Atmen, der aber weniger heftig ist als vorher. Kein Husten. Etwas Empfindlichkeit fand sich gestern Abend (21. Okt.) in der Magengrube längs des linken Thoraxrandes und ebenso im 8.—10. Intercostalraum der linken Seite. Heute (22.) ist diese Empfindlichkeit fast verschwunden. Bei der Perkussion an der hinteren Seite findet sich hinter der mittelsten Axillarlinie eine Dämpfung, deren obere Grenze in der genannten Linie die 7. und in der Scapularlinie die 8. Rippe schneidet und von hier aus nach dem Rückgrat zu sich senkt. Innerhalb dieses Dämpfungsbezirks findet sich ein kleinerer bis zum Rückgrat und oberhalb der 12. Rippe, in dem die Perkussion überall matten Schall giebt. Respirationsgeräusch etwas schwächer als an der anderen Seite.

Behandlung: Nichts per os, 6 Nährklystiere von je 100 g jeden Tag. Vor jedem Klystier wird ein Darmrohr eingeführt, durch welches Blähungen und etwas stark gefärbte Flüssigkeit abgehen.

23. Okt. Temperatur 37,8—37,5°; Puls 96—84. 800 ccm physiologischer Kochsalzlösung subkutan.

24. Okt. Temperatur 39,1—38,7°; Puls 104—104. Operation, die bedeutend dadurch erschwert wurde, daß der Abstand zwischen dem Thoraxrande und dem Hüftbeinkamm besonders kurz war, und daß gleichzeitig ein reichliches Fettpolster vorhanden war.

Incision längs der 12. Rippe und Ablösung des Peritoneum bis zu einem guten Stück oberhalb des oberen Endes der Niere. Da es nicht möglich war, das Peritoneum in dieser Tiefe zu öffnen, wurde der Versuch gemacht, es hinter der Milz zu öffnen. Hierbei gelangte man indessen in die Pleurahöhle, die etwas seröse Flüssigkeit enthielt. Die Pleurahöhle wurde in ihrem unteren Teile mit steriler Gaze austamponiert, damit man bei einer eventuellen anderen Operation den Pleurasack passieren könne, ohne akuten Pneumothorax hervorzurufen. Ebenso wurde längs der Niere mit steriler Gaze tamponiert.

Man konnte so hoch oben oberhalb der Niere am Peritoneum keine Spannung erkennen, so daß, wenn sich dort Flüssigkeit befunden hatte, diese bei der Lage der Pat. auf der rechten Seite nach rechts hinüber gelaufen sein mußte.

25. Okt. Temperatur 38,9—38,8°; Puls 104—108. 900 ccm physiologischer Kochsalzlösung subkutan.

26. Okt. Temperatur 38—38,2°; Puls 94—84. Pat. bekommt heute ein paar Gläser Milch, zu gleichen Teilen mit Vichywasser gemischt, zu trinken.

27. Okt. Temperatur 38—38,3 °; Puls 92—88. Ueber der ganzen Lunge voller und klarer Schall, der nach unten zu, über der früheren Dämpfung, einen deutlich tympanischen Beiklang bekommt. Respirationsgeräusch über dieser Stelle sehr entfernt.

28. Okt. Temperatur 38,2—38,3 °; Puls 92—84. Im Verband ist vorher nur seröse Flüssigkeit gefunden worden, heute ist er ganz und gar durchtränkt von dickem Eiter, der sich außerdem noch in einem breiten Strome unter dem Verband vordrängt. Pat. hat heute 300 g Milch mit 300 g Vichywasser genossen, Bouillon und 2 Eier; dabei fortwährend 6 Nährklystiere täglich.

29. Okt. Temperatur 38,2—38,3 °; Puls 94—94.

30. Okt. Temperatur 38,0—38,4 °; Puls 88—94.

31. Okt. Temperatur 38,5—39,0 °; Puls 92—102. Jetzt wird kein Eiter mehr im Verband gefunden.

1. Nov. Temperatur 39,0—39,1 °; Puls 100—120. Vergebens suchte man die Oeffnung im Peritoneum zu finden, durch welche der Eiter sich entleert hatte. Fruchtlos war auch ein Versuch, nach Resektion der 10. Rippe, von der linken Pleurahöhle aus durch das Diaphragma den Absceß zu finden. Trotz der vorausgegangenen Tamponade bildete sich heute ein akuter Pneumothorax. An der äußeren Seite der Milz wurde eine Höhle mit serösem Erguß geöffnet; sie wurde durch den großen extraperitonealen Schnitt längs der Niere drainiert; dieser wurde mit steriler Gaze vollständig austamponiert bis oben, am oberen Ende der Niere vorbei.

2. Nov. Temperatur 38,3—39,5 °; Puls 120—120.

3. Nov. Temperatur 39,0—39,2 °; Puls 120—116.

4. Nov. Temperatur 38,9—38,7 °; Puls 120—100.

5. Nov. Temperatur 38,4—38,8 °; Puls 108—112.

6. Nov. Temperatur 38,4—39,7 °; Puls 104—120. Die ersten Tage nach dem letzten Eingriff wurde im Verband eine reichliche seröse Absonderung gefunden; am 4. Nov. begann Eiter aus der vorigen Stelle längs der Tamponade neben der Niere zu rinnen. Am 3., 4. und zum Teil auch am 5. Nov. Gefühl von großer Schwierigkeit beim Atmen. Heute (6. Nov.) ist Pat. nicht ganz klar. Die Nahrung ist durch Beeftea aus $^1/_2$ kg reinem Fleisch für jeden Tag vermehrt worden.

7. Nov. Temperatur 38,1—38,3 °; Puls 104—104.

8. Nov. Temperatur 37,8—38,0 °; Puls 104—88. In der nächsten Zeit Temperatur zwischen 37 und 37,6 ° am 12.—27. Nov., später niedriger. Der Abfall der Pulsfrequenz ging im Anfang etwas langsamer von statten. Vom 7. Nov. an fühlte sich Pat. subjektiv viel besser. Am 25. Nov. wurde die Nahrung durch Eisenkuchen vermehrt. Am 3. Dez. wurden die 6 Nährklystiere von je 100 g mit 2 größeren, jedes aus 300 g Wasser, 30 g Cognac und 75 g Traubenzucker, vertauscht. Die durch den Mund gegebene Nahrung wurde nun von Tag zu Tag vermehrt. Am 9. Dez. wurde mit den Nährklystieren aufgehört, die Pat. seit dem 21. Okt. ausgezeichnet vertragen hatte. Volle Kost für Gesunde am 11. Dez.; Pat. verträgt die veränderte Diät gut.

20. Dez. Es ist fortwährend Eiter durch die Wunde längs der Niere herausgekommen, obwohl in den letzten Wochen viel weniger. Der letzte Tampon wurde heute entfernt. Die Wunde war nicht mehr als 5 cm tief.

1896. 12. Jan. Pat. wird heute geheilt und gesund entlassen. Nirgends kann durch Druck Empfindlichkeit hervorgerufen werden, weder an der Bauchwand, noch an der Brustwand, und bei tiefer Inspiration hat Pat. keinen Schmerz. Ueber der ganzen linken Lunge voller und klarer Perkussionsschall und normales vesikuläres Respirationsgeräusch. An der linken Seite des Bauches normal große Milzdämpfung, übrigens voller tympanitischer Schall.

Nach einem Brief vom 6. Jan. 1897, fühlte sich Lilia J. „richtig gesund während des ganzen Winters und auch im Sommer 1896". Im Herbst 1896 begann sie wieder an Cardialgie zu leiden, von welchem Leiden sie aber zur Zeit der Mitteilung wieder ganz frei war. Am 15. Dez. 1897 „gesund".

Epikrise. Nachdem die Patientin ungefähr 4 Monate lang an Cardialgie gelitten hatte, erkrankte sie äußerst heftig mit Symptomen, die mit Bestimmtheit auf eine Magenperforation deuteten. Der Durchbruch, der nicht nach dem Saccus omentalis major geschehen sein konnte, hatte mit aller Sicherheit den obersten Teil des Magens an der Cardia betroffen. Die Zeichen diffuser Peritonitis — Ausdehnung des Bauches, Empfindlichkeit, gehinderter Abgang von Blähungen — verschwanden vollständig nach 2 Tagen. Es blieb ein subphrenischer Absceß zurück, der durch Dämpfung und abgeschwächtes Respirationsgeräusch über dem unteren Teile der linken Lunge, sowie durch Steigerung der Temperatur und der Pulsfrequenz und Schmerz in der linken Seite und Schulter diagnostiziert werden konnte. Am 4. und 5. Tage nach der Perforation schien Abfall der Pulsfrequenz und der Temperatur anzudeuten, daß die suppurative Peritonitis fortfuhr sich abzukapseln. Am Morgen des 6. Tages jedoch stiegen Temperatur und Pulsfrequenz wieder, von 37,5 und 84 Schlägen am vorhergehenden Abend auf 39,1° und 104 Schläge. Ich beschloß zu versuchen, die Eiterabkapselung zu öffnen, und wählte einen Weg, den ich am Tage vorher an der Leiche versucht und gut befunden hatte. Soviel ich weiß, ist diese Methode vorher nicht beschrieben worden. Nach einem Schnitt längs der 12. Rippe löste ich das Peritoneum an der hinteren Bauchwand hoch oben an der Niere vorbei ab. Man hat dabei in sehr bedeutender Tiefe zu arbeiten und die Schwierigkeit wird noch bedeutend vermehrt, wenn, wie bei meiner Patientin, der Abstand zwischen dem unteren Thoraxrand und dem Hüftbeinkamm sehr kurz ist. Patientin muß auf der rechten Seite liegen. Wenn der sogen. Absceß nicht von Eiter prall gefüllt oder von Gas ausgedehnt ist, wie bei einem Pyopneumothorax, so fließt der Inhalt nach rechts hinüber. Der explorierende Finger kann gespanntes Peritoneum nicht fühlen und man kann deshalb die Eiteransammlung nicht öffnen. Vier Tage nach diesem Eingriffe entleerte sich indessen der Eiter auf dem gebahnten Wege. Eine Eiterretention vermochte mich, einen neuen Versuch der direkten Oeffnung der Eiteransammlung zu machen, erst durch die frühere Incision und dann durch die linke Pleurahöhle. Beide Versuche waren indessen fruchtlos. Drei Tage nach diesem zweiten Eingriffe begann der Eiter wieder auf dem alten Wege auszurinnen. Von da an ungestörte Genesung.

Die subphrenischen Abscesse unter der linken Seite des Diaphragma sind verschieden groß und haben verschiedene Lage. Erstreckt sich der Absceß nach unten zwischen der Niere und der Milz oder längs der Außenseite der Milz bis zu dem unteren Rande der Milz oder an ihm vorbei, so muß der von mir eingeschlagene Weg zum Ziele führen.

Es muß auch als wichtiges Moment bei der Behandlung hervorgehoben werden, daß die Patientin 4 Tage lang nichts per os genießen durfte, und daß die Diät dann mehr als einen Monat lang auf flüssige Nahrung beschränkt blieb, deren Menge sehr vorsichtig vermehrt wurde.

Magengeschwür schien in der Familie zu liegen. Die Mutter der Patientin hat seit ihrer Jugend an Magengeschwür gelitten und eine ältere Schwester habe ich an Symptomen von Magengeschwür behandelt.

Fall XI. Ein 52 J. alter Mann wurde am 18. Jan. 1897 aufgenommen und am 23. März entlassen. Er war seit mehreren Jahren magenleidend und hatte im August 1896 Bluterbrechen und dunkle Darmentleerungen gehabt. In der hiesigen chirurgischen Klinik wurde er vom 11.—29. Sept. 1896 an einer auf die Regio epigastrica beschänkten Peritonitis behandelt und nach exspektativer Behandlung entlassen. Mitte Dez. 1896 erkrankte er von neuem mit Schmerzen und starker Empfindlichkeit nach rechts zu im Epigastrium und die Symptome nahmen zu, so daß Pat. sich am 24. Dez. zu Bett legen mußte. Zustand des Magens bei der Perforation: unbekannt. Zeit zwischen der Perforation und der Operation: ungefähr 4—5 Wochen. Diagnose: Subphrenischer Absceß nach Perforation des Duodenum (?). Operation am 18. Jan. Unterhalb des rechten Thoraxrandes wurde in der Lumbalgegend eine Incision in die Bauchwand gemacht; Drainage mit Rohr und Gaze. Operationsbefund: Eine abgegrenzte Eiterhöhle unterhalb der Leber und zwischen Diaphragma und Leber. Weiterer Verlauf der Krankheit; Nachoperation. Die Temperatur, die nach der Operation ein paar Wochen afebril gewesen oder einige Male unbedeutend über die Norm gestiegen war, begann vom 2. Febr. an abends bis 38° oder noch etwas mehr zu steigen und betrug am 4. Febr. früh 38,1° und abends 38,8°. Gleichzeitig von neuem Schmerzen. Operation am 8. Febr. Schnitt in der Mamillarlinie unterhalb des rechten Thoraxrandes durch die Bauchwand. Man gelangte in eine gänseeigroße, mit Eiter gefüllte, begrenzte Höhle, nach hinten und unter dem vorderen Leberrand nach rechts von der Wirbelsäule. Aus dem Eiter wurde Streptococcus pyogenes gezogen. Tamponade und Drainage. Danach dauernder Temperaturabfall. Ausgang der Krankheit: Heilung.

Epikrise. Din Geschwür im Magen am Pylorus oder vielleicht auch im Duodenum hat sich während des August und September 1896

**immer mehr der Serosa genähert und zu einer ziemlich ausgebreiteten lokalen Peritonitis Veranlassung gegeben. Im Dezember hat ein Durchbruch zwischen Adhärenzen stattgefunden, wonach sich der große subphrenische und subhepatische Absceß allmählich entwickelte, während gleichzeitig eine Heilung des Magen- oder Darmgeschwürs stattfand. Der medialste Teil der subhepatischen Eiterhöhle ist durch die Operation am 18. Jan. nicht vollständig ausdrainiert worden, obgleich ein dickes Drainrohr nach vorn gegen die Mittellinie geschoben wurde. Deshalb hatte sich eine neue Eiterabkapselung gebildet, nach deren Oeffnung und Austamponierung vollständige Heilung eintrat. Der Allgemeinzustand des Patienten war bei der Operation am 18. Jan. sehr schlecht.**

Nachgeschichte. Pat. wurde am 23. März 1897 gesund und vollkommen geheilt entlassen. In der hinteren Narbe öffnete sich im Laufe des Sommers eine Fistel, aus der seitdem fast beständig eine geringe Absonderung stattfand, die sich auf der Wäsche als kleine Flecke von Eiter und manchmal Blut zeigte. Pat. war indessen vollständig arbeitsfähig als Ackersmann bis zum 15. Nov. Zu dieser Zeit bekam er einen heftigen Schüttelfrost und war seitdem krank. Die subjektiven Symptome bestanden am meisten in Schlingbeschwerden. Er hatte weitere 3 Schüttelfröste und schwitzte viel in der Nacht. Am 11. Dez. 1897 wurde er wieder in der Klinik aufgenommen. Weder im Unterleib, noch in der Brust oder im Halse konnten irgendwelche sichere Anhaltspunkte zur Erklärung des Unwohlbefindens des Pat. entdeckt werden. Am 13. Dez. stieg die Temperatur abends auf 38 °, nachdem Pat. vorher einen Schüttelfrost gehabt hatte, und am 16. Dez. betrug die Temperatur 39,5 °, während am 14., 15. und 17. Dez. die höchste Temperatur 37,7 ° gewesen war. Am 18. Dez. wurde unter Narkose ein Versuch gemacht, den Pat. von seiner Fistel zu befreien. Eine biegsame Aluminiumsonde konnte 10 cm weit eingeführt werden, bei dem Herausziehen der Sonde kam eine Flüssigkeit nach, diese enthielt Körner, die makroskopisch Aktinomyceskörnern glichen. Bei der mikroskopischen Untersuchung fand man, daß sie aus Zellendetritus und ganz kleinen Kokken bestanden, die in Reihen, wie Streptokokkenkulturen geordnet waren, aber mit relativ langen Abständen zwischen den verschiedenen Kokken. Danach wurde der hintere Teil der alten Wunde in einer Ausdehnung von 7 cm aufgeschnitten, und man kam in einen Haufen kleiner Räume an der Außenseite und unterhalb der Leber. Exsudat konnte man nicht mit Sicherheit finden. Als man mit dem Finger den unteren Teil der Höhlen befühlen wollte, barsten Adhärenzen, so daß man in die freie Peritonealhöhle gelangte. Die Scheidewände zwischen den verschiedenen Räumen wurden zerrissen und das Ganze mit steriler Gaze austamponiert. Hiernach wurde das Allgemeinbefinden des Pat. allmählich viel besser, obgleich er noch eine Zeit lang sehr oft eine etwas erhöhte Abendtemperatur hatte, die höchste betrug 38,4 °. Am 13. Jan. 1898 klagte er über Stechen in der linken Seite, die Temperatur betrug abends 38,5 °. Am 14. Jan. Temperatur 37,6 °—39,5 °. An diesem Tage wurde eine linksseitige Pleuritis diagnostiziert, die sich nach oben bis zur Spina scapulae erstreckte, nach vorn bis zur hinteren Axillarlinie. Bei der Punktion erhielt man ein blaßgelbes, etwas trübes Exsudat. Bei der bakteriologischen Untersuchung sah man keine Bakterien in Deckglaspräparaten und in Agar und in Gelatine wuchs nichts. Pat. wurde am 24. Jan. vollständig fieberfrei und wurde am 25. auf sein eigenes Verlangen entlassen mit einer kaum secernierenden Fistel in der rechten Lumbalgegend und einer geringen Dämpfung über der hinteren Seite der linken Lunge. Uebrigens war er frei von Symptomen.

Da es nicht gelang, die Fistel zur Heilung zu bringen, und da Pat. eine, wenn auch geringe, Pleuritis bekam, so kann man die Möglichkeit nicht sicher ausschließen, daß noch irgendwo unter dem Zwerchfell ein purulenter Herd zurückgeblieben sein konnte. Es gelang uns indessen nicht, darüber in das Klare zu kommen. Da bei der Fisteloperation am 18. Dez. kein Exsudat angetroffen wurde, kann man natürlich nicht wagen, anzunehmen, daß die Besserung, die während des Aufenthaltes im Krankenhause eintrat, in irgendwelchem Zusammenhange mit dieser Operation stand.

Nach einem vom 11. März datierten Briefe der Frau des Patienten hat dieser, seit er heim kam (26. Jan.) immer im Bett gelegen und wurde sichtbar schwächer mit jedem Tage. Er hustete zur Zeit der Mitteilung viel und das Sputum war sehr übelriechend. — Es kann hier ein Durchbruch des vermutheten subphrenischen Herdes in die Lunge stattgefunden haben, es kann sich aber auch um ein selbständiges Lungenleiden handeln, und zwar wahrscheinlich Lungentuberkulose

Fall XII. Frau, 29 Jahre alt; Magensymptome seit 2—3 Jahren. 5. Jan. 1898 lokale Peritonitis im Epigastrium; 13 Jan. beginnende diffuse Peritonitis; am 14. Jan. **Operation:** eiterige Peritonitis überall nach links zu im Unterleib oberhalb des Colon transversum und am Omentum majus; kein perforierendes Geschwür, weder im Magen, noch im Duodenum; am 17. Jan. Sektion: zwei nicht perforierende Geschwüre an der kleinen Curvatur des Magens; phlegmonöse Gastritis **im ganzen Organ**; Nekrose des Diaphragma nach links von der Cardia; serös-fibrinös-purulente Pleuritis auf der linken Seite.

Pat. hat 3 Kinder gehabt, von denen 2 leben und gesund sind. Sie hat in den letzten 2 bis 3 Jahren am Magen gelitten mit Aufstoßen von saurem Wasser und Uebelkeit.

Ohne daß irgend ein besonderes Unwohlbefinden vorhergegangen wäre oder Pat. etwas Ungesundes gegessen hatte, erkrankte sie rasch am 5. Jan. 1898 mit Gefühl von Stechen in der rechten Seite des Unterleibs und in der Gegend der Gallenblase und wiederholtem Erbrechen. Am Tage darauf wollte sie ihre gewöhnliche Arbeit in der Hauswirtschaft verrichten, fühlte sich aber so elend, daß sie sich gleich früh am Tage legen mußte und das Bett seitdem nicht wieder verlassen konnte. Die Schmerzen dauerten fort, verzogen sich aber nach der linken Seite. Nach 3 Tagen wurde ein Arzt zu Rate gezogen; dieser verordnete Medizin (Pulver) und Hafergrützsuppe und Milch. Seit dem Beginne der Krankheit hatte Pat. nichts als Milchspeisen zu sich genommen. Erbrechen war mehrere Male eingetreten und ein paar Male hatte sich auch Blut gezeigt; ob dieses aber aus dem Magen oder aus der Brust kam, wußte Pat. nicht. Während der Krankheit hatte sie mehrere Male Darmentleerung und auch Abgang von Blähungen gehabt, zuletzt am 14. Jan. Während der letzten Tage war der Bauch etwas aufgetrieben gewesen. Die Auftreibung hatte in der letzten Nacht bedeutend zugenommen, Pat. hatte dabei auch starkes Fieber gehabt und phantasiert. Am Tage der Aufnahme hatte Pat. kein Erbrechen gehabt, aber Uebelkeit und die Schmerzen im Bauche hatten zugenommen.

Status praesens am 14. Januar.

Pat. erscheint abgemagert und bedeutend angegriffen; Gesichtsfarbe cyanotisch. Haut feucht. Temperatur im Rectum 39,5 °, in der Achselhöhle 38,1 °, Respiration angestrengt; die Nasenflügel bewegen sich bei jedem Atemzug. Respirationsfrequenz reichlich 60; Pulsfrequenz 130. Sensorium frei. Pat. klagt über Schmerzen im oberen Teile des Unterleibs und über Empfindlichkeit daselbst. Bei der Inspiration nehmen die Schmerzen zu. Der Harn enthält Eiweiß.

Der Bauch ist gleichförmig aufgetrieben, am meisten in der horizontalen Nabelebene. Unterhalb des Nabels zeichnen sich einzelne Darmschlingen ab.

Bei der Palpation starke Empfindlichkeit im Scrobiculus cordis und längs des linken Rippenrandes.

Der ganze Bauch oberhalb der Nabelebene fühlt sich resistent an, ebenso die linke Lumbalgegend. Bei der Untersuchung von der Vagina aus wird keine Herabbuchtung der Fornices und auch keine Empfindlichkeit bemerkt.

Bei der Perkussion erhält man Dämpfung im Epigastrium und in beiden Lumbalgegenden, links bis vor zur Mamillarlinie, und über dem unteren Teile der linken Lunge.

Die Diagnose war ungewöhnlich schwierig, aber man konnte doch mit großer Wahrscheinlichkeit ein Magengeschwür und eine von diesem ausgegangene Peritonitis annehmen, die zu Anfang vollkommen lokal in der Umgebung des Geschwürs gewesen war, die aber spätestens in der letzten Nacht vor der Aufnahme diffus zu werden begann. Man dachte sich, daß die Peritonitis sich noch nicht weiter als über den oberen Teil des Bauches oberhalb des Kolon und über die Lumbalgegenden, besonders die linke, ausgebreitet habe.

Operation am 14. Jan., 10 Uhr abends.

Der Bauchschnitt wurde vom Proc. ensiformis abwärts bis 10 cm oberhalb der Symphysis pubis gelegt. Oberhalb und dicht unterhalb des Nabels war das superitoneale Gewebe stark ödematös durchtränkt. Nach links vom Ligam. falciforme war die Leber überall mit dem Peritoneum parietale und mit dem Magen verwachsen. Vor dem freien Teile des Magens fand sich trübe seröse Flüssigkeit. Ein transversaler Schnitt wurde von der Mittellinie nach außen bis zum linken Thoraxrand dicht oberhalb des Nabels gelegt. Der Magen wurde von der Leber abgelöst. An der kleinen Curvatur war die seröse Oberfläche des Magens teils eingesunken und von rotem, fast granuliertem Aussehen, teils mit einem sehr fest sitzenden gelblich weißen Exsudat belegt. Ein perforierendes Geschwür sah man nicht. Der Magen war stark ausgedehnt, was für die Reinigung der Bauchhöhle sehr hinderlich war, der Pat. war so elend, daß man trotzdem nicht wagte, eine Sonde in den Magen zu führen und ihn zu entleeren, aus Furcht einesteils vor Herzparalyse, anderenteils davor, Mageninhalt in die Trachea zu bekommen. Die Hand wurde längs des ganzen linken subphrenischen Raumes geführt; an den meisten Stellen waren die Eingeweide mehr oder weniger adhärent und dazwischen fand sich eine geringe Menge einer weißlich gelben eiterigen Flüssigkeit. Diese wurde so sorgfältig wie möglich mit Kochsalzkompressen vor und hinter den Ligam. coronarium und dem Ligamentum triangulare, sowie ferner längs der Diaphragmawölbung bis herunter an der Milz vorbei und neben der ventralen Seite der linken Niere ausgetrocknet. In den Maschen des Omentum majus war eine gleiche eiterige Flüssigkeit sichtbar. Die am meisten nach links zu gelegenen Dünndärme waren sehr injiziert und ausgedehnt und zwischen ihnen fand sich gleiche Flüssigkeit in geringer Menge. Dagegen erschien das Peritoneum normal im kleinen Becken und auf der rechten Seite des Unterleibes. Besonders muß bemerkt werden, daß die Serosa der Gallenblase normal war, ebenso die des rechten Leberlappens. In der rechten Lumbalgegend fand sich kein Erguß und nur ganz wenig in der linken. Das Kolon war zusammengefallen. Die Dämpfung in den Lumbalgegenden mußte in diesem Falle auf flüssigem Dünndarminhalt beruht haben. Die Bursa omentalis wurde durch Teilung des Ligamentum gastrocolicum geöffnet. Hintere Fläche des Magens normal.

**Das Magengeschwür war deutlich gefunden worden an der Vorderseite, ziemlich nahe an der kleinen Curvatur, und, wenn es perforiert hatte, war es nun entweder bereits geheilt oder auch von einem besonders festen Exsudat bedeckt. Außer an der Leber, am Magen und Diaphragma fanden sich keine Fibrinbeläge und keine Verwachsungen.**

Ein mit steriler Gaze umgebenes Drainrohr wurde durch die rechte Lumbalgegend nach außen geführt; es lag unterhalb der Leber. Nach rechts vom Ligam. falciforme wurde sterile Gaze zwischen die Leber und das Diaphragma gelegt, ebenso zwischen den linken Leberlappen und das Diaphragma, zwischen den Magen und die Leber, zwischen den Magen und das Diaphragma und zwischen die Milz und das Diaphragma. Die ganze Bauchwunde wurde offen gelassen und mit steriler Gaze ausgefüllt.

Gleich nach der Operation bekam die Pat. subkutan 30 cg Koffein, 40 cg Kampher, 60 g Olivenöl und 500 g Salzlösung 0,9 Proz.

Sie starb nach 60 Stunden. Nach der Operation kein Singultus, kein Erbrechen; Flatus gingen teils durch Darmausspülungen, teils spontan ab. Pat. bemerkte selbst am Tage nach der Operation, daß sie, die vorher sehr heftige Schmerzen im Unterleib gehabt habe, keine Schmerzen mehr fühlte seit sie operiert worden war. Die Symptome während der letzten 18 Stunden glichen am meisten denen einer akuten Pneumonie: Husten, Atemnot, heftige Delirien.

Sektion am 18. Jan Auszug aus dem Protokoll (Prof. C. Sundberg).

An der vorderen Fläche des Omentum majus, am linken Leberlappen und in der Umgebung der Milz ist das Peritoneum grünlich verfärbt, hier und da mit einem dünnen eiterigen Belag. Im übrigen ist das Peritoneum, sowohl an den Dünndärmen und am rechten Leberlappen, als auch an der vorderen Bauchwand und im kleinen Becken, glatt und glänzend, ohne Zeichen von Entzündung. Gleich links von der Cardia findet sich am Diaphragma eine stark hervortretende, gelblich verfärbte, nekrotische Stelle.

In der linken Pleurahöhle ungefähr 700 ccm stark trübe, chokoladenbraune Flüssigkeit (unter dem Mikroskop zahlreiche Eiterkörperchen).

Die Wandung des Magens zeigt in ihrer ganzen Ausdehnung eine, auf phlegmonöser Infiltration der Submucosa beruhende diffuse Verdickung. An der vorderen Wand des Organs, in der Pars pylorica, nahe an der Curvatura minor, ein längliches Geschwür von der Größe eines Fünfzigpfennigstücks mit grauem, gelatinös-fibrinösem Boden, entsprechend der in dem Operationsberichte erwähnten Einsenkung der Serosa. Geschwürsränder an der einen Seite scharf, unterminiert, an der anderen weniger deutlich und diffus in den Geschwürsboden übergehend. In der Nähe findet sich ein gleiches, kleineres Geschwür an der Curvatura minor selbst. Im Darmkanal im übrigen nichts Bemerkenswertes.

Herz schlaff, Fleisch bräunlich. Oedem in der rechten Lunge, Bronchitis in der linken. Geringfügige parenchymatöse Degeneration (eigentlich nur verminderter Grad der Festigkeit) in der Milz, in den Nieren und in der Leber.

Epikrise. Wie Prof. SUNDBERG bei der Sektion bemerkte, ist es in diesem Falle am einfachsten, anzunehmen, daß die Infektionspforte in den zwei Magengeschwüren der Patientin, besonders in dem größeren, zu suchen ist, und daß die Infektionsstoffe von hier aus den Lymphgefäßen teils in der Submukosa, teils in der Serosa folgten. Auf ersterem Wege hat sich eine phlegmonöse Gastritis entwickelt, die zuletzt das ganze Organ umfaßte, auf dem letzteren eine lokale, vorzugsweise adhäsive Peritonitis, die sich 6 Tage nach dem Beginn der Erkrankung rasch verschlimmerte und diffus wurde. Die Entzündung in der Serosa hat deutlich von Anfang an das Diaphragma schwer in Mitleidenschaft gezogen und durch die Lymphbahnen desselben zu einer Pleuritis geführt, die bei der Sektion als serös-fibrinöspurulent bezeichnet werden konnte. Es ist bemerkenswert, daß ein Teil des Diaphragma schon so zeitig, 12 Tage nach dem Auftreten der ersten Krankheitserscheinungen, nekrotisch war.

Bei der Operation zeigte sich die Magenwandung ungewöhnlich resistent, aber ich bin erst nachher darauf gekommen, an dieses Verhalten zu denken; daß hier eine so seltene Komplikation wie eine phlegmonöse Gastritis vorliegen könnte, ahnte ich nicht. Als von Interesse für die Operation ist ferner zu bemerken, daß ein langer Thorax und ein ausgedehnter Magen schon jedes für sich und noch mehr, wenn beide zusammen vorkommen, die Reinigung unter der linken Diaphragmahälfte bedeutend erschweren, wenn nicht unmöglich machen. Man kann deshalb, wenn es die Kräfte des Patienten gestatten, daran denken, die Arbeit durch Resektion von Rippenknorpeln auf der linken Seite zu erleichtern, was FANÖE mit Nutzen in einem Falle ausgeführt hat, wo es galt, Raum zu schaffen, um ein perforierendes Geschwür an der Cardia zusammenzunähen. In Bezug auf die Sektion muß noch bemerkt werden, daß überall, wo sterile Gaze an der Serosa lag, diese nach der Entfernung der Gaze ein fast

**gesundes Aussehen hatte, dagegen war die in der nächsten Umgebung liegende, nicht mit Gazetamponade versehene Serosa am Diaphragma eiterig belegt. Ich denke hier natürlich nicht an die nekrotische Stelle des Diaphragma. Durch die Operation war die Peritonitis deutlich in in ihrer Ausbreitung aufgehalten worden.**

**Bei der Operation fand man nur ganz wenig Flüssigkeit unter der linken Seite des Diaphragma. Es war deshalb glaublich, daß ein Erguß in der linken Pleurahöhle bestand. Nur auf diese Weise konnte man nämlich die Dämpfung über der linken Lunge erklären. Der Zustand der Patientin war indessen sowohl damals wie später so schlecht, daß ich keinen weiteren Eingriff für indiziert erachtete.**

Fall XIII. 37 Jahre alter Mann mit seit einigen Jahren schweren dyspeptischen Symptomen; am 24. Februar 1898 morgens ganz plötzlich beim Aufrichten im Bett sehr heftiger Schmerz nach rechts unterhalb des Nabels; Operation nach $2^1/_2$ Tagen: ein Duodenalgeschwür wurde zusammengenäht, die Bauchhöhle gereinigt, wo man diffuse sero-fibrino-purulente Peritonitis fand; Drainage, Tamponade. Tod 30 Stunden nach der Operation, die große subjektive Linderung gebracht hatte. Sektion: Diffuse fibrinöse Peritonitis; nächste Todesursache: Blutüberfüllung in den Lungen.

P. A. Å., 37 J. alt, Schuhmacher, aufgenommen am 26. Februar, gestorben am 28. Februar 1898.

Anamnese: Pat. ist im allgemeinen gesund gewesen, hat aber in den letzten Jahren oft an Erbrechen, saurem Aufstoßen und Empfindlichkeit in der Magengrube gelitten. Am 25. Febr. fühlte er sich wohl, wie gewöhnlich, als er erwachte, als er sich aber im Bett in die Höhe setzen wollte, wurde er von äußerst heftigen Schmerzen im Bauche befallen; sie waren so heftig, daß er glaubte, seine letzte Stunde sei gekommen. Er lokalisierte sie an einem unterhalb des Nabels und nach rechts davon gelegenen Punkt. Mehrere Stunden lang dauerte dieser Schmerz fort. Das Jammern des Pat. wurde weit entfernt von der Stube, wo er sich befand, gehört. Er versuchte erst, herumzugehen, mußte sich aber bald legen. Im Verlaufe des Tages nahmen die Schmerzen ab und er fühlte nur noch Schmerz beim Versuche, sich im Bett zu bewegen; der Schmerz saß dabei stets an der erwähnten Stelle nach rechts unterhalb des Nabels. Allmählich trat über dem Unterleib eine Empfindlichkeit auf, die nicht an einem bestimmten Punkt lokalisiert war. Keine Schüttelfröste. In den nächsten Stunden nach der Erkrankung hatte Pat. einige Male Aufstoßen von saurem Mageninhalt; ähnliches Aufstoßen kam später auch vor Pat. hatte ein paarmal spärliche Darmentleerungen nach Klystieren, Blähungen gingen weder dabei, noch spontan ab. Die Harnentleerung war die ganze Zeit ungehindert. Pat. hatte bisweilen Gefühl von Hitze und Wärme, Schüttelfröste hatte er aber, wie erwähnt, nicht. Er hat nur ein paar Löffel Himbeersaft und Wasser zu sich genommen und bei sich behalten. Am 26. Febr. wurde er zu Schlitten den über 50 km weiten Weg nach Upsala in das Krankenhaus gebracht.

Status praesens am 26. Febr. 6 Uhr abends.

Pat. ist cyanotisch, hat Dyspnoë, Nasenflügelatmung, Respirationsfrequenz 26; Puls klein, weich, 140, regelmäßig; Temp. 39,3°; im Harne Spuren von Eiweiß.

Subjektive Symptome:

Wenn Pat. still liegt, fühlt er keine Schmerzen, sehr heftige dagegen beim geringsten Versuch, sich zu bewegen.

Objektive Untersuchung.

Unterleib unbedeutend aufgetrieben. Tympanitischer Perkussionsschall, in den Mamillarlinien in kürzeren tympanitischen Schall übergehend, der in den Lumbalgegenden stärker gedämpft wird. Keine Dämpfung über der Symphyse. Bei der Palpation giebt Pat. über den ganzen Bauch Empfindlichkeit zu erkennen, die im allgemeinen aber ziemlich gering ist. Stärkere Empfindlichkeit findet sich bei der Palpation über der Fossa iliaca sinistra, sowie über der Lebergegend, längs des rechten Thoraxrandes und etwas nach außen von der rechten Mamillarlinie. Pat. bekam gleich bei der Aufnahme 40 cg Kampher subkutan, wodurch der Puls sich etwas hob. Ganz vorsichtig wurde eine Magenausspülung gemacht, wobei zu Anfang eine Menge fäkal riechender Inhalt abging, aber dann war das Spülwasser klar. Darauf wurde eine Darmausspülung gemacht, wobei anfangs eine unbedeutende Menge Darminhalt abging, aber keine Blähungen.

Operation am 26. Febr. abends 7 Uhr, $2^1/_2$ Tage nach erfolgtem Durchbruche.

**Deutlich war, daß Patient eine diffuse Peritonitis hatte, die entweder von einer perforierten Appendix oder eher noch von einem Duodenalgeschwür ausging.**

Die Incision wurde in der Mittellinie unterhalb des Nabels gemacht. Die Dünndärme hafteten hier und da aneinander und an der Bauchwand fest durch fibrinöse Beläge. Zwischen ihnen fand sich eine an verschiedenen Stellen mehr oder weniger klare Flüssigkeit, die im Boden des kleinen Beckens eine rein eiterige Beschaffenheit annahm. Bei einem zufälligen Druck mit einer Kompresse auf eine der Darmschlingen in der Nähe des Nabels drangen Luftblasen und ein grünlicher Darminhalt hervor, der zeigte, daß man in erster Reihe an ein Duodenalgeschwür zu denken hatte. Der Bauchschnitt wurde deshalb nach oben gegen den Proc. ensiformis verlängert. Das Omentum war aufgeschlagen und am Magen festgewachsen, der sehr erweitert war. Von der rechten Seite des Unterleibes quoll fortwährend grüne Flüssigkeit in großen Mengen hervor. Es wurde notwendig, den rechten Musc. rectus dicht oberhalb des Nabels zu durchschneiden. Man fand dann unmittelbar nach rechts vom Pylorus an der vorderen oberen Wand des Duodenum eine Oeffnung, durch die ein Zeigefinger eingeführt werden konnte. Sie wurde durch 3 Seidennähte No. 2 geschlossen und über die Darmnaht wurde ein Stück Omentum ausgebreitet und fixiert. Das Foramen Winslowii war offen Unter der linken Diaphragmawölbung wurde eine große Menge ziemlich klarer und farbloser Flüssigkeit gefunden. In der rechten Lumbalgegend fanden sich besonders ausgebreitete fibrinöse Beläge. Um Gelegenheit zu haben, den Magen zu untersuchen, und den linken subphrenischen Raum zu reinigen, wurde ein Querschnitt durch den medialen Teil des linken Musc. rectus gemacht. Die Bauchhöhle wurde teils durch Austrocknung mit in warme

Kochsalzlösung getauchten und dann ausgerungenen Kompressen, teils, und zwar hauptsächlich durch Ausspülung mit 45° C warmer Kochsalzlösung von 0,9 bis 1 Proz. gereinigt. In beide Lumbalgegenden wurde durch zu diesem Zwecke gemachte Incisionen je ein Drainrohr eingelegt, das auf der rechten Seite vor der ventralen Fläche der Niere bis zum Duodenum geleitet wurde, auf der linken Seite wurde es vor dem Ligam. phrenicocolicum längs der äußeren Seite der Milz nach oben bis zur Mitte der Diaphragmawölbung geführt. Sterile Gaze wurde zwischen Leber und Diaphragma auf beiden Seiten am Ligam. suspensorium und zwischen Leber und Magen eingelegt, sowie an das Duodenalgeschwür. Der ganze Bauchschnitt wurde offen gelassen, nachdem die Därme mit in Kochsalzlösung getauchten und ausgerungenen Kompressen bedeckt waren. Außerdem wurde in den untersten Teil der Bauchwunde ein mit steriler Gaze umhülltes Drainrohr eingelegt, das bis zum Boden der Fossa rectovesicalis geführt wurde. Operation und Verband dauerten 1 Stunde 15 Minuten. Die Narkose war mit Chloroform eingeleitet und mit Aether fortgesetzt worden. Die vollständige Reinigung des subphrenischen Raumes erwies sich jetzt, wie immer, als eine sehr schwierige Sache.

Nach der Operation befand sich der Pat. sehr schlecht. Der Puls war kaum fühlbar. Pat. bekam sofort 550 g Kochsalzlösung intravenös, Koffein- und Kamphereinspritzungen, sowie Klystiere mit Cognac und Traubenzucker. Allmählich hob sich der Puls, so daß er deutlich gezählt werden konnte, er hatte zwischen 130 und 140 Schläge und war regelmäßig. Bei den Verbandwechseln während der Nacht auf den 27. Febr. zeigte sich starke Sekretion im Verband (die noch zum großen Teile aus in der Bauchhöhle zurückgelassener Kochsalzlösung bestand). Blähungen gingen mit den Darmausspülungen ab, aber kein Darminhalt; weder Erbrechen noch Uebelkeit; keine nennenswerten Schmerzen im Unterleib, der nicht aufgetrieben war.

27. Febr. Der subjektive Zustand des Pat. war am Vormittag gut; der Puls hatte 128 Schläge, die Wangen waren fortwährend cyanotisch und der objektive Zustand war ungefähr ebenso, wie gegen Morgen, aber am Nachmittag trat Verschlimmerung ein. Die Temperatur war am Morgen 38,6, am Abend 40,6°. Der Puls war abends 6 Uhr sehr klein, weich, und hatte zwischen 130 und 140 Schläge. Fortwährend kein Erbrechen, keine Schmerzen, nur heftiger Durst. Pat. bekam sowohl vormittags wie nachmittags intravenöse Kochsalzinfusionen von 650 und 500 ccm, per os heißes Wasser eßlöffelweise, Kamphor und Aether subkutan abwechselnd eine Stunde um die andere. Abgang von Blähungen bei den Darmausspülungen. In der Nacht eine dünne Darmentleerung ohne Klystier. Der Harn enthielt nach der Operation kein Eiweiß. Bei den 2 Verbandwechseln während des Tages wurde reichliche Sekretion beobachtet, aber geringere in der Nacht. Auch nach der Kochsalzinfusion am Abende hob sich der Puls für einige Zeit ein wenig. Pat. starb um 2 Uhr in der Nacht, nachdem er zuvor eine Zeit lang verwirrt und gewaltthätig gewesen war und aus dem Bett hatte springen wollen.

Auszug aus dem Sektionsprotokoll (Prof. C. Sundberg), 28. Febr. 1898, 12 Stunden nach dem Tode.

Nachdem die Drainrohre und Tampons entfernt worden waren, wurde folgendes gefunden. Beim Aufheben der Därme trifft man an deren Serosa kleinere und größere fibrinöse Membranen an, die ziemlich fest an den Darmwänden haften. Dünndarm und Colon transversum von Gas mäßig ausgedehnt, ziemlich stark hyperämisch, ihre Serosa trocken. Besonders in dem kleinen Becken sind die fibrinösen Beläge ausgebreitet, so auch in dem Winkel zwischen Colon descendens und Psoas auf der linken Seite, sowie zwischen dem Colon ascendens und der Bauchwand auf der rechten Seite. Nirgends in diesen Teilen flüssiges Exsudat (Peritonitis fibrinosa diffusa).

Bei der Ablösung des Omentum, das zusammengerollt und aufgeschlagen und mit seinem freien Rande nach der Curvatura major des Magens gewendet und mit dieser lose zusammengelötet ist, findet man eine mäßige Ansammlung von dünnem, graugrünem Eiter in dem Raume zwischen dem Magen, dem Colon transversum und dem aufgerollten Omentum, deren seröse Oberflächen etwas infiltriert sind[1]). (Peritonitis purulenta circumscripta.)

In der Bursa omenti minoris ist die Serosa überall gesund, nur in geringem Grade venös injiziert. Kein Volvulus.

Coecum beweglicher als gewöhnlich. Die Appendix geht von der äußeren Seite desselben ab und biegt sich in einer sichelförmigen Krümmung nach oben und außen und dann nach innen, hat eine Länge von ungefähr 15 cm. Die Umgebungen etwas hyperämisch, daneben werden auch hier kleinere Fibrinbeläge angetroffen.

Herz im Kontraktionszustand, etwas kleiner als die Faust der Leiche, von fester Konsistenz. Kammern von normaler Weite. An Klappen und Ostien nichts Bemerkenswertes. Myocardium von gesunder Farbe, etwas dunkler als gewöhnlich, doch nicht braun; Dehnbarkeit die gewöhnliche. Muskulatur im ganzen von gesundem Aussehen.

Lungen im Exspirationszustand, zusammengefallen, besonders stark hyperämisch, namentlich in den unteren Teilen, die in hohem Grade bluterfüllt sind, schwarz blaurot und wenig lufthaltig. Keine Bronchopneumonie. Schleimhaut der Bronchien besonders stark hyperämisch ohne vortretende Gefäße.

Milz von normaler Größe und Konsistenz, höchst unwesentlich weicher als gewöhnlich, in geringem Grade hyperämisch.

Pankreas etwas anämisch, übrigens ohne bemerkenswerte Veränderung.

Valvula pylori offen, ohne Schwierigkeit für einen Finger durchgängig. Gleich nach rechts von der Pylorusforte trifft man die bei der Operation ausgeführte Vernähung, die das Loch vollständig schließt. Beschreibung des Geschwürs nach Entfernung der Nähte. Im Duodenum findet sich unmittelbar an der Valvulva pylori ein einfaches perforierendes Geschwür, das zum größten Teile den oberen Umfang des Darmes einnimmt und mit seinem gegen die Serosa hin enger werdenden trichterförmigen Teile nach oben und vorn gerichtet ist. Der Umfang des Geschwürs in der Schleimhaut ist kaum von der Größe eines Fünfzigpfennigstücks und in der Serosa bildet die Perforation eine Oeffnung ungefähr von der Größe eines kleinen Zwanzigpfennigstücks. Wundränder schwielig, ohne Reaktion, (Ulcus perforatum simplex duodeni). Der Magen ist etwas dilatiert, seine Schleimhaut im allgemeinen, aber besonders im Pylorusteil, hyperplastisch, sich dem Bilde des „Etat mamellonné" nähernd, belegt mit zähem Schleim. Die Duodenalschleimhaut erscheint ebenfalls etwas dicker als gewöhnlich, mit kleinen Granulationen und getrübt (Gastro-

---

1) Das war die einzige Stelle in der Bauchhöhle, wo Flüssigkeit angetroffen wurde. Anm. des Verf.

duodenitis hyperplastica chronica). Das Jejunum zeigt im oberen Teile keine Veränderungen, im unteren Teile beginnt seine Schleimhaut etwas hyperämisch zu werden. Daneben findet sich hier eine auf die KERCKRING'schen Klappen beschränkte croupöse Exsudation. Die große Mehrzahl dieser Klappen ist mit trockenen, wurmähnlichen graugelben Pseudomembranen von 1—3 mm Breite belegt, oft ringförmig um den ganzen Darm herum. Diese Membranen lassen sich ohne Schwierigkeit ablösen, wobei die stark hyperämischen Klappen bloßgelegt werden. Bei genauerer Betrachtung findet man dabei, daß die am meisten vorspringenden Teile der Klappen in die Pseudomembranen wie in eine Falte eingebettet sind (Enteritis crouposa pseudomembranacea). In Ileum, Dickdarm, Coecum und in der Appendix fand sich nichts Bemerkenswertes.

Die Nieren, von gewöhnlicher Größe und Konsistenz, zeigen akute parenchymatöse Degeneration. Die Schnittfläche ist unbedeutend schwellend.

Leber. Der hintere Teil des rechten Leberlappens und das Diaphragma sind mit graugrünen Membranen von demselben Aussehen wie die am Darme belegt, unter denen die Serosa trocken, aufgelockert und hämorrhagisch infiltriert ist. Leber von gewöhnlicher Größe. Die Gallenblase enthält 50 ccm schwarzgrüner Galle. Schleimhaut ohne bemerkenswerte Veränderung. Kapsel über dem linken Lappen etwas trocken, nicht belegt. Das Organ, dessen Konsistenz etwas locker ist, ist in geringem Grade parenchymatös degeneriert, mäßig blutreich, hier und da treten fettig entartete Herde hervor (Foci adiposi hepatis).

Schleimhaut der Harnblase in geringem Grade hyperämisch.

Epikrise. Bemerkenswert sind folgende Punkte: 1) daß der Durchbruch eines Duodenalgeschwürs bei einer so geringen Anstrengung wie Aufrichten im Bette eintrat, 2) die Lokalisation des Schmerzes nach rechts unterhalb des Nabels, 3) die Veränderungen in der Peritonealhöhle, als Patient nach $2^1/_2$ Tagen operiert wurde. Es fand sich eine allgemeine serös-fibrinös-purulente Peritonitis, bei der die dicksten Beläge und das eiterige Exsudat nach rechts vom Duodenum und im kleinen Becken waren, während der linke subphrenische Raum mit seröser Flüssigkeit gefüllt war.

Nach der Operation nahm die Darmparese ab und alle subjektiven Erscheinungen wurden in höchst wesentlichem Grade gemildert; aber die Cyanose und der kleine Puls, der nach einem Tage nicht mehr von Stimulantien beeinflußt wurde, zeigten, daß die Kraft des Herzens bald erschöpft sein würde. Prof. SUNDBERG's Sektionsprotokoll habe ich fast in extenso mitgeteilt, da es mir von Interesse zu sein scheint, hervorzuheben, wie gering die parenchymatösen Veränderungen in den inneren Organen bei einer diffusen Peritonitis sein können. Da die Sektion im Februar 12 Stunden nach dem Tode gemacht wurde, hatte man nicht mit Fäulniserscheinungen zu rechnen. Die große Blutüberfüllung in den Lungen ohne Oedem und ohne entzündliche Veränderungen stellte als nächste Todesursache einen Funktionsmangel der linken Herzhälfte fest, der aber weder auf der Be-

**schaffenheit des Herzmuskels beruht haben konnte, noch auf Gasausdehnung in der Bauchhöhle, sondern wahrscheinlich auf der Aufnahme von giftigen Stoffen in das Blut beruht hatte, die direkt auf den Nervenapparat des Herzens wirkten, oder vielleicht auf Nervenreflex — ein Verhalten, das von Prof. SUNDBERG bei der Sektion hervorgehoben wurde.**

**Für den Chirurgen ist es von Interesse, daß es durch die Operation und die Nachbehandlung gelang, wenigstens teilweise die Darmparese zu heben und die Peritonealhöhle in allen den Teilen, in denen sie behandelt wurde, trocken zu legen. Flüssigkeit fand sich nämlich nur an einer Stelle; es war ein kleiner Eiterherd zwischen dem Omentum, dem Magen und dem Colon, und dieser Herd war bei der Operation nicht geöffnet worden.**

**Von Interesse war ferner die croupöse Enteritis, über deren möglichen Zusammenhang mit der Krankheit im übrigen ich nicht wage, irgend eine Meinung zu äußern.**

Fall XIV. Dienstmädchen, 33 J. alt; seit mehreren Jahren Ulcussymptome. — Am 9. Juni perakuter Durchbruch eines Magengeschwürs — bald verschwindende Zeichen von allgemeiner Peritonitis, dagegen mehr als 10 Wochen bestehende Symptome eines purulenten Herdes unter dem linken Diaphragma: Dämpfung, Bronchialrespiration, erhöhte Körpertemperatur, rascher Puls, starke Schmerzen, oft durch die linke Schulter strahlend, Singultus, heftiger Husten, Ascites — in der 11. Woche merkwürdig rasche Besserung mit folgender rascher und vollständiger Genesung, kaum zu verstehen ohne die Annahme einer übersehenen Perforation des Colon.

Während meines Aufenthalts in den Gebirgsgegenden von Valders (Norwegen) im Sommer 1896 hatte ich auf der Fossheimalm täglich Gelegenheit, einen Fall von subphrenischem Absceß nach Durchbruch eines Magengeschwürs zu sehen, in dem Ausgang in vollständige Heilung ohne Operation erfolgte. Die Pat. war Dienstmagd auf der Sennerei und der Arzt des Ortes, Dr. G. KLEM, ein junger Norweger, konsultierte mich. Nach den Aufzeichnungen, die Dr. KLEM auf meinen Vorschlag machte und die er mir dann gütig überließ, will ich nun versuchen, die Krankengeschichte aufzusetzen.

Anne L., 33 J. alt, hatte schon seit dem Alter von 16 Jahren oft an Störungen im Magen gelitten. Vor 9 Jahren hatte sie einmal Blut erbrochen. Während der letzten Jahre hatte sie fast täglich „eine zähe, saure, bittere Flüssigkeit“ erbrochen. Die Darmentleerungen sind während derselben Zeit oft dunkel gewesen. Am 1. Juli 1896 konsultierte sie Dr. KLEM, am ersten Tage seines Aufenthaltes am Orte. Sie litt an Schmerzen in der Cardia, die nach dem Rücken zu ausstrahlten; sie vertrug keine Speise und hatte oft Erbrechen. Dr. K. verschrieb Bismuthum subnitr. 0,5 g 3mal täglich.

Am 9. Juli abends zwischen 6 und 7 Uhr hörte Dr. K., der unterwegs war, einen gewaltigen Notruf aus einem der Fenster der Gesindewohnung. Es war Anne L., die vor Schmerz nahe daran war, ohnmächtig zu werden.

Sie hatte das Gefühl gehabt, „als wenn etwas in ihr risse“. Sie klagte über starke Schmerzen im ganzen Unterleibe, der sehr empfindlich war. Die Temperatur war normal. Behandlung: Bettliegen und Morphium. 16 Stunden später sah ich die Pat., die, wie Dr. K. glaubte, an Volvulus oder innerer Einklemmung leiden sollte. Sie klagte wie vorher über starke Schmerzen im ganzen Unterleib, die in die linke Schulter und in den linken Arm ausstrahlten. Der Bauch war mäßig aufgetrieben und die linke Hälfte desselben war sehr empfindlich, doch bedeutend mehr oberhalb der queren Nabelebene als unterhalb derselben. Die. Temperatur im Rectum betrug 38,8°. Im linken Hypochondrium fand sich ein Umkreis von der Größe einer flachen Hand von oben nach unten, wo der Perkussionsschall gedämpft und zum Teil vollständig matt war. Nach vorn reichte dieser Bezirk bis etwas medial von der vorderen Axillarlinie, nach hinten konnte die Grenze nicht festgestellt werden, da es uns gefährlich schien, die Kr. ihre Lage verändern zu lassen; nach oben senorer Lungenschall, nach unten tympanitischer Schall.

Es schien mir vollständig sicher zu sein, daß die Pat. an akuter Peritonitis nach Durchbruch eines Magengeschwürs litt. Im linken Hypochondrium fand sich eine größere Flüssigkeitsmenge, die sich einkapseln wollte. Unterhalb der Nabelhöhe fanden sich auf der linken Seite Zeichen einer mehr diffusen Peritonitis.

Vermutlich war der Magen bei dem Durchbruch leer gewesen, denn die Pat. hatte an den vorhergehenden Tagen nur ganz wenig Nahrung zu sich nehmen können und zur Mittagsmahlzeit am 9. Juli nachmittags 3 Uhr hatte sie nur einige Löffel dünne Suppe essen können.

Es wurde bestimmt, daß sie mehr als eine Woche lang nichts durch den Mund zu sich nehmen sollte; Wasser und Nahrungsmittel sollten ausschließlich durch das Rectum beigebracht werden und, wenn es nötig sein würde, subkutan.

Die Temperatur wechselte in den nächsten 4 Wochen zwischen 37,5° und 38,5° morgens und 38° und 39,1° abends; der Puls hatte am häufigsten 100 Schläge, aber oft 112 und auch manchmal 116 bis 120.

Pat. bekam bald Abgang von Blähungen und Stuhlentleerung, die ungefähr 1 Woche nach dem Anfall ein paarmal Blut enthielt. Die Dämpfung und die Empfindlichkeit im Hypochondrium blieben und, als man nach 9—10 Tagen wagte, die Pat. zu wenden, fand man matten Perkussionsschall uud bronchiale Respiration über der ganzen unteren Hälfte der linken Lunge. Reibegeräusche wurden nicht gehört.

Ich untersuchte die Pat. zum letzten Mal am 7. August. Zu dieser Zeit hatte sich der Bezirk des matten oder gedämpften Perkussionsschalles und der bronchialen Respiration bedeutend vermindert.

Während der letzten Wochen im August und der beiden ersten im September war die Temperatur selten unter 37° und selten über 38°. Der Puls wechselte von 80 bis 120, am häufigsten hatte er 100 Schläge. Während dieser Zeit bildete sich ein zuletzt ganz bedeutender Ascites.

Sie hatte diese ganze Zeit (8. Aug. bis Mitte Sept.) heftige Schmerzen, die oft in Schulter und Arm der linken Seite ausstrahlten, so daß sie täglich ungefähr 6 cg Morphium subkutan bekommen mußte. Manchmal, besonders zu Anfang der Krankheit, hatte sie Anfälle von Synkope. Mitte August begann sie von Singultus geplagt zu werden, der besonders beschwerlich war, wenn sie auf der linken Seite lag. Zu derselben Zeit begann auch ein sehr böser Husten mit reichlichem, wesentlich schleimigem

Auswurf, der fast stets etwas blutig gefärbt war. Sobald sie versuchte, auf der linken Seite zu liegen, kam der Husten. Oft mußte sie sich im Bett aufsetzen, um nicht zu ersticken.

Fast 2 Wochen lang wurde sie ausschließlich per rectum ernährt, dann bekam sie flüssige Kost und nach einiger Zeit feingehacktes Fleisch und Fisch (Forelle). Zuletzt hatte sie recht gute Eßlust, aber sie behielt die Nahrung schwer bei sich.

Anfang Sept. zog sie von der Alm in das Thal hinab.

Nach Mitte Sept. trat eine sehr rasche Besserung ein: Ascites, Singultus und Husten verschwanden; Pat. wurde fieberfrei, hatte Eßlust und vertrug das Essen gut; Morphium war nicht mehr nötig. Am 5. Okt. konnte sie zum ersten Male das Bett verlassen und nach einigen Tagen bewegte sie sich in der Luft. Am 12. Okt. wog sie 52 kg (brutto), am 7. Dez. 61 kg. Im Dez. hatte sie begonnen, etwas zu arbeiten, fühlte sich vollkommen gesund, konnte jede Speise gut vertragen und hatte keine Empfindlichkeit im Epigastrium.

Nach einer freundlichen Mitteilung vom 13. März 1898 von Dr. Gotaas in Lilleström, bei dem Pat. seit Mitte Okt. 1897 als Küchenmädchen in Dienst ist, „ist sie seit dieser Zeit vollkommen frei von jedem Symptom, sowohl von Ulcus wie auch von Gastritis gewesen. Sie ißt mit Appetit und verträgt jede Art von Speise, hat nie Cardialgie oder Empfindlichkeit im Epigastrium und fühlt sich im ganzen stark und gesund wie vorher“.

Epikrise. Trotz dem glücklichen Ausgang ohne Operation zweifle ich nicht, daß dieser Fall als ein subphrenischer Absceß zu betrachten ist.

Es war ein glücklicher Umstand, daß der Magen beim Durchbruch des Geschwürs leer oder fast leer war. Dieser Umstand hat Pat. von einer diffusen Peritonitis gerettet, von der aber doch Symptome in der linken Unterleibshälfte sich fanden, jedoch nach ungefähr 4 Tagen verschwanden.

Daß auf subphrenischen Absceß seröse Pleuritis folgt, ist sehr gewöhnlich. Bei dieser Patientin bildete sich eine seröse Peritonitis, denn so mußte man den zuletzt „ganz reichlichen Ascites“ auffassen, den Dr. Klem beschreibt.

Wenn eine purulente Peritonitis in Heilung übergeht, kann man sich entweder denken, daß das Exsudat resorbiert wird, nachdem es schließlich steril geworden ist, oder man kann auch einen Durchbruch in einen Darm annehmen. Die subphrenischen Abscesse sind oft einräumig und die Flexura coli lienalis nimmt nicht selten an ihrer Begrenzung teil. Es ist deshalb am einfachsten, sich zu denken, daß der Eiter in diesem Falle schließlich sich in das Colon entleert hat. Einen solchen Durchbruch mit Ausgang in Genesung kenne ich zwar nicht in der Literatur der subphrenischen Absceße nach Magengeschwür, aber Lindfors berichtet, wie ein Absceß unter der linken Hälfte des Diaphragma, in einem Falle von Milzexstirpation, sich in das Colon entleerte.

Da in Fall XIV der Bezirk der Dämpfung und bronchialen Respiration nach einigen Wochen bedeutend abgenommen hatte und nach Dr. K.'s Aufzeichnungen dann noch weiter abnahm, dürfte man anzunehmen berechtigt sein, daß ein Teil der abgekapselten Flüssigkeit resorbiert worden sein kann. Trotz der fortschreitenten Resorption bei gleichzeitig niedrigerer Körpertemperatur, hat der subphrenische Herd doch lange eine starke Reizung auf das Peritoneum ausgeübt, die zum Auftreten von freiem Ascites führte, und auch auf das Diaphragma und die Lunge, die sich in Singultus und Husten äußerte.

Die nach gegen 11 Wochen langem Krankenlager so auffällig rasch eintretende Besserung scheint mir nicht anders zu erklären zu sein, als durch eine Entleerung des Eiters nach außen. Dazu finden sich 2 Wege: 1) die linke Lunge[1]) und 2) wie ich schon erwähnt habe, das Colon. Man weiß darüber in diesem Falle nichts, aber ich halte einen Durchbruch in das Kolon für wahrscheinlicher, 1) weil die Genesung mit einem Male so vollständig wurde bei gleichzeitiger Heilung der vorher so störenden Bronchitis, 2) weil ein Durchbruch in das Kolon viel leichter unbemerkt geschehen kann. Wir müssen dabei berücksichtigen, daß in diesem Falle keine ausgebildete Krankenpflegerin vorhanden war, die dem Arzt hätte beistehen können.

Einem Durchbruch in die linke Lunge hätte Nekrose im Diaphragma und ein ganz bedeutender Zerfall am Basalteile dieser Lunge vorhergehen müssen. Die rasche Genesung mit dem gleichzeitigen raschen Verschwinden des beschwerlichen Hustens kommt mir deshalb, wie schon gesagt, nicht als mit einem derartigen Durchbruche vereinbar vor.

Daß die herrliche Luft in den Gebirgsgegenden von Valders einen großen Anteil an dem glücklichen Ausgange hatte, glaube ich sicher; aber die Behandlung hat auch den ihrigen gehabt. Ich will hier darauf hinweisen, welche Bedeutung es hat, sofort eine richtige Diagnose zu stellen, auch wenn man sich an einem Orte und unter Umständen befindet, wo an einen chirurgischen Eingriff durchaus nicht gedacht werden kann. Nach meiner Erfahrung wird nämlich die Diagnose in solchen Fällen oft auf mechanisch zustande gekommenen Ileus gestellt Die erste Behandlung ist dabei Ausspülung des Magens und des Darms — gerade das Gegenteil von dem, was hier bei perforiertem Magengeschwür erforderlich ist, nämlich absolute Ruhe für den Körper im allgemeinen und für den Magen insbesondere. Die Behandlung muß deshalb in Bettruhe bestehen, und in vollständigem Unterlassen der

---

1) Maclaren (Brit. med. Journ. Oct. 10, 1894, p. 864) erwähnt einen Fall von Ulcus vertriculi perforans, in dem Heilung ohne Operation erfolgte: Die Ruptur trat am Morgen auf, bevor noch Nahrung genommen worden war, und die Ernährung vom Munde aus wurde eine Reihe von Tagen unterlassen. — 4 Monate später öffnete sich ein fötider Absceß durch die Lunge und danach befand sich Pat. wohl.

**Zufuhr von fester oder flüssiger Nahrung vom Munde aus in der ersten Zeit, dann in einer sorgfältigen Auswahl erst flüssiger, danach fein zerkleinerter fester Nahrung. Man darf nicht vergessen, daß ungemischte Milch durch Bildung großer fester Gerinnsel sehr gefährlich werden kann.**

Fall XV. Mann, 38 Jahr alt, Alkoholiker; seit 3 Jahren Dyspepsie, Ulcus; am 30. Okt. wahrscheinlich Perforation eines Magengeschwürs; 65 Stunden danach wurde eine diffuse Peritonitis in der Peripherie der Bauchhöhle diagnostiziert, aber der herabgekommene Zustand des Kr. verbot die Operation; Genesung unter exspektativer Behandlung mit vollständiger Abstinenz per os 6 Tage lang nach der Aufnahme in das Krankenhaus am 1. Nov.

Victor L., 38 Jahr alt, Färber, wurde am 1. Nov. 1897 aufgenommen und am 22. Nov. desselben Jahres gesund entlassen.

Anamnese. Pat. ist vor seiner gegenwärtigen Krankheit im allgemeinen gesund gewesen; im Alter von 18 Jahren hat er einen Typhus durchgemacht. Er hat viel Spirituosen zu sich genommen. Vor ungefähr 3 Jahren begann er an Ekel, Erbrechen, saurem Aufstoßen und Gefühl von Druck in der Magengrube zu leiden. Er soll zu dieser Zeit geringes Bluterbrechen gehabt haben.

Die gegenwärtige Krankheit begann in der Nacht vom Freitag den 29. zum Sonnabend, den 30. Okt. sehr heftig. Pat. hatte jedoch einige Tage vorher wiederholt Erbrechen gehabt. Er legte sich am Abend des 29. Okt. gesund zu Bette, nachdem er in der 8. Stunde abends etwas Häring und Kartoffeln gegessen, etwas Kaffee und $^1/_2$ Glas Bier getrunken hatte. Er wachte etwa um 4 Uhr morgens auf und empfand das Bedürfnis der Darmentleerung. Während der Defäkation stellten sich äußerst ungestüme und heftige Schmerzen in der Magengrube ein. Die Schmerzen dauerten fort, nachdem sich Pat. wieder gelegt hatte. Als er sich auf die rechte Seite wendete, fühlte er, wie der Schmerz sich, dem Rippenrande folgend, auf dieselbe Seite zog. Um Linderung zu bekommen, legte sich Pat. auf die linke Seite und dabei verzog sich auch der Schmerz nach der linken Seite. Pat. hatte später 3 Klystiere bekommen, auf die Blähungen und etwas Darmentleerung folgte. Blähungen gingen zuletzt am 1. Nov. ab. Am 31. Okt. soll Pat. einen Teller Hafersuppe verzehrt haben, übrigens aber nur Wasser, wonach sich Erbrechen einstellte, das auch eingetreten ist, wenn er sich umwendete. Das Erbrochene war zuerst schleimig, dann gallig gefärbt. Während dieser Erkrankung ist er viel von anhaltendem Singultus gequält worden. Pat. giebt an, daß sein Zustand während der Fahrt nach dem Krankenhause infolge der Erschütterungen deutlich schlimmer geworden sei. Er ging selbst die Treppen im Krankenhause hinauf.

Status praesens am 1. Nov. 9 Uhr abends, einige Stunden nach der Aufnahme.

Die Gesichtsfarbe des Pat. ist stark cyanotisch, er friert an den Füßen, die sich kalt anfühlen, dagegen ist der übrige Körper warm bis zur Mitte der Unterschenkel. Der Bauch ist bedeutend aufgetrieben und hat die Form einer Tonne.

Im Epigastrium hoher tympanitischer Schall. Es besteht überall bedeutende Empfindlichkeit, besonders in der Mittellinie bis hinab zum

Nabel. Längs des mittleren Teiles des linken und rechten Rippenrandes ist die Empfindlichkeit unbedeutend; nach beiden Lumbalgegenden zu und in denselben besteht wieder bedeutende Empfindlichkeit.

Unterhalb des Nabels ist der Perkussionsschall tympanitisch bis zum Ligam. Poupartii hinab auf beiden Seiten. Keine Empfindlichkeit bei gelindem Druck zwischen der Symphyse und dem Nabel, eben sowenig zwischen beiden Spinae ilei ant. sup. und dem Nabel.

In der rechten Lumbalgegend erhält man gedämpften Schall hinter einer senkrecht auf die Spina ilei anterior gezogenen Linie. Auf der linken Seite bekommt man Dämpfung nach hinten von der vorderen Axillarlinie. Der Schall ist matt bis hinauf zur 8. Rippe, wo Pat. bedeutende Empfindlichkeit angiebt.

Bei Untersuchung vom Rectum aus findet sich große Empfindlichkeit gegen Druck beim Versuche, die vordere Mastdarmwand nach oben zu pressen. Bei der Aufnahme war die Temperatur 38,7°, der Puls 144; um 9 Uhr abends Temp. 39,2° im Mastdarm, 37,7° in der Achselhöhle, Puls 136.

Pat. wird von Schwierigkeit zu atmen gequält, er zieht die Luft in langen, angestrengten Atemzügen von costalem Typus ein. Respirationsfrequenz 16—17. Kein Gefühl von Stechen. Der Harn ist sehr konzentriert.

Die Diagnose wurde auf Perforation des Magens oder des Duodenum vor mehr als 2½ Tagen gestellt und auf eine nur auf das Epigastrium, die Lumbalgegenden und das kleine Becken ausgebreitete Peritonitis. Dagegen konnte man hoffen, daß die Mitte des Unterleibes noch nicht angegriffen war, es mußte deshalb eine Peritonitis in der Peripherie des Bauches vorliegen.

Der Allgemeinzustand des Kr. war so elend, daß man annehmen mußte, daß eine sofort vorgenommene Operation den Tod nach sich ziehen würde, während der Operation oder kurz nach derselben. Es wurde deshalb beschlossen, abzuwarten und es wurden 0,05 g Opium purum in Stuhlzäpfchen gegeben, 200 ccm Kochsalzlösung subkutan und alle 3 Stunden 0,20 g Kampher, ebenfalls subkutan. Zu Anfang Wärmflaschen und Bettwärmer mit Spirituslampe an die Füße.

2. Nov. Atmung freier; Cyanose geringer; Füße warm. Der Harn enthält Eiweiß. Reichlicher Abgang von Blähungen. Pat. bekommt 2 mal im Laufe des Tages 300 ccm Kochsalzlösung subkutan; Kampher wie vorher. Er fühlt sich viel besser. Morgentemperatur 38,5° im Rectum, 37,1° in der Achselhöhle, Abendtemperatur im Rectum 39,4°, in der Achselhöhle 38,6°; Pulsfrequenz 112—114.

3. Nov. Morgentemperatur im Rectum 38,3°, in der Achselhöhle 37,5°, Abendtemperatur im Rectum 39,1°, in der Achsel 38,4°; Pulsfrequenz 96—100. Pat. hat die ganze Nacht gut geschlafen; seit dem 1. Nov. abends hat er kein Opium bekommen; er atmete schon heute Morgen unbehindert und fühlte keine Beschwerden. Heute ist der Perkussionsschall gedämpft in beiden Lumbalgegenden und bis vor zu den Mamillarlinien, sowie in beiden Fossae iliacae und oberhalb der Symphyse bis halben Wegs bis zur transversalen Nabelebene, 500 g Kochsalzlösung subkutan. Eine Darmausspülung mittags führte reichliche dünne Stuhlentleerung herbei.

Nachmittags mehrere dünne Darmentleerungen. Harn eiweißfrei. Am Abend wieder 500 g Kochsalzlösung subkutan.

4. Nov. Morgentemperatur im Rectum 38,3, in der Achselhöhle 37,4, Abendtemperatur im Rectum 38,7, in der Achselhöhle 38,3°; Pulsfrequenz 88—88. Ernährende Klystiere. Morgens 400, abends 500 g Kochsalzlösung subkutan; 0,20 g Kamphor jetzt alle 4 Stunden, statt alle 3 Stunden.

5. Nov. Temperatur im Rectum 38,5—38,8°, der Unterschied zwischen der Temperatur im Rectum und in der Achselhöhle ist jetzt der gewöhnliche; Pulsfrequenz 86—88. Bauch weich, unbedeutend aufgetrieben; alle Empfindlichkeit verschwunden; keine Dämpfung oberhalb der Symphyse, die Dämpfung in den Lumbalgegenden erstreckt sich an beiden Seiten nach vorn nur bis zur mittleren Axillarlinie. 500 g Kochsalzlösung subkutan.

6. Nov. Temperatur 38,3—38,4°; Puls 90—90. 500 g Kochsalzlösung.

7. Nov. Temperatur 38,2—38,7°; Puls 90—88; 500 g Kochsalzlösung. Pat. bekommt zum erstenmal etwas Nahrung durch den Mund: abgekochte Milch mit Vichywasser.

8. Nov. Hafermehlbrei wird zur Nahrung gestattet. 475 g Kochsalzlösung subkutan. Normale reichliche Darmentleerung.

Pat. war am 14. Nov. und von da an vollkommen fieberfrei. Allmählich wurde die Kost vermehrt. Pat. erschien vollkommen gesund, war aber noch matt, als er am 22. Nov. entlassen wurde. Zu dieser Zeit fand sich keine abnorme Dämpfung mehr; am längsten hatte Dämpfung wahrgenommen werden können im linken Hypochondrium, wo man vorher unsicher darüber gewesen war, ob es sich um eine Milzdämpfung handeln könnte.

Am 18. Dez. wurde wieder eine genaue Untersuchung des Pat. angestellt. Er erschien uns als vollkommen gesund, obwohl er etwas vorsichtig mit der Wahl seiner Nahrung sein mußte.

Epikrise. Wenn ein Patient bei einem solchen Leiden, wie das in Rede stehende, ohne Operation zur Genesung gelangt, muß man immer zugeben, daß es sich möglicherweise um eine Fehldiagnose handeln kann. Nachdem ich indessen Tag für Tag den Patienten fortwährend beobachtet hatte, mußte ich bei einer weiteren Ausbildung meiner ersten Diagnose stehen bleiben: Durchbruch an der Vorderseite eines leeren Magens mit folgender, ihrem anatomischen Charakter nach wesentlich seröser Peritonitis, vorzugsweise in der Peripherie des Unterleibes lokalisiert. Es ist zwar richtig, daß bei Männern, besonders bei Alkoholikern im Alter von ungefähr 40 Jahren, manche Fälle von Perforation von Duodenalgeschwüren bekannt sind, ich glaube indessen, daß der Verlauf in diesem Falle für Magengeschwür spricht, weil ich der Meinung bin, daß ein perforiertes Duodenalgeschwür schwerer zur Heilung gelangen kann infolge des beständigen Zuflusses von Galle und Pankreassaft in den Darm. Der mitgeteilte Fall scheint mir ein großes therapeutisches Interesse zu besitzen. Er zeigt, was ich meinen Klinikern oft auseinandergesetzt habe, daß, wenn man bei entzündlichen Leiden in der Bauchhöhle eine Operation für bestimmt geboten hält, sie aber unter Umständen nicht ausführen kann, entweder wie hier weil die Kräfte des Patienten absolut zu gering sind, oder auf Grund äußerer Umstände (Fall XIV), man dessenungeachtet nach einer richtigen Diagnose streben muß, um, den alten Grundsatz nihil nocere lebhaft vor Augen habend, eine für den speciellen Fall rationelle Therapie einleiten zu können, die man dann auch konsequent festhalten muß, auch wenn Patient, sobald er sich besser fühlt, unsere ängstliche Sorgfalt für ihn für überflüssig hält und ungeduldig und widerspenstig wird, wie es bei diesem Manne der Fall war.

Zum Schluß dieser Mitteilungen sei Prof. C. Sundberg Dank dafür gesagt, daß er die Güte gehabt hat, meine Auszüge aus den Sektionsprotokollen des pathologischen Institutes in der Korrektur durchzulesen.

## Zusammenfassung.

1) Die bisher publizierten Statistiken (Michaux, Pearce Gould, Pariser, Comte, Ackermann, Weir und Foote u. a.) zeigen, daß in $^1/_4$—$^1/_3$ aller bekannten Fälle, in denen wegen perforierender Magen- oder Duodenalgeschwüre operiert wurde, die Patienten gerettet wurden. Nach Weir und Foote, die 79 Fälle mit 71 Proz. Mortalität zusammengestellt haben, starben von den
innerhalb 12 Stunden nach Beginn der Symptome operierten 39 Proz.,
von den innerhalb 12—24 Stunden operierten . . . . . 76 „
von den später operierten . . . . . . . . . . . . . . 87 „

2) Die erste Bedingung dafür, daß eine größere Anzahl heftig erkrankter Patienten mit Unterleibssymptomen gerettet werden kann, ist, daß wir Aerzte aufhören zu meinen, daß es in diesen Fällen unsere erste Aufgabe sei, den Schmerz zu lindern. Wir sollen im Gegenteil unter Leitung des Schmerzes eine Diagnose stellen, deren Hauptinhalt ist: Hier soll sofort operiert werden, oder: Hier soll nicht operiert werden, wenigstens nicht sofort. Beginnen wir aber mit einer großen Morphiumdose oder einem heißen Umschlage, so wiegen wir sowohl den Patienten wie uns selbst in Hoffnungen ein, die in der Mehrzahl der Fälle rasch zerstört werden, wenn die Ausdehnung des Unterleibes diffuse Peritonitis verkündet.

3) Auch wenn es bestimmt ist, daß der Patient so bald als möglich operiert werden soll, soll gar kein Morphium oder nur wenig gegeben werden mit Hinsicht auf die Darmparese nach der Operation.

4) Die Diagnose des perforierenden Magen- oder Duodenalgeschwürs gründet sich in zeitig zur Beobachtung gekommenen Fällen auf eine Anamnese mit Ulcussymptomen, auf das Auftreten eines sehr heftigen Schmerzes im Epigastrium mit Shocksymptomen oder ohne solche, mit Erbrechen oder ohne solches, auf Rigidität der Bauchmuskulatur und lokale Empfindlichkeit gegen Druck. In später zur

Beobachtung gekommenen Fällen kommt die Art hinzu, wie sich die Peritonitis ausbreitet.

5) Vorhandener Shock wird am sichersten durch eine unmittelbar ausgeführte Operation gehoben.

6) Der Bauchschnitt muß gleich von Anfang an vollkommen hinreichend zur raschen Orientierung über die Lage der Perforation und über die Beschaffenheit der Serosa ausgeführt werden, so daß man sofort übersieht, wie weit nach den verschiedenen Richtungen hin die Infektion in der Bauchhöhle sich bereits ausgebreitet hat.

7) Die Perforationsöffnung oder die Oeffnungen (man muß stets sowohl an der vorderen wie an der hinteren Seite des Magens und an allen zugänglichen Teilen des Duodenum danach suchen) wird dadurch geschlossen, daß man die um sie herumliegenden Serosaflächen in großer Ausdehnung und ohne Zerrung gegeneinander führt und durch Lembert'sche Suturen, am besten 2 Reihen, vereinigt. Ist eine solche Vereinigung nicht ausführbar, so wird das Geschwür mit Omentum übernäht und die ganze Umgebung durch Tamponade von der übrigen Bauchhöhle abgetrennt. In besonders günstigen Fällen hat man zu erwägen, ob das ganze Geschwür ausgeschnitten werden soll.

8) In der Nähe der Ostien des Magens ist darauf zu achten, daß nicht Verengung oder Knickung eine Folge der Vernähung des Geschwürs wird. Die Verengung dürfte man dadurch vermeiden können, daß das Geschwür in der Nähe des Pylorus in einer Richtung vereinigt wird, die rechtwinklig gegen die Längsachse des Magens oder der Pars hor. sup. duodeni liegt.

9) Durch Austrocknung oder durch Ausspülung mit Kochsalzlösung, je nachdem es in dem einzelnen Falle zweckmäßig erscheint, wird danach eine äußerst sorgfältige und systematische Reinigung derjenigen Teile der Bauchhöhle vorgenommen, die man als infiziert annehmen kann. Hierbei ist in allen Fällen stets eine ganz besondere Sorgfalt auf den linken subphrenischen Raum zu verwenden.

10) Ein etwas höherer Grad von Meteorismus macht eine ordentliche Reinigung der Bauchhöhle vollständig unmöglich. Deshalb soll zeitig operiert werden.

11) Mit Gaze oder mit Rohren, vielleicht am besten mit beiden, wird danach an allen Stellen drainiert oder tamponiert, wo man erwarten kann, daß Sekret oder Eiter sich ansammeln dürfte, wegen der Verunreinigung der Bauchhöhle in dem in Frage stehenden Falle.

12) Die Prognose hängt am meisten von der Zeit ab, die zwischen der erfolgten Perforation und der Operation verflossen ist, und von der Beschaffenheit und Menge des Mageninhaltes, der in die Bauchhöhle ausgetreten ist, d. h. die Prognose hängt von der Bösartigkeit und Ausdehnung der Peritonitis ab, die bei der Operation vorhanden

ist, und davon, wie die Reinigung und Drainage der Bauchhöhle gelungen ist.

13) Die meisten Todesfälle haben auf diffuser Peritonitis beruht, demnächst auf sogenannten subphrenischen Abscessen und einigemal auf einer auf das Becken beschränkten Eiterbildung.

14) Eiterbildungen im Becken müssen diagnostiziert und entleert werden können.

15) Schwieriger ist die Behandlung der Eiteransammlungen in dem subphrenischen Raume, da sie teils schon frühzeitig die Pleurasäcke, die Lungen oder das Pericardium infizieren können, teils der Ausgangspunkt für eine Pyämie oder Septikämie werden können, sogar in Fällen, in denen man meint, sie zu rechter Zeit und zeitig entleert zu haben (vergl. Fall III).

16) Subphrenische Abscesse dürfen meiner Meinung nach nicht in anderen Fällen durch transpleurale Operationen entleert werden, als in solchen, in denen sich ein Empyem in dem betreffenden Pleurasack findet oder, wenn die Pleurahöhle obliteriert ist.

17) In allen übrigen Fällen wird mittels Schnittes längs des Thoraxrandes nach vorn zu oder in den Lumbalgegenden operiert, oder in manchen Fällen mittels Resektion des Thorax unterhalb des Anheftungsrandes der Pleura, nach der Methode, die 1887 von Lannelongue vorgeschlagen und neuerdings von Monod und Vanverts wieder aufgenommen worden ist. Wenn es möglich ist, von dem tiefsten und hintersten Punkte der Eiterhöhle aus zu drainieren, so bietet das einen großen Vorteil.

18) Hat man ein perforierendes Magen- oder Duodenalgeschwür diagnostiziert, aber die Operation kann aus irgend einem Grunde nicht vorgenommen werden, so wird eine Woche lang nichts per os gegeben, und davon wird nicht abgewichen, auch wenn sich der Zustand des Patienten so sehr bessert, daß man die gestellte Diagnose stark in Zweifel zieht.

Das wichtigste in dieser kleinen Arbeit scheint mir die Darlegung der Wege zu sein, auf denen nach geschehenem Durchbruche der Inhalt des Magens oder des Darmes in der Bauchhöhle sich ausbreitet, oder mit anderen Worten, die Wege für die Ausbreitung und die mögliche Begrenzung unter verschiedenen Umständen. Siehe hierüber p. 92—94 und die epikritischen Bemerkungen, die in die einzelnen Krankengeschichten eingefügt oder ihnen angefügt sind.

---

## Litteratur.

1) Ackermann, A., Contribution à l'étude de la perforation dé l'ulcère de l'estomac. Thèse de Doctorat. Lausanne 1896.

2) Adamson and Ranton [1]), Brit. med. Journ., Aug. 21, 1897, p. 453.
3) Andersson, A. R., The Lancet, Oct. 10, 1897, p. 1109, 1110.
4) Aitchinson and Morrison, Brit. med. Journ., Oct. 20, 1894, p. 864.
5) Armstrong, Virchow's Jahresber., Bd. 31, Abt. 2, p. 329.
6) Banzet et Lardennois, Bull. soc. anat. de Paris, 1897, p. 479.
7) Barker, Arthur E., The Lancet, Dec. 5, 1896.
8) Barling, Brit. med. Journ., Oct. 20, 1894, June 15, 1895.
9) Beck, C., Beitrag zur Litteratur der subphrenischen Abscesse. von Langenbeck's Arch., Bd. 52, Heft 3, Ref. i. Centralbl. f. Chir., 1897, p. 197.
10) Bennet, The Lancet 1896, Vol. 2, p. 310.
11) Blume, C. A., Bemerkninger over Diagnose og Behandling af perforatio ventriculi vel duodeni. Nord. Med. Ark., N. F., Bd. 5, 1895, Heft 4 u. 5. Ref. von M. af Schultén in Hildebrand's Jahresbericht f. 1895.
12) Borchgrevink, Norsk Magazin for Lægevidenskaben 1897.
13) Borelius, Hygiea, 1895.
14) Braun, H., Ueber den Verschluß eines perforierten Magengeschwüres durch Netz. Centralbl. f. Chir., 1897, No. 27, p. 739.
15) Broadbent, Perforated gastric ulcer. Brit. med. Journ., Oct. 30, 1897.
16) Brunton, Lauder, and Bowlby, Perforating typhoid ulcer treated by operation and suture. Recovery. Ref. in Revue de gyn. et chir. abd. T. 1, p. 751.
17) Clark, P. G., Postural method of draining the peritoneal cavity after adominal operations. Bull. of the Johns Hopkins Hosp. April, 1897.
18) Clarke, Thomas, The Lancet, 1897, Vol. 1, p. 807.
19) Collin, H., Etude sur l'ulcère simple du duodénum. Thèse de Paris, 1894. Ref. im Centralbl. f. Chir., Bd. 22, 1895, p. 302.
20) Mac Cosh, A. J., The treatment of general septic peritonitis. Annals of Surgery, June 1897, p. 687, 688.
21) Idem, Some remarks on the Surgery of perforating gastric ulcer, Redaktionsartikel in Annals of Surgery, Nov. 1896, p. 640.
22) Idem, Ref. in Revue de gyn. et chir. abd., T. 1, p. 941.
23) Idem, Ref. im Centralbl. f. Gyn., Bd. 24, p. 923.
24) Curtis, Artikel über Peritonitis in Twentieth century practice of medicine, Vol. 8, p. 395—498.
25) Courtois-Suffit, M., Soc. méd. des hôpit. 1897, 2 Fälle von operierten abcès diaphragmatiques.
26) Le Dentu, Le Progrès méd, Mai 9, 1897, p. 293.
27) Idem, Acad. de méd. de Paris, Mai 4, 1897.
28) Dunn, Med. Record, March 13, 1897, p. 376.
29) Idem, Brit. med. Journ., April 4, 1896, p. 846.
30) Elting and Calvert, An experimental study of the treatment of perforative peritonitis in dogs by a new method of operation. Bull. of the Johns Hopkins Hosp., July, 1897.
31) Faber, Ueber subdiaphragmatische Abscesse. Inaug.-Diss. Erlangen 1896.
32) Fanöe, Hospitalstidende, 29. Dec., 1897.
33) Finney, Five successfull cases of general suppurative peritonitis treated by a new method. Bull. of the Johns Hopkins Hospital, July, 1897.

1) Bei kasuistischen Mitteilungen über Magen- und Duodenalgeschwüre sind der Kürze wegen die Titel im allgemeinen nicht angeführt.

34) Idem, Typhoid perforation treated by surgical operation. Bull. of the JOHNS HOPKINS Hospital, May 1897 (auch in den Annales of Surgery, March 1897).
35) FOY, Med. Press., Dec. 23, 1896.
36) FYFFE, Austral. med. Gaz., Vol. 16, p. 331.
37) GESSELEWITSCH und WANACH, Die perforative Peritonitis bei Abdominaltyphus und ihre operative Behandlung. Mitteil. a. d. Grenzgeb. d. Med. u. Chir., Bd. 2, p. 57, 58.
38) GRÄVE, H., Subphreniska abscesser. Hygiea, Bd. 58, Heft 7, p. 29—55. 1896.
39) GOULD, PEARCE, Brit. med. Journ., Oct. 29, 1894, p. 865.
40) HERESCO et CLAISSE, Bull. soc. anat. de Paris, Janv. 1897, p. 32.
41) HOFMEISTER, Beitr. z. klin. Chir., Bd. 16.
42) HORSLEY, VICTOR, Brit. med. Journ., July 13, 1895.
43) KELYNACK, Brit. med. Journ., Oct. 27, 1894, p. 915.
44) KIRKPATRICK, Ref. in Univ. med. Journ., Oct. 1897, p. 305.
45) KÖRTE, Weiterer Bericht über die chirurgische Behandlung der diffusen eiterigen Bauchfellentzündung. Mitt. a. d. Grenzgeb. d. Med. u. Chir., Bd. 2.
46) LANDERER und GLÜCKSMANN, Ueber operative Heilung eines Falles von perforiertem Duodenalgeschwür nebst Bemerkungen zur Duodenal-Chirurgie. Mitt. a. d. Grenzgeb. d. Med. u. Chir., Bd. 1, p. 168.
47) LEJARS, FELIX, Soc. de Chir. de Paris, Déc. 8, 1897 (Sem. méd. 1897, p. 460).
48) LEUBE, Erfolge der internen Behandlung des peptischen Magengeschwürs. Mitt. a. d. Grenzgeb. d. Med. u. Chir., Bd. 2, p. 13.
49) LITTLEWOOD, The Lancet, Oct. 31, 1896, p. 1231.
50) MACLAREN, Brit. med. Journ., Oct. 20, 1894.
51) MADELUNG, Einige Grundsätze der Behandlung von Verletzungen des Bauches. Beitr. z. klin. Chir., Bd. 17, p. 702.
52) MARTEN, R. HUMPHREY, Austr. med. Gaz., Vol. 16, p. 429.
53) MAYDL, Ueber subphrenische Abscesse. 1894.
55) MICHAUX, Congrès français de Chirurgie, 1894.
56) Idem, Sem. méd., 1894, p. 456.
57) Idem, Sem méd., 1896. Ref. in Soc. de Chir., Mars 11, 1896.
58) MIKULICZ, Die chirurgische Behandlung des chronischen Magengeschwüres. Mitt. a. d. Grenzgeb. d. Med. u. Chir., Bd. 2. (S. a. Verhdlgn. d. Chir.-Kongr. in Berlin 1897, u. d. Ref. im Centralbl. f. Chir., 1897.)
59) MONOD et VANVERTS, De la résection du rebord costal pour la cure chirurgicale des collections sushépatiques. Revue de Gyn. et Chir. abdom., T. 1, p. 499.
60) MORGAN, Brit. med. Journ., June 13, 1896, p. 1443.
61) MORSE, THOMAS H., Brit. med. Journ., Febr. 13, 1897.
62) NÉLATON, Soc. de Chir. de Paris, Avril 28, 1897.
63) NICHOLSON and LOWSON, A case of subphrenic pneumothorax, excision of ribs and drainage, recovery. Brit. med. Journ., Oct. 24, 1896, p. 1226.
64) PARISER, CURT, Zur Behandlung des frei in die Bauchhöhle perforierten Ulcus ventriculi. Dtsch. med. Wochenschr., 1895, No. 28 und 29.
65) Idem, Vortrag bei der Vers. deutsch. Naturf. u. Aerzte in Frankfurt a. M., 1897.

66) Parker, Charles T., (New York), Annals of Surg., June 1896.
67) Pollard, Bilton, Brit. med. Journ., July 6, 1895.
68) Rabé et Rey, Double ulcère de l'estomac, ulcération du foie et du pancréas. Retraction cicatricielle intense, avec biloculation de l'estomac. Abscès sus-hépato-phrénique. Epanchement pleurétique double, purulent à gauche, séreux à droite. Bull. de la Soc. anat., Paris. p. 462. Mai-Juni 1897.
69) Rehn, Die Verletzungen des Magens durch stumpfe Gewalt. Arch. f. klin. chir., Bd. 53, p. 383.
70) Renton, Brit. med. Journ., Aug. 21, 1897, p. 458.
71) Schlesinger, Ueber subphrenische Abscesse. Wien. med. Presse, 1896, No. 4, 5. Ref. in Virchow-Hirsch's Jahresbericht, Bd. 31, Abt. 2, p. 328.
72) Sem. Gynéc., Janv. 5, 1897. Diagnostic differentiel entre le shok, l'hémorrhagie interne et la septicémie.
73) Bull. de la Soc. de Chir. de Paris, Mars 17, 1897, Avril 28, 1897 (Quénu), Nov. 17, 1897.
74) Souligoux, Bull. de la Soc. Anat, Paris, Nov. 1897.
75) Stephens, The Lancet, Oct. 30, 1897, p. 1111.
76) Strauch, Dtsch. med. Wochenschr., No. 34, 1896. Ref. im Centralbl. f. Chir., 1897, p. 211.
77) Thomsen, Alexis, The Lancet, July 4, 1896.
78) Treves, Fr., Brit. med. Journ., Oct. 31, 1896, p. 1306.
79) Weir and Foote, The surgical treatment of round ulcer of the stomach and its sequelae, with an account of a case, successfully treated by laparotomy. Med. News, April and May, 1896. Ref. im Centralbl. f. Chir., Bd. 23, p. 977, u. Bd. 24, p. 211.
80) Witthauer, Ueber Magenperforation und subphrenische Abscesse Therap. Monatsh., Okt. 1895.

# VI.
# Meine Erfahrungen auf dem Gebiete der Pathologie und chirurgischen Therapie der Cholelithiasis[1]).

Von

**Karl Löbker**-Bergmannsheil in Bochum i. W.

---

M. H. Obwohl mir seit Beginn meiner Thätigkeit in meinem jetzigen Wirkungskreise, in dem volkreichen rheinisch-westfälichen Industriebezirk, ein vielseitiges Beobachtungsmaterial auf dem Gebiete der Gallensteinerkrankungen zur Verfügung gestanden hat, bin ich bisher, abgesehen von kurzen Bemerkungen in der Diskussion des Chirurgenkongresses noch nicht an die weitere Oeffentlichkeit getreten, weil ich mir alsbald bewußt wurde, daß die Veröffentlichung einzelner Fälle in dem augenblicklichen Stadium der Erörterung dieses Krankheitsgebietes nur sehr geringen Wert hat. Daß der Chirurg nicht allein das Recht, sondern sogar die Pflicht hat, unter Umständen den natürlichen Verlauf der Krankheit zu unterbrechen, wird von keinem Arzte mehr bestritten; daß die von kundiger Hand nicht zu spät ausgeführte Operation einen an sich verhältnismäßig sehr ungefährlichen Eingriff darstellt, ist durch eine von Jahr zu Jahr anwachsende Reihe glänzender Statistiken erhärtet worden. Nur über die Frage, wann operiert werden soll, damit selbstverständlich auch um die Frage, in welchem Umfange die Gallensteinerkrankung, die bis vor etwa 15 Jahren fast unbestritten zur Domäne der inneren Medizin gehörte, der Behandlung des Chirurgen anheimfallen soll und muß, tobt der friedliche Kampf hüben und drüben bis heute fort; ja man kann wohl sagen, er ist um so lebhafter geworden, je mehr die Chirurgie die Berechtigung ihrer Thätigkeit auf diesem Gebiete nachgewiesen hat.

---

1) Vortrag, gehalten in der gemeinschaftlichen Sitzung der medizinischen und chirurgischen Sektion der Gesellschaft Deutscher Naturforscher und Aerzte in Düsseldorf am 21. September 1898.

An diesem Kampfe teilzunehmen, hat aber nach meiner Meinung von unserer Seite nur derjenige ein Recht, welcher über ein großes Operationsmaterial verfügt, welches ihn befähigt, sich ein eigenes Urteil zu bilden über das Wesen der Gallensteinerkrankung, d. h. in erster Linie über die Ursachen und die Bedeutung des Kolikanfalles. Aus diesem Grunde trete ich erst nach achtjähriger Thätigkeit auf diesem Gebiete aus der von mir bisher beobachteten Reserve heraus, weil ich glaube, nunmehr genügende Erfahrungen gesammelt zu haben, die zur Entscheidung obiger Frage beitragen können.

Wollen wir Chirurgen die Vertreter der inneren Medizin von der Richtigkeit unserer Stellungnahme überzeugen, so können wir es nicht allein durch unsere glänzenden Erfolge, die allerdings auf das Laienpublikum bereits einen derartigen Einfluß ausüben, daß die Kranken sich mehr und mehr auf unsere Seite begeben, sondern wir müssen an der Hand der pathologischen Befunde bei gewöhnlichem, nicht bei abnormem Krankheitsverlauf den Nachweis liefern, daß aus diesem objektiven Befunde allein sich die Notwendigkeit einer chirurgischen Behandlung ergiebt.

Allerdings wird uns diese Beweisführung durch den Umstand sehr erschwert, daß die meisten inneren Kollegen so selten Augenzeugen unserer operativen Thätigkeit sind, und sich infolgedessen die einzige Gelegenheit entgehen lassen, wo man durch Autopsie in vivo den anatomischen Verlauf der Erkrankung kennen lernen kann.

Nicht an der Hand der klinischen Beobachtungen und gelegentlicher Obduktionen nach tödlichem Ablauf der Erkrankung gewinnt man ein klares Bild über die Pathologie der Gallensteinerkrankung, sondern entscheidend ist allein der Einblick in die offene Bauchhöhle des Lebenden, und nur hierdurch werden wir befähigt, die einzelnen Erscheinungen im klinischen Bilde richtig zu erkennen, richtig zu deuten und im einzelnen Falle die Frage zur Entscheidung zu bringen, ob und wann wir die Arbeit der Natur unterbrechen und korrigieren sollen oder nicht.

Solange unsere internen Kollegen nicht in umfangreicherem Maße als bisher an unserem Studium in der geöffneten Bauchhöhle teilnehmen, wird auch die Verständigung über die Indikationen für die Behandlung sehr schwer sein, da die Grundlage für eine solche Verständigung, gemeinsame Anschauungen über die Pathogenese und die Diagnose des Gallensteinanfalles fehlt. Diese Forderung ist zwar oft ausgesprochen worden, aber einstweilen kann sie nicht oft genug wiederholt werden. Denn die nicht minder häufig gewünschte und gepriesene gemeinsame Arbeit auf diesen Grenzgebieten wird nicht zu einer für die Wissenschaft und damit für die Kranken fruchtbringenden, wenn jeder für sich in seinen vier Wänden sinnt und schafft, sondern wenn die Beobachtung und der Meinungsaustausch Auge in

Auge am Operationstisch gemeinsam stattfindet. Ich freue mich, hier aussprechen zu können, daß mir seit Jahren die gegenseitige Verständigung mit den wesentlich intern ausgebildeten Kollegen meines Wirkungskreises immer leichter geworden ist, und daß ich selbst auf Grund meiner zahlreichen günstigen Operationen keineswegs zu der Ansicht gekommen bin, die Behandlung der Gallensteinerkrankung müsse ganz und gar von den Vertretern der Chirurgie beansprucht werden — eine solche Forderung kann uns nur schaden. Ich glaube aber durch meine an der Hand der Operationen gewonnenen Kenntnisse bei der Stellung der Diagnose und der Indikation leichter und schärfer die Grenze ziehen zu können zwischen den nicht zu operierenden und den operativ zu behandelnden Fällen, als derjenige innere Kliniker, dem diese Kenntnisse abgehen. Und ich kann gleich hinzufügen, daß ich infolgedessen heute, wenn nicht äußere Umstände mir das Messer aufzwingen, manchen Fall zurückstelle, den ich in der ersten Zeit meiner Thätigkeit der Operation unterworfen haben würde.

Die Erweiterung meines Eingreifens hat vielmehr in der entgegengesetzten Richtung stattgefunden. Auf Grund meiner besseren Kenntnis erziele ich selbst in verzweifelten Fällen Erfolge, die ich früher für unmöglich gehalten habe. Gerade sie sind es aber auch, welche es uns zur unabweisbaren Pflicht machen, einen Fall, der überhaupt nur durch eine Operation beeinflußt werden kann, nicht dem Zufall zu überlassen, sondern möglichst früh zu operieren.

Bei ordnungsmäßiger Entwickelung der Frage müssen die Choledochotomien im Verhältnisse zu den Gallenblasenoperationen sich in Zukunft nicht mehren, sondern abnehmen. Und sie werden an Zahl geringer werden, wenn die Verständigung über die Pathogenese des Anfalls erfolgt sein wird. In dieser Beziehung trete ich ganz an die Seite des Kollegen Riedel, und ich hoffe bestimmt auf eine allmähliche Annäherung der inneren Kliniker, wenn sie nur erst wenigstens den Bahnen ihres berufenen Führers, des Herrn Naunyn, folgen, welche dieser in seiner köstlichen „Klinik der Cholelithiasis" gezeichnet hat. Schritt für Schritt müssen und werden sie alsdann weiterkommen.

Bevor ich aber in meinen Erörterungen fortfahre, will ich Ihnen kurz mitteilen, welches Material mir zur Begründung meiner Ansichten zu Gebote steht.

Von 367 Krankheitsfällen, welche ich in den letzten 8 Jahren untersucht habe, sind 172 von mir operiert worden, und zwar 15 Männer und 157 Frauen resp. Mädchen. 17 davon litten an Carcinom der Gallenblase, die ich nachher besonders besprechen werde. Von den 155 übrigen entfallen 37 auf die Cholecystotomie; die Gallenblase wurde eröffnet und selbst — eventuell auch der Ductus cysticus — entleert und durch die Naht geschlossen. Sämtliche Kranke sind genesen. In 87 Fällen wurde die schwer erkrankte

Gallenblase mit Inhalt exstirpiert, meist ohne, wiederholt aber auch mit dem Ductus cysticus. Von dieser Gruppe sind 85 genesen, 2 gestorben. Die Einnähung der geöffneten Gallenblase in die Bauchwunde — Cholecystostomie — wurde 12 mal ausgeführt, 10 Kranke wurden geheilt, 2 starben. Ein Fall von Cholecystenterostomie gelangte zur Heilung. In 13 Fällen wurden die Steine aus dem Ductus choledochus durch Incision desselben — Choledochotomie — entfernt, 8 mal gleichzeitig die Gallenblase exstirpiert; davon genasen 11, es starben 2. Akute Peritonitis infolge Durchbruchs der Steine erforderte 2 mal die Laparotomie mit glücklichem Ausgange. Schwere Verwachsungen der Gallenblase mit deren Umgebung, wodurch entweder der Gallenabfluß in den Darm oder der Durchtritt des Speisebreies durch das Duodenum behindert wurde, mußten in zahlreichen Fällen gelöst werden, wiederholt erforderten sie die gleichzeitige Pylorus- resp. Duodenumresektion resp. die Gastroenterostomie. Ich lasse jedoch alle ätiologisch irgendwie anders zu deutenden Fälle beiseite und registriere nur 3 Fälle, welche mit absoluter Sicherheit auf abgelaufene Cholelithiasis zurückzuführen waren; alle 3 kamen zur Genesung, davon 1 bei gleichzeitiger Pylorusresektion und Gastroenterostomie. Das sind also zusammen 155 Operationen mit 149 Heilungen und 6 Todesfällen.

Sämtliche 17 Carcinomfälle — 2 Männer und 15 Frauen — waren mit Gallensteinbildung kompliziert und unzweifelhaft auf Grund letzterer entstanden. 8 erwiesen sich als völlig inoperabel; es mußte daher bei der Explorationslaparotomie sein Bewenden haben. Von diesen Kranken sind 2 einige Wochen nach der Operation im Krankenhause gestorben, die übrigen haben noch kürzere oder längere Frist gelebt. In 4 Fällen konnten wenigstens die hochgradigen Schmerzen, welche durch das gleichzeitig vorhandene Empyem der carcinösen Gallenblase verursacht wurde, durch Cholecystostomie und möglichste Entleerung der Steine beseitigt werden; auch sie sind nicht lange nachher gestorben, 2 davon wohl infolge der Operation etwas früher als sonst. Die Exstirpation der carcinösen Gallenblase konnte 5 mal ausgeführt werden und zwar mit Ausnahme eines Falles stets mit mehr oder weniger ausgedehnter Leberresektion. Während die eine Kranke infolge der Operation verstarb, genasen die 4 übrigen zunächst völlig; die Recidive traten aber bei allen spätestens nach 3 Monaten auf, so daß eine Dauerheilung nicht erzielt worden ist. Augenblicklich weilt keiner von diesen Carcinomkranken mehr unter den Lebenden.

Aus diesen zahlreichen Beobachtungen der pathologischen Veränderungen an der Gallenblase und an den Gallenwegen sowie in deren Umgebung habe ich zunächst kennen gelernt, daß die Gallensteinerkrankung thatsächlich durch die eigenen Kräfte der Natur radikal beseitigt werden kann. und zwar durch Austreibung der Steine auf natürlichem Wege. Daraus folgt mit Notwendigkeit der Schluß, daß nicht ein jeder Fall von Cholelithiasis operiert werden muß. Wenn dieser Ausspruch auch selbstverständlich von keinem internen Kollegen bestritten wird, so ist es doch immer wieder notwendig, ihn gerade von unserer Seite bei dieser Diskussion festzulegen, da erst durch unsere Operationen anatomisch die Richtigkeit desselben erwiesen ist.

Der Chirurg soll sich stets dieser Thatsache bewußt bleiben, wenn er in seiner verantwortungsvollen Thätigkeit nicht entgleisen will. Andererseits darf der Arzt diesen Umstand jedoch keineswegs zum Deckmantel für seine nicht minder verantwortungsvolle Abneigung gegen operative Eingriffe bei dieser Erkrankung benutzen; denn der Prozentsatz der spontanen Radikalheilungen ist unzweifelhaft ein sehr geringer. Das gilt wenigstens sicher für diejenigen Fälle, die beim Arzt zur Untersuchung und zur festen Diagnose kommen.

Ich gebe zu, daß nach meinem Empfinden in Wirklichkeit eine recht große Anzahl von solchen totalen Spontanheilungen vorkommt. Diese Leute sind aber eigentlich nie krank, sondern nur die Träger von einem oder mehreren kleinen Konkrementen gewesen, so klein, daß sie ohne erhebliche Beschwerden, namentlich ohne den sogen. „typischen" Gallensteinanfall durch die Kontraktion der Gallenblase mit dem Gallenstrom in den Darm entleert wurden. Der spontane Abgang von größeren Steinen, die ausgesprochene Kolikerscheinungen erzeugt haben, per vias naturales, ist ein verhältnismäßig seltenes Ereignis. Das wird allein schon durch die Häufigkeit der typischen Gallensteinkrämpfe ohne Ikterus erwiesen. Ich muß dem Kollegen Riedel beipflichten: der Durchgang eines Konkrementes von nur mäßigem Umfange durch den Ductus choledochus erzeugt stets mindestens vorübergehend Ikterus, dessen Intensität von der Größe und Beschaffenheit des Steines, sowie von den Veränderungen der Gallengänge und deren Inhaltes abhängig ist.

Da aber das Verschwinden des Ikterus keineswegs den Beweis liefert, daß der Stein wirklich die Papilla duodenalis passiert hat und in den Darm gelangt ist, das Nachlassen desselben vielmehr durch höckerige Beschaffenheit und Lageveränderung des Steines, durch Dilatation des Choledochus sowie durch Abschwellung seiner Wandungen bedingt sein kann und nach meinen Beobachtungen thatsächlich oft genug bedingt wird, so ist die Annahme, daß der Stein wirklich in den Darm gelangt ist, nur dann vollständig gerechtfertigt, wenn er auch im Kot gefunden wird. Ist dies nicht der Fall, so wird Kranker und Arzt vor Enttäuschungen und Nackenschlägen am besten bewahrt bleiben, wenn man annimmt, daß der Stein, welcher den Ikterus erzeugt hat, auch noch im Choledochus steckt. Und wenn nach einem solchen Anfall unter Umständen ein recht großer Stein im Kot gefunden wird, so rechtfertigt dies noch nicht den Schluß, daß der Stein wirklich auf natürlichem Wege abgegangen ist; es kann vielmehr mindestens mit dem gleichen Rechte ein Durchbruch des Steines aus dem Gallenblasenhalse oder aus den Gallengängen in den Verdauungskanal angenommen werden.

Daß aber thatsächlich verhältnismäßig große Steine die Papille passieren können, beweist ein über haselnußgroßer Stein, den ich mit Hilfe der Choledochotomie aus der Papille selbst herausgezogen habe, die allerdings geschwürig enorm erweitert war. Ich zweifle nicht daran, daß dieser Stein, der bereits mit der Hälfte seines Umfanges im Darm lag (Demonstration), in nicht zu ferner Zeit vollständig in letzteren hineingefallen wäre. Die pathologischen Veränderungen an den Gallenorganen waren aber derartig, daß sie keineswegs einluden, in ähnlichen Fällen diese spontane Entleerung in den Darm ruhig abzuwarten. Ich würde vielmehr, wenn ich fürchten müßte, selbst einen derartigen Stein mit seinen bösartigen Folgen zu besitzen, von einem sachkundigen Kollegen verlangen, mir den Stein zu extrahieren, bevor er seine deletäre Wirkung ausüben könnte, d. h. in praxi ihn zu entfernen, bevor er die Gallenblase verlassen hat. Die Gefahr einer frühzeitigen Extraktion auf operativem Wege verschwindet vollständig gegenüber der beständigen Lebensgefahr, in der der Kranke sich nicht allein bis zur spontanen Ausstoßung, sondern vielfach auch nachher befindet.

Und was ist schließlich mit dem spontanen Abgange eines Steines erreicht? Ueberall, wo es sich um den Abgang eines Solitärsteines handelt, den man an seiner rundlichen oder mehr ovalen Form sowie an dem vollständigen Fehlen jeder Andeutung von Facettierung erkennt, ist allerdings eine Radikalheilung erzielt worden — ein seltenes Vorkommnis, da gerade die an und für sich nicht so seltenen Solitärsteine, wenn sie nicht ganz früh abgehen, recht groß zu sein pflegen und schon im Gallenblasenhalse stecken bleiben. Bei der Anwesenheit von mehreren oder gar zahlreichen größeren Steinen ist der spontane Abgang eines einzelnen aber in der That von nur geringem Werte.

Und ist denn nun selbst bei dem Fehlen der auch dem internen Kliniker wohlbekannten schweren Komplikationen die Wanderung eines größeren Konkrementes aus der Gallenblase durch die Gallenwege ein so harmloser Vorgang? Keineswegs.

Bei dem Aufwerfen dieser Frage drängt sich naturgemäß auch sofort die weitere Frage nach dem Wesen des Gallensteinanfalles und nach den Ursachen der Gallensteinwanderung auf.

Ich habe schon bemerkt, daß ich die spontane Fortbewegung verhältnismäßig kleiner Konkremente durch die Kontraktion der Gallenblase und die Wirkung des Gallenstromes ohne weiteres anerkenne. Bei größerem Mißverhältnis zwischen dem Umfange des Steines und der Weite der Gallengänge können diese Momente jedoch unmöglich allein maßgebend sein. Und ist die Gallenblase nach Entleerung des oder der Steine, sei es durch Schrumpfung, sei es durch narbigen Verschluß des Ductus cysticus, vollständig außer Funktion gesetzt, so fehlt der eine von den beiden genannten Faktoren für die Austreibung vollständig. Es müssen bei der Austreibung größerer Steine durch die Gallenwege unbedingt noch andere Momente eine und zwar die wesentlichste Rolle spielen.

Man mag zu der von Herrn Riedel konstruierten und von ihm selbst in ätiologischer Hinsicht noch nicht hinreichend aufgeklärten sogenannten Perialienitis eine Stellung einnehmen, wie man will — eins ist auch nach meinen Operationsbefunden als feststehend anzunehmen: Bei jedem Kranken, welcher an schweren typischen Gallensteinanfällen gelitten hat, findet man je nach der Dauer der Krankheit oder Häufigkeit und Schwere der Anfälle, geringere oder bedeutendere entzündliche Veränderungen an der Gallenblase event. auch an den Gallenwegen. Einmal ist die Galle mit seröser Flüssigkeit, ein anderes Mal mit Schleimgerinnseln, wieder ein anderes Mal mit Eiterflocken vermischt. Beim Narben- oder Steinverschluß des Cysticus ist event. überhaupt keine Galle vorhanden, es besteht ein akuter oder chronischer Hydrops, in anderen Fällen ein akutes oder chronisches Empyem der Gallenblase. Die Schleimhaut der Gallenblase ist gequollen, von sammetartiger Beschaffenheit, hämorrhagisch durchsetzt oder ulceriert; die Wandung der Blase ist ödematös durchtränkt, vielfach mehr oder weniger schwartig verdickt. Die Entzündung setzt sich endlich auch auf die Umgebung fort, ohne daß sich etwa schon ein Durchbruch vorbereitet.

Bei sehr heftiger Entzündung findet man auf der Gallenblase einen Fibrinbelag, die Gallenblase ist prall geschwollen und hat eine Farbe wie eine Eierstockcyste bei Beginn der Entzündung infolge von Stieldrehung, oder wie der Darm bei beginnender Einklemmung. Nach wiederholten typischen Anfällen sind fast immer entzündliche Verwachsungen der Gallenblase mit der Umgebung, in erster Linie mit dem Netz, sodann mit dem Colon vorhanden, während die Verwachsungen mit dem Magen und Duodenum meist durch die direkte Einwirkung eines größeren Steines im Gallenblasenhalse oder in den Gallenwegen bedingt wird. In zahlreichen Fällen endlich kommt es nach Erlöschen der exsudativen Vorgänge zur völligen Schrumpfung der Gallenblase. Diese entzündlichen Erscheinungen fehlen bei der Anwesenheit solcher und zwar selbst größter Steine, die niemals heftige Krankheitssymptome erzeugt haben. Dieser Stein (Demonstration), welcher die ganze Blase ausfüllte und unmittelbar nach der Extraktion, die bei Gelegenheit einer anderweitig notwendig gewordenen Gastroenterostomie ausgeführt wurde, 40 g wog, hat niemals einen ächten Kolikanfall erzeugt, obwohl er, nach der Anamnese zu schließen, mindestens seit 16 Jahren von der Kranken getragen wurde. Die Gallenblase war aber auch nicht im geringsten entzündlich verändert. Dies trifft aber nicht allein für die Gallensteine, welche die Gallenblase niemals verlassen haben, sondern in gleicher Weise auch für die in den Gallenwegen steckenden Konkremente zu — wo typische Anfälle aufgetreten sind, da ist auch Entzündung vorhanden, und es ist thatsächlich unmöglich, diese Begleiterscheinung lediglich als eine Komplikation und nicht als integrierenden Bestandteil des Anfalles aufzufassen. Es ist schwer, im einzelnen Falle zu entscheiden, ob diese Entzündung ursprünglich die Gallensteinbildung begünstigt oder veranlaßt hat, oder ob sie als Folge der letzteren, als Fremdkörperentzündung im Sinne des Kollegen Riedel aufzufassen ist — genug, sie fehlt nicht, wenn typische Anfälle aufgetreten sind, und sie spielt sowohl bei der Entstehung und im Verlauf der Anfälle als auch gewiß bei der Wanderung der Steine durch die Gallenwege eine gewichtige Rolle.

Daß die auf der Wanderung eines Steines durch die engen Gallenwege erfolgende sogenannte Einklemmung den Anfall nicht erklärt, geht am besten aus den zahlreichen typischen Anfällen hervor, die auch da beobachtet werden, wo der Stein die Gallenblase nie verlassen hat, wo mithin auch nie eine Einklemmung bestanden haben kann. Ich erinnere in dieser Beziehung nur an die Anfälle bei Narbenverschluß des Ductus cysticus. Ebenso beweisend sind die analogen Fälle, in denen ein Verschluß des Gallenblasenhalses durch einen großen Stein bei steinfreien Gallengängen vorliegt. Denn daß ein einmal im Ductus eingeklemmter Stein in die Gallenblase zurückwandern sollte, ist auch für mich unannehmbar.

Gerade von dem Vorhandensein dieser Entzündung müssen sich die Vertreter der internen Medizin durch Beobachtung in der geöffneten Bauchhöhle überzeugen, dann wird eine Einigung zwischen uns leicht erzielt werden; diese Veränderungen sind es ja gerade in erster Linie, welche wir durch unser operatives Eingreifen bekämpfen und verhüten wollen, wenn die Natur selbst entweder überhaupt nicht oder doch nur unter Anwendung gefährlicherer Mittel, als unser Messer darstellt, dazu imstande ist.

Wenn man diese Entzündung unbeachtet läßt und von der herkömmlichen Ansicht ausgeht, daß der Gallensteinanfall lediglich durch die Wanderung des Steines oder durch dessen Einklemmung im Cysticus oder Choledochus verursacht wird, so kann man allerdings auch an die Häufigkeit der Spontanheilungen und an die relative Ungefährlichkeit der Anfälle glauben, selbst wenn der Stein nicht abgeht. Aber man untersuche nur einmal die Kranken in den anfallsfreien Intervallen, nach einer Kur in Karlsbad oder Vichy durch sorgfältige Palpation der Lebergegend — die typische Druckempfindlichkeit der Gallenblase beweist in vielen Fällen mit Sicherheit, daß trotz des beobachteten Steinabganges, trotz des subjektiven Wohlbefindens des

Betreffenden, trotz der unzweifelhaften allgemeinen Erholung und Kräftigung des ganzen Körpers in der Mehrzahl der Fälle doch nur eine Scheinheilung und keine wirkliche Radikalkur erzielt worden ist. Die Entzündungsvorgänge können zeitweilig gemildert worden sein, sie bestehen aber nachweisbar fort, sei es, daß sie noch durch Steine unterhalten werden, sei es, daß die materiellen Veränderungen der Gallenwege auch nach Abgang der Steine ein Erlöschen der Entzündung nicht gestatten. Das alte Leiden ist im Grunde genommen unverändert.

Und was lehren uns nun unsere Operationsbefunde, wenn die Steine die Gallenblase auf den natürlichen Wegen nicht verlassen, sei es daß ein einzelner Stein überhaupt zu groß ist, um die engen Gallenwege passieren zu können, sei es daß ein größerer Stein im Gallenblasenhalse oder im Ductus cysticus den übrigen kleinen Steinen den Weg versperrt, oder wenn endlich der Eingang in den Cysticus narbig oder die Gallenblase selbst sanduhrförmig verengt ist.

In allen Fällen, welche mit erheblichen subjektiven Beschwerden, namentlich typischen Krampfanfällen, verbunden sind, findet man beständigen oder intermittierenden resp. remittierenden Hydrops, in den schweren das akute oder chronische Empyem der Gallenblase; in allen derartigen Fällen zeigen sich aber auch die oben erwähnten Veränderungen der Gallenblasenwandung. Je geringer der entzündliche Erguß in der Gallenblase ist, desto stärker kann sich der direkte Einfluß des Steines auf die Gallenblasenwandung geltend machen, d. h. desto leichter können Decubitusgeschwüre zustande kommen. Dieselben sind jedoch keineswegs allein von der Größe des Steines abhängig, sondern in erster Linie auch wieder von der Art der Entzündung.

Ich habe wiederholt selbst kleinste Konkremente auf der Wanderung durch die Gallenblasenwand bis in die Umgebung, welche durch Verwachsungen des Netzes, Darmes etc. mit der Gallenblase aus der Peritonealhöhle ausgeschaltet war, angetroffen. Das kleine Geschwür in der Gallenblase war hinter ihnen mitunter vernarbt, und sie selbst lagen entweder relativ harmlos im Narbengewebe abgekapselt, oder in einem von der Gallenblase abgeschlossenen oder mit ihr kommunizierenden Abscesse.

Sind die, die Gallenblasenwand durchbrechenden Konkremente größer, so hat auch hier die begleitende Entzündung durch Verklebungen und Verwachsungen der Nachbarorgane meist die Bauchhöhle vor der Infektionsgefahr einigermaßen geschützt, der Stein im Gallenblasenhalse oder im Ductus cysticus bricht in das adhärente Duodenum oder in den Pylorus, der Stein im Fundus in die adhärenten Bauchdecken oder in das Querkolon durch, beide können aber auch in die Lebersubstanz, dort Abscesse erzeugend, perforieren. Und je brüsker der Durchbruch erfolgt, um so leichter ist die Infektion der gar nicht oder nicht genügend geschützten Peritonealhöhle. Aber selbst wenn der Durchbruch nach außen oder in den Darm ohne Peritonitis glücklich vorübergeht, so ist die Gefahr damit keineswegs beseitigt. Abscesse können zurückbleiben und jederzeit aufflackern, Steine können in der Gallenblase oder in den Abscessen zurückbleiben, aber auch die narbigen Schrumpfungen der an der Entzündung beteiligten Organe und Gewebe können, ganz abgesehen von schmerzhaften Gaskoliken, deletären Ikterus durch Verengerung der Gallenwege, schwerste Ernährungsstörungen durch Pylorus- und Duodenalstenose, ileusartige Erscheinungen durch Schrumpfung, endlich wirklichen Ileus durch Steinverschluß des Dünndarms erzeugen.

Für alle diese Vorgänge stehen mir die beweisenden Beobachtungen in der Bauchhöhle zur Verfügung; für alle ist auch glücklicherweise die Möglichkeit der Heilung auf operativem Wege vorhanden. Es hieße aber das Schicksal herausfordern, wenn man es bewußt erst soweit kommen lassen wollte, bevor man eine Operation für notwendig hält. Bei einem anderen Fremdkörper würde das niemandem in den Sinn kommen.

Von noch viel größerer Wichtigkeit sind aber unzweifelhaft die gar nicht seltenen Fälle, in denen entweder ein Stein größeren Kalibers oder zahlreiche Steine mittlerer Größe jahrelang in der Gallenblase verweilen, ohne jemals erheblichere Erscheinungen, namentlich ohne jemals Krampfanfälle hervorzurufen. Niemals findet man unter solchen Umständen Entzündungsvorgänge an oder in der Gallenblase. Diese zufälligen Befunde bei Obduktionen, die durch die gleichen Beobachtungen bei Laparotomien aus anderen Ursachen vom Chirurgen oft genug bestätigt werden, haben offenbar hauptsächlich dazu beigetragen, das Gallensteinleiden an sich als ein relativ harmloses aufzufassen, welches im allgemeinen der chirurgischen Hilfe nicht bedürfe. Aber auch ich muß diesen Wahn zerstören, da auch nach meinen Erfahrungen gerade diese Fälle ganz besonders zur Entstehung des Gallenblasencarcinoms neigen. Fast ausnahmslos haben die Kranken niemals an Koliken gelitten, oder sie entsinnen sich zwar, daß sie vor 10, 15, 20 Jahren einmal Krankheitserscheinungen gehabt haben, die nachträglich ungezwungen auf die damalige Anwesenheit von Gallensteinen schließen lassen, niemals aber haben sie sich eigentlich krank gefühlt. Man konstatiert die Krebsgeschwulst zufällig in der Sprechstunde, oder erst dann, wenn die Kranken infolge von schwerem Ikterus oder sehr schmerzhaftem sekundären Empyem der Gallenblase — beides erst auf Grund der Krebsgeschwulst enstanden — ärztlichen Rat leider zu spät in Anspruch nehmen. So erscheinungslos ist durchweg die Entwickelung des primären Gallenblasencarcinoms. Ich habe 25 Fälle davon genau beobachtet und 17 durch Laparotomie kontrolliert, in allen war der Krebs unzweifelhaft durch die Anwesenheit von Gallensteinen entstanden, deren Existenz niemals festgestellt war. Der vom Kollegen RIEDEL angegebene Prozentsatz von 10 Proz. Gallenblasencarcinomen trifft, wie aus den obigen Zahlen meines Materials hervorgeht, insofern zu, als 10 Proz. aller Operierten vom Krebs befallen waren. Auch diese Thatsache verdient daher bei der notorisch schlechten Prognose des Gallenblasencarcinoms für die Behandlung die größte Beachtung (Demonstration mehrerer Carcinompräparate).

Ich habe schon hervorgehoben, daß unzweifelhaft ein oder mehrere kleinere Konkremente selbst in einer Attacke oder gar ohne besondere Schmerzen den Ductus cysticus und choledochus bis in den Darm passieren können, und daß bei einem derartigen Vorgange wenigstens vorübergehend der Ikterus nicht fehlt, wenn die Ausstoßung mit einem Krampfanfall verbunden ist.

Ich betone nur nochmals die wichtige Thatsache, daß das Verschwinden des Ikterus keineswegs den Abgang des Steines in den Darm beweist. An den Veränderungen des Ductus choledochus beim partiellen oder totalen Steinverschluß, die sich zum Teil auf Entzündungsvorgänge, zum Teil auf die Gallenstauung zurückführen lassen, beteiligt sich meist auch der Ductus hepaticus. Ist die Schleimhaut wenig verändert, so finden wir eine gleichmäßige cylindrische Dilatation, so daß der Gang nicht selten für den Finger durchlässig ist, von excessiven Fällen mit ampullenartiger Erweiterung ganz zu schweigen. In anderen Fällen, wo an einer oder mehreren Stellen die Wandung arrodiert wird, kommt es zu einer Divertikelbildung; der Stein liegt in dieser Aussackung, während der Gang selbst wieder durchgängig wird, wenn nicht kleine Arrosionen der Schleimhaut zur ringförmigen Stenosenbildung führen. Auch sei hier nochmals darauf hingewiesen, daß beim partiellen oder totalen Choledochusverschluß etwaige aus der Gallenblase nachrückende Steine aufwärts durch den Ductus hepaticus in die Leberpforte befördert werden können.

Gewiß können nun selbst verhältnismäßig recht große Konkremente auch nach längerem Aufenthalte im Choledochus den engsten Teil desselben, die Papille passieren, oder die in der Duodenalwand verlaufende Wandung des Gallenganges geschwürig durchbrechen; in letzterem Falle entsteht die Choledocho-Duodenalfistel NAUNYN's. Wen aber diese Beobachtung der am Choledochus durch längere Steinbeherbergung erzeugten, eben geschilderten Veränderungen von den Gefahren einer etwaigen Spontanheilung und von der Notwendigkeit eines Eingreifens noch nicht überzeugen sollte, dem will ich nur das Ihnen allen bekannte Krankheitsbild der eiterigen Cholangitis ins Gedächtnis zurückrufen. Einer nochmaligen Schilderung desselben bedarf es in dieser Versammlung meinerseits nicht. Die eiterige Cholangitis ist aber in Wirklichkeit nichts anderes, als dieselbe eiterige Entzündung, welche als Empyem in der abgeschlossenen Gallenblase auftritt; im Choledochus und Hepaticus hat sie nur freie Bahn, sich auf die Gallengänge der Leber auszudehnen.

Aus meinen Schilderungen der von mir gemachten Beobachtungen ersehen sie, daß die Befunde der einzelnen Operateure trotz der Vielseitigkeit der anatomischen Veränderungen sich in vieler Beziehung decken. Es kann Sie daher auch nicht wundern, wenn die Schlußfolgerungen, welche diejenigen Chirurgen, die vielfach Gelegenheit zur Bethätigung auf diesem Gebiete haben, aus diesen Befunden ziehen, allmählich die gleichen werden. Genaues Studium der Anamnese, sorgfältige Untersuchung am Krankenbett und in der Narkose, objektive Prüfung gleicher oder ähnlicher anatomischer Befunde in der geöffneten Bauchhöhle muß ja schließlich zu demselben Ergebnis bei der Deutung der vorliegenden Krankheitsbilder führen, nicht minder aber zu gleichen Anschauungen bei der Aufstellung der Indikationen für die Behandlung.

Als obersten Grundsatz müssen auch wir Chirurgen hinstellen: Nicht die Anwesenheit von Gallensteinen an sich bedingt die operative Entfernung derselben.

Ganz abgesehen von den vielleicht zahlreichen Fällen, in denen kleinere Konkremente ohne erhebliche Beschwerden in den Darm entleert werden, können auch größere Steine, ohne besonderen Schaden anzurichten, die Gallenwege und zwar unter den Erscheinungen des Kolikanfalls mit Ikterus passieren. Wenn also nach derartigen Anfällen Steine im Kot thatsächlich gefunden werden und die Untersuchung der Gallenblasengegend in den schmerzfreien Intervallen keine wesentlichen Veränderungen, namentlich auch keine abnorme Druckempfindlichkeit ergiebt, so darf man den Zustand als einen relativ harmlosen der Spontanheilung überlassen. Der Kranke wird dann allerdings voraussichtlich je nach Größe und Menge der in der Blase vorhandenen Steine einer kleineren oder größeren Anzahl von äußerst heftigen Schmerzattaken ausgesetzt sein; letztere können ihn aber von seinen Leiden vollständig befreien.

Nur von äußeren Umständen können wir das Recht herleiten, auf Wunsch einen derartigen Zustand mit einem Schlage durch Operation zu beseitigen, wenn nämlich der Kranke entweder infolge seiner wirtschaftlichen Verhältnisse nicht in der Lage ist, die eventuell sehr lange Zeit beanspruchende und mit außerordentlich häufigen Anfällen verbundene Spontanausstoßung sämtlicher Steine abzuwarten, oder wenn bei gleichem Verlauf der Krankheit schwere Störungen des Allgemeinbefindens, namentlich des Nervensystems, auftreten. Während der erste Fall hauptsächlich bei der Arbeiterbevölkerung zutrifft, habe ich im zweiten besonders die schweren Neurastheniker der sogenannten höheren Kreise im Auge; in beiden Fällen dürfen wir operieren, da wir durch unseren Eingriff das Leiden in diesem Stadium seiner Entwickelung sicher radikal beseitigen, und die Operation, welche unter diesen Umständen lediglich in der Eröffnung und Entleerung der Gallenblase besteht, thatsächlich ungefährlich ist. Das beweisen die Ihnen bereits bekannten Statistiken anderer Operateure, das zeigen auch die Ihnen von mir soeben mitgeteilten Zahlen.

Tritt aber trotz ausgesprochener wiederholter heftiger Kolikanfälle niemals Ikterus auf, ist die Gallenblasengegend nicht allein im Anfall geschwollen, sondern auch in der Zwischenzeit zu fühlen und druckempfindlich, so sind die Aussichten auf eine spontane Ausstoßung des oder der Steine durch die Gallenwege überhaupt sehr gering und man kann mit Sicherheit annehmen, daß schwere entzündliche Veränderungen in der Gallenblase und deren Umgebung sich vorbereiten oder bereits vorhanden sind. Das Risiko des Zuwartens ist unter diesen Umständen ein viel größeres, als das Risiko der Operation, zumal auch hier bei rechtzeitigem Eingriff in der Mehrzahl der Fälle die Entleerung der geöffneten Gallenblase genügt, in allen Fällen nämlich, in denen die Gallenwege durchgängig sind und die Gallenblasenwandung selbst keine schweren Veränderungen aufweist.

Ich will nicht unerwähnt lassen, daß ich die Operation stets einzeitig ausgeführt, die nach der Entleerung durch Nähte geschlossene Gallenblase fast ausnahmslos versenkt und die Bauchhöhle gleichfalls sofort geschlossen habe. Bei richtiger Indikationsstellung ist dies mit keinerlei Gefahr verbunden, bringt aber mancherlei Vorteile. Ist die Gallenblase aber völlig funktionsunfähig, sei es durch Narbenverschluß des Eingangs in den Cysticus, sei es infolge totaler Schrumpfung, oder zeigt die Schleimhaut derselben hochgradige entzündliche Veränderungen (Geschwüre etc.) so exstirpiere ich dieselbe, da die Extraktion der Steine allein, den Entzündungsherd durchaus nicht immer zum Erlöschen bringt, und die Gefahr der Carcinombildung bei Zurücklassung der geschwürigen Blase bestehen bleiben würde.

In zwei Fällen von Gallenblasenexstirpation, die ich wegen Empyem ausführte, war klinisch kein geschwulstverdächtiges Gewebe vorhanden, der pathologische Anatom P. Grawitz entschied sich nach sehr eingehender mikroskopischer Untersuchung für die Diagnose „beginnendes Carcinom“. Namentlich aber extirpiere ich grundsätzlich eine mit Steinen prall gefüllte vergrößerte Gallenblase, die niemals Kolikanfälle und Ikterus erzeugt hat, wegen der ausgesprochenen Neigung gerade dieser Fälle zur Carcinombildung. Besondere Gefahren hat die Exstirpation nicht; ich schließe die Bauchhöhle dabei aber nicht vollständig, sondern lege unter die Leber einen kleinen Tampon, der nach außen geleitet wird.

Aus diesen Gründen erklärt sich in meiner Statistik die große Anzahl von Gallenblasenexstirpationen gegenüber den Cholecystotomien und namentlich gegenüber den Cholecystostomien. Die letztere Operation führe ich, abgesehen von den mit Empyem komplizierten Carcinomfällen, nur ausnahmsweise aus, wenn ich entweder nach Lage des Falles zweizeitig operieren muß, oder wenn die völlige Wegsamkeit und Steinfreiheit der Gallengänge nicht nachzuweisen ist.

Allerdings kann man sich bei der Annahme der dauernden Funktionsunfähigkeit einer geschrumpften Gallenblase auch einmal irren. Ein Icterus gravis wurde durch Narbenschrumpfung verursacht, in welche der Ductus choledochus trotz spontanen Abganges aller Steine einbegriffen wurde; die Gallenblase war völlig geschrumpft, kaum noch aufzufinden. Ich löste sämtliche Verwachsungen und exstirpierte die schwieligen Narbenmassen; die Bauchhöhle mußte wegen des Vorhandenseins kleinerer Abscesse in den Narben offen bleiben. Die Kranke genas dauernd von ihrem Ikterus, behielt aber einen Bauchbruch, der allmählich an Größe zunahm, und sie veranlaßte, die Radikaloperation bei mir nachzusuchen. Als ich den Bauch eröffnet hatte, konnte ich die allerdings narbig veränderte, aber in normaler Weise mit Galle gefüllte und gut funktionierende Gallenblase deutlich erkennen.

Bei längerem Verweilen von Gallensteinen im Ductus choledochus oder hepaticus halte ich die operative Entfernung derselben mit Hilfe der Choledochotomie für notwendig, wenn wiederholte heftige Kolikanfälle, die dann stets mit Ikterus verbunden sind, keine Steine in den Darm befördern. Die Gefahren der Operation schätze ich keineswegs gering, auch erfordert dieselbe große Uebung, allein die Gefahren bei ruhigem Zuwarten sind viel höher zu veranschlagen.

Ich gebe auch zu, daß gerade in den Fällen, welche die Choledochotomie erforderlich machen, am leichtesten Konkremente übersehen werden und zurückbleiben können, namentlich wenn die Steine durch den Ductus hepaticus aufwärts gegen die Leberpforte gewandert sind, während man sich den Ductus choledochus durch Ablösung des Duodenum nach unten recht gut fast in seiner ganzen Ausdehnung zugänglich machen kann. Ich habe selbst einige Fälle zu verzeichnen, in denen auch nach der Operation Kolikanfälle mit Ikterus und mit Abgang von Steinen aufgetreten sind. Ich mache aber darauf aufmerksam, daß Kolikanfälle ohne Ikterus und Steinabgang nicht ohne weiteres auf zurückgebliebene Steine hinweisen. Auch die Narben in der Bauchhöhle können die Fortbewegung des Darminhaltes, namentlich der Darmgase, beeinträchtigen und durch Darmknickung heftige Koliken hervorrufen, die dann aber sofort verschwinden, wenn dauernd für regelmäßige Stuhlentleerung gesorgt wird. Um die Gefahren der Choledochotomie möglichst zu verringen, schließe ich nach der Choledochusnaht die Bauchhöhle nicht vollständig, sondern lege auf den Choledochus einen dünnen Tampon, der in einem Wundwinkel nach außen geleitet wird. Ist die Galle infiziert, oder befürchte ich, daß

Steine zurückgeblieben sind, so drainiere ich wie Kehr den Ductus hepaticus mit einem Gummidrain, welches die Galle nach außen leitet, während die Peritonealhöhle ringsum durch Tamponade geschützt wird. Dieses Verfahren habe ich in 3 Fällen erfolgreich ausgeführt.

Will man die Ausführung der Choledochotomie einschränken — und es wäre in der That sehr wünschenswert — so darf dies nach meiner festen Ueberzeugung nur dadurch erreicht werden, daß wir die betreffenden Fälle auf Grund der vorhin besprochenen Indikationsstellung operativ behandeln, bevor die Steine überhaupt in den Ductus choledochus gelangen.

Daß ein voraussichtlich dauernder Verschluß des Ductus choledochus bei Wegsamkeit der Gallenblase, des Ductus cysticus und hepaticus in seiner Wirkung nur dadurch paralysiert wird, daß man die Galle aus der Gallenblase mittels der Cholecystenterostomie direkt in den Dünndarm leitet, ist selbstverständlich.

Ganz abgesehen von diesen typischen Operationen verlangen außergewöhnliche Verhältnisse auch besondere Maßnahmen, über welche man sich erst nach Freilegung des Operationsterrains entscheiden kann. Bei ausgedehnten Verwachsungen an der Vorderseite gelangte ich einmal von der Lumbalgegend aus in die Gallenblase, zweimal mußte ich durch die Lebersubstanz gegen dieselbe vordringen; Abscesse in den gelösten Verwachsungen wurden wiederholt entleert und durch Tamponade ausgeschaltet; mehrfach habe ich innerhalb der Verwachsungen, nach Lösung der letzteren, Perforationsöffnungen im Magen, Duodenum und Quercolon durch seitliche Darmnähte schließen und in 3 Fällen gleichzeitig mit der eigentlichen Gallensteinoperation die Gastroenterostomie wegen hochgradiger Stenose des Pylorus und Duodenum ausführen müssen. In 2 Fällen endlich war die Perforation in die offene Bauchhöhle erfolgt und hatte eine eiterige Peritonitis erzeugt; in dem einen hatte das aufgeblähte Quercolon den unteren Teil der Bauchhöhle vollständig geschützt. Die Laparotomie, Entleerung des Eiters und Tamponade des offenen Bauches brachte völlige Genesung. Ueberhaupt habe ich erfreulicherweise keinen von diesen komplizierten atypischen Fällen verloren.

Sie sehen, m. H., aus meinen Ausführungen, die ich abbreche, da ich es mir selbstverständlich hier versagen muß, Krankengeschichten vorzutragen, daß die Vertreter der Chirurgie in den wesentlichen Punkten sowohl bezüglich der Deutung der von uns beobachteten Krankheitsbefunde, als auch betreffs der Indikationsstellung für die operative Behandlung des Leidens einig sind. Wer etwa glaubt, daß diese Einigkeit erst die Aufstellung eines einzigen schablonenmäßig durchzuführenden Operationsverfahrens gezeitigt haben müsse, bevor der innere Arzt die allgemeine Berechtigung unseres Vorgehens anerkennen könne, der wird bei der Vielseitigkeit der objektiven Krankheitsbefunde

Es läßt sich aber theoretisch als möglich voraussehen, daß manche Keime für den Fötus, wenigstens temporär, pathogener seien, als für die Mutter, und daß dann sowohl der zeitliche Ablauf als auch die Intensität der Erkrankung im Fötus prävalieren und mehr oder minder sekundär erst die Mutter beeinflussen.

Ein thatsächliches Beispiel dafür schien in folgendem in der Kieler medizinischen Klinik beobachteten Falle vorzuliegen.

Eine 26jährige Frau, die zweimal geboren hat, ist seit 4 Monaten schwanger. Seit 3 Monaten leidet sie an Schmerzen im ganzen Körper, leichtem Kopfschmerz, Schmerzen in der rechten Seite des Leibes, Beschwerden übrigens, wie sie sich nicht scharf von Schwangerschaftsbeschwerden, die auch in früheren Graviditäten vorhanden waren, abhoben. Seit 8 Tagen war Verschlechterung des Allgemeinbefindens aufgetreten, Appetitlosigkeit, Fieber und unerträglich heftiger Kopfschmerz.

Ueber Befund beim Eintritt in die Klinik und Verlauf lautet die Krankengeschichte:

31. Jan. 1898. Kräftige junge Frau von gutem Ernährungszustande.

Kommt wegen heftiger Kopfschmerzen, die so stark sind, daß sie sich den Kopf halten muß. Sitz derselben besonders beide Schläfengegenden. Druck auf den Kopf verstärkt die Schmerzen nicht.

Hinterkopf und Nacken sind schmerzfrei, letzterer nicht steif.

Es werden auch Schmerzen in der Muskulatur des Körpers geklagt.

Pupillen mittelweit, gut reagierend.

Augenhintergrund normal. Zunge stark belegt, starker Foetor exore.

Rachenschleimhaut blaß, ohne Besonderheiten.

Lungenlebergr. VI. Rippe.

Lungenbefund normal, nur R.H.O. etwas Schallverkürzung und verschärftes Atmen.

Herzbefund ohne Besonderheiten. Puls 116.

Milz vergrößert, $14:9^1/_2$, nicht palpabel.

Uterus reicht fast bis zum Nabel.

Appetit gering.

Keine Uebelkeit, doch Schwindelgefühl.

Urin ohne Eiweiß, etwas Indoxyl.

1. Febr. Kein Schlaf wegen Kopfschmerz. Heute morgen besseres Aussehen, fieberlos.

Die Schmerzen im Körper sind mit dem Fieber verschwunden.

Kopfschmerz besteht noch, ist aber offenbar nicht so heftig als gestern.

Nach der Morgenvisite unter Frösteln Temperaturanstieg. Steigerung der Kopfschmerzen. Dieselben halten im Laufe des Nachmittags an, wieder von der unerträglichen Stärke, wie gestern Abend. Zeitweise starke Rötung des Gesichts, Neigung zum Schweiß. Puls 100.

Keine Uebelkeit, kein Schwindel.

Eine bestimmte Diagnose zu stellen, war nicht möglich. Der allgemeine Eindruck, insbesondere die Heftigkeit der Kopfschmerzen, ließen an eine Meningitis denken.

Nachmittags 4 Uhr diagnostische Lumbalpunktion im III. Interarcual-

(Aus der medizinischen Klinik in Kiel.)

# VII.
# Placentare Infektion des Fötus als Krankheitsursache für die Mutter.

Von

**Dr. Hugo Salomon,**
Assistenzarzt.

(Mit einer Kurve im Text.)

Seit langem ist es bekannt, daß bei vielen Infektionskrankheiten schwangerer Mütter Bakterien auf placentarem Wege in den Fötus hineingelangen können.

Sie sind in der Regel in demselben nur sparsam nachweisbar gewesen und fanden sich selbst bei Septikämieen, wie dem Mäusemilzbrand, selten im Schnitt, meist nur in der Kultur.

Manche Thatsachen, wie die Seltenheit ausgebildeter tuberkulöser Herde im kongenital-tuberkulösen Jungen sprechen selbst für eine Entwicklungshemmung, welcher die Bakterien im Fötus unterliegen. Es hat das auch experimentell für manche Keime DI MAFUCCI [1]) wahrscheinlich gemacht durch Versuche an Hühnereiern. Er hat z. B. für den Tuberkelbacillus gezeigt, daß derselbe, in das befruchtete Ei übertragen, in dem Embryo, dem er durch die Area vasculosa zugetragen wird, deponiert bleibt, um später erst im ausgekrochenen Hühnchen die Tuberkulose zum Ausbruch zu bringen.

Jedenfalls tritt erfahrungsgemäß bei der Infektion durch die gewöhnlichen für den Menschen pathogenen Bakterien die Infektion der Mutter gegenüber der des Fötus in den Vordergrund und genügt, um die Krankheitserscheinungen der Mutter zu erklären.

---

1) Annals of Surgery, Oct., 1894.

**Es läßt sich aber theoretisch als möglich voraussehen, daß manche Keime für den Fötus, wenigstens temporär, pathogener seien, als für die Mutter, und daß dann sowohl der zeitliche Ablauf als auch die Intensität der Erkrankung im Fötus prävalieren und mehr oder minder sekundär erst die Mutter beeinflussen.**

**Ein thatsächliches Beispiel dafür schien in folgendem in der Kieler medizinischen Klinik beobachteten Falle vorzuliegen.**

Eine 26jährige Frau, die zweimal geboren hat, ist seit 4 Monaten schwanger. Seit 3 Monaten leidet sie an Schmerzen im ganzen Körper, leichtem Kopfschmerz, Schmerzen in der rechten Seite des Leibes, Beschwerden übrigens, wie sie sich nicht scharf von Schwangerschaftsbeschwerden, die auch in früheren Graviditäten vorhanden waren, abhoben.

Seit 8 Tagen war Verschlechterung des Allgemeinbefindens aufgetreten, Appetitlosigkeit, Fieber und unerträglich heftiger Kopfschmerz.

Ueber Befund beim Eintritt in die Klinik und Verlauf lautet die Krankengeschichte:

31. Jan. 1898. Kräftige junge Frau von gutem Ernährungszustande.

Kommt wegen heftiger Kopfschmerzen, die so stark sind, daß sie sich den Kopf halten muß. Sitz derselben besonders beide Schläfengegenden. Druck auf den Kopf verstärkt die Schmerzen nicht.

Hinterkopf und Nacken sind schmerzfrei, letzterer nicht steif.

Es werden auch Schmerzen in der Muskulatur des Körpers geklagt.

Pupillen mittelweit, gut reagierend.

Augenhintergrund normal. Zunge stark belegt, starker Foetor exore.

Rachenschleimhaut blaß, ohne Besonderheiten.

Lungenlebergr. VI. Rippe.

Lungenbefund normal, nur R.H.O. etwas Schallverkürzung und verschärftes Atmen.

Herzbefund ohne Besonderheiten. Puls 116.

Milz vergrößert, 14 : $9^1/_2$, nicht palpabel.

Uterus reicht fast bis zum Nabel.

Appetit gering.

Keine Uebelkeit, doch Schwindelgefühl.

Urin ohne Eiweiß, etwas Indoxyl.

1. Febr. Kein Schlaf wegen Kopfschmerz. Heute morgen besseres Aussehen, fieberlos.

Die Schmerzen im Körper sind mit dem Fieber verschwunden.

Kopfschmerz besteht noch, ist aber offenbar nicht so heftig als gestern.

Nach der Morgenvisite unter Frösteln Temperaturanstieg. Steigerung der Kopfschmerzen. Dieselben halten im Laufe des Nachmittags an, wieder von der unerträglichen Stärke, wie gestern Abend. Zeitweise starke Rötung des Gesichts, Neigung zum Schweiß. Puls 100.

Keine Uebelkeit, kein Schwindel.

Eine bestimmte Diagnose zu stellen, war nicht möglich. Der allgemeine Eindruck, insbesondere die Heftigkeit der Kopfschmerzen, ließen an eine Meningitis denken.

Nachmittags 4 Uhr diagnostische Lumbalpunktion im III. Interarcualraum. Es kommen einige Tropfen klaren Serums. Druck 10 mm. Hg = 140 $H_2O$. Schluß der Punktion.

2. Febr. Nachts etwas Schlaf, heute Morgen besseres Befinden. Kopfschmerzen geringer, Temperaturabfall ohne Schweiß. Zunge noch stark belegt. Zahnfleisch stark geschwollen.

Auf Kalomel 2 mal 0,3 erfolgte fester Stuhl.

WIDAL'sche Serumreaktion auf Typhus negativ, auch im unverdünnten Serum.

3. Febr. Leichtes Frösteln gestern Nachmittag.

Allgemeinbefinden besser.

Kopfschmerz geringer.

Zunge rein.

5. Febr. Gestern Nachmittag wieder stärkerer Frost. Abends heftiger Kopfschmerz, während der Nacht Eintritt von Wehen. Beginnender Abort. Zur Frauenklinik verlegt.

---

In der Frauenklinik ging 2 Stunden nach der Ueberführung, um 8 Uhr morgens, das Fruchtwasser, um 9 Uhr die Frucht ab. Die Kindsbewegungen waren von der Mutter zwei Tage vor dem Abort zuletzt gefühlt worden.

Besonders bemerkenswert war nun in diesem Falle die Wirkung des Aborts auf Temperatur und Allgemeinbefinden der Mutter.

Die letztere maß am Tage der Fruchtausstoßung, morgens 4 Uhr, als die Wehen einsetzten, 40,2° C.

Zur Zeit der Geburt morgens 9 Uhr 38,5° C, am folgenden Morgen 6 Uhr V. 34,4° C.

Es war also innerhalb 26 Stunden ein Temperaturabfall von fast 6° C eingetreten.

In der Folge hob sich die subnormale Temperatur langsam zur Norm, zu der das Allgemeinbefinden unmittelbar mit der Entfieberung zurückgekehrt war. Es blieb dauernd Wohlbefinden bestehen.

Der Verlauf der Temperatur wird durch nachstehende Kurve veranschaulicht.

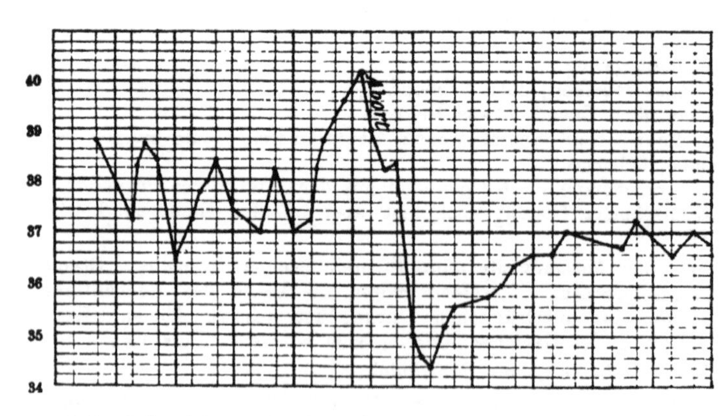

Der Fötus entsprach in seinen Körperverhältnissen einer Frucht im 5. Monat, war nach gynäkologischem Urteil „frisch abgestorben, nicht maceriert“, geruchlos wie das Fruchtwasser.

Nachdem er 24 Stunden im Eisschrank gelegen, wurde er nach Sublimatabwaschung aseptisch seziert.

(Eine unter gleichen Bedingungen im Eisschrank verweilende Frucht vom 2., und ebenso eine vom 6. Monat, blieben nach 48 Stunden, wie Kulturen auf verschiedenen Nährböden lehrten, gänzlich steril.)

Es wurden Gelatine- und Agaraussaaten aus Blut, Leber, Milz und Knochenmark gemacht. Auf allen Platten wuchs einheitlich in ziemlich großer Menge — bei 2 Oesen Aussaat 75—100 Kolonien auf der Originalplatte — ein kleiner schlanker Bacillus, in den Einzelexemplaren nur wenig größer als der Bacillus der Mäuseseptikämie, Fäden bis zur dreifachen Länge des Einzelexemplares bildend.

Der Keim wuchs auf allen gebräuchlichen Nährböden, aber mit nur geringer Wachstumsenergie.

Er verflüssigte die Gelatine nicht, bildete auf ihr runde, scharfrandige, ziemlich glänzende, homogene, bräunliche Kolonien.

In Bouillon zuerst feine Trübung, bald schleimiger Bodensatz.

Auf Kartoffeln, Blutserum, Agar in der Wärme in einigen Tagen dünner, durchscheinender Ueberzug.

Er produziert in Traubenzuckerbouillon kein Gas, bildet kein Indol, koaguliert Milch nicht, rötet aber die Lakmusbouillon.

Er ist fakultativ anaërob.

Im hängenden Tropfen träge Eigenbewegung.

Sporenbildung war nicht zu beobachten, ebenso wenig Kapselbildung.

Die Färbung gelingt leicht mit den gewöhnlichen Anilinfarbstoffen, ebenso nach Gram (ursprüngliche Gram'sche Methode).

0,05 ccm Bouillonkultur töten subkutan einverleibt Mäuse in 4—5 Tagen. An der Injektionsstelle Eiterung mit zahlreichen Bacillen. Dieselben finden sich in allen Organen, besonders reichlich herdweise in der Leber. In der Umgebung dieser Herde kleinzellige Infiltration.

Milz geschwollen.

Kaninchen starben bei intraperitonealer Einverleibung von 1 ccm Bouillonkultur in 5—6 Tagen an eiteriger Peritonitis und Allgemeininfektion.

In den Schnitten der fötalen Organe fanden sich die Bacillen sehr spärlich, einzeln oder kurze Fäden bildend, innerhalb der Kapillaren gelegen.

Leber und Niere zeigten ziemlich ausgedehnte Hämorrhagien.

Die Placenta war nicht wesentlich verändert.

Mit einem bestimmten, bisher beschriebenen Bacillus habe ich den meinen nicht identifizieren können.

Die leichte Färbbarkeit nach Gram unterscheidet ihn scharf von den Angehörigen der Coli-, Aërogenes- und hämorrhagischen Septikämiegruppe (Kruse) und verweist ihn in die des Bacillus sputigenes tenuis (Kruse), eine Gruppe, in der verschiedene dem meinen nahestehende pathogene Keime auch bei Krankheiten des Menschen (Endocarditis - Weichselbaum und andere) beschrieben worden sind.

Ich möchte für ihn nach dem Fundort den Namen Bacillus foetalis vorschlagen.

Das Bemerkenswerteste an dem mitgeteilten Falle ist die rapide Gesundung der Mutter unmittelbar mit der Ausstoßung des Fötus.

Es könnte sich dabei ja vielleicht um ein zufälliges Zusammentreffen des Aborts mit einer die Infektion der Mutter abschließenden Krise handeln. Indessen pflegen gerade die Infektionskrankheiten, die durch mehr gelegentlich in den Körper gelangende Keime verursacht werden, nicht kritisch zu entfiebern.

Wahrscheinlicher ist also der kritische Abfall dadurch veranlaßt, daß mit der Frucht die Ursache der mütterlichen Krankheit, d. h. die Resorption von Toxinen aus dem Fötus, fortfiel.

Bei intakten Eihäuten muß der Infektionsträger auf placentarem Wege in die Frucht gelangt sein.

Die voraufgehende Infektion der Mutter hat vielleicht nur dem anatomischen Sinne nach bestanden. Denn wir wissen, daß bei voller Gesundheit des Individuums Keime in den Kreislauf gelangen können, die in der Regel bald abgetötet werden, in einem Locus minoris resistentiae aber z. B. in einem subkutanen Bluterguß weitervegetieren können. Die Rolle des letzteren hätte hier der Fötus gespielt.

Ebensowohl kann natürlich die Mutter zeitweilig an einer Infektion durch den von mir gefundenen Keim erkrankt gewesen sein, einer Infektion, mit der sie sich schon abgefunden hatte, zu einer Zeit, in der sie von der Frucht aus noch Toxine resorbierte. Der Zeitpunkt dieser voraufgehenden mütterlichen Infektion ist hier nicht festzulegen, weil ihr Krankheitsbild sich anamnestisch nicht mehr von den Schwangerschaftsbeschwerden abgrenzen ließ.

Eine bakteriologische Blutuntersuchung der Mutter, eine ebensolche Untersuchung ihrer Se- und Exkrete ist in meinem Falle unterblieben wegen der Kürze der klinischen Beobachtung und auch, weil erst nach

Ausstoßung und Sektion des Fötus das Interesse des Falles auf der Hand lag.

Dieser Lücke wird in künftigen derartigen Fällen vorzubeugen sein.

Dem von mir mitgeteilten analoge Vorkommnisse sind in der Litteratur schon beschrieben, besonders häufig bei der Variola, deren Bestehen sich an Mutter und Kind besonders deutlich abzeichnet.

ARNAUD [1]) macht darauf aufmerksam, daß bei Schwangeren am Ende der Variola, wenn das Fieber gesunken, Appetit und Kräfte zurückkehren, und die Desquamation fast vollendet ist, zuweilen schwere Symptome, Fieber, Kräfteverfall etc. auftreten, Symptome, die nur durch Spätinfektion und Tod des Fötus zu erklären sind. Sie gehen mit der Ausstoßung des, öfters noch Exanthembedeckten, Fötus zurück.

SEDGWICK [2]) und ebenso LAURENT [3]) behaupten, daß zu Pockenzeiten blatternarbige oder pustelbedeckte Kinder von gar nicht pockenkranken Müttern geboren werden können.

MARGONIEUFF [4]) stellt in einer Pariser Pockenepidemie fest:

1) Der Fötus kann intrauterin erkranken, ohne daß die Mutter erkrankt.

2) Der Ausbruch der Erkrankung beim Fötus kann sich bei der Mutter durch eine Reihe oft sehr schwerer allgemeiner Symptome verraten.

Auch bakteriologisch untersucht ist ein Fall von CARBONELLI [5]). Ein Kind von gesunder Mutter stirbt eine Stunde nach der Geburt. Die Sektion ergiebt eine eitrigfibrinöse Peritonitis. Im Peritonealexsudat, im Blut und allen Organen fand sich der FRAENKEL'sche Diplococcus.

CARBONELLI nimmt an, daß die Mutter in der Schwangerschaft eine — mangels anamnestischer Anhaltspunkte — nur abortive Pneumonie durchgemacht und von dieser aus den Embryo infiziert habe.

Auch in meinem Falle ist wie in vielen der besprochenen eine

1) Gazette de hôpitaux, 1892, No. 86. Ref. Centralbl. für Gynäkol., 1892, No. 49.

2) Med. Times, 1871, Vol. 1. Ref. EULENBURG's Realencyklop. Artikel Fötus.

3) Lyon méd., 15. Juni 1884. Ref. Centralbl. für Gynäkol., 1885, p. 234.

4) Ueber Pockenerkrankung des Fötus im Uterus. Thèse de Paris, G. Steinheil, 1889. Ref. Centralbl. für Gynäkol., 1890, p. 433.

5) Riv. di Ost. e Gin., 1891, No. 18. Ref. Centralbl. für Gynäkol., 1891, No. 52.

infektiöse Erkrankung der Mutter nicht nachzuweisen und für die Zeit der klinischen Beobachtung vor dem Abortus aus den früher erörterten Gründen keinesfalls anzunehmen. Trotzdem war die Mutter krank infolge Intoxikation von dem kranken Fötus aus, ähnlich wie dies bei einem heißen Absceß durch Resorption der pyrogenen Stoffe geschieht. Wie bei einem solchen war das Fieber remittierend mit starker abendlicher Steigerung der Fiebersymptome. Diese schwinden mit der Entleerung des Herdes, — des Abscesses ebenso wie des Uterus, nur in letzterem Falle noch sicherer, weil der Uterus die krankheiterregenden Stoffe viel schneller und gründlicher entleert als der eröffnete Absceß.

Für vielfältige Anregung bei dieser Arbeit schulde ich meinem verehrten Chef, Herrn Professor Quincke, herzlichsten Dank.

---

Frommannsche Buchdruckerei (Hermann Pohle) in Jena. — 1849

# VIII.

# Ueber Ileus[1]).

Von

**Professor Kocher** in Bern.

(Hierzu Tafel III—V und ein Photogramm im Text.)

---

Professor NAUNYN in Straßburg hat sich ein großes Verdienst erworben, die Diskussion über Ileus vor das Forum von Internen und Chirurgen zu bringen [2]). Obwohl in den letzten Jahren eine große Anzahl von Klinikern, sowohl internen als externen, bei verschiedenen Gelegenheiten ihren Standpunkt in der gegebenen Frage mitgeteilt haben, so scheint doch eine Abklärung am meisten zu erwarten, wenn gemeinsame Diskussion stattfindet. Dieses Gefühl hat in analogen Fragen bereits bei verschiedenen Kongressen Anlaß gegeben zu gemeinsamen Sitzungen.

NAUNYN hat vollständig recht, daß nicht nur, wie er zugiebt, jeden Internen gegenüber einem richtigen Ileusfall jeweilen eine gewisse Aufregung befällt, sondern daß auch unter den Chirurgen noch keine Uebereinstimmung der Meinungen erzielt ist. Wenn ich mir erlaube, meinen Beitrag zur Förderung dieser Uebereinstimmung zu geben, so darf ich wohl eingangs darauf hinweisen, daß ich nicht zu denjenigen gehöre, welche nach NAUNYN's Ausdruck „sich unbefangen dem Eindruck der gelungenen That hingeben", sondern daß mein Urteil sich stützt auf 96 eigene Beobachtungen über chronischen und akuten Ileus (unter Ausschluß der Hernien und ihrer Komplikationen und der Neubildungen des Rectum), über welche ich im Laufe der Jahre ausführliche Krankheitsgeschichten gesammelt habe.

---

1) Ein kurzer Auszug dieser Arbeit wurde vorgetragen in der chirurgischen Sektion der British medical Association in Edinburgh, Juli 1898.

2) Vgl. Mitt. a. d. Grenzgeb. d. Med. u. Chir., Bd. 1, Jena 1896.

Chirurgen sowohl wie Interne haben die Empfindung, daß wir zur Stunde in unseren Resultaten der Behandlung des Ileus weit hinter dem zurückbleiben, was wir zu erlangen hoffen dürfen, und daß wir uns das Ziel setzen müssen, die Ileusfälle in demselben Maße vor einem schlimmen Ausgang zu bewahren, wie dies bei eingeklemmten Hernien geschieht. Es ist nur zu einem kleinen Teil in der Nachlässigkeit der Patienten und ihrer Angehörigen selbst begründet, wenn diese Forderung noch so weit hinter ihrer Erfüllung zurückgeblieben ist. Der Hauptgrund liegt unserer Ansicht nach vielmehr unbedingt in der ungenügenden Aufklärung und geradezu falschen Auffassung der praktischen Aerzte über dasjenige, was therapeutisch und namentlich chirurgisch in Fällen von Ileus geschehen kann und soll.

Wir sind vollständig mit dem von NAUNYN citierten Diktum von v. WAHL einverstanden, daß wir planlose Vivisektionen an unseren Mitmenschen unterlassen, und die Forderung aufrecht erhalten sollen, daß eine anatomische Diagnose des Sitzes, der Natur und des Wesens der Obstruktion in erster Linie gewonnen werden muß. Aber wir halten es für ebenso unumgänglich nötig, daß eine Diagnose gemacht werde, bevor ein Arzt sich erlaubt, mit allen möglichen Medikamenten einem Patienten zuzusetzen, der an Ileus erkrankt ist. Zweifellos ist die Gefahr solchen Vorgehens für den Patienten nicht minder groß als die Gefahr verfrühter Operation. Nach den statistischen Zusammenstellungen von CURSCHMANN [1]), GOLTDAMMER, BÜLAU kann man annehmen, daß ungefähr ein Drittel der Patienten mit Ileus durch medikamentöse oder zuwartende Behandlung gerettet werden kann. Demgemäß würden $^2/_3$ der Ileusfälle dem Chirurgen von vornherein zukommen; denn NAUNYN hat in sehr verdienstlicher Weise dargethan, wie verschieden die Prognose des Ileus ist, je nachdem man früh oder spät operiert. Nach seiner Zusammenstellung von 288 Ileusfällen beträgt die Heilungsziffer durch Laparotomie am 1. und 2. Tag 75 Proz. und fällt schon am 3. Tage plötzlich auf 35—40 Proz. herab. Das Heil ist also sicherlich für diese $^2/_3$ chirurgischer Ileusfälle nur von einer frühen Operation zu erwarten. Aber das Unglück ist, daß wir gerade in den Anfangsstadien nicht wissen und nicht wissen können, ob wir es mit einem medizinischen oder chirurgischen Ileus zu thun haben in obigem Sinne.

Man unterscheidet nach einem auch von SCHLANGE [2]) und LEICHTENSTERN [3]) acceptierten Vorschlage zwischen dynamischem und mechanischem Ileus und kann bei letzterem speciell die beiden Formen der Obturation und der Strangulation auseinanderhalten. Man ist im all-

1) Kongreß für innere Medizin, 1889.

2) Ueber den Ileus. Sammlung klinischer Vorträge hrsgeg. v. BERGMANN, Erb. von WINCKEL, Leipzig 1894.

3) Referat am 8. Kongreß für innere Medizin, Wiesbaden 1889.

gemeinen der Ansicht, daß bei einem dynamischen Ileus, welcher bloß auf Störung der Kontraktion des Darmes beruht, die medizinische Behandlung vorzuziehen sei, bei dem mechanischen dagegen die chirurgische Behandlung einzutreten habe. Wenn wir recht verstehen, so acceptiert NAUNYN die Indikation zum chirurgischen Eingriff für mechanischen Ileus zwar im allgemeinen, aber immerhin mit der Einschränkung für eine Reihe von Fällen, daß der Ileus ein ausgeprägter und mehr oder weniger akuter sein müsse. Es soll unsere Aufgabe sein, in vorliegender Besprechung darzuthun, daß es durchaus nicht von dem akuten oder chronischen Auftreten des Ileus abhängen darf und ebensowenig von der vollständigen oder unvollständigen Entwickelung der Ileussymptome, ob und wann wir chirurgisch eingreifen.

Der schwierigste Punkt in der Bestimmung der Indikation zur Behandlung des Ileus ist vielmehr der, daß wir gar oft den Unterschied nicht machen können zwischen einfach mechanisch bedingtem Ileus und den durch Peritonitis bedingten Formen. Es ist schwer zu sagen, ob die Ileuserscheinungen bei Peritonitis wesentlich als dynamischer Natur zu betrachten sind oder wie weit mechanische Hindernisse in Frage kommen. Aber sicher ist, daß eine beträchtliche Zahl von Peritonitisfällen bei chirurgischer Behandlung einen glücklicheren Verlauf durchmachen als bei zuwartender, und es sind in neuester Zeit eine Reihe von Publikationen erschienen, welche zeigen, daß auch bei Peritonitis die prinzipielle Durchführung chirurgischer Behandlung von vorherein verhältnismäßig sehr schöne Resultate ergiebt. So hat KÖRTE [1]) über eine Reihe von 99 eigenen Beobachtungen diffuser Peritonitis während der letzten 7 Jahre berichtet, von denen 71 chirurgisch behandelt wurden. Von diesen heilten 35,2 Proz. Von 28 Fällen dagegen, welche nicht operativ behandelt worden sind, wurden nur 21,4 Proz. geheilt. Daraus könnte man schließen, daß die operative Behandlung ein wesentlich besseres Resultat ergiebt. Allein unter KÖRTE's 71 Fällen befinden sich 34, bei welchen die Peritonitis die Folge war von Perforation des Processus vermiformis. In 6 Fällen wurde die Ursache nicht gefunden. Dagegen in 12 Fällen von Perforation des Magens und des Darmes heilte ein einziger und in 14 Fällen von Erkrankung der Sexualorgane heilten bloß 3. Die gute Prognose erklärt sich demnach wesentlich daraus, daß Peritonitiden vorlagen, die mit Appendixerkrankung in Zusammenhang waren. Es wird von Internen gegen eine solche Statistik immer eingewendet werden können, daß die überwiegende Mehrzahl der Fälle von akuter Appendicitis oder Perityphlitis durch Opiumbehandlung geheilt werden könne

1) Mitteilungen aus den Grenzgebieten der Medizin und Chirurgie, Bd. 2, 1897.

oder ein vollkommenes Resultat gebe bei bloßer Incision umschriebener Abscesse.

Daß durch Opiumbehandlung sehr schwere Fälle von Peritonitis glücklich bis zu einem gewissen Punkte durchgebracht werden können, ist gar keine Frage. Ich habe Fälle von ausgedehnter Zerreißung des Darmes gesehen, bei welchen durch eine kategorische Behandlung mit hohen Opiumdosen der Patient gerettet wurde und der Koterguß sich auf einen umschriebenen Absceß beschränkte, der nachträglich eröffnet werden konnte. In einem später zu beschreibenden derartigen Falle war das Ileum fast vollständig quer getrennt durch einen Stoß auf das Abdomen; der Patient kam mir erst zu, als Ileuserscheinungen nachträglich eingetreten waren, während die schweren Anfangssymptome von Peritonitis sich zurückgebildet hatten. Auf der anderen Seite ergiebt die Erfahrung von Chirurgen, welche prinzipiell bei akuter Appendicitis operativ vorgegangen sind (Bernays) daß sich auch auf diese Weise nicht nur sehr gute Resultate erzielen lassen, sondern daß man selbst für die schwersten Fälle die Entwickelung der diffusen Peritonitis verhüten kann und eine erheblich bessere Statistik für letztere Fälle erzielt, als mit der zuwartenden Behandlung.

Man kann deshalb für Peritonitis im allgemeinen wohl den Standpunkt einhalten, daß der chirurgische Eingriff am Platze ist bei jedem Falle, wo wir die Ursache der Peritonitis zu beseitigen Aussicht haben, also bei Perforation der verschiedensten Unterleibsorgane, bei Darmgangrän, bei entzündeten gangränösen Geschwülsten etc. oder wo wir hoffen dürfen, toxische Flüssigkeiten aus dem Peritonealsack bleibend zu entfernen. Für alle diese Fälle acceptieren wir Finné's[1]) „neue Methode", welche er freilich für alle Fälle von Peritonitis ohne Ausnahme empfiehlt, nämlich das Abdomen breit zu eröffnen, die Dämme zu eventrieren, dieselben sowie das ganze Cavum peritonei mit warmer Salzlösung zu irrigieren und namentlich die Douglas'schen und Lendenrecessus mit warmen Salzwasserkompressen auszuwaschen. Ellittin und Calvert[2]) haben für die Vortrefflichkeit dieser Methode Experimente an Hunden beigebracht. Es gehört zu der Methode, daß durch aseptische Gaze, welche an allen Stellen eingebracht wird, wo Gefahr neuer Infektion gegeben ist, für eine gute Drainage gesorgt wird.

Mac Cosh in New York[3]) ist in der Behandlung der allgemeinen Peritonitis noch einen Schritt weiter gegangen und rühmt sich seiner guten Resultate. Er macht nicht nur einen großen Schnitt, um die Därme vollständig zu eventrieren. Er wäscht nicht bloß mit sehr warmem Salzwasser (44° C) die Abdominalhöhle aus und reinigt die

1) Johns Hopkins Hospital Bull. Baltimore, July 1897.
2) Eodem loco.
3) Annals of surgery, Juni 1897.

Därme, sondern er eröffnet auch gleichzeitig den Darm durch eine Incision, entleert ihn so vollständig wie möglich und sorgt für seine rasche und vollständige nachherige Entleerung dadurch, daß er in den oberen Teil des Jejunum eine konzentrierte Lösung von Magnesia sulfurica einspritzt (30—60 g). Auch MAC COSH will mit sterilen Gazestreifen, zwischen den Därmen in verschiedenen Richtungen durchgeführt und unter der Bauchnaht durchgelegt für eine ergiebige Drainage sorgen.

Dagegen vermeidet MAC COSH die mechanische Reinigung der Därme von den adhärenten Fibrinflatschen. Man muß zugeben, daß diese Reinigung allerdings eine bedeutende Schädigung bewirkt, hier und da ziemliche Blutungen veranlaßt und namentlich das peritoneale Endothel in hohem Maße schädigt, das nach WALTHARD'S[1]) Untersuchungen für den Schutz gegen Infektion eine sehr große Rolle spielt. Wir sind auch deshalb mit dieser Enthaltung von mechanischer Reinigung von den Fibrinflatschen einverstanden, weil nach den von Prof. TAVEL gemachten bakteriologischen Untersuchungen sich viel weniger Mikroorganismen in den Fibrinmembranen finden als in dem flüssigen Exsudat. Sie scheinen unter der Einwirkung der Antitoxine der Leukocyten in den Flatschen zu Grunde zu gehen, und das Exsudat vielmehr eine Folge zu sein der chemischen Reizung als der direkten Wirkung der Mikroorganismen, wie von WIELAND[2]) nachgewiesen worden ist.

MAC COSH hat 6 Fälle von allgemeiner Peritonitis nach Appendicitis, 1 Fall nach Ovarialabsceß, einen nach Perforation eines Magengeschwüres in obenbezeichneter Weise behandelt und 6 Heilungen erzielt.

Wir haben absichtlich einige Resultate der Behandlung allgemeiner Peritonitis herangezogen, um durch den Hinweis darauf, was selbst in diesen ganz schlimmen Fällen durch chirurgische Behandlung geleistet werden kann, zu zeigen, daß man sich durch die Unsicherheit der Diagnose gegenüber Peritonitis nicht abhalten lassen darf von der viel gefahrloseren chirurgischen Behandlung eines Falles von Ileus. Wer sich des genaueren orientieren will über den jetzigen Standpunkt der chirurgischen Behandlung der diffusen Peritonitis, den verweisen wir auf die Arbeiten von KÖRTE und von MIKULICZ, welch letzterer Autor darüber am vorletzten Chirurgenkongresse in Berlin referierte und die Anschauungen zusammengefaßt hat.

In einer Anzahl von Fällen können wir die Differentialdiagnose zwischen einer Peritonitis und einem Ileus wohl machen. Erstere ist charakterisiert durch einen gleichmäßigen diffusen Mete-

---

1) Archiv für experimentelle Pathologie und Pharmakologie.
2) Mitteilungen aus Kliniken der Schweiz, Basel 1895.

orismus, durch die hochgradige und allgemeine Druckempfindlichkeit, durch den gelegentlichen Nachweis von Erguß in den abhängigen Partien oder an umschriebener Stelle. Für Peritonitis spricht das Vorhandensein von Fieber, aber nicht umgekehrt. Es ist ein verhängnisvoller Irrtum, der aus den Köpfen der Aerzte nicht herauszubringen ist, daß zu einer Peritonitis Fieber gehöre. In einer großen Anzahl der schwersten Peritonitisfälle tritt zu keiner Zeit Fieber ein; in anderen sind die Fieberregungen recht gering und unregelmäßig. Bei Ileus ist der Meteorismus häufig nur lokal, daneben bestehen sichtbare und fühlbare Kontraktionen großer Darmschlingen unter meist lebhaften Schmerzanfällen mit exquisitem lokalisierten Gurren. Ferner besteht bei Ileus laut tympanitischer Perkussionsschall, der stellenweise (oberhalb der Verschlußstelle, wo die Darmlähmung eingetreten ist) exquisit metallischen Klang annimmt. Endlich kann man bei gefüllten Därmen durch rasches Eindrücken oft lautes Plätschern hervorrufen, weil der Inhalt der Därme dünnflüssig und sehr reichlich ist bei gleichzeitig starker Gasentwickelung. Ich habe bei einer Krebsstenose das Kolon beobachtet, daß selbst der Inhalt des Dickdarms unter diesen Umständen ganz hellgelb und dünnflüssig werden kann, wie man ihn sonst im Dünndarm trifft. Heidenhain (Helferich) hat speciell bei Volvulus auffällig niedrige Pulsfrequenz beobachtet. Die Dämpfung an den abhängigen Stellen, welche bei Peritonitis auf Erguß beruht, findet sich auch bei Darmobstruktion infolge von Ansammlung reichlicher Flüssigkeit in den Därmen. Wenn die letzteren gleichzeitig Gas enthalten, so lagern sich die mit Flüssigkeit erfüllten Darmschlingen in ganz gleicher Weise in den abhängigen Partien des Abdomen, wie wir dies bei einem freien Erguß zu sehen pflegen, und die Dämpfungsgrenze ändert auch hier bei Lagewechsel ihre Form in genau übereinstimmender Weise. Einen Anhaltspunkt für die Entscheidung zwischen freiem Erguß und reichlicher Flüssigkeitsansammlung in den Därmen ist darin gegeben, daß bei letzterem, wie oben bemerkt, ein Plätschern sehr oft hervorgerufen werden kann bei raschem Fingereindruck von zwei Seiten. Bei allen Formen von Strangulationsileus, aber auch bei bloßer Obturation mit hochgradigen Cirkulationsstörungen der Darmwand kann durch ein dem Bruchwasser analoges Transsudat ein freier Erguß von seröser oder blutig-seröser Flüssigkeit in das Cavum peritonei zustande kommen.

Es bleiben, wie ersichtlich, trotz aller Anhaltspunkte zur Differentialdiagnose genug Fälle übrig, wo wir im Anfangsstadium eine sichere Entscheidung zwischen Ileus und Peritonitis nicht machen können. Deshalb muß man wissen, daß wir unter diesen Umständen uns absolut nicht abhalten lassen dürfen, einen operativen Eingriff zu wagen. Nur werden wir im Zweifelsfalle uns gelegentlich mit einer kleineren Incision zu begnügen haben, welche uns sofort über das Vorhandensein oder Nichtvorhandensein einer Entzündung belehren kann. Auch kann es zweckmäßig scheinen, derartige kleine Incisionen statt in der Mittellinie bei dem großen Ueberwiegen der Appendicitis als Form akuter Peritonitis im rechten Hypogastrium resp. am rechten Rectusrand anzulegen.

Wenn wir so befreit sind von ängstlichem Zögern in Fällen von Ileus, welche eine Entzündung zur Grundlage haben, so bleibt bloß noch eine Form von Ileus übrig, welche chirurgische Behandlung auszuschließen scheint, nämlich derjenige dynamische Ileus, der nicht auf entzündlicher Infiltration der Darmwand beruht. Solche Fälle kommen ohne Zweifel vor. Leichtenstern hat (loc. cit.) dieselben einer speciellen Betrachtung unterworfen und es sind auch von verschiedenen Chirurgen Beobachtungen mitgeteilt worden, wo bei Laparotomie eine Ursache der Darmauftreibung gar nicht oder bloß in Form von Kottumoren gefunden worden ist. Gersuny[1]) hat für derartige Fälle ein pathognomonisches Symptom angegeben, welches die Kottumoren diagnostizieren lassen soll (sein sogen. Klebesymptom bei langsamem Abheben des tief eingedrückten Fingers).

Leichtenstern hält für das Gemeinsame aller Fälle von dynamischem Ileus, inklusive des entzündlichen, die Lähmung einer Darmstrecke mit Stauung des Inhalts in derselben (gelegentlich verbunden mit Knickung).

Ich habe mehrere derartige Fälle gesehen; am häufigsten sieht man nicht entzündlichen dynamischen Ileus nach Operationen auftreten. Er beruht in diesen Fällen oft auf leichter Verklebung der Därme durch starke Schädigung der Serosa, entweder an umschriebener Stelle oder in größerer Ausdehnung, und es ist wahrscheinlich, daß die auf eingreifende Laparotomie folgenden Cirkulationsstörungen auf die Kontraktionsfähigkeit des Darmes einen wesentlichen Einfluß ausüben. Die Mehrzahl der Fälle von sog. dynamischen Ileus ist keineswegs als reine Funktionsstörung aufzufassen, sondern es sind leichte mechanische Hindernisse, welche im Hintergrund liegen.

Wir geben in Beilage die Krankengeschichte einer 38-jährigen Frau, welche im Anschluß an ihre erste Entbindung Ileus bis zu fäkalem Erbrechen bekam und bei welcher wegen Annahme eines Darmverschlusses durch Adhäsion im Bereich des Coecum die Laparotomie gemacht wurde. Dieselbe erlaubte zu konstatieren, daß allerdings insofern ein dynamischer Ileus vorlag, als die hochgradig ausgedehnten Därme bei zweimaliger Punktion mit dem Messer nur aus den nächstanliegenden Schlingen ihren Inhalt entleerten. Indessen wurde doch konstatiert, daß im Bereich des Coecum eine umschriebene

1) Wiener klinische Wochenschrift, 1896, No. 140.

**fibrinöse Peritonitis leichtesten Grades mit serösem Erguß bestand und zweifelsohne hatte der Druck des Uterus während der Schwangerschaft mechanisch durch Retention die Darmatonie veranlaßt, da schon in dieser Zeit die starke Auftreibung des Abdomens aufgefallen war. Die Patientin genaß dank der zuerst mechanischen Entleerung der Därme und der Wirkung des faradischen Stromes, der Massage und der Glycerinklystiere.**

Anamnese vom 4. Dez. 1894.

Die 38-jährige, seit einem Jahre verheiratete Hausfrau soll nach Aussage des Arztes früher nie krank gewesen sein. Sie ist erstgebärend und machte eine normale Schwangerschaft durch. Nur soll sie in letzter Zeit ein übermäßig großes Abdomen gehabt haben, so daß ihre Angehörigen Zwillinge erwarteten. Gegen Ende der Schwangerschaft litt sie häufig an Stuhlverstopfung, die indes bei Klystieren wich.

Am 25. Nov. verspürte die Pat. die ersten Wehen. Die Hebamme konstatierte eine normale Lage des Kindes. Ein Arzt wurde nicht beigezogen. Erst als die Wehen lange andauerten und die Geburt nicht vor sich gehen wollte, wurde am 28. Nov. ein Geburtshelfer geholt. Er fand eine leichte Vorderscheiteleinstellung bei normalem Becken. Der Kindskopf war ziemlich groß. Das Abdomen war stark aufgetrieben und gespannt, so daß die von außen palpierende Hand von den Uterusverhältnissen und der Kindslage nichts fühlen konnte. Ein Klysma beförderte noch Stuhl zu Tage, aber die Spannung des Bauches blieb sich gleich. Der Geburtshelfer legte in Chloroformnarkose am 28. Nov. 9 h. p. m. die Zange an. Ein 4 kg schwerer Knabe kam zur Welt. Der Damm riß etwas ein, so daß zwei Ligaturen angelegt werden mußten.

Am 29. Nov. nahm die Spannung des Abdomens nicht ab. Stuhl und Winde gingen nicht mehr ab. Erbrechen trat auf. Am Freitag den 30. Nov. derselbe Befund. Trotz Klysmata, Darmrohr weder Stuhl noch Winde. Am Samstag den 1. Dez. nahm das Erbrechen fäkalen Charakter an. Herr Prof. K. fand am Abend dieses Tages ein stark aufgetriebenes Abdomen, das in den abhängigen Partien leicht gedämpft war. Rechts zwischen Nabel und Spina ant. sup. gab die Patientin bei der Palpation Schmerzen an. Das Resultat der Untersuchung war nicht ganz bestimmt, da die starke Auftreibung eine richtige Palpation nicht zuließ. Doch vermutete man, es handle sich um eine Darmocclusion im Bereich des Coecum infolge Bridenbildung durch Entzündung. Pat. hatte Fieber, der Scheidenausfluß war aber nicht verdächtig.

Am Montag den 3. Dez. vormittags wurde Pat. auf die Klinik gebracht und sofort operiert.

3. Dez. Operation. Dampf-Asepsis. Seide. Lysol. Chloroform-Aetheranästhesie.

Herr Prof. K. findet das Abdomen noch stärker aufgetrieben, keine deutliche Dämpfung. Druckempfindlichkeit zwischen Nabel und rechter Spina ant. sup.

Schräger Schnitt in einer Länge von 10 cm zwischen diesen beiden Punkten. Nach Eröffnung des Peritoneums tritt sofort der kolossal erweiterte und prall gespannte Dickdarm zu Tage. Ganz wenig seröse Flüssigkeit wird entleert. Eine Gasentleerung ist zur Orientierung absolut notwendig, weshalb ein kleiner Stich in den Darm gemacht und ein Troicart-

Ansatz eingeführt wird. Mit etwas dünnflüssigem Stuhl entleert sich ziemlich viel Gas, aber nur aus den zunächstliegenden Partien. Eine nähere Untersuchung ergiebt an der Hinterseite des entleerten Colon ascendens einige trübe, fibrinös belegte Stellen, von denen leider erst nach Spülung mit Lysol geimpft wird. Der Darmstich wird mit einer Seidenknopfnaht vernäht, Serosa darüber fortlaufend mit 4 Nähten. Schluß der Bauchwunde durch tiefe Knopfnähte durch Peritoneum und Fascien. Fortlaufende Hautnaht. Die frei zu Tage getretene Arteria epigastrica inf. konnte geschont werden. Fortlaufende Hautnaht. Jodoformgazecollodiumstreifen.

Da das Resultat nicht befriedigend ist, wird das Abdomen vom Nabel abwärts durch einen etwa 15 cm langen medianen Schnitt eröffnet. In die Oeffnung legt sich das stark gespannte und aufgetriebene Colon transversum, das angestochen und entleert wird, aber nur aus den nächstgelegenen zu- und abführenden Teilen mit wenig flüssigem Stuhl. Das Peritoneum ist überall glatt und glänzend. Der Uterus gut kontrahiert, die bedeckende Serosa zeigt keine Entzündungserscheinungen. Im kleinen Becken nichts von Trans- oder gar Exsudaten. Tiefe Bauchwundnaht mit doppelten Seidenknopfnähten. Fortlaufende Hautnaht. Jodoformgazecollodiumstreifen. Keine Drainage. Ueberklebung des weniger stark gespannten Abdomens mit Guttaperchapapier.

Während der Narkose erbrach Pat. zweimal. Das Erbrochene hatte nicht gerade fäkales Aussehen, hingegen deutlich fäkalen Geruch. Der Puls war gut, zwischen 90 und 110.

Auf dem Bauch werden zwei Eisbeutel befestigt, die von Zeit zu Zeit auf eine andere Stelle gebracht werden, jedoch so, daß die rechte Bauchhälfte beständig unter Kälteeinwirkung steht.

Die Diagnose wird jetzt gestellt auf eine vollständige Atonie des Darmes nach Geburt.

Therapie: Eis auf das Abdomen. Einführung des Darmrohres 1 Stunde. Etwas später hohe Eingießung von 250 ccm Wasser. Gegen Abend Peptonnährklystier. Per os theelöffelweise Pepton mit Salzwasser, etwas Alkoholika.

3. Dez. abends. Das ziemlich stark aufgetriebene Abdomen zeigt deutliche Vorbuchtung im Bereich der Flexura coli sinistra. Pat. fühlt sich erleichtert und kann, sobald sie aufrecht sitzt, leidlich atmen. Der Puls ist regelmäßig und kräftig. Weder Stuhl noch Winde sind abgegangen. Pat. erhält abends 10 h. 3 Teilstriche Morphium.

4. Dez. Das Abdomen ist immer stark aufgetrieben, aber nicht mehr so gespannt. Man kann es leicht eindrücken, ohne Schmerzen hervorzurufen. Kein Stuhl- oder Windabgang. Pat. spürt deutliches Darmgurren. Die Flexura coli sin. immer stark nach oben vorgewölbt. Ueberall laut tympanitischer Schall.

Kein Erbrechen, auch kein Brechreiz, wohl aber öfter Ructus mit widerlichem, aber nicht fäkalem Geruch. Pat. fühlt sich durch die Ructus erleichtert.

Der spontan gelassene Urin ist dunkel, zeigt leichte Eiweißtrübung und stark vermehrten Indikangehalt.

Der Puls ist kräftig und regelmäßig, 100. Temp. 37,5.

Zunge stark belegt, feucht.

Morgens hohe Eingießung von 250 ccm. Eine Stunde nachher Einführen des Darmrohres für die Dauer einer Stunde.

Per os öfter theelöffelweise Pepton und Salzwasser.

Nachmittags wieder Darmrohr. Das Einführen ist sehr schmerzhaft, da Pat. starke Hämorrhoiden hat.

Abends hohe Eingießung von 250 ccm. Abdomen nicht gespannter, ohne Schmerzen eindrückbar. Kein Wind- oder Stuhlabgang. Keine peritonitischen Erscheinungen. Puls stets gut. Atmung orthopnoisch 32, keine Cyanose. Aussehen und subjektives Befinden besser. Nachts 10 h 3 Teilstriche Morphium. Pat. erhält täglich zwei Scheidenausspülungen mit Lysol.

Urin wird spontan gelassen.

5. Dez. Pat. schlief nachts ziemlich ruhig. Abdomen gleich wie gestern. Nie Winde oder Stuhl. Darmgurren hörbar.

Kein Erbrechen, Zunge feucht, Puls kräftig. Temp. 37,6.

Therapie für heute. Vor- und nachmittags 2 hohe Eingießungen von 500 ccm. Zweimal Darmrohr für je 1 Stunde. Dreimal 10 Tropfen Tinct. nucis vomicae.

Nach Entfernen des Darmrohres nachmittags war ein kleiner breiiger Kotklumpen am Darmrohr. Kein Windabgang.

Pat. genießt löffelweise Somatose, Wein und Thee; sie fühlt sich besser.

Im spontan gelassenen Urin fortwährend leichte Eiweißtrübung und starker Indikangehalt.

6. Dez. Nacht ziemlich ruhig. Puls kräftig, Zunge feucht, kein Erbrechen oder Brechreiz, etwas weniger Ructus. Abdomen weich, aber immer aufgetrieben. Temp. 37,2. Kein Stuhl- oder Windabgang.

Therapie für heute: 3×15 gtt. Tinct. nucis vomicae. 2 mal hohe Eingießungen, 2 mal Darmrohr. Faradisieren der Bauchmuskeln. Große Elektrode auf die Brust, Reizelektrode auf die Muskeln. Man braucht ziemlich starke Ströme, um die Recti zur Kontraktion zu bringen. Beim linken sind sie lebhaft, beim rechten mit starken Strömen eben auszulösen. Die breiten Bauchmuskeln können nicht gereizt werden.

Jedesmal nach dem Elektrisieren fühlt sich Pat. erheblich erleichtert. Das Abdomen wird entschieden weicher. Peristaltik ist deutlich sichtbar, Gurren weithin zu hören. Doch gehen weder Winde noch Stuhl ab. Pat. hat immer flüssige Diät, Peptonsalzwasser, Wein, Thee, etwas sterile Milch.

Nachts 3 Teilstriche Morphium.

7. Dezember. Die Nacht war ruhig. Abdomen stets aufgetrieben, aber weich.

Dieselbe Therapie, 3×20 gtt. Tinct. nucis vomicae.

Am Nachmittage beim Elektrisieren ist das Abdomen so weich, trotzdem weder Winde noch Stuhl abgingen, daß eine Massage des Colon versucht und während 5 Minuten durchgeführt wird. Da eine lebhafte Peristaltik danach auftritt, wird nach $^1/_2$ Stunde ein Glycerinklystier gegeben, worauf sich sofort massenhaft breiiger, gut gefärbter Stuhl und viele Winde entleeren. Auch nachher noch fährt die Windentleerung fort.

Abends Temp. 37,6, Puls 100, kräftig. Pat. fühlt sich ganz wohl, wenn auch etwas schwach. Tinct. nucis vomicae wird jetzt ausgesetzt.

8. Dez. Pat. hatte heute morgen nach Glycerinklysma reichlich Stuhl und Winde. Temp. 38,2. Die beiden Eisbeutel, die Pat. bis jetzt hatte, werden von jetzt an weggelassen. Ebenso das Darmrohr und die hohen Eingießungen. Pat. trinkt Milch, Bouillon mit Ei. Abends wiederum Stuhlentleerung, tagsüber gehen hie und da Winde ab.

9. Dez. Pat., die sich jetzt ganz wohl fühlt, hat in den hinteren, unteren Lungenpartien leichte Bronchitis, katarrhalisches Sputum.

Die Nähte der Bauchwunden waren gestern entfernt und durch Kollodialstreifen ersetzt worden. Die mediane Naht klafft etwas in den unteren Partien und blutet leicht. 2 Dammnähte ebenfalls entfernt.

Pat. hatte heute wiederum Stuhl nach Klysma. Per os gehacktes Fleisch und gekochtes Obst.

10. Dez. Entlassung. Die Pat. fühlt sich ganz wohl. Heute früh spontan Stuhl. Windabgang stets spontan. Immer leichte Bronchitis. Das Abdomen ist weich, nirgends schmerzhaft, immer noch etwas aufgetrieben. Unten aus der medianen Wunde fließt etwas Eiter, weshalb der Pat. zweistündlich Salicylumschläge verordnet werden.

Im Urin immer noch starker Indikangehalt. Der Urin sehr dunkel gefärbt. Pat. wird zu Hause zuverlässiger ärztlicher Behandlung übergeben.

Die Impfung aus dem fibrinösen Belag hat kein Resultat ergeben.

Als zweite Illustration eines dynamischen Ileus geben wir die Krankengeschichte eines $2^1/_4$ jährigen Kindes (S. B.), welches vom Arzte als Abdominaltumor dem Spital überwiesen wurde. Das nachstehende Photogramm giebt einen Begriff von der hochgradigen Ausdehnung des Abdomen.

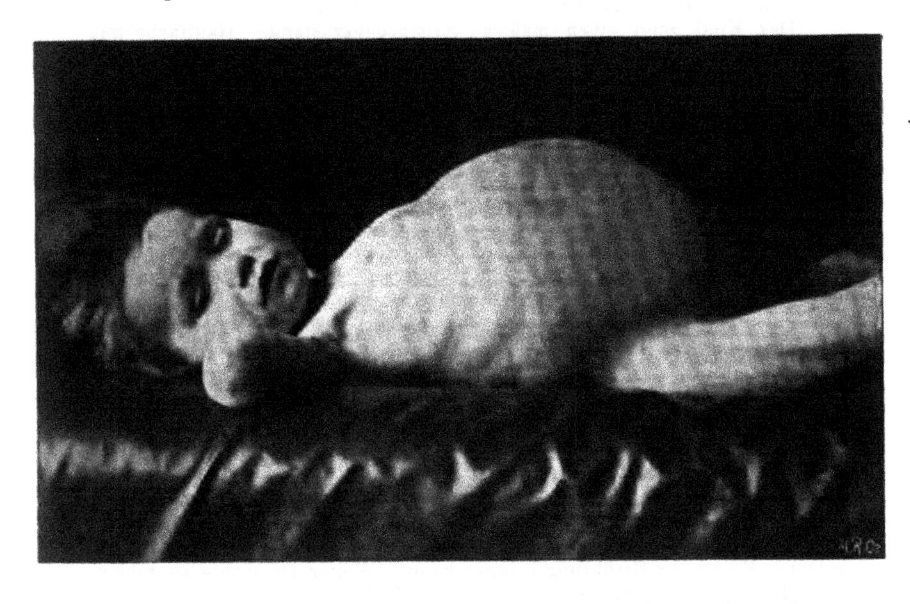

Anamnese: Das gesund geborene Kind zeigte schon nach 14 Tagen Beschwerden bei dem Urinlassen, die nach einem Kamillenbad verschwunden sein sollen. Im Sommer 1891 will die Mutter bemerkt haben, daß der Bauch des Kindes abnorm groß war, und zwar soll die Auftreibung gleichmäßig gewesen sein. Das Allgemeinbefinden war nicht merklich gestört, nur fiel der Mutter auf, daß der Stuhlgang unregelmäßig war. Nach 2—3 tägigen Pausen erfolgten oft mehrere dünnflüssige Entleerungen von normaler Farbe.

Im Januar 1892 nahm die Ausdehnung des Abdomens rasch zu, anfangs gleichmäßig, ohne daß besondere Prominenzen oder Resistenzen konstatiert worden wären. Der Stuhlgang verhielt sich wie im Sommer. Mitte Februar wurde ein Arzt konsultiert, auf dessen Behandlung hin der Stuhlgang regelmäßiger wurde. Zugleich verminderte sich die Ausdehnung des Abdomens etwas und es trat ein Tumor im rechten Hypogastrium deutlich hervor. Vor 5 Wochen jedoch hörte der Stuhlgang völlig auf und ist bis jetzt ausgeblieben. Zugleich nahm die Ausdehnung des Abdomens zu, und zwar in unregelmäßiger Form. Einige Male, zum Teil auf ärzliche Medikation hin, trat reichliches Erbrechen auf, wobei das Erbrochene von gelber Farbe und fäkalem Geruch war. In der letzten Zeit klagte das Kind viel über Durst und hatte beständig trockene Lippen. Seit ca. 3 Wochen traten öfter Störungen der Urinentleerung auf, die in den letzten Tagen nachgelassen haben. Dieselben äußerten sich darin, daß unter Schmerzäußerungen der Harn nur in kleinen Mengen abfloß. Dabei soll die Scrotalhaut aufgetrieben gewesen sein.

Die Venenektasien wurden seit Neujahr 1892 beobachtet.

Die Eltern des Kindes und ein jüngerer Bruder desselben sind gesund.

Tuberkulose oder Tumoren sollen in der Familie nicht vorgekommen sein.

Status bei der Aufnahme am 12. April 1892.

Das Kind zeigt einen mäßigen Ernährungszustand. Hautfarbe gut, am Körper eher etwas blaß. Auf dem stark ausgedehnten Abdomen sind zahlreiche ektasierte Venen sichtbar. An den Nates ist die Haut etwas gerötet und zeigt einzelne Aknepusteln.

Herz: Normal.

Lungen: Beiderseits etwas trockenes Rasseln, besonders hinten hörbar. Sonst nichts Besonderes.

Abdomen: Stark aufgetrieben, maximaler Umfang ca. 70 cm.

Die Auftreibung ist unregelmäßig, indem sich das rechte Hypogastrium halbkugelig stark vorwölbt, während links mehr die mittleren und oberen Partien des Bauches vorgetrieben sind und eine groß-wellenförmige Oberfläche zeigen. Ueber dem Tumor im rechten Hypogastrium, der exquisit weich elastisch ist, findet sich absolute Dämpfung. Eine leichtere Dämpfung ist ferner über dem größten Teil der linken Bauchhälfte zu finden. Palpatorisch grenzt sich das Dämpfungsgebiet rechts unten als Tumor von halbkugeliger Form deutlich ab. In der linken Bauchhälfte läßt sich die Dämpfung zum Teil entsprechend einer Zone von stärkerer Resistenz nachweisen, welche deutlich elastisch ist und keine Eindrückbarkeit zeigt. Beim Einführen des Fingers in das Rectum fühlt man in der Höhe von ca. 2 cm gewaltige Kotballen von sehr fester Konsistenz, welche die Bewegungen des Fingers in hohem Maße hindern. Derselbe kann bis zur Symphyse emporgeführt werden, so daß man ihn mit dem von außen angelegten Finger zur Berührung bringen kann. Weiter ist nichts zu fühlen. Beim Katheterisieren entleert sich 270 ccm klarer Harn, wobei der Tumor im rechten Hypogastrium zusehends kleiner und schlaffer wird, was sich auch durch Perkussion nachweisen läßt.

Es besteht ein leichter Grad von Phimose. Das Praeputium ist ziemlich gerötet und etwas geschwollen.

Temp. bei der Aufnahme 37,4. Puls 160, von mäßiger Stärke.

13. April mittags: Durch Einführen des Fingers in das Rectum werden lehmartige, graue Kotmassen entfernt. Dann wird das Darmrohr ca. 10 cm weit eingeführt und jeweilen ca 200 ccm Wasser von 37° eingegossen, das Abdomen leicht massiert und sodann mit dem Finger wieder Entleerung bewirkt. Es geht nicht viel ab.

Abends. Umfang des Abdomens 70 cm. Blase stark gefüllt. Es wird mit einem NELATON-Katheter ca. 120 ccm Harn entfernt. Sodann wird die oben beschriebene Prozedur ca. 1 Stunde lang vorgenommen. Dabei entleeren sich größere Massen desselben Kotes, wie bei der ersten Entleerung. Es tritt eine spontane, ziemlich reichliche Harnentleerung auf.

Der Umfang beträgt am Ende der Spülungen noch 61 cm. Die Füllung der Bauchdeckenvenen hat abgenommen.

Allgemeinbefinden gut. Der Knabe erhält per os Milch, Eibouillon und etwas Cognac.

Das Rectum ist so stark dilatiert, daß spontane Entleerungen nicht vorkommen, auch wenn es gefüllt ist, indem es nicht imstande ist, sich zu kontrahieren. Temp. stets normal.

15. April. Dieselbe Prozedur vermindert den Umfang des Abdomens auf 59 cm.

16. April. Die Entleerungsversuche werden in gewohnter Weise fortgesetzt, jedoch ohne viel Erfolg.

Die Diurese geht spontan vor sich, aber nie bis zu völliger Entleerung der (stark gedehnten) Blase.

21. April. Umfang $58^1/_2$ cm. Entleerung und Spülung in gewohnter Weise, aber mit etwas kühlerem Wasser. Abnahme um $2^1/_2$ cm.

26. April. Gewohnte Entleerung. Sehr harte Fäkalmassen vorhanden, welche das Rectum blutig ritzen. Umfang am Ende der Prozedur ca. 55 cm.

3. Mai. Der Umfang des Abdomens hat wieder etwas zugenommen. Entleerung in gewohnter Weise. Faeces etwas weniger hart.

4. Mai. Zum erstenmal spontaner Stuhl, allerdings nur 2—3 Kotballen und etwas flüssiger Stuhl.

10. Mai. Pat. hat diffuse Bronchitis. Liqu. amm. anis.

13. Mai. Neue Entleerung in gewohnter Weise. Es sind noch ziemlich harte Fäkalmassen vorhanden. Umfang 56 cm nach der Entleerung. Es wird fleißig massiert.

15. Mai. Neue Entleerung in gewohnter Weise, nachdem Pat. (nach kleinen Glycerinklystieren) 2 spontane Stuhlentleerungen gehabt. Die Fäkalmassen sind etwas weicher.

Pat. hat etwas weniger Bronchitis, jedoch auf beiden Tonsillen gelblichweiße, membranöse Beläge, die sich mit einem Tupfer nicht abwischen lassen. Stimme nicht merklich heiser. Keine Dyspnoë. Therapie: Lig. ammon. anis. Loxal: Tinct. jodi auf die Tonsillen. Reinigen des Mundes mit Acid. carbol. 0,5 Proz.

16. Mai. Abends 39,6. Stat. idem.

17. Mai. Pat. erhält stets kleine Glycerinklysmata und innerlich Tinct. Rhei. vinosa mehrmals täglich 5,0. T. 37,9. P. 103.

Er hat beinahe täglich weiche Stuhlentleerungen von verschiedener Reichlichkeit.

18. Mai. T. 37,4. P. 124. Im Hals keine Beläge mehr, doch noch Schwellung und Rötung der Tonsillen.

19. Mai. Pat. fieberfrei.

22. Mai. Wird wie gewohnt entleert. Es zeigen sich nur weiche Massen.

24. Mai. Abends T. 38,5 mit etwas Vermehrung der Angina ohne Beläge.

25. Mai. Entlassung.

Status: Allgemeinbefinden merklich gebessert; immerhin ist Pat. noch etwas blaß.

Lungen: Wenig vereinzelte Rasselgeräusche, mehr trocken. Keine Dämpfung.

Abdomen: Umfang 53,5 cm. Nirgends auffallende Dämpfung, nirgends derbe Resistenzen fühlbar. Die Blase ist an normaler Stelle und entleert sich gut. Harn klar.

Darmentleerungen finden spontan täglich statt, sind weich, gelbgrau, ohne Blutbeimischung. Das Rectum zieht sich über dem eingeführten F nger noch nicht deutlich zusammen.

Die Flexura sigm. ist beim Pressen noch als weicher von links oben nach der Mitte unten ziehender Strang bisweilen fühlbar und auch sichtbar. Im Rectum sind bei der vor der Entlassung vorgenommenen gewohnten künstlichen Entleerung keine festen Scybala nachweislich.

Rachen: Rötung und Schwellung von Tonsillen und Umgebung ohne aufgelagerte Membranen.

Pat. hat guten Appetit.

Es handelt sich bei diesem Falle, wie ersichlich, um eine hochgradige Koprostose, welche einen derbelastischen Tumor vom Rectum bis zum oberen Teil des Colon descendens darstellte. Da bereits bald nach der Geburt Störungen seitens der Blasenentleerung beobachtet wurden, so ist es wohl möglich, daß die Blase, wie im vorigen Falle der Uterus, durch die mechanische Verlegung des Darms zu der hochgradigen Atonie des letzteren infolge Stauung und Ausdehnung führte. Die Atonie zeigte sich in der mangelhaften Kontraktionsfähigkeit und Schlaffheit des Rectum aufs deutlichste.

Wir haben die beiden Fälle mitgeteilt, um zu zeigen, daß die Beobachtungen von dynamischem Ileus sehr verschiedenwertig sind. Wo wirklich rein funktionelle Störungen der Darmthätigkeit vorliegen, da muß eine Vorgeschichte erwartet werden, wie bei dem Kleinen, welche auf längere Stagnation des Kotes und passive Dehnung des Darmes hinweist und dadurch wird die Diagnose wesentlich erleichtert. Wo akut eine Darmparese eintritt, da ist ein, wenn auch noch so leichter Grad, von Entzündung der bedeckenden Serosa in der Regel anzunehmen.

Es ist also die Peritonitis einerseits [1]) und mechanische Störungen andererseits, welche in Wirklichkeit auch dem sog. dynamischen Ileus zu Grunde liegen und deshalb besteht keineswegs, wie man a priori glauben sollte, ein so scharfer Gegensatz in Hinsicht thera-

1) Vergl. hierzu auch die übereinstimmende Auffassung von Harvey Reed, Journ. of the Americ. med. Assoc., 1888, No. 1.

peutischer Indikationen zwischen dynamischem und mechanischem Ileus. Es handelt sich auch bei ersterem wesentlich darum, die Diagnose der Entzündung sowie des Sitzes oder Art der mechanischen Darmverlegung zu machen und danach sein Handeln einzurichten, und die am Ende dieser Arbeit als Hauptindikation bei jeder Ileusbehandlung premierte Aufgabe der Entleerung des Darms besteht auch für den dynamischen Ileus zöllig zu Recht.

Allerdings bedarf es da nicht immer einer Operation, sondern Magenpumpe, absolute Diät bezüglich Nahrungsaufnahme per os, subkutane Infusionen und Mastdarmernährung genügen oft zur Beseitigung der Ileussymptome. Aber bei alledem darf man nicht vergessen, daß man auch an einer einfachen Kotobstruktion sterben kann. Hirtz und Mathieu haben in der Soc. méd. des hôpitaux à Paris, Déc. 1895 zwei derartige Fälle mitgeteilt, wo Patienten unter Ileussymptomen zu Grunde gingen und nichts anderes, als Verlegung des Darms durch Kotmassen bei der Autopsie konstatiert wurde. Wir haben durch ein bekanntes Experiment zur Begründung unserer Dehnungstheorie gezeigt, welche kapitale Bedeutung der Dehnung des Darms oberhalb des engen Abschnittes zukommt zur Vervollständigung eines oft nur relativen Hindernisses durch Druck, Knickung oder Verengerung, daß es die Dehnung als solche ist, welche das Hindernis zu einem absoluten macht durch Hereinziehen der Schleimhaut in die enge Stelle, so daß der durch Dehnung mehr und mehr paretisch werdende Darm dasselbe nicht mehr zu überwinden vermag.

Rein funktionelle Formen von Ileus durch Lähmung haben wir bei Rückgratsverletzungen mit Markdurchquetschung mehrfach gesehen. Sie lassen sich durch mechanische Darmentleerung beseitigen.

Ob auch Ileusfälle vorkommen durch bloße spasmodische Kontraktion des Darmes, wie von einzelnen Seiten behauptet wird [1]), mag dahingestellt bleiben. Nicht nur haben wir keine derartigen Fälle erlebt, sondern die aus der Litteratur beigebrachten sind nicht geeignet, uns von dem Vorkommen dieser eigentümlichen Ileusform zu überzeugen [2]). Aber der durch gute Beobachtungen gestützte

---

1) Heydenhain, Beiträge zur Pathologie und Therapie des Darmverschlusses.

2) In den publizierten Fällen war doch meistens ein mechanisches Hindernis mit im Spiel, und es scheint uns die wenig gestützte Annahme eines rein spasmodischen Darmverschlusses insofern bedenklich, als sie geeignet ist, einen neuen Entschuldigungsgrund für das Hinausschieben von Operationen zu anderen hinzuzufügen. Jedenfalls ist dieser Spasmus als Grundlage des Ileus die größte Seltenheit. Unterhalb einer Knickung oder Kompression ist ja der Darm in der Regel kontrahiert, wie schon Nothnagel durch Experimente gezeigt hat, und es ist nicht gerechtfertigt, aus einer solchen Kontraktion auf Spasmus als Ursache des Verschlusses zu schließen. Man darf nicht ohne weiteres jeden Fall von heftigem und

rein dynamische Ileus durch Parese und Paralyse des Darmes, LEICHTENSTERN's. paralytischer Ileus, mag dieser auf entzündlichen Veränderungen oder auf reinen Innervationsstörungen beruhen, bringt uns auf denjenigen Punkt unserer Arbeit, welcher uns der maßgebende scheint für die Entscheidung operativer Behandlung bei den verschiedenen Formen des Ileus.

Es ist zur Genüge bekannt, wie außerordentlich wichtig die von KUSSMAUL inaugurierte Anwendung der Magenpumpe in Fällen von Darmverschluß geworden ist. Welcher Arzt hätte nicht den günstigen Einfluß gesehen, den die Entleerung des Magens für die Symptome des Ileus zur Folge hat, nicht nur für Erleichterung der Schmerzen, des Meteorismus und Erbrechens, sondern auch für Beseitigung der Kollapssymptome. Da überdehnte und überfüllte Därme thatsächlich ihren Inhalt in den Magen ergießen, teilweise durch wirkliche Antiperistaltik (nach KIRSTEIN's Versuchen), teilweise durch bloßes Ueberlaufen nach oben gemäß der von HENLE ausgeführten VAN SWIETEN-HUGENOT'schen Theorie (LEICHTENSTERN), so ist auch durch Beseitigung des toxisch wirkenden Inhalts aus dem Magen die Gefahr oft momentan zu beseitigen. Ausgesprochene Kollapssymptome haben wir in einer Kürze auf Magenspülung zurückgehen sehen. Aber man hat dieser Thatsache doch nur ungenügend Rechnung getragen, indem man die Behandlung nur als eine symptomatische aufgefaßt hat. Es ist keineswegs bloß der Magen, welcher durch Ansammlung von Inhalt eine bedeutende Erweiterung erfährt, indem die zurückgehaltenen Flüssigkeiten sich zersetzen und Gase unter öfter erheblichem Drucke entwickeln, sondern in viel höherem Grade leidet der Darm von der Retention und der Wirkung der dieselbe begleitenden Ausdehnung durch zersetzten Inhalt.

Ich habe schon vor mehr als 20 Jahren in einer Arbeit über Brucheinklemmung[1]) darauf hingewiesen, in welch bedeutendem Grade die Cirkulation in der Darmwand geschädigt werden kann durch bloße Ausdehnung des Darmes ohne direkte Beeinträchtigung der im Mesenterium verlaufenden Gefäße, und habe durch Hundeexperimente nachgewiesen, daß man durch Unterbindung eines Darmabschnittes oben und unten und Injektion von Flüssigkeit oder Luft eine hoch-

anhaltendem Erbrechen mit Leibschmerzen und Stuhlverhaltung als durch Darmverschluß bedingt, d. h. als wirklichen Ileus ansprechen. Aus den interessanten Experimenten von KIRSTEIN (Deutsche med. Wochenschrift, 1889, No. 49) geht hervor, daß mechanische Schädigung eines Darmteils vorübergehend reflektorisch akute Ileuserscheinungen herbeiführen kann, während eine sorgfältige Durchtrennung des Darms mit Vernähung, ohne Ileussymptome bloß durch Inanition zum Tode führen kann, weil die Erweiterung des Darms, wenn auch hochgradig, bloß eine gewisse Strecke (60 cm) oberhalb des Hindernisses eintritt.

1) Deutsche Zeitschrift für Chirurgie.

gradige venöse Stase in dem betreffenden Darmteil herbeiführen kann, während das Mesenterium in keiner Weise geschädigt worden ist. Ich habe ferner gezeigt, daß ein Patient mit eingeklemmter Hernie an den Veränderungen zu Grunde gehen kann, welche der Darm innerhalb der Bauchhöhle oberhalb der Einklemmungsstelle erlitten hat; daß man deshalb gut thut, in Fällen, wo die Resektion notwendig ist, außer der eingeklemmten Darmschlinge noch einen größeren Abschnitt oberhalb mit zu resezieren. Rydygier und andere haben die Nützlichkeit dieser Methode mehrfach bestätigt. Es läßt sich nachweisen, daß infolge der Ausdehnung des Darmes durch Retention seines Inhaltes sehr erhebliche Veränderungen der Darmwand durch die venöse Stase sich einstellen. Arnd [1]) hat für eingeklemmte Hernien nachgewiesen, daß bei Cirkulationsstörungen höheren Grades Mikroorganismen in die Schleimhaut einwandern und durch die Darmwand hindurchwandern können (Diapedesis der Mikroorganismen). Andererseits haben Cassin und Charrin [2]) bewiesen, welche große Bedeutung dem normalen Epithel des Darmes zukommt, zum Schutz der Darmwand gegen Mikroorganismen sowohl als Fermente. Der Wegfall des Schutzes gegen Fermente führt zu Intoxikation, der Wegfall des Schutzes gegen Bakterien zur Infektion. Endlich hat Reichel [3]) gezeigt, daß die erhebliche Flüssigkeitsansammlung oberhalb des Sitzes der Darmobstruktion einen ihrer Gründe hat in einer Hypersekretion der Schleimdrüsen. Unter dem Einflusse des vermehrten stagnierenden und sich stärker zersetzenden Darminhaltes (die oft erhebliche Phenolurie und Indikanurie ist ein Beweis für die vermehrte Zersetzung) wird zunächst das Epithel zerstört, weil dessen Ernährung unter dem Einfluß der venösen Stase beeinträchtigt ist. Es kommt zu umschriebenen Nekrosen und durch deren Abstoßung zu Ulcerationen der Schleimhaut, namentlich an Stellen, wo die venöse Stase zu Ekchymosen geführt hat, und zuletzt kann Perforation durch die Serosa zustande kommen mit nachfolgender Peritonitis.

Man hat die Entstehung derartiger Geschwüre in ausgedehnten Darmabschnitten, die schon vielfach beobachtet, aber für die Lehre des Ileus lange nicht genug gewürdigt worden sind, in verschiedener Weise zu erklären gesucht. Die hauptsächlichste Erklärung ist die, daß sie dem Drucke harter Skybala ihre Entstehung verdanken, und es ist wohl zweifellos, daß verhärtete Kotballen wie die Fremdkörper, z. B. Gallensteine, Druckgeschwüre zur Folge haben können. Aber die von uns geschilderten Geschwüre hängen durchaus nicht ab von einem solchen harten Inhalt, welcher mechanisch Decubitus herbeiführt. Sie kommen ebensowohl im Jejunum und Ileum als im Colon vor bei

1) Mitteilungen aus Kliniken der Schweiz, Basel 1898.

2) Fonctions protectrices de la muqeuse intestinale. Soc. de biologie, Dec. 1895.

3) Zur Pathologie des Ileus. Deutsche Zeitschrift für Chirurgie.

Anfüllung derselben mit Flüssigkeit oder Gas. Das einzige konstante Moment, welches diese Geschwüre begleitet, ist eine Ueberdehnung des Darmes. Da man eine bedeutende Schädigung der Cirkulation der Darmwand und ihre Folgen durch Ueberdehnung des Darmes experimentell darthun kann, so halten wir dafür, daß die Geschwüre am besten mit dem Namen der Dehnungsgeschwüre belegt werden dürften. Es sind die gleichen Geschwüre, welche, wie ich schon lange nachgewiesen habe, auch bei eingeklemmten Hernien einen tödlichen Ausgang herbeiführen können durch Peritonitis, nachdem die Einklemmung gehoben oder eine gangränöse Darmschlinge reseziert und eine vollkommen verläßliche Naht angelegt worden war. KIRSTEIN[1]) hat an Hunden gezeigt, daß im Beginne eines Ileus durch künstlichen Verschluß mittels Darmnaht eine enorme Ueberdehnung des Darmes unmittelbar oberhalb der Obstruktion eintritt, zunächst in beschränkter Ausdehnung. MARAGLIANO[2]) hat eine eigentümliche Form perforierender Darmgeschwüre beschrieben, welche von einer hämorrhagischen Infiltration der Submucosa ausgehen. Dieselben geben nach ihm Anlaß zu Symptomen des Ileus und er erklärt ihre Entstehung aus akuter Enteritis. Man darf sich wohl fragen, ob nicht in solchen Fällen die Retention des Darminhaltes das Primäre, die Enteritis, Blutungen in die Darmwand und Geschwüre das Sekundäre sind, welche die Peritonitis und den tödlichen Ausgang erklären. Die Spannung der Gase kann eine recht hochgradige werden, wie wir in einem Falle von Tympanitis nach Perforation des Processus vermiformis konstatieren konnten.

Bei der jugendlichen Patientin (Fräulein Sch—b) bestand ein hochgradiger Meteorismus durch freies Gas (von üblem Geruch) in der Bauchhöhle. Dasselbe hatte eine solche Spannung, daß die Leberdämpfung verschwunden, die Herzspitze im 3. Intercostalraum in der Mamillarlinie zu fühlen war und hochgradige Dyspnoë bestand, welche einen Eingriff dringlich nötig machte.

Diese Gasansammlung war die Folge einer Perforation des Processus vermiformis und schon bei einer ersten Incision unter dem Nabel, bei welcher die blasige Vortreibung des Peritoneum auffiel, war zischend Gas ausgetreten aus der freien Peritonealhöhle, während sich die Därme relativ wenig gebläht zeigten, ihre Oberfläche normal er schien, und nur oben klare Flüssigkeit zu Tage trat.

Daneben war ein übelriechender Absceß eröffnet worden in der Fossa il. interna mit Pneumokokken und ein zweiter nach ein paar Tagen, in welchem 2 Kotsteine lagen und aus welchem Kot ziemlich reichlich austrat mit Gas.

Nach einigen Tagen nahm aber trotzdem die Auftreibung bis zu

---

1) Deutsche med. Wochenschrift, 1889.
2) Berliner klinische Wochenschrift, 1894.

hochgradiger Dyspnoë und Cyanose zu. Die Spannung wurde so stark, daß Oedem der Beine sich einstellte, und bronchitische Erscheinungen.

Dabei fiel auf, daß im Epigastrium eine länglicher, breiter, flacher Längswulst zu Tage trat. Schall überall voll tympanitisch. Die Incision über dem Nabel ergab genau dieselben Verhältnisse wie das erste Mal: Bläuliche Verwölbung des Peritoneum parietale, Herauspfeifen der etwas übelriechenden Gase, und sofortiges Einsinken des Abdomens mit Erleichterung. Danach entleerte sich eine klare seröse Flüssigkeit in ziemlicher Menge, keine Spur Eiter. Oberfläche der Därme glatt und glänzend.

Die Erklärung zeigte sich darin, daß von Professor TAVEL in dem völlig klaren Serum mikroskopisch zwar nichts nachgewiesen, aber durch Kultur Bacillen gezüchtet wurden, welche TAVEL als Bacillen coli immobilis major und mobilis minor bezeichnete. Diese Bacillus waren offenbar mit den Pneumokokken, welche dem Absceß hauptsächlich zu Grunde lagen, ins Peritoneum gekommen, aber während die Pneumokokken eine Abkapselung durch fibrinöse Exsudation, die ihnen eigentümlich ist, hervorriefen und so an weiterer Wirkung in der freien Bauchhöhle verhindert wurden, hatten die Bacillen keine lokale Entzündung, aber freie Gasbildung veranlaßt im Peritonealraum, welche zu der Tympanitis führte, die ihrerseits mehrfache Incisionen nötig machte wegen der hochgradigen Spannung und daherigen Wirkung auf Respiration und Cirkulation.

Warum sollte nicht hochgradiger Meteorismus in ähnlicher Weise durch bakterielle Gasentwickelung innerhalb der Därme zustande kommen, sobald die Kontraktionsfähigkeit und die Zirkulation der Darmwand beeinträchtigt ist?

Es mag vielleicht die Frage aufgeworfen werden, ob nicht auch einzelne Magengeschwüre auf die Veränderungen der Zirkulation und Ernährung in der Magenwand zurückzuführen sind, welche eine primäre hochgradige Magendilatation zur Folge hat.

Welche Bedeutung kommt nun diesen Ernährungsstörungen in der Darmwand und den Dehnungsgeschwüren infolge Stauung des Darminhaltes bei Ileus zu? Daß man bei einem sog. Strangulationsileus, welcher durch direkten Druck von Briden, durch Drehung oder Zerrung mit Störung der mesenterialen Cirkulation Darmnekrose bewirkt, mit der Operation irgendwie zu zögern kein Recht hat, darüber gehen die Internen und Chirurgen einig. NAUNYN erklärt, daß die wichtigste Unterscheidung zwischen den verschiedenen Ileusarten, die wir in therapeutischem Interesse zu machen haben, darin besteht, ob der Ileus mit Strangulation des Darmes verbunden sei oder nicht. Von der Beantwortung dieser Frage hänge die Stellung der Indikation für einen operativen Eingriff in erster Linie ab. Bei Ileus mit Strangulation hält NAUNYN die sofortige Operation für indiziert. Freilich nimmt er dabei noch den Volvulus des S romanum aus, worüber wir uns nachher aussprechen werden. Die Wahrscheinlichkeit, daß eine mit Strangulation verbundene Undurchgängigkeit sich von selbst hebe, sei äußerst gering, dagegen die Gefahr der Nekrose des strangulierten Darmstückes die denkbar größte. Andererseits sei für viele Fälle dieser Art die Aussicht einer Operation eine vortreffliche, und es bestehe demgemäß die Indikation zu schleuniger Operation ebenso zu Recht, wie für eine incarcerierte Hernie.

Naunyn sucht in interessanter Darstellung und Besprechung der einschlägigen Litteratur darzuthun, woran ein Strangulationsileus erkannt werden könne und anerkennt das Bedeutungsvolle des von Wahl'schen Symptomes der fixierten geblähten Darmschlinge und des Bönnecke-Gangolf'schen Symptomes des freien hämorrhagischen Ergusses in der Bauchhöhle, weniger will er das von Schlange angegebene Symptom von Peristaltik in der fixierten Darmschlinge anerkennen, während ein heftiger fixierter Schmerz von Bedeutung sei. Er weist darauf hin, daß Blutabgang aus dem Darm nicht nur bei Invagination, sondern auch bei Strangulation vorkomme.

Daß man bei Strangulationsileus sofort durch operativen Eingriff das Hindernis zu beseitigen hat, das braucht kaum weiter betont zu werden. Es ist das so vollkommen klar, wie die Indikation bei eingeklemmter Hernie ohne jeglichen Verzug die Einklemmung zu heben, Sonst ist es Schuld des Arztes, wenn Nekrose, Gangrän, Perforation. Peritonitis und tötlicher Ausgang eintritt. Allein was ist zu thun, wenn die Diagnose auf Strangulationsileus nicht gestellt werden kann oder wenn man im Gegenteil Grund zu haben glaubt, keinen Strangulationsileus, sondern vielmehr einen Obturationsileus anzunehmen? Naunyn bespricht speziell die therapeutischen Indikationen bei drei Ileusformen, bei welchen er glaubt, daß die Diagnose der ursächlichen Krankheit mit Aussicht auf Erfolg sich wagen lasse.

Bei Ileus durch Fremdkörper, speziell durch Gallensteine, will er die Indikation zur Operation nur mit größter Vorsicht stellen. Die Aussichten auf Spontanheilung seien gar nicht schlecht (nach verschiedenen Zusammenstellungen 44—56 Proz.), wogegen von operativ behandelten Fällen seiner eigenen Zusammenstellung nicht weniger als 70 Proz. gestorben seien. Er will deshalb mindestens stets die Entwickelung des vollkommenen Ileus abwarten, weil bei Gallensteinkolik oft ein Ileus-ähnlicher Symptomenkomplex vorkomme.

Bei Ileus durch Volvulus des S romanum hält er für nötig, daß man die Fälle von ganzer Achsendrehung (360 Grad) von denjenigen von halber (180 Grad) unterscheide. Da das aber nicht möglich sei, so müßte man sofort alle Fälle von Volvus operieren, wozu er sich nicht entschließen könne, weil von vornherein Heilung ohne Operation nicht ausgeschlossen sei. Zur schleunigen Operation könne er nur raten bei stärkeren Strangulationserscheinungen, absoluter Undurchgängigkeit des Darmes und schwerem Allgemeinleiden. Die Berechtigung zu diesem Verhalten findet er darin, daß von 30 Operationen 63 Proz. tötlich verlaufen sind. Auch der Umstand, daß vielfach Volvulus mit Neubildung kompliziert sei, sei nicht dazu angethan, die Neigung zur Frühoperation zu stärken.

In dritter Linie bespricht NAUNYN den Ileus bei Intussusception. Bei dieser gelinge nach seiner Erfahrung eine sichere Diagnose keineswegs häufig. Sobald aber die Diagnose gestellt sei, gehöre ein solcher Fall dem Chirurgen, obschon sich die Operationsresultate noch keineswegs günstig stellen, da nach MAC. ECCLES auf 13 Operationen 11 Todesfälle kommen, nach BACKER auf 41 Operationen bei Kindern 88 Proz. gestorben seien, auf 32 Operationen bei Erwachsenen 75 Proz.

Wir sehen davon ab, uns weitläufig in die Diagnose der verschiedenen Ileusformen einzulassen und behalten uns diese Besprechung für eine andere Gelegenheit vor, da wir reichliches Material gesammelt haben, um an dieser Diskussion teilzunehmen.

Was uns hier hauptsächlich obliegt, ist, an der Hand unserer Fälle zu untersuchen, ob es richtig sei, nach NAUNYN's Vorschlag eine gewisse Anzahl von Ileusfällen, ganz besonders die chronisch verlaufenden Fälle, sowie diejenigen von Obturationsileus von der Operation auszuschließen, resp erst nach mißlungenen Versuchen medizinischer Behandlung derselben zu überweisen: ferner machen wir es uns zur Aufgabe, durch unsere Mortalitätsstatistik nachzuweisen, wodurch sich die immerhin noch zahlreichen Todesfälle bei chirurgischer Behandlung des Ileus erklären lassen.

Wie wir bereits oben hervorgehoben haben, beziehen sich unsere 96 Fälle zum Teil auf chronischen, zum Teil auf akuten Ileus.

1. 25 Beobachtungen betreffen Ileusfälle durch maligne Neubildungen des Darmes, ausnahmsweise Sarkom, in der Regel Carcinom. Von diesen 26 Patienten sind 24 der Operation unterworfen worden. In 2 derselben blieb es bei einer Laparotomie, da sich eine Radikalheilung als völlig aussichtslos herausstellte. Die beiden Fälle haben den Eingriff ohne Schaden überstanden. In 3 Fällen wurde aus dem gleichen Grunde eine Enteroanastomose gemacht. Alle 3 Fälle überstanden die Operation ganz gut und wurden für längere Zeit, zum Teil sehr lange Zeit gebessert. In 4 Fällen wurde, weil ebenfalls die Radikaloperation unausführbar erschien, eine Enteroanastomose ausgeführt. Alle 4 Fälle sind geheilt und für verhältnismäßig lange Zeit in gutem Zustande verblieben. In 15 Fällen bestand die Operation in regelrechter Resektion des erkrankten Darmteiles und Wegnahme des erkrankten anstoßenden Gewebes, des Mesenterium und namentlich der Lymphdrüsen. Die Operationen waren zum Teil sehr eingreifend, speziell wegen der Abtragung des Mesenterium. In einem Falle von Carcinom der linksseitigen Flexura coli mußte sogar die Milz exstirpiert werden. Von diesen 15 Fällen sind 11 geheilt und

einige erfreuen sich noch nach Jahren einer sehr guten Gesundheit. Nur 4 sind gestorben. Die Todesursache soll unten erörtert werden.

2. In 19 unserer Fälle war der Darmverschluß veranlaßt durch eine ausgedehnte lokale Tuberkulose mit Geschwulstbildung, fast ausschließlich im Bereiche der Regio ileo-coecalis lokalisiert. Diese lokalen Tuberkulosen scheinen hier zu Lande erheblich häufiger zu sein, als in anderen Gegenden.

Während wir anfangs öfters Verwechselungen mit malignen Tumoren begingen, da sich erhebliche Geschwülste bilden, haben wir in den letzten Jahren die Diagnose in der Regel exakt zu stellen vermocht und werden andernorts über diese Fälle genauere Auskunft geben. Hier sei nur hervorgehoben, daß in 2 Fällen, vielleicht auch in einem früheren dritten, nachgewiesen werden konnte, daß die tuberkulös erkrankte, strikturierte Darmpartie sich weit in den Dickdarm invaginiert hatte, ein Fall, der noch nicht beschrieben zu sein scheint in der Litteratur. 18 von diesen 19 Fällen wurden einer Operation unterworfen und zwar einer totalen Resektion der erkrankten Gewebe. Es ist das eine Operation, welche keineswegs leichter ist, als die Entfernung einer malignen Geschwulst, weil sich sehr ausgedehnte Adhäsionen bilden, zum Teil ausgiebiger, als bei der zuletzt erwähnten Affektion. Von diesen 18 Fällen sind 16 geheilt und der Mehrzahl nach geheilt geblieben. 2 sind gestorben.

3. Diesen zwei Kategorien reihen sich 7 Fälle von Intussusception an, die uns meistens in späteren Stadien zugekommen sind. Ein Patient davon starb ohne Operation. 6 sind operiert worden und zwar ist dem späteren Stadium gemäß, in welchem wir die Kranken zur Operation bekamen, 5 mal eine Resektion des ganzen veränderten Darmabschnittes ausgeführt und in einem Falle eine bloße Kotfistel angelegt worden, weil zur Zeit der Operation bereits Peritonitis bestand. Dieser letztere Patient ist gestorben. Alle diejenigen aber, welche reseciert worden sind, sind geheilt.

Es ist also in diesen 3 Kategorien, wenn wir dieselben zusammenfassen, nicht weniger als 38mal diejenige Operation ausgeführt worden, welche wohl bei Ileus als eine der schwierigsten und eingreifendsten gelten muß, und trotzdem ist in 81,6 Proz. eine Heilung erzielt worden. Sehen wir uns vollends die Todesursachen näher an, so ergiebt sich, daß das Resultat sich noch viel günstiger verhält. Wie schon erwähnt, ist ein Fall von Intussusception gestorben wegen schon bestehender Peritonitis. Unter den anderen Kategorien bestand in einem Falle hochgradige Erschöpfung, so daß Patient nur 25—30 Proz. Hämoglobin aufwies infolge sehr starker Darmblutungen während längerer Zeit. In einem 2. Fall mußte wegen Verwachsungen ein Teil der Leber mitreseciert werden. Wenn wir zunächst nur diese 2 letzten Fälle als zur Operation nicht mehr geeignet abziehen, so würden wir eine Mortalität erhalten von bloß 13,1 Proz. Bei 2 weiteren Todesfällen zeigte sich als Ursache des Todes eine Darmperforation oberhalb der Operationsstelle, welch letztere ein tadelloses Verhalten darbot, und zwar war die Perforation veranlaßt durch das Vorhandensein der oben ausführlich beschriebenen Dehnungsgeschwüre, welche darauf zurückgeführt werden müssen, wie schon hervorgehoben, daß die chirurgische Behandlung viel zu spät eingeleitet werden konnte. Der Operation als solcher können nur 2 Todesfälle zur Last gelegt werden, indem bei dem einen an der Nahtstelle eine Gangrän eingetreten war, weil bei ausgedehnter Schädigung des Mesenteriums resp. Mesocolons zu wenig Darm entfernt worden war, während in einem anderen Falle eine Perforation eintrat an Stelle einer Ligatur, welche ein Stück Darmwand mitgefaßt hatte. Wir bemerken noch, daß einzelne der Resektionen über 1 m Ausdehnung betrugen.

Vergleichen wir mit diesen in Bezug auf das operative Vorgehen schwersten Fällen diejenigen, bei denen die Operation an und für sich einen ungleich einfacheren und leichteren Eingriff darstellt.

4. 2 von unseren Fällen waren einfache Fälle von Kotstauung mit ganz außerordentlicher Dehnung des Darmes. Beide wurden geheilt, der eine ohne Operation, der andere durch Laparotomie und Entleerung des Darmes.

5. In 2 Fällen blieb die Diagnose unsicher. Ein Patient starb ohne Operation, der andere, wahrscheinlich auf Tuberkulose zurückzuführen, wurde durch Anlegung einer Kotfistel geheilt und ist geheilt geblieben.

6. 15 Fälle von Ileus waren durch andere Erkrankungen als diejenigen des Darmes bedingt, waren also symptomatische Formen, z. B. durch Druck von Geschwülsten der Geschlechtsorgane. Von diesen wurden 6 operiert und 3 starben, ein Fall infolge der Grundkrankheit, also für die Frage der Gefahr der Operation nicht in Frage kommend, ein zweiter ebenfalls infolge der Grundkrankheit, nämlich einer Embolie der Art. mesaraica sup., welche zu Gangrän eines größeren Teiles des Dünndarmes geführt hatte, so daß über 3 m 15 cm Dünndarm reseciert werden mußten. Pat. bot bereits peritonitische Erscheinungen dar. Diese beiden Fälle fallen nicht in Betracht für die Frage der Behandlung des Ileus. Der einzige Fall, bei dessen Berücksichtigung sich die Mortalität auf 25 Proz. stellen würde, starb an den Folgen der Ueberdehnung des Darmes mit Bildung von Geschwüren, also klarerweise wiederum infolge zu spät vorgenommener Operation.

7. In 17 von unseren Fällen war die Ursache des Ileus gelegen in innerer Einklemmung durch Briden und Verwachsungen, gewöhnlich infolge früherer Peritonitis. Einer dieser Fälle starb ohne Operation. Bei 16 wurde die Operation vorgenommen. 9 sind geheilt, 7 starben. Von diesen 7 dürften 2 als nicht der Operation zur Last zu legen ausgeschlossen werden, indem bei einem bereits diffuse

Peritonitis als Folgezustand bestand, bei einem anderen hochgradige fettige Degeneration des Herzens unabhängig von der lokal günstig ablaufenden Wunde den Tod herbeiführte. In dem letzteren Falle wurde der Sitz der Obstruktion erst bei der Autopsie sichergestellt. Die Mortalität würde demnach 35,5 Proz. betragen.

8. 7 unserer Fälle litten an Volvulus. Einer derselben starb ohne Operation. 6 wurden operiert und 5 von diesen starben, = 83,3 Proz. Mortalität.

Wenn wir sämtliche Fälle zusammennehmen, auch die ganz schlechten, und nur die 2 ausschalten, welche an der Grundkrankheit, welche zu Ileus geführt hatte, ohne Zusammenhang mit der Operation gestorben sind, nämlich die in Kategorie 4 erwähnten 2 symptomatischen Ileusfälle, so ergiebt sich eine Mortalität von 38,0 Proz. Dabei sind eingerechnet die Fälle, bei denen bereits Peritonitis bestand, hochgradige Anämie durch Blutungen, Fettherz und wo gleichzeitig Leberresektion ausgeführt wurde.

Fragen wir uns, inwieweit unsere Mortalität durch anderweitiges Verhalten hätte reduziert werden können, so müssen wir antworten, daß wir mit der Operation zu weit gegangen sind:

1. in einem Falle hochgradigster Erschöpfung durch Blutung.
2. in einem Falle, wo ein Stück Leber reseciert werden mußte.
3. in einem Falle mit hochgradiger Fettdegeneration des Herzens.

Unter Ausscheidung dieser 3 Fälle hätten wir unsere Mortalität heruntergebracht auf 29,8 Proz. Aber viel erheblicher hätten wir dieselbe beschränken können, wenn wir die Operation abgelehnt hätten in allen denjenigen Fällen, wo zu bereits seit zu langer Zeit bestehendem Ileus Peritonitis hinzugetreten war.

In einem dieser Peritonitisfälle bestand ein Obturationsileus und es war die den Tod bedingende Komplikation in nachträglicher Perforation von Dehnungsgeschwüren begründet. Es ist ersichtlich, daß also hier die nach der Operation auftretende Peritonitis ausschließlich darauf zurückgeführt werden muß, daß man mit der Operation zu lange zögerte.

Eine ungleich größere Rolle spielt Peritonitis mit oder ohne Perforation als Todesursache in denjenigen Fällen, wo zugleich Störungen der mesenterialen Zirkulation im Spiele sind, in denjenigen Fällen also, wo es sich um Strangulationsileus gehandelt hat. Der Unterschied in den Resultaten unserer Operationen bei den 5 ersten Kategorien von Ileusformen gegenüber den 3 letzten ist ein im höchsten Maße auffallender. Bei den 5 ersten Kategorien sind die schwersten Eingriffe ausgeführt worden und doch ist das Gesamtresultat bei der großen Zahl von Operationen ein sehr günstiges gewesen. Demgegenüber erscheint das Resultat in den 3 letzten Kategorien bei Ileus auffallend schlecht, und doch gehören dieselben denjenigen Formen von Ileus an, wo der operative Eingriff als ein relativ leichter bezeichnet werden muß. Denn was ist technisch leichter als ein Eingeweide bei Volvulus zu drehen und in guter Stellung zu fixieren oder den Druck eines Tumor von außen her auf den Darm aufzuheben oder eine Bride oder Adhäsion zu trennen und das strangulierte Eingeweide frei zu machen?

Wenn trotzdem so viel Patienten nach der Operation gestorben sind, so kann das nur daraus erklärt werden, daß die 5 ersten Kategorien im allgemeinen die langsam verlaufenden Ileusformen darstellen, die 3 letzten die akuten, oder besser ausgedrückt, daß bei allen Formen von Strangulationsileus die Veränderungen der Darmwand mit ihren Folgen viel rascher und intensiver auftreten als bei den anderen Formen von Darmverschluß. Diese sekundären Veränderungen sind aber keineswegs eine notwendige Folge der rein mechanischen Affektion, die dem Ileus zu Grunde liegt, sondern einzig und allein das Resultat zu langer Exspektation oder ungehöriger Medikation. Die Patienten mit Ileus gehen fast ausnahmslos an Intoxikation zu Grunde, und zwar an Intoxikation nicht nur, wenn exudative Peritonitis eingetreten ist, sondern auch durch Resorption von toxisch wirkendem Darminhalt, wenn der Schutz des Epithels der Schleimhaut durch Alteration der Darmwand dahingefallen ist[1]). Peritonitis ist stets die Folge des Eindringens der Mikroorganismen in das Cavum peritoneale, und zwar fast immer vom Darminnern aus, wie SILBERSCHMID[2]) durch seine interessanten Experimente klar bewiesen hat. Durch die intakte Wand des Darmes gehen keine Bakterien durch. Es müssen in derselben anatomische Veränderungen eingetreten sein, die ihren Grund, wie wir gezeigt haben, nicht nur in der längst anerkannten Zirkulationsstörung durch Einschnürung der mesenterialen Gefäße und in der strangulierenden Kompression der Darmwand haben, sondern die eben so intensiv und viel häufiger hervorgerufen werden durch übermäßige Dehnung der Därme während längerer Zeit.

Wir haben Cirkulationsstörungen durch Dehnung in exquisiter Weise in mehreren Fällen von reinem Obturationsileus bei Krebs,

---

1) A. KELLER (Centralblatt für innere Medizin, Okt. 1896) fand bedeutende Vermehrung der Ammoniakausscheidung im Urin bei Gastroenteritis. Freilich mag ein Teil dieser Intoxikationen mit Infektionen Hand in Hand gehen; GALEOZZI (MORGAGNI, Mai 1893) hat bei Umschnürung der Darmschlinge mit folgender hämorrhagischer Infiltration derselben Bacterium coli im Urin, Nieren, Peritonealflüssigkeit und im Blut gefunden. Daß auch die rein mechanische Wirkung der Auftreibung des Abdomen auf die Zirkulation nicht zu unterschätzen ist, betont HEIDENHAIN mit Berufung anf den hochgradigen Druckabfall in der Art. cruralis bei Lufteinblasen in die Bauchhöhle bei einem anhaltenden Druck von 10—20 mm Hg in Experimenten von JÜRGENSEN.

2) Experimentelle Untersuchungen über die bei der Entstehung der Perforationsperitonitis wirksamen Faktoren des Darminhaltes, Basel 1893.

Tuberkulose und Druck durch Geschwülste der weiblichen Geschlechtsorgane gesehen und geben in Beilage 3 Abbildungen wieder von reinen Dehnungsgeschwüren im Dünndarm oberhalb der Obstruktionsstelle, welche ohne irgend eine wesentliche Störung der mesenterialen Cirkulation zur Perforation und sekundären Peritonitis mit tödlichem Ausgange geführt haben. Der eine der Fälle betrifft eine Darmtuberkulose, der andere ein Darmcarcinom. Wir heben aber ausdrücklich hervor und haben solche Fälle mehrfach gesehen, daß es nicht notwendigerweise die Peritonitis ist, welche den tödlichen Ausgang bei übermäßiger Dehnung herbeiführt, sondern daß es die bloße Absorption des zersetzten und massenhaft angesammelten Darminhaltes sein kann, welche zu septischen Erscheinungen mit Kollaps und tödlichem Ausgang durch Verfettung der Organe, speciell der Herzmuskulatur, führt, sobald die Innenwand des Darmes Cirkulationsstörungen und Schädigungen ihrer Ernährung über einen gewissen Grad hinaus erfahren hat.

Wir halten dafür, daß man die Wichtigkeit dieser Veränderungen in der Darmwand nicht überschätzen kann, weil dieselben bei chronischen und akuten[1]) Formen von Ileus, bei durch die allerverschiedensten Ursachen bedingtem Ileus eintreten können. Wir haben Patienten mit Darmtuberkulose, mit Darmcarcinom, mit Verschluß des Darms durch Ovarialdermoid an Darmperforationen verloren, welche die durch die Stauung des Darminhalts mit Zersetzung bedingten Dehnungsgeschwüre oberhalb und z. T. erheblich weit entfernt von der Verschlußstelle zur Grundlage hatten. Diese Veränderungen erklären neben den durch Strangulation und Druck bedingten Nekrosen und Ulcerationen der Darmwand zum allergrößten Teil die relativ schlechten Resultate, welche die chirurgische Behandlung des Ileus noch vielfach zu Tage fördert [2]).

Wenn dieses Faktum aber einmal anerkannt ist, so müssen wir es auch ohne Scheu aussprechen, daß das zu lange Zögern mit der Operation das Haupthindernis darstellt für die Erzielung besserer Resultate in der Ileusbehandlung, und daß es absolut nicht gerechtfertigt ist, diese Zögerung im speciellen Falle damit zu entschuldigen, daß man in einem gegebenen Moment in der Diagnose bezüglich Ursache, Form und Sitz des Ileus noch nicht abgeklärt genug sei oder damit, daß es sich um eine chronische Form von Ileus handle, wo der Eingriff keine so große Eile habe. Naunyn hebt selbst hervor und wir

1) Nach Schlange tritt gerade bei Obturation und unvollständiger Strangulation die Füllung oberhalb mehr zu Tage, als bei heftiger Strangulation größerer Darmabschnitte, wo sie oft nicht zustande komme.

2) Es mag hier nochmals auf die schon oben erwähnten Experimente von Kirstein hingewiesen werden, wonach hochgradige Ausdehnung des Darms oft nur in beschränkter Ausdehnung oberhalb des Hindernisses sich findet. Solche Fälle brauchen dann nicht notwendig schwere Ileussymptome darzubieten und gehen doch akut an Perforation etc. zu Grunde.

müssen es durchaus bestätigen, daß ein schwerer Strangulationsileus in den ersten Tagen einen ganz gelinden Verlauf zeigen kann, während ein durch reine Obturation, z. B. lange bestehende Kottumoren, Tuberkulose oder Krebs veranlaßter Ileus in akutester Form einsetzen kann. Auch in denjenigen Fällen, welche sich zunächst am unbedenklichsten darstellen, weil es sich um unvollständigen Darmverschluß handelt, mit zeitweiligem Abgang von Winden oder mehr oder weniger diarrhoischem Stuhlgang, treten die geschilderten schwereren Formen von Distension des Darmes und Retention des Darminhaltes nur zu oft auf und können unerwartet rasch zum Tode führen. Wir haben diese Erfahrung vor nicht langer Zeit bei einem Fall von Gallensteinileus machen müssen, bei welchem wir die Entwickelung eines vollständigen Ileus nach NAUNYN's Rat abwarten wollten. Die Frau ging plötzlich zu Grunde und der Darm oberhalb des obturierenden Gallensteins wies in exquisiter Weise die Dehnungsgeschwüre auf.

In allen Fällen, wo man trotz Erschöpfung aller Hilfsmittel in den Anfangsstadien die Diagnose der Ursache, der Form und des Sitzes bei Ileus nicht machen kann, muß man die Diagnose zu erzwingen suchen durch eine möglichst kleine Explorativincision und wo man selbst dann eine Aufklärung nicht erhält, da muß man zum mindesten und unter allen Umständen der Indikation genügen, die Folgen der Ueberdehnung des Darmes zu verhüten.

Unsere erste Indikation für Behandlung des Ileus ist die Entleerung des Darmes oberhalb des Sitzes der Obstruktion. In Aufstellung dieser kapitalen Indikation finden wir uns in Uebereinstimmung mit SPRENGEL, HEIDENHAIN resp. HELFERICH, FINNÉ, MAC COSH; und zum Teil mit SCHLANGE[1]), resp. v. BERGMANN; wir glauben aber dieser Indikation in der Betonung der Dehnung des Darms als einer Hauptursache der schweren Komplikationen des Ileus eine neue wichtige Grundlage gegeben zu haben.

Wenn selbst Chirurgen, wie NAUNYN richtig bemerkt, häufig gegenüber Fällen von Ileus über die Indikation des Vorgehens unklar sind und mit der Ausführung einer Operation zaudern, so hat das seine Erklärung darin, daß man zu sehr an die Indikation denkt, das Hindernis radikal beseitigen zu wollen. Dieses zu thun ist nicht immer möglich unter gegebenen Verhältnissen. Wenn der Patient schon auf das äußerste erschöpft und im Kollapszustande ist, wenn akute Ileussymptome hinzutreten zu einer schon lange bestehenden Erkrankung, wie Carcinom oder Tuberkulose, wenn es schon zu sekundärer Peritonitis gekommen ist, so ist es eine sehr weise Praxis, zunächst bloß der Hauptindikation in möglichst schonender Weise zu genügen, näm-

1) Sammlung klinischer Vorträge, No. 101, Feue Folge.

lich der Aufgabe der Entleerung des Darmes oberhalb der Verschlußstelle. Diese kann in sehr verschiedener Weise bewirkt werden:

1) durch Punktion des Darms durch die Bauchwand hindurch;
2) durch direkte Eröffnung des bloßgelegten Darmes nach Incision der Bauchwand;
3) durch Anlegung einer Kotfistel;
4) durch Enteroanastomose.

Von allen diesen Maßnahmen ist die bloße Punktion die am wenigsten wirksame und zugleich die gefährlichste Methode, weil sie eine Operation in das Blaue hinein ist[1]). Die beste Methode für alle diejenigen Fälle, wo man Hoffnung hat, das Hindernis gleichzeitig radikal heben zu können, ist die Laparotomie mit freier Eröffnung des Darmes. Die beiden anderen Methoden sind für die übrigen Fälle berechnet, wo mit Wahrscheinlichkeit das Hindernis sich nicht entfernen läßt oder der Patient den dazu nötigen schweren Eingriff momentan nicht zu überstehen in der Lage ist, also namentlich bei schon länger bestehenden Symptomen von unvollständigem Darmverschluß, bei Inanition hohen Grades, Anämie durch schwere Blutungen, bei chronischer Autointoxikation und bei Komplikation mit anderen Organerkrankungen (Fettherz etc.).

Die Enteroanastomose wird man dann ausführen, wenn man gleichzeitig von der Laparotomie eine Aufklärung wünscht und erhofft über die Natur des Hindernisses, um die Frage späterer radikaler Beseitigung abzuklären, hauptsächlich aber, wenn man in Aussicht nehmen muß, es wegen unmöglichkeit radikaler Hilfe bei der Palliativoperation bewenden zu lassen.

Die Enterostomie dagegen sollte die Operation der Wahl bleiben für alle diejenigen relativ häufigen Ileusfälle, wo man wegen schlechten Allgemeinzustandes Zeit gewinnen muß und wo Aussicht ist, den definitiven Eingriff zur Heilung des Patienten später noch unternehmen zu können. Gerade in den leider immer noch zu häufigen Fällen, wo man so lange zugewartet hat, bis hochgradige Veränderungen der gedehnten Därme mit Geschwürsbildung, erheblicher Zerreißlichkeit derselben, ausgedehnte Verklebungen durch Peritonitis leichteren

---

1) Heilungen von Ileus nach Punktion, selbst durch große Trokars sind ja mehrfach berichtet, so in einer Diskussion, über welche in Glasgow med. Journ., Juni 1880, berichtet ist. Aber die daselbst von Cameron mitgeteilten Fälle und die Berufung auf den Erfolg der so oft bei Kühen wegen Blähung gemachten Punktion mit großen Trokars sind wahrlich nicht geeignet, diese Methode gegenüber dem bewußten Vorgehen einer rationellen chirurgischen Therapie zu rechtfertigen. Es hat sich in den Fällen, wo die Punktion (gar oft bloß vorübergehend) half, um Volvulus und Darmstenosen gehandelt, welche durch Laparotomie leicht, sicher und bleibend hätten beseitigt werden können. Körte (Berliner Klinik, Juni 1891) hat Beweise für die schädliche Wirkung von Darmpunktionen bei der Sektion konstatieren können.

stomie in möglichst einfacher Weise gestaltet werde. Man bedarf einer sehr kleinen Oeffnung im Darme, um den gasförmigen und dünnflüssigen Inhalt des Darmes austreten zu lassen, und nur das ist zunächst die Absicht der Operation. Man macht die Operation am besten nur mit Cocainanästhesie, weil hier gerade die allgemeine Narkose bei der mangelhaften Herzthätigkeit ihre Gefahren hat. Nach dem Schnitt durch Haut und Fascie trennt man die Muskulatur stumpf mit der Kropfsonde und heftet den gefüllten Darm durch eine fortlaufende feine Naht von Seide an das geöffnete Parietalperitoneum an, ohne ihn hervorzuziehen. Nach Einreibung von oder stärkeren Grades eingetreten sind, kann man zunächst in der Regel bloß noch durch Enterostomie hoffen, zu retten, was zu retten ist [1]). Unter diesen Umständen ist es auch notwendig, daß die Entero-Jodoformpulver in die Wundränder eröffnet man den Darm mit einem feinen Tenotom gerade so weit, daß die Gase pfeifend heraustreten. Ist der Darm entleert, so läßt sich oft nachträglich die Diagnose ganz gut stellen und wir haben mehr als einmal noch hintendrein die Resektion eines Darmcarcinoms mit glücklichem Erfolge ausführen können [2]).

Wir dürfen aber nicht vergessen, daß selbst da, wo wir die Radikaloperation mittels Laparotomie ausführen, wir uns durchaus nicht begnügen sollen mit der Beseitigung des Hindernisses und Aufhebung einer eventuellen Strangulation oder Obturation,

---

1) Die Enterostomie hat unter Umständen einen weiteren Vorteil darin, daß sie den zersetzten Darminhalt nach außen leitet, statt daß derselbe nach Hebung des Hindernisses massenhaft in den unteren Darmabschnitt gelangt, hier zum Teil auch wieder resorbiert wird oder durch Schädigung der Darmschleimhaut zu Enteritis und erschöpfenden Durchfällen führt.

2) Nothnagel ist schon auf Grund experimenteller Untersuchungen an Kaninchen zu dem sehr bemerkenswerten Schluß gekommen, daß man — im Gegensatz zu vielfachen Auffassungen — gerade in den gelinderen Fällen radikal operieren solle, wo der durch Gas und Kot geblähte Darm oberhalb sich noch in Pausen kräftig peristaltisch zusammenziehe, in den schwersten Fällen aber, wo es bereits zur Lähmung des Darms oberhalb gekommen sei, grundsätzlich nicht, sondern bloß eine Kotfistel anlegen zur Entleerung des zersetzten Inhalts. Wenn einmal der Darm gelähmt, aber besonders wenn er in dem oben geschilderten Sinne anatomisch verändert ist, so erfährt man als Chirurg gar zu oft bei Versuch radikalen Vorgehens, daß die Därme im höchsten Grade zerreißlich geworden sind, wodurch, zumal bei den vielfachen Verklebungen, schwere Komplikationen herbeigeführt werden. v. Oettingen (Dorpat 1888, Diss.) hat gefunden, daß kein einziger Fall von Volvulus in der Litteratur durch Enterostomie geheilt beschrieben sei, auch bei Strangulation habe diese Operation bloß ausnahmsweise geholfen, bei Knickung des Darmes sei dagegen die Heilung relativ oft erfolgt. Dies stimmt mit der von uns aufgestellten Indikation gut überein, welche ja auch die Enterostomie wesentlich auf Fälle von Obturationsileus beschränkt.

sondern daß auch hier die Indikation zu vollem Rechte besteht, den gefüllten Darm schleunig und gründlich zu entleeren. In dieser Hinsicht sind wir mit SPRENGEL, FINNÉ und MAC COSH, mit HEIDENHAIN und HELFERICH vollkommen einverstanden, daß in allen Fällen, wo wir das Abdomen zu eröffnen haben zur Beseitigung eines Ileus, wir uns nicht scheuen sollen, eine gehörige Incision der Bauchdecken zu machen, die dem gedehnten Darme erlaubt, sofort zu prolabieren (natürlich müssen wir dieselben durch warme Tücher gegen Schädlichkeit der Außenwelt schützen), und daß wir weitaus am besten thun, sofort durch einen Schnitt, welchen wir stets in der Querrichtung anlegen, den Darm gründlich zu entleeren. Es ist auffällig, wie rasch die Symptome von Kollaps zurückgehen nach einer solchen Entleerung, weil die hochgradige Herzschwäche in erster Linie veranlaßt ist durch Autointoxikation vom Darminhalt aus. Diese Entleerung der Därme ist in ganz gleicher Weise indiziert, wenn die Ileussymptome durch Peritonitis veranlaßt sind. Wir haben einen Fall (BLATTNER) beobachtet, wo bei diffuser Peritonitis nach Perforation des Processus vermiformis eine gründliche Reinigung der Darmoberfläche und Abdominalhöhle vorgenommen wurde durch Spülung mit Salzsodalösung und Abwischen der Därme mit 1-proz. Lysollösung nach Resektion des Processus. Als Pat. nach 5 Tagen starb, zeigte sich die Peritonitis völlig geheilt, nichts mehr von Abscessen und Fibrinbelägen, die Därme trocken verklebt, mit dünnem gelben Kot reichlich angefüllt. Damals notierte ich mir — nach Besprechung mit Dr. SPRENGEL, der anwesend war — die Indikation, fortan die Därme zu öffnen, gründlich zu spülen und den Gebrauch des Opium zu vermeiden.

Es scheint uns völlig gerechtfertigt, wenn sowohl HEIDENHAIN als MAC COSH darauf bestehen, daß auch nach der Operation die Därme so oder anders entleert werden müssen. HEIDENHAIN empfiehlt die Verabreichung von Kaffee mit Ol. ricini per os unmittelbar nach der Operation und hat dargethan, daß in der Klinik von HELFERICH die Resultate der Ileusbehandlung seit dieser Neuerung weit besser geworden sind als früher.

Wir möchten bei dieser Gelegenheit auf die Untersuchungen von GILBERT und DOMINICI (Sem. méd. Soc. de biol., Déc. 1895) hinweisen, wonach die Zahl der Darmbakterien durch Purgantien zuerst bedeutend zunimmt, aber in kurzer Zeit sich ganz beträchtlich vermindert. Die Zunahme wurde von den betr. Forschern bestimmt von 67000 Keimen per mg auf 272253 und die Abnahme am nächsten Tage auf die minimale Zahl von 1050. In gleicher Weise haben ALBU [1]) und BORIGHI [2]), letzterer durch Nachweis der erheblichen Verminderung der Aetherschwefelsäuren im Harn nach anfänglicher

1) Berl. klin. Wochenschr., 1895, No. 44.
2) Zeitschr. f. physiol. Chemie, Bd. 16.

Steigerung darzuthun gesucht, daß Laxantien die erste Voraussetzung einer Desinfektion des Darmkanals sind. Neben den Purgantien als wirksamen Mitteln zur Desinfektion des Darmes ist die Art der Ernährung des Patienten maßgebend. Beispielsweise soll Milchdiät (gekochte Milch) nach ALDOR [1]) fast vollständige Asepsis des Darmes sichern. BORIGHI empfiehlt speciell Kephir als Getränk zu gleichem Zweck.

Es ist bloß eine Konsequenz unserer Auffassung von der kapitalen Bedeutung der Anfüllung der Därme oberhalb des Hindernisses, wenn wir zum Schluß hervorheben, daß bei Ileus, bevor die Operation ausgeführt werden kann, die Ernährung unter völligem Ausschluß der Einfuhr irgend eines Nahrungsmittels oder auch nur einer Flüssigkeit per os durchzuführen ist. Auch die beliebte Verabfolgung von Eisstückchen per os halten wir für einen großen Schaden, weil sie zu starker Anfüllung des Magens mit Wasser führt. Für die Ernährung steht die Unterhaut und das Rectum, zur Verfügung. Die Unterhaut ist vor allem für die Flüssigkeitszufuhr zu benutzen; schon durch diese läßt sich im Kollapsstadium des Ileus in Form der subkutanen Infusionen von physiologischer Kochsalzlösung manches Menschenleben erhalten.

Sonst ist die Unterhaut nur für Einfuhr von Fett und von Kohlehydraten geeignet. Mit subkutaner Zuckerernährung hat LEUBE nicht gute Erfahrungen gemacht. VOIT dagegen findet, daß nicht zu starke Zuckerlösungen (10 Proz.) von Dextrose, Lävulose und Maltose, zu 100—1000 ccm mit dem Trichter infundiert brauchbar sind. Diese Lösungen machen keine Glykosurie, werden also völlig assimiliert und veranlassen bloß mäßige Schmerzen.

Nach BLUM wäre mit Protogen, einer löslichen, ungerinnbaren und sterilisierbaren Methylenverbindung von Albuminen auch eine subkutane Eiweißernährung möglich.

Solange es geht, wird man der Sicherheit und Einfachheit halber stets die Rectumernährung bevorzugen. Am einfachsten ist die Ernährung mit Milch, welche nach ALDOR [2]) ausgezeichnet resorbiert wird. Die der Resorption schädliche Gerinnung durch Bacterium coli könne man verhüten durch langsame vorherige Auswaschung des Rectum und durch Zusatz von 1,0—1,5 Natr. carbonicum zu 1 l Milch, welche als Minimaldose zu empfehlen ist.

Klystiere mit Fett haben bloß eine mäßige Bedeutung, indem nach DEUCHER [3]) mehr als 10,0 g im Tag nicht resorbiert wird. Man muß es emulsionieren, auf 40° C erwärmen und 6 ‰ Kochsalz zusetzen.

Am besten ist die Eiweißernährung. v. NENCKY hat in einem unserer Fälle mit Sicherheit nachgewiesen, daß Pepton per Klysma zu

1) Centralblatt für innere Medizin, Febr. 1898.
2) Centralblatt für innere Medizin, 1898, No. 7.
3) DEUCHER, Deutsches Arch. f. klin. Med., Bd. 58.

ca. 80 g im Tag das Stickstoffgleichgewicht erhält. Allerdings macht Pepton nach CAHN[1]) die stärkste Darmfäulnis und muß deshalb oft durch andere Eiweißpräparate ersetzt werden. EWALD hat gezeigt, daß einfache Eierklystiere ebenso prompt im Rectum resorbiert werden wie die Peptone und noch den Vorteil der Fettbeimengung haben.

Außer durch richtige Ernährung kann man vor der Operation bloß noch durch indirekte Entleerung der Gedärme oberhalb des Verschlusses mittelst Magenpumpe und durch Darmdesinfektion günstig wirken resp. Zeit gewinnen.

Daß Magenspülungen ein kostbares Mittel zur momentanen Beseitigung von Kollapszuständen durch Intoxikation sind, haben wir schon hervorgehoben. Ein guter Teil des Darminhaltes läuft bei Dehnung des Darmes unter Aufhebung seiner Peristaltik in den Magen über oder wird nach GRÜTZNER's und KIRSTEIN's Untersuchungen antiperistaltisch aufwärts befördert. (KIRSTEIN hat durch verkehrtes Einnähen langer Darmabschnitte die Antiperistaltik zu beweisen gesucht.)

Als besonders wertvolle Darmantiseptica sind in neuester Zeit von ROVIGHI der Kampher, von DESCHEEMAKER das Natronsacharinat und von CHAUMIER das Orphol (β Naphtholwismut) empfohlen worden.

Eine besonders wichtige Frage ist die, ob man bei Ileus Opium verabfolgen solle oder nicht. So allgemein gegenwärtig die gute Wirkung dieses Medikamentes bei Peritonitis, zumal den perforativen Formen, ist, so sehr darf man sich fragen, ob die Anwendung des Mittels bei Ileus von Nutzen sei. Daß sich die Verordnung narkotischer Mittel wegen der lebhaften Kolikschmerzen oft aufdrängt, ist sicher, und daß die Opiumbehandlung volle Berechtigung hat für alle Fälle, wo eine Operation prinzipiell abgelehnt wird, scheint uns eben so sicher. Das Opium lindert die Schmerzen, ohne — selbst in hohen Dosen — die Peristaltik ganz aufzuheben[2]). Es hat also den Vorteil, die Ueberdehnung des Darmes oberhalb des Verschlusses zu verhüten und somit die Gefahr rasch eintretender Darmnekrosen und folgender Peritonitis hinauszuschieben, ohne eine schädliche Darmparalyse herbeizuführen.

Aber das Opium hat mehr als alle anderen momentane Besserung bewirkenden Mittel den großen Nachteil, die Diagnose zu erschweren und über die Prognose zu täuschen. Man verwandelt gleichsam einen schweren Ileus in eine leichte Form, aber leider in recht vielen Fällen bloß scheinbar. Der Patient mit hochaufgetriebenem Abdomen erklärt

1) Berl. klin. Wochenschr., 1893, No. 24 u. 25.

2) Ich habe dieser Tage eine Patientin an 10 Tage dauerndem Ileus operiert, welche von ihrem Arzte 4 g Tinct. Opii simplex per Tag erhalten hatte. Dieselbe ließ sehr energische Kontraktionen der geblähten Darmschlingen durch die verdünnten Bauchdecken erkennen.

**auf Befragen, daß er keine Schmerzen habe, namentlich nichts von Kolikanfällen (welche diagnostisch so wichtig sind); wenn man ihn palpiert, so zeigt er auffällig geringe Druckempfindlichkeit; er verträgt selbst größere Klystiere gut, kann Flüssigkeit per os ohne Belästigung genießen, auch wenn er sie nachher erbrechen muß.**

**Allein mit dieser ganzen Besserung wird das mechanische Hindernis nicht gehoben, der Darm bleibt hochgradig gedehnt und überfüllt, Inanition, Intoxikation und die Veränderungen der Darmwand bis zur Nekrose und Perforation machen ihre Fortschritte, wenn auch in langsamem Tempo, bei der Patient erliegt. Ich bin deshalb allerdings auch der Ansicht, daß Opiumbehandlung bei Ileus mehr Schaden als Nutzen stiftet, weil es Anlaß giebt, eine notwendige Operation hinauszuschieben. Nur wenn man aus irgend einem Grunde Zeit gewinnen muß, bevor man die Operation ausführt, kann die Verabfolgung von Opium nötig werden der Schmerzen wegen einerseits und behufs Verlangsamung des Verlaufs andererseits [2]). Fälle, bei welchen Opiumbehandlung Scheinbesserungen bewirkte und Anlaß gab, die Operation hinauszuschieben zum Schaden des Patienten, sind vielfach mitgeteilt worden [3]).**

**Wenn es mir gelungen ist, die „Nichtchirurgen" gegenüber einem Fall von Ileus, mag er akut oder chronisch sein, in noch größere Aufregung zu versetzen, als es nach Naunyn bereits bisher der Fall gewesen ist, so halte ich das für einen großen Vorteil ür die Ileuskranken. Ich wünsche aber nicht mißverstanden zu sein, daß ich der vielfach beliebten Methode, an Stelle der Diagnose die Explorativincision zu setzen, das Wort reden möchte. Ich lasse im Gegenteil in der Klinik keine Gelegenheit vorbeigehen, um gegen solche Routine zu protestieren. Ich halte dafür, daß jeder Fall von Ileus gebieterisch verlangt, vom ersten Augenblick an einer gründlichen Untersuchung des Chirurgen**

---

2) Wir haben seit Vollendung dieser Arbeit 2 Ileusfälle operiert, durch ganz feine Briden in Form von alten Adhäsionssträngen bedingt. Beide Fälle hatten früher Perityphlitis durchgemacht und deshalb war auch zuerst an ein Recidiv dieser Krankkeit gedacht worden und der letzte Fall mit hohen Opiumdosen behandelt, so daß die Symptome relativ sehr gelind erschienen. Die Patientin war nahezu schmerzlos, Erbrechen selten, und doch bestand in beiden Fällen eine sehr scharfe Einklemmung durch die bindfadendünne, aber sehr feste Bride, welche im ersten Falle bereits zu Darmnekrose geführt hatte. Beide Patienten genasen nach der Operation, der erste nach Komplikation mit Absceß; aber es ist ein entschieden peinlicher Eindruck, einen Patienten mit einer Einklemmung durch einen dünnen Bindegewebsfaden, dessen Durchtrennung eine so einfache Sache ist, erst nach 10 Tagen richtig behandeln zu können, wenn schon hochgradige Schwäche oder beginnende Peritonitis eingetreten ist.

3) Vgl. Flatau, Dtsch. med. Wochenschr. 1886, No. 6, und Körte, Berl. Klinik, Juni 1891.

gleichzeitig mit dem Internen unterzogen zu werden, damit nicht nur rasch eine möglichst genaue Diagnose gestellt, sondern auch ohne Verzug danach gehandelt werde. Ganz besonders kann ich in keiner Weise anerkennen, daß unvollständige Stenosen oder Verlegungen des Darms durch Fremdkörper „zunächst innerlicher Behandlung zugänglich seien". Was nützt die nach ROSENBACH und NOTHNAGEL gewöhnlich eintretende kompensatorische Hypertrophie des Darmes, wenn doch zuletzt die Stenose vollständig wird und der Patient das Damoklesschwert akuten Darmverschlusses stets über dem Haupte hat? Warum nicht zur besten Zeit sofort chirurgisch eine völlige Heilung erstreben? Aber ebensowenig wie ich einem Internen erlauben würde, ohne sichere Diagnose mit den beliebten Opiaten in großen Dosen oder mit den früher gebräuchlicheren Abführmitteln, wie Ol. ricini, vorzugehen, bevor eine Diagnose gestellt ist, möchte ich dem Chirurgen erlauben, zu operieren, „wenn es ihm gut scheint". Der Ileus ist eine mechanische Affektion und kann nur durch mechanische Mittel beseitigt werden. Wenn also eine Operation indiziert ist, so ist sie auch sofort indiziert[1]) und der Chirurg hat durchaus kein Recht, länger zu zögern als der Interne.

Daß man darauf eingerichtet sei, ein geeignetes Laparotomiezimmer mit allen Einrichtungen zur Verfügung zu haben, welche erlauben, ohne Schaden das Abdomen breit zu eröffnen, und, wenn nötig, die Därme zu eventrieren, und daß man sich persönlich mit den Maßnahmen bekannt mache für die korrekte Ausführung der im speziellen Falle indizierten Operation, dafür rechtzeitig zu sorgen, ist Pflicht jedes Chirurgen, hat doch Generalarzt SENN vorgeschlagen, selbst auf dem Schlachtfelde für die Durchführung von Einrichtungen zu sorgen, welche eine primäre Laparotomie ermöglichen sollen.

Wenn es mir gestattet ist, nach NAUNYNS Vorgang einige der Schlüsse, welche ich aus meinen Beobachtungen zu ziehen habe, zur Präzisierung eines speziell chirurgischen Standpunktes noch hervorzuheben, so möchte ich dies in folgenden Sätzen thun:

1. Die Hauptgefahr eines jeden Ileus beruht in der Zirkulationsstörung der Darmwand und ihren Folgen, nämlich venöser Hyperämie bis zu Blutungen und Infarkt, ödematöser Infiltration und Ansammlung von zersetzungsfähiger Flüssigkeit im Darm, Schädigung und Abstoßung des Epithels nnd daheriger Durchlässigkeit der Darmwand für Fermente, toxische Substanzen, sowie für Bakterien.

---

1) Man lese z. B. einen von CHIVAT (Provence méd., 1896, No. 51) publizierten Fall von JABOULAY nach, wo bei einer Invagination, die nach 2 Tagen in die Klinik kam, aus verschiedenen Gründen mit der Operation gezögert wurde, bis der Pat. am 10. Tage starb. Die Autopsie zeigte die Invagination noch jetzt mit Leichtigkeit lösbar und den Darm von guter Beschaffenheit.

2. Die Durchlässigkeit der Darmwand führt einerseits zur allgemeinen Intoxikation und Infektion, andererseits zu lokaler Entzündung der Darmwand, Nekrose derselben mit Geschwürsbildung, Perforation und Peritonitis.

3. Die Zirkulationstörungen in der Darmwand sind bedingt einerseits durch Druck von außen her auf beschränkte Stellen der Darmwand und auf die Mesenterialgefäße bei dem sog. Strangulationsileus, durch Briden, innere Einklemmung und Volvulus, Invagination.

4. Nicht minder gefährliche Zirkulationsstörungen werden aber veranlaßt durch Druck von innen infolge Stauung des Darminhaltes, vermehrte Transsudation und Sekretion oberhalb des Hindernisses und daherige Ueberdehnung des Darmes. Diese kommt vor sowohl bei Strangulationsileus (wenn auch nicht konstant), als bei Obturations- und dynamischem Ileus, am meisten bei Fremdkörpern (zumal Gallensteinen), bei Neubildungen der Darmwand, bei Geschwüren und Stenosen, bei Druck durch extraintestinale Geschwülste.

5. In jedem Falle von Ileus ist die sofortige Beseitigung der Zirkulationsstörungen der Darmwand indiziert. Sie geschieht durch Hebung des den Darm und die mesenterialen Gefäße schädigenden extraintestinalen Druckes und durch Herabsetzung der intraintestinalen Spannung. Erstere kann blos durch Laparotomie, letzteres auch ohne solche, z. B. durch Anlegung einer Kotfistel bewirkt werden.

6. Die langsame Entwickelung und der chronische Verlauf eines Ileus beschränken die absolute Geltung obiger Indikation in keiner Weise, da die schlimmsten Ileusformen langsam beginnen und chronische Formen plötzlich akut werden können.

7. Die operative Behandlung soll in jedem Falle von Ileus vom ersten Augenblicke an zur Diskussion gestellt werden. Nichtoperative Behandlung kommt blos für Obturations- und dynamischen Ileus in Frage und bloß da, wo Strangulationsileus *sicher* ausgeschlossen werden kann [1]).

8. Die Beseitigung des Hindernisses für den Durchtritt des Darminhaltes ist ein wünschenswertes, die Beseitigung der Zirkulationsstörung in der Darmwand ein notwendiges Ziel jeden operativen Vorgehens. Da die Laparotomie geeignet ist, ersterer Indikation für alle Formen von Ileus ein Genüge zu leisten, so ist sie für alle Fälle im Anfangsstadium vorzuziehen. Bei Spätstadien des Obturations- und paralytischen Ileus ist die Palliativoperation (Anlegung einer Kotfistel) angezeigt.

---

1) Leichtenstern (Ziemssen's Handb. d. spec. Path.) hat unter 1262 Darmverschließungen 1052 mechanisch durch Einklemmung, Volvulus und Intussusception bedingte gefunden.

9. Die bisherige schlechte Prognose der operativen Behandlung des Ileus ist ausschließlich veranlaßt durch das zu lange Zögern mit der Operation und den daherigen Eintritt von Nekrosen in der Darmwand infolge extraintestinalen Druckes oder intraintestinaler Dehnung bei gesteigerter Zersetzung des Darminhaltes.

10. Bei der häufigen Unsicherheit der Diagnose im Anfangsstadium sind wirklich befriedigende Heilerfolge im großen nur zu erwarten durch prinzipielle Durchführung der operativen Radikalbehandlung bei jedem Patienten, bei welchem ein begründeter Verdacht auf mechanische Darmobstruktion vorliegt.

Bern, am 17. September 1898.

---

**Erklärung der Figuren auf Tafel III—V.**

Fig. 1. I. U. Carcinoma flexurae coli sinistrae mit Ileussymptomen plötzlichen Anfanges vor 4 Wochen. Durch Resektion gewonnenes Präparat. Links der untere Darmabschnitt von normaler Weite und mit normaler Schleimhaut. Auf diese folgt das cirkulär stenosierende Carcinom von hellroter Farbe mit stellenweise nekrotischem Belag. Nach rechts das gewaltig dilatierte Colon transversum oberhalb der Stenose; auf diesem ist die Schleimhaut bloß in einzelnen Feldern, Wülsten und Streifen erhalten. Dazwischen Ulcerationen, welche die quergestreifte Muskulatur auf ihrem Grunde erkennen lassen, mit papillenförmigen Schleimhautresten. An einzelnen Stellen gehen diese Dehnungsgeschwüre bis auf die Serosa, welche zahlreiche feine Perforationen zeigt.

Fig. 2. R, B. Nov. 1895 8 Tage nach Beginn an Ileus operiert. Nach anfänglich gutem Verlauf rascher Kollaps durch Perforation von Dehnungsgeschwüren infolge der lange dauernden Ausdehnung des Darmes.

Fig. 3. Dehnungsgeschwüre im Ileum infolge 8 Tage lang dauernder Dehnung des Darmes und Zersetzung des Darminhaltes.

Die Ulcerationen sind scharfrandig, gehen bis auf die Serosa, welche an einer Stelle perforiert ist. In der Mitte sitzt an einer Stelle dem Geschwür noch die nekrotische Schleimhaut auf; sie hatte frisch etwas stärker grünliche Farbe.

# IX.

# Beiträge zur Frage: Ist die Cholelithiasis intern oder chirurgisch zu behandeln?

Von

**Dr. August Herrmann,**
Spitalsdirektor in Karlsbad.

---

Die Behandlung der Cholelithiasis, ursprünglich die unbestrittene Domäne der inneren Medizin, begann 1882 einzelne Chirurgen, seit COURVOISIER's[1]) Zusammenstellung die Gesamtheit derselben zu interesseren.

Die in den letzten Jahren von den Meistern der Chirurgie[2]) veröffentlichten glänzenden Erfolge beweisen auf das nachdrücklichste, daß dem Operationsmesser eine wichtige Rolle in der Therapie dieser Erkrankung zukomme, und gegenwärtig wird die operative Behandlung der Gallensteine nicht nur an den großen Kliniken, sondern auch in kleineren Krankenhäusern recht häufig geübt.

Von den durch ihre Erfolge begeisterten Aposteln der operativen Behandlung der Cholelithiasis ist aber der internen Behandlung gegenüber auch manche Ungerechtigkeit verübt worden, ebenso wie auch einige von badeärztlicher Seite ausgegangenen Behauptungen als übertrieben bezeichnet werden müssen.

---

1) Kasuistisch-statistische Beiträge zur Pathologie und Chirurgie der Gallenwege, 1890.

2) RIEDEL, B., Erfahrungen über die Gallensteinkrankheiten mit und ohne Ikterus. Chirurgische Behandlung der Gallensteinkrankheit in PENZOLDT's Handb. d. spec. Therapie. Verhandl. d. 70. Vers. dtsch. Naturf. u. Aerzte in Düsseldorf, 1898. — KEHR, H., Die chirurgische Behandlung der Gallensteinkrankheit, 1896. — LÖBKER, Verhandl. d. 70. Vers. dtsch. Naturf. u. Aerzte. — PETERSEN, Verhandl. d. 27. Chir.-Kongr., 1898.

Ich halte es für angemessen, auf einige von diesen Punkten in den nachfolgenden Seiten einzugehen, in der Hoffnung, damit einen kleinen Beitrag zur Klärung der Ansichten auf diesem jetzt so vielfach diskutierten Grenzgebiete der inneren Medizin und Chirurgie zu liefern.

In der medikamentösen Behandlung der Cholelithiasis spielten von jeher Mineralwässer oder auch Salzlösungen, welche den als erprobt geltenden Quellen nachgebildet waren, die erste Rolle; andere Medikamente, diätetische und physikalische Heilmethoden, kamen erst in zweiter Reihe in Betracht.

Meine Beobachtungen sind in Karlsbad gemacht, doch stehe ich nicht an zu erklären, daß ähnliche oder ganz gleichwertige auch an anderen, durch ärztliches Urteil als bei Cholelithiasis wirksam erkannten Quellen zu Tage treten dürften.

Es ist meines Wissens noch niemals von einem Arzte behauptet worden, daß Mineralwasserkuren bei Cholelithiasis im allgemeinen schädlich wirken. Eine solche Behauptung erscheint wohl auch kaum möglich, denn der Betreffende würde sich dadurch nicht nur mit der allgemeinen ärztlichen Meinung, sondern auch mit allen den internen Klinikern in direkten Widerspruch setzen, welche, zu welcher Zeit und an welchem Orte immer, ihre Ansicht über die Therapie der Cholelithiasis auseinandersetzten.

Es ist jedoch manches versucht worden, was geeignet wäre, den Wert der Mineralwasserkuren herabzusetzen.

Gestützt auf Tierversuche begann man zunächst an der früher allgemein giltigen Theorie der Wirkung solcher Mineralwässer oder Salze zu rütteln.

Die Frage, ob das Kalsbader Wasser cholalog wirke oder nicht, ist von verschiedenen Experimentatoren verschieden beantwortet worden. Die neuesten diesbezüglichen Untersuchungen scheinen zu beweisen, daß eine solche cholagoge Wirkung beim Tiere nicht besteht.

Beim Menschen und besonders beim unterleibskranken Menschen besteht dieselbe für mich als unumstößliche Thatsache. Wenn Kehr [1]) in seiner neuesten Publikation betont, daß kaum einer der in Karlsbad praktizierenden Aerzte eine solche cholagoge Wirkung anerkenne, so muß ich demselben für meine Person, und, wie ich glaube, für viele Karlsbader Aerzte widersprechen.

Die Gründe, welche mich an eine cholagoge Wirkung des Karlsbader Wassers glauben lassen, sind folgende:

1) Wie, wodurch und in welchen Fällen von Cholelithiasis wirkt eine Karlsbader Kur und warum gehen die Ansichten des Chirurgen und des Karlsbader Arztes in Bezug auf Prognose und Therapie der Gallensteinkrankheit so weit auseinander? Sonderabdruck. Münch. med. Wochenschr., 1898.

1) Während des Verlaufes der üblichen Karlsbader Kur nimmt der Stuhlgang besonders solcher Kranker, welche an Verdauungsstörungen und ganz speciell solcher, welche an Erkrankungen der Gallenwege leiden, allmählich eine auffallend dunkle Färbung an, welche, da die Nahrung während der ganzen Kur ziemlich gleichartig zusammengesetzt ist, nur auf eine vermehrte Gallenabsonderung zurückgeführt werden kann. Den Habitués der Karlsbader Thermen ist diese Erscheinung ebenfalls geläufig und wird von ihnen als markanter Erfolg der Karlsbader Kur dem Arzte mitgeteilt.

2) Gebraucht ein Patient die Trinkkur wegen Impermeabilität des Gallenganges, mag letzterer bedingt sein durch einen Katarrh des Gallenganges, durch einen incarcerierten Gallenstein oder durch ein Carcinom, so sieht man bei demselben in den ersten Tagen der Trinkkur eine Zunahme der Gelbfärbung der Haut und Bindehaut, vermehrtes Auftreten von Gallenfarbstoff im Harne, und der Patient klagt über stärkere subjektive Beschwerden, namentlich über stärkeres Hautjucken. Da hierbei der Stuhlgang dieselbe graue Farbennuance beibehält wie vorher, so kann man nicht daran denken, daß der Gallenabfluß in den Darm noch mehr gehindert ist als früher, sondern es bleibt nur die Erklärung übrig, daß die Quantität der abgesonderten Galle erhöht wurde und infolgedessen auch mehr Galle zur Resorption in das Blut und die Gewebe gelangt.

3) Am schlagendsten wird die Beeinflussung der Gallenabsonderung durch die Trinkkur an solchen Kranken bewiesen, bei welchen eine Gallenfistel besteht. Ich hatte 5 solcher Fälle in Beobachtung. Drei davon, aus der vorchirurgischen Zeit stammend, hatten die Fistel dadurch acquiriert, daß Gallensteine die äußeren Bauchdecken perforiert hatten; bei zwei Fällen war die Fistel als Folge eines mit Erfolg zur Entfernung von Gallensteinen vorgenommenen chirurgischen Eingriffes zurückgeblieben.

Als diese Patienten zur Beobachtung kamen, teilten sie mir mit, sie müßten ein Wattebäuschchen oder ein Tuch an die Fistelöffnung angedrückt tragen, da im Verlaufe des Tages einige Tropfen Flüssigkeit austreten, welche sonst die Wäsche gelb färben würden. Als ich die Wattebäuschchen mit schwacher Lauge und dann mit Chloroform extrahierte, gab die zur Extraktion verwendete Lauge die Gallenfarbstoffprobe, das Chloroform die Cholesterinreaktion. Es handelte sich also um eine echte Gallenfistel. Nach einigen Tagen Trinkkur mußten größere Wattebäuschchen vorgelegt und mehrmals des Tages gewechselt werden, weil die Sekretion aus der Fistelöffnung bedeutend zugenommen hatte. Es gelang mir, aus den innerhalb 24 Stunden verwendeten Wattebäuschchen bis zu 10 ccm Flüssigkeit herauszupressen, und diese Flüssigkeit erwies sich ebenfalls chemisch als reine Galle.

Ganz gleichartige Beobachtungen wurden von hervorragender chirurgischer Seite[1]) bereits veröffentlicht.

Natürlich können zu solchen Versuchen nur echte Gallenfisteln, und nicht etwa solche, welche in verödete Gallengänge führen, verwendet werden.

Gestützt auf diese angeführten drei Punkte, erscheint mir die cholagoge Wirkung Karlsbads unzweifelhaft.

Es ist ferner von chirurgischer Seite[2]) die Vermutung ausgesprochen worden, daß die Wirkung Karlsbads bei Cholelithiasis keine andere sei, als die eines Abführmittels. Diese Behauptung erscheint durch die Erfahrung nur wenig gestützt. Es ist ja bekannt, daß die abführende Wirkung der in üblichen Dosen und warm genommenen Karlsbader Quellen keine allzu bedeutende ist (vgl. Pollatschek[3]).

Ebenso wäre es unerklärlich, daß, wenn diese Komponente der Wirkung des Karlsbader Wassers die ausschlaggebende wäre, gerade bei Gallensteinerkrankungen von den Karlsbader Aerzten mit Vorliebe die heißen Quellen verordnet werden, deren purgative Wirkung noch geringer ist, als die der kühlen.

Wäre es, von dieser Voraussetzung ausgehend, nicht rationell bei Cholelithiasis Abführmittel, welche prompter und sicherer wirken, als das Karlsbader Wasser, durch längere Zeit nehmen zu lassen? Ich habe bisher in den gangbaren Handbüchern noch nirgends die entschiedene Empfehlung einer solchen Kur gefunden.

Von badeärztlicher Seite wurde und wird andererseits mit Vorliebe von der steintreibenden Wirkung der Trinkkur gesprochen.

Einer der angesehensten Aerzte Karlsbads[4]) that gelegentlich einer Diskussion den Ausspruch, mit den in Karlsbad abgegangenen Gallensteinen könnte gepflastert werden. Wenn damit hingewiesen werden soll auf die enorm große Zahl der alljährlich Karlsbad aufsuchenden Gallensteinkranken — ich komme auf die Schätzung der Zahl später noch zu sprechen — bei welchen natürlich auch in Karlsbad Steinabgang auftritt, so ist diese Hyperbel ganz richtig, wenn aber dadurch eine in besonders hohem Grade auftretende lithagoge Wirkung der Trinkkur hervorgehoben werden soll, so sprechen statistische Erhebungen dagegen.

Wohl ist es möglich, daß bei einem Patienten, dessen Gallengang infolge vorher erfolgter Steinkoliken erweitert ist, durch die vermehrte Gallensekretion während der Trinkkur mehr kleinere Steine ohne Schmerzen abgehen als vor derselben, aber dieser Abgang kann

1) Körte, Volkmann's Sammlung, N. F. 1892, No. 40.

2) Riedel, l. c.

3) Haben die Karlsbader Wässer ekkoproktische Wirkung? Kongr. f. inn. Med., 1893.

4) Verhandl. d. Berl. med. Ges., 1889, Sitzung v. 13. Nov.

nur als eine Fortschwemmung und keinesfalls als eine Steinaustreibung aufgefaßt werden.

Analog dem von NAUNYN[1]) erklärten Steinabgang müßte man unter Steinaustreibung eine Steigerung der Intensität und Häufigkeit der peristaltischen Bewegung der Gallenblasenwand am Uebergange in den Cysticus verstehen. Die allernächste Folgeerscheinung der erfolgreichen peristaltischen Bewegungen ist der Kolikschmerz. Unter 114 Fällen von Gallensteinkranken, welche im Jahre 1898 durch mindestens vier Wochen in meinem Spital in Beobachtung waren, konnten bei genauer Kontrolle von meiner und des Assistenten Seite im ganzen nur bei 19 deutliche Kolikschmerzen nachgewiesen werden. Von diesen 19 hatten 10 einmal, 6 zweimal und 3 dreimal Koliken. Außerdem klagten 12 Patienten über Druckempfindlichkeit und leichte Schmerzen, welche nur sehr unsicher als Anfälle leichtester Art eventuell hätten betrachtet werden können. Bei 83 trat überhaupt kein Symptom auf, welches nur im geringsten darauf hingedeutet hätte, daß Konkremente „ausgetrieben" worden wären.

Die eben angeführten Zahlen lassen den Prozentsatz der durch die Trinkkur hervorgerufenen Koliken, welche ja das hervorstechendste Symptom des Steinabganges bilden, recht gering erscheinen.

Wäre die steintreibende Wirkung der Karlsbader Kur eine sehr mächtige, so müßte notwendigerweise häufig das Endergebnis derselben eine dauernde Incarceration eines größeren Steines sein. Ich habe ein solches Ergebnis unter rund 1000 Fällen von Cholelithiasis der Spitals- und Privatpraxis nicht beobachtet. Es mag ein Zufall sein, daß gerade von mir diese Beobachtung nicht gemacht wurde, aber immerhin spricht das Nichteintreten dieser Eventualität bei 1000 mir zur Beobachtung gelangten Fällen gegen eine bedeutende steintreibende Wirkung Karlsbads.

Unter Berücksichtigung des eben Gesagten wird es schwer, eine ausreichende Erklärung für die von Aerzten anerkannte, von den Patienten gepriesene Wirkung Karlsbads bei Cholelithiasis zu geben. Doch glaube ich für dieselbe eine Begründung in einer ganz anderen Richtung gefunden zu haben.

Bei der Durchsicht der Krankengeschichten jener Fälle, welche mir durch zwei oder mehrere Jahre im Spital zur Beobachtung kamen, fiel mir in der Anamnese der fast stereotyp wiederkehrende Satz auf: Nach der Trinkur hatte ich so und so lange Ruhe von den Anfällen. Die Betonung des Umstandes, daß nach der Trinkkur für längere oder kürzere Zeit oder dauernd die Anfälle sistierten, kehrte ebenso häufig wieder als Beantwortung einer Umfrage, welche ich bei Patienten anstellte, die nur einmal die Trinkkur gebraucht hatten.

---

1) NAUNYN, Klinik der Cholelithiasis.

Uebersetzen wir diese Aeußerungen der Laien in den medizinischen Sprachgebrauch, so müssen wir sagen: Nach Gebrauch der Trinkkur haben die peristaltischen Kontraktionen der Blasenwand aufgehört oder nachgelassen. Das Gallensteinleiden ist wieder zu jener Latenz gelangt, in welcher es vor Eintritt der peristaltischen Bewegungen war.

Aus welchem Grunde nun haben diese Kontraktionen nachgelassen? Vielleicht ist die Hypothese gestattet, daß eine in chemischer oder bakteriologischer Hinsicht nicht ganz normale Galle, die die atypischen Kontraktionen auslöste, infolge der cholagogen Wirkung der Trinkkur weggespült wurde und dadurch bei Restituierung einer normaleren Galle der Reiz für die Muskulatur wegfiel. Analogien für eine derartige größere Ruhe und gleichmäßigere Funktion der glatten Muskulatur nach Entfernung des sie reizenden Inhaltes giebt es ja in der Pathologie mehrfach. Es kann ja im allgemeinen nicht nachdrücklich genug betont werden, daß die Gallensteine an und für sich zu keinen Symptomen Anlaß geben, solange sie nicht aus der Gallenblase austreten. Wenn irgend eine interne Medikation imstande ist, dieses Austreten zu verhindern, dann leistet sie in gewisser Hinsicht nicht viel weniger als die Chirurgie, welche die Steine überhaupt entfernt. Freilich durch die Latenz sind die Steine noch nicht „harmlos" geworden, aber die Kranken sind ohne Beschwerden und werden weder die Hilfe des inneren Arztes noch des Chirurgen ansuchen.

Ich möchte bei der Erörterung der Wirkung Karlsbads bei Cholelithiasis noch bemerken, daß man in einzelnen Fällen auch den Eindruck empfängt, als ob durch die Trinkkur auch die Neubildung von Steinen verhindert oder gehemmt werden könnte. Dieser Frage näher zu treten, fehlen aber bislang präzise Anhaltspunkte.

Bei den chirurgischen Bearbeitern der Gallensteinerkrankung ist sehr viel die Rede von den Gefahren, welche der Kolikanfall mit sich bringt; ja stellenweise wird die Operation auch der regulären Cholelithiasis direkt als indicatio vitalis hingestellt. Die gewiß bestehende Gefahr einer Perforation, einer Infektion u. s. w. mag dem Chirurgen, welcher meist nur schwere, ja die schwersten Fälle zu Gesicht bekommt, häufig vorkommen, die Erfahrungen an Badeorten jedoch, welche allerdings nur leichtere und meist unkomplizierte Fälle umfassen, lassen eine pessimistische Prognose nicht zu.

Unter den 460 von mir im Spital beobachteten Fällen sind nur zwei letal verlaufen.

Es handelte sich in dem einen Falle um eine 50-jährige Frau, welche an Mitralinsufficienz und Stenose litt, der Tod erfolgte im Shok, kaum fünf Minuten nach Einsetzen des Anfalles. Die Sektion zeigte neben dem diagnostizierten Herzfehler im Anfang des Ductus cysticus eingeklemmten Gallenstein in der Größe einer kleinen Kirsche.

Der zweite Fall betraf eine 60-jährige Frau, welche ich meinem hiesigen Kollegen Dr. Fink behufs Operation überwies, da die Pat. nach unter sehr schweren Koliken erfolgtem Steinabgang wiederholt fieberte und der Kräftezustand sich verschlechterte. Dr. Fink entfernte durch Cholecystotomie 7 Gallensteine. Pat. starb mehrere Wochen nach der vollkommen gelungenen Operation an Marasmus; Pat. war psychopathisch geworden, verweigerte Nahrungsaufnahme und versuchte wiederholt, den Verband loszureißen.

**Ich habe zur Beantwortung dieser Frage auch die sehr sorgfältig geführten Todeslisten der Karlsbader Stadtgemeinde herangezogen. In der Zeit von 1890 bis Ende September 1898 waren laut denselben unter den Karlsbad aufsuchenden Fremden im ganzen 18 Todesfälle an Cholelithiasis notiert; außerdem waren von den Verstorbenen während dieser Zeit 13 einem Leberabsceß, 1 einer Hepatitis supp., 22 Cholämie und 35 einer Peritonitis erlegen. Von diesen letzteren Todesursachen kann ja ein Teil durch Cholelithiasis veranlaßt worden sein. Was will diese geringe Sterblichkeitsziffer bedeuten gegenüber der enormen Anzahl von Gallensteinkranken, welche sich in diesen Jahren durch mindestens vier Wochen in Karlsbad aufhielten. Um diese letztere Zahl einigermaßen abzuschätzen, habe ich die Prozentzahl der an Cholelithiasis Erkrankten unter meiner Privatklientel bestimmt, sie betrug 13 Prozent. Andere Kollegen sind auf demselben Wege zu einem höheren Prozentsatze gelangt. Nehmen wir an, daß die niedrige von mir gefundene Ziffer die richtige wäre, so würde das unter den 234000 Parteien, welche während dieser Zeit in Karlsbad behufs Kurgebrauches weilten, 34320 Gallensteinkranke ausmachen. Von diesen starben 18 an Cholelithiasis, 71 an Erkrankungen, welche vielleicht zum Teile durch Gallensteine hervorgerufen waren. Wenn das Leben eines Gallensteinkranken gar so bedroht wäre, so müßte das Sterblichkeitsprozent der hier durch vier Wochen anwesenden Gallensteinkranken doch ein weit höheres sein.**

**Es sind mir ferner von allen Gallensteinkranken der Privatpraxis, welche ich seit 15 Jahren hier behandelte, nur zwei bekannt geworden, welche in ihrer Heimat der Cholelithiasis erlagen, während andererseits bereits zwei Privatpatienten kurz nach vorgenommener Cholecystotomie zu Grunde gingen. Das sind Zahlen, wie sie sich mir zufällig ergaben und welche naturgemäß nicht verwertet werden können, aber subjektiv wirken sie doch.**

**Von ganz besonderer Bedeutung erscheint mir behufs Beurteilung des Wertes der operativen Behandlung der Gallensteine die Frage, treten trotz erfolgreich durchgeführter Operation danach doch noch Gallensteinkoliken auf?**

**Dieser Punkt wird von den Chirurgen nur sehr flüchtig berührt. Außer bei Petersen [1]), welcher nach 80 operativ behandelten Fällen**

1) Petersen, l. c.

bei 4 derselben Recidive eintreten sah, fehlen diesbezüglich meist Angaben. Vielleicht glauben die Chirurgen über diese Frage noch kein abschließendes Urteil abgeben zu können.

Meine Erfahrungen über diesen Punkt beruhen auf den nachfolgenden 15 Fällen, welche nach erfolgter Operation mir in Karlsbad zur Beobachtung kamen. Ich gebe deren Krankengeschichten nur in gedrängtester Kürze, da die Daten bezüglich der Operation meist nur aus der Anamnese entnommen werden konnten.

1) Holitschek, 34-jährige Tischlersgattin aus Smichow. Durch 5 Jahre Schmerzen in der Lebergegend, welche anfallsweise auftraten, ohne Gelbsucht. Sodann ein ausgesprochener Gallensteinanfall. 3 Monate nach dem Anfall Operation durch Professor Maydl in Prag. Es wurden 3 haselnußgroße Steine aus der Gallenblase entfernt. Pat. wird von der Krankenhausdirektion in Prag nach Karlsbad geschickt, um einer Neubildung der Steine vorzubeugen. Hier während 4 Wochen kein Anfall, keine Beschwerden, objektiv nichts nachweisbar.

2) Bruderhausen, 45-jährige Kapitänswittwe aus Bremen. Vor 12 Jahren mehrere schwere Anfälle, dann mehrere Jahre hindurch Ruhe. 1891 fast alle 14 Tage neuerliche Anfälle. Im Jahre 1892 vierwöchentliche Kur in Karlsbad, daneben Oelmedikation. Nach der Kur ein Jahr hindurch besseres Befinden. 1894 abermalige Kur in Karlsbad, neuerliche Besserung. Im Jahre 1896 mehren sich die Anfälle und werden schmerzhafter. Juni 1897 Operation durch Dr. Sattler in Bremen. Aus der Gallenblase wurden zahlreiche kleinere, aus dem Gallengange 2 erbsengroße Cholesterinsteine entfernt. Drainage der Gallenblase durch 3 Wochen. 5 Wochen nach der Operation geheilt entlassen, nach Karlsbad dirigiert, um Recidiven vorzubeugen. Hier durch 4 Wochen vollkommenes Wohlbefinden, kein Anfall, keine objektiven Symptome.

3) Heckmann, 33-jähriger Tagelöhner aus Heidelberg, von 1892—1893 typische Gallensteinkoliken. Im Januar 1894 von Geheimrat Czerny operiert, mehrere Steine entfernt. Seit der Operation vollkommenes Wohlbefinden. Im Mai 1894 vom Kassenarzt nach Karlsbad geschickt, um einer neuerlichen Steinbildung vorzubeugen. Hier, abgesehen von einer Gallenblasenfistel, welche während der vierwöchentlichen Trinkkur verheilt, nichts Abnormes nachzuweisen, keine Schmerzen, keine Anfälle.

4) Scholta, 44-jährige Hausmeistersgattin aus Wien. Seit 4 Jahren Gallensteinanfälle, welche sich nach einer in Wien durchgeführten Trinkkur mit Karlsbader Wasser nicht besserten. Im Jahre 1893 Trinkur in Karlsbad selbst, durch vier Wochen. Auch nach dieser Kur Fortdauer der Beschwerden. Im Februar 1895 in Wien operiert. Aus der Gallenblase wurden Steine entfernt. Seit der Operation keine Anfälle mehr. Pat. kommt im Sommer 1895 aus eigenem Antrieb nach Karlsbad, um vorzubeugen. Hier nichts Abnormes nachweislich, keine Schmerzen.

5) von T., Majorswitwe aus Stettin. Seit Jahren Gallensteinanfälle. Operiert von Dr. Hans Schmidt in Stettin. Nach der Operation keine Anfälle mehr. Wird nach Karlsbad geschickt, um Recidiven vorzubeugen. Hier nichts Abnormes, kein Anfall, keine Schmerzen.

6) Sch., 30-jährige Kaufmannsgattin aus Hannover. Von Dr. Bögel wurden 34 Steine aus der Gallenblase entfernt. Während des achtwöchentlichen Aufenthaltes in der Klinik kam es unter Fiebererscheinungen

zur Bildung eines mächtigen Exsudates in der Mittelbauchgegend. Dieses wegen wurde Pat. nach Karlsbad geschickt. Hier unter Gebrauch der Trink- und Badekur bedeutender Rückgang in der Größe des Exsudates. Es wurden keine Anfälle beobachtet.

7) Kotte, 35-jähriger Krankenwärter aus Dresden. P. machte im Jahre 1897 eine Kur in Karlsbad durch und fühlte sich darauf durch ein halbes Jahr schmerzfrei. Nach einem halben Jahr neuerliche häufige Anfälle. Pat. wurde darauf von Prof. Kehr in Halberstadt unter Schleich-anästhesie operiert, wobei sehr viele Steine entfernt wurden. Pat. fühlt sich seit dieser Zeit vollkommen wohl, auch hier kein Anfall.

8) M., 50-jährige Beamtengattin aus Böhmen. Im August 1897 ein typischer Gallensteinanfall mit Incarceration des Steines und nachfolgendem schweren Ikterus. Zwei in einem Intervalle von vier Monaten in Karlsbad gebrauchte Kuren hatten keine Besserung zur Folge. Im Juni 1898 wurden vom Doz. Ewald in Wien zwei mehr als kirschgrosse Gallensteine mitsamt der Gallenblase entfernt. Sofortiges Aufhören aller Beschwerden. Pat. kommt 4 Wochen nach der Operation zum dritten Male binnen eines Jahres nach Karlsbad, um Recidiven vorzubeugen. Hier subjektiv und objektiv vollkommen normaler Befund.

9) B., 50-jährige Postmeistersgattin aus Pommern. Im Jahre 1894 mehrfache ausgesprochene Gallensteinkoliken. Sommer 1895 Operation durch Dr. Hans Schmidt in Stettin. Es wurden mehrere Steine aus der Gallenblase entfernt. Nach Heilung der Operationswunde treten neuerlich leichte Anfälle auf. Pat. wird dieserwegen Sept. 1898 nach Karlsbad geschickt. Hier Gallenblase deutlich vergrößert und schmerzhaft. Nach 14 Tagen Kurgebrauch erfolgt eine typische Gallensteinkolik, worauf völliges Wohlbefinden eintritt.

10) Kopf, 44-jährige Schriftsetzersgattin aus Berlin. Seit Jahren heftige Gallensteinanfälle, derentwegen sie 1889, 1890 und 1891 die Kur in Karlsbad gebrauchte. Die Kur brachte jedesmal nur einige Wochen hindurch Linderung. Im Dezember 1894 Operation im Berliner katholischen Krankenhause. Ueber die Operation weiß Pat. nur anzugeben, daß durch 14 Tage die Gallenblase drainiert wurde. Nach der Operation blieb Pat. drei Monate hindurch frei von Anfällen. Nach dieser Zeit treten die Anfälle von neuem auf, weshalb Pat. auch in den nächst folgenden Jahren von 1895—1897 die Trinkkur in Karlsbad gebraucht. Diese Trinkkuren verschaffen der Pat. für mehrere Monate Ruhe.

11) Heide, 39-jährige Schutzmannsgattin aus Fulda. Der seit längerer Zeit bestehenden mäßig schweren Gallensteinkoliken wegen wird Pat. im März 1896 in Fulda cholecystotomiert und es werden 11 angeblich haselnußgroße Steine aus der Gallenblase herausgenommen. Vier Wochen nach der Operation neuerliche Anfälle, derentwegen Pat. vom Operateur nach Karlsbad geschickt wird. Hier bei der Aufnahme im Spital ist neben der Operationsnarbe mäßige Vergrößerung der Leber, Druckempfindlichkeit der Gallenblase nachweisbar. Nach 14-tägigem Kurgebrauch ein ausgesprochener Gallensteinanfall. Nach Beendigung der Kur von September bis März Wohlbefinden, hierauf wiederholen sich die Anfälle. In der Operationsnarbe entsteht eine Fistelöffnung. Prof. Riedel in Jena, welchen Pat. konsultiert, konstatiert, daß die Fistel in eine von Steinen erfüllte Gallenblase führe, die der Pat. vorgeschlagene Wiederholung der Operation wird von ihr verweigert. Pat. kommt 1897 zum zweitenmal nach Karlsbad. Nach der Kur subjektiv besseres Befinden.

12) St., 50-jährige Arztwitwe aus Bayern. Pat., welche 1892 und 1893 im ganzen vier Gallensteinkoliken durchgemacht hatte, konsultierte 1893 Prof. Leube, welcher ihr nach längerer Beobachtung die Operation vorschlug. Prof. Schönborn entfernte aus der Gallenblase 3 haselnußgroße Steine. Seit der Operation besteht eine ständig Galle absondernde Haarfistel. Pat. gebraucht nach der Operation durch vier aufeinanderfolgende Jahre die Trinkkur in Karlsbad, um Kolikschmerzen zu bannen, welche alljährlich im Frühjahr in der Lebergegend auftreten. Die Schmerzen verschwinden nach Gebrauch der Trinkkur für viele Monate.

13) Z., Bauratswitwe aus Berlin. Operiert von Prof. Körte, welcher 8 Steine aus der Gallenblase entfernt. Nach der Operation $2^1/_2$ Jahre Ruhe, hierauf neuerliche typische Gallensteinanfälle, derentwegen Pat. jetzt Karlsbad aufsuchte. Unter dem Gebrauche der Trinkkur geht die früher bestandene Empfindlichkeit der Gallenblasengegend völlig zurück.

14) Wutzerke, 36-jährige Arbeiterin aus Dresden. Seit mehreren Jahren Gallensteinkoliken. Im Dezember 1894 Operation durch Hofrat Credé in Dresden, bei welcher ein haselnußgroßer Stein entfernt wurde. Nach der Operation treten mehrfach heftige Schmerzen in der Gallenblasengegend auf, jedoch ohne Gelbsucht. Diese Schmerzen veranlassen Pat., Sept. 1895 eine Trinkkur in Karlsbad zu versuchen. Während der Trinkkur erfolgte kein Anfall, die bestehende Schmerzhaftigkeit der Gallenblase läßt bedeutend nach.

15) Hilprecht, Anna, 38-jährige Schuhmachersfrau aus Berlin. Pat. leidet seit 3 Jahren an heftigen Gallensteinkoliken mit Gelbsucht. Während einer im Jahre 1897 gebrauchten Trinkkur in Karlsbad sollen viel Steine abgegangen sein. — Pat. stand damals nicht in meiner Behandlung. — Da nach dieser Kur die Schmerzen nicht aufhörten, wurde Pat. im März 1898 von Prof. Sonnenburg operiert. Noch während der Heilung der Operationswunde soll ein neuerlicher Anfall mit Gelbsucht aufgetreten sein. Nach einem zweiten Anfalle wurde die Operation wiederholt, es soll jedoch bei derselben kein Stein gefunden worden sein. Die mit Gelbsucht verbundenen Schmerzanfälle haben sich seit der Operation noch vielfach wiederholt, so daß Pat Juli 1898 zum zweiten Male Karlsbad aufsucht. Auch während des Karlsbader Aufenthaltes wurden mehrfach Koliken mit Gelbsucht beobachtet, jedoch niemals Steine im Stuhle gefunden.

Unter den hier mitgeteilten Fällen sind also bei 7 derselben Recidive nach der Operation aufgetreten.

Wenn ein Chirurg[1]) bei der Besprechung solcher Recidive meint, es handle sich da um Fälle, bei welchen die Operation aus diesem oder jenem Grunde nicht vollendet werden konnte, so beweist das nur, daß die chirurgische Behandlung der Cholelithiasis unter Umständen auf derartige Schwierigkeiten stößt, daß ein idealer Erfolg der Operation ebensowenig verbürgt werden kann, als bei der balneologischen Behandlung. Daß es sich aber bei diesen Recidiven nicht immer um vom Chirurgen zurückgelassene und nach einiger Zeit neuerlich in den Gallengang eintretende Konkremente handelt, dafür scheint mir

1) Riedel, Chirurgische Behandlung der Gallensteinkrankheit, in Penzoldt's Handbuch.

der von mir mitgeteilte Fall 13 zu sprechen, wo erst 2½ Jahre nach der Operation ein Recidiv auftrat, ebenso auch der von NAUNYN[1]) besprochene Fall. Hier muß man an eine Neubildung von Steinen denken, welche durch die Operation nicht verhütet werden kann.

Von den Chirurgen hat Prof. KEHR[2]) neben den Indikationen für die chirurgische Behandlung auch solche für die Mineralwasserkuren aufgestellt, und zwar nachdem er sich, was nicht hoch genug anzuschlagen ist, durch mehrwöchentlichen Aufenthalt in Karlsbad von der daselbst üblichen Behandlungsmethode und dem Erfolg der Kur unterrichtet hatte. Seine Indikationen für die Trinkkur sind in 5 Punkten zusammengefaßt. Die in Punkt 1, 2 und 5 angeführten, nämlich akuter Choledochusverschluß soweit er normal verläuft, entzündliche Prozesse der Gallenblase mit und ohne Ikterus, Anempfehlung von Mineralwasserkuren solchen Patienten, welche schon operiert worden sind, muß von badeärztlicher Seite zugestimmt werden.

Hinsichtlich Punkt 3, welcher lautet: „Kranken mit häufigen Koliken und jedesmaligem Abgang von Steinen. Wiederholen sich die Koliken sehr oft, ohne daß Steine abgehen, so ist die Operation indiziert", möchte ich bemerken, daß häufige Koliken mit häufigem Abgang von Steinen unter Umständen eine Spontanheilung mit sich bringen können; da jedoch, wie ich schon erwähnte, die steinaustreibende Wirkung Karlsbads nicht allzugroß ist, würde ich häufige Anfälle während der Trinkkur als ein Zeichen dafür auffassen, daß die so erwünschte Latenz der Gallensteine durch die Kur nicht erreicht wird.

Bezüglich Punkt 4 ist zu erwähnen, daß eine Komplikation mit einem Herzfehler nicht nur eine Operation, sondern ebenso auch die Durchführung einer regelrechten mit allen Adjuvantien verordneten Karlsbader Kur erschwert. Was die von Prof. KEHR erwähnte Gefahr der Chloroformnarkose bei Herzkranken betrifft, so zeigt der von mir mitgeteilte Fall 7, daß er die Gallenblase unter Umständen auch unter SCHLEICH-Anästhesie eröffnet.

Um die Indikationen für die innere Behandlung der Cholelithiasis einigermaßen zu präzisieren, ist es meiner Ansicht nach unerläßlich, von der Einteilung derselben durch NAUNYN[3]) auszugehen. Nur auf dieser Einteilung fußend, gelingt es, das so vielgestaltige Krankheitsbild zu differenzieren, wodurch uns die Möglichkeit geboten wird, die Wirkung Karlsbads bei der Cholelithiasis nicht summarisch, sondern nach den einzelnen Gruppen zu besprechen, und damit eine genauere Indikation für die Trinkkuren aufzustellen.

---

1) NAUNYN, Vers. dtsch. Naturf. u. Aerzte, Düsseldorf.

2) KEHR, Wie, wodurch und in welchen Fällen wirkt eine Karlsbader Kur. Sonderabdruck. Münch. med. Wochenschr., 1898.

3) NAUNYN, Klinik der Cholelithiasis.

Die Hauptmenge der in Karlsbad behandelten Gallensteinkranken, nach meiner Berechnung über 95 Proz. derselben, gehören der regulären Form der Cholelithiasis an. Nur bei dieser Form werden in Karlsbad und auch in anderen Badeorten jene Erfolge erzielt, welche den Mineralwasserkuren in der Therapie dauernd einen Platz an erster Stelle sichern.

Zwar kommen auch bei dieser Form Mißerfolge in der internen Behandlung vor, welche den Arzt veranlassen, dem alten Spruche folgend: Quod medicina non sanat, ferrum sanat, dem Patienten die Operation zu empfehlen; jedoch ist die Zahl dieser Mißerfolge nur eine geringe, und da andererseits, wie ich schon auseinandergesetzt habe, diese Form das Leben des Patienten nur in sehr geringem Maße bedroht, so gebührt in jedem Falle von regulärer Cholelithiasis der internen Behandlung der Vorrang vor der chirurgischen.

Anders verhält es sich bei der irregulären Cholelithiasis; bei dieser erweisen sich Mineralwasserkuren als erfolglos.

Schon bei den leichteren Formen derselben konnte ich während der Trinkkur vielleicht eine Besserung des Appetits, einen leichten Nachlaß der Beschwerden, aber niemals einen eklatanten Erfolg beobachten.

Sieben Fälle von Steinincarceration mit nachfolgendem chronischen Gallensteinikterus boten zu Ende der Kur so ziemlich dasselbe Symptomenbild wie zu Anfang. In zwei Fällen sind nach zwei resp. dreijähriger Dauer der Gelbsucht mehrere Wochen nach der Karlsbader Kur Steine abgegangen und dadurch das Leiden behoben worden; da in diesen beiden Fällen die mir später vorgezeigten Steine eine Größe hatten, welche einen Durchgang durch den Gallengang noch möglich erscheinen ließ, so könnte man daran denken, daß durch die cholagoge Wirkung der Trinkkur und den gesteigerten Sekretionsdruck allmählich eine Erweiterung des Gallenganges erfolgte und so der Durchgang begünstigt wurde. Doch muß man Bedenken tragen, die so spät erfolgte günstige Wendung auf Rechnung Karlsbads zu setzen. Ich kann nur wiederholen, in Karlsbad selbst zeigten alle diese 7 Fälle keine wesentliche Besserung.

Die schweren Formen der irregulären Cholelithiasis als infektiöse Entzündung der Gallenwege, Ulceration derselben, der Leberabsceß und die Hepatitis kommen in den Badeorten nur sporadisch zur Beobachtung, da so schwer Kranke eine weite Reise kaum unternehmen und ebenso das Eintreten einer dauernden Incarceration, welche die Veranlassung zu diesen Prozessen abgiebt, an dem Badeorte selbst, wie ich oben auseinandergesetzt habe, sehr selten ist.

Bei den mir zur Beobachtung gelangten wenigen Fällen dieser Art habe ich einen Erfolg der Trinkkur nicht gesehen, wie auch theoretisch ein solcher nicht zu erwarten ist.

Wenn ich das Resultat meiner in den vorhergehenden Seiten niedergelegten Bemerkungen kurz zusammenfassen soll, so möchte ich sagen:

1) Bei der regulären Form der Cholelithiasis, welche das Leben der Patienten nur selten bedroht, kommt in erster Reihe die interne resp. die Mineralwasserbehandlung in Betracht.

Bei der irregulären Form zeigt sich die Balneotherapie wirkungslos.

2) Die Mineralwasserkuren verdanken ihre günstige Einwirkung bei Cholelithiasis ihrer cholagogen Wirkung, durch welche wahrscheinlich eine Latenz der Steine erzielt wird. Eine steintreibende oder die abführende Wirkung zur Erklärung der Erfolge heranzuziehen, ist kaum gerechtfertigt.

3) Erst nach eingehender Berücksichtigung der nach der Operation erfolgten Recidive wird der gewiß bestehende Wert der operativen Behandlung richtig geschätzt werden können.

Karlsbad, November 1898.

---

# X.

# Ueber Spondylitis typhosa.

Von

**H. Quincke** in Kiel.

(Mit 2 Kurven im Text.)

---

Knochenerkrankungen gehören nach der Erfahrung der letzten beiden Jahrzehnte zu den nicht ganz seltenen Komplikationen des Abdominaltyphus. Sie beruhen, wie zuerst EBERMAIER[1]) auf der Kieler Klinik zeigte, häufig allein auf der Anhäufung von Typhusbacillen und zeigen gegenüber anderen infektiösen Knochenerkrankungen gewisse klinische Eigentümlichkeiten: relative Gutartigkeit mit geringer Tendenz zu Eiterung und Nekrose, Neigung zu subakutem Verlauf und zu Perioden lange dauernder Latenz.

Vor 2 Jahren hat Dr. A. KLEIN[2]) aus den damals vorliegenden Veröffentlichungen eine Zusammenstellung gemacht, aus welcher sich nachstehende Häufigkeitsskala für die Erkrankung der einzelnen Knochen ergiebt:

| | Erkrankt | Eiterung | Rückbildung |
|---|---|---|---|
| Tibia | 50 | 34 | 16 |
| Rippen | 29 | 21 | 8 |
| Femur | 23 | 12 | 11 |
| Humerus | 7 | 4 | 3 |
| Ulna | 6 | 4 | 2 |
| Schädel | 5 | 2 | 3 |
| Clavicula | 5 | 2 | 3 |
| Sternum | 4 | 1 | 3 |
| Fuß | 4 | 1 | 3 |
| Fibula | 3 | 2 | 1 |
| Radius | 3 | 2 | 1 |
| Scapula | 2 | 2 | — |
| Becken | 2 | — | 2 |
| Wirbelsäule | 1 | — | 1 |
| | 144 | 87 | 57 |

---

1) EBERMAIER, A., Ueber Knochenerkrankungen bei Typhus. Arch. f. klin. Med., Bd. 44, 1888.

2) KLEIN, A., Ostitis typhosa. Diss. Kiel, 1896.

22. Dez. Temp. spontan auf 38,8 gefallen. Aussehen des Patienten besser. Bei langsamem Eingehen fühlt man in der Tiefe des rechten Hypochondrium einen druckempfindlichen Strang (Ureter?), im Urin Spur von Eiweiß. Lumbalschmerzen etwas geringer.

24. Dez. Temp. auf 40,5 gestiegen, Lumbalschmerzen wieder stärker, seit gestern hat sich in der rechten Lumbalmuskulatur eine deutliche Schwellung entwickelt, welche ziemlich fest, nicht fluktuierend, sich von der 12. Rippe bis zu der Crista ilei erstreckt; Haut daselbst unverändert. Im rechten Hypochondrium dieselbe strangartige Resistenz, Urin wieder eiweißfrei. Eisblasen auf Lumbalgegend und Hypochondrium.

26. Dez. (63. Tag). Temperaturabfall unter profusem Schweiß, in der Nacht Stuhlgang ohne Besonderheiten, Schmerzen in rechter Lumbalgegend geringer, links jetzt stärker; sie werden als stechend und reißend beschrieben. Pat. empfindet ein Zucken durch die Beine bis in die Zehen, hat auch öfter ein eigentümlich schmerzhaftes Gefühl eines engansitzenden Gürtels.

27. Dez. Morgens Urinlassen, trotz heftigen Dranges, nicht möglich, nur einige Tropfen unter großen Schmerzen entleert, Blase steht 4 cm über der Symphyse; gegen Mittag spontane Harnentleerung. Schwellung in der rechten Lumbalgegend etwas geringer, die unteren Processus spinosi lumbales und oberen sacrales druckempfindlich, Schlag gegen Kopf oder Hacke verursacht dort Schmerzen. In den Unterextremitäten soll zuweilen Krampf, zuweilen taubes Gefühl bestehen, objektiv grobe Kraft und Sensibilität der Beine normal; Patellarreflexe beiderseits herabgesetzt.

28. Dez. Während der Nacht geht Urin ins Bett, ohne daß Pat. es bemerkt, heute Morgen wieder Harnverhaltung, auf Oel erfolgt zweimal dünner Stuhl. Pat. fühlt ihn kommen, kann ihn aber nur teilweise halten. Bei Digitaluntersuchung ist die ganze Rektalmuskulatur schwach, und erfolgt keine Kontraktion des Sphinkter.

31. Dez. Urin wird wieder spontan gelassen, Stuhl nicht recht zu halten; Patellarreflexe sehr gering. Schmerzen im Rücken nehmen gegen Abend zu, werden geringer bei Lager auf Wasserkissen. Druckempfindlichkeit jetzt wieder neben den Processus spinosi. In den folgenden Tagen allmähliches Schwinden des Fiebers und Nachlassen der Schmerzen; besonders nach Applikation von 3 Blutegeln auf die Kreuzbeingegend. Beim diagnostischen Versuch zu stehen und zu gehen große Schwäche in den Beinen und Schmerzen in der Kreuzbeingegend, die durch Schlag auf den Kopf gesteigert werden. Urinlassen gut, Sphinkter noch schwach.

12. Jan. 1898 (80. Tag). Schmerzen seit einigen Tagen mehr in der Höhe des 10.—12. Brustwirbels empfunden, hier auch Druckempfindlichkeit; große Schwäche der Beine, Patellarrefexe erloschen. Druck auf die unteren Lendenwirbelkörper vom Abdomen aus empfindlich. Urin und Stuhlentleerung normal.

Von nun ab minderten sich die Schmerzen und besserte sich mit der Hebung des Allgemeinbefindens auch die Beweglichkeit der Beine und Wirbelsäule. Auch die Patellarreflexe, die am 5. Febr. noch fehlten, stellten sich zuerst links, dann rechts wieder ein.

26. Febr. Pat. wird, wenn auch noch schwach, in häusliche Pflege entlassen, die Lumbalwirbelsäule ist nicht mehr druckempfindlich und gut beweglich.

Fall II. Ernst G—l, Schmied, 17 Jahr alt, wurde vom 20. Sept. bis 11. Nov. 1897 auf der Klinik an Abdominaltyphus behandelt. Pat. ist

Allmählich ließen nun die Schmerzen nach, Pat. war imstande zu sitzen und einige Schritte zu gehen, die Temperatur war seit dem 22. Jan. normal, zeigte nur in der Folge bis in den April hinein manchmal eine leichte abendliche Steigerung bis gegen 38°, wenn Pat. etwas länger dauernde Gehübungen gemacht hatte. Bei der Entlassung am 22. April war G. sehr erholt (Kg. 63 kg), ohne jegliche Beschwerde an der Wirbelsäule in allen Bewegungen.

Pat. nahm bald danach seine Arbeit wieder auf und stellte sich gelegentlich im November 1898 als vollkommen gesund und dauernd arbeitsfähig vor.

Beide Patienten sind junge, etwas schwächliche Männer, die Typhuserkrankung in Fall I schwer einsetzend, von einem Recidiv gefolgt, in Fall II milder, aber lang hingezogen.

Bei II tritt schon in der letzten Fieberwoche eine schnell zurückgehende Periostitis am Scheitelbein auf; die Wirbelerkrankung zeigt sich hier zuerst 10 Wochen nach der Entfieberung, mehrere Wochen nach Wiederaufnahme der Arbeit, bei I sind schon in der ersten fieberfreien Woche die Symptome der Spondylitis angedeutet, prägnanter traten sie erst 3 Wochen später hervor.

Beide Male tritt mit dem Einsetzen der heftigen örtlichen Beschwerden auch Fieber ein, in Fall II von remittierendem, im I. von etwas unregelmäßigem Verlauf, von 3—4 wöchentlicher Dauer.

In beiden Fällen betrifft die Erkrankung hauptsächlich die Lendenwirbel, unter Mitbeteiligung der unteren Brustwirbel im I., der oberen Kreuzbeinhälfte im II.

Die Schmerzen erstrecken sich, abweichend von dem gewöhnlichen Bilde der Spondylitis, über einen längeren Bezirk von 4—6 Wirbeln; beidemal ist äußerlich Schwellung der Weichteile bemerkbar, in Fall I erheblicher und rechts stärker entwickelt.

Druck auf die Dornfortsätze verursacht Schmerz, aber nur mäßigen Grades; ebenso Druck von vorn auf die Körper (II) oder die seitlichen Teile der Wirbel (I); in I ist auch senkrechte Kompression etwas schmerzhaft.

Beidemal sind spinale Symptome vorhanden: Parästhesien der Unterextremitäten in I, excentrische Schmerzen in II; in beiden Fällen auch leichte Krampfsymptome in einem Teil der Beinmuskulatur. Die Bewegungsstörung war jedenfalls hauptsächlich durch die Schmerzen bedingt; ob eine wirkliche Parese dabei mitspielte, muß zweifelhaft bleiben. — In Fall I fehlten die Patellarreflexe längere Zeit; hier waren auch sehr ausgesprochene Blasen- und Mastdarmstörungen vorhanden.

Nach Analogie der sichtbaren Veränderungen an oberflächlich gelegenen Knochen muß man wohl annehmen, daß entzündliche Schwellung des Periostes mit vorwiegend seröser Infiltration auf der inneren wie auf der äußeren Fläche der Wirbelsäule bestand und daß durch diese die Nervenwurzeln der Cauda equina, in I wahrscheinlich auch der unterste Teil des Conus medullaris geschädigt und komprimiert wurden.

Eine beschränkte primäre Erkrankung der Pia spinalis, welche ja die gleichen Symptome hervorrufen könnte, ist an sich unwahrscheinlich und mit der äußerlich wahrnehmbaren Schwellung nicht vereinbar.

Da sich, wie ich zeigte [1]), Typhusbacillen regelmäßig im Knochenmark Typhuskranker finden, muß da, wo eine Knochenerkrankung auftritt, entweder eine besonders massige Anhäufung oder eine hinzukommende örtliche Schädlichkeit angenommen werden. Im Verlauf und in der Behandlung beider Fälle ist solche Noxe nicht zu finden, wohl aber bei Fall II in der Wiederaufnahme der Schmiedearbeit bei noch geschwächtem Körper; die Erschütterung und Anstrengung des Rückens beim Schlagen mit schwerem Hammer kann sehr wohl zu Zerrungen des Periostes oder zu kleinen Blutungen und damit zur Entzündung geführt haben. Nicht so klar ist Fall I; vielleicht hat hier das andauernde Gehen und Treppengehen als Kolporteur vor der Erkrankung zu einem Reizzustand in den Wirbeln und damit zu besonderer Anhäufung von Typhusbacillen geführt.

Bei der Behandlung der beiden Kranken war eine Indikation für Extension nicht vorhanden; wir beschränkten uns auf Flachlage und örtliche Kühlung, die später, der subjektiven Empfindung entsprechend, durch Wärme ersetzt wurde. Zur Linderung der Schmerzen diente Morphiumund bei den abendlichen Exacerbationen Chinin und Antipyrin, zur Wiederherstellung der Beweglichkeit längere warme Bäder und Abreibungen. —

Die beiden beschriebenen Fälle bieten genügende Eigentümlichkeiten, durch welche sie sich von der Mehrzahl anderer Spondylitisfälle unter scheiden. Es sind dies

1) die ungewöhnliche Stärke und Ausdehnung der spontanen örtlichen Schmerzen,

2) die äußerlich wahrnehmbare Schwellung der Weichteile,

3) der akute fieberhafte Verlauf,

4) das schnelle Zurückgehen der spinalen Symptome.

Erst die Zukunft kann zeigen, ob diese Eigentümlichkeiten allen oder den meisten Fällen typhöser Spondylitis zukommen, ob vielleicht auch der Lendenteil eine Prädilektionsstelle darstellt.

Aus meiner Assistentenzeit erinnere ich mich eines Falles von Spondylitis bei einer Typhusrekonvalescentin, der mir durch seinen kurzen und günstigen Verlauf auffiel; vielleicht hat er hierher gehört; an typhöse Knochenerkrankungen dachte man damals noch nicht.

---

1) Berl. klin. Wochenschr., 1894, No. 15.

GIBNEY[1]) beschreibt als „Typhoid spine" Fälle von Rückenschmerzen bei Typhusrekonvalescenten. Teilweise hat es sich, wie OSLER[2]) meint, hier wohl um Muskel- und Nervenschmerzen gehandelt, doch mag für zwei oder drei von GIBNEY's Fällen (die ich nur nach dem Referat von OSLER kenne) wohl seine Deutung als „Perispondylitis (Entzündung des Periosts und der fibrösen Bänder der Wirbelsäule)" zutreffend sein; sie zeigten ebenfalls den Lumbalteil erkrankt, boten aber keine Spinalsymptome; nur einer hatte etwas Fieber. Bei zweien dieser Patienten ging Fall beim Tennisspiel und Schlittschuhlaufen der Erkrankung voraus.

1) GIBNEY, Transactions of the American Orthop. Assoc., Sept., 1889. Excerpt bei OSLER.

2) OSLER, On the neurosis following enteric fever, known as „the typhoid spine". JOHN HOPKINS Hospital Reports, Vol. IV, 1895, p. 73, und Studies in typhoid fever. JOHN HOPKINS Hosp. Rep., Vol. V, 1895, p. 315. — HAROLD C. PARSONS, ibid., p. 438.

Frommannsche Buchdruckerei (Hermann Pohle) in Jena. — 1898

(Aus der chirurgischen Abteilung des Kölner Bürgerhospitals,
Geh. Rat Prof. Dr. BARDENHEUER.)



# XI.

# Ein Fall von Pneumotomie wegen Fremdkörpers, ehe Eiterung eingetreten[1]).

Von

**Dr. Alfred Arnolds.**

(Mit 1 Abbildung im Text.)

Von dem lebhaften Interesse, welches die Chirurgen in den letzten Jahren wieder den Erkrankungen der Lungen zuwenden, zeugen die Verhandlungen auf dem letzten Kongreß der französischen Chirurgen, auf dem XII. internationalen medizinischen Kongreß in Moskau, auf der Naturforscherversammlung zu Braunschweig und auf dem Kongreß der deutschen Gesellschaft für Chirurgie. Es beweisen dies ferner die vielen Arbeiten, welche die letzten Jahre über die Lungenchirurgie überhaupt, wie über die einzelnen Teile derselben gebracht haben. Ueber manches neu Geleistete wurde berichtet, neue Erfahrungen wurden gesammelt, neue Vorschläge wurden gemacht. Die Chirurgie der Lungen ist eben noch in manchen Punkten eine unfertige Sache, aber die Thatsache besteht, sie ist in erfreulicher Entwickelung begriffen. Und im Interesse ihres weiteren Gedeihens muß uns jeder neue kasuistische Beitrag willkommen sein, sowohl, wenn er den bisher bekannt gegebenen Fällen ähnelnd, uns in den bereits gesammelten Erfahrungen bestärkt, als auch um so mehr, wenn er, an sich ungewöhnlich, uns neue Gesichtspunkte vor Augen führt.

1) Vortrag, teilweise gehalten in der chirurg. Sektion der 70. Vers. deutscher Naturf. u. Aerzte zu Düsseldorf am 20. Sept. 1898.

Am 19. März 1898 aspirierte die 23jährige Köchin Therese B. beim Essen eines Butterbrotes einen künstlichen Zahn, den sie, nachdem er vor 2 Jahren von der Gaumenplatte, an der noch ein 2. Zahn steckte, abgebrochen, tagsüber dauernd, relativ lose im Munde eingeklemmt getragen hatte. Sie bekam gleich kolossale Atemnot und häufig sich wiederholende, starke Hustenkrämpfe. In den Nächten besonders steigerte sich die Atemnot und der Hustenreiz häufig in beängstigender Weise. Schmerzen hatte Pat. angeblich nie, auch nicht das Gefühl eines Fremdkörpers, nicht einmal ein Druckgefühl. Auswurf bestand wenig, er war schleimig. Vom 5. Tage ab ließen die Atembeschwerden bedeutend nach und verloren sich bald ganz. Der Husten wurde auch seltener und weniger, ohne jedoch ganz aufzuhören. Auch dauerte der schleimige Auswurf in mäßigem Grade fort. An diesem 5. Tage erst suchte Pat. zum ersten Male ärztlichen Rat nach und erschien auf der Ambulanz des Kölner Bürgerhospitals. Die Auskultation und Perkussion ergab nichts, absolut normale Verhältnisse beider Lungenhälften. Bei dem forcierten Atmen während der Untersuchung wurde Husten ausgelöst und wenig schleimiger Auswurf zu Tage gefördert. Von Atemnot war keine Spur. Die laryngologische Untersuchung ließ nichts von einem Fremdkörper erkennen. Pat. wurde daher gleich mit Röntgen-Strahlen durchleuchtet und photographiert, und ihre vorher vielleicht zweifelhaften Angaben bestätigten sich. Die Platte zeigte deutlich einen Schatten rechts ca. 5 cm von der Mittellinie entfernt, in der Höhe der VII. Rippe hinten (Vorzeigen der Photographie). Auf nähere Erkundigungen gab sie nun genauer an, daß es der l. obere Eckzahn gewesen mit einem Stückchen Gaumenplatte, an dem sich an der einen Seite ein großer Metallhaken befunden, der um den Nachbarzahn fassen sollte. Nach der anderen Seite zu und außerdem noch nach hinten habe das Gaumenstück zwei weitere, weniger lange und weniger scharfe Spitzen gehabt.

Da die Beschwerden momentan so geringe waren, wurde Pat. mit dem Bescheid nach Hause geschickt, sich einstweilen nach 8 Tagen wieder vorzustellen. Sie kehrte dann auch zurück und wurde wieder untersucht und durchleuchtet; der Befund hatte sich nicht geändert, auch waren die geringen Beschwerden dieselben geblieben, nur sollte sie nach der Angabe ihrer Herrschaft des nachts häufiger stärker gehustet haben. Sie beschrieb den aspirierten Zahn wieder genau so wie beim ersten Mal. In der Folge stellte sich Pat. nun alle 8 Tage wieder vor und wurde genau kontrolliert, aber jedesmal, ohne daß eine Aenderung konstatiert werden konnte, nur einmal wurden vorne rechts, kurz neben der Mittellinie, einige Rhonchi sonori gehört, die aber nach einem darauf folgenden Hustenstoß geschwunden waren und nicht wiederkehrten.

Mittlerweile gelang es Herrn Kollegen Wildt in folgender Weise, die Lage des Fremdkörpers im Thorax genau zu bestimmen. Bei aufrechter Stellung der Pat. legte er den Leuchtschirm senkrecht zur Horizontalebene flach an den Rücken und durchleuchtete den Thorax bei einer Entfernung der Röntgen-Röhre von dem Schirme von genau 40 cm derart, daß die Schattenlinie des Fremdkörpers AB genau sagittal und horizontal verlief; dieselbe traf hinten die VII. Rippe, vorne die IV. Rippe genau je 5 cm von der Mittellinie und stand also senkrecht zum Leuchtschirm.

Nun wurde die Röhre auf dem senkrecht stehenden Stativ von A nach e um 12 cm nach oben verschoben, dadurch wanderte der Schatten des Fremdkörpers auf dem Schirme von B nach D um 4 cm nach unten.

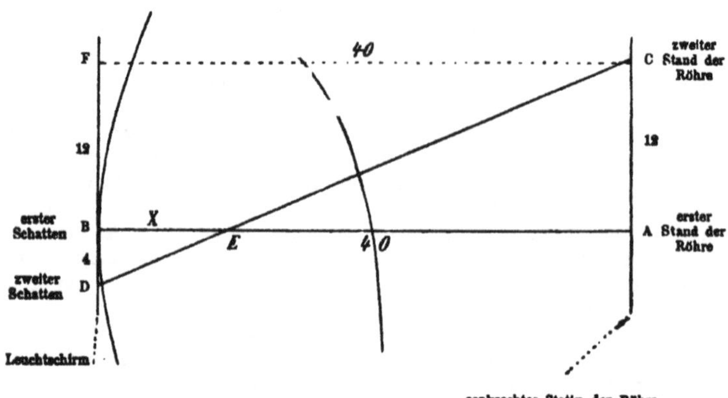


Zieht man nun in der Figur die Hilfssenkrechte CF auf DB, so ist CF gleich und parallel AB = 40 cm, FB gleich und parallel CA = 12 cm.

Nach dem mathematischen Lehrsatz nun: Zieht man durch 2 Seiten eines Dreiecks zur 3. eine Parallele, so verhält sich diese 3. Seite zu ihrer Parallelen, wie je eine der beiden anderen Seiten zu ihrem oberen Abschnitte, verhält sich

$$FC : BE = FD : BD$$
$$40 : x = 16 : 4$$
$$x = \frac{40.4}{16} = \frac{160}{16} = 10.$$

Der Fremdkörper lag also, vom Hautniveau gemessen, genau 10 cm tief auf der von der VII. Rippe hinten aus, 5 cm entfernt von der Mittellinie, nach vorne gezogenen Senkrechten.

In dem Zustand der Patientin zeigte sich bis Mitte Mai weiter keine Aenderung. Man konnte demnach bei der von ihr wiederholt und präzis beschriebenen komplizierten Beschaffenheit des Fremdkörpers, seinen scharfen, teilweise metallenen, hakenförmigen Fortsätzen und scharfen Kanten nunmehr, nachdem derselbe wahrend zweier Monate trotz beständigen Hustens auf einem Fleck liegen geblieben war, worüber wiederholte Durchleuchtungen und Messungen genaue Kontrolle ermöglicht hatten, keine Hoffnung mehr hegen, daß derselbe, ohne durch Entzündungsprozesse gelockert zu sein, spontan ausgehustet würde. Zudem würde selbst in diesem Falle eine Gefahr beim Passieren des behakten Fremdkörpers durch den Larynx nicht ausgeschlossen gewesen sein. Ist es doch bekannt, daß der Expektoration eines Fremdkörpers in der Glottis ein großes Hindernis erwachsen kann. Berührt der durch Hustenstöße emporgetriebene Fremdkörper die Schleimhaut des Randes oder der Unterfläche der Glottis, so verschließt dieselbe sich krampfhaft, der Fremdkörper wird nicht nur zurückgehalten, sondern es kommt sogar zu bedrohlichen Husten- und Erstickungsanfällen, in denen die Patienten eventuell zu Grunde gehen können. Dieses Hindernis wird zwar durch die Tracheotomia inferior umgangen, aber diese ist nur da am Platze, wo der Fremdkörper noch beweglich ist, oder aber wo er so hoch, d. h. in der Trachea oder in einem Hauptbronchus fest sitzt, daß man ihn mit Hilfe des Spiegels unter Leitung des Auges instrumentell hervorholen kann. Ohne Kontrolle des Auges mit Instrumenten einzugehen, herum zu suchen, eventuell Gewalt anzuwenden, wäre höchst gefährlich. Allenfalls erlaubt wäre der Versuch, der schon mehrere Male mit Erfolg angewandt wurde, mit geöltem Federkiele einzugehen, den Fremdkörper eventuell beweglich zu machen und energische Hustenstöße auszulösen. Das Verfahren Peyrissac's, Wasser in die Trachea zu spritzen zur Erzielung desselben Erfolges, dürfte wohl nicht nachahmungswert erscheinen.

In unserem Falle konnte von der Tracheotomie nichts erwartet werden, denn der Zahn saß zu tief, er saß mindestens in einem Bronchialast 3. Ordnung eingekeilt. Denn in der Höhe des 5. Brustwirbels, von hinten und des 2. Interkostalraumes von vorn gesehen, teilt sich die Trachea bekanntlich schon, der rechte Bronchus ist 2,4 cm lang und verläuft schräg nach unten und rechts, er teilt sich also ca. 2 cm unterhalb des V. Brustwirbels in die Bronchialäste I. Ordnung. In der Höhe der VII. Rippe hinten, 5 cm von der Medianebene, oder der IV. Rippe vorn wird er sich wenigstens in Bronchialäste III. Ordnung aufgelöst haben. Dafür spricht auch der Umstand, daß bei der Durchleuchtung der Fremdkörper beim tiefen Atmen und Husten Exkursionen nach unten und oben von mindestens 3 cm auf dem Leuchtschirme machte, die in einer Tiefe von 10 cm bei 40 cm Abstand der Röhre auf ein Auf- und Absteigen des ihn beherbergenden Bronchus von ca. 2,25 cm zurückgeführt werden dürfte.

Von oben also an den Fremdkörper zu gelangen, war unmöglich. Darauf aber zu hoffen, daß derselbe, wie bisher, nun auch weiter dauernd reaktionslos liegen bliebe, daß er schließlich einheilen sollte, das ging doch nicht an. Ist es doch bekannt, daß ganz im Gegensatz zu den von außen durch die Thoraxwand in die Lungen geratenen Fremdkörpern, die durch die Luftwege aspirierten und stecken gebliebenen kolossal selten symptomlos einheilen. Von den vielen in der Litteratur aufgezeichneten Fällen von Fremdkörpern in den Bronchien, es sind deren ca. 200 Fälle, hat nur in dem einen Fall von Blumen-

THAL, wo eine abgebrochene Trachealkanüle aspiriert wurde, nach anfänglichen Lungenerscheinungen nach 2 Monaten Einheilung des Fremdkörpers stattgefunden. Daß eine derartige Einheilung oft nur vorübergehend ist, beweist der von F. A HOFFMANN citierte Fall von CARPENTER, wo 4 falsche Zähne aspiriert wurden, die, ohne Beschwerden zu verursachen, liegen blieben, bis dann nach 13 Jahren erst Absceß, Pleuritis, Lungenfistel, und nach $^3/_4$ Jahren der Tod eintrat. Es folgen eben für gewöhnlich über kurz oder lang schwere Erscheinungen, zunächst akuter, dann aber chronischer Natur, Bronchitis, Pleuritis, „Pneumonie mit ihren Ausgängen in Zerteilung, Verkäsung, Eiterung, Jauchung", es sind dann entweder kleine oder große Herde, solitäre, cirkumskripte, bei längerem Verweilen des Fremdkörpers aber multiple, diffuse. Nicht selten entwickeln sich auch Bronchiektasien. Husten und Stenose, die veranlassenden Momente der Bronchiektase, sind in vollstem Maße gegeben. Ist der Verschluß eines Bronchus durch einen Fremdkörper ein vollständiger, so tritt Atelektase des zugehörigen Lungenabschnittes ein. Durch Entzündung der Umgebung des Fremdkörpers wird dieser wieder locker, durch Mikroorganismen kommt es zur Eiterung, es folgt schließlich Höhlenbildung, deren Wesen, ob Bronchiektase, ob Kaverne, nicht mehr genau zu eruieren ist. Die Mikroorganismen finden sich schon in dem normalen Bronchialsekret in genügender Zahl vor, der Fremdkörper bahnt ihnen meist nur den Weg zu ihrer Festsetzung und Entwickelung. Er kann aber auch selbst zugleich der Träger der Infektionserreger sein. So finden wir bei HOFFMANN drei Fälle von Aktinomykosis der Lunge erwähnt, einmal im Anschluß an Aspiration eines aktinomykösen Zahnteiles, zweimal im Anschluß an Aspiration einer Aehre.

Alle diese schweren Folgeerscheinungen führen sicher zu chronischem Siechtum, amyloider Degeneration, und endlich zum Tode, wenn nicht der Fremdkörper schon zu einer Zeit expektoriert wird, wo der Prozeß noch nicht so weit vorgeschritten ist, daß er noch spontan zur Ausheilung kommen kann. Meist bleibt der Fremdkörper zurück, aber selbst bei späterer Expektoration bleibt der eiterige Prozeß häufig bestehen und nimmt seinen steten Fortgang.

Wenn ich Ihnen von der HOFFMANN'schen Statistik über die für unseren Fall nur in Betracht kommende Rubrik „harte, unregelmäßige, scharfe, spitze Körper" kurz referieren darf, so wurde von 68 Fällen 37 mal Heilung erzielt, 31 sind gestorben. Von den 37 Heilungen entfallen 13 auf Tracheotomie mit Extraktion resp. Aushustung im Anschluß an dieselbe. Da in unserem Falle an Tracheotomie zum Zwecke der Entfernung des Fremdkörpers, wie erwähnt, nicht zu denken war, können wir diese 13 Fälle unberücksichtigt lassen. Wir haben demnach noch 55 Fälle mit 31 Todesfällen, also fast 60 Proz. Unter den Todesfällen sind aber 3, wo trotz späteren Aushustens des Fremdkörpers die Lungenerscheinungen nicht nachließen und der Tod erfolgte.

Unsere Patientin war somit durch den so eigentümlich gestalteten Fremdkörper über kurz oder lang von den schwersten Folgen, der eiterigen Entzündung und so wahrscheinlich endlich dem Tode bedroht. Die seltene spontane Ausstoßung durch die Brustwand kann man außerhalb der Betrachtung lassen, ich habe sie in den HOFFMANN'schen Tabellen (ca. 160 Fälle) nur bei der Rubrik „Aehren", hier allerdings unter 17 Fällen 7 mal, erwähnt gefunden. Die einzige Möglichkeit der Rettung würde dann nur in der Pneumotomie bestanden haben. Aber wie gestalten sich die Chancen der Pneumotomie wegen Fremdkörpereiterung? QUINCKE berichtet über 5 aus der Litteratur gesammelte und 2 eigene Fälle, davon sind 2 geheilt, 2 gebessert und 3 gestorben. FREYHAN fügte noch zwei weitere Fälle aus der Litteratur hinzu, von denen der eine gestorben ist, der andere gebessert wurde. Einen weiteren Fall erwähnt FRANKE auf der Naturforscherversammlung zu Braunschweig, aber das Resultat seiner Operation stand leider in dem mir nur zugänglichen Referat nicht verzeichnet. Es sind somit 10 Fälle mit 4 Todesfällen, 3 Besserungen, 1 mit unbekanntem Ausgange und nur 2 Heilungen, und zwar bei dem QUINCKE'schen Falle erst nach 2 Jahren.

Woher nun diese schlechten Resultate bei den Pneumotomien wegen Fremdkörpereiterungen? Dadurch, daß alle diese Fälle eben „gewöhnlich die Kombination von Absceß mit Bronchiektasien zeigen, daß es putride und, wegen des Fortbestehens des mechanischen Reizes, chronische Prozesse sind", daß bei ihnen meist größere Partien der Lungen ergriffen sind, da sowohl durch Wandern des Fremdkörpers direkt, als auch durch Aspiration des Eiters stets neue Bronchialäste mit in den Prozeß hineingezogen werden. Dadurch sind natürlich recht ungünstige Verhältnisse geschaffen für das Gelingen des operativen Eingriffes. Der Eingriff an sich kann schon nach QUINCKE bei den chronischen Fällen dadurch gefährlicher werden, daß selbst bei oberflächlicher Anwendung des Thermokauters bedrohliche Blutung eintritt, indem bei chronischer Induration und bei Bronchiektasen auch die Lungenvenen bis nahe an die Pleura erweitert sein können. Auch die Verschiedenheit der Ausheilungsbedingungen einer Eiterhöhle in der Lunge, je nachdem es sich um einen akuten oder einen chronischen Prozeß handelt, ist von großer Bedeutung. Wird bei einem frischen Abscesse der Eiter expektoriert oder nach operativem Eingehen nach außen abgeleitet, so kann sich der Defekt bald ausfüllen, indem von dem umgebenden gesunden Gewebe aus die Granulationen sprossen, die Narbenbildung sich schnell etabliert, und die genügend verschiebliche Umgebung leicht herangezogen wird. Ganz anders dagegen liegt die Sache, wenn der Prozeß schon von längerer Dauer ist. Die Absceßhöhle ist dann starrwandig, die Umgebung derb und fest geworden. Es sind eben irreparable Veränderungen, weshalb auch, selbst bei günstigem Ausgange, so häufig Fisteln bestehen bleiben.

Sehr in die Wagschale für das Gelingen eines operativen Eingriffes fällt ferner der Kräftezustand der Patienten. QUINCKE führt die besseren Gesamtresultate bei Pneumotomien im allgemeinen in seiner Zusammenstellung gegenüber den früheren von RUNEBERG und TREBITZKI gewonnenen zum Teil direkt darauf zurück, daß man die Kranken nicht so weit herunterkommen ließ, bevor man sich zur Operation entschloß. Um Ihnen den Unterschied zwischen den Erfolgen der Pneumotomien bei akuten, und denen bei chronischen Fällen recht deutlich zu machen, muß ich Ihnen wieder einige Zahlen bringen. Nach QUINCKE sind von den akuten Fällen 35 Proz. gestorben, 65 Proz. volllständig geheilt, von den chronischen aber

38 Proz. gestorben, nur 20 Proz. geheilt, 32 Proz. gebessert, 9 Proz ohne Erfolg.

Noch schärfere Gegensätze bringen die Zusammenstellungen FREYHAN's. Bei ihm sind von

30 akuten Absceßfällen 27 geheilt, 1 gebessert, 2 gestorben, also 89 Proz. Heilung.

Er sondert freilich von ihnen die Fälle von akuter Lungengangrän, aber auch bei dieser hat er von

26 Fällen 16 Heilungen, 2 Besserungen, 8 Todelfälle.

Bei chronischem Absceß hat er von

7 Fällen 5 Todesfälle, 1 unvollkommene, 1 vollkommene Heilung.

Bei der chronischen Lungengangrän

19 Fälle mit 9 Tod, 8 Heilungen, 2 Besserungen.

Bei Bronchiektasen hat er von

25 Fällen 13 tot, 7 ungeheilt, 3 gebessert. nur 2 geheilt.

Die schlechten bisherigen Erfolge bei Pneumotomieen wegen Fremdkörper erklären sich demnach, abgesehen von dem Umstande, daß die Grundursache, der Fremdkörper selbst, meist nicht gefunden wurde, nach TÜFFIN von 11 Fällen 10mal, bei den 7 von QUINCKE gesammelten Fällen keinmal, daraus, daß es eben chronische putride Abscesse waren, meist verbunden mit konsekutiven Bronchiektasien.

Wenn aber bei den akuten Abscessen schon trotz der Eiterung, eben weil sie akut sind, so gute Erfolge bisher erzielt wurden, ist es nicht da natürlich, daß sich bei einem Fremdkörper, dessen Spontanaushustung als geradezu unmöglich erscheint wegen seiner komplizierten Form und seines unveränderten Sitzenbleibens, dessen Sitz durch die RÖNTGEN-Strahlen genau erkannt und darauf mathematisch genau berechnet ist, wo noch keine klinischen Erscheinungen eingetreten sind, wo noch keine Entzündung der Umgebung besteht, bei einer Patientin, die noch im Vollbesitz ihrer Kräfte ist, daß sich da der Gedanke aufdrängt, zu versuchen, den Fremdkörper jetzt schon, prophylaktisch durch Pneumotomie in Angriff zu nehmen, und die Patientin so vor den schweren Gefahren der konsekutiven Eiterung zu bewahren, wo dann nach den bisherigen Erfahrungen eine Pneumotomie so sehr geringe Chancen nur mehr bieten würde?

Nach QUINCKE sind der häufigeren Anwendung der Pneumotomie bisher hinderlich gewesen 1) die Schwierigkeit der Diagnose; sie wurde uns ja dank der RÖNTGEN-Strahlen so erleichtert, 2) die durch die anatomischen Verhältnisse etwas komplizierten Heilungsbedingungen; sie waren in unserem Falle bei dem kräftigen jungen Mädchen und den gesunden Geweben die denkbar günstigsten, endlich 3) durch die unvollkommene Technik. Hier sind, wie QUINCKE des weiteren richtig bemerkt, nur durch immer erneute Versuche Fortschritte erreichbar.

Durch Operationen an der Leiche überzeugte man sich, daß man bei gesunder Lunge 5 cm nach rechts von der Mitte, auf der oben angegebenen Senkrechten von der VII. Rippe hinten aus ca. 10 cm tief, von der Haut gemessen, eindringen konnte, ohne größere Gefäße zu verletzen. Ungefähr 5 cm betrug schon die Dicke der Thoraxwandung an der Stelle allein. Der Vorschlag zur Pneumotomie wurde demnach von Herrn Geh. Rat BARDENHEUER gemacht und von der Patientin, die sich in steter großer Unruhe befand, bereitwilligst aufgenommen. Sie trat am 18. Mai, genau 2 Monate nach dem Unfall, in das Bürgerhospital ein und wurde am selben Tage operiert.

In Chloroformnarkose, bei halber Seitenlage, die beteiligte rechte Seite nach oben, den rechten Arm nach vorn und oben geführt, wurde ein ca. 14 cm langer Längsschnitt, 5 cm von den Dornfortsätzen entfernt, vom 4. Brustwirbel beginnend, nach abwärts geführt, Durchtrennung des Cucullaris und der Fascia lumbodorsalis, Auseinanderschieben der Bündel des Erector trunci bis auf die Rippen. Resektion eines 5 cm langen Stückes der VI., VII. und VIII., sowie eines 3 cm langen Stückes der IX. Rippe. Die Pleura costalis ist sehr dünn, durchscheinend, man sieht die Lunge sich deutlich bei der Respiration verschieben. Tamponade der Wunde mit Jodoformgaze, Verband.

In den nächsten Tagen klagte Pat. über Schmerzen beim Atmen und vermehrten Hustenreiz. Der Auswurf blieb, wie vorher, gering und schleimig; höchste Temperatur einmal 37,9; Respiration zwischen 24 und 36. 9 Tage später wurde Pat. nach Herausnahme der Tamponade wieder durchleuchtet. Der Fremdkörperschatten lag im Bereiche der Wunde, genau am vertebralen Stumpfende der VII. Rippe (Photographie). Am 12. Tage nach der Operation wurde ein 25-proz. Chlorzinkpastenstreifen auf die Tiefe der Wunde gebracht, wonach in den folgenden Tagen über große Schmerzen geklagt wurde. Aber schon nach dem 4. Tage ließen dieselben nach. Jetzt traten an 2 Abenden Temperaturerhöhungen bis zu 39,2 ein, bedingt wohl durch die künstlich hervorgerufene Pleuritis. Nachdem die Temperatur wieder zur Norm gekommen, wurde am 8. Juni, genau 3 Wochen nach der Voroperation, nach nochmaliger Durchleuchtung und Berechnung mit denselben Resultaten, von Herrn Geheimrat BARDENHEUER zur Pneumotomie in Chloroformnarkose geschritten.

Lage der Pat. wie bei der Voroperation. Mit langer graduierter Nadel wird vom vertebralen Stumpfende der VII. Rippe, 10 cm tief von der Haut aus senkrecht eingegangen, wobei man das Glück hat, sofort deutlich den Widerstand eines harten Körpers zu fühlen. Darauf Eingehen mit dem Paquelin. Die Pleura ist sehr verdickt und allenthalben verwachsen. Als der Paquelin fast ohne Blutung auch annähernd 10 cm tief eingedrungen war, hatte man die mit der Nadel zuerst gefühlte harte Resistenz verloren und fand sie nicht wieder. Bei dem Versuche, weiter vorzudringen, begann es aus der Tiefe hellrot, pulsatorisch zu bluten. Die Operation wurde abgebrochen, die tiefe Höhle mit Jodoformgaze ausgiebig tamponiert. Die Narkose war ohne jede Störung, Puls und Respiration waren gut geblieben.

Abends Temperatur 37,3, Puls 88, Respiration 30. Große Schmerzen, große psychische Depression, weil der Zahn noch nicht gefunden war. Die ersten Sputas waren etwas blutig tingiert. In den folgenden Tagen stiegen die Temperaturen, einmal sogar bis auf 39,8 an, die Respiration bleibt zwischen 24 und 28. Die Klagen werden schnell geringer, Husten und Auswurf ist aber gegen früher vermehrt, das Sputum jetzt eiterig. Nach 8 Tagen zeigt sich bei Entfernung der Tamponade in der Tiefe ein eröffneter Bronchus von ca. 5 mm Durchmesser. Nachdem dann die Temperatur wieder zur Norm gefallen war, wurde am 30. Juni, genau wieder 3 Wochen nach dem ersten Eingehen in die Lunge, eine zweite Operation in Chloroformnarkose vorgenommen.

BARDENHEUER versuchte diesmal, unter direkter Leitung der RÖNTGEN-Strahlen auf den Fremdkörper loszugehen, nachdem wieder die graduierte Nadel 10 cm tief eingestochen worden. Pat. war auf einem für die Strahlen durchlässigen Tisch gelagert, die Röhre war unter demselben angebracht. Die einfache Durchleuchtung führte aber zu keinem Ziel, weil der Schirm nicht recht funktionierte. Deshalb photographische Aufnahme; in ca. 15—20 Minuten ist die Platte fertig, deren Abdruck ich hier vorzeige (Photographie), sie zeigt deutlich ca. 2 cm oberhalb der Nadelspitze, genau am medialen Rande des oberen Wundwinkels der tiefen Lungenwunde den Fremdkörper; die wirkliche Entfernung war also entsprechend der Tiefe zu modifizieren. Mit dem Paquelin wird darauf langsam und vorsichtig noch etwas in der Richtung der Lage des Fremdkörpers vorgegangen. Es fängt dabei aber an zu bluten, doch nach kurzer Tamponade ist dieselbe gering. Mit Finger und Sonde wird die Tiefe der Wunde vorsichtig exploriert; dabei auf einmal das deutliche Gefühl, daß die in einem quer eröffneten Bronchus eingeführte Sonde gegen einen harten Körper anstößt. Als man in dieser Richtung mit dem Paquelin noch ein wenig weiter einzugehen versuchte, trat sofort eine etwas stärkere, hellrote, pulsatorisch vorquellende Blutung ein, es wurde auch etwas Blut aspiriert, daher schnelle Jodoformgazetamponade und Verband.

Am Abend war die Temperatur 36,8, der Puls 104, die Respiration betrug 24. Keine besonderen Klagen, wohl aber vermehrter Hustenreiz, vermehrte Expektoration eines schleimig-eiterigen, schaumigen Sputums, anfangs mit Blutbeimengungen. Ca. 4 Stunden nach der Operation erfolgt bei plötzlichem heftigerem Hustenanfalle die anstandslose Expektoration des Fremdkörpers.

Derselbe war ziemlich genau von der vorher von der Pat. angegebenen Beschaffenheit. Ich gebe Ihnen denselben hiermit rund (Demonstration). Sie sehen die 3 Spitzen des Gaumenplattenstückes, die eine zu einem langen Metallhaken ausgezogen; senkrecht zur Ebene der Platte, an ihrer einen Kante angeheftet, der umfangreiche Eckzahn, mit oberer und unterer Kante scharf vorspringend, also ein recht komplizierter Fremdkörper.

Der weitere Verlauf war nach der Expektoration ein ungestörter, von Beschwerden keine Rede mehr, die Temperaturen normal, Husten und Auswurf ließen schnell nach, sie waren nach 3 Wochen ganz geschwunden, Pat. war schon vom 10. Tage ab auf. Von der Höhle ist heute, nach 2½ Monaten, wie sie sehen (Vorstellung der Patientin), nur noch eine Fistel vorhanden, aller Voraussicht nach wird sie sich in Bälde ganz geschlossen haben. Die Ausheilung würde sich wohl entschieden rascher etabliert haben, wenn wir nicht nötig gehabt hätten, nach dem Abbrechen der ersten Pneumotomie die Höhle für ein erneutes Vorgehen während dreier Wochen so ausgiebig tamponiert zu halten. Das Atmungsgeräusch ist überall rein vesikulär, von gleicher Stärke wie links, die Lungengrenze an normaler Stelle, die Rippen zum Teil neugebildet, von einer Deformität des Thorax nicht zu reden. Seit 14 Tagen versieht Pat. wieder ihren vollen Dienst als Köchin. Ich hoffe bald als Nachtrag die Meldung von der vollständigen restitutio ad nitegrum machen zu können. (Nachtrag bei der Korrektur: Die Fistel ist seit dem 10. Okt. geschlossen.)

Wenn nun auch unser operatives Vorgehen sich anders entwickelte, als wir erwartet hatten, indem der Fremdkörper nicht so gefunden wurde, daß er gefaßt und extrahiert werden konnte, so müssen wir doch mit dem Erfolge recht zufrieden sein, da die bald eingetretene Expektoration als direkte Folge der Operation anzusehen ist. Bei dem ersten Eindringen in die Lunge schon mußten wir uns in unmittelbarer Nähe des Fremdkörpers befunden haben, die Operation wurde nur unterbrochen wegen der pulsatorischen hellroten Blutung in der gefährlichen Tiefe. Die bei der 2. Operation mit Hilfe der 10 cm weit eingeführten und mit beleuchteten graduierten Nadel ausgeübte Kontrolle zeigte den Fremdkörper nur wenig entfernt von der Nadelspitze. Wir würden ihn auch gewiß, wie mit der Sonde, so auch mit dem Paquelin direkt erreicht haben, wenn uns nicht wieder die hellrote, pulsatorisch vorquellende, allerdings auch wenig starke Blutung kurz vor dem Ziele zum Abbrechen der Operation bestimmt hätte. Die Blutung stand ja beidemale sofort auf leichte Tamponade. Daß nun beim Suchen mit der Sonde der Fremdkörper angestoßen wurde, und daß dies genügte, um die bei der Betrachtung des Gebißteiles als notwendig anzunehmende Verhakung zu lösen, ist als ein recht glückliches Ereignis zu bezeichnen; wir kommen daranf noch später zurück; auch daß die Expektoration sich darauf glatt und ohne Störung vollzog. Der dem operativen Vorgehen in die Lunge hinein infolge von Blutaspiration etc. stets mehr oder weniger folgende vermehrte Hustenreiz konnte nicht etwa allein die Expektoration veranlaßt haben, dies geht wohl daraus hervor, daß er nach der ersten Operation nicht expektoriert wurde, auch zeigte das Sputum jedesmal nur geringe Blutbeimengungen. Daß der vorher reaktionslos liegende Fremdkörper später, in der Zeit nach der ersten Pneumotomie doch noch Entzündung seiner Umgebung hervorgerufen und dadurch sein Lockerwerden bedingt habe, ist wohl sehr unwahrscheinlich. Viel natürlicher erscheint es, anzunehmen, daß nach der zweiten Operation infolge der, durch das Anstoßen und Lösen mit der Sonde veränderten Lage, oder der dadurch hervorgerufenen neuen Beweglichkeit der scharfspitzige Fremdkörper neue Partien der Schleimhaut reizte und so entweder direkt, oder durch die sich daran anschließende vermehrte Sekretion zu den grade in direktem Anschluß an die Operation so kolossal heftig auftretenden Hustenstößen führte, die den gelockerten Körper herausbeförderten.

Daß die Erwägungen, die zur Operation führten, richtig waren, wo nur zu wählen war zwischen dem Abwarten, ob die so überaus seltene reaktionslose Einheilung erfolgte, oder dem Abwarten, ob die in diesem Falle so unwahrscheinliche spontane Aushustung einträte, ohne daß bedeutendere und folgenschwere Entzündungserscheinungen sich etabliert hätten, oder endlich der Operation, und hier wieder Operation später, bei bereits eingeleitetem eiterigen Prozesse, oder schon jetzt, in noch gesundem Gewebe, geht aus dem Verlaufe klar hervor. Der im Bronchus fest eingehakt gesessene, vielgestaltete Fremdkörper würde durch Druckusur an sich, oder dazu noch durch sekundäres Wandern unweigerlich bald schwere entzündliche Prozesse im Gefolge gehabt haben, und selbst wenn er später spontan ausgehustet worden wäre, würde der Ausgang dieser, in der Lunge zurückbleibenden Entzündungsprozesse nicht zu übersehen gewesen sein. Sie würden wahrscheinlich an sich noch in der Folge Indikation zur Pneumotomie, allerdings dann unter recht ungünstigen Chancen, geboten haben.

Es war somit für unseren so eigentümlich geformten Fremdkörper die Indikation zur Pneumotomie mit an Bestimmtheit grenzender Wahrscheinlichkeit über kurz oder lang gegeben. Wie sehr man da nach den bisherigen Erfahrungen über Pneumotomie im allgemeinen zu dem möglichst frühzeitigen Eingreifen bestimmt werden muß in einem Falle, wo die diagnostischen Momente so außerordentlich günstige und präzise sind, liegt auf der Hand.

Was die Technik anbetrifft, so war hier bei der Tiefe des Sitzes eine ausgedehnte Rippenresektion nötig. Dieselbe wird für die Schließung der Höhle auch nur förderlich sein können. Das zweizeitige Operieren wurde als das sicherere Verfahren gewählt, wenn wir ja auch wissen, daß besonders bei den gesunden Verhältnissen wie in unserem Falle, das Annähen der Lunge relativ ungefährlich gewesen wäre. Zum Hervorrufen der Verwachsung der Pleurablätter wurde der anfänglichen Jodoformgazetamponade später noch Chlorzinkpasteätzung zugefügt. Der Erfolg war ein schöner, die Verwachsung war fest und solide. Die Blutung war bei Anwendung des Paquelins eine kaum nennenswerte, bis auf die hellrote, pulsatorische, allerdings auch nicht sehr starke Blutung, die das Abbrechen der 1. und 2. Operation jedesmal veranlaßte. Wenn von Quincke und anderen Bedenken gegen eine tiefe Narkose wegen Eiteraspiration in noch gesunde Teile der Lunge, oder wegen der Schwäche der durch die langen Eiterungen heruntergekommenen Patienten erhoben wurde, so fielen diese in unserem Falle fort, es bestand keine Eiterung und Patientin war eine kräftige, gesunde, junge Person. Auch bei der Wahl der Lage der Patientin während der Operation brauchte auf Aspiration von Höhlensekret keine Rücksicht genommen werden. Bei dem ersten Vorgehen hatten wir halbe Seitenlage, mit der betroffenen Seite nach oben, der Arm war wegen der Scapula stark nach vorn und oben gezogen. Beim zweiten Male hatten wir zur Ermöglichung der direkten Röntgen-Durchleuchtung flache Bauchlage gewählt.

Aus dem Verlaufe unserer Pneumotomie mit ihrer unmittelbaren Folge, der Expektoration des Fremdkörpers zieht Bardenheuer die Lehre, daß es in geeigneten Fällen möglich ist, von einem peripher vom Fremdkörper gelegenen und durch Pneumotomie eröffneten Bronchialzweig aus durch Eingehen mit der Sonde in centripetaler Richtung von unten her den Fremdkörper anzustoßen, ihn zu lockern und seine Expektoration nach oben zu veranlassen. Diese Methode würde natürlich nur da in Frage kommen, wo ein komplizierter Fremdkörper aspiriert worden, dessen spontane Expektoration nach gewisser Beobachtung sich als unwahrscheinlich ergiebt und dessen Sitz so tief ist, daß ein Sichtbarmachen und Ergreifen von der Tracheotomiewunde aus nicht mehr möglich ist, er muß also tiefer wie in einem Hauptbronchus gelegen sein. Durch die Tracheotomiewunde würde dann auch die eventuelle Gefahr der Larynxpassage umgangen sein. Eine präzise Diagnose der Lage verlangt Bardenheuer, sei es im günstigsten Falle durch die Röntgen-Strahlen, sei es durch genau nachweisbare, scharf umschriebene klinische Symptome, Abschwächung oder gar vollständige Aufhebung des Atemgeräusches über einem bestimmten Lungenabschnitt, Abschwächung oder Aufhebung der Atembewegung daselbst, Atelektase, pfeifende oder schnurrende Geräusche an cirkumskripter Stelle etc. Der dann in Betracht kommende Bronchialast würde dadurch in seiner Lage zur Thoraxwand bestimmt sein und man müßte also in der zugehörigen Peripherie eingehen.

Tierversuche (an Ziegen) in dieser Richtung ausgeführt, scheiterten daran, daß es nicht möglich war, Fremdkörper zur Aspiration zu bringen, sie wurden gleich wieder durch die Tracheotomiewunde ausgehustet. Wohl aber gelang es, von durch Pneumotomie quer eröffneten Bronchialverzweigungen aus nach dem Hilus zu den Bronchialstamm mit der Sonde abzutasten.

Zum Schluß möchte ich noch eines gleichzeitig am Bürgerhospital beobachteten Falles Erwähnung thun, wo ebenfalls der aspirierte metallene Fremdkörper, ein Schnürstiefelringelchen, bei einem 4-jährigen Kinde durch den RÖNTGEN-Apparat im rechten unteren Lungenlappen nachgewiesen wurde (Photographie). Es trat eiterige Bronchitis ein und, wie von vornherein als wahrscheinlich angenommen werden mußte, erfolgte bald, nach 14 Tagen, die spontane Expektoration, worauf Heilung eintrat. Diese runden, glatten Fremdkörper bieten eine ziemlich günstige Prognose. HOFFMANN hat eine Gruppe von 13 derartigen Fällen zusammengestellt, mit 12 Heilungen und nur 1 Todesfalle, wo allerdings ein Louisd'or, also schon ein größerer Fremdkörper, aspiriert war, und Abscedierung fast der ganzen rechten Lunge eingetreten war.

Ca. 1 Monat nach Ausführung unserer vorher berichteten Pneumotomie brachte die Münchener Medizinische Wochenschrift in No. 29 ein Referat über einen von AUSTIN LENDON in Australien operierten Fall. Bei einem 7-jährigen Knaben entwickelte sich im Anschluß an die Aspiration eines elfenbeinernen Hemdenknopfes das klinische Bild eines Lungenabscesses im rechten Unterlappen. LENDON führte deshalb nach 15 Monaten die Pneumotomie aus. Die 4. Rippe wurde reseziert, die Lunge punktiert, aber ohne positives Resultat. Nach Trennen einiger Adhäsionen zwischen Ober- und Mittellappen kommt etwas Eiter zu Gesicht, doch läßt sich sein Ursprung nicht sicher feststellen. Plötzlich fühlt LENDON den Knopf, von Lungengewebe noch bedeckt. Bei dem Versuche, ihn zu fixieren, geht er verloren und wird nicht mehr wiedergefunden. Schluß der Operation. Nach 20 Minuten spontane Expektoration des Knopfes. Ob darauf völlige Ausheilung eintrat, steht nicht vermerkt.

Mit diesem Falle, wo also die klinischen Erscheinungen des Lungenabscesses die Indikation zur Operation abgegeben hatten, verfügen wir somit heute über 12 Fälle von Pneumotomie wegen Fremdkörper. Unter ihnen nimmt der unserige dadurch eine Sonderstellung ein, daß er durch Hilfe der RÖNTGEN-Strahlen schon zu einer Zeit in Angriff genommen werden konnte, wo die bösen, und bei der Beschaffenheit unseres Fremdkörpers als unausbleiblich zu betrachtenden Folgen in der Lunge sich noch nicht etabliert hatten.

## Litteratur.

1) Blumenthal, Eindringen einer abgebrochenen Trachealkanüle in die Lunge. Medycyna 1896, No. 3. Ref. im Centralbl. f. Chir., Bd. 22, p. 589.
2) Franke, 69. Versammlung deutscher Naturf. u. Aerzte, Braunschweig 1897. Ref. im Centralbl. f. Chir., Bd. 24, p. 1137.
3) Freyhan, Ueber Pneumotomie, Berliner Klinik, Heft 117, März 1898.
4) Hoffmann, Die Krankheiten der Bronchien. Wien (Alfr. Hölder) 1896.
5) Kobler, Ueber Fremdkörper in den Bronchien. Wien (Alfr. Hölder) 1895.
6) Köhler, Die neueren Arbeiten über Lungenchirurgie. Berl. Klin. Wochenschr., No. 15, 11. April 1898.
7) Lendon, Fremdkörper in den Bronchien. Intercolonial Journal of Australasia, März 1898. Ref. in Münch. Med. Wochenschr., 1898, No. 29.
8) Peyrissac, Ref. im Centralbl. f. Chir., 1898, No. 10.
9) Quincke, Ueber Pneumotomie, Mitteil. aus d. Grenzgeb. f. Med. u. Chir., Bd. 1, Heft 1.
10) Schwalbe, Pneumotomie, Eulenburg's Encyklopädie, 2. Aufl., Bd. 4.
11) Sonnenburg, Der gegenwärtige Stand der Lungenchirurgie, 69. Versammlung deutscher Naturf. u. Aerzte, Braunschweig 1897.
12) Tuffier, Chirurgie du poumon, XII. internationaler med. Kongreß, Moskau.

# XII.

# Ueber Wanderniere.

Von

Privatdocent **Dr. Konrad Büdinger,**
k. k. Primararzt in Wien.

(Mit 1 graphischen Tabelle und 6 Abbildungen im Text.)

---

Gelegentlich von Leichenversuchen, welche ich im Jahre 1896 anstellte, um eine kleine Modifikation der Nephropexie zu erproben [1]), und des ersten nach dieser Methode operierten Falles, der mir Gelegenheit gab, eine Wanderniere während des Bestehens der „Einklemmung" in die Hand zu bekommen, kam ich bezüglich der Ergebnisse der Leichenuntersuchung in eine so starke Kollision mit vielen in der Litteratur vertretenen Anschauungen, so daß ich mich genötigt sah, in das Studium der Frage näher einzugehen. Ich möchte im folgenden keine Besprechung der „Wanderniere" im allgemeinen bringen, schon deshalb nicht, weil wir auf diesem Gebiete eine üppige Ueberproduktion zu verzeichnen haben, sondern nur einige Punkte beleuchten, die mir in chirurgischer Beziehung besonders wichtig erscheinen.

Man stößt bei den Berichten über Nephropexien sehr häufig auf den Ausdruck: Fixation in der normalen Lage der Niere; bei näherer Betrachtung findet man aber, daß es zwar ohne Zweifel eine normale Lage der Niere giebt, daß aber so viele nicht pathologische Abweichungen von dieser Lage vorkommen, daß man statt normale eigentlich ideale Lage der Niere sagen müßte. Zwischen vielen Klippen hindurch sucht die Chirurgie noch jetzt den stellenweise kaum erkennbaren Pfad zur richtigen Indikationsstellung und Therapie.

Die Ergebnisse der Leichenuntersuchung stehen bezüglich der Bearbeitung der Wanderniere bei vielen Autoren in starkem Mißkredit,

---

1) Centralbl. f. Chir., 1897, No. 12.

ja selbst in streng anatomischen Arbeiten wird der Befund an der Leiche, was die Verschieblichkeit der Niere anlangt, mit einem gewissen Mißtrauen behandelt, so daß FISCHER[1]) in seinem Sammelreferat viele Meinungen dahin zusammenfassen kann, daß die Untersuchung der Nierenbeweglichkeit am Kadaver wegen der bedeutend geänderten Verhältnisse, unter denen sie stattfindet, nicht allzuviel Rückschlüsse auf die intra vitam bestehende gestatte.

Es dürfte daher nicht überflüssig sein, die Argumente vorzubringen, welche dafür sprechen, daß die anatomischen Befunde auch für den lebenden Menschen Giltigkeit haben. Ein Teil von ihnen kann erst im Zusammenhang herangezogen werden, der wichtigste Einwand aber, der offen oder ohne bestimmte Bezeichnung weitaus am häufigsten ins Feld geführt wird, muß schon deshalb gesondert besprochen werden, weil sein Gespenst auf Schritt und Tritt in der Anatomie, Aetiologie, Nosologie und Therapie der Wanderniere getroffen wird.

Die Niere soll durch den „intraabdominalen Druck“, durch den „allgemeinen Inhaltsdruck der Bauchhöhle“, an die hintere Bauchwand angepreßt werden.

Es sei mir gestattet, an dieser Stelle, und zwar unter Hinweis auf die Argumente, welche sich aus den späteren Ausführungen von selbst ergeben, ganz in Kürze einige Betrachtungen über diese Verhältnisse einzufügen, ohne auf die ausgedehnte Litteratur weiter einzugehen.

LANDAU[2]) hat dem intraabdominalen Druck eine wichtige, ja sogar die Hauptrolle für die Fixation der Niere zugeschrieben und meint, daß dieselbe hauptsächlich durch diesen physikalischen Faktor festgehalten werde, neben dem die Aspirationskraft des Zwerchfells eine Wirkung in demselben Sinne ausübe. Ihm schloß sich mit besonderem Nachdruck SENATOR[3]) an, der ebenfalls im intraabdominalen Druck das wichtigste Befestigungsmittel der Niere sieht; unter allen Bauchorganen seien es nur die Nieren, äußert er sich, welche durch den positiven Bauchdruck gegen die Wand gepreßt werden, wie kein anderes Organ.

Seitdem schwankt die Wertschätzung des „intraabdominalen Druckes“ hin und her, wenn auch durch die Wirkung der vortrefflichen Arbeit WEISKERS[4]) erschüttert. Die meisten Arbeiten über Wanderniere nehmen Stellung zu dieser Frage, erklären sich für oder gegen — fast stets ohne Angabe von Gründen.

Die größte Schwierigkeit bei der Beurteilung des „intraabdominalen Druckes“ besteht darin, daß es keineswegs a priori verständlich ist,

1) Centralbl. f. d. Grenzgeb. d. Med. u. Chir., 1898.
2) Die Wanderniere der Frauen. Berlin 1881.
3) Charité-Annalen, Bd. 8, 1883.
4) SCHMIDT's Jahrb., Bd. 219, 1888.

was man sich unter diesem Worte zu denken habe, und es ist zweifellos ein großes Verdienst von SCHATZ[1]), die Anregung gegeben zu haben, daß überhaupt die Frage angepackt werden konnte, wenn auch seine Ansichten stichhaltig widerlegt worden sind.

Er betrachtete die Muskelmassen, welche die Leibeshöhle umschließen, als ein einheitliches System, aus dessen Wirkung eine Komponente resultiert, welche einem Spannseil entspricht, das vom Processus mastoideus über das Sternum herab zur Symphyse geht und von elastischen Stegen — den Rippen — von der Wirbelsäule abgehalten wird. Infolge des Ueberschusses an Druck dieses Spannseiles gegen die Elasticität der Rippen kommt ein Druck in der Bauchhöhle zustande, der die Wandung in Spannung versetzt. Dieser Druck soll 25—30 cm Wasser betragen und im allgemeinen eine konstante Größe sein. WENDT[2]) ist sogar soweit gegangen, experimentell zu berechnen, wie dieser Druck in verschiedenen Körperstellungen die Sekretion der Niere beeinflußt, und man kann wohl sagen, daß er zu Resultaten gekommen ist, welche den einfachsten Erfahrungen spotten.

WEISKER hat die Ansichten von SCHATZ Schritt für Schritt widerlegt. Der Hebelpunkt seiner Angriffe beruht darin, daß der Druck von 25—30 cm, den SCHATZ nach manometrischen Messungen in Blase und Mastdarm für den stehenden Menschen fand (im Sitzen soll der Druck etwa um 4 cm höher, in Rückenlage um 14 cm geringer sein), thatsächlich im Magen nicht vorhanden ist. SCHATZ hatte diese Untersuchungen aus persönlichen Gründen nicht vornehmen können, WEISKER aber führte sie in den verschiedensten Stellungen aus, indem er sich auf eine Leiter binden und mit dieser drehen ließ. Das Resultat seiner Beobachtungen ist, daß alle Experimente nichts anderes zur Anschauung bringen, als die einfachen Gesetze der Schwere, des hydrostatischen Druckes; nur werde die Wirkung dieser Schwere beeinflußt durch anatomische Verhältnisse. Demnach schließt er sich einem Hauptsatz BRAUNE's[3]) an, welcher lautet: Die Bauchhöhle stellt einen von den in ihr eingeschlossenen Organen komplett erfüllten Raum dar, auf welchen von seiten der muskulösen Wände im Zustande der Ruhe kein Druck ausgeübt wird; ein solcher tritt nur auf, wenn die umschließenden glatten Muskeln sich kontrahieren und die sogenannte Bauchpresse bilden.

Die Arbeit WEISKER's hat der Lehre vom intraabdominalen Druck viele Gegner gemacht, ohne aber eine allgemeine Anerkennung in allen Punkten gefunden zu haben. SCHATZ[4]) hat ihr in neuerer Zeit abermals widersprochen, und auch andere Autoren wollen sie nur bedingt

1) Arch. f. Gyn., Bd. 4 u. 5.
2) Arch. f. Heilk., Bd. 17.
3) Die Oberschenkelvenen des Menschen. Leipzig, 1871.
4) Verhandl. d. dtsch. Ges. f. Gyn., 1892.

gelten lassen. Hier sei nur aus der Zahl der neueren experimentellen Arbeiten die von MORITZ[1]) angeführt, nach welcher bei Druckmessungen im Magen in der Rückenlage einen Druck von durchschnittlich 6,3 cm, im Sitzen einen solchen von 7 cm, im Stehen von 8 cm zu finden ist. Für den Unterschied zwischen Sitzen und Stehen einerseits und Liegen andererseits kann nach MORITZ zwanglos der Einfluß des Gewichtes der Leber herangezogen werden, die bei vertikaler Körperhaltung mehr als bei horizontaler auf den Magen drücken muß, für die Differenz beim Sitzen und Stehen sei aber die Annahme eines eigentlichen intraabdominalen Druckes nicht zu umgehen.

Wahrscheinlich werde durch die Veränderung der Beckenneigung beim Sitzen eine Volumveränderung der Bauchhöhle und dadurch eine Spannungszunahme derselben bedingt. Im allgemeinen glaubt MORITZ allerdings auch, daß dem intraabdominalen Druck nur eine sehr geringe Bedeutung beizumessen sei, doch sagt er an anderer Stelle, daß die Messung des an der Oberfläche des Magens wirkenden Druckes schwer möglich sei; man müßte etweder ein Manometer in das Cavum peritonei bringen oder man müßte die Differenz bestimmen, die sich im intraabdominalen Druck vor und nach einer Laparotomie ergiebt. Auch dann würde aber noch eine gewisse Unsicherheit darüber herrschen, ob durch diese Eingriffe die Druckverhältnisse keine Aenderung erfahren haben.

Die Lehre vom intraabdominalen Druck ist also noch keineswegs abgethan, wie es aus den Aeußerungen mancher Autoren über Wanderniere scheint und es geht daher nicht an, sich so leichthin über diese Frage hinwegzusetzen. Denn darüber ist keine Täuschung möglich: Besteht ein Druck, der in der „Abdominalhöhle" eine bestimmte Höhe konstant einhält, so wird derselbe auf kein Organ so kräftig einwirken, als auf die normal gelagerte Niere, die ihre Vorderfläche in ganzer Ausdehnung teils direkt, teils indirekt demselben entgegenbringt, während die Rückfläche einer fast ganz festen Unterlage nahe aufliegt.

Da der Sinn des Wortes „intraabdominaler Druck" noch genau so wenig präzisiert ist, wie vor 11 Jahren, als die Arbeit WEISKER's erschien, müssen wir auch jetzt noch verschiedene Möglichkeiten ins Auge fassen. WEISKER sagt mit Recht, daß der intestinale Druck unmöglich in Betracht kommen könne, da er sich in toto niemals gleich bleibt, während doch eine durch längere Zeit bestehende Konstanz unbedingt notwendig erscheint, wenn von einem dauernden Drucke die Rede ist. Es bleibt also die Annahme eines Druckes im intraperitonealen oder in demjenigen Raume, der von der ganzen Bauchwand umspannt ist. Das letztere wird auch wohl unter dem Ausdruck „allge-

---

1) Zeitschr. f. Biologie, 1895, No. 32.

meiner Inhaltsdruck der Bauchhöhle“ [KELLER [1])] zu verstehen sein. Ich stehe nicht an, den intraperitonealen und den allgemeinen Bauchhöhlendruck als unter den gleichen Verhältnissen stehend anzusehen und daher nicht zu trennen. Denn es kommen bei der Betrachtung der Gesamtbauchhöhle keinerlei Organe hinzu, welche möglicherweise überhaupt mit der Entstehung irgend eines konstanten Druckes in Zusammenhang gebracht oder als Sitz eines solchen gelten könnten.

So viel man aus den vagen Angaben schließen kann, wird unter dem intraabdominalen Druck gewöhnlich ein Druck verstanden, der in der Peritonalhöhle entsteht und die gesamte Bauchwand, unabhängig vom Druck in den Eingeweiden, in Spannung hält. So scheint es sich auch MORITZ zu denken, der zur Druckmessung ein Manometer in die Bauchhöhle bringen will, und auch LANDAU, SENATOR u. a., welche den Druck sich unter bestimmten Verhältnissen in Zug umwandeln lassen, dürften nichts anderes im Sinne haben.

Es erscheint aus der gewöhnlichen klinischen Beobachtung evident und kommt auch in der Anordnung und Erklärung aller Experimente zum Ausdruck, daß die Füllungs- und Spannungsverhältnisse der Gedärme, Blase etc. außer bei plötzlich erfolgenden extremen Veränderungen keinen Einfluß auf den ständigen intraabdominalen Druck ausübt, vielmehr soll dieser den Druck in den ersteren beeinflussen. Man könnte sich nach dieser Auffassung das ganze System etwa so vorstellen, wie eine TRENDELENBURG'sche Kanüle bei gespanntem Ballon und mit weichem Innenrohr, dessen Inhaltsdruck unter besonderen Umständen ebenfalls imstande wäre, auf den Druck im Ballon einzuwirken.

Seltsamerweise ist das Tierexperiment für die Lösung dieser Frage nur selten zu Hilfe genommen worden. Es würde sich freilich nicht zu quantitativen Bestimmungen eignen, im übrigen aber müßten doch in der Bauchhöhle des Tieres, wenn die Theorie richtig ist, unbedingt ähnliche Druckverhältnisse herrschen, wie beim Menschen; zudem ist ein narkotisiertes Tier gewiß ein weniger unsicheres und ein wesentlich einfacheres Terrain für Untersuchungen, als der auf eine Leiter gebundene, mit derselben gedrehte, und mit Rohren in Mastdarm und Speiseröhre armierte Mensch. In der That haben mir die Experimente, die ich genau nach dem Vorgange, den WEISKER einhielt, an Kaninchen angestellt habe, ähnliche Verhältnisse ergeben, wie dieser Autor sie beschreibt.

Aber auch das von MORITZ geforderte Experiment läßt sich an Tieren leicht ausführen. Nachdem das Rectum mit Wasser gefüllt und mit einem Manometer in Verbindung gesetzt war, wurde der Bauch

1) Sammlung zwangloser Abhandlungen aus dem Gebiete der Frauenheilkunde, 1896, Bd. 1, Heft 2, und Monatsschr. f. Geburtshilfe u. Gynäkologie, Bd. 7, 1898.

des Tieres eröffnet, wobei dasselbe, auf dem Rücken liegend, angebunden war. Niemals war danach auch nur die leiseste Druckschwankung im Mastdarm zu konstatieren, das Wasser blieb unbeweglich.

Uebrigens bedarf es gar keines Experiments, um zu zeigen, daß die Eröffnung des Bauches unter sonst normalen Verhältnissen keine Druckverminderung hervorruft. Würde dies der Fall sein, so müßte nach Eröffnung des Bauches, bei jeder Laparotomie das Blut in vermehrter Menge durch die Gefässe fließen, welche von dem Druck entlastet sind, dieselben müßten sich injizieren.

Vor allem sollte man sich gewöhnen, wenn von Druckverhältnissen die Rede ist, den Ausdruck „Peritonealhöhle" zu vermeiden, der meiner Ansicht nach viel an dem Wirrsal schuldig ist. Es ist von jeher gelehrt worden und allgemein anerkannt, daß es keinen Hohlraum innerhalb des Peritonealsackes geben kann, sondern sich die Intestina von allen Seiten aufs innigste berühren. Was wir in Uebertragung des anatomischen Begriffes als Peritonealhöhle zu bezeichnen pflegen, ist ein System feinster kapillarer Spalten, erfüllt von einer minimalen Schicht von Flüssigkeit. Wenn also ein Manometer behufs Druckmessung in der „Bauchhöhle" in diese eingesetzt werden soll u. dergl., wie es an allen Ecken und Enden zu lesen ist, so ist dies ein Verlangen, welches unmöglich unter Wahrung der natürlichen Verhältnisse erfüllt werden könnte. In den Spalten des Bauchraumes kann nur eine Kraft, die Adhäsionskraft, herrschen, und diese ist in ihrer Eigenschaft als Kapillarkraft nur sehr bedingt, keinesfalls aber in dem ganzen Spaltsystem gleichzeitig und in gleichem Maße von anderen Druckkräften abhängig.

Es würde zu weit führen, auf alle Widersprüche einzugehen, die sich aus der Lehre vom intraabdominalen Drucke ergeben, es sei nur noch darauf aufmerksam gemacht, daß die Komprimierbarkeit, resp. Ausdehnbarkeit der großen drüsigen Organe ganz vernachlässigt worden ist. Die Leber, Milz etc. sind zwar nicht teigig weich, wie sonderbarerweise manche Autoren noch heute, wo man sie am lebenden Menschen oft genug in der Hand hat, behaupten, aber sie sind, wie jedes blutreiche Organ, sehr kompressibel. Das hat schon His [1]) gelehrt, der ihnen keine Plasticität, sondern Biegsamkeit und Weichheit zuschreibt. Wie könnten diese Organe ohne Störung der Funktion einen so hohen und fortwährend auf sie einwirkenden Druck von allen Seiten aushalten?

Es ist keineswegs wunderbar, daß weder Exsudate, noch Tumoren Drucksteigerungen verursachen, da die Eingeweide durch eine im wesentlichen immer gleichen Adhäsionsdruck aneinandergehalten werden. Außer im Zwerchfellstande haben wir in der Blutfülle der großen

---

1) Arch. f. Anatomie u. Entwickelungsgeschichte, 1878.

Drüsen und in der Weite des Darmrohres reichliche Mittel zur Ausgleichung einer langsamen Veränderung des Spannungzustandes der Bauchwand. Aber auch bei plötzlicher Verkleinerung des Bauchraumes, wie er z. B. im tetanischen Anfall oder bei Bleikolik eintritt, manifestiert sich nicht das geringste Zeichen einer Drucksteigerung im Bauche.

Einige Aufmerksamkeit wäre noch der Betrachtung des Hängebauches und seiner Folgezustände zuzuwenden, da dieser vielfach als eine Ursache der beweglichen Niere angesehen wird; nach Landau verkehrt sich hierbei der Druck in Zug. Freilich würde zur Widerlegung dieser Ansicht ein Hinweis auf die betreffenden Argumente Küster's [1]) genügen, der dagegen anführt, daß ganz dieselben Folgen auch bei anderen Erkrankungen, besonders bei großen Skrotalhernien der Männer, eintreten müssen, wenn die Theorie richtig wäre. Ich will jetzt auch ganz davon absehen, daß ein Zug am Peritoneum für die Beweglichkeit der Niere fast gleichgiltig ist und hierauf nur mit Bezug auf das an anderer Stelle Gesagte verweisen. Aber nach diesen Anschauungen müssen die Gedärme und Drüsen starr sein.

Läßt die Spannung der Bauchwand soweit nach, daß der Bauchraum vergrößert erscheint, so muß dies zunächst auf den Darm einwirken, dessen Wände so weit als möglich entfaltet gehalten werden, die peristaltischen Bewegungen finden infolgedessen ein Hindernis, Gase und Kot werden zurückgehalten und müssen den vergrößerten Bauch ausfüllen. Wenn also Landau meint, daß bei Hängebauch „gewöhnlich" Obstipation vorhanden sei, so trifft dies aus dem Grunde nicht zu, weil es keine Koincidenz, sondern ein Folgezustand ist, der aber mit einem intraabdominalen Drucke nichts zu thun hat. Aus demselben Grunde füllen sich die Drüsen mit Blut, werden dauernd hyperämisch und hypertrophiert das Mesenterium in jeder Dimension. Weil der Raum größer ist, muß er sich auf diese Weise ausfüllen, aber dabei muß eben der Druck zwischen den einzelnen Organen stets wieder nur der einfache Adhäsionsdruck bleiben.

Höchst problematisch sind ferner die Vorstellungen über den negativen Druck in der Steinschnitt-, Knieellenbogenlage etc. Ich kann in dem plötzlichen Eintreten der Luft in die Höhle, welche in solchen Stellungen nach der Eröffnung des Peritoneums sofort entsteht, nichts anderes sehen, als daß die Schwere der Organe, welche nach abwärts zieht, die Adhäsionskraft in dem Momente überwindet, in welchem ihr die Möglichkeit hierzu gegeben wird. Ebenso tritt bei manchen Personen in gewissen Stellungen Luft in die Vagina oder Blase ein, wenn die Wände dieser Organe nicht mehr fest aneinanderschließen. Der Zufall hat es gewollt, daß in demselben Bande des Arch. f. Gynäkol.,

1) Deutsche Chirurgie, Lief. 52 b, 1. Hälfte, 1896.

in welchem der erste Teil der Arbeit von SCHATZ über den intraabdominalen Druck enthalten ist, von HEGAR[1]) in einem kleinen Aufsatze diese „Saugphänomen am Unterleibe" in obiger Weise erklärt wurden. Alle diese Dinge lassen sich durch einfache Schulexperimente leicht belegen.

Ich halte demnach den „intraabdominalen Druck" für ein Schlagwort, dem der Begriff gänzlich fehlt und welches verdienen würde, von der Bildfläche zu verschwinden, wozu allerdings gar keine Aussicht vorhanden ist und würde die Worte WEISKER's noch schärfer fassen. Er schlägt vor, diesen Ausdruck nur zu gebrauchen, wenn man den Druck infolge der Bauchpressenthätigkeit bezeichnen will. Wozu aber dann den besonderen Ausdruck? Nicht „alles andere", sondern alles ist die natürliche Folge der anatomischen Verhältnisse.

---

Die Angaben über die normale Lage der Nieren schwanken in weiten Grenzen und sind auch heute noch recht verschieden, allerdings nicht in dem Maße, wie vor zwei Decennien; noch mehr aber divergieren die Angaben in Bezug auf die Frage, ob und wie weit die Nieren normalerweise beweglich sind. Wenn auch die Mehrzahl der neueren Autoren der Meinung ist, daß eine normale Beweglichkeit bestehe, so kann man doch keineswegs sagen, daß eine Einigung erzielt sei, und es wird daher nicht zu umgehen sein, eine Uebersicht der Angaben vorauszuschicken.

### I. Lage mit Rücksicht auf das Skelett.

1) Die Nieren reichen bis zum unteren Rande des Darmbeines (VOGEL)[2]).

2) In der Höhe des 1.—3. Lendenwirbels, das untere Ende etwa 2 cm vom Darmbeinkamme entfernt (ENGEL)[3]).

3) Zur Seite des 1.—3. Lendenwirbels aufwärts bis zur 11. Rippe und selbst höher (HENLE)[4]).

4) Entsprechend den beiden letzten Brust- und den beiden ersten Lumbalwirbeln [RÜDINGER, 1892[5]), MALGAIGNE[6]), SAPPEY[7])].

5) Entsprechend dem 12. Brust- und 1.—3. Lendenwirbel, das untere Ende selbst bis zum 4. Lendenwirbel reichend (RÜDINGER, 1878)[8]).

---

1) Arch. f. Gynäkologie, Bd. 4.
2) VIRCHOW's Handbuch d. Path. u. Therapie, 1865.
3) Kompendium der topogr. Anatomie, Wien 1859.
4) Handbuch der Eingeweidelehre des Menschen, 1866.
5) Kursus der topogr. Anatomie, 1892.
6) Traité d'anatomie chirurgicale, 1859, T. 2.
7) Traité d'anatomie descriptive, 1873, T. 2.
8) Topographisch-chirurgische Anatomie des Menschen, 1878.

Rüdinger setzt hinzu: Wie denn eine sehr verschiedene Höhenlage der beiden Nieren beobachtet werden kann.

6) Vom oberen Rande des 12. Brust- bis zur Mitte des 3. Lendenwirbels (Braune)[1].

Braune bezeichnet seine Angabe als identisch mit der Luschka's, da bei solchen Bestimmungen die halbe Höhe eines Wirbels nicht viel ausmache.

7) Von der Mitte des 11. Brust- bis zum unteren Ende des 2. Lendenwirbels (Luschka, 1863)[2].

8) Von der oberen Verbindungsfläche des 12. Brust- bis zur unteren des 2. Lendenwirbels (Luschka, 1873)[3].

Auf der betreffenden Abbildung Luschka's (Fig. 2) reichen die Nieren bis zum oberen Rande des 4. Lendenwirbels herab. Fast dieselben Angaben macht Pansch[4], welcher als „mittlere", d. h. durchschnittliche Lage der Nieren die Höhe des 12. Brust- und der beiden ersten Lendenwirbel nebst der darunter liegenden Bandscheibe oder den unteren Rand des 11. Brust- bis oberen Rand des 3. Lendenwirbels angiebt; ferner schließen sich der Ansicht von Pansch mit unbedeutenden Modifikationen an: Fischer-Benzon[5]), Landau, Kofmann[6]), Gegenbaur[7]), Küster, Banner[8]), Bardeleben und Haeckel[9]), welch letztere das Bild von Luschka reproduzieren, demnach in derselben Weise die Nieren bis zum 4. Lendenwirbel reichend darstellen.

9) Zur Seite des 1.—3. Lendenwirbels, aufwärts bis an die 12. resp. 11. Rippe sich erstreckend (Litten)[10].

In der zugehörigen Zeichnung reichen die Nieren vom oberen Rande des 12. Brust- bis zum oberen Rande des 3. Lendenwirbels.

10) Helm[11]) (Waldeyer) findet die Niere bei Frauen durchschnittlich um die Höhe eines halben Wirbelkörpers tiefer als bei Männern; der obere Pol ist bei Männern häufiger (7 : 5) in der Höhe des 11., bei Weibern häufiger (11 : 7) in der Höhe des 12. Rippenansatzes; der untere Pol erreicht nicht selten den Darmbeinkamm und überschreitet ihn sogar, bei Männern rechterseits unter 9 Fällen 1 mal, bei Weibern rechts unter 2,5 Fällen, links unter 7 Fällen, beiderseits

---

1) Topographisch-anatomischer Atlas, 1875.
2) Die Anatomie des menschlichen Bauches, 1863.
3) Die Lage der Bauchorgane des Menschen, 1873.
4) Arch. f. Anat. u. Physiol., 1876.
5) Inaug.-Diss. Kiel, 1887.
6) Wiener klin. Wochenschrift, 1895.
7) Lehrbuch der Anatomie des Menschen, 1883.
8) Inaug.-Diss., Greifswald 1894.
9) Atlas der topogr. Anatomie des Menschen, 1894.
10) Verhandl. des Kongresses für innere Medizin, 1887.
11) Inaug.-Diss. Berlin, 1895.

unter 7 Fällen 1 mal, am häufigsten reicht er rechts bis zum oberen oder unteren Ende des 3. Lendenwirbels.

11) BADUEL[1]) giebt als durchschnittliche Nierenlage an: Beim erwachsenen Mann rechts vom unteren Drittel des 12. Brustwirbels oder von der Bandscheibe zwischen 12. Brust- und 1. Lendenwirbel bis zur Mitte oder dem unteren Ende des 3. Lendenwirbels; beim erwachsenen Weibe von der Bandscheibe zwischen 12. Brust- und 1. Lendenwirbel oder der Mitte des 1. Lendenwirbels bis zum unteren Rande des 3. oder oberen des 4. Lendenwirbels.

## II. Grenzen der normalen Lage.

Nebst den beiden letztgenannten geben viele andere, besonders von den neueren Autoren, an, daß man die Nierenlage nicht für konstant ansehen könne. Wie erwähnt, will PANSCH seine Angabe nur als „mittlere" Lage gelten lassen, jedoch ist es wichtig, da seine Befunde am meisten citiert werden, seine Erläuterungen zu dem Ausdrucke „mittlere Lage" zu berücksichtigen, welche oft übersehen werden. PANSCH sagt, daß Abweichungen im Niveauverhältnis beider Nieren nicht auffallen können, wenn man sich überzeugt, wie häufig überhaupt einseitig oder doppelseitig Abweichungen von der genannten „mittleren" Lage sind. Nicht selten ist ein Hinaufrücken der oberen Grenze um die Höhe eines halben Wirbels, weit häufiger aber ein Herabrücken der unteren Grenzen bis um die Höhe eines Wirbels; ja, es senkt sich dieselbe zuweilen sogar noch mehr, d. h. also bis zum 4. Lendenwirbel hinab. Außerdem (also so weit betrachtet er die Lage als zweifellos normal) werden nach beiden Seiten hin einzelne extreme Fälle beobachtet, bei denen man sich streiten könnte, ob sie als normal oder anormal zu bezeichnen sind.

KOFMANN sieht Schwankungen um die Höhe eines Wirbelkörpers, wie z. B. nach unten bis zum unteren Ende des 3. Lendenwirbels, für normal an, nach BARDELEBEN und HAECKEL können die Nieren erheblich tiefer liegen, als das Schema besagt, ohne Wandernieren zu sein, während LANDAU und KÜSTER schon Schwankungen um die Höhe eines Wirbelkörpers für pathologisch betrachten.

Die linke Niere liegt nach den meisten Angaben regelmäßig höher, als die rechte, doch wird nur selten eine genaue Angabe der Differenz präzisiert [HYRTL[2]), ENGLISCH[3]), GEGENBAUR, MALGAIGNE, LANGER-TOLDT[4]) u. a.].

Nach BARDELEBEN und HAECKEL liegen die Nieren manchmal gleich hoch, selten die rechte höher; PANSCH hat zeitweilig an jedem dritten

1) Policlinico, 1894, Vol. 2.
2) Handbuch der topogr. Anatomie, 1882.
3) Arch. f. klin. Chirurgie, 1879, Bd. 11.
4) Lehrbuch der system. u. topogr. Anatomie, 1897.

Kadaver die rechte Niere höher als die linke liegend gefunden, HELM sah als mittlere Differenz 1—2 cm, als größte 8 cm und schließt sich im großen und ganzen der Ansicht von PANSCH an, CRUVEILHIER [1]) hält es für das Gewöhnliche, daß die rechte Niere tiefer stehe, bildet aber beide in gleicher Höhe ab; BADUEL findet eine Differenz von fast einer ganzen Wirbelhöhe zu Gunsten der linken Niere, GEROTA [2]) hat unter 29 Fällen nur 1 mal die linke Niere tiefer, statt wie gewöhnlich höher als die rechte stehend gefunden, wogegen LUSCHKA, RÜDINGER, SAPPEY, HIS, LANDAU etwa das gleiche Niveau für beide Nieren in Anspruch nehmen.

Als Ursache für den tieferen Stand der rechten Niere wird meist die Lage der Leber angegeben; doch ist dieser Ansicht schon wiederholt mit treffenden Gründen widersprochen worden. In der That ist die Niere, wenn sie fest ist, rechts zum großen Teil von der Leber bedeckt, wie dies besonders schön auf den Situs-Bildern von HIS zu sehen ist, sie baut sich zwischen ihr und der Wirbelsäule auf und es ist keineswegs einleuchtend, warum an der Stelle des oberen Poles auf einmal die Leber als ein Hindernis auftreten soll. Nimmt man einen höheren Stand der linken Niere als die Norm an, so wird man nicht umhin können, dies als ein Faktum anzusehen, welches in der Anlage des Körpers beruht und auch nicht mehr geeignet erscheint, Verwunderung zu erregen, als die Anordnung anderer Organe. Gewiß ist indessen, daß die ideal fixierte rechte Niere nicht gar so selten höher liegt als die linke und daß sie schon aus diesem Grunde nicht durch ein Hindernis zurückgehalten werden kann, das bei jedem Körper gleichmäßig einwirken müßte.

### III. Normale Beweglichkeit.

Der heftigste Streit wird über die Frage geführt, ob die Nieren normal beweglich sind oder nicht, ein Punkt, der leider von der Mehrzahl der Anatomen, welche die maßgebenderen Zeugen wären, gänzlich vernachlässigt oder mit wenigen Worten erledigt wird. Erst durch die klinische Beobachtung der Wanderniere ist die Diskussion hierüber in Fluß gekommen, ohne aber bisher zu einem halbwegs abgeschlossenen Resultate gelangt zu sein.

Der erste diesbezügliche Ausspruch von SAPPEY lautet im Zusammenhange wesentlich anders, als er von LANDAU u. A. wiedergegeben ist, welche nur citieren, daß SAPPEY bloß bei 3 Leichen unter 24, welche er darauf untersuchte, eine Verschiebung um 2 cm in vertikaler Richtung gefunden habe, die nur dem Einfluß der Schwere zugeschrieben werden konnte. Davon, daß in den 21 anderen Fällen die Nieren fest

---

1) Traité d'anatomie descriptive, 1874.
2) Arch. f. Anatomie u. Physiologie, 1895.

gewesen wären, wie gesagt wird, ist bei SAPPEY nicht nur nichts zu lesen, sondern es steht sogar in direktem Widerspruch mit seinen sonstigen, in demselben Kapitel gegebenen Ansichten, welche lauten, daß die Niere eine Lage von größerer Kapazität einnimmt, als ihrem Volumen entspricht und infolgedessen: qu'il ne peut se déplacer cependant ni en haut, ni en dehors, mais qu'il peut se porter soit en avant et en dedans, soit à la fois en bas, en dedans et en avant.

BRAUNE[1]) betont, daß Senkungen des Zwerchfells oder Vergrößerungen der Leber und der Milz die Nieren aus ihrem Lager zu verschieben imstande sind, wodurch diese Dislokationen erfahren, die mehrere Wirbelkörper betragen können. Demnach haben die Nieren unter normalen Verhältnissen eine bestimmte Lage, sind aber in derselben nicht so fixiert, daß sie von der von oben herabdrängenden Leber und Milz bei Vergrößerung ihres Volumens oder bei Verdrängung durch das Zwerchfell (also auch beim Atmen) Widerstand zu leisten vermöchten.

LUSCHKA (Anatomie des Bauches) meint, die Anlagerung der Niere an die Leber sei deshalb bemerkenswert, weil die starre Leber die inspiratorische Lokomotion des Zwerchfells auf die Niere ungeschwächt fortpflanzen kann, und wörtlich ebenso spricht sich GERLACH[2]) aus.

HILBERT[3]) konnte respiratorische Verschieblichkeit an der lebenden Niere unter 100 Fällen 95 mal deutlich, 2 mal undeutlich, 3 mal nicht nachweisen, hält sie aber für selbstverständlich, weil der obere Pol den hinteren Zwerchfellschenkeln aufliege, wenngleich sie bei ruhiger Atmung gewiß sehr gering sein müßten; ebenso findet LITTEN[4]), daß man die Beweglichkeit der Nieren nicht nur bei Frauen, die geboren haben, sondern auch häufig genug bei Männern und Mädchen, ja selbst bei Kindern mit der größten Deutlichkeit nachweisen könne. ISRAEL[5]) läßt die Nieren, wenn auch nicht so ausgiebig wie Leber und Milz, so doch wenigstens wahrnehmbar bei der tiefen Inspiration herabrücken, so daß man bei Operationen zollgroße Exkursionen sieht, TUFFIER[6]) schreibt den Nieren zweierlei Arten von Bewegung zu: mouvements d'expansion, gleichzeitig mit der Herzaktion und mouvements de translation als Uebertragung der Respiration.

---

1) Topogr.-anat. Atlas, 1875.
2) Handbuch der spec. Anatomie des Menschen in topograph. Beziehung, 1891.
3) Arch. f. klin. Medizin, 1892.
4) Berl. klin. Wochenschr., 1890, p. 348.
5) Berl. klin. Wochenschr., 1889.
6) Revue de chirurgie, 1890, No. 5.

Küster giebt zu, daß eine tiefe Inspiration die Nieren so weit nach abwärts drängt, daß bei mageren und schlaffen Hautdecken der untere Pol dem tastenden Finger deutlich erkennbar wird, fühlt man aber größere Abschnitte, tritt insbesondere ein deutliches Gleiten der Nieren auf, so ist die Lage sicherlich nicht als normal zu betrachten. Außer dem Hinabrücken macht nach seiner Angabe die Niere normaler Weise noch eine Drehung um die Querachse; auch Ewald[1]) hält die Beweglichkeit für zweifellos, doch für die klinische Untersuchung nicht nachweisbar.

Gerota erkennt nicht nur an, daß Tumoren eine Verschiebung der Niere verursachen, sondern hält es auch für regelmäßig, daß die Niere am Lebenden wie an der Leiche künstlich verschoben werden könne, doch variiere der Grad dieser Verschieblichkeit nach dem Alter des Individuums, nach der Festigkeit und Spannung der Bauchdecken und nach der Beschaffenheit der Fettkapsel; sie sei bei Kindern merklich geringer als bei Erwachsenen.

Riedel[2]) geht sogar so weit, den Gedanken auszusprechen, daß die respiratorische Beweglichkeit ein Pumpwerk darstellen könne, das durch abwechselnde Druck- und Saugwirkung zur Fortleitung des Urins in den engen Kanälen beiträgt.

Auf einem diametral entgegengesetzten Standpunkt steht Kuttner[3]), der jede Niere, welche bei der Palpation eine deutlich respiratorische Verschieblichkeit erkennen läßt, für pathologisch ansieht; er glaubt deshalb nicht an eine normale respiratorische Bewegung, weil die Niere infolge der Art ihrer Befestigung derselben nicht ausgesetzt sei, und ebenso giebt auch Landau an, daß die Nieren am Lebenden fast unbeweglich an ihrem Orte bleiben und auch die tiefe Respiration nicht bewirkt, daß sie abwärts treten. Für die Leiche freilich muß er zugeben, daß man fast regelmäßig die Nieren durch ihr Gewicht, wenn auch um ein Geringes, sich abwärts bewegen sieht, wenn man die Aspirationskraft des Zwerchfells und den intraabdominalen Druck ausschaltet, was schon bei Eröffnung der Bauchhöhle und Entfernung des Zwerchfells eintrifft, erkennt man also diese Faktoren nicht an, so würde dies auch am Lebenden stets geschehen.

In jüngster Zeit haben Deletzine und Volkoff[4]) sogar behauptet, daß ein geringer Grad von „Ektopie“, d. h. Verschieblichkeit der Niere ein fast physiologisches Phänomen sei, da man es bei Männern und Weibern, kachektischen und fetten Menschen finde.

Helm konstatierte bei 88 Erwachsenen (61 Männer, 27 Frauen) folgendes Verhalten:

1) Berl. klin. Wochenschr., 1890.
2) Berl. klin. Wochenschr., 1892.
3) Berl. klin. Wochenschr., 1890.
4) Ref. im Centralbl. f. Chir, 1898. — Médecine moderne, 1897, No. 20.

| | Männer | | Weiber | | Beweglichkeit |
|---|---|---|---|---|---|
| | rechts % | links % | rechts % | links % | |
| unbeweglich | 42,6 | 37,7 | 22,2 | 18,5 | 0—1 cm |
| wenig beweglich | 21,3 | 21,3 | 29,6 | 44,4 | 1—3 „ |
| mäßig beweglich | 27,9 | 34,4 | 29,6 | 25,9 | 3—5 „ |
| sehr beweglich | 8,2 | 6,6 | 18,5 | 11,1 | 5—8 „ |

Man sieht, sowohl in Bezug auf die Lage uberhaupt, als auf die Grenzen einer normalen Lage, besonders aber auf die Beweglichkeit als physiologische Erscheinung sind die Ansichten in den weitesten Grenzen verschieden. Jedoch verdient es besondere Beachtung, daß ein unlösbarer Widerspruch zwischen denjenigen Klinikern besteht, welche schon eine fühlbare Niere für abnorm gelagert halten und den Anatomen, welche fast durchwegs zugeben, daß auch solche Lagen des Organes als normal gelten können, bei denen von einer vollständigen Bedeckung durch das Skelett keine Rede mehr sein kann, so daß also eine deutliche Palpation bei nicht allzu fetten Personen leicht ermöglicht wäre.

Ein Teil der Differenzen läßt sich zwanglos aus dem Material erklären, an welchem die Untersuchungen vorgenommen wurden; es ist ein so hochgradig differentes, daß selbst große Reihen von Befunden diese Fehlerquellen nicht zu korrigieren vermochten; gerade auf das Material scheint es mir aber recht wesentlich anzukommen.

Ich muß aber doch auf einen inneren Widerspruch in der Angabe derjenigen Autoren aufmerksam machen, welche eine normale Beweglichkeit anerkennen. Wenn man zugiebt, daß sich die Niere verschiebt, sei es nun entsprechend der Respiration, sei es infolge anderer Umstände, und wenn man annimmt, daß sie durch Vergrößerungen der Leber und Milz, resp. Tiefstand des Zwerchfells ohne Weiteres verschoben werden kann, so dürfte eine einfache Angabe zur Charakterisierung ihres Standes unmöglich genügen. Denn wenn die Niere überhaupt die Fähigkeit hat, ihren Platz zu wechseln, nicht durch anatomische Verhältnisse vollkommen fest gehalten wird, so muß sie jedenfalls beim Stehen infolge ihrer Schwere eine tiefere Lage annehmen, als beim Liegen. Nun beziehen sich aber alle diese Angaben stets auf die Rückenlage des Kadavers, geben also unter obiger Voraussetzung nicht einmal die häufigste Lage der Niere wieder, da der Mensch sich doch gewöhnlich in etwa zwei Dritteln seines Lebens in aufrechter Stellung befindet; es sollte also unter solchen Umständen stets nur von einem höchsten und tiefsten Stande der Niere gesprochen werden. Ebenso fehlt leider bei den Autoren (Rüdinger, Pansch, Kofmann etc.), welche die große Verschiedenheit in der Lage ausdrücklich betonen, die Angabe, ob die Nieren, welche besonders tief standen, ohne als abnorm gelagert betrachtet werden zu müssen, an der betreffenden Stelle fixiert befunden wurden; es ist sehr wahrscheinlich, daß die Antwort negativ ausgefallen wäre.

Wenn also z. B. Küster, Landau u. a. selbst ganz geringe Abweichungen im Stande der Niere für abnorm halten und hierdurch in schroffen Gegensatz zu anderen, ebenfalls durchaus zuverlässigen, Untersuchern treten, so spitzt sich schließlich die Frage hauptsächlich auf die verschiedene Auffassung des Begriffes normal in Bezug auf die Nierenlage zu.

Die Antwort darauf ist natürlich unmöglich auf Grund von Untersuchungen am Lebenden zu geben, wo hunderterlei Schwierigkeiten die objektive Beurteilung verhindern, aber sie ist auch nicht ohne weiteres am Kadaver zu finden; denn wenn man auch mit Sicherheit annehmen kann, daß die Verhältnisse an der Leiche ein treuer Spiegel derjenigen sind, welche an demselben Körper vor dem Tode herrschten, kann man doch nicht glauben, daß die Befunde am Kadaver generalisierend auf die am Lebenden übertragen werden könnten; denn eine Leiche entspricht nur selten einem gesunden Menschen und speciell, um nur etwas vorwegzunehmen, wenn man den Fettschwund als ein wichtiges ätiologisches Moment für das Beweglichwerden der Niere ansieht — und dies geschieht allgemein — erscheint es fast unglaublich, daß am Kadaver, im Gegensatz zum Lebenden, so selten Beweglichkeit zu konstatieren sein soll.

Von diesem Gesichtspunkte aus mögen auch die Befunde meiner Leichenuntersuchungen nicht so betrachtet werden, als ob sie den Anspruch erheben wollten, als quantitativ richtig für die Verhältnisse am Lebenden eingesetzt zu werden, sondern sie sollen nur mutatis mutandis gelten. Jedenfalls aber kann man behaupten, daß die Leichenbefunde unter allen Umständen zuverlässigere Resultate geben, als die Palpation am Lebenden, besonders in Bezug auf die Beweglichkeit. Jeder Chirurg weiß, wie leicht man sich in dieser Beziehung bei Tumoren des Bauches täuschen kann und wie selten man in der Lage ist, vor der Eröffnung des Abdomens ein unumstößlich sicheres Urteil zu fällen. Noch mehr muß dies von einem so versteckt liegenden Organ, wie die Niere ist, gelten; die Geschicklichkeit derjenigen in Ehren, welche behaupten, jede Niere fühlen zu können — aber es ist absolut nicht denkbar, daß es stets möglich sei, eine derbe, starke Fettkapsel von der Niere mit Sicherheit zu differenzieren und die Komprimierbarkeit einer solchen Fettschicht von einer leichten Beweglichkeit auch in den feineren Details zu unterscheiden.

Mein Material stammt zum Teil aus dem anatomischen Institut des Herrn Prof. Zuckerkandl, der mir dasselbe zur Verfügung stellte, wofür ich ihm, ebenso wie für seine werkthätige Unterstützung, zu besonderem Danke verpflichtet bin; es sind dies ausschließlich Leichen, bei welchen von der pathologischen Sektion mangels besonderen Interesses abgesehen wurde; also stammen sie gewiß selten von Menschen her, die an akuten Krankheiten gestorben sind. Einen anderen Teil des Materials bearbeitete ich in meinem und dem Kaiserin Elisabeth-Spitale, ebenfalls mit geringen Ausnahmen nur Fälle, in welchen die pathologische Sektion kein Interesse bot. Es sind also größtenteils alte oder an langdauernden Krankheiten verstorbene, herabgekommene Individuen, die an Marasmus senilis, chronischer Myocarditis, Lungenemphysem, Tuberkulose, Vitien etc. zu Grunde gingen. Nur wenige stammen von sonst jugendfrischen Individuen und diejenigen Leichen, welche für die Statistik der Nierenbeweglichkeit am wichtigsten wären, die der plötzlich an akuten Infektionskrankheiten oder infolge von Verletzungen Gestorbenen fehlen gänzlich. Leider habe ich es auch nicht erreichen können, eine größere Anzahl von Kinderleichen (mit Ausnahme von Neugeborenen) zu bekommen, trotzdem gerade diese recht wichtig für diese Untersuchungen gewesen wären.

Die Prüfung der Lage und der Beweglichkeit wurde meist in der Weise vorgenommen, daß die Leiche nach Eröffnung der Bauchhöhle aufgesetzt und aufgestellt wurde, wobei die übrigen Intestina nach oben gezogen waren. Dann wurde zur Kontrolle die Verschiebung der Niere aus freier Hand ausgeführt, welche, mit äußerster Schonung vorgenommen, keine unnatürlichen Verhältnisse herstellt. Nur bei stärkerem Druck der Hände, besonders aber durch häufig wiederholte Versuche, wird die Niere stärker beweglich gemacht, übrigens in einer Weise, welche äußerst lehrreich für die Vorstellungen über die Entstehung der Wanderniere ist, worauf noch später zurückzukommen sein wird.

Die folgende Tabelle (siehe p. 281) ist genau dem Schema von Helm nachgebildet, welche an Uebersichtlichkeit nichts zu wünschen übrig läßt.

Dabei stellt der ausgezogene Strich immer die höchste Lage der Niere vor, nicht etwa die in der Rückenlage eingenommene, während die punktierte Linie und der untere Teil des ausgezogenen Striches bis zu der Marke den unteren Stand der Niere bezeichnet, so daß die punktierte Linie den Grad der Beweglichkeit mit Rücksicht auf die Wirbelsäule angiebt, wenn nicht, wie z. B. bei No. 35, 54 (rechts) und anderen, beim tiefen Stande der obere Pol der Niere tiefer steht, als der untere beim hohen Stande. Die fein ausgezogenen und mit *W* bezeichneten Striche haben zu bedeuten, daß die betreffende Niere ganz über die Wirbelsäule hinüber auf die andere Körperseite gewandert ist.

Besonders betonen muß ich, daß die Tabelle lediglich nur das Verhältnis des oberen und unteren Poles zu der Wirbelsäule anzeigen soll, ohne in allen Fällen eine Bedeutung als Maßstab für die Länge der Niere zu haben, wie z. B. schräg gestellte Nieren natürlich eine kurze Projektion zeigen (z B. 27 links).

Zum Unterschied von Helm, der einige ausdrücklich als pathologisch bezeichnete Befunde aufgenommen hat, extrem vergrößerte Nieren, die sogar vom 12. Brust- bis 5. Lendenwirbel reichten, habe ich überhaupt alle Nieren ausgeschieden, die entweder in Bezug auf

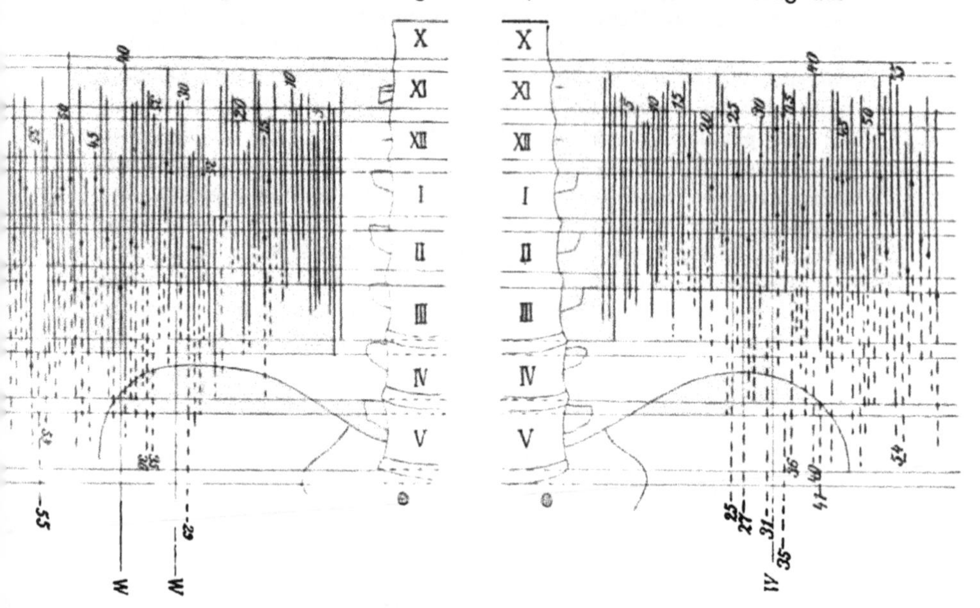


die Größe pathologisch erschienen, oder in deren Umgebung sich Reste von alten Entzündungen, Schwielen und Adhäsionen zeigten, welche die Niere möglicherweise verzogen oder abnorm fixiert haben konnten. So sind auch einige Fälle ausgeschieden worden, in denen peritonitische Verwachsungen zwischen Leber und Darm oder einigen Därmen untereinander vorhanden waren. Es dürfte dies keineswegs gleichgiltig sein, wenn die Beweglichkeit der Niere beurteilt werden soll, weil die peritonitischen Adhäsionen in der Nähe der Niere fast immer dadurch einen Einfluß auf die Beweglichkeit derselben ausüben, daß die Entzündung auch das subperitoneale Gewebe affiziert. Manchmal freilich, wie in Tabelle I, No. 8, ist dies nicht der Fall. Vielleicht ist zum Teil hierin der Grund zu suchen, daß bei mir die Zahl der stärker beweglichen Nieren relativ größer ist, als bei Fischer-Benzon und Helm.

Wo auf die Lage und Beweglichkeit eingegangen wird, ist es notwendig, das Verhältnis der Längsachse der Nieren zu der Sagittalebene zu betrachten. Auch in dieser Hinsicht finden wir in den Angaben der verschiedenen Autoren die größten Divergenzen.

Nach Bock und Hyrtl sollen die unteren Nierenpole weniger voneinander entfernt sein, als die oberen, in der Regel wird das umgekehrte Verhältnis als die Norm bezeichnet (Rüdinger, Pansch, Küster, His [in der Abbildung] etc.). Sie liegen nach Rüdinger den Seitenflächen der Wirbelsäule und den hinteren Rippenenden geradezu auf, welche Angabe sich allerdings nicht recht damit verträgt, daß sie normalerweise eine sehr verschiedene Höhenlage haben können, nach Luschka und Engel liegen sie neben den Querfortsätzen, wobei sie nach der Ansicht des ersteren mit ihren Querachsen so gestellt sind, daß sich dieselben in einem nach hinten offenen Winkel von 60° schneiden, und zwar vor dem Centrum des 1. Lendenwirbelkörpers. Pausch stimmt dem nur im allgemeinen zu; er fand den medialen Rand des oberen Nierenendes meist 0,5—1,5 cm von der lateralen Seite der Wirbelkörper entfernt, öfters aber auch weiter medianwärts, d. h. also mit ihrem oberen Ende noch etwas vor den Querfortsätzen und zuweilen sogar fest neben den Wirbelkörpern.

Küster giebt an, daß die Stellung der Querachse nicht nur bei verschiedenen Individuen, sondern selbst auf beiden Seiten desselben Individuums erheblichen Schwankungen unterliege, welche bis zu 40° Unterschied betragen, so daß der Schnittpunkt der Querachsen nicht immer vor. sondern zuweilen auch in den Wirbelkörper fällt.

An den von mir untersuchten Kadavern habe ich folgendes Verhalten konstatieren können:

In den Fällen, bei welchen die Nieren fest und unverschieblich waren, lagen dieselben stets mit ihrem oberen Pole zur Seite der Wirbelkörper und auf den Wirbelrippengelenken und zogen, der Wirbelsäule ganz dicht angeschmiegt, nach unten und etwas lateralwärts, jedoch nicht immer ganz symmetrisch, sonders öfters so, daß die eine Niere schräger lag. als die andere. In diesen Fällen lagen die Querachsen auch stets so, daß sie sich in einem nach hinten offenen Winkel schnitten, dessen Scheitel aber auch nicht immer in der Mittellinie lag, sondern entsprechend dem Umstande, daß auch die Querachsen zuweilen nicht auf beiden Seiten dieselbe Neigung besitzen, öfters nach rechts oder links verschoben erschien. Ich gebe hier keine Zahlen an, da die genaue Messung kaum ausführbar sein dürfte; es sei nur bemerkt, daß der Winkel von 60° höchstens als Durchschnittsmaß gelten kann, da auch spitzere Winkel vorkommen.

Eine derartige Stellung läßt sich mehr oder weniger auch den meisten beweglichen Nieren geben, bei denen aber auch jene extremen Stellungen vorkommen, in denen die Nieren auf die andere Seite der Wirbelsäule wandern. Zwischen beiden Lagen giebt es alle möglichen Zwischenstadien, aber dieselben sind nicht zufälliger Natur, sondern geben oft schon bei der Betrachtung des Kadavers in der Rückenlage, noch bevor etwas an der Niere verschoben worden ist, einen Fingerzeig für die Beweglichkeit der Niere. Auch in dieser Beziehung ist zu beachten, daß eine Bezeichnung der Nierenstellung bei der Rückenlage des Kadavers völlig wertlos ist, weil sie nur eine beliebige, nicht einmal die häufigste Eventualität darstellt. Uebrigens eignet sich der Hilus für die Bestimmung der Querachse nicht besonders, weil er in seiner Form und Lage zu verschieben ist und es ist auch bezüglich des Verhältnisses zur Wirbelsäule nicht dasselbe, ob die Niere neben den Rücken- oder den viel breiteren Lendenwirbeln liegt.

Im allgemeinen kann man aber sagen, daß die Niere selbst bei ganz geringer Exkursionsweite die Lage ihrer Achsen zur Medianlinie verändert. Sowie ihre Befestigungen nicht mehr ganz exakt halten, rutscht sie in der Rückenlage nach außen ab und legt sich mehr auf Querfortsätze der Wirbel, wobei auch der Winkel, welchen die Querachsen miteinander bilden, ein stumpferer wird. So kommt als der häufigere Kadaverbefund, wie auch PAUSCH zugiebt, derjenige zustande, den LUSCHKA, ENGEL u. a. beschreiben, weil am Kadaver aus den bereits erwähnten Gründen die bewegliche Niere entschieden häufiger ist, als die fixe.

Bei stärkerer Beweglichkeit — und diese entspricht wahrscheinlich auch den „tiefstehenden Nieren" mancher Autoren — gleiten die Nieren — immer die Rückenlage vorausgesetzt — noch weiter nach abwärts, bis sie einander und der Wirbelsäule parallel liegen; eine Konvergenz der unteren Pole dürfte nur bei sehr tiefem Stand, in der Rückenlage selten, als Ruhestellung zu beobachten sein.

---

Unter den 60 von mir genau untersuchten Kadavern fand ich bloß 11 mal die Nieren fast oder ganz fest, und zwar beiderseits, was wohl auf Zufälligkeit beruht. Es dürfte wohl als einer der stichhaltigsten Beweise für den Wert der Kadaveruntersuchungen anzusehen sein, daß nach der Eröffnung der Bauchhöhle Nieren fest gefunden werden. Würde die Eröffnung wirklich den Einfluß auf die Beweglichkeit haben, der ihr supponiert wird, so müßten alle Nieren beweglich werden.

In den Tabellen wurde der Kürze halber der allgemeine Habitus der Leiche in Bezug auf die Festigkeit der Gewebe als „Konstitution", in Bezug auf Fettansatz als „Ernährung", die Capsuia adiposa als „Nierenfett" bezeichnet und wurden dieselben in je 3 Grade eingeteilt, wobei 1 den bedeutendsten, 3 den geringsten Grad zu bedeuten hat.

**Tabelle I.**

| Nummer | Alter J. | Geschlecht | Konstitution | Ernährung | Todesursache | Nierenfett | Stand der rechten Niere | Arterie rechts | Stand der linken Niere | Arterie links | |
|---|---|---|---|---|---|---|---|---|---|---|---|
| 1 | 3 | m. | 3 | 3 | Tuberc. pulm. | 3 | Mitte d. 11. Brustwirbels bis unteres Ende des 3. Lendenwirbels | 3,6 | Mitte d. 11. Brust- bis Mitte des 3. Lendenwirbels | 3,2 | Leber etwas vergrößert, deckt d. Spitze d. oberen Nierenpoles |
| 2 | 4 | w. | 2 | 3 | Meningitis tuberc. | 1 | Unt. Ende d. 11. Brust- bis oberes Ende d. 4. Lendenwirbels | 3,2 | Ob. Ende d. 11. Brust- bis Mitte des 3. Lendenwirbels | 2,7 | |
| 3 | 6 | w. | 2 | 2 | Tuberculos. univers. | 1 | Unt. Ende d. 11. Brust- bis Mitte des 3. Lendenwirbels | 4,5 | Mitte d. 11. Brust- bis Ende des 3. Lendenwirbels | 3,8 | |
| 4 | 9 | w. | 1 | 2 | Diphtheritis | 3 | Ob. Ende d. 12. Brust- bis oberes Ende des 3. Lendenwirbels | 4,2 | Mitte d. 11. Brust- bis Mitte des 2. Lendenwirbels | 3,6 | |
| 5 | 21 | m. | 3 | 3 | Tuberculos. univers. | 1 | Ob. Rand des 12. Brust- bis Mitte des 3. Lendenwirbels | 5,3 u. 7,2 | Unt. Rand des 11. Brust- bis Mitte des 3. Lendenwirbels | 4,9 | Nach Durchtrennung des sehr starken Lig. hepat.-penale wird die rechte Niere nicht beweglich |
| 6 | 35 | m. | 1 | 2 | Pneumonia crouposa | 2 | Mitte d. 12. Brust- bis Mitte des 3. Lendenwirbels | 4,6 | Wie rechts, doch um ein geringes höher | 4,2 | Leber- und Milzschwllg., d. Leb. bed. die Nebenniere samt dem v. dies. bedeckt. Nierenpol |
| 7 | 18 | w. | 2 | 2 | Vitium cordis | 2 | Unt. Rand d. 11. Brust- bis Mitte des 3. Lendenwirbels | 4,4 | Wie rechts | 3,8 | Die Befestig. der Nieren ist ringsum eine besonders stramme |
| 8 | 46 | m. | 2 | 3 | Carcinomatose | 3 | Mitte d. 11. Brust- bis oberes Ende des 2. Lendenwirbels | 5,1 | Bandscheibe zw. 11. u. 12. Brustwirbel bis oberes Ende des 2. Lendenwirbels | 4,7 | Starke peritoneale Adhäs. in der r. Nierengegend, dabei d. Periton. geg. d. darunter liegdn. Schicht. frei beweglich |
| 9 | 40 bis 50 | m. | 3 | 3 | ? | 3 | Ob. Rand d. 12. Brust- bis Bandscheibe zw. 2. u. 3. Lendenwirbel | ? | Ob. Rand d. 12. Brustwirbels bis unt. Ende d. 2. Lendenwirbels | ? | Beide Nier. seitl. etwas verschieblich |
| 10 | 48 | w. | 3 | 2 | Myocarditis chron. Emphysema pulm. | 3 | Mitte des 11. Brust- bis Mitte des 3. Lendenwirbels | 4,5 | Unteres Ende des 11. Brust- bis Mitte d. 3. Lendenwirbels | 4,3 | Tiefstand d. Leber, welche d. ob. Nierenpol bed., d. unt. Pol d. r. Niere seitl. etw. beweglich |
| 11 | 25 | m. | 2 | 2 | Vitium cordis | 2 | Ob. Rand d. 12. Brust- bis oberer Rand d. 3. Lendenwirbels | 3,7 | um ein geringes höher als rechts | 3,2 | Beide Nier. seitl. besonders im unteren Pole etwas verschieblich |

Diese Gruppe enthält 4 Kinder und 3 junge Leute, also einen ganz bedeutenden Prozentsatz jugendlicher Individuen, was für die Pathogenese der Wanderniere wichtig ist. Die Lage der Nieren entsprach etwa dem Stande, welcher von LUSCHKA u. a. als der normale bezeichnet worden ist.

In allen Fällen saßen die Nebennieren den Nieren dicht auf, bedeckten sogar meist kappenartig den oberen Pol, wenn sie auch niemals so weit herabreichten, wie beim Neugeborenen (Fig. 1). Es ist aber dies wichtig zu betonen, weil von GEROTA, GLATENAY und GOSSET [1]) angegeben wird, daß die Nieren und Nebennieren nur beim Kinde fest zusammenhängen, während sich die Verbindung beim Erwachsenen gelockert finde. Dies trifft für die Fälle von fixen Nieren wahrscheinlich niemals zu, wie man denn auch gelegentlich von pathologischen Sektionen, bei denen die Nieren von unten her herausgerissen werden, nicht selten sieht, daß ein Stückchen Nebenniere am oberen Pol hängen geblieben ist — die Anheftung desselben an die Niere war also in solchen Fällen sogar fester, als der Zusammenhang der Nebenniere selbst. Noch unrichtiger ist es freilich, kurzweg zu sagen, die Nebenniere lagere stets der Niere auf, da dies, wie wir sehen werden, wenigstens am Kadaver der seltenere Fall ist.

Niere und Nebenniere bilden in den vorliegenden Fällen so sehr ein Ganzes, daß vor der vollkommenen Freilegung ihre Grenzen nicht zu unterscheiden sind, und beide zusammen schmiegen sich der Wirbelsäule, resp. den Rippenansätzen so innig an, daß sie nur eine verhältnismäßig geringe Vorwölbung der hinteren Bauchwand repräsentieren. Zugleich aber wird durch den Umstand, daß der sagittale Durchschnitt der Nebenniere einen schmalen Keil mit oberer Spitze darstellt, nach oben der Uebergang des gesamten Gebildes ein so langsamer und allmählicher, daß kein von oben her anrückender Körper auf den oberen Nierenpol einwirken kann, sondern an der von Nebenniere und Niere gebildeten schiefen Ebene abgleiten muß. Es ist dies von der größten Wichtigkeit für die späteren Ausführungen und es sei hier vorläufig noch besonders auf die festliegenden Nieren No. 6 und 10 aufmerksam gemacht, bei welchen Lebervergrößerung bestand.

Die II. Gruppe ist diejenige, bei welcher eine geringe Beweglichkeit besteht; man kann dabei zwei Unterarten unterscheiden.

a) Ein Teil der hierher gehörigen Fälle, und zwar der weitaus größte, ja vielleicht sogar diejenige Gruppe repräsentierend, welcher überhaupt die meisten Nieren angehören, schließt sich eng an die früheren Befunde an [2]).

---

1) Annales des mal. des org. genit.-urin., 1898, No. 2.

2) Diese Gruppe darf nicht mit den „wenig beweglichen" Nieren HELM's verglichen werden, da dieser Autor noch Nieren, welche sich um 3 cm verschieben lassen, in diese Gruppe einbezieht.

In der oberen Stellung entsprechen sie etwa der der fixen Nieren, ihre untere Stellung befindet sich bis zu etwa einem halben Wirbelkörper tiefer. In der unteren Lage schneiden sich demnach die Querachsen in einem stumpferen Winkel und liegen die Längsachsen einander mehr parallel, die Nieren sind also abgerutscht. Dabei hat der obere Pol die größte Bewegung zu machen, während die des Hilus eine recht unbedeutende ist. Von derartigen Fällen habe ich 11 auffinden können, bei 5 von diesen war allerdings die eine Niere stärker beweglich.

Bei diesen Fällen von geringer Verschieblichkeit kann man einen, wie mir scheint, praktisch wichtigen Unterschied im Verhalten des oberen Nierenpoles finden. In den Kadavern No. 12, 20, 21, 22 (s. p. 287) sitzen die Nebennieren den Nieren so fest an, wie bei der Gruppe I, während in den anderen Fällen diese Verbindung gelockert erscheint, die Trennung beider Gebilde läßt sich leicht und ohne die Gefahr der Läsion einer Nebenniere vollziehen, da sie nur durch ein, allerdings meist strammes und kurzfaseriges, Bindegewebe zusammenhängen, das mit Ausnahme von No. 19 so gut wie vollkommen frei von Fett ist; diese Fasern erleiden bei der Verschiebung der Niere einen Zug und sie sind es auch, welche Glénard [1]) als ein Band angesehen hat, welches das wichtigste Fixationsmittel der Niere sein soll.

Sind aber trotz der geringen Beweglichkeit Niere und Nebenniere in fester Verbindung, so bewegt sich der unterste Teil der Nebenniere notwendigerweise mit und da der obere Teil derselben sehr fest fixiert zu sein pflegt, wird das Organ etwas gedehnt, gerade so, wie es beim Neugeborenen geschieht (Fig. 2 und 3); es kommt dies besonders dann in Betracht, wenn die Form der Nebennieren eine von der Norm abweichende ist. Sie haben bekanntlich meist eine annähernd dreieckige Form mit abgestumpfter Spitze, wobei aber die rechte Nebenniere höher und schmäler zu sein pflegt, als die linke, ferner die rechte scheitelrecht, die linke mehr medial geneigt, der Niere aufsitzt [Kofmann, Helm, Langer-Toldt [2])].

Neusser [3]) stimmt dieser Angabe zu, betont aber, daß die Form der Nebennieren großen individuellen Schwankungen unterworfen sei.

In der That verlassen sie manchmal ihre dreieckige Form und stellen eher kurze, breite Bänder dar, haben also annähernd rechteckige oder rhombische Gestalt, indem sie mehr in der Längsachse des Körpers, längs der Wirbelsäule, herunter verlaufen.

Vielfach wurde betont, daß die Nebennieren immer festsitzen. auch wenn die Nieren noch so beweglich sind (Sappey, Kofmann u. a.).

---

1) Revue des mal. de la nutrition, 1896/97.

2) l. c.

3) Die Erkrankungen der Nebennieren (Nothnagel's Sammelwerk), 1897.

Tabelle II.

| | Geschlecht | Konstitution | Ernährung | Todes-ursache | Nierenfett | Rechte Niere Höchster Stand | Arterie | Ver-schieb-lichkeit | Linke Niere Höchster Stand | Arterie | Ver-schieb-lichkeit | Verhältnis zur Nebenniere |
|---|---|---|---|---|---|---|---|---|---|---|---|---|
| | w. | 3 | 2 | Tuberc. univ. | 3 | Ob. Rand des 12. Brust- bis unter. Rand des 2. Lendenwirbels | 3,0 | Um $^1/_2$ Wirbelkörper | Mitte des 11. Brustw. b. Mitte des 2. Lendenwirbels | 2,7 | etwas wenig. als rechts | Mit dem unter. Teil der Nebenniere, die hutart. aufsitzt, beweglich |
| | m. | 3 | 2 | Myocarditis chron. | 2 | Ob. Rand des 11. Brust- bis Mitte des 2. Lendenw. | 5,2 | $^1/_2$ Wirbelkp. | Wie rechts | 4,1 | etwas mehr als r. | D. Nebenniere bleibt beiders. fest, sitzt d. Niere nicht dicht auf |
| | m. | 2 | 2 | ? | 2 | cf. Tab. III No. 14 | ? | — | Unt. Rand d. 12. Brust- bis unt. Rand d. 3. Lendenwirbels | ? | ca. 1 cm | Lk. Nebenniere fest, locker m. der Niere verbunden |
| 6 | w. | 2 | 1 | Emphysema pulm. | 1 | cf. Tab. III No. 15 | 4,9 | — | Unt. Rand. d. 11. Brust- bis Mitte des 2. Lendenwirbels | 4,4 | mehr als $^1/_2$ Wirb. | Starke seitl. Beweglichk., Caps. adiposa äuß. reichl., Nebenniere fest |
| 0 bis 0 | m. | 3 | 2 | ? | 2 | Ob. Rand des 11. Brust- b. Mitte d. 2. Lendenwirb. | ? | ca. $1^1/_2$ cm | Wie rechts, doch etwas kürzer | ? | ca. $1^1/_2$ cm | Nebenniere s. locker mit der Niere verbunden |
| a. 30 | m. | 3 | 3 | Tuberkulose | 3 | Ob. Rand des 11. Brust- bis unter. Rand d. 2. Lendenwirbels | ? | $^1/_2$ Wirbelkörper | cf. Tab. III No. 17 | ? | — | ? |
| 3 | w. | 2 | 2 | Pneumonie | 2 | Mitte des 12. Brust- bis unter. Rand d. 3. Lendenwirbels | 6,9 | ca. 2 cm | Unt. Rand d. 11. Brust- bis unt. Rand d. 2. Lendenwirbels | 5,9 | $^1/_2$ Wirbelkörper | Nebenniere locker verbunden |
| 56 | w. | 3 | 1 | Myocarditis chron., Fettherz | 1 | Unt. Rand d. 12. Brust- bis unter. Rand d. 3. Lendenwirbels | 5,1 | ca. 2 cm | Wie rechts | 4,7 | ca. 1 cm | Excess. entw. Caps. adip., auch zw. Niere u. Nebenniere stark. Fettpolster |
| 36 | m. | 3 | 3 | Tuberkulose | 3 | Ob. Rand des 12. Brust- b. Mitte d. 2. Lendenwirb. | 4,8 | ca. 1 cm | Mitte des 12. Brust- bis Mitte des 2. Lendenwirbels | 4,3 | ca. $1^1/_2$ cm | Beide Nieren m. d. Nebenn. fest verw., diese v. längl. Form längs d. Wirbels. als schm. Strf. herablfd. |
| 30 bis 40 | m. | 2 | 3 | ? | 3 | Mitte d. 11. Brust- bis unt. Ende d. 2. Lendenwirb. | ? | ca. $1^1/_2$ cm | cf. Tab. III No. 21 | ? | — | R. Nebenn. fest m. d. Niere verwachs., lk. locker verbunden |
| 20 | m. | 2 | 3 | Tuberkulose | 3 | Ob. Rand des 11. Brust- bis unter. Rand d. 1. Lendenwirbels | 5,0 | ca. 1 cm | Wie rechts | 4,6 | ca. $1^1/_2$ cm | Nebenniere beiderseits fest mit den Nieren verwachsen |
| 28 | m. | 3 | 2 | Vitium cordis | 2 | cf. Tab. III. No. 23 | ? | — | Ob. Rand des 11. Brust- b. Mitte d. 2. Lendenwirb. | ? | ca. 1 cm | ? |

Gerota sagt sogar, sie seien so stark in ihrer Lage festgehalten, daß sie allein genügen würden, um einen Aufhängeapparat für die Nieren abzugeben, falls sie nur genügend mit den Nieren verbunden wären, da sie an der Leber, Milz, Vena cava inferior, an dem Pankreas und an der Aorta durch ein recht widerstandsfähiges Bindegewebe verbunden seien, so daß man infolge dieser Adhärenzen, welche noch durch zahlreiche Gefäßzweige verstärkt werden, die Nebennieren nicht leicht losreißen könne, ohne sie zu verletzen.

Diese Anschauungen sind im großen und ganzen zweifellos richtig, auch ist es sicher, daß die Nebennieren selbst bei den hochgradigsten Dislokationen der Niere an Ort und Stelle bleiben; aber eine kleine Einschränkung, welche für unser Thema nicht ganz unwichtig ist, muß doch gemacht werden.

Zunächst kann man sich bei allgemeiner Schlaffheit der Verbindungen der Bauchorgane mit der hinteren Bauchwand, deren Folgen man unter dem Bilde der Enteroptose zusammenfaßt, häufig finden, daß auch die Nebennieren nicht so fest wie sonst fixiert sind, wenn sie auch freilich ungefähr an dem normalen Platze bleiben. Wenn das gesamte Zellgewebe des Bauchraumes erschlafft, giebt auch dasjenige nach, welches die Nebenniere hält, bleibt aber, da es zu den festesten Verbindungen gehört, auch dann noch fester als dasjenige zwischen Niere und Nebenniere, so daß der Zug der Niere trotzdem nicht die Nebenniere auffallend zu verschieben vermag.

Weiter aber ist eine Verschiebung der Nebennieren auch ohne diese weitgehende Lockerung unter Umständen möglich, da nicht die ganze hintere Fläche gleichmäßig fixiert ist. Man kann in Fällen, wie den oben angeführten, besonders wenn die Nebennieren groß sind, dasselbe beobachten, was man immer an der Nebenniere des Neugeborenen sieht; die Fixation ist nach oben und medial am stärksten, daher die Kuppe und der innere Teil des Organes am festesten aufsitzen, während die übrigen Partien sich genau wie jedes andere Gewebe, mit Ausnahme von Knochen und Knorpel, dehnbar zeigen, so daß sie durch einen kräftigen Zug nach unten, wie ihn die mit der Nebenniere fest verbundene, dabei aber etwas bewegliche Niere ausüben muß, auseinandergezogen werden. Man kann sich die Art, wie dies geschieht, am besten aus Fig. 2 und 3 vorstellen, welche zeigen, wie die Nebennieren des Neugeborenen durch den Zug förmlich entfaltet werden.

Aus der Verschiedenheit dieser beiden Formen von wenig beweglichen Nieren ergiebt sich auch ein scheinbar unbedeutender, in Wirklichkeit aber bezüglich der weiteren Mobilisierung der Niere recht bedeutsamer Unterschied. Während nämlich die feste Niere mitsamt der Nebenniere, wie oben erwähnt, als gemeinsames Ganzes, das der Wirbelsäule außerordentlich dicht anliegt, oben keinerlei Protuberanz in die Bauchhöhle aufweist und demnach von oben andringenden Gewalten keinen Angriffspunkt darbietet, finden wir zwar dasselbe Verhalten bei den wenig beweglichen Nieren, welche mit den Nebennieren in enger Verbindung geblieben sind, nicht aber bei denjenigen, wo sich der Zusammenhang gelockert hat. Bei den letzteren entspricht bei Tiefstand der Niere dem oberen Nierenpol in der That eine leichte Vorwölbung unter dem Peritoneum, so daß ihr Schutz gegen äußere Einwirkungen verringert erscheint.

b) Der zweite Typus der wenig beweglichen Nieren wird von den beiden Fällen No. 24 und 25 und, wenn man will, auch von No. 19

Tabelle IIb.

| Nummer | Alter J. | Geschlecht | Konstitution | Ernährung | Todesursache | Nierenfett | Rechte Niere: Höchster Stand | Rechte Niere: Arterie | Rechte Niere: Verschieblichkeit | Linke Niere: Höchster Stand | Linke Niere: Arterie | Linke Niere: Verschieblichkeit | Verhältnis zur Nebenniere |
|---|---|---|---|---|---|---|---|---|---|---|---|---|---|
| 24 | 56 | m. | 2 | 2 | Cirrhosis hep. | 2 | Unter. Rand des 1. bis Mitte des 4. Lendenwirb. | 5,1 | ca. 2 cm | cf. Tab. III No. 24 | 5,0 | — | Die Niere liegt neben d. Wirbelsäule in einem deutlich. Sack, dessen unteren Teil sie fast ganz ausfüllt |
| 25 | 38 | w. | 3 | 3 | Amyloidosis | 2 | Oberer Rand des 1. bis Mitte des 3. Lendenwirb. | 6,2 | ca. $1^1/_2$ cm | cf. Tab. III No. 25 | 5,8 | — | Die große Niere (14 cm lang) liegt schräg gestellt u. ist mit ihrem unteren Pol beweglich |

repräsentiert. Hier ist ebenfalls die Mobilität eine geringe, die Niere ist aber stark dislociert und zwar bei No. 24 und 25 durch bedeutende Vergrößerung der Leber, bei No. 19 durch massenhaftes, steomatöses Fett, welches ihren oberen Pol, wie die ganze Cirkumferenz bedeckt. Durch diese Umstände ist der Platz, in welchem dem Organ eine Bewegungsmöglichkeit gegeben war, aufgebraucht, so daß es in No. 25 sogar stark schräg gestellt bleiben mußte, ohne etwa fixiert zu sein. Auf die genauere Würdigung dieser Fälle kann erst später zurückgekommen werden.

III. Die 3. Gruppe umfaßt alle Fälle mit stärkerer Beweglichkeit, in denen also bei dem oberen Stande der obere Pol bis zum 10. Brustwirbel hinaufreichen kann, der untere bei tiefem Stande die unteren Lendenwirbel erreicht, in das Becken zu liegen kommt oder gar die Wirbelsäule kreuzt. Ich sehe mich mangels irgend einer einigermaßen scharf kenntlichen Grenze genötigt, in dieser Gruppe Fälle zusammenzumischen, deren unterer Stand noch von den meisten Autoren — ja allen, welche nicht die strenge Forderung stellen, einer einzigen, bestimmten Lage der Niere allein den Namen der „normalen" zu geben — als normal angesehen wird und solche Fälle, welche zweifellos als pathologisch betrachtet werden müssen. wenn ihre extremen Lagen ins Auge gefaßt werden.

Tabelle

| Nummer | J. Alter | Geschlecht | Konstitution | Ernährung | Todesursache | Nierenfett | Rechte Niere höchster Stand | Rechte Niere tiefster Stand | Arterie |
|---|---|---|---|---|---|---|---|---|---|
| 14 | | | | | cf. Tab. IIa | | Ober. Rand des 12. Brust- bis unterer Rand des 2. Lendenwirbels | 1. Lendenwirbelquerforts. bis unteres Ende des 3. Lendenwirbels | |
| 15 | | | | | dgl. | | Mitte des 12. Brust- bis Mitte d. 3. Lendenwirbels | Oberes Ende des 2. bis 5. Lendenwirbels | |
| 17 | | | | | dgl. | | cf. Tab. IIa. | cf. Tab. IIa | |
| 21 | | | | | dgl. | | dgl. | dgl. | |
| 23 | | | | | dgl. | | Ober. Rand d. 11. Brust- bis Mitte des 2. Lendenwirbels | Unterer Rand des 1. bis Mitte d. 4. Lendenwirbels | |
| 24 | | | | | cf. Tab. IIb | | cf. Tab. IIb | cf. Tab. IIb | |
| 25 | | | | | dgl. | | dgl. | dgl. | |
| 26 | 79 | m. | 2 | 2 | Diabetes | r.3 l.2 | Mitte des 11. Brust- bis Mitte d. 2. Lendenwirbels | Mitte des 1. bis unteres Ende d. 3. Lendenwirbels | 7,7 |
| 27 | 45 | w. | 3 | 2 | Vitium cordis | 2 | Mitte des 12. Brust- bis Mitte d. 3. Lendenwirbels | Mitte d. 2. bis ober. Ende des 5. Lendenwirbels | 8,5 |
| 28 | 18 | m. | 3 | 3 | Tuberkulose | 3 | Mitte des 12. Brust- bis ober. Ende d. 3. Lendenwirbels | Mitte d. 2. bis ober. Ende des 5. Lendenwirbels | 5,4 |
| 29 | 21 | w. | 3 | 3 | " | 3 | Unter. Ende d. 12. Brust- bis unteres Ende des 3. Lendenwirbels | Oberes Ende des 4. Lendenwirbels bis Linea innominata | 9,6 |
| 30 | 68 | m. | 2 | 1 | Myocarditis chron. | 1 | Unt. Rand des 11. Brust- bis unterer Rand des 2. Lendenwirbels | Unterer Rand d. 12. Brust- bis unterer Rand des 3. Lendenwirbels | 7,2 |
| 31 | 45 | w. | 2 | 2 | ? | 3 | Unterer Rand d. 11. Brust- bis unterer Rand des 2. Lendenwirbels | Vor dem Promontorium kreuzt d. Niere d. Wirbels., so daß ihr r. Rand (= ob. Pol) d. l. Rand ders. auflgt. | 5,0 |
| 32 | 45 | m. | 3 | 3 | Tuberkulose | 3 | Oberes Ende d. 12. Brust- bis Mitte des 3. Lendenwirbels | Unter. Ende d. 12. Brust- bis ober. Ende d. 4. Lendenwirbels | 6,9 |
| 33 | 43 | m. | 2 | 3 | Tuberculos. pulm. | 2 | Ober. Rand des 11. Brust- bis unterer Rand des 1. Lendenwirbels | Unter. Rand d. 12. Brust- bis Mitte des 3. Lendenwirbels | 7,1 |
| 34 | 45 | m. | 3 | 3 | Tuberculos. pulm. | 3 | Ober. Rand d. 12. Brust- bis oberer Rand des 3. Lendenwirbels | Unter. Rand d. 12. Brust- bis unterer Rand des 3. Lendenwirbels | 5,1 |

III.

| Linke Niere | | Arterie | |
|---|---|---|---|
| höchster Stand | tiefster Stand | | |
| cf. Tab. IIa. | cf. Tab. IIa | | |
| dgl. | dgl. | | |
| Ober. Rand d. 11. Brust- bis Mitte des 1. Lendenwirbels | Unter. Rand d. 12. Brust- bis unterer Rand des 2. Lendenwirbels | | |
| Unter. Rand d. 11. Brust- bis oberer Rand des 3. Lendenwirbels | Kuppe d. 1. bis 4. Lendenwirbelquerfortsatzes | | |
| Mitte des 12. Brust- bis Mitte d. 3. Lendenwirbels | 2. bis 5. Lendenwirbelquerfortsatz | | |
| Ober. Rand des 12. Brust- bis unterer Rand des 2. Lendenwirbels | Unter. Rand d. 3. Lendenwirbels bis ins Becken | | |
| Ober. Ende d. 12. Brust- bis unteres Ende des 2. Lendenwirbels | Ober. Ende d. 1. Lenden- bis unteres Ende des 3. Lendenwirbels | 7,2 | Arterien stark geschlängel |
| Wie rechts | Querliegend üb. dem Promontorium | 7,1 | Großer, deutl. abgrenzb. Sack auf beid. Seit., Enteroptose d. Bauchorgane, Hängebauch |
| Unt. Ende d. 12. Brust- bis Mitte d. 3. Lendenwirbels | Ober. Ende d. 2. bis unt. Ende d. 4. Lendenwirbels | 4,9 | |
| Ober. Ende d. 1. bis unter. Ende d. 3. Lendenwirbels | Unter. Ende d. 1. bis unt. Ende d. 4. Lendenwirbels | 5,2 | Andere Bauchorg. fest, rechts deutlicher Sack |
| Ober. Rand d. 12. Brust- bis unterer Rand des 2. Lendenwirbels | Mitte d. 12. Brust- bis Mitte des 3. Lendenwirbels | 5,8 | Starke Atheromatose der Gefäße |
| Ober. Rand d. 12. Brust- bis oberer Rand des 3. Lendenwirbels | Unter. Rand d. 3. Lendenwirbels bis Linea innominata | 4,6 | Beim Abwärtsrücken der r. Niere tritt ein breites Lig. hepat. renale hervor; schöner Sack, Schnürlappen d. Leber |
| Ober. Ende des 11. Brust- bis unteres Ende des 1. Lendenwirbels | Unter d. Promontorium d. Mittellinie kreuzd., so daß der Hilus in dieser steht | 8,1 | |
| Unter. Rand d. 11. Brust- bis oberer Rand des 2. Lendenwirbels | Unter. Rand d. 1. bis Mitte des 4. Lendenwirbels | 6,4 | Besonders auffallend starke seitl. Verschieblichkeit beider Nieren |
| Ober. Rand d. 11. Brust- bis oberer Rand des 2. Lendenwirbels | Unter. Rand d. 12. Brust- bis unterer Rand des 2. Lendenwirbelquerfortsatz. | 4,9 | |

Tabelle III.

| Nummer | J. Alter | Geschlecht | Konstitution | Ernährung | Todesursache | Nierenfett | Rechte Niere höchster Stand | Rechte Niere tiefster Stand | Arterie |
|---|---|---|---|---|---|---|---|---|---|
| 35 | ? | w. | 2 | 2 | ? | 2 | Ober. Rand d. 12. Brust- bis Mitte des 2. Lendenwirbels | Schräg üb. d. Wirbels. vom unt. Rand d. 3. b. unt. Rand des 5. Lendenwirbels | 8,1 |
| 36 | 20 bis 30 | w. | 3 | 2 | ? | 3 | Mitte des 11. Brustwirbels bis 2. Lendenwirbelquerfortsatz | Oberes Ende des 3. bis unter. Ende d. 5. Lendenwirbels | ? |
| 37 | 50 | m. | 2 | 3 | Carcinomatosis | 2 | Mitte des 11. Brust- bis Mitte d. 2. Lendenwirbels | Ober. Ende d. 1. b. unter. Ende d. 4. Lendenwirbels | 5,2 |
| 38 | 40 bis 50 | m. | 1 | 2 | ? | 2 | Unter. Rand d. 11. Brust- bis unterer Rand des 2. Lendenwirbels | Mitte d. 2. bis ober. Rand des 5. Lendenwirbels | ? |
| 39 | 14 | m | 2 | 2 | Pneumonie | 2 | Unter. Rand d. 11. Brust- bis Mitte des 2. Lendenwirbels | Oberer Rand des 2. bis ober. Rand d. 5. Lendenwirbels | 4,6 |
| 40 | 53 | w. | 3 | 2 | Tuberkulose Kyphose | 2 | Mitte der verwachsenen Wirbel bis Mitte des 4. Lendenwirbels | Ober. Rand d. 3. bis Mitte des 5. Lendenwirbels | 5,6 |
| 41 | 68 | w. | 3 | 2 | - | 1 | Unter. Rand d. 12. Brustwirbels bis Bandscheibe zwischen 3. u. 4. Lendenwirbel | Kreuzt üb. d. 5. Lendenwirbel die Wirbelsäule u. geht ganz auf die linke Seite | 6,1 u. 9,2 |
| 42 | 70 | w. | 3 | 3 | Marasmus | 3 | Unt. Rand d. 1. Lendenwirbelquerforts. bis ober. Rand d. 4. Lendenwirbels | Mitte des 2. bis oberer Rand d. 5. Lendenwirbels | 6,0 |
| 43 | 60 bis 70 | w. | 3 | 3 | ? | 2 | Unter. Rand d. 11. Brust- bis unterer Rand des 2. Lendenwirbels | Oberer Rand des 2. bis ober. Rand d. 5. Lendenwirbels | ? |
| 44 | ? | m. | 2 | 3 | ? | 2 | Mitte des 11. Brust- bis Mitte d. 2. Lendenwirbels | Mitte d. 1. bis ob. Ende d. 4. Lendenwirbels | ? |
| 45 | ? | w. | 3 | 3 | ? | 2 | Unter. Ende d. 12. Brust- bis unteres Ende des 2. Lendenwirbels | Oberes Ende des 1. bis unter. Ende d. 3. Lendenwirbels | ? |
| 46 | 61 | w. | 3 | 2 | Marasmus | 2 | Oberes Ende des 1 bis 4. Lendenwirbels | Ober. Ende d. 3. b. Mitte d. 5. Lendenwirbels schräg über der Wirbelsäule | 6,1 |
| 47 | 20 bis 25 | m. | 1 | 2 | ? | 2 | Mitte des 11. Brust- bis unter. Ende d. 2. Lendenwirbels | Mitte d. 2. bis ober. Ende des 5. Lendenwirbels | ? |
| 48 | 62 | w. | 3 | 3 | Tuberculos. pulm. | 3 | Mitte des 12. Brust- bis Mitte d. 3. Lendenwirbels | Oberes Ende des 3. bis unter. Ende d. 5. Lendenwirbels | 8,6 |
| 49 | ? | m. | 3 | 2 | ? | 3 | Unter. Rand d. 10. Brust- bis Mitte des 2. Lendenwirbels | Oberer Rand des 1. bis oberer Rand d. 4. Lendenwirbels | ? |
| 50 | 20 bis 30 | m. | 2 | 3 | ? | 3 | Ober. Rand d. 12. Brust- bis unterer Rand des 2. Lendenwirbels | Mitte des 1. bis oberer Rand d. 4. Lendenwirbels | ? |

(Fortsetzung)

| Linke Niere | | Arterie | |
|---|---|---|---|
| Höchster Stand | Tiefster Stand | | |
| Ober. Rand des 12. Brust- bis oberer Rand des 3. Lendenwirbels | Unter. Rand d. 4. Lenden-wirbels bis ins Becken | 6,9 | Außerordentlich dicker Sack beiderseits, l. steigt die Niere mehr in gerad. Lin. nach abw. |
| Wie rechts | Wie rechts | ? | |
| Ober. Ende des 12. Brust- bis unteres Ende des 2. Lendenwirbels | Unter. Ende d. 12. Brust- bis unteres Ende des 3. Lendenwirbels | 4,6 | Rechts sehr deutlicher Sack |
| Wie rechts | Unter. Rand d. 1. b. Mitte des 4. Lendenwirbels | ? | Beiderseits scheint der dicke Sack deutl. durch d. Periton., starke seitl. Verschieblichkeit |
| Mitte des 11. Brust- bis ober. Rand d. 2. Lenden-wirbels | Ober. Rand d. 2. bis ober. Rand d. 5. Lendenwirbels | 4,0 | Die linke Niere stellt sich etwas schräg |
| Oberes Ende der verwachsenen Wirbel bis unteres Ende des 2. Lendenwirbels | Unt. Ende d. 3. b. unter. Ende d. 5. Lendenwirbels, schräg gestellt | 5,2 | Gibbus mit Zerstörung d. 10., 11., 12. Brustwirbels u. rechts konk. Skoliose gering. Grad. |
| Wie rechts | Unter. Rand d. 4. Lenden-wirbels bis zum Promon-torium, stark schräg ge-stellt | 5,6 u. 8,0 | Rechte Niere 14 cm, linke Niere 12 cm lang, sehr starke Capsula adiposa, die übrigen Bauchorgane wenig bewegl. |
| Unter. Rand d. 12. Brust- bis Mitte des 3. Lenden-wirbels | Unter. Rand d. 1. b. Mitte des 4. Lendenwirbels | 5,3 | Leber und Milz vergrößert, Schnürleber |
| Mitte des 11. Brust- bis ober. Rand d. 2. Lenden-wirbels | Oberer Rand des 3. bis unter. Rand d. 5. Lenden-wirbels | ? | |
| Wie rechts | Ober. Rand d. 1. bis unter. Rand des 3. Lendenwirbels | ? | |
| Mitte des 12. Brust- bis Mitte d. 3. Lendenwirbels | Oberes Ende d. 1. bis ober. Ende d. 4. Lendenwirbels | ? | |
| Ober. Ende des 12. Brust- bis oberes Ende des 3. Lendenwirbels | Ober. Ende d. 1. bis unter. Ende d. 3. Lendenwirbels | 5,8 | Links konkave Skoliose des Brustsegmentes, Tiefstand d. Leber und Schnürlappen |
| Wie rechts | Unteres Ende des 2. bis Mitte d. 5. Lendenwirbels | ? | |
| Etwas höher als rechts | Wie rechts | 6,4 | Beiderseits scheint der Sack besonders deutlich durch das Peritoneum |
| Mitte des 11. Brust- bis unt. Hälfte d. 2. Lenden-wirbels | Mitte des 2. bis Mitte des 5. Lendenwirbels | ? | |
| Wie rechts | Vom 3.—5. Lendenwirbel quer über die Wirbelsäule liegend | ? | Beiderseits starker Sack |

Tabelle III

| Nummer | J. Alter | Geschlecht | Konstitution | Ernährung | Todesursache | Nierenfett | Rechte Niere: höchster Stand | Rechte Niere: tiefster Stand | Arterie |
|---|---|---|---|---|---|---|---|---|---|
| 51 | 27 | w. | 3 | 3 | Tuberkulose | 2 | Ober. Rand d. 12. Brust- bis unterer Rand des 2. Lendenwirbels | Mitte des 1. bis Mitte des 4. Lendenwirbels | 7,6 |
| 52 | 72 | m. | 3 | 1 | Degeneratio cordis | 1 | Oberes Ende des 1. bis 4. Lendenwirbels | Unter. Ende d. 1. b. unter. Ende d. 4. Lendenwirbels | 9,5 |
| 53 | 60 bis 70 | m. | 3 | 3 | ? | 3 | Mitte des 12. Brust- bis Mitte d. 3. Lendenwirbels | Ober. Ende d. 2. b. Mitte d. 4. Lendenwirbels | ? |
| 54 | 40 bis 50 | m. | 3 | 2 | ? | 2 | Ober. Ende d. 11. Brust- b. oberes Ende d. 2. Lendenwirbels | Ober. Ende d. 3. b. Mitte d. 5. Lendenwirbels (schräg) | ? |
| 55 | 69 | w. | 3 | 3 | Marasmus | 1 | Unter. Ende d. 12. Brust- b. unter. Ende d. 2. Lendenwirbels, schräg gestellt | Mitte des 4. Lendenwirbels bis ins Becken | 8,5 |
| 56 | 67 | w. | 3 | 3 | Tuberculosis pulmonum Pyopneumothorax | 3 | Mitte des 1. bis Mitte des 4. Lendenwirbels | Quer üb. 4. u. 5. Lendenwirbel in der Mittellinie | 7,0 |
| 57 | 50 bis 60 | m. | 2 | 2 | ? | 2 | Unter. Ende d. 11. Brust- b. unter. Ende d. 2. Lendenwirbels | Mitte d. 1. b. ober. Ende d. 4. Lendenwirbels | ? |
| 58 | 30 bis 40 | m. | 3 | 3 | ? | 2 | Unter. Ende d. 12. Brust- b. ober. Ende d. 3. Lendenwirbels | Ober. Ende d. 1. b. unter. Ende d. 3. Lendenwirbels | ? |
| 59 | 38 | m. | 2 | 3 | Vitium cordis | 2 | Mitte des 11. Brust- bis Mitte d. 2. Lendenwirbels | Mitte d. 2. Brust- b. unt. Ende d. 4. Lendenwirbels | 5,9 |
| 60 | 59 | w. | 3 | 1 | Myodegeneratio cordis | 1 | Mitte des 12. Brust- bis ober. Ende d. 3. Lendenwirbels | Ober. Ende d. 3. b. Mitte des 5. Lendenwirbels | 8,6 |

In der Rückenlage des Kadavers liegen solche Nieren fast immer parallel der Wirbelsäule und können nur künstlich in die obere Lage gebracht werden. Ihre Verbindung mit den Nebennieren pflegt eine sehr lockere zu sein, bei der Auslösung der Nieren kommt man nicht in Gefahr, die Nebennieren zu verletzen, der obere Pol zeigt eine mehr oder weniger deutliche Vorwölbung, wenn man über dem Organ das Peritoneum anspannt und welche nur dann fehlt, wenn größere Fettmassen die Konturen ganz verwischen; es gilt also hier in höherem Grade, was schon für einen Teil der Nieren aus der Gruppe IIa hervorgehoben wurde, daß nämlich Einwirkungen von oben zu Verschiebungen der Nieren führen können.

In diese Gruppe[1]) mußten die meisten von meinen Fällen einge-

1) Hier sei wiederum darauf aufmerksam gemacht, daß die Gruppe bedeutend weiter gefaßt ist, als die entsprechende von Helm.

(Fortsetzung)

| Linke Niere | | Arterie | |
|---|---|---|---|
| höchster Stand | tiefster Stand | | |
| Etwas tiefer als rechts | Unteres Ende des 1. bis unter. Ende d. 4. Lendenwirbels | 6,9 | |
| Ober. Ende d. 11. Brust- b. ober. Ende d. 2. Lendenwirbels | Ober. Ende d. 1. b. unter. Ende d. 3. Lendenwirbels | 8,9 | Leber hart u. stark vergrößert, starkes Lig. hepato ren., das bei Verschiebung der Niere sich nicht verzieht |
| Mitte d. 11. Brust- b. Mitte des 2. Lendenwirbels | Mitte d. 2. bis unter. Ende des 4. Lendenwirbels | ? | Leber vergrößert |
| Wie rechts | Mitte d. 3. bis unter. Ende d. 5. Lendenwirb. (schräg) | ? | Beiderseits besonders starke seitliche Verschieblichkeit |
| Ober. Rand d. 11. Brust- b. unter. Rand d. 2. Lendenwirbels | Mitte d. 3. bis unter. Rand des 5. Lendenwirbels | 8,2 | Mäßige Lebervergrößerung, Schnürlappen, sehr starker Sack |
| Mitte d. 12. Brust- b. ober. Ende d. 3. Lendenwirbels | Unter. Ende d. 2. bis unter. Ende d. 4. Lendenwirbels | 6,7 | Leber durch rechtsseit. Pyopneumothorax nach unt. u. innen verdrängt, so daß sie d. Niere nicht anliegt, Niere herabgedrängt |
| Wie rechts | Ober. Ende d. 1. bis Mitte des 3. Lendenwirbels | ? | |
| Unter. Ende d. 12. Brust- b. Mitte d. 2. Lendenwirbels | Ober. Ende d. 2. bis ober. Ende d. 4. Lendenwirbels | ? | Rechte Niere 13 cm, linke Niere 10,5 cm lang |
| Wie rechts | Wie rechts | 5,1 | |
| Unter. Ende d. 11. Brust- bis Mitte des 3. Lendenwirbels | Etwas tiefer als rechts | 8,2 | Außerordentlich starke Fettschicht um beide Nieren |

reiht werden, wobei nochmals betont sei, daß ich weit davon entfernt bin, daraus schließen zu wollen, daß sich am Lebenden die Verhältnisse ebenso stellen. Die rechte Niere erscheint zwar in der Rückenlage des Kadavers in der Regel etwas tiefer, als die linke, auch ist der untere Stand der rechten Niere im Durchschnitt beträchtlich tiefer, als der der linken, wie das der allgemein anerkannten Erfahrung entspricht, doch verhält sich der obere Stand beider Nieren im Durchschnitt ziemlich gleich. Im allgemeinen muß die Beweglichkeit der linken Niere als eine bedeutendere angesehen werden, als dies gewöhnlich geschieht, indem sie zwar hinter der an der rechten Niere gefundenen zurückbleibt, jedoch häufiger hohe Grade erreicht, als den Ergebnissen der Statistik entsprechen würde, welche aus Befunden am Lebenden aufgebaut ist. Ungefähr dasselbe zeigt auch die auf S. 278 wiedergegebene Tabelle von Helm, aus der ferner in Uebereinstimmung mit den Befunden an meinen Kadavern hervorgeht, daß sich bei der Autopsie in mortuo auch der quantitative Unterschied zwischen dem männlichen und weiblichen Geschlecht nicht so ungeheuer groß zeigt, wie es die Untersuchung am Lebenden glauben zu machen geeignet ist, wenn auch freilich die höchsten Grade der Beweglichkeit bei den Weibern wesentlich überwiegen.

Die stärkere Spannung der Bauchdecken und der verschiedene Bau des Skeletts beim Manne thun nebst anderen Umständen das ihrige mit, um diese Thatsachen im Leben zu larvieren, wenngleich zugegeben werden muß, daß bei Männern die schon wiederholt berührten Fehlerquellen des Leichenmateriales noch in der Weise mehr zur Geltung kommen, als bei den Weibern, daß bei den ersteren, welche bei guter Gesundheit vorwiegend Träger fester oder weniger beweglicher Nieren sein durften, erst die Einflüsse der langsam tödlichen Krankheiten häufiger als auf den Leichenbefund einwirken. Es ist dies auch der Grund, weshalb mir eine ziffernmäßige Nebeneinanderstellung der Resultate inopportun, ja direkt zu Trugschlüssen geeignet erscheint und deshalb hier unterlassen wurde.

Noch in einem 3. Punkte stimme ich ganz mit Helm überein, daß nämlich bei Erwachsenen Altersunterschiede in der Beweglichkeit der Niere nicht deutlich zum Ausdruck kommen. Meist wird angegeben, daß die Altersstufe von 30—40 Jahren am meisten zur Entstehung der „Wanderniere" disponiere, im höheren Alter dieselbe immer seltener angetroffen werde. Am Kadaver kann man sich von der Unrichtigkeit dieser Annahme leicht überzeugen, welche (einige specielle Fälle von entzündlich fixierten Nieren ausgenommen) außer dem gänzlichen Mangel einer pathologisch-anatomischen Begründung und einigen Fehlern in der statistischen Anlage der Berechnung noch damit in Widerspruch steht, daß alle Momente, welche möglicherweise für die Aetiologie der Beweglichkeit in Frage kommen könnten, gleichgiltig, welcher Ansicht man huldigt, gerade im Alter ihre Wirkung kumulieren müßten.

Ein besonderes Interesse beanspruchen die Fälle, bei welchen sich im unteren Stande die Niere entweder quer vor die Wirbelsäule stellt (No. 35, 46, 56 rechts, 27, 32, 50 links, davon No. 32 und 50 Männer) oder gar die Mittellinie ganz überschreitet (No. 31, 41 rechts, Weiber), d. h. also diejenigen, welche man als Wanderniere höchsten Grades bezeichnet. Wie überall beschrieben ist, macht dabei die Niere eine Kurve, deren Größe von der Länge der Gefäße abhängen soll. Jedoch finden wir auch hier Unregelmäßigkeiten, wie z. B. in No. 50 die linke Niere zwischen 3. und 5. Lendenwirbel quer über der Wirbelsäule steht. Sie kreuzt nur aus dem Grunde die Wirbelsäule in der Regel so tief, weil weiter oben Hindernisse entgegenstehen, welche ihr gewöhnlich nicht ermöglichen, sich einen Weg zu bahnen, Hindernisse, welche für die Fixation der Niere überhaupt von der größten Wichtigkeit sind. Beständen diese nicht, und würde die Niere nur von den Gefäßen geleitet, so wäre es bei Lagewechsel des Körpers in der horizontalen Stellung keineswegs einzusehen, weshalb die Nieren im Bogen herumgehen müßte, statt direkt auf die andere Seite zu fallen.

Der Länge und Stärke der Gefäße, besonders der Arterien, ist bekanntlich ebenfalls eine große Rolle in der Pathogenese der beweglichen Niere zugeschrieben worden. Meine Befunde sind in dieser Beziehung sehr wenig charakteristisch, indem die Länge der Arterie öfters nicht in dem Verhältnis zu der Beweglichkeit der Niere stand, welches man hätte erwarten können. Ganz im allgemeinen ergab sich wohl auch, daß einer größeren Beweglichkeit eine Verlängerung der Gefäße entspricht, doch kann ich, im Gegensatz zu FISCHER-BENZON u. a., dieses Verhalten nicht für ganz regelmäßig halten, wie z. B. Fall 27 und andere demonstrieren. Bezüglich der Dicke der Arterienwand kann ich nur der Ansicht FISCHER-BENZON's zustimmen, daß die Verlängerung der Arterie nicht wie die Verlängerung eines elastischen Schlauches mit Verdünnung der Wand und des Lumens einhergeht, sondern daß die verlängerte Arterie sich in ihrer normalen Wanddicke erhält.

Ich kann übrigens die Ergebnisse von Messungen der Arterienlänge nur für eine ungefähre ansehen, die auf ziemlich schwachen Füßen stehen und demgemäß auch nur unsichere Schlüsse erlauben; die lospräparierten Gefäße verziehen sich doch gar zu leicht und auch der Wegfall der Lebenserscheinungen wird nicht immer (Atheromatose) in demselben Verhältnis einwirken, so daß ein einheitlicher Maßstab fehlt. Es sei nur bemerkt, daß am Neugeborenen bei normaler Lagerung der Niere relativ große Unterschiede in der Länge der Gefäße zu beobachten sind.

Noch schwieriger aber, ja beinahe unmöglich ist es, ganz genau die Art zu bestimmen, wie die Nierengefäße in die Aorta und die Vena cava einmünden, wenn die Niere einen sehr tiefen Stand einnimmt. Je weiter gegen die Aorta zu, um so fester wird das Gewebe, welches die Nierengefäße gegen die hintere Bauchwand fixiert und desto unbrauchbarer aus demselben Grunde die Präparation. Man kann sich das beste Bild von der Art der Bewegung machen, wenn man die linke Vena renalis von vorne her mit möglichster Schonung an der Stelle freilegt, wo sie über die Aorta kreuzt. Sie ist dort durch ein kurzes, strammes Gewebe gegen dieselbe befestigt und weicht daher auch bei starker Senkung der Niere nur wenig von ihrer Richtung ab, erst der periphere Teil macht die Bewegung mit, aber auch nicht gleichmäßig, sondern nur nach Maßgabe der Festigkeit, mit welcher die je weiter zur Peripherie, um so lockerer werdenden Anheftungsfasern hemmend wirken. Man kann daher annehmen, daß die Gefäße der Nieren nur äußerst selten, nämlich nur dann, wenn die Anheftungen weithin gelockert sind, direkt spitzwinklig von den Hauptstämmen abgehen, meistens an ihrer Abgangsstelle einen kürzeren oder längeren Bogen beschreiben.

Es wäre übrigens interessant zu verfolgen, was mir aus äußeren Gründen nicht möglich war, ob vielleicht bei den Wandernieren hohen Grades andere Gefäße, etwa von der Nebenniere oder der Fettkapsel aus, kollateral sich erweitern; denn wenn wirklich, wie man vielfach anzunehmen scheint, die Gefäße bei hochgradiger Dislokation der Niere einen scharfen Winkel mit den Hauptstämmen bilden, wäre dies wohl die einzige Möglichkeit, um eine schwere Schädigung der Niere infolge mangelnder Blutzufuhr zu vermeiden, welche Gefahr doch nach unserer klinischen Erfahrung verhältnismäßig nicht entsprechend oft angenommen werden kann.

Immerhin ist es nicht ausgeschlossen, daß eine solche Knickung hier und da unter ganz besonderen Verhältnissen vorkommen könnte, so daß für diese Fälle die Erklärung der „Niereneinklemmung", wie sie LANDAU gegeben und KÜSTER für die wahrscheinlichste unter den vorhandenen Hypothesen erklärt hat, Geltung haben könnte. Die Knickung brauchte freilich nicht immer zwischen den Hauptstämmen und den Nierengefäßen zu entstehen, sondern könnte ebensogut im Verlauf der letzteren ihren Sitz haben. Daß diese Erklärung aber nicht immer zutrifft, beweist der eingangs erwähnte Fall, bei dem ich Gelegenheit hatte, die Niere während des Anfalles in vivo zu besichtigen[1]) und bei dem alle Symptome, welche die notwendige Folge eines derartigen Ereignisses sein müßten, vor allem die Hyperämie der Niere, vollständig fehlten. Der Fall ist folgender:

Th. K., 40 Jahre alt, Handarbeiterin, wurde am 30. Juni 1896 im St. Rochus-Spital aufgenommen. Aus der sehr komplizierten Anamnese ist nur zu erwähnen, daß die Pat. im Alter von 32 Jahren an Magenbeschwerden und Erbrechen erkrankte, welche etwa 8 Wochen anhielten. Dieselben Erscheinungen traten in den folgenden Jahren zu wiederholten Malen auf, wurden aber im Verlauf der beiden letzten Jahre immer häufiger; dazu gesellten sich sehr heftige Kreuzschmerzen, so daß Pat. oft gezwungen war, das Spital aufzusuchen. Vor einem Jahre wurde im Kaiserin Elisabeth-Spitale die rechtsseitige Wanderniere entdeckt und der Pat. angeraten, eine Binde zu tragen, jedoch besserten sich durch dieselbe die Beschwerden nicht, sondern nahmen so sehr zu, so daß die Frau vollkommen arbeitsunfähig wurde.

Bei der Aufnahme der sehr abgemagerten Pat. erbrach dieselbe in kurzen Intervallen große Mengen einer schleimigen, grün gefärbten Flüssigkeit und klagte über äußerst heftige Schmerzen im Bauche und Kreuz. Temperatur normal, Puls klein und frequent. Der Bauch war weich, aber überall empfindlich, besonders stark über der Cöcalgegend, wo die Niere

---

1) Centralbl. f. Chirurgie, 1897, No. 12.

als leicht verschiebbarer, bei stärkerem Druck excessiv schmerzhafter Tumor zu fühlen war. Sie lag mit dem Hilus nach aufwärts und etwas nach innen gerichtet und ließ sich weit nach innen und oben dislokieren. Daher wurden die Erscheinungen auf sogenannte Nierenkoliken infolge von Wanderniere zurückgeführt und am 2. Juli zur Operation geschritten.

Nach Bloßlegung der Niere zeigte sich dieselbe, welche mühsam aus der Tiefe geholt werden mußte, nicht vergrößert, nicht hyperämisch, das Nierenbecken nicht erweitert, an den Gefäßen ließ sich keinerlei auffallende Veränderung konstatieren, so daß jeder Versuch, für diesen Fall die heftigen Krisen auf grob-anatomische Gründe zurückzuführen, als unmöglich zu betrachten war.

Von sehr großer Bedeutung. namentlich für die Frage der Entstehung der Hydronephrose durch abnorme Beweglichkeit der Niere, welche bisher anatomisch noch ganz ungelöst ist und infolgedessen auch klinisch viele dunkle Punkte aufweist, ist das Verhalten des Ureters zu den Dislokationen der Niere.

Englisch beschreibt, daß der oberste Teil des Ureter sehr fest an der hinteren Bauchwand fixiert sei: „Er liegt in der Masse von derbem Bindegewebe, welche in dieser Gegend alle Gewebe fixiert." Am häufigsten liest man von Knickungen des Ureters infolge Verschiebung resp. Drehung der Niere, ohne daß sich die Autoren genauer ausdrücken, welche anatomische Grundlage sie sich dabei denken. Auf diese Weise sollen die Hydronephrosen, nach anderen sogar auch die Symptome der Niereneinklemmung zustande kommen. Bedeutsam ist in dieser Beziehung das Obduktionsprotokoll eines von Mosler[1]) schon im Jahre 1866 beschriebenen Falles, bei welchem die Niere sich so gelagert zeigte, daß der äußere konvexe Rand fast völlig horizontal in gleicher Höhe mit der Crista ilei sich befand, der Ureter aber, der vollkommen normale Dimensionen aufwies, im Anfangsteil von der Niere vollständig bedeckt, in leichtem Bogen sich erhebend nach oben über die großen Gefäße ging und sich dann normalerweise in die Beckenhöhle wendete.

Legueu[2]), Glatenay und Gosset[3]) berichten, daß in den von ihnen untersuchten Fällen von Wandernieren der obere Teil des Ureters sich mit der Niere etwa 6—7 cm weit gesenkt habe; dadurch aber, daß das untere Nierenende dem Harnleiter entgegenrücke, ohne ihn zu erheben, mehrere unregelmäßige Windungen entstehen, die auch bei ein und demselben Individuum inkonstant seien und sie glauben. daß eine intermittierende Hydronephrose dann zustande kommt, wenn der obere Teil des Harnleiters durch Entzündungsprozesse am Herabsteigen verhindert und infolgedessen geknickt ist.

1) Berl. med. Wochenschr., 1866.
2) Ann. des mal. des org. génito-urin., 1897.
3) Ann. des mal. des org. génito-urin., 1895.

Schon der vorerwähnte Befund MOSLER's beweist, daß diese Ansicht in einer solchen Form keine Berechtigung hat, abgesehen davon, daß die intermittierenden Hydronephrosen sehr häufig, wenn nicht sogar stets bei geringer Beweglichkeit der Nieren beginnen. Nach den Befunden an meinen Fällen ist der Verlauf des Ureters ein verschiedener, je nachdem die festen Anheftungen desselben an seinem oberen Ende mehr oder weniger nachlassen; dementsprechend läuft er bei tiefem Stande der Niere zuweilen in einem nach oben konvexen Bogen eine größere Strecke aufwärts, bald nimmt er den von LEGUEU, GLATENAY und GOSSET als regelmäßig bezeichneten Verlauf (in 5 der 8 Fälle meiner Tabelle III, bei welchen die Niere vor die Wirbelsäule oder auf die andere Seite zu liegen kam), bald liegt der Ureter am inneren Rande der quergestellten Niere, bald kreuzt sie vor ihm vorbei.

Es ist ja sicher, daß Hydronephrosen durch Verschiebung des Verhältnisses zwischen Niere und Harnleiter entstehen, aber von den vielen diesbezüglichen Hypothesen ist keine allgemein giltig, und es dürften die mannigfachsten Kombinationen möglich sein, die zur Stauung führen.

An den bekannten Experimenten TUFFIER's, welche den Zusammenhang der Hydronephrose und Wanderniere behandeln, entspricht manches nicht den Verhältnissen, wie sie sich am Menschen gestalten. Wenn man, wie TUFFIER, die Niere, aber nicht zugleich auch den Ureter künstlich mobilisiert, so kann man ja mit einiger Vorstellungskraft die Analogie mit dem gewöhnlichen Vorgang finden, aber jedenfalls wird die Beziehung zwischen Niere und Ureter willkürlich geändert. Diese Experimente behalten nur für die Fälle Giltigkeit, in denen der Ureter durch andere Krankheitsprozesse im oberen Teil fixiert ist; unter anderen Umständen wirkt desselbe Moment, das die Niere beweglich macht, auch in der Richtung, daß die Verbindungen des Harnleiters gelockert werden, wodurch gänzlich veränderte und experimentell nicht nachahmbare Verhältnisse entstehen.

So haben auch neuerdings HILDEBRAND und HAGA[1]) bei einer, wie es scheint, nur wenig von der TUFFIER'schen abweichenden Versuchsanordnung wesentlich verschiedene Resultate erzielt.

---

In der Aetiologie der Wanderniere spielt die „angeborene Disposition“ eine große Rolle, so daß die Lageverhältnisse der kindlichen Niere um so mehr eine genauere Würdigung verdienen, als sich die diesbezüglichen Aeußerungen mit wenigen Ausnahmen auch hier in den vagsten Formen bewegen und oft jeglichen anatomischen Hinter-

1) Deutsche Zeitschr. f. Chirurgie, 1898, Bd. 49, Heft 1.

grundes entbehren; meist spukt dabei die bewegliche Niere mit dem Mesonephron am Grunde der Vorstellungen herum. Es ist zweifellos, daß solche Fälle vorkommen, denn sie sind durch Obduktionsbefunde erwiesen, doch sind sie Abnormitäten, welche so selten sind, daß sie jedenfalls nicht im geringsten im Vergleich zu der Häufigkeit des uns beschäftigenden Leidens in Betracht kommen; sie stellen auch im Grunde eine ganz andere Krankheit dar, als die klassische Wanderniere. Als Beweis für die Seltenheit ihres Vorkommens sei nur angeführt, daß Herr Prof. ZUCKERKANDL nach mündlicher Mitteilung bei mehreren Tausend Obduktionen keinen derartigen Fall gesehen hat, aber auch nur einen Fall, bei dem die Niere in eine vom Peritoneum gebildete Tasche eingeschlossen erschien, so daß sie zum größten Teil hiervon überzogen war; von einem Mesonephron kann hierbei nicht die Rede sein, da es sich nicht wie beim Mesenterium um ein physiologisches Gebilde handelt, daß die Gefäße zu dem betreffenden Organ zuzuleiten hat.

Ebensowenig Bezug zur Entstehung der Wanderniere haben die angeborenen Dislokationen, zumal diese Zustände, die häufig mit anderen kongenitalen Mißbildungen der Niere Hand in Hand gehen, meist ohne Beweglichkeit der betreffenden Niere zu bestehen scheinen.

Außer der „angeborenen Wanderniere“ nehmen KUTTNER[1]), WELCH[2]), BRUHL[3]), DRUMMOND[4]) u. a. eine Disposition an, der zufolge die Wanderniere eigentlich immer ein angeborenes Leiden sein soll, SENATOR[5]) (in NOTHNAGEL's Handbuch) spricht von einer Anomalie der anatomischen Einrichtungen, welche zur Befestigung der Nieren dienen und bezeichnet diesen Zustand als „anatomische Disposition“, DRUMMOND nimmt eine angeborene Relaxation des Bauchfelles an, SCHMID[6]) bringt die Wanderniere in Parallele mit den Hernien und sagt, daß die angeborene Disposition bei beiden Erkrankungen große Aehnlichkeit habe, indem sie die Grundbedingung sei, ohne deren Anwesenheit die übrigen Schädlichkeiten ohne Nachteil bleiben.

Meine Untersuchungen erstrecken sich auf 35 neugeborene oder wenige Tage alte Kinder, wovon 19 weiblichen, 15 männlichen Geschlechtes waren und 1 Fall nicht in Betracht zu ziehen ist, weil eine einzige Kuchenniere vorlag. Die Befunde sind mit Ausnahme der Verschiedenheiten in der Größe der Nieren, Länge der Gefäße und Fettreichtum, wie sie dem verschiedenen Ernährungszustande der

1) l. c.
2) Ref. im Centralbl. f. innere Medizin, 1896.
3) Gaz. des hôp., 1892.
4) Lancet, 1890, Vol. 1.
5) Die Erkrankungen der Nieren (NOTHNAGEL), 1895.
6) PENZOLDT-STINTZING, Handbuch, 1895, Lief. 19/20.

Kinder entsprechen, so vollkommen analog, daß eine einmalige Beschreibung ausreicht.

Fig. 1 zeigt die Lage der Niere bei einem Neugeborenen in der Rückenlage 1) und zwar bei einem ziemlich fetten Kinde.

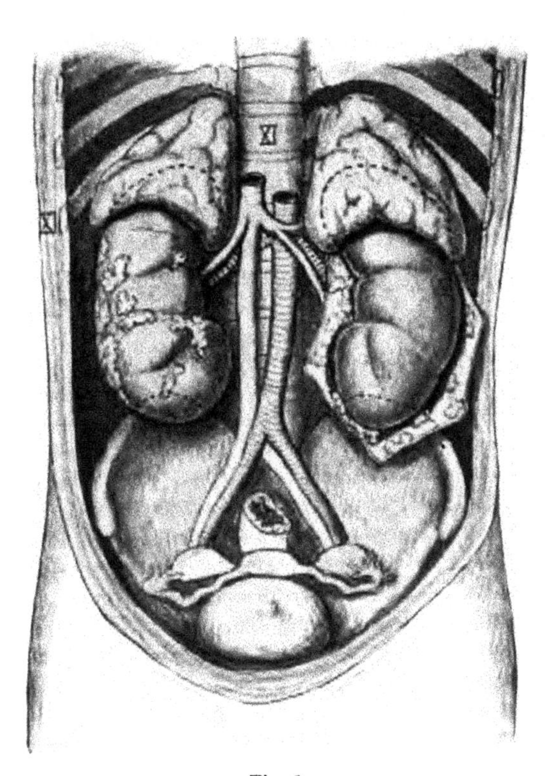


Fig. 1.

Gerota u. a. geben an, daß die kindliche Niere tiefer liege, als im späteren Alter; ich kann dem nicht ganz zustimmen. In der Abbildung reicht der obere Nierenpol beiderseits, freilich weithin bedeckt von dem Gewebe der Nebenniere, bis zum oberen Rande des 12. Brustwirbels, befindet sich also in einer Stellung, welche beim Erwachsenen von vielen Autoren noch als normal angesehen wird. Er liegt aber oft noch viel höher, im Bereiche des 11. Brustwirbels, ja er kann, wie Fig. 2 zeigt, in bestimmten Stellungen auch bis zum oberen Rande des 11. Brustwirbels reichen. Dagegen ist der obere Nierenpol in weiter Ausdehnung von der Nebenniere umgeben und es ist mir nicht gelungen, einen Fall zu finden, der Gerota's Fig. 6 und 7 entsprochen hätte, in denen die Nebenniere der tiefsitzenden Niere nur so aufsitzt, wie dies beim Erwachsenen gewöhnlich der Fall ist. Es scheint mir deshalb auch nicht ganz der Wirklichkeit zu entsprechen, wenn man sagt, die Niere werde durch die Nebenniere von ihrem Anstieg an die Stelle verhindert, welche ihr beim Erwachsenen zukommt und könne erst mit der langsamen Verkleinerung der letzteren vorrücken;

---

1) In Fig. 1, 2, 3 ist die Wirbelsäule, welche allein nicht ganz nach der Natur gezeichnet ist, schmäler abgebildet, als es der Wirklichkeit entspricht, um die Orientierung zu erleichtern.

sie arbeitet sich vielmehr in das Gewebe der Nebenniere hinein und zwar viel früher, als diese zu ihrer endgiltigen Gestalt gekommen ist.

Bei den untersuchten Neugeborenen waren die Nieren in 13 Fällen gleich groß, in 12 Fällen war die linke, in 9 Fällen die rechte etwas größer, bei nicht abgemagerten Kindern fand sich regelmäßig um die Niere Fett angesammelt, und zwar zum Teil in nicht unbeträchtlicher Menge, so daß ich mit GEROTA die alte Sage, daß sich erst im späteren Kindesalter von 8—10 Jahren aufwärts Fett anzusammeln beginne, als unrichtig bezeichnen muß. Wie Fig. 1, 2 und 3 zeigen, bewahrheitet sich hier auch die Angabe GEROTA's, daß der Ansatz des Fettes am konvexen und unteren Teil der Niere beginne.

Nach abwärts reichen die Nieren der Neugeborenen verschieden weit, doch immer viel tiefer, als dies beim Erwachsenen einer gleich hoch angesetzten Niere entsprechen würde und dieses Verhältnis ändert sich auch erst ganz allmählich (vgl. Tab. I).

Wesentlich verschieden von den Befunden bei dem Erwachsenen ist die Lage der Gefäße der Niere, was für die Beurteilung von Verschiedenheiten des Abganges derselben von Wichtigkeit ist. Wie wir gesehen haben, liegt der obere Nierenpol in der Regel bei der Rückenlage des Kadavers nicht viel tiefer als beim Erwachsenen, dagegen befindet sich der Hilus im Verhältnis zur Wirbelsäule in ganz anderer Stellung, indem er in der Rückenlage, statt wie beim Erwachsenen der Höhe des 1. Lendenwirbels, am häufigsten dem 2. Lendenwirbel, oft aber auch der Bandscheibe zwischen dem 2. und 3. Lendenwirbel entspricht, manchmal noch tiefer liegt.

Die Gefäße aber gehen in etwa derselben Höhe (wieder im Verhältnis zur Wirbelsäule) ab, wie beim Erwachsenen, und so kommt es, daß man regelmäßig in der Rückenlage des Kadavers [1]), aber selbst noch dann, wenn derselbe mit dem Kopf nach abwärts steht (Fig. 2) die Gefäße in spitzem Winkel von den Hauptstämmen zum Hilus streichen sieht. Es muß demnach mit dem Hinaufrücken der Niere das Wachstum der Gefäße nicht Schritt halten, sondern dieselben müssen relativ kürzer werden. Trotzdem glaube ich aus später zu besprechenden Gründen nicht, daß ein etwa vorhandener Unterschied in der Herstellung des richtigen Verhältnisses der Gefäßlänge eine Prädisposition für die Entstehung der Wanderniere abgiebt. Immerhin mag dieser Umstand einen Fingerzeig für das Verständnis der großen Verschiedenheit der Gefäßlänge geben und dann in Betracht kommen, wenn die eigentlichen Fixationen der Niere insufficient geworden sind.

Auch die Niere des Neugeborenen ist verschieblich, und zwar war sie dies in den von mir untersuchten Fällen ohne Ausnahme. Man

---

1) Fälle von tiefem Abgang der Nierengefäße sind unter den kindlichen Kadavern nicht gewesen.

kann diese Thatsache übrigens schon sehr leicht am intakten, nicht eröffneten Kadaver nachweisen, da die Nieren an der Leiche des Neugeborenen stets leicht zu fühlen sind.

Hält man die Leiche einmal am Kopf, das andere Mal umgekehrt an den Füßen, so ist der Unterschied in der Lage der Nieren ohne Schwierigkeit zu konstatieren. Fig. 2 und 3 sollen diese Verhältnisse veranschaulichen, wie sie auch dem Befunde bei intakten Bauchdecken entsprechen. Die Präparate wurden so gewonnen, daß an der uneröffneten Leiche beiderseits je 2 lange Nadeln in der Nierengegend von hinten her eingestochen wurden, welche die Nieren fixierten und zwar einmal in aufrechter, das andere Mal in umgekehrter Stellung des Kadavers. Dann erst wurde der Bauch geöffnet und die Intestina entfernt.

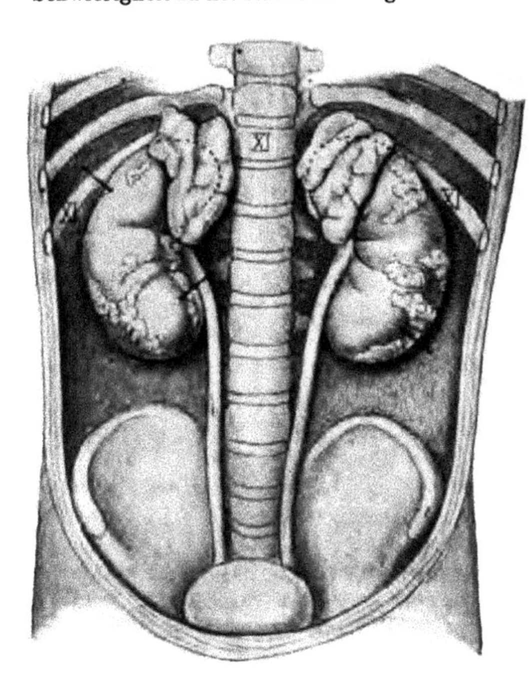

Fig. 2.

Die Verschiebung der Niere läßt sich leicht aus den Abbildungen erkennen. Man sieht ganz regelmäßig, daß sich die Niere samt demjenigen Teil der Nebenniere bewegt, welcher weniger stark an die hintere Bauchwand fixiert ist, d. h. nur der obere und obereinnerer Teil bleibt an Ort und Stelle, während sich in den übrigen Partien der Nebenniere und zum Teil auch der Niere eine Streckung oder umgekehrt eine Zusammenschiebung vollzieht, infolge deren auch die Gestalt der Nebennieren in den beiden extremen Stellungen eine sehr verschiedene ist; in der aufrechten erscheinen sie länger und schmäler, in der umgekehrten dagegen kürzer, breiter und stärker gefurcht. Wir sehen also hier im groben, was schon bei der Besprechung der Tabelle IIa erwähnt wurde, daß die Nebenniere nicht in toto am Platze zu bleiben braucht, wenn sich die Niere verschiebt, und daß andererseits eine noch so innige Verwachsung zwischen Niere und Nebenniere nicht genügt, um der ersteren einen unbedingten Halt zu geben.

Es ist wichtig, daß hier, wo die Verhältnisse bei intakter Bauchhöhle leicht und jedenfalls mit außerordentlich viel größerer Sicherheit, als beim Erwachsenen durch die Palpation festzustellen sind, die Autopsie auch nach der Eröffnung der Bauchdecken ganz dieselben Resultate ergiebt, und ich sehe auch hierin wieder einen der Beweise für die Vollgiltigkeit der Resultate der Leichenuntersuchung.

Sehen wir uns nun die Unterschiede zwischen der kindlichen Niere und der des Erwachsenen mit Rücksicht auf diejenigen Momente an, welche eventuell imstande wären, später eine „anatomische Disposition“ für größere Beweglichkeit des Organes zu schaffen.

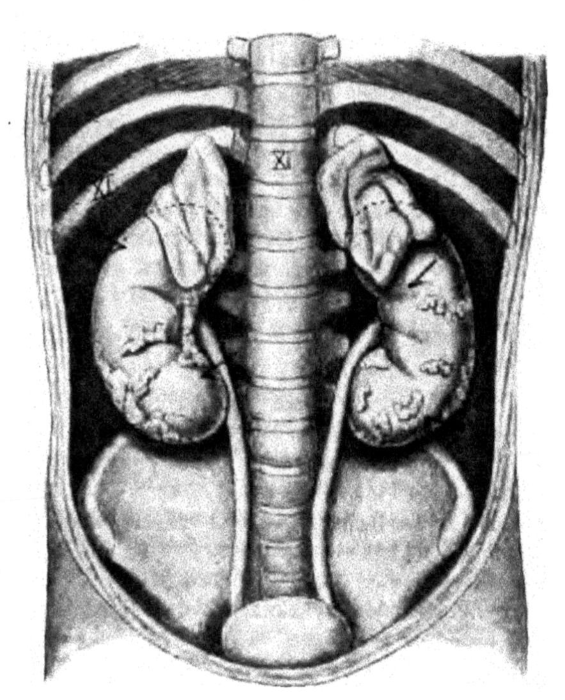

Fig. 3.

Wenn die kindliche Niere in ihrem Wachstum zurückbleibt, oder gar nach der Behauptung der Autoren auch noch im postfötalen Leben und nicht nur relativ nach oben rücken soll, so muß sich das Bett, welches sie zuerst eingenommen hatte, jedenfalls von unten her verschließen; dasselbe hat in den ersten Lebenstagen meist bis weit unter die Crista ilei gereicht, und es würde also unterhalb der Niere ein breiter Gewebsspalt bleiben müssen, wenn sich nicht noch nach der Geburt die Fascia retrorenalis an die Vorderwand dieser ideellen Höhle anlegt und mit ihr durch neugebildetes Bindegewebe verwächst; nur so ist es zu erreichen, daß die Niere nicht in einem Raume liegt, der nach abwärts offen ist. Leider ist mein Material von Leichen älterer Kinder ein so geringfügiges, daß ich kein Urteil darüber habe, wie bei ihnen die Beweglichkeit vor sich geht, doch vermute ich, daß sie der bei kleinen Kindern analog ist und die Verbindung zwischen Niere und Nebenniere nicht nachgiebt, sondern auch hier die letztere gedehnt wird. Bei meinen wenigen Leichen habe ich freilich den Eindruck gehabt, daß die Nieren größerer Kinder gewöhnlich verhältnismäßig sehr fest fixiert sind, und ich wurde hierin von Herrn Prof. ZUCKERKANDL bestärkt, der sich äußerte, daß er — ohne besonders darauf geachtet zu haben — ebenfalls annehme, daß meist die Nieren der Kinder im ersten Lebensjahre fester fixiert seien, als die älterer Personen.

Freilich stimmt dies nicht mit den klinischen Beobachtungen von EWALD [1]), HOLLEDERER [2]), COMBY [3]) u. a., welche an Kindern die Wanderniere nicht selten beobachtet haben. Ich möchte nur schon an dieser Stelle darauf aufmerksam machen, daß man bei der Beurteilung solcher Fälle in Bezug auf ihre Entstehung die verschiedenen anatomischen Ursachen nicht außer acht lassen möge. Bewegt sich nämlich eine Niere bei einem kleinen Kinde mit der Nebenniere, so wird diese Beweglichkeit mit der fortschreitenden Rückbildung dieses Organes geringer werden, bewegt sie sich aber ohne dieselbe (entsprechend der Gruppe III), so muß die Beweglichkeit immer größer werden; von der letzteren Art ist mir kein Fall bekannt.

---

Wenn also der Raum unterhalb der Niere im postuterinen Leben verschlossen wird, entsteht die Frage: Wo bewegt sich die Niere und bewegt sie sich bei starker und bei schwacher Verschiebung in gleicher Weise?

Bei dieser Gelegenheit sei zunächst betont, daß hier in erster Linie nur von der klassischen Wanderniere die Rede ist, d. h. von jener Art von Nierenwanderung, welche nicht im direkten ursächlichen Zusammenhang mit anderen Erkrankungen, speciell entzündlichen, des Bauchraumes steht, sondern mit diesen bloß etwa parallel geht; nur für diese Form soll das Folgende Giltigkeit haben, wie denn auch schon anderen Ortes betont wurde, daß als Basis für die Tabellen nur solche Kadaver ausgewählt wurden, bei denen in der Umgebung der Nieren keine tiefer greifenden Veränderungen des Peritoneums vorhanden waren. Die strenge Trennung dieser Arten dürfte nicht unwichtig sein, weil anderenfalls das Bild der so viel häufigeren klassischen Wanderniere leicht einer falschen Beurteilung unterzogen werden kann.

In Bezug auf den Ort, an dem sich die Niere bewegt, findet man nur dürftige Angaben, die am häufigsten der Vorstellung entsprechen, daß die Niere bei ihrem Vorrücken das Peritoneum in der Weise vor sich herschiebt, daß allmählich immer mehr und mehr von der Hinterseite der Niere von Bauchfell überzogen erscheine, bis dies endlich den

1) Diskussion in Berl. klin. Wochenschr., 1890.
2) Inaug.-Diss. Erlangen, 1897.
3) Sem. méd., 1897.

größten Teil oder das ganze Organ bedeckt, so daß sich ein sogenanntes Mesonephron bilde; vom Bauchfell überzogen soll die Niere ein intraperitoneales Organ werden, welches — wie andere — freien Spielraum hat, so weit es ihm sein „Stiel" erlaubt. Der Vorgang hierbei wird von KUTTNER folgendermaßen geschildert: Verschwindet das Fett aus der Capsula adiposa und tritt an die Stelle des früheren dicken Polsters ein lockeres, weitmaschiges Bindegewebe, so verliert dadurch die Niere ihren früheren festen Halt und muß vermöge ihrer Schwere nach abwärts sinken. Während sie früher einen ziemlich gleichmäßigen Druck auf das sie überziehende Bauchfell ausübte, wird nunmehr dieser Druck ein einseitiger, nach abwärts ziehender, das Peritoneum giebt vermöge seiner elastischen Struktur nach und wird so ausgezogen. Allmählich bildet sich dann auf diese Art und Weise ein Mesenterium für die Niere, das dem in seiner Beweglichkeit kaum noch behinderten Organe ähnliche Exkursionen gestattet, wie wir sie an anderen, mit langem Mesenterium versehenen Organen beobachten.

SAPPEY bemerkt im Anschluß an seine Erörterungen über die normale Beweglichkeit der Nieren bloß, dieselbe nehme eine fibröse oder cellulo-fibröse Lage von größerer Kapazität ein, als ihrem Volumen entspreche, während GODHART-DANHIEUX und VERHOOGEN[1]) angeben, die äußere Kapsel bilde nach unten keine geschlossene Höhle und setze der Wanderung der Niere kein Hindernis entgegen — eine Auffassung, welche bezüglich des letzten Punktes als unrichtig bezeichnet werden muß.

KÜSTER äußert sich „daß die meisten Schriftsteller sich die Sache so zu denken scheinen, daß es vorwiegend die Fettkapsel sei, welche sich erweitere, so daß die Niere wie in einem weiten Sack hin und her schlüpfe", daß man sich aber bei der Operation der Nierenfixation oft übeuzeugen kann, daß es sich nicht so verhält, sondern die Niere samt ihrer Fettkapsel verschieblich ist, und er sieht sich daher zu der Annahme gezwungen, daß es die Verbindungen der Fascia renalis (nach GEROTA) sind, welche sich vorn und hinten lockern und so dem in seine Kapsel eingehüllten Organe eine abnorme Beweglichkeit gestatten.

Auch KÜSTER tritt hierbei der häufig zu findenden Bemerkung entgegen, daß durch dies „Wandern" der Niere ihr Fett zu Grunde gehe. In Tabelle III ist bei einigen Fällen von stark beweglichen Nieren ausdrücklich erwähnt, daß das Nierenfett ganz besonders reichlich sei und auch eine von den Patientinnen, welche ich in letzter Zeit zu operieren Gelegenheit hatte, besaß bei hochgradiger Beweglichkeit der Niere und heftigen Beschwerden infolge derselben, eine außerordentlich starke Capsula adiposa.

---

1) Ann. de la soc. Belge de Chir., 1893.

Der Vorgang, der von KUTTNER beschrieben worden ist, gehört zweifellos zu den Seltenheiten, wenn auch die Beobachtungen von GIRARD[1]), MORRIS[2]) u. a. beweisen, daß er in der That vorkommt; solche Nieren sollen sich von den angeboren beweglichen, welche auch ein Mesonephron besitzen, dadurch unterscheiden, daß bei ihnen nicht wie bei jenen das Peritoneum der Niere dicht anliegt, sondern durch eine Schicht von Bindegewebe getrennt wird. Der Beweis aber, daß dieser Befund ohne anderweitige, sei es angeborene, sei es erworbene Abnormitäten des Bauchfellüberzuges zustande kommen können, dürfte trotzdem schwer zu erbringen sein.

Alle diese Dinge stehen in nahem Kontakt mit der heiß umstrittenen Frage nach dem Fixationsapparat der Niere, dem punctum saliens der ganzen Lehre von der Wanderniere.

Die früheren Anschauungen übergehend, gebe ich die Beschreibung ZUCKERKANDL's[3]) wieder, die eine neue Aera in der topographischen Anatomie der Nierengegend bedeutet. Danach befindet sich beiderseits hinter den Nieren ein starkes Fascienblatt, das ZUCKERKANDL als Fascia retrorenalis bezeichnet, während der vordere Teil der Capsula externa renis eine verschiedene Bedeutung hat. Rechts kommt man nach der Durchschneidung des Peritoneums, da wo die Niere vom Colon ascendens frei ist, auf lockeres Zellgewebe, das die Verbindung zwischen Bauchfell und Capsula albuginea renis vermittelt und zuweilen durch Kondensation den Charakter einer Membran annimmt. Links findet man unter dem Mesocolon descendens noch eine Membran, welche nichts anderes ist, als das ursprünglich vorhandene, später in eine bindegewebige Membran umgewandelte Peritoneum parietale der Nierengegend.

Etwas anders hat GEROTA die Schichten gedeutet, welche zwischen Peritoneum und Niere liegen. Er läßt eine Fascie, die er Fascia renalis nennt, sich in zwei Blätter trennen, deren eines der Fascia retrorenalis ZUCKERKANDL entspricht, das andere aber als Fascia praerenalis eine distinkte Schicht vor der Niere bildet. Zu ganz ähnlichen Ergebnissen kamen in der neuesten Zeit auch GLATENAY und GOSSET[4]), nur daß sie die beiden, von ihnen analog der Fascia renalis GEROTA beschriebenen Blätter als Fascia perirenalis bezeichnen. Sie heben, wie GEROTA, hervor, daß die Fascie nicht zwischen Niere und Nebenniere verläuft, sondern hinter, resp. vor den Nebennieren sich fortsetzt und so auf das Zwerchfell übergeht, so daß demnach die beste Stütze der Niere am Zwerchfell liege, an welches sie durch die oberen Adhärenzen gezogen werden, während sie im Niveau ihres unteren

1) Bei LANDAU.
2) Lancet, 1893.
3) Wiener med. Jahrb., 1883.
4) Ann. des mal. des org. génit.-urin., 1898.

Poles durch die Verbindungsfasern der beiden Blätter gestützt werden. Auch sie geben mit GEROTA an, daß die Nebennieren nur beim Kinde mit der Niere fest zusammenhängen, daß sich aber beim Erwachsenen „la cloison cellulo-graisseuse", welche beim Kinde angedeutet sei, so sehr weiter entwickele, daß die Verbindung zwischen Niere und Nebenniere sehr locker werde.

Ohne auf die schwierigen Unterscheidungen der Schichten näher einzugehen, sei nur bemerkt, daß es oft nicht gelingt, zwischen den vom Colon freien Nierenteilen und dem Peritoneum ein Fascienblatt herzustellen, wogegen man aber sehr häufig am unteren Nierenpole die Fasern von der Fascia retrorenalis nach vorn ziehend finden kann, von denen GEROTA sagt, daß sie bewirken, daß die Niere „förmlich in eine abgeschlossene Tasche" zu liegen kommt.

Als wichtigstes Fixationsmittel wird weitaus am häufigsten das Peritoneum angegeben oder auch die Wirkung der Bauchfellduplikaturen, welche von der Leber zum Duodenum und Colon übergehend als Ligamentum hepatico-duodenale und hepatico-renale bezeichnet werden [WEISKER] [1]). Es ist aber a priori klar, daß die letzteren nicht anders zu wirken imstande sind, als das Peritoneum, das über die Nieren hinzieht; im übrigen kann man sich dem Einwurf von KÜSTER vollinhaltlich anschließen, welcher ihre Wirksamkeit schon deshalb leugnet, weil ja gerade an der relativ festeren linken Niere diese sogenannten Bänder fehlen.

FRITZ [2]) behauptet, daß nach der Durchschneidung des Peritoneums die Niere beweglich werde, was ich aber mit LEGUEU als einen Irrtum bezeichnen muß, indem ich bei normalen Verhältnissen, d. h. wenn keine tiefgreifenden chronisch entzündlichen Peritonealprozesse vorhanden waren, nach Ablösung des Bauchfells, welche freilich mit einiger Vorsicht gemacht werden muß, stets konstatieren konnte, daß sich die Verschieblichkeit der Niere nicht im geringsten ändert. Wenn ich auch nicht in der Lage war, stets ein Gebilde darstellen zu können, dem man den Namen einer Fascia praerenalis hätte beilegen dürfen, so war doch immer das zwischen Peritoneum und rechter Niere gelegene Gewebe ein derartiges, daß es auch noch nach der Entfernung der ersteren einen kompleten Abschluß des Nierenlagers bildet. Immerhin möchte ich aber das Bauchfell nicht für alle Fälle als Faktor für die Befestigung der Niere ausschließen, sondern demselben bei normalen Verhältnissen als Deckschicht zweiten Ranges eine entfernte Wirksamkeit auf die Fixation zugestehen.

Die Nierengefäße werden von manchen Autoren [BANNER [3]), SCHMID u. a.] als ein Fixationsmittel ersten Ranges angesehen,

1) SCHMIDT's Jahrbücher, 1888, Bd. 120.
2) Bei LEGUEU.
3) l. c.

welches allein schon genügen soll, um die Niere in loco zu halten, andere betrachten sie wenigstens als eine der besten Stützen, wenn die übrigen Verbindungen ihren Dienst versagen. So meint GLÉNARD, daß die Gefäße die Nieren aufzuhalten vermögen, wenn ihre Fixation gegen die Nebennieren nachgelassen hat.

Für die Erklärung der größeren Beweglickkeit der rechten Niere wird daher auch ins Feld geführt, daß die rechte Nierenarterie länger als die linke ist. KÜSTER setzt hinzu, daß der Unterschied durch die geringere Länge der Vena renalis durchaus nicht ausgeglichen werde, da die dünnwandigen Arterien mit den dicken und straffwandigen Arterien keineswegs in Vergleich gestellt werden könnten, ferner daß die Vena suprarenalis sinistra in die Vena renalis, die rechte in die Vena cava einmünde und so bei der gesicherten Lage der Nebenniere ein Haltseil abgebe.

Andererseits wird die schon früher beleuchtete Ansicht, daß die Verlängerung der Nierengefäße bei Wanderniere ein Beweis ihrer kongenitalen Anlage sei [nach den ersten Angaben von OPPOLZER [1]) und ABERLE [2])], ebenfalls in derselben Richtung verwertet, doch ist das Fehlerhafte dieser Anschauung schon von FISCHER-BENZON gezeigt worden.

Wenn man an einen aufrecht stehenden Menschen denkt, würde es einfachen mechanischen Vorstellungen widersprechen, daß ein horizontal verlaufender, elastischer Gewebsstreifen, was die Arterie doch immer bleibt, wenn sie verhältnismäßig auch noch so rigide ist, einen so großen Körper, wie die Niere halten soll, und es können gewiß schon aus diesem Grunde diejenigen nicht Recht behalten, welche die Nierengefäße selbst als das wichtigste Fixationsmittel betrachten. Wenn es dessen noch bedurft hätte, wäre übrigens der Gegenbeweis durch das einfache Experiment von LEGUEU erbracht, welches man immer mit gleichem Erfolg nachahmen kann; dasselbe zeigt nämlich, daß nach der Durchschneidung der Nierengefäße an ihrer Basis die Verhältnisse sich keineswegs ändern.

Ich möchte glauben, daß die Gefäße an und für sich keine Bedeutung als Befestigungsmittel haben, sondern nur die dichte, feste Bindegewebsplatte, welche sie umgiebt, miteinander und gegen die Niere sowohl, als auch gegen die hintere Bauchwand fixiert und in welcher die Arterien höchstens einen Streifen nicht sehr beträchtlicher Verstärkung darstellen können. Ich stimme hierin, so viel ich sehe, nur mit ENGLISCH [3]) überein, dessen Schilderung folgendermaßen lautet: Die Gefäße sind durch strammes Zellgewebe untereinander verbunden, vorn geht eine Fortsetzung der Tunica fibrosa renis als eine dünne

1) Wiener med. Wochenschr., 1856.
2) SCHMIDT's Jahrb., Bd. 37.
3) l. c.

Platte zu den großen Gefäßen an der Bauchwand, während an der hinteren Seite der Renalgefäße diese Membran in Form einer Platte, bestehend aus dichtgedrängtem, derbem Bindegewebe, nach einwärts zieht und teilweise ebenfalls in die Adventitia der Aorta, teilweise aber in die Fascie, welche die Pars lumbalis diaphragmatis überzieht, übergeht. Diese Platte ist so stark, daß sie vorzüglich zur Befestigung der Niere beiträgt und als eigentliches Ligamentum suspensorium renis wirkt.

Ueber die Befestigung der Nieren an die Nebennieren, welche nach Glénard durch das ligament réno-surrenal adventue gebildet wird, wurde bereits früher das Wichtigste erwähnt, besonders darauf hingewiesen, daß gerade die großen Nebennieren des Neugeborenen keinerlei Schutz gegen Verschiebungen gewähren.

Aber auch da, wo beim Erwachsenen die Niere fest sitzt und innig mit der Nebenniere verwachsen erscheint, kann der letzteren nur ein geringer Einfluß auf die Fixation eingeräumt werden, denn man muß sich wohl fragen: Wie könnte ein so schwaches und kleines Organ, wie es die Nebenniere ist, ein so schweres wie die Niere tragen? Es verhält sich eben dabei wie bei den Gefäßen; die wesentliche Fixation am oberen Nierenende ist nicht die Nebenniere, sondern vielmehr die ungemein starke Bindegewebslamelle, welche in continuo mit der die großen Bauchgefäße befestigenden Bindegewebsmasse steht und deren einen Teil wir als die Stütze der Gefäße und weiter der inneren Nierenkante zu betrachten haben. Die Nebennieren selbst sind in dieses Gewebe eingebettet, werden von ihm gehalten und mögen allenfalls als eine Verstärkung desselben angesehen werden.

Die Capsula adiposa ist als Fixationsmittel mit Recht schon lange in Mißkredit gekommen, denn ihr Mangel schließt eine sehr gute Befestigung der Niere nicht aus, während bei ihrer Anwesenheit eine gewisse elastische Beweglichkeit der Niere schon theoretisch sehr wahrscheinlich ist, wie auch wiederholt angegeben wird.

Wohl aber ist eine sehr bedeutende Fettanhäufung imstande, die Exkursionen einer Niere, deren Befestigungsapparat sonst stark nachgelassen hat, zu hindern, indem der ganze verfügbare Raum, besonders auch der zwischen Niere und Nebenniere, vom Fett occupiert wird. Ein Beispiel dieser Art hat die Tabelle IIa gezeigt.

Danach kann ich also in keinem der angegebenen Fixationsmittel ein allgemein giltiges Moment für die Fixation der Niere sehen, sondern nur in denjenigen anatomischen Verhältnissen, welche durch die Lage der Fascien, besonders aber durch die Einbettung der Niere in einen zusammenhängenden Stock dichten Bindegewebes gegeben sind. Diese feste Masse ist am dichtesten, am meisten konzentriert um die großen Gefäße herum, vor allem um die Aorta; sie fixiert Pankreas, Nebennieren, Gefäße der Nieren, den Anfangsteil des Ureters und wird lateral und nach unten immer schwächer. Es scheint mir auch der Grund für die größere Beweglichkeit der rechten Niere darin zu liegen, daß die linke dem Centrum der Festigkeit näher liegt.

---

Damit eine Niere beweglich werde, muß zweierlei geschehen:

1) muß ihre Anheftung nach beiden Seiten zu schwach sein, um den auf sie einwirkenden Schädlichkeiten zu widerstehen und

2) muß sie nach unten einen Platz bekommen, wohin sie ausweichen kann.

Das erstere kann sich ereignen, wenn sich die fixierenden Bindegewebsstränge lockern oder aber von Anfang an weniger fest sind. Die Lockerung der Gewebe wird durch alle jene Umstände bewirkt, welche überhaupt die Festigkeit derselben beeinträchtigen, wie Alter, schwere akute und chronische Krankheiten, eine schwächliche Konstitution und dergleichen. Hierzu kommen dann erst die Gelegenheitsursachen, die den Anstoß zur Entstehung einer Beweglichkeit höheren Grades geben können.

Gleichzeitig mit diesem Vorgang schafft sich die Niere den Raum. den sie für Bewegungen braucht.

Zur Orientierung über die anatomischen Verhältnisse betrachten wir zunächst einen Fall mit mäßiger Beweglichkeit. Schon die Untersuchung der Nierengegend von innen her und bei intaktem Bauchfellüberzug läßt bei verschiedenen Graden der Beweglichkeit deutliche Differenzen wahrnehmen. Im allgemeinen liegt das Peritoneum seiner Unterlage vermittelst eines kurzfaserigen, straffen Zellgewebes ziemlich dicht an, und daher kommt es, daß bei dem Versuche, dasselbe z. B. über der Wirbelsäule mit den Fingern isoliert aufzuheben, dies unter normalen Verhältnissen fast gar nicht gelingt oder doch nur eine kleine Vorbuchtung erzeugt wird. Jedenfalls kann es nirgends so weit abgehoben werden, daß darunter ein so voluminöses Organ, wie die Niere, sich frei verschieben könnte. Dieselben Befunde kann man auch in der Nierengegend konstatieren, wenn die Niere fest oder nur wenig beweglich ist.

Die Fixation des Peritoneums gegen das darunter liegende Gewebe — Bindegewebe nach Zuckerkandl, Fascia praerenalis resp. perirenalis nach Gerota, Glatenay und Gosset — und andererseits die Anheftungen dieser Schicht an die Nierenkapsel sind so fest, daß ein bloßer manueller Zug nicht genügt, um sie zu lösen oder auseinanderzuheben.

Wenn sich also an dieser Stelle das Organ retroperitoneal verschieben soll, so müssen die Beziehungen der deckenden Schichten zu einander und zur Niere unbedingt verändert sein, ja man kann sogar aus der Häufigkeit dieses Vorkommens den Schluß ziehen, daß hier

Umstände obwalten müssen, welche die Gewebe ganz besonders zu derartigen Veränderungen disponieren.

Ist aber hier eine Lockerung eingetreten. d. h. ist der Niere die Möglichkeit gegeben, sich in einem zur Disposition stehenden Raume zu bewegen, so ist dieser Weg der gleiche am Kadaver und am lebenden Menschen. Ohne daß ein Platz vorhanden ist, an dem sie sich bewegen kann, ist es an der Leiche so wenig möglich, die Niere zu verschieben, wie beim lebenden Menschen, wenn die umgebenden Gewebe nicht vorher zerrissen worden sind, und man kann auch hierin einen Beweis für die Giltigkeit der Leichenuntersuchungen sehen.

Gehen wir nun zu unserem Fall mit mittlerer Beweglichkeit zurück, so bemerken wir sofort ein von dem früher geschilderten verschiedenes Verhalten des Bauchfells. Indem man das Peritoneum unterhalb der Niere faßt und aufzuheben versucht, gelingt dies leicht, dasselbe läßt sich samt der unterliegenden Schicht in mehr oder weniger großem Umfange in die Höhe ziehen und es entsteht darunter scheinbar ein Sack, dessen unteres Ende, wie man sich durch Aufsetzen des Kadavers oder Verschiebung der Niere leicht überzeugen kann, dem tiefsten Stande des unteren Nierenpoles entspricht. Diese Tasche geht sehr häufig unter das Coecum hin, das mit dem Bauchfell von seiner Unterlage abgehoben wird.

Oft aber bedarf es nicht einmal dieser Manipulation, um die untere Grenze der Nierenbeweglichkeit zu bestimmen. Spannt man nämlich das intakte Peritoneum gegen die hintere Bauchwand an, so sieht man in solchen Fällen eine bogenförmige Linie hindurchschimmern (in Fig. 4 [s. p. 314] mit * bezeichnet), welchen den weißlichen Contour eines Sackes mit derben Wandungen darstellt, in welchem sich die Niere verschiebt. Löst man das Bauchfell vorsichtig von vorn her ab, so bekommt man diesen Sack zu Gesicht, der sowohl auf der rechten wie auf der linken Seite vorkommt und sich weithin verfolgen läßt. Die Aehnlichkeit dieses Sackes mit einem von außen her betrachteten Bruchsack, wie er sich etwa bei einer Radikaloperation einer Hernie nach der Bloßlegung präsentiert, ist eine auffallende; er bildet gegenüber dem Peritoneum so sehr ein selbständiges Ganzes, daß die Verschieblichkeit der Niere sich nach der Ablösung des Bauchfelles in keiner Weise ändert.

Legt man von vorn her die Fascia lumbo-dorsalis frei, indem man alle dieselbe bedeckenden Organe nach oben zieht (Fig. 5, s. p. 315), so erscheint der Sack mit seiner vorderen Wand am Peritoneum, zum Teil aber auch am Coecum klebend, und auch jetzt läßt sich die Niere immer noch ausschließlich so weit hin und her bewegen, wie diese Hülle es gestattet (Fig. 6, s. p. 316). Eine leichte Mitbewegung führt der Sack allerdings aus, auch ändert er seinen Contour bei Bewegungen der Niere ein wenig, weil er eben keinen Hohlraum darstellt und auch nicht mit seiner Außenseite frei ist, aber man kann sich leicht überzeugen, daß dies die Exkursionsfähigkeit der Niere nur wenig beeinflußt.

Legt man in solchen Fällen die Niere von hinten her durch den SIMON'schen Schnitt frei, nachdem man die Fascia retrorenalis der Länge

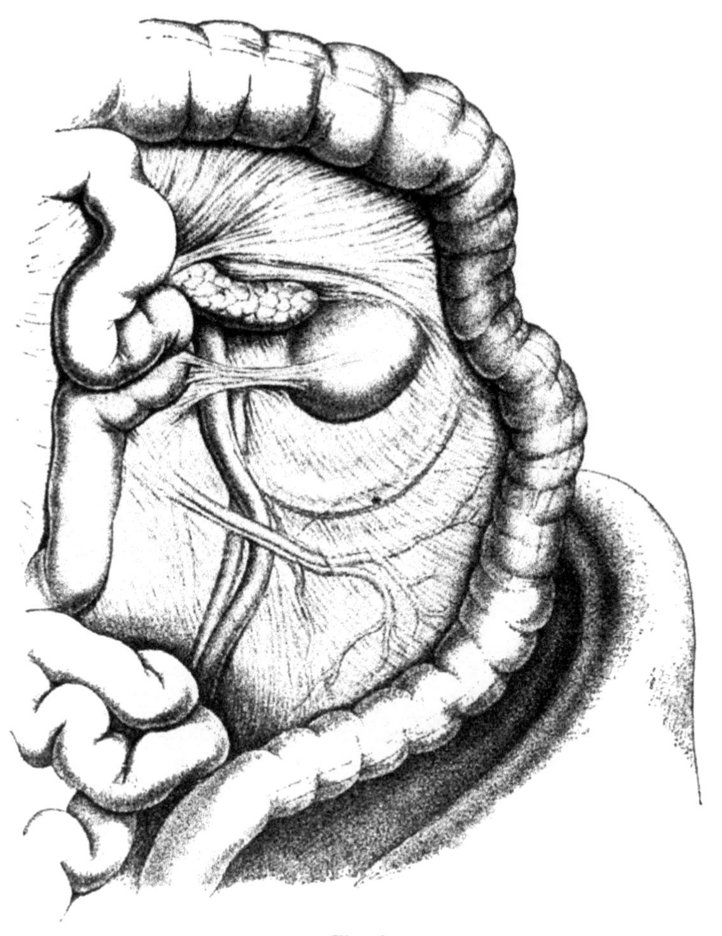

Fig. 4.

nach incidiert hat, löst die Niere aus ihren Adhärenzen und fixiert sie im oberen Winkel der Wunde, so entsteht nun nach unten von der Niere ein Hohlraum, welcher den Chirurgen von den Nephropexien her wohlbekannt ist. Er stellt das Innere des Sackes dar, welches infolge der Zerreißung der zwischen Niere und Sackwand verlaufenden Bindegewebsfasern als eine wirkliche — artificielle — Höhle erscheint. Es gelingt nun fast immer leicht, die ganze Sackwand bis gegen den Hilus hinauf ohne Verletzung des Peritoneums auszulösen, wie einen Bruchsack.

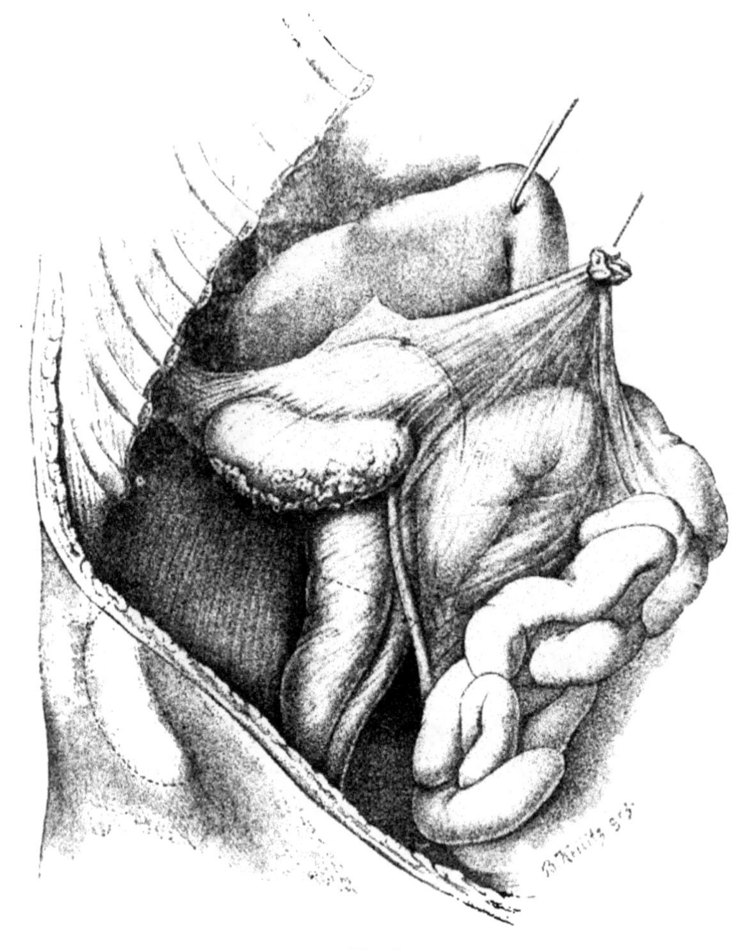

Fig. 5.

Derartige sackartige Bildungen sind schon wiederholt beschrieben worden, wenn auch freilich mehr als kasuistisch interessante Beobachtungen und werden verschieden gewürdigt [HEPBURN [1]), LEGUEU u. a.]. WEISKER [2]) unterscheidet verschiedene Arten von Kapselveränderungen,

1) Journal of Anat. and Physiol., 1885, Vol. 19.
2) l. c. — SCHMIDT's Jahrbücher, No. 220.

von denen eine darin besteht, daß die Nierenkapsel schlaff um die darin bewegliche Niere hängt, eine andere, bei welcher die Niere ihre Kapsel taschenartig nach unten vorgebuchtet hat und er bezeichnet letzteren Befund, welcher der geschilderten Sackbildung entsprechen dürfte, als einen der häufigsten bei beweglichen Nieren.

Einen derartigen Sack habe ich in fast allen Fällen von stärker beweglichen Nieren finden können, freilich nicht immer so scharf entwickelt, wie das Fig. 4 an der linken, Fig. 5 und 6 an der rechten

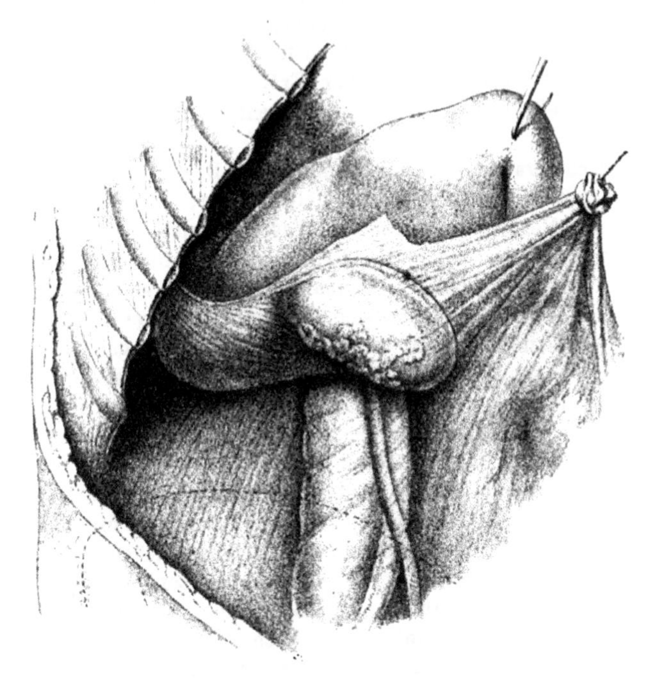

Fig. 6.

Seite zeigen; bei den Fällen mit geringerer Beweglichkeit dagegen fehlte er in der Regel, indem sich nach unten die Fascia retroperitonealis allmählich auflöst und nur mehr oder weniger starke und zusammenhängende Bindegewebsfasern dort nach vorn abgiebt, wo sich die untere Grenze der Nierenbeweglichkeit befindet. Sackartig wird hierbei diese äußere Kapsel nicht, weil die zur Niere verlaufenden Fasern sich nicht distinkt von denjenigen unterscheiden lassen, welche die Nische abgrenzen.

Die Aehnlichkeit mit einem Bruchsacke geht aber natürlich in allen Fällen verloren, sobald man diese verstärkte äußere Nierenkapsel eröffnet hat. Denn das Innere des Sackes ist ja keine seröse Haut, in der der Inhalt frei herumschlüpfen kann, sondern ein Teil der Fasern, aus denen seine Wand besteht, setzt sich nach innen direkt gegen die Niere fort, bildet ein lockeres Gewebe, das den künstlich herstellbaren Hohlraum ausfüllt und überall in die Capsula albuginea übergeht, diese ringsum mit der Umgebung in lockere Verbindung setzend. Sind die Fasern stramm gespannt und kurz, so wird die Beweglichkeit der Niere gering sein müssen, sind sie lang, dehnbar und schwach, so wird die Niere, insoweit sie nicht anderweitig daran verhindert ist, weite Exkursionen machen können, und so haben wir in der allseitigen Anheftung, welche nach dem früher Erörterten nur an verschiedenen Stellen graduell variiert, dasjenige Moment, welches die Mobilität beherrscht.

Zugleich versteht es sich, warum bei den Bewegungen der Niere die äußere Kapsel nicht ganz ruhig bleiben kann; da sie nichts anderes ist, als eine Verdichtung eben der Fasern, welche sie mit der Niere verbinden, muß sie sich notwendigerweise auch bei den Bewegungen derselben etwas beteiligen. Dagegen kann ich der vielfach geäußerten Meinung, die Niere verschiebe sich überhaupt mit ihrer äußeren Kapsel, keineswegs beistimmen; auf dieselbe kommt nur ein ganz kleiner Anteil der Bewegung, da ihre Beziehungen zur Fascia lumbodorsalis einerseits, zum Peritoneum andererseits viel innigere sind, als zur Niere, und demnach die Verschiebungen, welche zwischen Niere und Kapsel stattfinden, weitaus die beträchtlicheren sind.

Wie entsteht nun der besprochene Sack? Ist er vielleicht angeboren und stellt die „kongenitale Disposition“ dar? Ich möchte diese Frage verneinen, da ich bei Kindern niemals eine Bildung gesehen habe, die man irgendwie hiermit in Parallele stellen könnte, sondern es dürfte die Annahme richtig sein, daß er ein Produkt der beweglichen Niere ist, welche die Fasern nach unten allmählich zusammenschiebt und verdichtet; dabei kann die Stelle, an welcher die beiden Seiten der äußeren Kapsel in so innige Berührung treten, daß sie die Gestalt eines festen Abschlusses annehmen, eine sehr verschieden hohe sein.

Bei dieser Gelegenheit sei der Krisen bei Wanderniere gedacht, um mit Beziehung auf die Art der Nierenbefestigung darauf hinzuweisen, daß eine Einklemmung, wie sie vielfach als Ursache für die akut auftretenden Symptome angenommen worden ist, geradezu unter die Unmöglichkeiten gehört.

---

Nach den Befunden an den von mir untersuchten Kadavern wird es wohl notwendig sein, nochmals auf die schon früher berührte Frage zurückzukommen, wie weit die normale Verschieblichkeit der Niere geht, wann dieselbe als eine abnorm bewegliche, als Wanderniere aufzufassen ist. Wie wir gesehen haben, bestehen darüber sehr verschiedene Ansichten, die aber großenteils durch die Anschauung beeinflußt sind, daß die Resultate der Leichenuntersuchung nicht maßgebend seien. Ein endgiltiges Urteil wird überhaupt erst möglich sein, wenn die Entscheidung hierüber getroffen und allgemein anerkannt ist; dann werden Anatomen und Kliniker sich darüber zu einigen haben, wo die Grenze zu ziehen ist; die anatomischen Befunde sind derart, daß jetzt nur das Eine behauptet werden kann, daß an der Leiche die ganz fixen Nieren auf keinen Fall so sehr in der Mehrheit sich befinden, daß sie ausschließlich als normal gelagert bezeichnet werden dürfen. Eine natürliche, scharfe Grenze giebt es anatomisch nicht und klinisch noch weniger, da es allgemein bekannt ist, daß einmal eine geringe Beweglichkeit die hochgradigsten Störungen hervorruft, ein anderes Mal eine sehr bedeutende Mobilität so gut wie symptomlos verläuft.

Wie früher schon betont wurde, sind dies die Gründe, derentwegen die Leichenuntersuchungen nicht geeignet sind, ein Resultat zu geben, dessen Prozentzahlen sich direkt auf den lebenden Menschen übertragen lassen, indem zu den Leichen selbstverständlich die Siechen und Alten das Hauptkontingent stellen, während nur ein solches Material ausschlaggebend sein kann, welches den Verhältnissen am Lebenden entspricht. Für die Leichen übersteigt die Zahl der beweglichen, ja sogar der stärker beweglichen Nieren die der nicht beweglichen so bedeutend, daß selbst in den Augen des strengsten Kritikers die „Ausnahme“ überschritten wäre.

Es sei hier diesbezüglich nur darauf verwiesen, daß Virchow zu wiederholten Malen, so auch in der Debatte über die Enteroptose in der Berliner med. Gesellschaft [1]) darauf aufmerksam gemacht hat, daß bei der Mehrzahl aller erwachsenen Menschen sich gewisse Dislokationserscheinungen der Eingeweide des Bauches und speciell der Därme finden, und zwar mit solcher Häufigkeit, „daß viel mehr Menschen von dieser Dislokation betroffen sind, als normale Lagerung der Eingeweide besitzen“.

---

Eine bedeutungsvolle Rolle spielt in der Litteratur das Verhältnis der rechtsseitigen Wanderniere zum Colon ascendens und Duodenum. Dem ersteren wird vielfach ein Einfluß auf die bekannte Thatsache eingeräumt, daß man häufiger rechts als links hochgradige Beweglichkeit der Niere finden kann, indem als Ursache hierfür angegeben wird, daß die rechte Niere nur zu etwa einem Drittel, die linke ganz vom Colon resp. seinem Mesenterium bedeckt werde. Es würde dies, wenn es sonst den angenommenen Einfluß hätte, noch

1) Berliner klin. Wochenschr., 1890.

mehr Bedeutung dadurch gewinnen, daß nach den Untersuchungen von HELM das Colon ascendens nur in einem Drittel der Fälle überhaupt mit dem unteren Nierenpole in Kontakt tritt, während es sich in zwei Dritteln der Fälle um denselben herumschlingt.

Es gelingt aber nicht, irgendwelche Beziehungen zwischen Colon und Beweglichkeit der Niere in dem Sinne zu finden, daß die Motilität größer oder geringer würde, wenn der Darm mehr oder weniger weit an der Niere hinaufreicht. In Wirklichkeit verschiebt sich die Niere in einer Schicht, welche weder rechts noch links von der Lage des betreffenden Colonabschnittes beeinflußt ist, sondern unter demselben liegt. So sieht man auf Fig. 5 den Sack der hinteren Colonfläche anhaftend und die Niere verschiebt sich (Fig. 6), ohne die Lage und Gestalt des Darmteiles merklich zu beeinflussen. Man kann daher KÜSTER nur vollkommen beistimmen, wenn er sagt, daß er eine Herabzerrung der Niere durch Darmschlingen nie und nimmer anzuerkennen vermöge und daher die GLÉNARD'sche Theorie zu verwerfen sei.

Das Verhältnis der rechten Niere zum Duodenum hat Anlaß zu erhitzten Diskussionen gegeben, weil der häufige Befund des gleichzeitigen Vorkommens von Wanderniere und Magenerweiterung einerseits in der Weise gedeutet wurde, daß die erstere die Folge der letztern sei, andererseits die umgekehrte Reihenfolge der Erkrankungen für die gewöhnliche gehalten wurde.

Der absteigende Teil des Duodenums liegt, wenn die Niere sich an ihrem „offiziellen" Platz, etwa entsprechend der Angabe von LUSCHKA, befindet, dem Hilus mehr oder weniger dicht an und ist mit demselben durch einen straffen, faltenlosen Ueberzug verbunden, welcher gleichzeitig den Zwölffingerdarm in enger Berührung mit den Wirbelkörpern hält (KÜSTER), doch ist die Beziehung der beiden Organe zu einander immerhin abhängig von den Füllungsgrade des Darmes. Je nachdem dieser mehr oder weniger voll ist, tangiert er bloß den medialen Nierenrand oder schiebt sich auf die mediale Portion der Nierenfläche (KOFMANN). Sowie aber die Niere seitlich etwas abrutscht, ergiebt sich ein Zwischenraum zwischen Hilus und Duodenum, der bei größerer Beweglichkeit der Niere in gewissen Stellungen derselben recht bedeutend wird.

Wenn aber die Niere eine größere Beweglichkeit nach innen zeigt, tritt sie mit dem Zwölffingerdarm in Beziehungen, welche für denselben kaum gleichgiltig bleiben können. MÜLLER-WARNECK[1]) (BARTELS) hat den Zusammenhang von Wanderniere und Magenerweiterung als Erster so erklärt, daß die rechte Niere, welche durch den Druck der Schnürvorrichtungen nach vorn und innen verschoben wird, den nicht beweglichen Teil des Duodenums, der zwischen Hilus renalis und

1) Berliner klin. Wochenschr., 1877.

Wirbelsäule herabsteigt, komprimiert, somit eine partielle Verl des Lumens zustande kommt; weiterhin wird nach dieser Erkl die Entleerung des Mageninhaltes in das Duodenum verlangsam erschwert.

Diese Ansicht ist von vielen Autoren acceptiert worden un bis heute noch ihre Stellung zu behaupten vermocht, trotzdem mancherlei Anfechtungen erfahren hat. Der wichtigste Widersp begründet sich auf eine ursprünglich von LITTEN [1]) aufgestellte Th welche die Dilatatio ventriculi als Folge der Wanderniere erklärt.

LANDAU stellt sich die anatomischen Verhältnisse so vor, daß hintere parietale Blatt des Peritoneums gleichzeitig das vordere l der Nierenkapsel und die Nierengefäße bedeckend über den Z fingerdarm hinweggehe; eine Dislokation der Niere nach vorn, i und unten könne dann um so leichter zu Verziehungen und knickungen des Duodenumschenkels führen, als dieser, besonders die Flexua duodena-jejunalis durch ziemlich strammes Bindegeweb die Wirbelsäule fixiert und verhältnismäßig unbeweglich seien. LINDNE hat diese Theorie angenommen und sich bei der Sektion überze daß bei einem vorsichtigen Zuge an der Niere nach vorn, innen u unten das Duodenum an einer mehrere Querfinger breit unterhalb Pylorus und jenseits des Eintrittes der Gallengänge in den Darm legenen Stelle sich einknicken läßt.

EWALD [3]) dagegen konnte an der Hand eines großen Krank materials konstatieren, daß die eine Anomalie nicht unbedingt andere im Gefolge haben muß, vielmehr der Symptomenkomplex eine letzte allgemeine Ursache, die bald da, bald dort sich besond geltend macht, nämlich auf die Erschlaffung des Bandapparates rückzuführen ist. Auch NOTHNAGEL [4]), LEUBE [5]) u. a. erkennen eine Koincidenz beider Erscheinungen an, und OSER [6]) hat ein zweifelhaft richtiges Argument gegen MÜLLER-WARNECK hervorgehob daß nämlich die Wanderniere viel zu wenig stabil in einer Lage um eine dauernde Kompression ausüben zu können. Dagegen wu wieder eingewendet, daß die Niere durch Schnürvorrichtungen in ei bestimmten Lage fixiert werden könne, eine Behauptung freilich, bisher noch nicht anatomisch bewiesen ist.

---

1) LITTEN hat diese Anschauung in der Sitzung der Berliner m Gesellschaft vom 19. März 1890 widerrufen, und man thut daher Unre stets nur seine ursprüngliche Aeußerung zu erwähnen, während er s schon damals auf den Standpunkt derjenigen gestellt hat, welche be Erkrankungen für Koincidentien halten.

2) Ueber die Wanderniere der Frauen, Berlin 1889.

3) l. c.

4) Verhandl. des Kongresses f. innere Medizin, 1887.

5) ibidem.

6) Wiener Klinik, 1881, Heft 1.

Bei den von mir untersuchten Kadavern habe ich die Verhältnisse weder so finden können, wie sie von LANDAU, noch so wie sie von MÜLLER-WARNECK dargestellt sind und wenn überhaupt je — was ich bei sonst normalen Organen, insbesondere bei Abwesenheit von Residuen von Entzündungsprozessen, sehr bezweifle — so dürfte es sich doch im besten Falle sehr selten so verhalten, wie sie beschreiben.

Die Vorbedingung der MÜLLER-WARNECK'schen Theorie sowohl als auch der LANDAU'schen ist, daß die Pars descendens duodeni nach hinten fest gegen die Wirbelsäule angeheftet bleibt, während die Niere sich bewegt; unter solchen Umständen dürfte der Mechanismus dieser supponierten Kompression kaum anders denkbar sein, als daß die Niere sich samt ihrem Peritoneum vorstülpt und gegen den Zwölffingerdarm legt, denn retroperitoneal wäre der Vorgang nicht möglich, weil das Duodenum zu weit vom Bauchfell überzogen ist.

Ich habe nur folgende Beziehungen der beiden Organe zueinander gesehen, diese aber in den betreffenden Fällen regelmäßig:

Da die Befestigungen des Duodenums nach hinten und die des oberen und inneren Teiles der Niere, welche den wichtigsten Teil der Nierenanheftungen darstellen, ein gemeinsames Ganzes bilden, läßt mit dem Beweglichwerden der Niere auch stets die Festigkeit der Fixation des Zwölffingerdarmes gegen die Wirbelsäule nach. So kann sich die Niere auch hier in derselben Schicht wie an anderer Stelle verschieben, nämlich unter das Duodenum, so daß sie dasselbe nicht von der Seite her berührt, sondern von der hinteren Bauchwand abhebt. Zuerst hat nur der innere Rand der Niere das Duodenum etwas nach innen verdrängt (aber ohne es gegen die Wirbelsäule zu pressen) und abgehoben, in späteren Stadien aber liegt dasselbe als ein platter Strang über der Vorderfläche der Niere. Der wesentliche Unterschied gegenüber den erwähnten Theorien besteht also darin, daß diese die gleichzeitige Lockerung der übrigen Anheftungen nicht berücksichtigen, infolge welcher auch das Duodenum nicht gegen die Wirbelsäule angedrängt werden kann. Freilich bleibt dabei der Darm auch niemals in seiner Lage in Bezug auf die Horizontalebene, denn es ist ja auch unter ihm keine freie Höhle, in welche die Niere hineinschlüpfen kann, sondern die Niere verschiebt sich, wie an anderen Stellen, in und mit dem Zellgewebe und dieses steht wieder im innigsten Zusammenhang mit demjenigen, welches das Duodenum fixiert.

Demgemäß rückt auch der ganze Darmteil nach innen, am meisten jene Partie, welche der Niere benachbart ist, allmählich weniger die übrigen Teile; aber selbst der Pylorus verschiebt sich oft nach innen und unten. Die Biegung des Zwölffingerdarms wird dabei schärfer, ja zuweilen entsteht fast eine winklige Knickung, so daß ich hierin LANDAU—LINDNER Recht geben muß.

Bei den Betrachtungen dieser Verhältnisse kann man sich der Einsicht nicht verschließen, daß eine mechanische Wirkung der Niere auf den Ausfluß des Mageninhaltes, vorausgesetzt, daß sie sich dauernd unter dem Duodenum aufhalten würde, unvermeidlich ist. Nur läßt sich diese Erklärung nicht verallgemeinern, schon deshalb nicht, weil es hochgradige Wandernieren giebt, welche eine so überwiegende Beweglichkeit in der Längsrichtung des Körpers haben, daß sie kaum mit dem Duodenum in Berührung kommen, ja die Niere kreuzt nicht selten weiter unten, dem tiefsten Anteil der Lendenwirbelsäule entsprechend, die Wirbelsäule, ohne daß sie im oberen Anteil eine bedeutende seitliche Beweglichkeit aufweist, während trotzdem Magenerweiterung vorhanden sein kann.

---

Ich stelle mir als Ergebnis des Besprochenen die Mobilisierung der Niere etwa in folgender Weise vor:

Die Nieren des Neugeborenen sind fest mit den Nebennieren verbunden und mit deren unterem Anteil beweglich. Indem die Nebennieren sich verkleinern, auch die Nieren im Verhältnis zu den übrigen Körperteilen im Wachstum zurückbleiben, verschließt sich von unten her der Raum, welchen die letzteren ausgefüllt haben. Durch alle diese Momente werden die Anheftungen der Nieren immer fester, so daß man die Nieren von Kindern jenseits des Säuglingsalters — eine selbst nur ungefähre Altersgrenze vermag ich nicht anzugeben — in der Mehrzahl der Fälle als gut fixiert betrachten kann.

Zugleich gewinnt das Gewebe um die großen Bauchgefäße an Festigkeit und die Bindegewebsstränge, welche die Capsula albuginea renis ringsherum mit ihrer Umgebung verbinden, werden derber, so daß die Niere überall durch ein kurzfaseriges, straffes Gewebe von oben gehalten, von unten gestützt wird. Ganz im allgemeinen kann man sagen, daß dieses Gewebe an der inneren und oberen Seite der Nieren, d. h. um die Nierengefäßstämme und die Nebennieren, am festesten ist, den solidesten Halt giebt, ebenso in seinen Uebergängen in die Fascia retrorenalis eine recht bedeutende Festigkeit aufweist, nach vorn und unten aber immer schwächer und weniger widerstandsfähig wird. Die Ursachen der häufig stärkeren Beweglichkeit der rechten Niere findet meiner Ansicht nach darin ihre Erklärung, daß die derben Bindegewebsmassen auf der rechten Seite weniger weit lateral sich erstrecken, als links, wohin das Centrum der Festigkeit, welches sich etwa über der Aorta befindet, verschoben ist; es ist demnach die Kürze der linken Arterie in dieser Beziehung nicht zu beschuldigen.

Ein gewisser Einfluß der Leber auf den Stand der Niere ist nicht zu leugnen, jedoch kann sie nicht in dem Maße zugegeben werden, wie viele Autoren wollen. Wir haben gesehen, daß die Leber überhaupt erst dann einen Einfluß auf die Lage der Niere gewinnen kann, wenn dieselbe nicht mehr fest fixiert ist, wenn ihr oberer Pol im Gegensatz zu dem Befunde bei der festen oder mit der Nebenniere beweglichen Niere sich vorwölbt.

Nach abwärts aber reicht der Einfluß der Leber auf die Niere auch nur so weit, als der obere Nierenpol das Niveau des unteren Randes der hinteren oder unteren Leberfläche berührt, was in der Regel keine sehr große Differenz bedeutet.

Die „gewöhnlich tiefere Lage der rechten Niere" kann als Ursache für deren größere Beweglichkeit keine Geltung haben, weil dieselbe in keiner Beziehung zur Festigkeit der Fixationen steht; zudem würde dieser tiefere Stand doch nur die Bedeutung haben können, daß die Niere rechts einen unbedeutenden Niveauvorsprung vor links hätte.

Auch dem Umstande, daß vor der linken Niere noch ein Gewebsblatt, das frühere Peritoneum, mehr liegt als vor der rechten Niere, dürfte deshalb keine besondere Bedeutung in dieser Hinsicht zuzumessen sein, weil es im wesentlichen nur auf die Solidität der Verbindungen zwischen Niere und dem ihr anliegenden Gewebsblatte ankommt und die weiteren Schichten nur eine ganz entfernte und verhältnismäßig geringe Einwirkung auf die Beweglichkeit auszuüben vermögen.

Die Einlagerung von Fett in die Capsula adiposa renis hat keinen direkten Einfluß auf deren Befestigung. Schon bei den Neugeborenen findet man, wenn sie gut genährt sind, eine manchmal nicht unbedeutende Fettschicht um die Nieren, bei den älteren Kindern, bei denen in meinen Fällen die Nieren fixiert waren, habe ich nie eine starke Fettanhäufung gesehen, so daß es also ausgeschlossen erscheint, daß die Stärke der Capsula adiposa einen regelmäßigen Einfluß auf die Solidität der Befestigung ausübt.

Bei jugendlichen Erwachsenen findet man die Nieren häufig entweder ganz fest oder nur wenig beweglich — ich nehme an, daß dies überhaupt bei kräftigen und gesunden Menschen die Regel ist. Die Beweglichkeit der Niere, welche man an der Leiche sehr häufig, an dem gewöhnlichen Material der Krankenhäuser in mehr als der Hälfte aller Fälle findet, entsteht dadurch, daß das Gefüge des Gewebes gelockert wird, welches sie nach oben gegen die Nebenniere, nach innen zu gegen die Wirbelsäule, nach allen Seiten gegen die sogen. äußere Kapsel fixiert und auch die Bewegungsrichtung wesentlich beeinflußt.

Durch diese Umstände wird die seitliche Beweglichkeit der Niere im Verhältnis zu der in der Längsrichtung eine meist recht geringe, indem gegen die Wirbelsäule zu im Bereich der oberen Lendenwirbel ein bedeutenderer Widerstand des Gewebes zu überwinden ist, als anderwärts. Erst weiter unten wird eine Bewegung auch über die Wirbelsäule hinüber möglich, weil hier die Befestigungen nicht mehr so solide sind.

Daher kommt es auch, daß die Bewegungsrichtung der Niere zwar eine bogenförmige ist, jedoch keineswegs einem Kreissegmente entspricht, dessen Radius die Nierengefäße darstellen würden, weil sie durch die örtlichen Verhältnisse und zwar bei verschiedenen Individuen in differenter Weise beeinflußt ist.

Die Gefäße gehen jedenfalls nur höchst selten in stets gestreckter Stellung bei den Bewegungen der Niere mit, da auch sie an ihrer Abgangsstelle weit besser fixiert sind, als im weiteren Verlaufe. Weil sie sich mit ihrer Umhüllung in toto bewegen, ist es auch nicht gut möglich, ihr Verhalten bei den Verschiebungen der Niere im einzelnen Fall genau zu studieren, indem eine Injektion die Gefäße starr machen und hierdurch die Verhältnisse wesentlich verändern müßte, die Präparation aber natürlich erst recht keinen Aufschluß giebt, da sie die fixierenden Elemente nicht verschonen könnte. So viel aber kann man immerhin erkennen, daß nämlich der Drehpunkt der Nierenbeweglichkeit nicht in der Abgangsstelle der Nierengefäße liegt, sondern dieselben sich bei ausgiebiger Verschiebung der Niere entsprechend der Abstufung ihrer eigenen Fixation in der Regel in einen flachen Bogen stellen.

Aus diesen Gründen ist die Richtung, welche die Niere bei ihren Exkursionen einschlägt, nicht allein von der Schwere des Organes und der Länge der Nierengefäße abhängig, sondern von sehr komplizierten und in jedem Falle individuell ganz verschiedenen anatomischen Verhältnissen. So steigt sie einmal mehr der Längsachse des Körpers entsprechend auf- und abwärts, ein anderes Mal kreuzt sie die Wirbelsäule und auch bei diesen letzteren Fällen findet man sehr große Verschiedenheiten betreffs des Ortes der Kreuzung, welche von der Länge der Gefäße im wesentlichen unabhängig sind.

Die theoretische Erwägung verbietet übrigens schon die Annahme, daß die Gefäßlänge bei den Bewegungen der Niere ganz ausgenutzt wird, denn bei jenen Fällen mit extremer Beweglichkeit, aber ohne alle subjektiven Krankheitssymptome, könnte wohl andernfalls keine Erklärung für die ungestörte Ernährung der Niere gefunden werden.

Der Spielraum, welcher der Niere für ihre Bewegung gegeben ist, bleibt stets ein ganz bestimmt begrenzter; man kann ihn besonders leicht in jenen Fällen verfolgen, in welchen sich durch Verdichtung des Gewebes der äußeren Kapsel ein nach unten geschlossener Sack gebildet hat; dieser Sack ist ein Produkt der beweglichen Niere. Wird die Niere durch irgend ein Hindernis, welches von oben her einwirkt, von der Rückkehr in ihre obere Stellung abgehalten, so wird hierdurch die Beweglichkeit eingeschränkt. Rückt das Organ, welches dies Hindernis darstellt, so weit herab, daß der ganze Spielraum ausgenutzt erscheint (Leber- und Milztumoren, Zwerchfelltiefstand etc.), so wird hierdurch die Niere zunächst nicht beweglicher, sondern im Gegenteil fester fixiert, indem sie zwischen das Hindernis und das relativ unnachgiebige Ende ihrer erweiterten äußeren Kapsel eingezwängt ist.

Ganz dasselbe kann auch durch eine extreme Anhäufung von Fett um die Nieren geschehen, indem die Kapsel so vollkommen durch dasselbe ausgefüllt wird, daß sie keinen Platz mehr für Bewegungen findet.

Zum Schlusse noch einige Worte über die respiratorische Beweglichkeit der Niere. Sichere Auskünfte hierüber kann man durch das Experiment nur für die fixen Nieren bekommen. Indem man in die durchschnittene Trachea bei intaktem Brustkorb eine Vorrichtung zum Aufblasen einbindet (z. B. eine Luftpumpe, wie sie zum Aufblasen der Pneumatik bei Fahrrädern verwendet wird), kann man die Bewegungen der fixierten Niere leicht beobachten, nachdem die Leber entfernt ist, von der wir wissen, daß sie vor der fixierten Niere bei den Atembewegungen nur vorbeigleitet. Bei schwach aufgeblasenen Lungen, wie sie der ruhigen Atmung entsprechen, sieht man so gut wie gar keine Bewegung der Niere, und erst bei starker Aufblähung rückt dieselbe um ein geringes nach abwärts, hauptsächtich aber macht sie eine Drehung mit ihrem oberen Pole nach vorn und etwas einwärts. Eine ausgesprochene respiratorische Beweglichkeit scheint mir daher für diese Fälle ausgeschlossen zu sein.

Anders steht die Sache bei den beweglichen Nieren, die ihren engen Kontakt mit den Nebennieren eingebüßt haben. Für diese ist die erwähnte Versuchsanordnung unbrauchbar, weil sie nicht gestattet, die Leber, deren Wirkungsweise in solchen Fällen wir früher kennen gelernt haben, an Ort und Stelle zu belassen. Jedoch ergiebt die Analogie mit den Tumoren der Leber, daß diese unter solchen Umständen notwendigerweise ihre Bewegungen auf die Niere wird übertragen müssen, wieder aber nur so lange, als die letztere nicht mit ihrem oberen Pole aus dem Bereich der Leber heraus gelangt ist.

---

Es ist nicht meine Absicht, die Aetiologie der Wanderniere, welche in vielen hundert Publikationen besprochen erscheint, im Detail zu betrachten, aber es wird an der Hand der vorangegangenen anatomischen Betrachtungen vielleicht möglich sein, wenigstens das eine oder andere von den ätiologischen Momenten zu eliminieren, welche, seit Jahrzehnten fortgeschleppt, eine wahre Landplage in der Litteratur darstellen.

Ich betrachte zunächst auf Grund der anatomischen Befunde als feststehend, daß die wichtigste und unbedingt notwendige Grundbedingung zur Entstehung einer stärker beweglichen Niere ein der

Beweglichkeit entsprechender Grad von Erschlaffung des gesamten Zellgewebes ist, welches die Niere umgiebt und als solches die Befestigung der Niere nach allen Seiten bedingt.

Diese Befestigung ließe sich vielleicht am ehesten mit der einer weiblichen Mamma vergleichen, deren ideale Form und Stellung auch durch die Straffheit der Fasern bedingt ist, welche sie nach hinten an die Fascie, nach vorn an die Haut befestigen. Neben dieser idealen Form giebt es und zwar im späteren Leben in der überwiegenden Mehrzahl Erschlaffungszustände, die trotz ihres Abweichens von dieser „idealen“ Gestalt keineswegs pathologisch sind.

Die Lockerung kann hier wie dort durch die verschiedensten Umstände bedingt und unterstützt sein, sie kann entweder mit einer Erschlaffung des Zellgewebes am ganzen Körper parallel gehen oder mehr lokal auftreten. In diesem Sinne hat SCHMID Recht, wenn er die Wanderniere mit den Hernien vergleicht, nur ist, wie gesagt, nicht dasjenige, worauf er das Hauptgewicht legt, nämlich die Länge der Arterie, das Wesentliche.

Hiermit läßt sich auch das häufigere Vorkommen der ausgesprochenen Wanderniere beim weiblichen Geschlecht am leichtesten und ungezwungensten erklären, weil die Voraussetzung, daß eine Erschlaffung des Gewebes vorausgegangen ist, oder wenigstens mit den anderen Noxen Schritt hält, bei Weibern viel häufiger zutrifft, als bei Männern. Zunächst treffen wir bei jungen Mädchen ungleich häufiger eine sogen. „schwächliche Konstitution“, welche nichts anderes ist, als eine geringe Widerstandsfähigkeit der Gewebe, besonders aber geben die chlorotischen Zustände Anlaß zu derartigen Veränderungen. MEINERT[1]) freilich sieht die Chlorose und mit ihr viele Fälle von früh auftretender Wanderniere als Folgen einer Enteroptose an, doch würde dies so ziemlich auf dasselbe hinauskommen, nämlich auf die Voraussetzung einer weitgehenden Erschlaffung des Bindegewebes; nur sollen Enteroptose und Wanderniere nicht in kausalen Zusammenhang gebracht, sondern als Koincidentien angesehen werden.

Im späteren Alter kommen Gravidität, Geburten und Laktation hinzu, um neue Breschen in die Festigkeit der Gewebe, insbesondere des Bauchraumes, zu legen.

Hier sei nur nebenbei eines statistischen Fehlers gedacht, den man häufig in den Arbeiten über die Wanderniere findet. Noch heute wird viel über die Bedeutung der Schwangerschaft für die Entstehung der Wanderniere gestritten, indem manche Autoren behaupten, dies komme bei Nulliparis gerade so oft vor, wie bei Frauen, die geboren haben. Die überwiegende Mehrzahl der Statistiken aber beweist, daß diese Erkrankung bei Mehrgebärenden häufiger ist, als bei Nulliparen.

1) VOLKMANN'sche Sammlung, 1895, No. 115—116.

Ich kann in diesem Ergebnis der Statistik durchaus keinen direkten Beweis für den Einfluß der Geburt sehen, trotzdem ich demselben, wie gesagt, seine Wichtigkeit nicht abspreche. Wenn man aber die Zahl der Nulliparen vom Pubertätsalter aufwärts der Zahl der Frauen gegenüberstellt, welche Graviditäten durchgemacht haben, so wird die Menge der letzteren bedeutend überwiegen. Demnach ist die statistische Berechnung in ihrer Grundlage falsch und müßte erst auf der Basis einer derartigen Betrachtung revidiert werden.

Vom Standpunkte der Gewebserschlaffung aus sind also sämtliche unterstützende Momente zu betrachten. KNAPP[1]) sagt, daß alle jene Momente, welche zu einer raschen Abmagerung und Schwächung des Gesamtorganismus führen (fieberhafte akute und chronische Krankheiten, Kachexien aus irgendwelchen Ursachen, seniler Marasmus), dazu „disponierte" Nieren mobilisieren können, aber auch bis dahin „latent" bestandene Dislokationen nun erst bei entsprechender Erschlaffung und Verdünnung der Bauchdecken nachzuweisen ermöglichen. Ich möchte den zweiten Teil dieses Satzes als vollkommen richtig anerkennen, den ersten Teil aber umkehren und sagen, daß diese Veränderungen nicht dazu disponierte Nieren mobil machen, sondern daß sie selbst die Disposition schaffen oder wenigstens verstärken.

Dagegen stimme ich der Ansicht von KNAPP unbedingt bei, daß präklimakterische und klimakterische Erschlaffungszustände eine wichtige Rolle spielen.

Auch die Heredität kann bis zu einem gewissen Grade als Ursache anerkannt werden, nur darf man dabei an kein von Anfang an nachweisbares Moment denken, wie z. B. an den abnormen Verlauf oder größere Länge der Nierengefäße, sondern an eine ererbte Schwäche der Fixation, ähnlich etwa wie es ererbte Schwäche der Muskeln und Bänder der Wirbelsäule giebt, die eine Prädisposition für die Entstehung der Skoliose schaffen. Auf keinen Fall geht es aber an, den Beweis für die Heredität des Leidens so einfach zu führen, wie dies STIFLER[2]) thut, der ihn darin zu sehen meint, daß in dreien der von ihm beobachteten Fälle Mutter und Tochter an Wanderniere litten. PENZOLDT[3]) hat gewiß Recht, wenn er sagt, daß die Wiederholung der Krankheit in einer Familie kaum häufiger sei, als bei einer so oft vorkommenden Krankheit natürlich ist. Von der Erschlaffung der Bauchwand gilt dasselbe, wie für die GLÉNARD'sche Krankheit. Von einer direkten Einwirkung derselben

1) Klinische Beobachtungen über die Wanderniere bei Frauen, Berlin 1896.

2) Münchner med. Wochenschrift, 1892.

3) Die Heilkunde, 1897.

auf die Nierenlagerung kann keine Rede sein, weil dieselbe aus den besprochenen anatomischen Gründen unmöglich ist; wohl aber ist immer gleichzeitig mit diesen Veränderungen auch eine Erschlaffung der übrigen Gewebe im Bauchraume vorhanden, infolgedessen das gleichzeitige Aufreten einer stärkeren Nierenbeweglichkeit unvermeidlich, wie es schon vor Jahren von EWALD gelehrt worden ist.

Bei der Betrachtung der vermittelnden Momente, welche als ätiologische Ursachen zweiten Ranges in Betracht kommen, ist es sehr wichtig, den Begriff der Wanderniere im Auge zu behalten, resp. vorher zu sagen, was man darunter versteht. Es giebt eine Menge von Krankheitsprozessen im Bauchraume, welche die Lage der Niere ganz analog wie die anderer Organe verändern können. Ich führe als Paradigma drei von CURSCHMANN [1]) beschriebene Fälle an, in denen die Niere direkt durch den Darm verzogen war, zweimal linkerseits infolge von Verwachsung mit der linken Flexur, welche sie hinabzog, einmal rechterseits durch eine Quercolonschlinge, welche die Niere bis in die Nabelgegend dislociert hatte. Derartige Resultate von Entzündungen können natürlich sehr leicht durch den allmählichen Zug die Nieren von ihren Anheftungen nach hinten und oben loslösen, indem sie die Gewebsfasern langsam in die Länge ziehen und lockern. Wenn man will, kann man dabei auch von einer „Wanderniere“ sprechen, da ja diese Bezeichnung bisher keine scharfe Begrenzung hat. Aber es ist eine „Wanderniere“, welche mit dem klassischen Bilde dieser Abnormität weder in anatomischer, noch in klinischer Beziehung zusammengehört, und es wäre grundfalsch, daraus etwa den Schluß ziehen zu wollen, daß Verlagerungen der Därme ohne Vermittelung anderer Erkrankungen einen Einfluß auf die Lagerung der Niere habe.

Sie haben ihn nur dann, wenn entzündliche Prozesse die Beziehungen des Peritoneums zur äußeren Nierenkapsel und dieser zur Niere selbst geändert haben; solche Veränderungen können aber auch in der Regel vorwiegend nur dislocierend, nicht mobilisierend wirken, letzteres nur insofern, als sich die Niere mit den ihr anhaftenden Organen bewegt, so daß also z. B. eine Verziehung zur Leber eher fixierend wirken müßte.

Derartige Prozesse sind also nicht mit der klassischen Wanderniere auf eine Stufe zu stellen, sondern vielmehr mit den so häufigen narbigen Verlagerungen anderer Organe, den Lageveränderungen der Blase, des Uterus, der Ovarien, Gallenblase etc., ebensogut aber auch mit den cicatricellen Deformitäten der Gliedmaßen, der Haut. Man könnte also mit demselben Recht von einem Wanderuterus etc. oder gar einem Wandermund sprechen.

In diese Gruppe gehören auch die Verziehungen der Niere, die in

---

1) Deutsch. Arch. f. klin. Medizin, 1894.

jüngster Zeit RIEDEL[1]) als Folgeerscheinung der Peritonitis chronica non tuberculosa beschrieben worden sind, ferner gehören hierher die Folgezustände aller jener Erkrankungen, welche ihren Sitz in der Nähe der Niere haben; wie in den Fällen von FRANK[2]) und MORRIS[3]), bei denen angegeben ist, daß die Nieren dadurch beweglich geworden seien, daß sich hinter denselben infolge von Wirbelcaries kalte Abscesse entwickelten.

Aber auch bei der richtigen Wanderniere sind die ätiologischen Momente keineswegs gleichwertig und die mangelnde Berücksichtigung des Unterschiedes zwischen dislocierenden und mobilisierenden Ursachen ist sehr geeignet, die größte Begriffsverwirrung hervorzurufen. LITTEN hat den Unterschied zwischen der Dislokation und Beweglichkeit schon scharf hervorgehoben, leider aber hat er damit nur sehr wenig Anklang gefunden; vielleicht ist diese Unterscheidung deshalb nicht mehr acceptiert worden, weil in der That außer bei den durch entzündliche Veränderungen angewachsenen Wandernieren eine Dislokation ganz ohne jegliche Beweglichkeit recht selten vorkommt, wenn man von den angeborenen Lageanomalien absieht, die nicht hierher gehören.

Um so wichtiger ist aber diese Unterscheidung in Bezug auf die Ursachen, welche einerseits eine Verschiebung, andererseits eine Mobilisierung herbeiführen. Beweglich kann die Niere nur dann werden, wenn ihr ein Platz für Exkursionen zur Verfügung steht, wenn nach allen Seiten ihre Verbindung mit der äußeren Kapsel gelockert ist, der betreffende Raum aber nicht anderweitig in Anspruch genommen wird. Hält das dislocierende Moment aber Schritt mit der Lockerung oder überwiegt ersteres gar, so kann niemals eine Beweglichkeit zustande kommen, sondern dieselbe wird eher, wie Tabelle II b zeigt, eingeschränkt.

Aus diesen Gründen scheinen mir auch die üblichen Einteilungen der Wanderniere nicht zweckentsprechend zu sein, ganz abgesehen davon, daß ich der Ansicht bin, daß die Beweglichkeit bisher weder klinisch, noch anatomisch bestimmt umgrenzt ist.

HILBERT[4]) unterscheidet drei Grade der Beweglichkeit und zwar:

1. Grad: Man fühlt den unteren Pol der Niere bis höchstens die Hälfte des Organes — palpable Niere (ren palpabilis).

2. Grad: Man kann die ganze Niere zwischen den Fingern abtasten. Bewegliche Niere im engeren Sinne (ren mobilis).

---

1) Chirurgenkongreß 1898, im Arch. f. klin. Chirurgie, 1898, Bd. 57, Heft 3.

2) Internat. klin. Rundschau, 1892.

3) Bei FISCHER l. c.

4) Münch. med. Wochenschr., 1897.

3. Grad: Man kann die ganzen Nieren fühlen und dieselben nach abwärts und nach innen frei verschieben (ren migrans).

Es ist klar, daß die Niere durch dislocierende Momente in die Stellung 1 und 2 kommen kann, ohne darum beweglich zu sein: ähnliche Einwendungen sind auch gegen die Einteilung KUTTNER's zu erheben, und noch mehr gegen die von RUGE [2]), welcher für die erworbene Wanderniere folgende Stadien aufstellt:

1) Descensus renis (Tiefertreten der Niere),
2) Ren mobilis (tiefergetretene Niere),
3) Dislocatio renis, ante mobilis, fixat.

Hier ist es das einzige Wort „ren mobilis", welches an die Beweglichkeit erinnert, die im übrigen als selbstverständlich vorausgesetzt wird, und dieses Wort sollte wohl nicht mit „tiefergetretene Niere" gleichgestellt werden, da ersterer Begriff eine Bezeichnung der Beweglichkeit, letzterer der Lage darstellt und es sehr wohl ein ren mobilis geben kann, trotzdem die Niere in einer bestimmten Lage des Körpers nicht nur nicht tiefer, sondern sogar höher steht als gewöhnlich. Aus diesem Grunde habe ich bei der Einteilung meiner Fälle für diejenigen eine eigene Rubrik machen zu sollen geglaubt, bei denen die Beweglichkeit trotz beträchtlicher Dislokation gering ist. Für die praktische Betrachtung kommt die dislocierte Niere mit Ausnahme derjenigen Form, welche RUGE dislocatio renis antea mobilis fixata nennt, nur selten in Betracht, weil, wie gesagt, die Veränderungen, welche zur Dislokation führen, meist derart sind, daß mit ihnen durch andere mitwirkende Umstände eine Lockerung der Anheftungsfasern der Niere und damit Mobilisierung derselben parallel geht.

Nur möge man bei der Beurteilung der Größe von Nierenexkursionen nie vergessen, daß dieselben nach oben durch dislocierende Hindernisse nicht selten eingesckränkt sind. Dabei ist bezüglich der klinischen Untersuchung noch besonders zu betonen, daß es nicht angeht, nach der Palpation am Lebenden den Befund der Beweglichkeit als einen gleichwertigen aufzufassen, wenn die Niere in der Rückenlage des Patienten, zwischen dem Niveau des Darmbeinkammes und der Rippen, vielleicht gar vor der Wirbelsäule liegt, also mit der größten Leichtigkeit bimanuell getastet werden kann, oder ob sie in ihrer typischen Stellung sich befindet, also zur Hälfte oder zwei Dritteln von den Rippen bedeckt, wo es oft selbst bei der größten Uebung kaum gelingt, eine halbwegs zuverlässige Vorstellung über diese Verhältnisse zu bekommen.

Außer den früher erwähnten Ursachen für die Entstehung einer Nierendislokation, welche aber mit der Wanderniere der klassischen

---

1) l. c.
2) Berlin. klin. Wochenschr., 1882, p. 357.

Form nichts zu thun haben, sind noch andere dislocierende Momente zu beachten:

1) Tumoren der Leber und der Milz[1]) können nur dann eine Wirkung auf die Lage der Niere ausüben, wenn die Befestigungen derselben nach oben schon gelockert sind; ist dies aber einmal der Fall, so vermögen sie sehr bedeutende Verschiebungen zu verursachen, während sie sonst vor den Nieren herunterwachsen, ohne an ihnen einen Angriffspunkt zu finden.

2) Tiefstand des Zwerchfells. Pleuritische Exsudate wurden schon von PIROGOFF[2]), BRAUNE, LUSCHKA und später von vielen anderen als Ursache von Veränderungen der Nierenlage angenommen. Diese Verschiebung braucht keineswegs durch Vermittelung der Leber resp. Milz zu geschehen. In einem sehr lehrreichen Falle solcher Art (Tab. III, No. 56) handelte es sich um einen rechtsseitigen Pyopneumothorax, welcher die Leber weit verschoben und zudem auch ihre obere Fläche medialwärts gedreht hatte, so daß sich ein prall gespannter Teil des Zwerchfells lateral von der Leber vorwölbte. Mit diesem trat die rechte Niere in Beziehung, so daß sie fast ganz außer Kontakt mit der Leber gekommen war. Bei ihrer höchsten Lage befand sich der obere Pol in der Mitte des 1. Lendenwirbels.

3) Geschwülste in der Umgebung der Nieren werden ebenfalls als Ursache der Wanderniere angegeben, können aber gewiß nur dislocierend wirken (LE GENDRE[3]), DELETZINE und VOLKOFF). Am wenigsten können Vergrößerungen der Nebennieren als mobilisierende Momente wirken. STOCKTON[4]) beschriebt einen Fall von Morbus Addisson, bei dem die hühnereigroße linke Nebenniere mit der Niere verwachsen und auch mit ihr beweglich war. Wir haben gesehen, daß große Nebennieren überhaupt oft beweglich sind, von einer Wanderniere kann in einem solchen Falle um so weniger die Rede sein, als beide Organe aneinander hängen.

Dasselbe gilt auch für Tumoren des Pankreas, z. B. in dem Fall von DREIZEHNER[5]), bei welchem infolge von Cystenbildung im Kopfe des Pankreas die Niere eine Drehung um 180° um ihre Längsachse gemacht hatte, so daß der Hilus lateral gekehrt und durch die Knickung und Kompression der Gefäße die Niere atrophisch geworden war.

1) KOFMANN macht im Gegensatze zu MÜLLER-WARNECK's Behauptung, daß die Milz 5—8 cm von der Niere entfernt sei, geltend, daß dieselben (er setzt dabei natürlich die „normale Lage" voraus) teils direkt, teils indirekt in Beziehung treten.

2) Bei BRAUNE.

3) Ann. des mal. des org. génit.-urin., 1894.

4) Bei FISCHER l. c.

5) Arch. f. klin. Chirurgie, Bd. 50.

4) Verkrümmungen der Wirbelsäule und zwar sowohl nach hinten, als nach vorn und der Seite werden besonders in neuerer Zeit oft als Ursachen der Wanderniere angeführt, nachdem schon LINDNER darauf hingewiesen hatte. HERCZL[1]) freilich giebt in dem von ihm beobachteten Fall nicht zu, daß die Wanderniere die Folge der Skoliose gewesen sei.

Es kann gewiß nicht Wunder nehmen, daß bei hochgradigen Verkrümmungen der Wirbelsäule die Niere nicht ihre gewöhnliche Lage einhält, denn bei solchen Erkrankungen ist ja überhaupt kaum ein Organ des Rumpfes an seinem richtigen Platz. Die Niere kann in manchen Fällen auf einer oder beiden Seiten weniger von den Rippen überdacht, infolgedessen besser fühlbar sein und aus demselben Grunde muß ihre Beweglichkeit leichter zu konstatieren sein. Stets aber kann die Verkrümmung der Wirbelsäule zur direkten Folge nur das eine haben, daß die Niere an einer ungewöhnlichen Stelle liegt, nicht aber, daß sie sich abnorm bewegt. Solche Nieren können auch durch die Lage der Leber und Milz, durch den Stand des Zwerchfells noch mehr dislociert sein, so daß es auch, abgesehen von der Beweglichkeit, schwer ist, die direkte Einwirkung der Skoliose oder Kyphose zu beurteilen. Daher kann man von einer Wanderniere infolge dieser Zustände, ebenso wie bei den narbigen Verziehungen, nur dann mit Recht reden, wenn man im gleichen Falle auch die Lageveränderungen der anderen Organe mit „Wanderleber", „Wandermilz" etc. bezeichnet. Solche Nieren sind zweifellos häufig beweglich — aber unter Mitwirkung von noch anderen Gründen.

5) Erkrankungen der weiblichen Genitalien. Hier und da findet man die Angabe, daß parametritische Exsudate und Narben durch direkten Zug die Niere beweglich machen. Ich brauche hierauf nicht näher einzugehen, da es genügt, auf das zu verweisen, was über die anderen narbigen und entzündlichen Veränderungen in der Nierengegend bereits gesagt wurde.

Viel häufiger stellen sich die Autoren den Einfluß, welchen die Erkrankungen der weiblichen Genitalien ausüben sollen, in der Weise vor, daß indirekt ein Zug am Ureter ausgeübt werde, welcher sich auf die Niere fortpflanze. LANDAU hat neben dieser Möglichkeit noch eine andere ins Auge gefaßt, daß nämlich durch den Zug am Peritoneum eine direkte Verschiebung zustande komme, eine Ansicht, welche nach dem Besprochenen als unhaltbar bezeichnet werden muß.

Der Zug am Ureter soll durch Prolapse, Retroversionen und Retroflexionen, para- und perimetritische Exsudate, an den Ureter reichende Carcinome, nach KNAPP ganz besonders durch Anteflexionen und Anteversionen ausgeübt werden. Letzterer erklärt die Wirkung dieser

1) Wiener med. Wochenschr., 1892.

Lageveränderungen folgendermaßen: „Der normal anteflektierte Uterus übt stets einen Druck auf den Scheitel der gefüllten Blase aus. Weicht die Blase dem auf sie einwirkenden Drucke aus, so findet eine Zerrung der Ureteren und des mit demselben in Verbindung stehenden Peritoneums statt". Unter 100 Fällen von Wanderniere fand er den Uterus 85 mal, darunter 9 mal hochgradig, anteflektiert, 2 mal durch Gravidität in den ersten Monaten, 3 mal durch Myome und 13 mal durch Metritis vergrößert, die übrigen Male in physiologischer Anteflexion [1]).

Gegen diese Anschauung machen sich a priori schwerwiegende Bedenken geltend. Zunächst sind bei Frauen beide Arten von Krankheitsprozessen so überaus häufig, daß es der strengsten Kritik bedarf, bevor sie in ein Abhängigkeitsverhältnis zueinander gebracht werden. Ferner ist zu bedenken, daß die Ureteren beim Mann mit dem Rectum in ebenso nahe Beziehungen treten, wie beim Weibe mit Uterus und Scheide und trotzdem weder bei Prolapsen und Carcinomen des Rectums noch auch bei den schwersten Fällen von Hämorrhoiden mit Prolaps Wandernieren beobachtet werden. Jeder Chirurg weiß aus eigener trauriger Erfahrung, wie die ausgedehnten Carcinome des Rectums Blase und Ureteren verziehen.

Noch schlagender ist das von Küster vorgebrachte Raisonnement, daß nämlich die Verbindungen der Harnleiter mit den Seitenteilen der Gebärmütter keineswegs so fest seien, daß letztere bei ihrem Vorfall jene nach sich zu ziehen vermöchte; das Trigonum Lieutaudii, welches die Harnleitermündungen enthält, pflege bei Blasenvorfällen am wenigsten verschoben zu sein; die Harnleiter seien keine scharf gespannten Stränge, sondern im kleinen Becken bogenförmig verlaufende, leicht geschlängelte und mit einer gewissen Verschieblichkeit nach allen Seiten hin ausgestattete Kanäle, an deren unteren Abschnitten schon eine ganz erhebliche Verlängerung möglich ist, ehe ein Zug sich auf die oberen Abschnitte, geschweige denn auf das Nierenbecken und die Niere fortpflanzt.

Küster führt im Anschluß hieran an, daß meine Tierversuche [2]) zwar wiederholt ein Herabrücken der Niere nach Durchschneidung der Ureteren und Einpflanzung derselben in die Blase ergeben haben, daß aber ein plötzlicher, sehr kräftiger Zug zweifellos eine andere Wirkung ausüben müsse, als ein langsamer. Ich kann mich mit dieser Deutung meiner Tierversuche nur in vollem Umfange einverstanden erklären, möchte aber auf Grund derselben mir noch einige Bemerkungen zu der vorliegenden Frage gestatten.

Die erwähnten Experimente wurden angestellt, um die Anwendbarkeit derjenigen Methode, welche Witzel für die Gastrostomie an-

1) Das Material von Knapp entstammt einer Frauenklinik.
2) Arch. f. klin. Chirurgie, 1893.

gegeben hat, auf die Implantation des Ureters in die Blase zu veranschaulichen. Zu diesem Zwecke wurde bei Hunden der Harnleiter mehrere Centimeter oberhalb seiner Einmündungsstelle in die Blase durchschnitten, vorgezogen und in die Blasenwand eingenäht. Dabei fielen mindestens 3—4 cm Länge des Ureters aus und dies bei Hunden, deren Harnleiter in keinem Falle halb so lang war, als der des Menschen. Sagen wir also, die Verkürzung würde 5—8 cm beim Menschen entsprochen haben, so dürfte die Annahme gestattet sein, daß eine solche Verzerrung infolge von Genitalerkrankungen nicht zustande kommen kann.

Der menschliche Ureter liegt nicht angepannt, sondern sehr locker im Gewebe und mißt in seiner Pars pelvica, d. h. von der Linea innominata bis zur Blasenmündung nach Holl [1]) etwa 9 cm, wobei zu bemerken ist, daß er vor seiner Mündung einen nach unten konvexen Bogen macht, der sich bei Zerrungen zuerst ausgleichen muß. Die Länge der Pars pelvica überwiegt also den direkten Abstand ihrer Endpunkte sehr bedeutend; erst wenn diese ganz oder nahezu ganz gerade verliefe, könnte die Niere herabgezogen werden.

Betrachtet man eine hochgradige Wanderniere bei ihrer höchsten Stellung am Kadaver, so findet man den Ureter nicht angespannt, ebensowenig, wie man durch Verschiebungen der Niere eine Veränderung in der Stellung der inneren Geschlechtsteile oder der Blase produzieren kann, was doch als die einzige Gegenprobe gelten könnte.

Immerhin muß zugegeben werden, daß hier und da einmal unter besonderen Verhältnissen die theoretische Annahme nicht ganz ausgeschlossen werden kann, daß die Niere durch einen Zug am Ureter infolge von Genitalerkrankungen herabgezogen wird. Dagegen darf unbedingt nicht zugegeben werden, daß dadurch eine eigentliche Wanderniere verursacht werden könnte. Der Zug am Ureter wird zunächst nur dislocierend wirken, eventuell könnte durch einen Wechsel in der Stärke des Zuges, nie durch diesen selbst ein mobilisierendes Moment hinzukommen; unter allen Umständen aber würde dann der tiefste Stand der Niere nur demjenigen Punkte entsprechen, der sich aus der Verkürzung des Ureters ergiebt, eine tiefere Stellung muß andere Gründe haben.

6) Als dislocierendes Element ist auch eine bedeutende Anhäufung von Fett in der Capsula adiposa, und zwar speciell am oberen Nierenpol, anzusehen. Die Hauptmasse des Nierenfettes befindet sich gewöhnlich um die Konvexität und den unteren Pol der Niere, während der obere Pol und die Hilusseite wenigstens in ihrem oberen Anteil bei den eigentlich fixen Nieren davon frei sind, weil in dem straffen Gewebe kein Platz für seine freie Entwickelung vorhanden ist.

---

1) Wien. med. Wochenschr., 1882.

Sei es nun, daß sich trotzdem an diesen Stellen ausnahmsweise mehr Fett ansetzt, sei es, daß dies erst geschieht, wenn die Niere schon gelockert ist, jedenfalls kommen Fälle vor, wo die Niere bei geringer Beweglichkeit sehr tief und dabei weit von der Nebenniere entfernt liegt, ohne daß eine andere Ursache dafür vorhanden wäre, als eine bedeutende Fettanhäufung oberhalb des oberen Nierenpoles, zwischen ihm und der Nebenniere und am oberen inneren Umfang der Niere. Der Fall Tabelle IIa No. 19 zeigt ein eklatantes Beispiel dieser Art.

---

Von den mobilisierenden Hilfsagentien[1]) steht ein großer Teil in nahen Beziehungen zu den dislocierenden. Ist einmal die Niere in irgend einer Richtung abgedrängt worden und läßt nun die Wirkung der dislocierenden Ursache nach, so hat sich nicht nur ein Bett gebildet, in welches die Niere ein- und ausgehen kann, sondern es sind auch mit seltenen Ausnahmen alle Anheftungsfasern ausgezogen, so daß sie grösere Exkursionen zu machen vermag.

1) Hierher gehören also Tumoren der Leber und der Milz, sowie anderer Organe, welche sich in der Nachbarschaft der Niere befinden, unter der Bedingung wechselnder Größe des dislocierenden Momentes, ferner zeitweiliger Tiefstand des Zwerchfells.

Jedoch darf man auch so die Wirkung dieser Faktoren nicht überschätzen, ihr Einfluß kann niemals weiter reichen, als bis zu einem Punkte, bei dem der untere Rand der Niere derjenigen Stellung entspricht, in welcher sie sich infolge des früheren dislocierenden Momentes befunden hatte. Was mehr ist, kommt auf die Rechnung anderer Faktoren.

2) Durchaus dasselbe gilt von dem Schwund des Nierenfettes, von dem jetzt ziemlich allgemein anerkannt wird, daß er eine größere Beweglichkeit der Niere zur Folge haben kann, indem durch das Verschwinden des Fettes die Anheftungsfasern der Niere, zwischen denen dasselbe angesammelt war, welche es ausgedehnt und auseinandergedrängt hatte, gelockert werden und hierdurch der Spielraum der Niere vergrößert wird. Senator's Einwand, daß hiergegen der Mangel des Fettes bei der „festen“ kindlichen Niere spreche (was mit der Wirklichkeit, wie wir gesehen haben, nicht übereinstimmt), ist von Weisker, Küster u. a. mit treffenden Gründen zurückgewiesen worden. Die Bedingung sine qua non für die Entstehung einer Wanderniere infolge Fettschwund ist, daß sich auch am oberen Nierenpol Fett befunden hat, denn anderenfalls würde eine Mobilisierung ohne anderweitige mitwirkende Umstände ganz undenkbar sein: für die fixe Niere genügt demnach dieser Mechanismus nicht. Stets aber muß man bei

---

1) Ich berücksichtige hierbei nicht das bereits bei der Besprechung des intraabdominalen Druckes Erwähnte.

der Beurteilung solcher Fälle nach dem klinischen Befund sehr vorsichtig sein, denn es ist klar, daß man bei hochgradig abgemagerten Personen sehr leicht eine Niere tastet, deren Palpation unmöglich war, solange ein reichliches Fettpolster bestand, trotzdem oft genug, wie eine Reihe der Fälle in Tabelle III illustrieren, auch bei sehr fetter Capsula adiposa beträchtliche Verschieblichkeit besteht. Selbst an der Leiche gelingt es dann vor ihrer Eröffnung sehr häufig nicht, ein richtiges Bild dieser Verhältnisse zu gewinnen.

In dieselbe Gruppe gehören auch in gewissem Sinne die intermittierenden Hydronephrosen. Trotzdem sie in der Mehrzahl der Fälle anfänglich nicht Ursache, sondern Folge der Beweglichkeit der Niere zu sein scheinen, müssen sie andererseits im weiteren Verlaufe der Krankheit als ein mobilisierendes Moment betrachtet werden, indem sie der Niere ein Lager bereiten, in welchem sich dieselbe wieder mehr bewegen kann, wenn sich die Hydronephrose entleert hat. so daß hieraus ein Circulus vitiosus resultiert.

3) Weiter muß man dieselben Einschränkungeu auch für die Wirkung der Mieder- und Rockbänder [1]) gelten lassen, welche nur insofern außer dem dislocierenden auch einen mobilisierenden Einfluß haben, als derselbe kein konstanter ist, indem die Niere nicht dauernd, sondern insoweit es die bleibende Difformität des Skelettes erlaubt, nur zeitweise, während der Wirksamkeit der Schädlichkeit an fehlerhafter Stelle gehalten wird, bei Wegfall derselben aber zurückkehren kann. Indes läßt sich auch für die Schnürwirkung ein Einfluß erst dann annehmen, wenn die Niere nicht mehr vollkommen fixiert ist, sondern schon einen gewissen, wenn auch geringen, Grad von Beweglichkeit und Dislokation zeigt, da sie anderenfalls der verschiebenden Gewalt keinen Angriffspunkt darbietet.

Trotzdem bin ich nicht der Ansicht von Landau, der meint, daß der Brustkorb viel zu starr sei, um eine Einwirkung der Schnürvorrichtungen auf die von ihr umschlossenen Eingeweide zu gestatten, sondern schließe mich Küster darin an, daß „dies im jugendlichen Alter sicher unzutreffend ist, und selbst im späteren Alter wenigstens eine Einwirkung auf die beweglichen unteren Rippen stets noch stattfinden kann“. Küster erklärt sich den Vorgang so, daß durch das Einpressen der beiden unteren Rippen das Lager der Nieren in einen spitzen, nach vorne offenen Winkel verwandelt wird, aus welchem ein Entweichen nur nach vorn gegen die Pars perpendicularis duodeni möglich ist. Diese Veränderung des Rippenbogens kann bei fixen Nieren nur für eine sehr kleine

1) Beck und Lennhof haben (Berliner klin. Wochenschr., 1898, No. 32) Untersuchungen an Samoanerinnen mitgeteilt, als deren Resultate sie aussprechen konnten, daß das Vorkommen palpabler, resp. verschieblicher Nieren an sich vom Schnüren unabhängig sei.

Partie des Organes Interesse haben, da deren oberer Pol der Wirbelsäule, resp. den Wirbelrippengelenken aufliegt, der übrige Teil des Organes sich ungemein eng der Wirbelsäule anschmiegt. Wohl aber ist dieser Mechanismus sofort als wirksam anzuerkennen, sobald sich die Anheftungen der Niere gelockert haben und diese mehr auf die Enden der Rippen und neben die Wirbelsäule zu liegen kommt. Die weitere Mobilisierung erfolgt aber nur sehr langsam und im weiteren Verlaufe überhaupt nur durch die Mitwirkung anderer Faktoren, so daß der Vergleich CRUVEILHIER's mit einem Kern, der zwischen den Fingern herausgeschnellt wird, in Bezug auf die Entstehung der Beweglichkeit nicht zutreffend erscheint, trotzdem er so gerne wiederholt wird; das Organ muß sich seinen Weg langsam ebnen, seine Anheftungen werden erst mit der Zeit gedehnt.

Bei den erwähnten drei Gruppen von mobilisierenden Ursachen wurde jedesmal hervorgehoben, daß die Exkursionen, welche durch dieselben verursacht oder ermöglicht werden können, niemals weiter reichen dürfen, als die Wirkungssphäre der betreffenden Agentien sich erstreckt. Jeder höhere Grad von Beweglichkeit muß noch andere Ursachen haben. Freilich ergiebt sich nach der ersten Dislokation für die übrigen Kräfte ein wesentlich leichteres Spiel, sobald die festesten Anheftungen, welche die Niere nach oben durch Vermittelung der Nebennieren und nach innen mehr direkt gegen die Wirbelsäule fixieren, einmal gelockert sind; trotzdem aber darf man nicht übersehen, daß noch ein Faktor in allen Fällen von eigentlicher Wanderniere notwendig ist.

4) Ob man Tumoren der Nieren an und für sich in dem Sinne als mobilisierendes Moment gelten lassen kann, daß sie infolge ihres vermehrten Gewichtes an den Befestigungsfasern ziehen, scheint mir eine ziemlich nebensächliche Frage. Gewiß wäre dies denkbar, jedoch ist die Zahl solcher Fälle relativ eine so verschwindend kleine, daß sie kaum in Betracht kommt; zudem ist es in der Regel unmöglich zu entscheiden, ob die stärkere Beweglichkeit oder der Tumor das Primäre ist.

Dagegen hat KÜSTER Recht, wenn er die alte Hypothese von BECQUET [1]), daß in der Menstruation die Nieren hyperämisch werden und deshalb infolge ihres vermehrten Gewichtes nach abwärts sinken, auf das energischste entgegen vielen Anhängern dieser Lehre zurückweist. Ein regulärer physiologischer Vorgang als Ursache einer Krankheit, das ist wahrlich eine „sehr eigentümliche Vorstellung, und es gehört eine gute Portion Mut dazu, dieselbe ohne jede Analogie als pathologische Noxe hinzustellen."

Daß bei schon bestehender Beweglichkeit der Niere und wenn überhaupt die bisher noch nicht erwiesene Annahme einer menstruellen Nierenhyperämie richtig ist, unter besonderen Umständen eine gewisse

1) Archives gén., 1865.

Wirkung eintreten kann, mag zugegeben werden, doch darf man bei Verschlimmerungen, welche während der Menses entstehen, niemals vergessen, daß von den subjektiven Symptomen bei einem großen Teil der Patientinnen mit Wanderniere die meisten hysterischer Natur sind.

5) Als den weitaus wichtigsten Hilfsfaktor für die Entstehung der stärkeren Beweglichkeit, als den einzigen für die Ausbildung der wirklichen, klassischen Wanderniere, die ins Becken und auf die andere Körperseite geht, aber auch für die allerersten Stadien der Lockerung betrachte ich chronische Traumen, oft ganz geringfügige Schädlichkeiten, die nur durch ihre häufige Wiederholung zu wirken imstande sind. Als eine solche Schädlichkeit kann man sogar schon die leichte Erschütterung betrachten, welche die Niere beim Laufen, Springen, plötzlichen Lagewechsel etc. erfährt. Solche häufige, an und für sich ganz unscheinbare Traumen dürften auch am besten geeignet sein, wenn die notwendigen Vorbedingungen erfüllt sind, die erste Bresche in die Befestigung der Niere zu legen, indem sie — eine Verminderung der Festigkeit dieser Verbindungen vorausgesetzt — da einsetzen, wo alle anderen Kräfte aus einfachen mechanischen Gründen nichts ausrichten, weil sie keinen Angriffspunkt finden. Nur das Eindringen von Fett zwischen die engen Maschen des Gewebes kann außerdem noch herangezogen werden.

Wir finden dieses Moment bei vielen Autoren als mehr oder weniger wichtig angeführt, während andere die Möglichkeit seines Einflusses in Abrede stellen oder wenigstens als sehr fraglich betrachten, indem sie sagen, daß unter solchen Umständen die Frauen, besonders die der „besseren Stände", nicht so viel häufiger an Wanderniere erkranken könnten, als Männer, die doch den Traumen viel mehr ausgesetzt sind. Diese Behauptung ist deshalb nicht richtig, weil ja, wie erwähnt, die Traumen an sich nicht in diesem Sinne wirken können, wenn nicht die Anheftung in ihrer Festigkeit vermindert ist, was also gerade bei den Männern viel seltener eintrifft, als bei den Frauen.

Erst Küster hat das große Verdienst, die chronischen Traumatismen in die erste Linie gestellt und gehörig gewürdigt zu haben. Als solche sind unter anderem zu betrachten: langdauernder Husten, wobei oft noch andere Umstände zur Hilfe kommen, wie z. B. beim Emphysem der gleichzeitige Tiefstand des Zwerchfells, der wieder einen Tiefstand der Niere zur Folge hat, schwere Arbeiten aller Art, das Reiten, besonders im Damensattel (Küster), häufige starke Anstrengungen der Bauchpresse bei Obstipation, in diesem Sinne auch die Geburt, während welcher eine Wirkung infolge der gleichzeitigen Erschlaffung der Stützgewebe um so leichter eintreten kann und noch vieles andere.

Küster erklärt die Wirkung dieser Schädlichkeiten in der Weise, daß bei allen derartigen Gelegenheiten „eine plötzliche oder etwas langsamere Verengerung des unteren Abschnittes des Brustkorbes zustande kommt und zwar durch eine Adduktionsbewegung, welche die beiden unteren freien Rippen gegen die Wirbelsäule hin machen. Die Bewegung wird sowohl durch Stoß, Schlag und Zusammenpressung des Brustkorbes, als auch durch die Zusammenziehung derjenigen Muskeln erfolgen, welche an den beiden unteren Rippen ihren Ansatz finden, d. h. der breiten Bauchwandmuskeln. Durch diese Muskelwirkung muß die Niesche, in welcher die rechte Niere gelegen ist, erheblich verengert werden. Die gleichzeitige Kontraktion des Psoas und Quadratus lumborum, sowie die Feststellung des Zwerchfells in tiefster Inspiration wirken gleichfalls in diesem Sinne."

Dieser Erklärung kann ich schon deshalb nicht unbedingt beistimmen, weil sie die Beweglichkeit der Niere außerhalb des Bereiches der Wirkungssphäre der genannten Faktoren nicht erklärt, wobei aber zugegeben werden muß, daß der von Küster beschriebene Mechanismus gewiß oft mitwirkt. Ich stelle mir den Vorgang der Mobilisierung so einfach vor, wie nur möglich, nämlich in der Weise, daß die Erschütterung des Körpers die Fasern etwa in ähnlicher Art auf ihre Elasticität in Anspruch nimmt, wie ein schwerer Gegenstand, der an einem Faden aufgehängt ist, diesen dehnt und endlich gar zerreißt, wenn er fortwährend in die Höhe geschlagen und wieder fallen gelassen wird. Ganz derselbe Schlußeffekt resultiert, wenn man an der Leiche öfters und energisch die Niere zu bewegen sucht (vgl. p. 280); ohne makroskopisch sichtbare Zerstörungen, fast unmerklich lockert sich das Gefüge des cirkumrenalen Gewebes und werden die Exkursionen des Organes beträchtlicher. Dagegen müßte man den Namen „Wanderniere" auf jede bewegliche Niere beziehen, den Begriff also nur klinisch, nicht anatomisch auffassen, wenn man die akuten d. h. die einmaligen, aber starken Traumen als eine Ursache für ihre Entstehung ansehen wollte. Als solche Gelegenheitsursachen, welche plötzlich eine weite Dislokation der Niere mit beträchtlicher Motilität derselben, eine akut entstandene Wanderniere höheren Grades verursachen, werden angegeben: Schlag, Fall auf das Gesäß, Heben schwerer Lasten, Durchdrängen des Körpers durch einen Thürspalt u. a. Wenn man als Wanderniere nur das klassische Bild bezeichnen will, eine Niere also, welche retroperitoneal gelegen und nach allen Seiten durch ein, wenn auch noch so lockeres und weitmaschiges Gewebe angeheftet und gehalten ist kann man diese Noxen nur in demselben Sinne gelten lassen, wie die früher besprochenen chronischen Schädlichkeiten. Als solche vermögen sie nicht durch eine Lockerung des Gefüges infolge weitgehender Zerreißung zu wirken, sondern vielleicht durch unbedeutende partielle Zerreißungen, hauptsächlich aber durch Zerrung der Fasern; sie würden also bei fixer Niere auch nur den ersten Schritt zu thun imstande sein, während die Ausbildung der typischen Wanderniere noch andere Bedingungen erfordert. Eine plötzliche starke Dislokation setzt weitgehende Lösung der Niere voraus; und nicht nur das, es muß nach unten von ihr eine Höhle entstehen oder eine bedeutende änderung der Verhältnisse des Peritoneums stattfinden. Solche änderungen können auch nicht spurlos verschwinden, sondern man sie noch nach langer Zeit am Kadaver erkennen können. Unter m Fällen habe ich nichts Derartiges zu entdecken vermocht und es v jedenfalls ein riesiges Leichenmaterial dazu gehören, um ein endgi Urteil über diese Frage zu bekommen. Bekannt sind den pathologi Anatomen die Fälle, bei welchen sich zwischen Niere und äu Kapsel eine seröse Flüssigkeit, manchmal in bedeutender Menge Reste eines alten Hämatoms finden, doch gehören solche Zustän ein anderes Kapitel, als die typische Wanderniere.

Güterbock[1]) hat unter 36 tödlichen Verletzungen der N gefunden: 24mal nur cirkumrenale Verletzungen, 10mal Verletzu der Nierensubstanz gleichzeitig mit cirkumrenalen Verletzungen nur 2mal Verletzungen der Nierensubstanz allein. Von den 24 ers betrafen 18 hauptsächlich die Fettkapsel, häufig fanden sich dabei gedehnte Hämorrhagien, einmal war Arterie und Vene durchri Güterbock führt im Anschlusse an seine Statistik aus, daß die ergüsse zu einer Loslösung der Niere aus ihrer Fettkapsel führen gleichzeitig, aber durch andere Gelegenheitsursachen nach der Resor des Ergusses eine Lockerung des festen Gewebes um die Gefäße „Nierenstieles") zustande kommen kann, besonders wenn die Flü keitsergüsse nicht ganz resorbiert werden. Demnach kommt e einem Schlusse, welcher der oben geäußerten Ansicht entspricht, es nämlich eine wirkliche Wanderniere durch Traumen nicht sondern nur eine Lockerung des Organes, die später zur Mobilisie führt, wenn nicht die Niere durch pathologische Verwachsungen fi wird. Etwas anderes beweisen auch Tuffier's[2]) Experimente r der durch künstliche Loslösung der Niere aus der Fettkapsel abn Beweglichkeit derselben erzielen konnte.

Aber selbst, wenn man von der Forderung absieht, daß die matische Wanderniere ein dem anatomischen Befund der klassis Wanderniere analoges Verhalten zeigen müsse, ist die Zahl derjen Fälle recht spärlich, bei denen am Lebenden der Zusammenl zwischen Trauma und Beweglichkeit mit Sicherheit zu konstatieren der Schmerz in einer sofort nach dem Unfalle entdeckten Wanderı ist nicht der geringste Beweis, ebensowenig wie alle anderen sul tiven Symptome, solange nicht mit unzweideutiger Sicherheit vo konstatiert war, daß die Niere unbeweglich war. Ist sie früher

1) Arch. f. klin. Chir., 1896.

2) Bull. et Mens. de la Soc. de Chir., T. 19, p. 685, Ann. des des org. génit.-urin., 1894.

ptomlos gewandert, so kann sie durch die verschiedenartigsten traumatischen Mechanismen verletzt werden und dadurch zur Wahrnehmung kommen. Sicher konstatierbar ist der Zusammenhang auch bald nach der Verletzung kaum jemals, eine Beeinflussung nur dann, wenn sich noch Reste einer Blutung finden, also nur an der Leiche oder bei der Autopsie in vivo, wie z. B. in dem Falle von PEYROT [1]), dagegen sind nur klinisch beobachtete Fälle (HENOCH [2]), ILJIN [3]), BLASIUS [4]), SAMTER [5]) und viele andere) immer noch einer anderen Erklärung zugänglich.

Die Gelegenheitsursachen für das Entstehen einer Wanderniere sind also meiner Meinung nach sehr geringfügige und derart beschaffen, daß sie auf jeden Menschen einwirken. Erst durch das Zusammenwirken der verschiedenartigsten Umstände kann sich eine Wanderniere ausbilden, aber stets nur unter der Bedingung veränderter anatomischer Verhältnisse und nach Maßgabe dieser Veränderungen.

---

Im Anschluß an die anatomischen Untersuchungen mögen einige, freilich nur zum Teil mit denselben im Zusammenhang stehende Bemerkungen über die operative Fixation der Niere ihren Platz finden. Die Statistik über die zahlreichen Methoden, nach denen diese Operation ausgeführt wird, läßt schon deshalb viel zu wünschen übrig, weil die Ansichten über die normalen Verhältnisse so außerordentlich verschieden sind und es an gemeinsamen Gesichtspunkten der Beurteilung fehlt. Im großen und ganzen zeigt sie aber zu Gunsten keiner Methode einen so deutlichen Ausschlag — wenn man von den verlassenen Erstlingen absieht — daß eine unbefangene Entscheidung darüber möglich wäre, welche die beste ist. Die Verbesserungsversuche bewegen sich auch in ziemlich bescheidenen Grenzen und suchen nur recht bald dies, bald jenes störende Moment zu eliminieren.

Als ein solches erscheint mir das Anlegen der weitgreifenden tiefen Nähte, welche zu gleicher Zeit Muskulatur, Capsula propria renis und Nierensubstanz fassen, in zweierlei Hinsicht. Zunächst sollen solche Nähte, wo immer es möglich ist, überhaupt bei jeder Operation vermieden werden, denn nichts ist mehr geeignet als sie, die Primaheilung einer Wunde zu gefährden; ist aber nur die geringste Infektion zu solchen Nähten hinzugetreten, so ist eine endlose Fadeneiterung und das Entstehen von lästigen Fisteln die Folge. Das wird von vielen

1) Bull. et Mém. de la Soc. de Chir., T. 20, p. 290.
2) Bei KÜSTER.
3) Ref. Centralbl. f. Chir., 1893.
4) Centralbl. f. Unfallheilk., 1896.
5) Ibid. 1895.
6) Ibid. 1897.

Operateuren hervorgehoben und KÜSTER verwendet auch aus diesem Grunde Silberfäden.

Der zweite Punkt ist das Durchstechen der Nierensubstanz; knotet man den Faden fest, so kann man sicher sein, daß er die Nierensubstanz durchreißt, knotet man ihn locker, so bleibt ein um so längerer Faden in der Wunde. Auf jeden Fall entsteht eine Narbe in der Niere, ein Ausfall im Organ, der zwar in der Regel nichts zu sagen hat, aber unzweifelhaft besser vermieden wird. Ein ernster Nachteil aber kann entstehen, wenn die Nadel zu tief eingeführt wird und durch das Nierenbecken geht, wobei infolge des Knüpfens aus dem Einstich ein Riß werden muß. Man hört zwar nicht viel von solchen Unglücksfällen, aber sie werden unter Umständen kaum zu vermeiden sein, wenn bei Hydronephrosen das Nierenbecken stark und gleichmäßig erweitert ist. Ein Fall dieser Art, der anderwärts operiert worden war, kam nach Monaten mit stark secernierender Nierenbeckenfistel in meine Behandlung.

Zur Vermeidung dieser Eventualitäten und thatsächlichen Nachteile führte ich eine Operation aus, über welche ich seinerzeit berichtete [1]), als von OBALINSKI [2]) ein ähnliches Verfahren theoretisch empfohlen worden war. Wie ich erst kürzlich aus FISCHER's Sammelreferat erfuhr, ist ein Teil des Gedankens nicht neu, da MAZZONI [3]) schon im Jahre 1894 neun Nephropexien ziemlich genau nach dem OBALINSKI'schen Prinzip, das sich diesem neuerlich in vivo bewährt hat [4]), ausführte. Die Operation nach MAZZONI und OBALINSKI besteht darin, daß ein doppelter Thürflügelschnitt von dieser Gestalt: I in der fibrösen Kapsel angelegt wird, dessen langer Arm längs der äußeren Nierenkante verläuft, worauf die aus der Kapsel gebildeten Flügel an die Muskulatur vernäht werden.

Ich habe in dem erwähnten und seitdem noch in drei anderen Fällen nach Bloslegung der Capsula propria diese in der Form eines langgestreckten H über der Konvexität der Niere gespalten, die beiden so entstehenden Lappen abgelöst und als Tragbänder für die Niere in der Weise verwendet, daß ich nach rückwärts vom Muskelschnitt die Muskulatur an je einer kleinen Stelle durchbohrte, worauf die Bänder, d. h. die Lappen der fibrösen Kapsel hindurchgezogen und subkutan fixiert wurden. Darauf folgt eine einfache Muskel- und Hautnaht. Auf diese Weise kommt dann auch das freiliegende Nierenparenchym in ganzer Ausdehnung zur Berührung mit der hinteren Bauchwand.

An welcher Stelle soll man die Niere fixieren? HAHN [5]) hat schon

1) Centralbl. f. Chir., 1897, No. 12.
2) Wien. med. Wochenschr., 1897.
3) Policlinico, 1894.
4) Centralbl. f. Chir., 1897, No. 37.
5) Centralbl. f. Chir., 1881.

ganz im Anfang zu dieser Frage Stellung genommen und geraten, man solle die Niere so tief als möglich annähen, nämlich an der unteren Grenze ihrer Exkursionen, um ihr eine feste Stütze zu geben und so die Zerrung der verwachsenen Stelle beim Stehen zu vermeiden. Dieser Rat hat aber wenig Anklang gefunden, wenn es auch selbstverständlich manchmal nötig wird, eine tiefere Stelle für die Nephropexie zu wählen, weil sonst eine Zerrung des Ureters, der anderswo fixiert ist, entstehen könnte (Schmid).

Weitaus am häufigsten wird angegeben, daß die Anheftung „möglichst hoch oben" oder „an normaler Stelle" ausgeführt werden solle. Wie nun eingangs ausführlich besprochen wurde, ist eine gesetzmäßig scharf umgrenzte „normale Lage" kaum zu bestimmen. Bleiben wir also bei dem einmal gebrauchten Ausdruck, so muß man gewiß sagen, daß es das wünschenswerteste wäre, die Niere in ihrer idealen Lage zu befestigen. Dieser Anforderung kommt man aber nur zum Teil nach, wenn man die Anheftung „so hoch, als möglich" macht. Selbst wenn es gelingt, die Niere im Niveau der oberen Verbindungsfläche des 12. Brustwirbels bis zum 2. Lendenwirbel zu fixieren, ist nur der geringere Teil der Anforderungen erfüllt, denn diese Lage der Niere unterscheidet sich wesentlich von der idealen, weil die Beziehungen zur Wirbelsäule sehr verschieden sind. Eine solche Niere liegt neben der Wirbelsäule, statt mit ihrem oberen Teile auf ihr zu liegen, und es fehlt daher auch dasjenige, was den besten Schutz in dieser idealen Lage ausmacht. Es ist dies der Umstand, daß eine ideal gelagerte Niere kaum eine Erhebung darstellt, besonders aber nach oben durch Vermittelung der Nebennieren so allmählich in die Formen der hinteren Bauchwand übergeht, daß sie den andrängenden Gewalten, welche von oben her wirken, keinen Angriffspunkt darbietet. Wie Albarran [1]) richtig bemerkt, besteht dieser Platz bei der Wanderniere gar nicht mehr in der Weise, daß das Organ dorthin zurückgebracht und so gelagert werden könnte, wie es seiner Zeit war.

Am nächsten kommen der Erfüllung dieser Postulate die Methoden von Riedel und Küster, von denen die erstere durch ausgedehnte Ablösung der Kapsel und ausgiebige Tamponade nach oben flächenartige Verwachsungen mit dem Zwerchfell zu erzielen strebt, die letztere, indem nur der untere Pol an der 12. Rippe aufgehängt wird.

Wenn also auch diese Methoden nur durch die Anheftung der Niere an eine relativ feste Stütze — das Zwerchfell und die hintere Bauchwand — nützen, nicht aber imstande sind, in der Weise wichtige Noxen unschädlich zu machen, wie es bei der idealen Nierenlage der Fall ist, so entsteht die Frage, ob die hohe Fixierung überhaupt einen Wert hat, zumal es wohl unzweifelhaft erscheint, daß sie technisch schwieriger

1) Ann. des mal. des org. gén.-urin., 1895.

ist, als die an der freien Partie der Lumbalwunde, und zwar um so mehr, eine je größere Fläche der Nierenkonvexität man zur Anwachsung zu bringen wünscht; es ist noch hinzuzusetzen, daß es für den Abfluß des Urins von keiner Bedeutung ist, wo die Niere fixiert wird, wie aus den Berichten über die verschiedensten Operationen hervorgeht.

Trotzdem halte auch ich daran fest, daß die Niere so hoch wie möglich nach oben gebracht werden soll, aber ohne zu glauben, daß die ideale Lage auch nur annähernd dadurch erreicht werden kann, sondern nur zum Schutz der Niere gegen Traumen. Eines solchen Schutzes bedarf die Niere allerdings dringend, denn noch viel mehr als die wandernde Niere ist sie den äußeren Schädlichkeiten ausgesetzt, indem sie, ihrer schützenden Hüllen entblößt, der äußeren Decke dicht anliegt.

Ich habe daher auch in meinen Fällen den H-Schnitt an das untere Ende der Konvexität verlegt und dadurch erreichen können, daß die Niere fast ganz unter dem Rippenbogen verschwand.

Wenn man die bewegliche Niere fixiert hat, so bemerkt man unter derselben einen großen Hohlraum, der sich oft weit nach unten und innen hinzieht; es ist dies die Innenseite des auf Fig. 4, 5, 6 abgebildeten Sackes, welcher erst durch die operative Zerstörung der Fasern zum Hohlraum geworden ist, die sich von der Capsula propria renis zu seiner Wand hinziehen.

Wenn die Niere nach der Fixation wieder beweglich würde, so wäre hier ein Raum für ihre Exkursionen vorgebildet, eine Bedingung für die Beweglichkeit, freilich die weniger ausschlaggebende, erfüllt; zudem ist aber dieser Hohlraum nach unseren heutigen Regeln der Wundbehandlung nichts weniger als Vertrauen erweckend. Wenn sich in der großen Höhle Sekrete ansammeln und Eiterung entsteht, dann muß es schlimm aussehen. Aus diesen Gründen erscheint mir eine Beseitigung des Sackes wünschenswert.

In dem ersten Falle, dem früher erwähnten, wurde versucht, dies dadurch zu erreichen, daß die beiden Blätter des Sackes durch einige Nähte aneinander fixiert wurden; in den folgenden Fällen wurde der Sack ähnlich wie ein Bruchsack behandelt. Es wurde schon früher hervorgehoben, daß das ganze sackartige Gebilde sich trotz der verschiedenen Dignität seiner Wände leicht in toto bis zu den Gefäßen hinauf ablösen läßt, gegen den Rücken zu von der Fascia lumbalis, nach vorn vom Peritoneum. Dementsprechend gelingt es leicht, von der Wunde der Bauchwand beginnend, den Sack abzulösen, ohne daß es hierzu instrumenteller Nachhilfe bedarf, und zwar so weit, daß der Sack verschwindet, indem er nach der Entfernung des überschüssigen Stückes ein Diaphragma von fibröser Beschaffenheit unter der fixierten Niere bildet, welches angezogen und mit einigen Nähten in dem Muskelschnitt fixiert wird; ähnlich also, wie das aus der Fettkapsel konstruierte Diaphragma bei der Methode nach KÜSTER. So wird auch die Niere von unten her solid gestützt.

---

Zum Schlusse seien mir noch einige kurze Bemerkungen bezüglich der Indikationsstellung zur Operation und der Beurteilung der Resultate gestattet. Diese Bemerkungen [1]) erlaube ich mir deshalb hinzuzufügen, weil in der Litteratur in letzterer Hinsicht eine Verwirrung herrscht, welche denjenigen zur Verzweiflung bringen kann, welcher den fruchtlosen Versuch wagen wollte, die Statistik nach einem halbwegs einheitlichen Prinzip zu sichten. Auch FISCHER hebt dies in seinem trefflichen Sammelreferat hervor, und dieser Umstand ist um so bedauerlicher, als gerade eine solche Zusammenstellung von ganz besonderem Wert sein müßte.

Man kann die Mißerfolge nach der Fixation der Niere in zwei Gruppen einteilen, in kurative und operative, bei welch letzteren meist, aber nicht immer, auch der Heilzweck verhindert erscheint, hier und da kann man freilich beobachten, daß die Beschwerden nicht wiederkehren, trotzdem die Niere von neuem beweglich geworden ist.

Die kurativen Mißerfolge bei gutem operativen Resultate fallen offenbar der Indikationsstellung zur Last. Die Schwierigkeit der letzteren besteht bekanntlich darin, daß es oft unmöglich ist, zu entscheiden, ob die bestehenden Beschwerden die Folge der starken Nierenbeweglichkeit sind oder nicht, da wir ja so häufig selbst in den hochgradigsten Fällen von „Wanderniere" alle Symptome vermissen. Trotzdem wäre es gefehlt, aus einem kurativen Mißerfolge stets den Schluß zu ziehen, daß die Erscheinungen nichts mit der Erkrankung der Niere zu thun haben; es dürfte wohl zuweilen die Annahme gestattet sein, daß die Schädigungen der Organe der Bauchhöhle und des Nervensystems, welche infolge der bedeutenden Mobilität der Niere entstanden waren, sich schon so fest etabliert hatten, daß die Beseitigung des Grundübels nicht mehr ausreichte, um auch seine Folgezustände verschwinden zu lassen, analog also, wie wir es bei der JACKSON'schen Epilepsie zu sehen gewohnt sind. Daher kommt es auch, daß manchmal selbst dann die Resultate weit hinter der Erwartung zurückbleiben, wenn die Indikation vollkommen unzweideutig zu sein scheint, bei deutlicher Lokalisation der Schmerzen in der Niere, Anfällen von sogenannter Inkarceration oder intermittierender Hydronephrose. In der überwiegenden Zahl der Fälle, bei denen Stuhlbeschwerden, Magenerweiterung mit ihren Folgezuständen, unbestimmte Schmerzen in der Niere und besonders vage nervöse Symptome im Vordergrunde stehen, befinden wir uns in einem bösen Dilemma, denn nicht alle Chirurgen

---

1) Dieselben sind großenteils meinem Aufsatze im „Jahrbuch der k. k. Wiener Krankenanstalten 1897" entnommen.

dürften auf dem optimistischen Standpunkte von WOLFF[1]) stehen, daß es bei hysterischen Personen nur einer entsprechenden psychischen Beeinflussung bedarf, um den Erfolg der Operation auch bezüglich der hysterischen Beschwerden dauernd zu erhalten, und für komplizierende Erkrankungen durch die Operation für die Heilung günstige Verhältnisse geschaffen werden. Aus diesen Gründen wird es kaum jemals gelingen, eine größere Reihe von Nephropexien ohne kurative Mißerfolge auszuführen.

Viel seltener als die kurativen sind glücklicherweise die operativen Mißerfolge, die eigentlichen Recidive, wenigstens in neuerer Zeit und nach den jetzigen Methoden der Fixation. Auch hier sind die Fälle keineswegs gleichwertig. Wenn man nach dem jetzt meist angewendeten Vorgange die Niere oder ihre Capsula propria an die Muskeln annäht, so können nachträglich diese Muskelpartien atrophieren und infolge davon die Niere mitsamt der Muskelnarbe nach abwärts rutschen, wie es sich z. B. in 2 Fällen von' WOLFF (ROSE) nachweisen ließ. Wir haben also hier ähnliche Verhältnisse vor uns, wie bei der Radialoperation nach BASSINI, wo ebenfalls die Schwäche der Muskulatur den Erfolg gefährden kann.

Ein andere Möglichkeit des Recidives besteht darin, daß die Niere sich wirklich wieder loslöst, doch ist leider aus den Berichten über Refixationen eine Beschreibung des Vorganges nicht zu ersehen; am leichtesten scheint dies Ereignis einzutreten, wenn die Wundheilung nicht ohne Eiterung verlief, wobei sich zwar anfangs eine starke Narbe bildet, die aber nach einiger Zeit wieder nachläßt, gerade so, wie es nach Eiterungen im Anschluß an Radikaloperationen von Brüchen häufig zu Recidiven kommt.

Oberflächliche Beobachter konstatieren allerdings, wie ich mich zu wiederholten Malen zu überzeugen Gelegenheit hatte, gar nicht so selten Recidive, wenn die Niere so fixiert worden ist, daß ihr unterer Teil nicht von den Rippen bedeckt ist. Wenn die Fixation derartig gemacht wurde, ergiebt sich notwendigerweise eine beträchtliche respiratorische Verschieblichkeit, da die Niere infolge der Vernähung mit der Lendenmuskulatur resp. den Rippen gemeinsam mit diesen die Atmungsbewegungen ausführt. Auch bedarf es hierbei der Erwägung, daß die Niere überhaupt unvergleichlich deutlicher zu fühlen ist, als ohne die Befestigung, und ihre Beweglichkeit nur mit Rücksicht auf die Muskulatur der Lendengegend beurteilt werden darf.

1) Deutsche Zeitschrift für Chirurgie, 1897, Bd. 46.

---

**Corrigenda.**

p. 282 Zeile 14 von ob. u. p. 283 Zeile 18 von ob. ließ PANSCH anst. PAUSCH.

# XIII.
# Ueber funktionelle Ergebnisse nach Operationen am Magen bei gutartigen Erkrankungen.

Von

**Dr. W. Kausch,**
Assistent der Klinik.

(Mit 1 Abbildung im Text.)

---

Auf dem Chirurgenkongreß des Jahres 1897 hat Herr Geheimrat MIKULICZ über seine Erfolge nach Operationen bei gutartigen Magenerkrankungen berichtet; die genauere Mitteilung der Fälle, welche ich in Bezug auf die motorische und chemische Funktion des Magens untersucht habe, sollte später durch mich erfolgen. Ich bringe in folgendem diese Mitteilung und schließe zugleich die der seither auf der Klinik ausgeführten Magenoperationen bei gutartiger Erkrankung an, so daß die vorliegende Arbeit sämtliche Fälle der letzten 2¹/₄ Jahre der Klinik umfaßt. Bei einer Anzahl derselben ist nunmehr genügend lange Zeit — bis 2¹/₄ Jahre — seit der Operation verstrichen, um von Dauerresultaten sprechen zu können.

Von den Fällen aus früherer Zeit berichte ich, soweit Nachuntersuchungen derselben möglich oder sonst Nachrichten über dieselben erhältlich waren.

Ich schicke einige Worte voraus betreffs der angewandten Untersuchungsmethoden. Ich halte dies für unbedingt nötig und betone, wie außerordentlich störend oft das Fehlen genauerer Angaben über dieselben ist. Als Beweis möchte ich nur ein Beispiel herausgreifen: ROSENHEIM [1]) hält eine Angabe von MINTZ [2]) „der Magen sei nach bestimmter Zeit leer gewesen“ mit Recht nicht für beweisend, weil nicht angegeben ist, ob der Magen nur ausgehoben oder ob eine Nach-

1) Berl. klin. Wochenschr., 1894, No. 50, p. 1134.
2) Zeitschr. f. klin. Med., Bd. 25, 1894, p. 136.

spülung mit Wasser, die allein die Leerheit des Magens anzeigen könnte, vorgenommen wurde.

Unsere Magenuntersuchungen wurden fast stets nach Einnahme von bestimmter Probenahrung ausgeführt, da sonst eine Vergleichung der erhaltenen Werte schwer möglich ist. Als kleines Probeessen wurde meist das Boas'sche Probefrühstück gegeben und zwar stets 400 ccm, einen Eßlöffel Knorr'sches Hafermehl enthaltend, schwach gesalzen, von einer Temperatur, welche die Einnahme innerhalb kurzer Zeit erlaubt. Ich gebe dem Probefrühstück nach Boas den Vorzug, weniger deshalb, weil es sicher auch keine Spur Milchsäure enthält, als weil es leicht überall gleichmäßig herzustellen ist, was bei dem Ewald'schen nicht der Fall ist. Es hat die Suppe dafür den Nachteil, daß sie keine kompakten Massen enthält, denen gegenüber sich der Magen anders verhalten kann, als bei flüssigen. Man hat Kompaktes ja aber bei der Probemahlzeit und kann, wenn nötig, außerdem auch noch Ewald's Frühstück geben.

Als größeres Probeessen — ein allgemein gebräuchliches und anerkanntes existiert noch nicht — gebe ich eine Mahlzeit, bestehend aus 125 g Rindfleisch, gehackt, gebraten, 100 g Semmel, 300 g Wasser. Zuweilen gebe ich auch andere Nahrung. In allen Fällen, in denen es auf genauere Motilitätsbestimmung ankommt, gebe ich die Nahrung in den leeren Magen und spüle denselben leer, falls er es nicht ist, warte dann $^1/_2$—1 Stunde, um restierendem Wasser Zeit zum Abfluß zu lassen. Die Zeit der Aushebung nehme ich verschieden, je nach dem Falle; bei Probefrühstück meist $^3/_4$ Stunden, da es ja nicht allein darauf ankommt, im Magen keinen oder ein sehr geringes Quantum Inhalt zu finden, sondern derselbe auch zu Untersuchungen dienen muß. $^3/_4$ Stunden nach dem Probefrühstück hat die Acidität im allgemeinen ihre Höhe erreicht; wo es nötig ist, nehme ich außerdem den Inhalt nach kürzerer oder längerer Zeit. Wurde Probemahlzeit gegeben, so untersuche ich meist nach 4, 6 und 12 Stunden, letzteres stets früh nüchtern, um festzustellen, ob der Magen wenigstens innerhalb der längsten Essenspause völlig speisefrei wird, ob also keine schwere motorische Insufficienz, eine mechanische Insufficienz II. Grades vorliegt. Außerdem untersuche ich, wo es irgend angeht, den 12 Stunden leer gebliebenen Magen, früh nüchtern, wenn nötig, nachdem er abends zuvor leer gespült ist, wegen der Möglichkeit eines bestehenden kontinuierlichen Magensaftflusses. Ich lasse den Mageninhalt vom Patienten durch die Sonde auspressen (behufs Einführung der Schlundsonde bringe ich übrigens niemals die Finger in den Mund des Patienten; ich hebe dies ausdrücklich hervor, weil — obwohl auch andere, wie Boas, ausdrücklich davon abraten — dies noch immer vielfach geschieht, für den Patienten außerordentlich unangenehm ist, die Einführung erschwert und durchaus überflüssig ist). Eine Saugvorrichtung wende ich nicht an, einmal, weil dieselbe doch gefährlich werden kann, dann, weil auch mittels dieser der Magen nicht völlig entleert wird.

In allen Fällen, in denen es auf eine genauere Bestimmung der Motilität ankommt, habe ich in letzter Zeit eine Bestimmung des Magenrückstandes nach der Aushebung versucht. Von den dabei zu Gebote stehenden Methoden erscheint mir die MATHIEU's [1]), bei welcher die Acidität des genuinen Magensaftes mit der des mittels eines bestimmten Wasserquantums verdünnten und dann ausgehobenen Rückstandes verglichen wird, noch immer die genaueste zu sein, zumal wenn man eine innige Mischung des Rückstandes mit dem Wasserquantum (meist 100 ccm) durch häufiges Hin- und Herfließen vornimmt. Die Methoden, welche auf der Messung des specifischen Gewichtes beruhen, von STRAUSS [2]) und GOLDSCHMIDT [3]), gaben mir weniger befriedigende Resultate.

Eine in jüngster Zeit angegebene Methode der Restbestimmung von SÖRENSEN und BRANDENBURG [4]) erscheint mir auch nicht zweckmäßiger: es wird dabei eine Eiweißlösung — und zwar 3 Proz. Protogen — in den Magen gebracht, dann der Stickstoffgehalt des genuinen und des wie oben verdünnten Saftes miteinander verglichen. Protogenlösung kann so wenig wie eine Salzlösung, die von anderen Autoren empfohlen ist, als physiologischer Reiz gelten. Ferner komplizieren die Stickstoffbestimmungen das Verfahren.

In den Fällen, in denen bei Pressen kein Inhalt erhältlich war, wurde stets mit Wasser gespült; es zeigte sich dabei, daß oft noch geringe, zuweilen erhebliche Mengen vorhanden waren.

Ob zur Bestimmung der Acidität des Magensaftes derselbe filtriert werden soll oder nicht, darüber sind die Ansichten noch immer geteilt; sicher ist, daß im Mageninhalt vorhandene Brocken oft größere Säurewerte in oder um sich fesseln, als der Flüssigkeit entspricht, und daher der unfiltrierte Saft oft höhere Zahlen giebt als der filtrierte. Andererseits ist für gewisse feinere Reaktionen, wie für die mit Dimethylamidoazobenzol, ein klarer Saft notwendig. Ich nehme jetzt stets, wie wohl meist üblich, filtrierten.

Die chemischen Untersuchungsmethoden, die von mir benutzt wurden, sind folgende:

Die Gesamtacidität wurde mit Phenolphtalein bestimmt. Während es bisher allgemein üblich war, die Endreaktion dann anzusetzen, wenn die Flüssigkeit die erste deutliche, bleibende Rosafärbung zeigt, haben TÖPFER [5]) und ihm folgend HARI [6]) empfohlen bis zur Austitrierung

1) MATHIEU et RÉMOND, Soc. de biologie, 8. Nov. 1890.
2) STRAUSS, Ther. Monatsh., 1895.
3) GOLDSCHMIDT, Münch. med. Wochenschr., 1897.
4) Arch. f. Verdauungskrankh., Bd. 3, 1898, p. 377.
5) Zeitschr. für physiologische Chemie, Bd. 19, 1894, p. 104.
6) Archiv für Verdauungskrankheiten, Bd. 2, 1896, p. 182.

zu gehen, d. h. $^1/_{10}$ normal NaOH zuzusetzen, bis die Rotfärbung nicht mehr zunimmt. HARI giebt an, oft dabei 0,25—0,45 ccm Alkali mehr gebraucht zu haben, als bis zum Beginn der Rotfärbung; ich habe die Differenz meist erheblich größer gefunden. Sehr klein ist diese Differenz übrigens bei reinen Säurelösungen. Ich möchte diesem Vorgehen TÖPFER's und HARI's gegenüber hervorheben, daß dasselbe den in der Chemie sonst üblichen Grundsätzen durchaus widerspricht — für Phenolphtalein wie für andere Farbenindikatoren wird der erste deutliche Umschlag benutzt — und möchte empfehlen, das Phenolphtalein in der bisher üblichen Weise als Indikator zu benutzen. Um die Größe der Differenz zwischen beiden Methoden festzustellen, habe ich in einer Anzahl von Fällen beide Werte angegeben. Undeutlich erscheint die Reaktion nur bei stärkerem Gallegehalt des Magensaftes.

Zur Prüfung auf freie HCl wende ich, falls keine Milchsäure vorhanden ist, Kongopapier an und benutze dasselbe — Tüpfelmethode — zur quantitativen Bestimmung derselben. Ich nehme in letzter Zeit stets geleimtes Papier, welches eine viel schärfere Endreaktion giebt als ungeleimtes; dasselbe gilt übrigens auch für Lakmuspapier. Ist Milchsäure vorhanden, so führe ich außerdem stets die Phloroglucin-Vanillinreaktion aus. Ich würde, falls Salz- und Milchsäure gleichzeitig vorhanden sind, letztere Reaktion, wie es MINTZ[1]) angegeben hat, auch zur quantitativen Bestimmung der HCl benützen.

Ich wende jetzt meist außerdem — die Kongotitrierung benutze ich zum Teil deshalb noch, weil sie bequem an demselben Magensaftquantum ausführbar ist, wie die mit Phenolphtalein — die Dimethylamidoazobenzolreaktion an. Dieselbe ist wegen ihrer außerordentlich scharfen Endreaktion — ein Tropfen $^1/_{10}$ NaOH giebt bereits deutlichen Ausschlag — und wegen der Leichtigkeit der Ausführung sehr brauchbar. Ihre Genauigkeit ist durch HARI's[2]) Untersuchungen, Vergleiche mit den besten zur Zeit bekannten, erheblich komplizierteren Methoden der Bestimmung freier HCl, genügend festgestellt. Im übrigen gilt für sie dasselbe wie für Kongo: beide Indikatoren reagieren positiv auf größere Milchsäuremengen, wie sie allerdings im Magensaft selten vorkommen, und sind zur quantitativen Bestimmung der HCl nur bei Fehlen von Milchsäure zu gebrauchen.

Ich habe Versuche über die Genauigkeit der angewandten Reaktionen für reine Salz- und Milchsäurelösungen angestellt und dabei folgendes gefunden: Die Prüfung mittelst geleimtem Kongopapier fiel noch deutlich positiv aus bei dem Grenzwerte von 0,001 Proz. HCl (= 0,3 Proz. $^1/_{10}$ normal NaOH). Für ungeleimtes Kongopapier betrug dieser Wert 0,007 Proz. HCl (= 1,9 Proz. $^1/_{10}$ normal NaOH); doch war bereits bei diesem Werte der Ausfall der Reaktion nicht entfernt so deutlich, wie bei dem Werte

---

1) Wien. klin. Wochenschr., 1889, No. 20.

2) l. c.

0,001 Proz. mit geleimtem Kongopapier: es befand sich nahe der Peripherie des vorschreitenden Kreises resp. Kreissegmentes, welches bei der Berührung des Flüssigkeitstropfens mit dem ungeleimten Kongopapier entsteht, ein schmaler bläulicher Saum, der bald verschwand. Auf die größere Schärfe des Farbenumschlages bei Anwendung des geleimten Kongopapiers möchte ich größeres Gewicht legen, als auf das Auftreten der Reaktion bei 7 mal stärkerer Verdünnung gegenüber dem ungeleimten. Die Kongolösung lieferte mir weder so scharfe noch so genaue Resultate, wie das geleimte Papier, wie ich im Gegensatz zu BOAS[1]) und anderen, die dem Papiere die Lösung vorziehen, betone.

Die Dimethylamidoazobenzolreaktion trat auf bei einem Salzsäuregehalt von 0,004 Proz.

Die Phloroglucin-Vanillin-Reaktion trat bei 0,01 Proz. (= 3 Proz. $^1/_{10}$ normal NaOH) auf.

Die entsprechenden Zahlen für Milchsäurelösung sind: Geleimtes Kongopapier 0,01 Proz. (= 1,11 Proz. $^1/_{10}$ normal NaOH); ungeleimtes Kongopapier 0,1 Proz.; Dimethylamidoazobenzol 0,025 Proz.; Phloroglucin-Vanillin —; Eisenchlorid 0,025 Proz.

Weiter nach TÖPFER bestimmte ich dann häufig mittels Alizarinsulphonsaurem Natron die locker (an Eiweiß) gebundene HCl. Diese Endreaktion ist trotz peinlicher Beobachtung aller von TÖPFER und HARI angegebenen Einzelheiten entschieden nicht scharf, oft durchaus willkürlich, lieferte mir zuweilen direkt negative Werte, indem die Zahl für Alizarin die für Phenolphtalein, allerdings bei beginnender Endreaktion, überstieg.

Wo freie HCl fehlte, habe ich das Defizit mittels Kongopapiers, Phloroglucin oder Dimethylamidoazobenzol bestimmt.

Die Aciditätswerte habe ich, wie das jetzt meist üblich ist, in Prozenten $^1/_{10}$ normal NaOH angegeben, welche dem jedesmaligen Säurewerte entsprechen, auf 100 ccm Magensaft berechnet; außerdem oft diesen Wert auf den HCl-Gehalt des Magensaftes umgerechnet.

Auf Milchsäure wurde stets mittels sehr dünner, frisch bereiteter Eisenchloridlösung geprüft; ich möchte an dieser Stelle hervorheben, daß unbedingt frisch bereitete Lösung notwendig ist, bereits kurze Zeit, sowohl im Licht, wie im Dunkeln stehende dünne Lösung giebt mit milchsaurem Magensaft, wie mit reiner Milchsäurelösung keine positive Reaktion. Bei jedem zweifelhaften Ausfall der Reaktion wurde außerdem dieselbe mit dem Aetherextrakt des Magensaftes wiederholt. Es wurde übrigens nur in einem der hier angeführten gutartigen Fälle einmal sichere Milchsäure gefunden, speciell nie Salz- und Milchsäure gleichzeitig. Daß das makroskopische und mikroskopische Aussehen des Mageninhaltes stets genau beobachtet wurde, ist selbstverständlich.

---

1) Diagnostik und Therapie der Magenkrankheiten, Teil 1, 1897, p. 153.

In einer Anzahl von Fällen aus letzter Zeit wurde die Eiweißverdauung nach HAMMERSCHLAG[1]) bestimmt.

Zur Bestimmung der Lage des Magens wurde derselbe, wo nicht frische Blutung vorlag, mittels Luftgebläse, seltener mit Brausepulver aufgebläht. Die Größe wurde außerdem zuweilen mittels Wassereingießens bestimmt, indem Wasser eingegossen wurde, bis ein unangenehmer Druck auftrat und dann das ausfließende Wasserquantum gemessen wurde. In einem der Fälle — öfters bei bösartiger Erkrankung — wurde KELLING's[2]) Verfahren, die Luftkapacität des Magens zu messen, angewandt.

---

Die Fälle, über welche ich nunmehr berichten werde, teile ich aus Gründen der Zweckmäßigkeit in folgende Gruppen ein:

A. die Fälle, welche vor Herbst 1896 zur Operation gekommen sind. Von denselben liegen keine genaueren Voruntersuchungen — d. h. Untersuchung der Magenfunktion vor der Operation — vor. Sämtliche Fälle finden sich in der Arbeit von MIKULICZ[3]) „Die chirurgische Behandlung des chronischen Magengeschwürs". Ich bringe von diesen Fällen die Fortsetzung der Krankengeschichte, soweit diese möglich war.

In einem Teile derselben (a) war ich in der Lage, Nachuntersuchungen über die nunmehrige Magenfunktion anzustellen; von einem anderen Teile (b) war es nur möglich, schriftlich oder mündlich Bericht über das Befinden zu erhalten.

B. die Fälle, welche seit Herbst 1896 zur Operation gekommen sind. Von sämtlichen — mit Ausnahme eines Falles, in welchem wegen soeben überstandener Magenblutung die Magenaushebung kontraindiziert erschien — liegen genauere Mageninhaltsuntersuchungen vor; ich habe dieselben meist selbst ausgeführt. Es sind dies im ganzen 35 Fälle. 8 derselben sind bereits in MIKULICZ's obiger Arbeit beschrieben; ich wiederhole dieselben, um lästiges Nachschlagen zu vermeiden.

### A. a) Aeltere Fälle mit Nachuntersuchung. 5 Fälle.

Die Resultate der Prüfung der Magenfunktion sind auf Tabelle I (s. p. 354 u. 355) zusammengestellt.

1. (Fall 7 des Herrn Geh. Rat MIKULICZ). Selma L. Offenes, in die Pankreassubstanz übergreifendes Geschwür der hinteren Magenwand. Sanduhrmagen und Pylorusstenose. Verschorfung des Geschwürs mit dem Thermocauter, dann Vernähung desselben. Gastro- und Pyloroplastik. Heilung, $^1/_2$ Jahr anhaltend, dann Recidiv (op. 16. April 1896).

---

1) Internat. klin. Rundschau, 1894, p. 39.
2) Sammlung klin. Vorträge, 1896, No. 144.
3) Mitt. a. d. Grenzgeb. d. Med. u. Chir., Bd. 2, 1897, p. 184.

Als Pat. ihre Arbeit wieder aufnahm, traten allmählich von neuem Magenbeschwerden auf, zunächst Stechen links im Leibe beim Atmen. Bald darauf traten wieder richtige Magenschmerzen und Erbrechen auf, Gewichtsabnahme um 4 kg, doch arbeitet Pat. weiter.

27. April 1897. Pat. stellt sich vor; leidendes Aussehen, Gewicht 49 kg. Früh nüchtern, abends Hafermehlsuppe, Brot, Magen leer.

Darauf Probefrühstück[1]), nach $^3/_4$ Std. 50 ccm Inhalt ausgehoben, 32 Phenolpht., 10 Congo. Eisenchlorid 0, Galle 0. Mikrosk. nichts Besonderes.

8. Febr. 1898. Pat. stellt sich wieder vor. Gewicht 47 kg, gesundes Aussehen. Etwa alle drei Monate tritt ein Anfall von Magenschmerzen auf, die einige Wochen, bis 4, anhalten, dabei Erbrechen. In der Zwischenzeit fühlt sich Pat. ziemlich wohl, ißt alles. Zur Zeit ist ein solcher Anfall fast beendet.

Früh nüchtern, Magen leer.

Darauf Probefrühstück, nach $^3/_4$ Std. Magen leer.

Darauf Probefrühstück, nach 20 Min. 155 ccm ausgehoben. 1021,5 spec. Gew. Rest (Goldschmidt) 58 ccm, Phenolpht. 28, Congo 18, Galle 0, Milchsäure 0.

2. Sept. 1898. Pat. stellt sich wieder vor. Es ging ihr völlig gut bis vor 3 Wochen, sie aß alles. Seither wieder Magenschmerzen, täglich 1 mal Erbrechen, selten öfters, nur nach dem Essen, sobald sie anderes als Milch und Thee zu sich nimmt. Blühendes Aussehen. Gewicht 46 kg. Epigastrium in seiner l. Hälfte ziemlich stark druckempfindlich, Kreuz nicht. Pat. erhält Mittags Probemahl[2]); nach 6 Std. zunächst kein Inhalt auspreßbar, die Sonde andauernd verstopft, mittels Wassereingießens dann etwas verdünnter Inhalt ausgehoben. Phenolpht. 34 (Anfang-) 41 (Endreaktion), Congo 23, Dimethylamidoazobenzol 17, Eisenchlorid 0, Galle 0.

Pat. erhält darauf, leer gespült, abends Probemahl, nach 12 Stunden 9 ccm schwach galligen Inhaltes ausgehoben, Rest (Phenolpht.)[3]) 50 ccm, Phenolpht. 6—24[4]), Congo 0, Eisenchl. 0.

Dann Probefrühstück, nach $^3/_4$ Std. 9 ccm ausgehoben Rest (Phenolpht.) 24 ccm, Phenolpht. 42—56, Congo 30, Eisenchl. 0, Galle 0.

In diesem Falle dürfte hauptsächlich die Frage aufzuwerfen sein, ob es sich um ein Recidiv des Ulcus handelt, oder ob die Beschwerden als nervöse aufzufassen sind. Zu entscheiden ist die Frage bei dem Fehlen von Blutungen und sonstigen objektiven Erscheinungen zur Zeit nicht. Sicher ist eine neue Pylorusstenose auszuschließen.

---

1) In allen Fällen, in denen nur „Probefrühstück" angegeben ist, wurde 400 ccm Hafermehlsuppe genommen.

2) Wo „Probemahl" verzeichnet ist, wurde 125 g Beefsteak, 100 g Semmel, 300 g Wasser gegeben.

3) Rest (Phenolphtalein) bedeutet Restbestimmung nach Mathieu, ausgeführt mit Phenolphtalein als Indikator.

4) Wo bei der Titrierung der Gesamtacidität mit Phenolphtalein ein Wert angegeben ist, bezieht sich derselbe auf die beginnende Endreaktion; wo zwei Werte angegeben sind, bezieht sich der erste auf die beginnende Endreaktion, der zweite auf die Austitrierung.

Tabelle

| Nummer | Name | Gewicht kg | Gewicht Datum | Probenahrung | Nach Stund. | Ausgehobenes Quantum (Rest) | Gesamt-acidität | Freie HCl |
|---|---|---|---|---|---|---|---|---|
| 1 | Selma L. | 49 | 27. April 1897 | Hafermehl, Brot | 12 | 0 | | |
| | | | | Probefrühstück | 3/4 | 50 | 32 | 10 |
| | | 47 | 8. Febr. 1898 | Beliebig | 12 | 0 | | |
| | | | | Probefrühstück | 3/4 | 0 | | |
| | | | | " | 20 | 155 | 28 | 18 |
| | | 46 | 2. Sept. 1898 | Probemahl | 6 | wenig | >34 | >23 |
| | | | | " | 12 | 9 | 6 | 0 |
| | | | | Probefrühstück | 3/4 | 9 | 42 | 30 |
| 2 | Israel Gerson Sgz. | 65 | 19. Juli 1898 | Kaffee und Semmel | 3/4 | 0 | | |
| | | | | Probefrühstück | 3/4 | 105 (+95) | 44 | 40 |
| 3 | Gregor P. | 69,5 | 12. Sept. 1898 | Probemahl | 12 | 0 | | |
| 4 | Dr. med. Max S. | | 15. Jan. 1897 | Beliebig | 15 | 15 | 66 | 28 |
| | | | | EWALD's Probefrühst. | 1/2 | viel | 38 | 11 |
| | | | 20. Febr. 1897 | Probemahl | 0 | | | |
| | | | | Probefrühstück | 1/2 | 100 | 43 | 22 |
| 5 | Franz B. | 73,0 | 14. Nov. 1898 | Kaffee, Brot | 1 | 140 | 60 | |
| | | | | Probefrühstück | 3/4 | 6 (+110) | 40 | 54 56 |
| | | | | Probemahl | 6 | 110 (+316) | 157 | 66 |
| | | | | 1500 Hafermehlsuppe | 12 | 38 (+ 77) | 46 | |
| | | | | Probefrühstück | 55' | 80 (+ 92) | 48 | 40 36 |

2. (Fall 11 des Herrn Geh. Rat MIKULICZ). Israel, Gerson Sgz. Offenes Geschwür der Pylorusgegend, hochgradige Pylorusstenose. Gastroenterostomie (WÖLFLER) Heilung. (op. 11. Juni 1886).

19. Juli 1898. Pat. kommt zur Vorstellung. Er hat andauernd einen leichten Schmerz links im Leibe unterhalb Nabelhöhe. Nach dem Essen zuweilen schlimmer. Pat. meint, derselbe säße nicht am Magen. Nie Erbrechen. Sonst ist er ganz gesund, bis auf Beschwerden beim Urinieren. Pat. nimmt noch immer Morphium zu sich, intern, Dosis nicht feststellbar.

Große Curvatur bei Aufblähen ein Finger unterhalb des Nabels, der erhalten ist. Appetit gut, Stuhl regelmäßig, Pat. hat stets gearbeitet. Gewicht 65 kg.

Pat. nahm heute früh 9 Uhr Kaffee und Semmel, nach 4 1/4 Std. kein Inhalt auspreßbar, bei Spülen kommt indes ein wenig, gallig. Dann Probefrühstück, nach 3/4 Stunden 105 ccm ausgehoben Rest (Phenolpht.) 95 ccm. Phenolpht. 44—52, Congo 40, Eisenchl. 0, viel Galle, mikr. gallige Pigmentschollen, Amylum.

I.

| Milchsäure | Galle | Mikroskop. | Operations-datum | Operationsbefund | Operation |
|---|---|---|---|---|---|
| | | | 16. April 1896 | Offen. Ulcus, Sanduhrmagen, Pylorusstenose | Verschorfung des Ulcus |
| 0 | 0 | 0 | | | Gastropyloroplastik |
| 0 | 0 | 0 | | | |
| 0 | 0 | 0 | | | |
| 0 | Spur | 0 | | | |
| 0 | 0 | | | | |
| 0 | mäßig stark | 0 | 11. Juni 1886 | Offen. stenos. Ulcus d. Pylor. | Gastroenterostom. antecolic. |
| | † | | 27. April 1893 | Offen. stenos. Ulcus d. Pylor. | Gastroenterostom. retroc. post. |
| 0 | mäßig | | 22. Nov. 1896 | Ulcusverdacht, kein. zu find. | Gastroenterostomie |
| 0 | viel | | 16. Jan. 1897 | Gastroenteroanastom. verengt | Gastroenteroplastik, Enteroanastomose |
| 0 | „ leicht | | Mai 1897 | | Verschl. d. zuführend. Jejun.-Schlinge zwischen Gastroentero- u. Enteroanastomose |
| sp. | 0 | Hf. | 28. Aug. 1893 | Narb. Pylorusstenose | Pyloroplastik |
| 0 | 0 | „ | | | |
| 0 | 0 | „ | | | |
| 0 | Spur | „ | | | |
| 0 | „ | 0 | | | |

In diesem Falle ist die Motilität des Magens deutlich langsamer als normal, also erheblich verlangsamt gegenüber sonstigen Fällen von Gastroenterostomie. Weitere Untersuchung anzustellen, war nicht möglich, da Patient abzureisen drängte. Ob sich die Anastomose verengt hat, oder ob sich nur ein kräftiger Sphinkter ausgebildet hat, ob Atonie im Spiele ist, ist nicht zu entscheiden. Auffallend hoch für Gastroenterostomie sind auch die Aciditätsverhältnisse. Sicherlich funktioniert aber die Anastomose noch nach nunmehr 12 Jahren ausreichend gut, wie der Ernährungszustand, das Fehlen von Beschwerden zeigt.

3. (Fall 12 des Herrn Geh. Rat Mikulicz). Gregor P. Offenes, stenosierendes Geschwür des Pylorus. Gastroenterostomie (v. Hacker). Heilung. (op. 27. April 1893).

12. Juni 1898. Pat. stellt sich vor. Gesundes Aussehen, keine Spur von Beschwerden. Pat. ißt alles, Gewicht 69,5 kg.

5 Std. nach Probemahl Magen leer, Spülwasser leicht gallig, weitere Untersuchungen nicht möglich, da Pat. fortdrängt.

**4. (Fall 37 des Herrn Geh. Rat Mikulicz). Dr. med. Max S., Verdacht auf Ulcus, Atonie, nervöse Dyspepsie? Gastroenterostomie ohne Erfolg, andauernd schwere dyspeptische Erscheinungen, deshalb 15. Januar 1897 Gastroenteroplastik, Erweiterung der Gastroentero-anastomose, ferner Enteroanastomose unterhalb obiger.**

20. Febr. 1897. Bisher seit Operation keine Magenaushebung oder Ausspülung, Pat. fühlt sich wohler.

Gestern Abend 250 g Beefsteak, Brot; heute früh zunächst kein Inhalt aushebbar, nach längerem starke Pressen einige Tropfen schwach gelben Inhalts, alkalisch, Spülwasser bleibt gallig.

1/2 Std. nach Probefrühstück 100 ccm aushebbar, zunächst ohne Galle, später leicht gallig. Phenolpht. 43 (= 0,157 Proz. auf HCl berechnet), Congo 22 (= 0,08 Proz.), Eisenchl. 0, mikr. Amylum, einzelne Bakterien, sonst 0.

Laut brieflicher Mitteilung ist das Befinden des Pat. auch durch die dritte Operation nur vorübergehend gebessert, schließlich nicht wesentlich geändert, weder objektiv noch subjektiv.

Dieser Fall ist von ganz besonderer Wichtigkeit; es ist ein Fall, in dem früher dauernd, nach der zweiten Operation wohl auch meist Galle im Magen vorhanden ist, gewöhnlich ziemlich viel, also sicher auch Pankreassaft. Trotzdem ist der Magensaft manchmal salzsauer. Patient ist sicher Neurastheniker; ob er es bereits vor der Operation war und ob die ganze Magenaffektion auf nervöser Grundlage beruht, ist nicht feststellbar. Zweifellos ist Patient nach der Gastroenterostomie keinesfalls gebessert, eher ist sein Zustand verschlimmert. Wahrscheinlich sind die Beschwerden nach der ersten Operation, die auch jetzt noch bestehen, doch auf die Anwesenheit von Galle im Magen zu beziehen, zumal da diese Beschwerden andersartig sind als die primären.

**5. (Fall 18 des Herrn Geh. Rat Mikulicz). Franz B. Narbige Pylorusstenose. Pyloroplastik. Heilung (op. 28. Aug. 1893). Rückfall.**

Pat. hat sich im ganzen durchaus wohl gefühlt. Im Juni 1898 traten ohne Ursache Magenschmerzen auf, Erbrechen von 2—3 l, danach Erleichterung. Stuhl einmal schwärzlich, doch nicht teerartig. Nach einigen Wochen Besserung, Pat. hatte nur noch nach größeren Diners Beschwerden: Aufstoßen, Brechreiz, kein Schmerz; er rief durch Einführen des Fingers Erbrechen hervor.

14. Nov. 1898. Pat. stellt sich vor. Wohlbefinden, Appetit sehr gut, Stuhl normal. Gewicht 73 kg. Es besteht eine fast handtellergroße Bauchhernie in der Narbe, durch welche hindurch die obere Hälfte des Abdomen vorzüglich zu palpieren ist. Völlig normaler Befund, keine Druckempfindlichkeit. Große Kurvatur bei Aufblähen 1 Finger unter dem Nabel.

Pat. wird früh morgens nach Kaffee und Brot ausgehoben. 140 ccm Inhalt, mikroskopisch mäßig viel Hefe, ganz vereinzelte Bacillen, auch lange; Amylum. 0 Galle. Phenolpht. 66—81, Congo geleimt 54, Phloroglucin-Vanillin Spur; Eisenchlorid wird stark gelbbraun, nicht zeisiggelb, mit Aetherextrakt deutlich positiv, schwach.

Leerspülung, darauf Probefrühstück, nach 3/4 Std. 6 ccm ausgehoben, dick, mikrosk. wie oben; Rest (Phenolpht.) 110 ccm. Phenolpht. 40—50, Congo 30, Eisenchl. 0.

Darauf erhält Pat. Probemahl, nach 6 Std. 110 ccm ausgehoben, Rest (Phenolpht.) 316 ccm, dick, braun, 0 Galle, mikr. ziemlich viel Hefe, ganz vereinzelte Stäbchen, Fleischfasern wenig, alle stark angedaut, Amylum, Phenolpht. 157—178, Congo geleimt 66, Dimethyl. 64, geb. HCl (Alizarin) 87, Eisenchl. 0, Eiweißverdauung (Hammerschlag) 70 Proz.

Leerspülung, darauf 1500 ccm Hafermehlsuppe. Nach 12 Std. 38 ccm ausgehoben, Rest (Phenolpht.) 77 ccm, hellgelb, nach Stehen grünlich, mikr. nichts besonderes, 0 Speise. Phenolpht. 46—60, Congo 40, Dimethyl. 34, Eisenchl. 0.

Leerspülung, nach 1/2 Std Probefrühstück, nach 55 Min. 80 ccm ausgehoben, Rest (Phenolpht.) 92 ccm, hellgelb, nach Stehen grünlich, dünn. Phenolpht. 48—54, Congo geleimt 38, Dimethyl. 36, geb. HCl 0, Eisenchl. 0, Eiweißverdauung (Hammerschlag) = 53,5 Proz.

Pat. kehrt nach Hause zurück, er spült sich täglich früh den Magen aus.

5. Febr. 1899. Briefliche Mitteilung. Pat. spült sich täglich den Magen aus, anfangs morgens, seit dem 15. Jan. abends. Es befindet sich stets ein Quantum von 1 1/2—2 l im Magen. Pat. leidet an Sodbrennen, Aufstoßen, Schwächegefühl, Stuhlverstopfung. Körpergewicht nicht gehoben, Aussehen angeblich miserabel.

Wir müssen diesen Fall als ungeheilt ansehen, zumal in funktioneller Beziehung; im ganzen ist der Zustand gegenüber dem vor der Operation entschieden gebessert. Da für ein neues Ulcus nichts spricht, auch nichts für einen Tumor, muß man eine recidivierende Stenose des Pylorus oder eine Atonie annehmen. Letztere Annahme ist wohl die wahrscheinlichere; recidivierende Stenosen haben wir nie beobachtet; ferner spricht der Wechsel der mechanischen Magenfunktion mehr für Atonie.

### A. b) Aeltere Fälle, weitere Nachrichten.

1) (Fall 15 des Herrn Geh. Rat Mikulicz). Martha S. Verätzungsstrictur des Oesophagus. Offenes Ulcus und Stenose des Pylorus. Resektion des Ulcus und Gastrostomie in einer Sitzung. Allmähliche Dilatation des Oesophagus durch immer stärkere Drainröhren (Sonde ohne Ende). Op. 12. Januar 1895.

28. Okt. 1898. Völliges Wohlbefinden. Gewicht 49,5—50 kg.

2) Fall 19. Max L. Narbige Verengerung des Pylorus. Pyloroplastik. Op. 22. Januar 1895.

31. Okt. 1898. Keine Spur Magenbeschwerden. Pat. ißt alles. Stuhl regelmäßig. Gewicht 61,5 kg. Bei Aufblähen mit $CO_2$ steht die große Kurvatur handbreit unter Proc. xiph. — Seit 1/2 Jahr leidet er an Husten

und Auswurf. Es besteht ein ausgedehntes Infiltrat der rechten Lungenspitze, Dämpfung, Bronchialatmen, klingendes Rasseln; Tuberkelbacillen.

**3) Fall 21. Dr. jur. Karl M. Stenosierendes Geschwür der Pylorusgegend. Gastroenterostomie. Spornbildung (nach 8 Tagen Enteroanastomose hinzugefügt). Op. 1. Juli 1895.**

Okt. 1898. Völliges Wohlbefinden. Pat. hat sich kürzlich verlobt.

**4) Fall 31. Amalie P. Kompression des Duodenums infolge von Cholelithiasis und Pericholecystitis. Gastroenterostomie. Heilung. Nach 1/2 Jahre Cholecystotomie. Heilung. Op. 12. Januar 1895 und 9. Juli 1895.**

1. Aug. 1898. Völliges Wohlbefinden.

**5) Fall 33. Franz V. Gastralgische und dyspeptische Beschwerden seit 6 Jahren. Probeincision. Keine anatomische Veränderung des Magens nachzuweisen. Beschwerden gebessert. Op. 30. Januar 1896.**

30. Okt. 1898. Pat. ist gestorben; wann, sowie sonst Näheres nicht zu eruieren.

**6) Fall 42. Selma K. Profuse akute Blutung aus einem offenen Ulcus der Hinterwand des Magens (Arteria coronaria superior). Excision des Geschwürsgrundes. Verschluß desselben, sowie des blutenden Gefäßes durch 2 Nahtreihen. Heilung. Op. 22. April 1894.**

Okt. 1898. Völliges Wohlbefinden.

## B. Fälle der letzten 2 1/4 Jahre. 35 Fälle.

Die Fälle sind auf Tabelle II (s. p. 360 ff.) zusammengestellt, meine Einteilung entspricht der des Herrn Geheimrat Mikulicz.

### 1. Offenes, nicht stenosierendes Ulcus. Pyloroplastik. 5 Fälle.

**1. (Fall 2 des Herrn Geh. Rat Mikulicz). 9 Jahre andauernd Magenbeschwerden, 1 geringe Hämatemese, normale chemische und motorische Funktion des Magens. Pyloruskontraktionsring, offenes Ulcus der kleinen Kurvatur. Pyloroplastik. Mehrere Rückfälle von Gastralgien. Heilung, 2 1/4 Jahre beobachtet.**

Anna L., 33 J., ledig, Brauereiarbeiterin aus Koppen bei Brieg.

Familienanamnese und Vorleben ohne Belang; kein Potus. Das Magenleiden begann im Oktober 1887. Während der Feldarbeit traten plötzlich ohne Veranlassung ziemlich heftige Schmerzen in der Magengrube auf, von hier links herum ins Kreuz ziehend. Leichter Schwindel. Pat. konnte indessen nach kurzem Anhalten weiterarbeiten. Es blieb aber den ganzen Winter über ein dauernder, stechender Schmerz in der Magengrube und im Kreuz, der nach dem Essen meist besser, selten schlimmer wurde. Im Sommer von selbst Besserung. So ging das Leiden jahrelang fort, im Winter war es schlimmer, im Sommer besser, beschwerdefrei war Pat. nie. Erbrechen erfolgte spontan nur selten. Pat. erzwang es öfters, indem sie den Finger in den Hals steckte, weil sie sich danach leichter fühlte. Seit

2 Jahren werden die Schmerzen nach dem Essen stets schlimmer, die Zunahme beginnt wenige Minuten nach der Nahrungseinnahme, die Höhe ist in einer Stunde erreicht, bleibt eine Stunde bestehen, dann allmähliche Abnahme.

Vor 14 Tagen erbrach Pat. $^1/_4$ Liter Blut, schwarz, flüssig, $^1/_4$ Std. vorher heftigere Schmerzen als sonst, Schwindel; danach Linderung. Seither kein Erbrechen mehr, die Beschwerden sind im ganzen größer, Appetit gering, Stuhl regelmäßig. Abmagerung; Gewicht mit 23 Jahren 61 kg, vor 3 Wochen 56 kg, jetzt 52,5 kg. Seit dem 12. Nov. 1896 kann sie nicht mehr arbeiten.

20. Nov. 1896 Aufnahme in die Klinik.

Anämische Person, schlechter Ernährungszustand, kein Fettpolster. Brustorgane normal. Der Leib zeigt äußerlich nichts Besonderes, Epigastrium nicht eingesunken, kein Tumor, Epigastrium mäßig druckempfindlich, Kreuz nicht. Uebrige Unterleibsorgane normal, keine Enteroptose. Große Kurvatur in Nabelhöhe.

Urin normal, nicht vermindert, wenig Indikan. Stuhl etwas verstopft.

21. Nov. 1896. Früh nüchtern, abends zuvor beliebige Diät, enthält der Magen nur wenige Tropfen schwachsauren, nicht salzsauren Inhaltes. Darauf Probefrühstück, nach 1 Std. 40 ccm Inhalt ausgehoben mikrosk. einzelne Hefezellen, Amylum. Phenolpht. 50, (= 0,183 Proz.) Congo 27, (= 0,1 Proz.) Eisenchl. 0.

22. Nov. abends 250 g Beefsteak, 5 Kartoffeln, 300 g Wasser.

23. Nov. früh nüchtern, nach 14 Std. 10 ccm ausgehoben, dünn, leicht trübe, nicht schleimig, mikrosk. einzelne Kerne, 0 Fleisch und Amylum, Phenolpht. 6, Congo 0, Eisenchl. 0.

26. Nov. 1896. Operation (Geheimrat Mikulicz) in Chloroformnarkose.

Magen nicht deutlich vergrößert, Wand etwas schlaff. Pylorusring erscheint kontrahiert, Fingerkuppe + Magenwand einlegbar, nicht durchführbar. An der kleinen Kurvatur, mehr an der hinteren Wand, in der Mitte zwischen Cardia und Pylorus ein Ulcus 12 zu 8 mm, 5 mm tief, mit Längsachse senkrecht zur kleinen Kurvatur, Ränder etwas verdickt. Es gelingt, das Ulcus sichtbar zu machen. Typische Pyloroplastik, Pylorus danach sehr bequem für Mittelfinger durchgängig, das Ulcus bleibt unberührt.

Pat. bricht einmal am Tage nach der Operation, schwach gallig. Sie giebt mit Bestimmtheit an, daß mit der Operation die früheren Schmerzen prompt aufgehört haben. Nach den ersten drei Tagen dafür ziemlich heftige Schmerzen in der Wunde.

15. Dez. Heute $^1/_2$ Std. nach dem zweiten Frühstück plötzlich heftige Schmerzen im Epigastrium und Kreuz, Druckempfindlichkeit im Interscapularraum bis zur 12. Rippe, links mehr, an Spinen keine. Pat. ruft durch Fingereinführung einmal Erbrechen hervor. Die Schmerzen bleiben bis zum 23. Dez. ziemlich unverändert, dann Abnahme, seit dem 26. Dez. keine mehr. Sie beginnt allmählich alles zu essen.

5. Jan. 1897. $^1/_2$ Std. nach Probefrühstück 100 ccm ausgehoben, ohne Galle, mikrosk. 0, Phenolpht. 44,9, Congo 15, Eisenchl. 0.

11. Jan. 1897. Pat. entlassen, vollkommen gesund und frei von Beschwerden, Gewicht 59 kg.

18. Febr. 1897. Pat. stellt sich wieder vor, 3 Tage nach Entlassung trat einmal am Abend nach schwerer Arbeit (Waschen) ein Anfall heftiger Magenschmerzen auf, dieselben waren am folgenden Tage verschwunden.

Tabelle

1. Offenes, nicht stenosierendes

| | Name, Alter und Dauer | Blutung | Körpergewicht Datum | kg | Befinden | Arbeitsfähigkeit | Magengröße | Motilität Datum | Probenahrung |
|---|---|---|---|---|---|---|---|---|---|
| 1 | Anna L., 33 J., 9 J. | 1 mal 1/4 l erbrochen | gesund | 61,0 | Andauernd Schmerzen, nach Essen zunehmend | 0 | Gr. Kurvatur in Nabelhöhe | 21./11.96 | Boas' Probefrühstück |
| | | | 26./11.96 | 53,5 | Appetit gering, viel Aufstoßen, Stuhl täglich. Wenig Erbrechen | | | 23./11.96 | Probemahlzt. |
| | | | 11./12.96 | 50,5 | Alte Schmerzen sof. weg | normal | | 5./1. 97 | Probefrühst. |
| | | | 11./1. 97 | 59,0 | Bis 6./12. Wundschmerz | | | 18./2. 97 | „ |
| | | | 18./2. 97 | 60,0 | Vom 15.—25./12. | | | 8./4. 97 | „ |
| | | | 8./4. 97. | 57,0 | Am 14./1. 97. | | | „ | Probemahl |
| | | | 13./4. 98 | 58,0 | Vom 21.—27./1., seither Wohlbefinden | | | 2./7. 97 | Probefrühst. |
| | | | | | | | | 5./8. 98 | „ |
| | | | | | | | | „ | „ |
| | | | | | | | | „ | Probemahl |
| 2 | Ernst Sch., 45 J., 12 J. | 1 mal schwere Magenblutung | gesund | 73,0 | Magenschmerz., Brech. | 0 | Gr. Kurvatur etwas unter Nabel | | Semmel und Kaffee |
| | | | 7./2. | 62,0 | | | | | Probefrühst. |
| | | | 19./2. | 63,0 | Seit Operation Magenbeschwerd. verschwund. | normal | | | beliebig |
| | | | 25./2. | 67,0 | | | | | |
| 3 | Gustav P., 36 J., 2 J. | 0 | gesund | 66,0 | Bereits nücht. Schmerz., nach Essen bald mehr, bald wen.; anfallsweise | gering | Gr. Kurvatur 2 Finger unt. Nabel | 19./2. 97 | Probefrühst. |
| | | | 18./2. | 55,0 | | | | | „ |
| | | | 14./3. 97 | 53,0 | | | | | Probemahlzt. |
| | | | 19./6. 97 | 59,0 | And. mäßig. Magendr. Pat. war nur d. erst. 6 W. nach d. Op. beschwrdfr. | besser | | 13./3. 97 | „ |
| | | | 11./4. 98 | 57,5 | | | | | Probefrühst. |
| | | | | | | | | | „ |
| 4 | Gertrud K., 23 J., 16 J. | 1 schwere | gesund | 55,0 | Cardialgien, kein Erbr. | — | | | |
| | | | 25./6. 98 | 39,0 | Wohlbefinden | gut | | | |
| | | | 12./7. | 42,5 | | | | | |
| | | | 6./9. | 52,5 | | | | | |
| | | | 5./11. | 54,0 | | | | 5./11. 98 | Probemahl |
| | | | 12./1. 99 | 53,0 | | | | | Probefrühst. |
| 5 | Marie v. K., 21 J., 5 J. | 2 mal | gesund | 75,0 | Schmerzen, Erbrechen | gering | Gr. Kurvatur am Nabel | 11./5. 97 | Probemahl |
| | | | | | | | | 12./5. | Probefrühst. |
| | | | 11./5. 97 | 69,5 | Völliges Wohlbefinden | normal | | 13. | „ |
| | | | 20./7. 97 | 75,5 | | | | | „ |
| | | | | | | | | 20./7. 97 | Kaffee und Semmel |
| | | | | | | | | | Probefrühst. |

1) Die punktierte Linie trennt den Befund vor der Operation von dem nach derselben.

II [1]).

Ulcus. Pyloroplastik.

| und Chemismus | | | | | | | Operation | | | | | Bemerkungen |
|---|---|---|---|---|---|---|---|---|---|---|---|---|
| Nach Stunden | Ausgeheberes Quantum (+ Rest) | Gesamtacidit. | Freie HCl | Milchsäure | Galle | Mikroskopisch | Datum | Befund | Pylorus | Magengröße | Art der Operation | |
| 1 | 50 | 50 | 27 | 0 | 0 | einzln. Hefe | 26./11. 96 | Ulcus 12/8 mm, 5 mm tief, an kl. Kurvatur | Kontrahiert. Fingerkuppe nur einlegbar | normal | Pyloroplastik, Ulcus unberührt | |
| 14 | 10 | 6 | 0 | 0 | 0 | 0 Speise; Kerne | | | | | | |
| 1/2 | 100 | 45 | 15 | 0 | 0 | | | | | | | |
| 3/4 | 55 | 27 | 9 | 0 | 0 | | | | | | | |
| 1 | 20 | 23 | 10 | 0 | 0 | | | | | | | |
| 12 | 0 | | | | | | | | | | | |
| 3/4 | 30 | 43 | 10 | 0 | 0 | | | | | | | |
| 3/4 | 15 | 42 | 22 | 0 | 0 | | | | | | | |
| 10 | 15 (+ 50) | 21 | 14 | 0 | 0 | | | | | | | |
| 4 3/4 | 20 (+143) | 51 | 0 | 0 | 0 | | | | | | | |
| 6 | | 71 | 0 | 0 | 0 | | | | | | | Heilung |
| 2 | 50 | 46 | 16 | 0 | 0 | mäßige Hefegärung | 7./2. 98 | Bisquitförm. Ulcus d. kl. Kurvatur, vernarbt bis auf zwei Stellen | Kontraktionsring, Fingerkuppe m. Gew. durchführbar | | | „ |
| 3/4 | | 10 | 0 | 0 | 0 | | | | | | | |
| 12 | zieml. viel | | | | 0 | | | | | | | „ |
| 1 1/2 | 50 | 60 | stark | 0 | 0 | | 21./2. 97 | Hernia epigastr., Stück Netz darin. Ulcus d. kl. Kurv. Schleimhautfalte vor Pylorus | Kaum f. Spitze d. Zeigefingers durchgängig | | | „ |
| 12 | 0 | | | | | | | | | | | |
| 4 | 200 | | „ | | 0 | | | | | | | |
| 12 | Spur | + | + | 0 | 0 | | | | | | | |
| 1 | 0 | | | | | | | | | | | |
| 1/2 | 200 | 45 | 27 | 0 | 0 | | | | | | | Besserung |
| | | | | | | | 13./6. 98 | Kein Ulcus zu finden | empfindlich. Kontraktionsring | Recht gr. | Pyloroplastik | |
| 7 | Spur | | | | 0 | | | | | | | |
| 3/4 | 30 (+ 30) | 13 | 3 | 0 | 0 | | | | | | | Heilung |
| 12 | 0 | | | | | | 18./5. 97 | Kein Ulcus zu finden | „ | | „ | |
| 1 | 6 | 70 | 23 | 0 | 0 | etwas Blut | | | starker, fester Ring | | | |
| 40' | 4,5 | 44 | 19 | 0 | 0 | | | | | | | |
| 20' | 50 | 9 | 0 | 0 | 0 | | | | | | | |
| 1 | 20 | 50 | 20 | 0 | 0 | | | | | | | |
| 3/4 | 30 | 69 | 37 | 0 | 0 | | | | | | | Heilung |

Tabelle II (Fortsetzung).

| Nummer | Name, Alter und Dauer | Blutung | Körpergewicht Datum | kg | Befinden | Arbeitsfähigkeit | Magengröße | Motilität Datum | Probenahrung |
|---|---|---|---|---|---|---|---|---|---|
| 6 | Martha K.,<br>34 J.,<br>7 J. | 3 schwere | gesund<br>7./11. 96 | 67,5<br>66,0 | Anfangs viel Druck u. Schmerz; jetzt nach Essen stets Druck, zuweilen Schmerz | 0 | | 5./11. 96 | Ewald's Probefrühst.<br>Probemahl |
| | | | | | | | | 19./12. 96 | Ewald's Probefrühst. |
| | | | 19./12. 96<br>5./2. 97<br>3./4. 97<br>28./4. 98<br>26./7. 98 | 63,0<br>66,5<br>67,0<br>62,0<br>59,0 | Wohlbefinden bis auf einige kleine Schmerzanfälle | gut Heirat | | 5./2. 97<br><br>7./4. 97 | „<br>Probefrühst.<br>Probemahl<br>Probefrühst. |
| | | | | | | | | 28./4. 98 | „<br>Probemahl<br>Probefrühst. |
| 7 | Anna J.,<br>32 J.,<br>11 Mon. | 0 | gesund<br>3./1. 97<br>13./2. 97 | 83,5<br>67,5<br>62,5 | Druck u. Schmerz, nach Essen stets zunehmend, Dauer bis Erbrechen | 0 | 3 Finger unt. Nabel | Jan. 97<br>11./2. 97<br>12./2. | <br>Probemahl<br>Ab. leer gesp. |
| | | | 1./3.<br>5./3.<br>9./4. 97<br>17./6.<br>20./4. 98 | 58,5<br>59,5<br>64,0<br>67,5<br>75,0 | Beschwerdefrei | gut | | 5./3. 97<br><br>9./4. 97 | Probemahl<br>Probefrühst.<br>Probemahl<br>Probefrühst. |
| 8 | Max Sch.,<br>25 J.,<br>10 J. | 3 schwere | 11./10. 97 | 59,5 | Schmerzen | 0 | | 11./10. 97 | Probefrühst.<br>Probemahl |
| | | | | | Völliges Wohlbefinden | normal | | <br>13./1. 98 | „<br>„<br>Probefrühst.<br>„ |
| 9 | Johann W.,<br>24 J.,<br>4 Mon. | vorhand. | gesund<br>28./8. 98<br>3./11.<br>9./2. 99<br>20./2. | 66,0<br>42,5<br>40,0<br>58,5<br>61,5 | Schluckbeschwerden | 0 | Mäßig vergr. | 3./12. 98 | Beliebig<br>Probefrühst.<br>„<br>„ |

3. Offenes stenosierendes Ulcus.

| Nummer | Name, Alter und Dauer | Blutung | Körpergewicht Datum | kg | Befinden | Arbeitsfähigkeit | Magengröße | Motilität Datum | Probenahrung |
|---|---|---|---|---|---|---|---|---|---|
| 10 | Robert W.,<br>25 J.,<br>1 J. | 0 | gesund<br>19./5. 98 | <br>65,0 | Schmerzen, Erbrechen | 0 | Gr. Kurvat. 2 Fing. üb. Nab. | 20./5. 98 | Probefrühst. |
| | | | 6./6.<br>25./6.<br>19./7. | 62,5<br>65,5<br>68,5 | Wohlbefinden | gut | | 21.<br>22.<br>23.<br>24. | Probemahl<br>„<br>Leer gespült<br>„ „ |
| | | | | | | | | 19./7.<br>20. | Mahlzeit<br>Probemahl<br>Probefrühst.<br>Probemahl<br>„ |
| | | | 2./11. | 69,0 | | | | 2./11. | Probemahl<br>Wurst, Brot<br>Probefrühst |

## 2. Offenes, stenosierendes Ulcus. Pyloroplastik.

| und Chemismus | | | | | | | Operation | | | | | Bemerkungen |
|---|---|---|---|---|---|---|---|---|---|---|---|---|
| Nach Stunden | Ausgeheberes Quantum (+ Rest) | Gesamtacidit. | Freie HCl | Milchsäure | Galle | Mikroskopisch | Datum | Befund | Pylorus | Magengröße | Art der Operation | |
| 3/4 | 100 | 76,0 | 44 | 0 | 0 | einzln. Hefe | 7./11. 96 | Ulcus im Pylorus, vord. Wand | Etwas verengt | ziemlich groß | Ulcus excid., Pyloroplastik | |
| 12 | 0 | | | | | | | | | | | |
| 1/2 | 75 | 60 | 10 | 0 | 0 | | | | | | | |
| 4 1/2 | 0 | | | | | | | | | | | |
| 1/2 | 125 | 26 | Spur | 0 | 0 | etwas Hefe | | | | | | |
| 12 | 0 | | | | 0 | | | | | | | |
| 1 | Spur | | | | 0 | | | | | | | |
| 1/2 | 80 | 15 | 5 | 0 | 0 | | | | | | | |
| 12 | 0 | | | | | | | | | | | |
| 3/4 | 50 | 54 | 28 | 0 | 0 | | | | | | | Heilung |
| | viel | 85 | + | 0 | 0 | v. Hef. Sarcin. | 13./2. 97 | Ulc. am Pylorus (2/1 1/2 cm) | Pylor. f. Schere durchgängig | Sehr groß | Excis. ulc. Pyloropl. | |
| 12 | 500 | 60 | + | 0 | 0 | " | | | | | | |
| 12 | 30 | + | + | 0 | 0 | | | | | | | |
| 12 | Spur | + | + | 0 | 0 | Kerne | | | | | | |
| 1 | 25 | 114 | 72 | 0 | 0 | 0 Gärung | | | | | | |
| 12 | 75 | 74 | 57 | 0 | Spur | 0 Speise | | | | | | |
| 1 | 40 | 56 | 31 | 0 | " | 0 Speise | | | | | | Heilung |
| 1 | 20 | 113 | 75 | 0 | 0 | — | 21./10. 97 | Wand dünn; Ulc. am hint. Pylorusrande | Fingerkuppe eben einlegbar | Ziemlich groß | Ulcus vernäht. Pyloroplast. | |
| 14 | 0 | | | | | | | | | | | |
| 8 | Spur. | | | | 0 | | | | | | | |
| 12 | 0 | | | | 0 | | | | | | | |
| 3/4 | 0 | | | | 0 | | | | | | | |
| 1/2 | 35 | 50 | 30 | | Spur | | | | | | | Heilung |
| | 1600 | 90 | 38 | 0 | 0 | | 6./12. 98 | Ringförm. Ulcus im Pylorus | Arterienklemme geht eben durch | Klein | Gastrostomie. Pyloroplastik | |
| 12 | 570 | 38 | 22 | 0 | 0 | | | | | | | |
| 1 | 380 | 0 | 0 | 0 | 0 | | | | | | | |
| 6 | 610 | 45 | 30 | 0 | 0 | | | | | | | Heilung |

## Gastroduodenostomie.

| Nach Stunden | Ausgeheberes Quantum (+ Rest) | Gesamtacidit. | Freie HCl | Milchsäure | Galle | Mikroskopisch | Datum | Befund | Pylorus | Magengröße | Art der Operation | Bemerkungen |
|---|---|---|---|---|---|---|---|---|---|---|---|---|
| 1 | 150 | 49 | 9 | 0 | 0 | | 24./5. 98 | Ulcus der hint. Wand | Pylorus abgeknickt fixrt., für Zeigefinger durchgängig | Nicht gr. | Ulcus unberührt. Gastroduodenostomie m. Naht | |
| 12 | 20 | + | + | | 0 | Fleisch | | | | | | |
| 12 | 50 | 98 | 46 | 0 | 0 | 0 Gärung | | | | | | |
| 6 | 150 | 140 | 22 | 0 | 0 | | | | | | | |
| 12 | 150 | 33 | 10 | 0 | Spur | | | | | | | |
| 4 1/2 | 100 | | | | 0 | | | | | | | |
| 6 | 60 (+ 21) | 98 | 69 | | 0 | | | | | | | |
| 12 | 30 | | | | 0 | | | | | | | |
| 3/4 | 52 (+ 14) | 8 | 3 | 0 | 0 | | | | | | | |
| 6 | 40 (+ 5,5) | 95 | 53 | 0 | 0 | | | | | | | |
| 12 | 26 (+ 2) | 75 | 46 | 0 | 0 | Kerne | | | | | | |
| 6 | 20 (+ 4) | 88 | 58 | 0 | 0 | | | | | | | |
| 12 | Spur | schw | 0 | 0 | 0 | | | | | | | |
| 3/4 | 33 (+ 5) | 39 | 23 | 0 | 0 | einzln. Hefe | | | | | | Heilung |

**Tabelle II**

**4. Offenes stenosierendes**

| Name, Alter und Dauer | Blutung | Körpergewicht Datum | kg | Befinden | Arbeitsfähigkeit | Magengröße | Motilität Datum | Probenahrung |
|---|---|---|---|---|---|---|---|---|
| Auguste G., 53 J., 3 J. | 0 | | | Druck, Erbrechen | 0 | groß | 6./12. 95 | Probefrühst. |
| | | 1./6. 97 | 71,75 | Tetanie | | | | |
| | | 24./6. 97 | 68,0 | | | | Juni 97 | — |
| | | 12./7. 97 | 67,0 | Völliges Wohlbefinden | gut | | 24./6. 97 | — |
| | | 11./5. 98 | 78,0 | | | | 20./8. 97 | Probefrühst. |
| | | 26./7. 98 | 79,0 | | | | 11./5. 98 | Kaffee Probefrühst. |
| | | | | | | | 26./7. 98 | Beliebig Probefrühst. Probemahl |
| Wilhelm H., 39 J., 1³/₄ J. | 0 | 13./5. 97 | 49,0 | Schmerzen, Erbrechen | gering | Gr. Kurvatur bis Nabel | 14./5. 97 | Butterbrot Probefrühst. Probemahl " Probefrühst. |
| | | 13./6. 97 | 47,5 | Völliges Wohlbefinden | gut | | | |
| | | 18./7. | 51,5 | | | | | |
| | | 25./9. 98 | 53,0 | | | | | |
| | | | | | | | 14./6. | Probemahl Probefrühst. |
| | | | | | | | 18./7. 97 | Probemahl Probefrühst. |
| | | | | | | | 25./9. 98 | Kaffee und Semmel Probefrühst. — |
| Rudolf K., 53 J., 27 J. | 1 schwere 3 leichtere | Febr. 98 | 68,5 | Anfallsweise Cardialg. | 0 | Gr. Kurvatur 3 Finger unt. Nabel | 19./5. 98 | Beliebig |
| | | 19./5. 98 | 60,5 | | | | | |
| | | 10./6. 98 | 58,3 | Wohlbefinden | | | | |
| Karl K., 29 J., 4¹/₂ J. | mehrere kleine | gesund | | Schmerzen, Erbrechen | 0 | Gr. Kurvatur 2 Finger unt. Nabel | 19./5. 96 | Mahlzeit |
| | | 18./5. 96 | 72,5 | | | | 11./6. 98 | Probefrühst. " Probemahl |
| | | 20./5. 98 | 71,0 | | | | | |
| | | 11./6. 98 | 66,7 | | | | | |
| | | 9./7. | 66,5 | Zuweilen noch etwas Druck und Schmerz | gut | | 24./7. 98 | Kaffee und Brot, Wurst Probefrühst. " |
| | | 24./7. | 75,5 | | | | | |

**(Fortsetzung).**

**Ulcus. Gastroenterostomie.**

| und Chemismus | | | | | | | Operation | | | | | Bemerkungen |
|---|---|---|---|---|---|---|---|---|---|---|---|---|
| Nach Stunden | Ausgegebenes Quantum (+ Rest) | Gesamtacidit. | Freie HCl | Milchsäure | Galle | Mikroskopisch | Datum | Befund | Pylorus | Magengröße | Art der Operation | |
| starke Retention | | 90 | 60 | | 0 | Hefe, Sarcinen | 26./6. 97 | Großes, fast cirkul. Ulcus am Pylorus | Pylorus fixiert | groß | G. E. antecolica Murphy-Knopf | |
| | | 102 | + | | 0 | | | | | | | |
| | | 74 | + | 0 | 0 | | | | | | | |
| 3/4 | 65 | 10 | 0 | 0 | viel | | | | | | | |
| 5 | 25 | | | | „ | | | | | | | |
| 1/2 | 25 (+ 54) | 10 | 0 | 0 | wen. | | | | | | | |
| | 45 | 46 | 27 | 0 | „ | | | | | | | |
| 3/4 | 20 (+ 20) | 54 | 46 | 0 | „ | | | | | | | |
| 6 | 52 (+ 27) | 47 | 20 | 0 | viel | | | | | | | Heilung |
| 12 | 0 | | | | | | 18./5. 97 | Sanduhrmagen; Ulcus der hint. Wand | Durch Sanduhrstenose 1 Finger + Magenwand eben fühlbar. Pyl. f. Fing. durchgängig, fixiert | Zieml. gr. | Gastroplastik Gastroenterost. (Naht) Enteroanastom. (Murphy-Knopf | |
| 3/4 | 100 | 35 | 8 | 0 | 0 | | | | | | | |
| 6 | 70 | 128 | 12 | 0 | 0 | geringe Gärung | | | | | | |
| 12 | 3 | 76 | 18 | 0 | 0 | | | | | | | |
| 3/4 | 75 | 35 | 7 | 0 | 0 | | | | | | | |
| 12 | 0 | | | | | | | | | | | |
| 1/2 | 100 | 19 | 0 | 0 | stark | | | | | | | |
| 12 | Spur | 42 | 0 | | „ | | | | | | | |
| 3/4 | 10 | alk. | — | | „ | | | | | | | |
| 1 | Spur | + | + | | 0 | | | | | | | |
| 1/2 | 27 (+ 7) | 24 | 0 | 0 | stark | | | | | | | |
| 3/4 | 0 | | | | wen. | | | | | | | Heilung |
| | 1500 | 70 | 27 | 0 | 0 | 0 Blut | 21./5. 98 | Narben u. Ulcus am Pylor. u. kl. Kurvatur | Undurchgängig f. Fing., fixiert, infiltriert | Sehr groß | G. E. antecolica Enteroanastomose (beide mit Naht) | Heilung |
| 14 | 150 | 136 | + | 0 | 0 | 0 Gärung ? | 14./6. 98 | Ulcus d. kl. Kurvatur und hint. Wand | Finger einlegb. Fixation | Sehr groß | Ulcus unberührt Gastroenterost., Enteroanastom., (beides m. Naht) | |
| 3/4 | 700 | 57 | 34 | 0 | 0 | | | | | | | |
| 12 | 430 | 76 | 51 | 0 | 0 | | | | | | | |
| 6 | 590 | 120 | 15 | 0 | 0 | | | | | | | |
| 3 1/2 | 0 | | | | | | | | | | | |
| 3/4 | 0 | | | | | | | | | | | |
| 20 | 22 (+ 56) | 19 | 0 | 0 | + | | | | | | | Heilung |

**Tabelle II**

| Nummer | Name, Alter und Dauer | Blutung | Körpergewicht Datum | kg | Befinden | Arbeitsfähigkeit | Magengröße | Motilität Datum | Probenahrung |
|---|---|---|---|---|---|---|---|---|---|
| 15 | Otto H.,<br>58 J.,<br>5/4 J. | 1 mal<br>gering | gesund<br>26./1. 98 | <br>67,0 | Magendrücken, Erbrechen | 0 | Gr. Kurvatur 3 Finger unt. Nabel | 26./1. 98 | Milch und Semmel<br>Probefrühst.<br>Probemahl |
| | | | 25./2.<br>22./3.<br>17./5. | 65,0<br>72,0<br>74,0 | Völliges Wohlbefinden | gut | | | |
| | | | | | | | | 22./3. | Kaffee und Semmel<br>Probefrühst. |
| | | | | | | | | 17./5. | "<br>Probemahl<br>Probefrühst. |
| 16 | Heinrich L.,<br>50 J.,<br>8 J. | 3 schwere | gesund<br>28./10. 96 | 70,0<br>49,0 | Schmerzen, Erbrechen | 0 | Gr. Kurvatur 3 Finger unt. Nabel | 28./10. 96 | |
| | | | 14./3. 98<br>24./11. | 49,0<br>52,0 | Geringere Beschwerden | gut | Groß | 24./11. | Probemahl<br>"<br>Probefrühst. |
| 17 | Thomas K.,<br>29 J.,<br>2 J. | 2 schwere | 21./6. 98 | 57,0 | Schmerzen, Erbrechen | 0 | Gr. Kurvatur 3 Fing. unter Nabel | 21./6. 98 | Beliebig<br>Probefrühst. |
| | | | 29./7.<br>30./12.<br>21./1. 99 | 66,0<br>75,5<br>79,5 | Völliges Wohlbefinden | gut | | 22.<br>23.<br>23.<br>24. | "<br>"<br>Probemahl<br>Probefrühst.<br>Probemahl<br>Leer gespült |
| | | | | | | | | 4./1. 99 | Probemahl<br>Probefrühst. |
| | | | | | | | | 6./1.<br>7.<br>8. | Probemahl<br>"<br>" |
| 18 | Karl G.,<br>35 J.,<br>14 J. | 2 mal | 16./12.98 | 57,8 | Druck | 0 | Groß | 16./12.98 | Probemahl<br>"<br>Probefrühst.<br>Probemahl |
| | | | 10./1. 99<br>17./1. | 55,5<br>56,0 | Wohlbefinden | gut | | 17./1. 99 | Probemahl<br>Probefrühst. |

**(Fortsetzung).**

| und Chemismus | | | | | | | Operation | | | | | |
|---|---|---|---|---|---|---|---|---|---|---|---|---|
| Nach Stunden | Ausgehobenes Quantum (+ Rest) | Gesamtacidit. | Freie HCl | Milchsäure | Galle | Mikroskopisch | Datum | Befund | Pylorus | Magengröße | Art der Operation | Bemerkungen |
| 12 | 50 | 57 | 44 | 0 | 0 | | 29./1. 98 | Pylorus fixiert, 2 walnußgr. Tumoren daran | | Sehr groß | G. E. retrocolica mit MURPHY-Knopf | |
| $^3/_4$ | 200 | 38 | 36 | 0 | 0 | | | | | | | |
| 4 | 150 | 122 | 82 | 0 | 0 | etwas Sarcin. | | | | | | |
| 5 | 0 | | | | | | | | | | | |
| $^3/_4$ | 10 | 63 | 30 | 0 | zml. stark | | | | | | | |
| 20' | 275 | 14 | 0 | 0 | Spur | | | | | | | |
| 12 | 0 | | | | | | | | | | | |
| $^1/_2$ | 163 (+ 31) | 21 | 4 | 0 | stark | | | | | | | |
| 1 | 2 | 9 | 0 | 0 | „ | | | | | | | Heilung |
| | | vermehrt | | | | | 15./2. 98 | | | | G. E. anticolica mit MURPHY-Knopf | |
| $5^1/_2$ | 15 (+100) | 66 | 56 | 0 | 0 | Bakt. | | | | | | Besserung |
| 12 | 35 (+ 75) | 13 | Spur | 0 | schw. | Hefe | | | | | | |
| $^3/_4$ | 118 (+ 80) | 21 | 12 | 0 | 0 | „ | | | | | | |
| 14 | 1025 | 78 | 54 | 0 | 0 | Hefe Sarcin. | 25./6. 98 | An hint. Pylor.-Wand Ulc. Pyl. durch Narben u. Stränge fixiert, abgeknickt | | Groß | G. E. antecolica mit Naht. Enteroanastomose | |
| 1 | 800 (+100) | 62 | 48 | 0 | 0 | | | | | | | |
| 8 | 770 (+ 90) | 59 | 45 | 0 | 0 | | | | | | | |
| $13^1/_2$ | 435 (+ 90) | 63 | 51 | 0 | stark | | | | | | | |
| $6^1/_2$ | 750 (+ 60) | 131 | 70 | 0 | 0 | vereinz. Hefe und Sarcinen | | | | | | |
| $12^1/_2$ | 150 (+ 45) | 56 | 43 | 0 | gallig | | | | | | | |
| $7^1/_2$ | 800 (+120) | 133 | 68 | 0 | 0 | | | | | | | |
| 14 | 110 (+170) | 49 | 35 | | gallig | | | | | | | Heilung |
| 13 | 25 (+ 60) | 32 | 25 | 0 | + | | | | | | | |
| $^3/_4$ | 58 (+ 74) | 47 | 38 | 0 | Spur | | | | | | | |
| 6 | Spur | | | | | | | | | | | |
| 6 | 13 (+ 30) | 25 | 15 | 0 | + | | | | | | | |
| 3 | 126 (+170) | 59 | 26 | 0 | + | | | | | | | |
| 6 | 550 | 54 | 34 | 0 | 0 | etw. Hefe | 21./12. 98 | Ulcus der hint. Wandstränge | ? | Groß | Gastrolysis. G. E. antecolica. Enteroanastomose | |
| 14 | 100 | 6 | 0 | 0 | | | | | | | | |
| 1 | 600 | 26 | 14 | 0 | | | | | | | | |
| 12 | 60 | alk. | | 9 | | | | | | | | |
| $4^1/_2$ | 30 (+ 15) | 51 | 42 | 0 | 0 | | | | | | | Morphinismus |
| $^3/_4$ | 8 (+ 9) | 60 | 46 | 0 | Spur | mäßig Hefe | | | | | | Heilung |

Tabelle II

| Nummer | Name, Alter und Dauer | Blutung | Körpergewicht | | Befinden | Arbeitsfähigkeit | Magengröße | Motilität | |
|---|---|---|---|---|---|---|---|---|---|
| | | | Datum | kg | | | | Datum | Probenahrung |
| 19 | Ignaz S., 34 J., 11 Mon. | 0 | gesund | 65,0 | Schmerzen, täglich 2—3 mal Erbrechen | 0 | Gr. Kurvatur 3 Fing.unt.Nab. | 14./10.97 | Probefrühst. Probemahl Leer gespült |
| | | | 14./10.97 | 58,0 | Zunächst Wohlbefind., | ge-ring | | | |
| | | | 31./10.97 | 59,0 | seit Febr. 98 wieder Beschwerden, Schmerzen, Brechen, Durchfall | | | | |
| | | | 5./5. 98 | 61,5 | | | | 5./5. 98 | Probefrühst. |
| | | | 30./5. | 64,0 | | | | 6. | " |
| | | | 19./7. | 65,5 | | | | 7. | Beliebig |
| | | | | | | | | 8. | Probemahl Probefrühst. |
| | | | | | | | | 9. | Probemahl |
| | | | | | | | | 10. | " |
| | | | | | | | | 12. | Leer gespült |
| | | | | | | | | 22. | Probemahl Probefrühst. |
| | | | | | | | | 23. | " |
| 20 | Mathäus T., 42 J., 3 J. | oft wenig | 25./1. 99 | 61,0 | Schmerzen, Erbrechen | 0 | Ziemlich groß | 24./1. 99 | Beliebig |
| | | | 5./2. | 57,0 | Wohlbefinden | gut | | 13./2. | Probemahl |
| | | | 13./2. | 60,0 | | | | | Probefrühst. |
| | | | | | | | | | Leerspülung |
| | | | | | | | | | Probemahl |
| | | | | | | | | | Probefrühst. |
| | | | | | | | | | Probemahl |
| | | | | | | | | | Probefrühst. + Milch |

5. Offenes, stenosierendes

| Nummer | Name, Alter und Dauer | Blutung | Körpergewicht Datum | kg | Befinden | Arbeitsfähigkeit | Magengröße | Datum | Probenahrung |
|---|---|---|---|---|---|---|---|---|---|
| 21 | H. Hähnel, 44 J., 2½ Mon. | 1? | | | Brennen, Drücken, Erbrechen | 0 | Gr. Kurvatur 2 Fing. unter Nabel | | Beliebig Probefrühst. Probemahl |

(Fortsetzung).

| und Chemismus | | | | | | | Operation | | | | | Bemerkungen |
|---|---|---|---|---|---|---|---|---|---|---|---|---|
| Nach Stunden | Ausgehobenes Quantum (+ Rest) | Gesamtacidit. | Freie HCl | Milchsäure | Galle | Mikroskopisch | Datum | Befund | Pylorus | Magengröße | Art der Operation | |
| 3/4 | 325 | 80 | 35 | 0 | 0 | wen. Hef. | 18./10. 97 | Pyl. durch Ulcus offenb. hoch ob. fixiert | Höchstens für Kornzg. durchgängig | Groß | G. E. antecol. MURPHY-Knopf | |
| 12 | 300 | 85 | 45 | 0 | 0 | viel Hefe | | | | | | |
| 12 | 20 | | | | 0 | | | | | | | |
| 12 | 45 | 54 | 26 | 0 | etw. | " | | | | | | |
| 50' | 35 | 40 | 30 | 0 | " | | | | | | | |
| 6 | 765 | 107 | 45 | 0 | " | " | | | | | | |
| 12 | 0 | | | | | | | | | | | |
| 3/4 | 23 (+ 30) | 56 | 46 | 0 | 0 | | | | | | | |
| 6 | 100 | 105 | 60 | 0 | Spur | | | | | | | |
| 4 | 105 (+ 50) | 95 | 45 | 0 | " | | | | | | | |
| 12 | 67 (+ 59) | 59 | 44 | 0 | " | | | | | | | |
| 12 | Spur. | + | | | " | | | | | | | |
| 3/4 | 300 (+ 80) | 66 | 52,5 | 0 | stark | | | | | | | |
| 3/4 | 110 | 66 | 55 | 0 | Spur | | | | | | | Ungeheilt |
| 12 | 500 | | | | | | 26./1. 99 | Ulcus an hint. Wand, Tumor | Finger nicht durch, fixiert | Ziemlich groß | G. E. E. A. | |
| 6 | 750 (+375) | 104 | 78 | 0 | 0 | Hefe | | | | | | |
| 1 | 330 (+133) | 20 | 16 | 0 | 0 | " | | | | | | |
| 12 | 220 (+300) | 44 | 30 | 0 | 0 | Sarcin wenig Hefe | | | | | | |
| 12 | 40 (+ 20) | 30 | 20 | 0 | + | Speisen | | | | | | |
| 3/4 | 120 (+ 33) | 68 | 50 | 0 | wen. | 0 Gärung | | | | | | |
| 6 | 110 (+100) | 108 | 62 | 0 | Spur | Hefe | | | | | | |
| 3/4 | 400 | 61 | Spur | 0 | 0 | | | | | | | Heilung |

Ulcus. Resectio pylori.

| Nach Stunden | Ausgehobenes Quantum (+ Rest) | Gesamtacidit. | Freie HCl | Milchsäure | Galle | Mikroskopisch | Datum | Befund | Pylorus | Magengröße | Art der Operation | Bemerkungen |
|---|---|---|---|---|---|---|---|---|---|---|---|---|
| | 230 | 38 | 29 | 0 | 0 | mäßig Gärg. | 27./8. 98 | Walnußgr. Tumor cirkulär am Pylorus | Kornzange eb. durch | Groß | Resectio pyl. Duoden. verschlossen. Gastroenterostomie antecolica (MURPHY Knopf). Enteroanastom. (Naht) | † |
| 1 | 400 | 5 | 0 | 0 | 0 | " | | | | | | |
| 12 | 120 | 54 | 29 | 0 | 0 | " | | | | | | |

6. Narbige Pylorus[...]

| Nummer | Name, Alter und Dauer | Blutung | Körpergewicht Datum | Körpergewicht kg | Befinden | Arbeitsfähigkeit | Magengröße | Motilität[...] Datum | Probe-nahrung |
|---|---|---|---|---|---|---|---|---|---|
| 22 | Adalbert W., | Stuhl | gesund | ? | Schmerzen, täglich Er- | 0 | Gr. Kurvatur | 23./7. 97 | Probemahl |
| | 37 J., | mehrmals | Mai 97 | 52,0 | brechen | | 2 Fing. unter | | |
| | 14 Mon. | schwarz | 20./7. | 59,0 | | | Nabel bis 2 | 24./7. | Leergespült |
| | | | | | | | Fing. üb. Sym- | | Probefrühst. |
| | | | 10./8. | 52,5 | Wohlbefinden | gut | physe. 4 Lit. | 17./8. | Probemahl |
| | | | 20./8. | 60,0 | | | Wasser fassd. | | Probefrühst. |
| | | | 15./10. 97 | 78,0 | | | | 19./8. | Probemahl |
| | | | 7./4. 98 | 73,25 | | | | 20./8. | Probefrühst. |
| | | | 20./7. 98 | 71,0 | | | | 15./10. 97 | Brot, Suppe |
| | | | | | | | | 16./10. | Probefrühst. |
| | | | | | | | | | Probemahl |
| | | | | | | | | | Probefrühst. |
| 23 | August B., | 0 | gesund | | Schmerzen, Brechen, | 0 | Gr. Kurvatur | 13./7. | Beliebig |
| | 46 J., | | 13./7. 97 | 48,0 | nüchtern und nach | | 3 Fing. unter | | |
| | 2 J. | | | | Essen | | Nabel | | Probefrühst. |
| | | | | | | | | 14./7. | Leer gespült |
| 24 | Karl N., | 0 | gesund | 42,0 | Schmerzen, Erbrechen | 0 | " | | Probefrühst. |
| | 29 J., | | 18./3. 98 | 38,0 | | | 23./6. 1500 Vo- | | Probemahl |
| | 4 J. | | 3./4. | 36,0 | Pat. ist 19 Tage be- | | lumen | 26./4. 98 | Beliebig |
| | | | 30./4. | 34,5 | schwerdefrei, dann bis | | (KELLING) | | Probefrühst. |
| | | | 24./5. | 37,0 | a. d. Schmerzen Status | | | | |
| | | | | | ante operat., später | | | 27./4. | Fleischmahlz |
| | | | | | Besserung | | | | Leer gespült |
| | | | | | | | | | Probefrühst. |
| | | | | | | | | 29./4. | " |
| | | | | | | | | 1./5. | " |
| | | | | | | | | 2./5. | " |
| | | | 11. 98 | 41,25 | | | | 12./5. | |
| | | | 13./11. | 40,75 | | | | 21./5. | Probemahl |
| | | | 9./2. 99 | 38,0 | | | | 22./5. | Probefrühst. |
| | | | | | | | | 23./5. | Beliebig |
| | | | | | | | | 23./5. | Probefrühst. |
| | | | | | | | | 24./5. | " |
| | | | | | | | | 19./6. | Probemahl |
| | | | | | | | | | Probefrühst. |
| | | | | | | | | 2./7. | Probemahl |
| | | | | | | | | | Probefrühst. |
| | | | | | | | | 17./7. | Probemahl |
| | | | | | | | | | Probefrühst. |
| | | | | | | | | 19./7. | Fleischmahlz |
| | | | | | | | | 20./7. | " |
| | | | | | | | Gr. Kurv. $1^1/_2$ | 2./9. | Belieb. Diät |
| | | | | | | | Fing. üb. Sym- | 3./9. | Probemahl |
| | | | | | | | physe, kl. $2^1/_2$ | | Leerspülung |
| | | | | | | | unt. Proc. xiph. | 4./9. | Probefrühst. |
| | | | | | | gut | Groß | 11./2. 99 | Probemahl |
| | | | | | | | | | " |
| | | | | | | | | | Probefrühst. |

stenose. Pyloroplastik.

| und Chemismus | | | | | | | Operation | | | | | Bemerkungen |
|---|---|---|---|---|---|---|---|---|---|---|---|---|
| Nach Stunden | Ausgeheberes Quantum (+ Rest) | Gesamtacidit. | Freie HCl | Milchsäure | Galle | Mikroskopisch | Datum | Befund | Pylorus | Magengröße | Art der Operation | |
| 12 | 400 | 77 | 29 | 0 | 0 | Hefe u.Sarc. | 27./7. 97 | Schlaffe Wand. Am Pylorus cirkuläre Narbe | Arterienklemme geht eben durch | Sehr groß | | |
| 12 | 0 | | | | | | | | | | | |
| 3/4 | 370 | 36 | 13 | 0 | 0 | „ | | | | | | |
| 12 | 0 | | | | | | | | | | | |
| 3/4 | 230 | 45 | 22,5 | 0 | 0 | — | | | | | | |
| 8 | 30 | 65 | 32 | 0 | z. viel | | | | | | | |
| 2 | 30 | 27 | 17 | 0 | Spur | | | | | | | |
| 12 | 0 | | | | | | | | | | | |
| 3/4 | 50 | 55 | 32 | 0 | 0 | | | | | | | |
| 12 | 4 | 75 | 40 | 0 | 0 | | | | | | | |
| 1/2 | 87 | 45 | 36 | 0 | 0 | | | | | | | Heilung |
| | 750 | 15 | 0 | 0 | 0 | Hefe, Sarc. | 14./7. 97 | Cirkuläre Narbe dicht vor Pylor. Wand dünner u. schlaffer als normal | Sten. sehr eng, Pyl. f. Zeigefg. durchgängig, verdickt. Sehr empfindlich | Sehr groß | | † nach 14 Tagen, Perforationsperitonitis |
| 3/4 | 375 | 25 | 5 | 0 | 0 | „ | | | | | | |
| 12 | 50 | 22 | 10 | 0 | 0 | „ Kerne | | | | | | |
| 3/4 | 200 | 43 | + | 0 | 0 | — | 22./3. 98 | Halbmondförm. Falte, ventilart. im Duodenum, Narbe | Finger geht durch. Stenose | Sehr groß | | |
| 8 | 200 | 93 | 41 | 0 | 0 | | | | | | | |
| 12 | 290 | | | | 0 | | | | | | | |
| 1 | 320 (+ 27) | 41 | 28 | 0 | 0 | viel Hefe | | | | | | |
| 6 | 500 | 91 | 54 | 0 | 0 | „ | | | | | | |
| 12 | 20 | 70 | 62 | 0 | 0 | „ | | | | | | |
| 3 | 110 | 58 | 46 | 0 | Spur | „ | | | | | | |
| 2 | 260 | 47 | 33 | 0 | 0 | „ | | | | | | |
| 12 | 100 | + | + | | 0 | „ | | | | | | |
| 3/4 | 200 | 42 | + | | 0 | „ | | | | | | |
| | | 103 | 51 | | 0 | „ | | | | | | |
| 13 | 37 | 48 | 31 | 0 | Spur | | | | | | | |
| 1 | 110 (+ 22) | 51 | 32 | 0 | 0 | einzln. Hefe | | | | | | |
| 12 | 12 | 34 | 22 | 0 | 0 | | | | | | | |
| 2 | 62 (+ 28) | 45 | 31 | 0 | Spur | | | | | | | |
| 3 | 110 | 57 | 43 | 0 | „ | | | | | | | |
| 12 | 18 | 47 | 42 | 0 | „ | | | | | | | |
| 1 | 50 | 49 | 35 | 0 | 0 | | | | | | | |
| 12 | 52 | 40 | 36 | 0 | 0 | 0 Speise | | | | | | |
| 3/4 | 112 | 42 | 28 | 0 | 0 | | | | | | | |
| 13 | 10 | 24 | 16 | 0 | Spur | | | | | | | |
| 3/4 | 195 | 41 | 29 | 0 | 0 | | | | | | | |
| 6 | 170 | 81 | 57 | 0 | 0 | | | | | | | |
| 6 | 150 | 82 | 59 | 0 | 0 | | | | | | | |
| 6 | 180 | 67 | 46 | 0 | 0 | | | | | | | |
| 6 | 140 | 38 | 24 | 0 | 0 | | | | | | | |
| 12 | 50 | 45 | 20 | | stark | | | | | | | |
| 3/4 | 100 | 55 | 17 | | 0 | | | | | | | Besserung |
| 12 | 50 (+ 10) | 33 | 26 | 0 | 0 | „ | | | | | | |
| 6 | 80 (+ 40) | 54 | 34 | 0 | 0 | — | | | | | | |
| 3/4 | 95 (+ 30) | 42 | 30 | 0 | 0 | — | | | | | | |

Tabelle II

## 7. Narbige Pylorusstenose.

| Nummer | Name, Alter und Dauer | Blutung | Körpergewicht Datum | Körpergewicht kg | Befinden | Arbeitsfähigkeit | Magengröße | Motilität Datum | Motilität Probenahrung |
|---|---|---|---|---|---|---|---|---|---|
| 25 | Julius M., | mehrmals | März 97 | 80,5 | Schmerzen, Erbrechen | 0 | | 13./10. 98 | Beliebig |
| | 48 J., | | 13./10. 98 | 61,5 | | | | | Probefrühst. |
| | $1^3/_4$ J. | | | | | | | | Beliebig |

## 8. Magenneurosen.

| Nummer | Name, Alter und Dauer | Blutung | Körpergewicht Datum | Körpergewicht kg | Befinden | Arbeitsfähigkeit | Magengröße | Motilität Datum | Motilität Probenahrung |
|---|---|---|---|---|---|---|---|---|---|
| 26 | Selma E., | 0 | gesund | | Beklemmendes Gefühl, | ge- | Gr. Kurvatur | 16./2. 97 | Leer gespült |
| | 37 J., | | 16./2. 97 | 47,5 | Schlucken | ring | etw. unt. Nab. | 17 | Probefrühst. |
| | 6 J. | | 5./3. 97 | 40,5 | Keine erhebliche Aen- | etw. | | 18. | Probemahl |
| | | | 19./3. | 43,0 | derung | bess. | | | Probefrühst. |
| | | | 29./5. | 46,5 | | | | 19./3. | Probemahl |
| | | | 17./6. | 46,0 | | | | | Probefrühst. |
| | | | 18./10. | 52,0 | | | | 29./5. | Probemahl |
| | | | 8./4. 98 | 45,0 | | | | | Probefrühst. |
| | | | 31./7. | 50,5 | | | | 8./4. 98 | Probemahl |
| | | | | | | | | | Probefrühst. |
| 27 | Israel Tr., | 0 | gesund | | Koprostase, öfteres Er- | — | Gr. Kurvatur | 14./11. | Probemahl |
| | 12 J., | | 31./10. 96 | 28,5 | brechen | | 2–3 cm unt. | 19./11. | „ |
| | $^1/_2$ J. | | 18./12. | 29,0 | Stat. idem. Nach $^1/_2$ J. | — | Nabel | 24./11. | Probefrühst. |
| | | | 27./2. 97 | 31,0 | geheilt | | | | |
| 28 | Wilhelm St., | 0 | gesund | 63,0 | Quetschen in Magen- | 0 | Gr. Kurvatur | 18./3. | Probefrühst. |
| | 36 J., | | 17./3. 97 | 57,0 | grube | | bis Nabel | | Probemahl |
| | 7 Mon. | | 7./5. | 59,5 | Zunächst Besserung, | | | | „ |
| | | | 31./5. | 62,5 | nach Aufnahme der | | | 23./3. | Nüchtern |
| | | | 5./7. | 61,5 | Arbeit Stat. ant. op. | | | | Probefrühst. |
| | | | 9./8. | 64,5 | | | | | Probemahl |
| | | | 26./8. | 60,5 | | | | 3./5. | „ |
| | | | | | | | | 4./5. | Probefrühst. |
| | | | | | | | | 6./5. | „ |
| | | | | | | | | | Probemahl |
| | | | | | | | | 5./7. | Probefrühst. |

## 9. Unklare Fälle.

| Nummer | Name, Alter und Dauer | Blutung | Körpergewicht Datum | Körpergewicht kg | Befinden | Arbeitsfähigkeit | Magengröße | Motilität Datum | Motilität Probenahrung |
|---|---|---|---|---|---|---|---|---|---|
| 29 | Luise B., | 2 schwere | gesund | ? | Druck; selten Erbrech. | 0 | Gr. Kurvatur | 29./3. 98 | Beliebig |
| | 27 J., | | 29./3. | 50,0 | | | mitten zwisch. | | Probefrühst. |
| | 15 J. | | 20./4. | 41,5 | Besserung zunächst, | 0 | Nabel u. Sym- | | Probemahl |
| | | | 30./4. | 45,5 | nach 2 Monaten Ver- | | physe | | „ |
| | | | 29./7. | 48,0 | schlimmerung | | | 1./4. 98 | Beliebig |
| | | | | | | | | 2./4. | Leer gespült |
| | | | | | | | | 29./7. | Probefrühst. |

**(Fortsetzung).**

**Gastroenterostomie.**

| und Chemismus | | | | | | | Operation | | | | | |
|---|---|---|---|---|---|---|---|---|---|---|---|---|
| Nach Stunden | Ausgeheobenes Quantum (+ Rest) | Gesamtacidit. | Freie HCl | Milchsäure | Galle | Mikroskopisch | Datum | Befund | Pylorus | Magengröße | Art der Operation | Bemerkungen |
| | 700 | 75 | 46 | | | | 14./10.98 | Narbe am Pyl. | eng | Sehr groß | G. E. | Lues |
| 3/4 | 420 | 81 | 60 | | | | | | | | G. A. | |
| 12 | 150 | 91 | 70 | | | | | | | | | Heilung |

**Pyloroplastik.**

| Nach Stunden | Ausgeheobenes Quantum (+ Rest) | Gesamtacidit. | Freie HCl | Milchsäure | Galle | Mikroskopisch | Datum | Befund | Pylorus | Magengröße | Art der Operation | Bemerkungen |
|---|---|---|---|---|---|---|---|---|---|---|---|---|
| 12 | 20 | + | + | 0 | 0 | — | 18./2. 97 | Pyloruskontraktionsring, außerdem verdickt | Zeigefing. geht soeben durch | Mäß. vergrößert | | Hysterie |
| 1 | 90 | 52 | 31,5 | 0 | 0 | | | | | | | |
| 12 | 25 | 64 | 46 | 0 | 0 | | | | | | | |
| 1/2 | 150 | 36 | 13 | 0 | 0 | | | | | | | |
| 12 | 40 | 37 | 30 | 0 | 0 | | | | | | | |
| 3/4 | 150 | 53 | 37 | 0 | 0 | | | | | | | |
| 12 | 0 | | | | | | | | | | | |
| 1 | 75 | 48 | 38 | 0 | 0 | | | | | | | Geringe Besserung fast ungeheilt |
| 12 | 0 | | | | | | | | | | | |
| 1 | 165 | 49 | 31 | 0 | 0 | | | | | | | |
| 7 | wenig | + | 0 | Sp. | 0 | — | 25./11.96 | Leichte Adhäsionen mit Leber u. Diaphragma | Pyl. stark kontrahiert; Fingerkuppe einlegbar | Vergröß. | | Hysterie |
| 6 | " | + | 0 | 0 | 0 | | | | | | | |
| 1 1/2 | 100 | 71 | 33 | 0 | 0 | | | | | | | Heilung |
| 1/2 | 200 | 25 | 11 | 0 | 0 | | 29./3. 97 | Einige lcht. Verwachsungen am Pylorus. Ders. sehr empfindl., hyperäm. Kein Ulcus od. Narbe. Magenwd. dünn | Finger geht eb. durch | Mäß. vergrößert | | Neurasth. |
| 3 | 10 | 87 | 44 | 0 | 0 | | | | | | | |
| 5 1/2 | Spur | | | | 0 | | | | | | | |
| | wenig | 40 | 30 | 0 | 0 | | | | | | | |
| 3/4 | 200 | 61 | 49 | 0 | 0 | | | | | | | |
| 3 | mäßig | 88 | 58 | 0 | 0 | | | | | | | |
| 12 | 0 | | | | | | | | | | | |
| 3/4 | 20 | 63 | 33 | 0 | 0 | | | | | | | |
| 1/2 | 50 | 25 | 13 | 0 | 0 | | | | | | | |
| 4 | 90 | 28 | 1,5 | 0 | 0 | | | | | | | |
| 1/2 | 85 | 12 | 0 | 0 | 0 | | | | | | | Ungeheilt |

**Pyloroplastik.**

| Nach Stunden | Ausgeheobenes Quantum (+ Rest) | Gesamtacidit. | Freie HCl | Milchsäure | Galle | Mikroskopisch | Datum | Befund | Pylorus | Magengröße | Art der Operation | Bemerkungen |
|---|---|---|---|---|---|---|---|---|---|---|---|---|
| 12 | 17 | 65 | 48 | 0 | 0 | Kerne | 2./4. 98 | Pyloruskontraktionsring, kein Ulcus od. Tumor zu finden. Wand etwas hyperämisch, sonst normal | Fingerkuppe + Magenwd. geh. nicht durch | Nicht dtl. vergrößert | | |
| 3/4 | 240 | 30 | 15 | 0 | 0 | | | | | | | |
| 12 | 0 | | | | | | | | | | | |
| 5 | 86 | 170 | 58 | 0 | 0 | | | | | | | |
| 5 | 100 | 123 | 42 | 0 | 0 | | | | | | | |
| 12 | 10 | 76 | 60 | 0 | 0 | | | | | | | |
| 3/4 | 150 (+150) | 10 | 0 | 0 | 0 | | | | | | | Tumor. Ungeheilt |

Tabelle II

| Nummer | Name, Alter und Dauer | Blutung | Körpergewicht Datum | kg | Befinden | Arbeitsfähigkeit | Magengröße | Motili… Datum | Probenahrung |
|---|---|---|---|---|---|---|---|---|---|
| 30 | Ernestine St.,<br>23 J.,<br>3 Mon. | 0 | gesund<br>30./11. 96 | 57,5<br>48,0 | Gastralg., starke Druckempfindlichkeit d. Epigastriums. Tägl. Erbrechen | 0 | Keine Vergrößerung oder Tiefstand | 1./12. 96<br>2./12.<br>3 | Probefrühst.<br>Probemahl<br>Probefrühst. |
| | | | 19./1. 97<br>16./2.<br>31./3.<br>9./7.<br>12./4. 98<br>26./7. 98 | 46,5<br>52,0<br>51,5<br>50,0<br>50,5<br>51,0 | Zunächst keine Besserung, dann allmählich. Heilung seit April 1897 | normal | Gr. Kurvatur 4 Fing. unter Proc. xiph. | 19./1. 97<br>16./2.<br>5./3.<br>12./4. 98<br>26./7. 98 | "<br>"<br>Probemahl<br>1 l Milch<br>Probefrühst.<br>250 g Fleisc…<br>Probefrühst.<br>Kaffee und<br>Kuchen<br>Probefrühst.<br>" |
| 31 | Selma L.,<br>30 J.,<br>1 J. | 0 | gesund<br>13./5 97 | 64,0<br>58,0 | Cardialgische Anfälle (Cholelithiasis ?)<br>Ren. mobilis dext. | gering | Gr. Kurvatur 1 Fing unter Nabel | | Probemahl<br>Probefrühst.<br>" |
| | | | 14./6. 97 | 58,0 | Nach Op. beschwerdefrei; zunächst, dann Rückfall. Seit Novbr. 1897 keine Magenbeschwerden. Wandernierenbeschwerden | leidlich | | | Normale |
| 32 | Agnes U.,<br>32 J.,<br>8 J. | einige kleine | gesund<br>Okt.1896<br>26./4. 97 | 71,0<br>68,0<br>51,0 | Andauernd Schmerzen in Magengrb. u. Kreuz, nach Essen zunehmend | 0 | Gr. Kurvatur bis Nabel | | Normale Mo |
| | | | 20./5. 97<br>28./6.<br>7./7. 98 | 46,0<br>48,0<br>46,0 | Geringe Besserung | gering | | 12./4. 98<br>7./7. 98 | Probefrühst.<br>Probemahl<br>Probefrühst.<br>" |
| 33 | Helene T.,<br>25 J.,<br>4 J. | 3 kleine | 6./3. 97<br>31./3. 97<br>14./6. 97 | 40,0<br>48,0<br>43,0 | Schmerzen, Erbrechen<br>Besserung, doch noch Schmerzen u. Erbrech. | 0<br>mäßig | Gr. Kurvatur am Nabel<br>Magen mäßig vergrößert | 7./3. 97<br>31./3. 97<br>9./5. 97<br>10.<br>24./7. 97 | Probefrühst.<br>"<br>Probemahl<br>Probefrühst.<br>Probemahl<br>Probefrühst.<br>"<br>Probemahl<br>Probefrühst. |

10. Unklarer Fall.

| Nummer | Name, Alter und Dauer | Blutung | Körpergewicht Datum | kg | Befinden | Arbeitsfähigkeit | Magengröße | Motili… Datum | Probenahrung |
|---|---|---|---|---|---|---|---|---|---|
| 34 | Ernst W.,<br>56 J.,<br>$^1/_2$ J. | 0 | 11./7. 98<br>7./8. 98<br>9./9. 98 | 57,5<br>53,5<br>58,0 | Kolikartige Schmerzen<br>5 Woch. Wohlbefinden, dann Stat. idem | 0 | Gr. Kurvatur 3 Finger über Symphyse | 15./7. 98<br>9./9. | Mittagessen<br>Probefrühst.<br>"<br>Probemahl<br>Probefrühst. |

(Fortsetzung).

| und Chemismus | | | | | | | Operation | | | | | |
|---|---|---|---|---|---|---|---|---|---|---|---|---|
| Nach Stunden | Ausgehobenes Quantum (+ Rest) | Gesamtacidit. | Freie HCl | Milchsäure | Galle | Mikroskopisch | Datum | Befund | Pylorus | Magengröße | Art der Operation | Bemerkungen |
| 1 | 200 | 41 | 24 | 0 | 0 | 0 | 3./12. 96 | Kein Ulcus | Pyl. f. 1 Fing. gut durchgängig | Viell. etw. groß | | Ulcus? Gastritis? Hysterie? |
| $13^1/_2$ | 0 | | | | | | | | | | | |
| 1 | 150 | 34 | 14 | 0 | 0 | 0 | | | | | | |
| 1 | 100 | 27 | 15 | 0 | 0 | | | | | | | |
| $^1/_2$ | 250 | 41 | 26 | 0 | 0 | | | | | | | |
| 12 | 0 | | | | | | | | | | | |
| 5 | 150 | 18,5 | + | Sp. | 0 | | | | | | | |
| 1 | 150 | 22,5 | + | 0 | 0 | | | | | | | |
| 12 | 0 | | | | | | | | | | | |
| 1 | 100 | 31 | 7,5 | 0 | 0 | | | | | | | |
| $2^1/_2$ | 200 | 51 | 36 | 0 | 0 | | | | | | | |
| $^3/_4$ | 73 (+ 20) | 20 | 11 | 0 | 0 | | | | | | | |
| $^3/_4$ | 62 (+100) | 7 | 2 | 0 | 0 | 0 | | | | | | Heilung |
| 12 | 0 | | | | | | 20./5. 97 | Ren. mob. dext. Wand deutl. verdickt | Fing.+Magenwand einlegb., nicht durchführbar. Pylorus hypertroph., wulstförmig | Mäß. vergrößert | | Hysterie? |
| 1 | 0 | | | | | | | | | | | |
| $^1/_2$ | 18 | 49 | 30 | 0 | 0 | | | | | | | |
| Motilität u. Acidität | | | | | | | | | | | | Heilung |
| tilität, mäß. Hyperacidität | | | | | | | 1./5. 97 | Pyloruskontraktionsring Wand vielleicht verdickt. Lebhafte Peristaltik | Fingerkuppe einlegbar, dann Kontraktion u. Fing undurchgängig | Normal groß | | Hysterie |
| $^1/_2$ | 25 | 42 | 22 | 0 | 0 | | | | | | | |
| 12 | viel | + | 0 | | 0 | | | | | | | |
| 12 | 0 | | | | | | | | | | | |
| 1 | 0 | | | | | | | | | | | |
| $^1/_2$ | 32 (+ 45) | 15 | 7 | 0 | 0 | | | | | | | Besserung |
| 2 | 4,2 | 56 | 26 | 0 | 0 | | 11./3. 97 | " | | Groß | | Hysterie |
| 1 | 0 | | | | | | | Schleimhautfalte vor Pylor., kein Ulcus od. Narbe | | | | |
| 12 | 40 | 78 | 47 | 0 | 0 | | | | | | | |
| $1^1/_2$ | 10 | 118 | 74 | 0 | 0 | | | | | | | |
| 12 | 0 | | | | | | | | | | | |
| $^3/_4$ | 25 | 37 | 18 | 0 | 0 | | | | | | | |
| $^3/_4$ | 35 | 35 | 8 | 0 | 0 | | | | | | | |
| 12 | 0 | | | | | | | | | | | |
| $^3/_4$ | 30 | 32 | 0 | 0 | 0 | | | | | | | Gebessert |

Myotomie des Pylorus.

| Nach Stunden | Ausgehobenes Quantum (+ Rest) | Gesamtacidit. | Freie HCl | Milchsäure | Galle | Mikroskopisch | Datum | Befund | Pylorus | Magengröße | Art der Operation | Bemerkungen |
|---|---|---|---|---|---|---|---|---|---|---|---|---|
| 5 | 0 | | | | | | 22./7. 98 | | Verengt, kaum $^1/_2$ Fingerkuppe + Magenwand einlegbar. Muskulatur wen. verd. | Etw. vergrößert, tiefstehd. | Subseröse Myotomie des Pyl. | |
| $^3/_4$, | 0 | | | | | | | | | | | |
| 25 | 0 | | | | | | | | | | | |
| 6,12 | 0 | | | | | | | | | | | |
| $^3/_4$ | 30 | 10 | 0 | 0 | etw. | | | | | | | Gebessert |

Tabelle IIIa.

| | Affektion | Operation | Fälle | Geheilt | Gebessert | Ungeheilt | Gestorben |
|---|---|---|---|---|---|---|---|
| 1 | Offenes, nicht stenosierendes Ulcus | Pyloroplastik | 5 | 4 | 1 | | |
| 2 | „ stenosierendes „ | „ | 4 | 4 | | | |
| 3 | „ „ „ | Gastroduodenostomie | 1 | 1 | | | |
| 4 | „ „ „ | Gastroenterostomie | 10 | 8 | 1 | 1 | |
| 5 | „ „ „ | Resectio pylori | 1 | | | | 1 |
| 6 | Narbige Pylorusstenose | Pyloroplastik | 3 | 1 | 1 | | 1 |
| 7 | „ „ | Gastroenterostomie | 1 | 1 | | | |
| 8 | Neurose | Pyloroplastik | 3 | 1 | | 2 | |
| 9 | Unklar | „ | 5 | 2 | 2 | 1 | |
| 10 | „ | Myotomie des Pylorus | 1 | | 1 | | |
| | | | 34 | 22 | 6 | 4 | 2 |

Tabelle IIIb.

| | Operation | Fälle | Geheilt | Gebessert | Ungeheilt | Gestorben |
|---|---|---|---|---|---|---|
| | Pyloroplastik | 20 | 12 | 4 | 3 | 1 |
| | Gastroenterostomie | 11 | 9 | 1 | 1 | |
| | Gastroduodenostomie | 1 | 1 | | | |
| | Resektion | 1 | | | | 1 |
| | Myotomie des Pylorus | 1 | | 1 | | |
| | | 34 | 22 | 6 | 4 | 2 |

Tabelle IIIc.

| Affektion | Operation | Fälle | Geheilt | Gebessert | Ungeheilt | Gestorben |
|---|---|---|---|---|---|---|
| Organische | Pyloroplastik | 12 | 9 | 2 | | 1 |
| „ | Gastroenterostomie | 11 | 9 | 1 | 1 | |
| Unorganische, unklare | Pyloroplastik, Myotomie | 9 | 3 | 3 | 3 | |

Am 18. Jan. nahm sie die Arbeit wieder auf. Nach 3 Tagen neuer Anfall von Schmerzen, fast wie vor der Operation; sie nahmen 3 Tage zu, verschwanden innerhalb weiterer 5 Tage, seither Wohlbefinden. Keine Druckempfindlichkeit, Gewicht 60 kg.

Heute früh 8 Uhr Semmel, Kaffee. Nach 6 Std. kein Inhalt aushebbar. Probefrühstück, nach $^3/_4$ Std. 55 ccm Inhalt ausgehoben, ohne Galle, Phenolpht. 27, Congo 9, Eisenchl. 0.

8. April 1897. Andauernd völliges Wohlbefinden, Pat. ißt alles. Gewicht 57 kg. Gestern Abend 3 Kartoffeln, Brot, Kaffee, heute früh Magen leer.

1 Std. nach Probefrühstück 20 ccm ausgehoben, ohne Galle, Phenolpht. 23, Congo 10, Eisenchl. 0.

2. Juli. Wohlbefinden wie zu gesunden Zeiten. Gewicht 54,5 kg. Pat. nährt sich offenbar schlecht, hauptsächlich von Kartoffeln. Große Kurvatur 6 Finger unter Proc. xiph.

$^3/_4$ Std. nach Probefrühstück 30 ccm ausgehoben, 0 Galle, Phenolpht. 40, Congo 10, Congolösung 14, Eisenchl. 0.

13. April 1898. Völliges Wohlbefinden, Gewicht 58 kg.

5. Aug. 1898. Völliges Wohlbefinden. $^3/_4$ Std. nach Probefrühstück 15 ccm ausgehoben, ohne Galle, Phenolpht. 42, Congo 22, Eisenchl. 0.

$4^3/_4$ Std. nach Probemahl (250 Fleisch, 90 Semmel, 300 Wasser) 20 ccm ausgehoben, Rest = 143 ccm, 0 Galle, Phenolpht. 51, Congo 0.

10 Std. nach Probefrühstück 15 ccm ausgehoben, Rest 52 (Phenolpht.) Galle 0, Phenolpht. 21, Congo 14, Dimethyl 12.

6 Std. nach Probemahl Phenolpht. 71, Congo 0, locker gebundene HCl (Alizarin) 41.

**2) Vor 12 Jahren Magenblutung, altes offenes Ulcus der kleinen Kurvatur, Pyloruskontraktionsring. Pyloroplastik. Heilung.**

Ernst S, 45 J., Arbeiter aus Breslau.

Familienanamnese, Vorleben ohne Belang. Vor 12 Jahren erbrach Pat., nachdem er sich einige Tage zuvor unwohl gefühlt, plötzlich nach einer Mahlzeit dieselbe und etwas Blut, in der darauffolgenden Nacht schwere Magenblutung. Pat. lag 8 Wochen zu Bett, arbeitete $^1/_2$ Jahr nicht, hatte starke Magenschmerzen. Er war seither bis auf 2 Jahre, in denen er ganz gesund war, nicht wieder vollkommen frei von Magenbeschwerden. Seit 4—5 Monaten Zunahme der Magenbeschwerden, außerdem Aufstoßen, Speichelfluß, Erbrechen. Pat. suchte die hiesige medizinische Klinik auf, welche ihn nach 14tägiger Beobachtung der chirurgischen überwies. In den letzten 4 Monaten Gewichtsabnahme um 11—12 kg.

5. Febr. 1898. Aufnahme.

Anämischer, magerer Mann, Gewicht 62 kg. Mäßiges Lungenemphysem, ziemlich starke Arteriosklerose. Urin, außer Spuren Eiweiß, normal. Hämoglobin (Fleischl) 60 Proz.

Leib schlaff, Mesogastrium etwas aufgetrieben. Vom Nabel etwas schräg aufwärts fühlt man eine längliche Resistenz, keinen deutlichen Tumor. Große Kurvatur etwas unterhalb des Nabels, Magen erscheint mäßig vergrößert.

2 Std. nach Semmel und etwas Kaffee 50 ccm ausgehoben, mikrosk. mäßig viel Hefe, einige Sarcine und kurze Stäbchen. Phenolpht. 46 (= 0,17 Proz.) Congo 16 (= 0,06 Proz.) Eisenchl. 0, Galle 0.

Die Mageninhaltuntersuchungen der medizinischen Klinik hatten ergeben: Früh nüchtern stets beträchtliche Mengen salzsauren Inhalts, Speisen enthaltend, mikrosk. wie oben, $^3/_4$ Std. nach Probefrühstück Ewald?) Phenolpht. 10, keine freie HCl.

6. Febr. 1898. Operation (Herr Geheimrat Mikulicz) in Schleichscher lokaler Anästhesie.

Kein Tumor fühlbar, Pylorus verengt, zeigt einen deutlichen Kontraktionsring, nach dem Magen und Duodenum hin ampullenartige Erweiterung. Die Kuppe des Zeigefingers mit eingestülpter Magenwand läßt sich in den Pylorus zunächst nur einlegen, schließlich geht der Finger mit Gewaltanwendung durch, nach Herausnahme kontrahiert sich der Pylorus sofort wieder zur alten Enge. Er ist entschieden empfindlicher als normal. Pyloroplastik: Kleiner Schleimhautschnitt (4 Nadeln) erheblich größerer Schnitt in Muscularis und Serosa. Nach Eröffnung des Magens fühlt man ein bisquitförmiges Ulcus, welches von der kleinen Kurvatur an der hinteren Wand absteigt, mit dem Pankreas verwachsen. Es ist vernarbt bis auf zwei kleine centrale Stellen, absolut nicht schmerzhaft bei Berührung.

Nach der Operation vorübergehend mäßiger Meteorismus und Ausbleiben der Flatus, ferner leichte Pleuritis sicca und Bronchitis. Temp. 39,6, Kochsalzinfusion. Sonst normaler Wundverlauf.

19. Febr. 1898 Entlassung. Pat. ißt alles, ist beschwerdefrei. Gewicht 63 kg.

25. Febr. Wohlbefinden. Gewicht 67 kg. Weitere sichere Nachrichten konnten nicht erhalten werden. Pat. soll gesund sein und arbeiten.

**3. (Fall 3 des Herrn Geh. Rat Mikulicz). 2 Jahre magenkrank. keine Blutung. Hernia epigastrica. Mittelgroßes, offenes Ulcus der kleinen Kurvatur, mit dem Pankreas verwachsen, Schleimhautfalte. Pyloroplastik. Besserung.**

Gustav P., 36 J., Bahnhofsarbeiter aus Sorgau.

Familienanamnese, Vorleben ohne Belang. Vor 2 Jahren erkrankte Pat. mit Appetitlosigkeit, selten Erbrechen dabei. Solche Zustände kamen etwa alle 4 Wochen, hielten 8 Tage an. Seit einem Jahr bemerkt Pat. eine hühnereigroße Geschwulst in der Mitte des Leibes. Er meint selbst, er habe sie wohl bereits ein Jahr zuvor gehabt, ein behandelnder Arzt sagte ihm, es sei ein Magenbruch. Schmerzen hatte er seither andauernd an der Stelle der Geschwulst, stärkere nur bei Anstrengung. Nach dem Essen war es bald besser, bald schlimmer, letzteres besonders nach schweren Sachen (Mehlklöße, Sauerkraut). Pat. meldete sich mehrmals krank, wenn die Schmerzen zu heftig waren, im ganzen 3 mal. Bei Bettruhe stets Besserung. Wenn die Schmerzeu sehr heftig sind, erbricht Pat. auch 3—4 mal pro Tag, sehr sauer, grünlich, nie blutig, doch war der Stuhl angeblich öfters schwarz, andauernd Verstopfung. Am 6. Febr. neuer Schmerzanfall, seither arbeitet Pat. nicht. Gewicht zu gesunden Zeiten 66 kg, vor 2 Jahren 60, jetzt 55 kg.

17. Febr. 1897. Aufnahme.

Mäßig kräftiger Mann, mäßiger Ernährungszustand. Brustorgane normal. Hämoglobin 70 Proz. Urin normal.

Leib nicht aufgetrieben oder eingesunken. 3 cm unterhalb des Proc. xiph. in der Mittellinie eine fast hühnereigroße Geschwulst, leicht fortdrückbar, bei Husten zunehmend. Diese Gegend außerordentlich druckempfindlich. Große Kurvatur steht nach Perkussion 3 Finger oberhalb des Nabels, bei Luftaufblähung steigt sie bis 2 Finger unter den Nabel. Kreuz nicht druckempfindlich.

19. Febr. 1897. 12 Std. nach Probefrühstück kein Inhalt.

$1^1/_2$ Std. nach Probefrühstück 50 ccm ausgehoben. Mikr. vereinzelte Bakterien, Phenolpht. 60 (= 0,22 Proz.), Congo stark, Eisenchl. 0.

4 Std. nach Probemahl 200 Inhalt ausgehoben, stark sauer, einzelne angedaute und unangedaute Muskelfasern, wenig Bakterien.

21. Febr. 1897 Operation (Geheimrat Mikulicz). In Chloroformnarkose.

Es wird zunächst der Bruchsack der Hernia epigastrica eröffnet und der Inhalt, bestehend aus Netz nach Abbindung und Resektion des peripheren Teiles, reponiert. Bei der digitalen Exploration der Peritonealhöhle von der Bruchpforte aus fühlt sich die Pylorusgegend sehr hart an. Erweiterung der Incision, so daß der Pylorusteil des Magens bequem palpiert und besichtigt werden kann. Der Pylorus erweist sich als verengt, nunmehr wird die vordere Magenwand nahe dem Pylorus durch eine ca. 3 cm lange Längsincision eröffnet, ca. 5 cm vom Pylorus entfernt ein etwa Markstück großes, sehr hartes Ulcus mit centraler Delle, das dem Pankreas adhärent ist. Der Pylorus ist kaum für die Kuppe des Zeigefingers durchgängig. An der großen Kurvatur, etwa 2 cm vom Pylorus entfernt, eine ca. 1 cm hohe Schleimhautfalte, die sich über die Pylorusöffnung zu legen scheint. Dieselbe wird exstirpiert und die Pyloroplastik angeschlossen. Glatte Heilung, Pat. hat keine Schmerzen mehr.

13. März. 12 Std. nach Probemahl (250 g Fleisch, 2 Kartoffeln, Wasser) wenige Tropfen Inhaltes, ziemlich stark sauer, gegen Lakmus und Congopapier. Nach Leerspülung Probefrühstück, nach einer Stunde 0 Inhalt. Pat. erhält nochmals Frühstück, nach 1/2 Std. 200 ccm ausgehoben. Phenolpht. 45, Congo 27, Eisenchl. 0, Galle 0.

14. März. Pat. fühlt sich gesund wie vor der Krankheit, guter Appetit, kein Aufstoßen, Brechreiz u. s. w., Zunge rein. Gewicht 53 kg. Entlassung.

Ende April stellt sich Pat. wieder vor; Appetit gut, doch kann er nicht viel auf einmal essen, da sonst Schmerz und Gefühl von Völle. Seine Hauptbeschwerde ist, daß er sich nicht ganz gerade aufrichten kann, weil er dabei Schmerzen bekommt. Kein Erbrechen und Aufstoßen.

19. Juni 1897. Laut brieflicher Mitteilung leichte Verdauungsstörungen wieder aufgetreten, wenig Magenschmerzen, kein Erbrechen, doch öfter Uebelkeit. Pat. verrichtet seine Arbeit, doch nur mit Mühe. Gewicht 59 kg.

11. April 1898. Andauernd mäßiges Magendrücken, doch ist der Zustand besser als vor der Operation. Pat. arbeitet mit geringen Unterbrechungen, wenn die Schmerzen zu heftig werden. Gewicht 57,5 kg.

### 4) Bereits vor 16 Jahren Magenbeschwerden, seit 2 Jahren stärkere, schwere Magenblutung, Pyloroplastik, Ulcus nicht gefunden. Heilung.

Gertrud Kl., 23 J., Malerin aus Breslau.

Familienanamnese ohne Belang, mit 7 und 11 Jahren Diphtherie, mit 15 Jahren Windpocken. Menses traten auf mit 14 Jahren, immer regelmäßig. Pat. ist seit jeher bleichsüchtig.

Pat. litt bereits mit 7 Jahren an Magenbeschwerden, Magenkrampf, nie Erbrechen; nur vom 12—19 Lebensjahre war Pat. fast beschwerdefrei, Stuhl regelmäßig. Seit 2 Jahren stärkere Beschwerden, nicht an Essen gebunden, meist sogar danach besser. Appetit gut, oft Heißhunger. Im ganzen war der Zustand wechselnd, oft Perioden von Wochen bis 1/4 Jahr, in denen Pat. fast beschwerdefrei war. Der Druck saß vorn in der Magengrube, zog in die Brust hinauf bis ins Kreuz.

Vor 1/2 Jahre weitere Verschlimmerung. Pat. arbeitet viel gebückt. Auch jetzt waren die Schmerzen unabhängig von dem Essen, sie kamen anfallsweise, alle 1—4 Wochen, allmählich häufiger. Seit einem Monat jeden Tag ein paar Anfälle. Dauer 5—10 Minuten, oft so heftig, daß Pat. sich wand. Damals bereits ziemliche Schwäche, Pat. aß, aber mit wenig Appetit. Gewichtsabnahme. Zu gesunden Zeiten Gewicht 55 kg. Pat. konnte ihrem Berufe (Kunstschule) stets nachgehen. Am 14. Mai, nach einer größeren Bergpartie Verschlimmerung. In der Nacht vom 24.—25. Mai erwacht Pat. plötzlich, fühlt sich sehr elend, trinkt Milch erbricht dieselbe sofort, darauf eine Tasse voll schwarzroten geronnenen Blutes; dabei mäßige Schmerzen, danach Erleichterung, doch große Schwäche. Im Stuhl angeblich große Mengen schwarzen Blutes. Pat. bleibt zu Bett, erhält Eis, Diät. Am 30. Mai nach Suppe wieder Erbrechen, etwa 1/4 Liter geronnener, chokoladeartiger Massen.

31. Mai 1898 Aufnahme in die Klinik.

Schwächlich gebaute, schlecht genährte Pat. Außerordentliche Blässe von Gesicht und Schleimhäuten. Puls 114, Temp. normal. Hämoglobin 25 Proz. Innere Organe normal. Urin normal. Der Leib ist bei leichtem Druck nicht empfindlich, das Kreuz mäßig, der Leib zeigt nichts Besonderes. Keine Enteroptose.

Pat. ist sehr elend, keine Schmerzen, Ernährung per rectum. Eisbeutel auf Magengegend. Vom 2. Juni ab erhält Pat. theelöffelweise Milch auf Eis, allmählich mehr. 7. Juni Nährklystiere ausgesetzt.

13. Juni 1898 Operation (Geheimrat Mikulicz) in Chloroformnarkose.

Pylorus eng, kontrahiert, außerdem sicher verdickt, der Finger geht bei uneröffnetem Magen nicht durch. Der Pylorus scheint empfindlicher als der übrige Magen, keine deutliche Hyperämie, der übrige Magen außerordentlich blaß, viel mehr als Pylorus. Magen recht groß, Wand nicht besonders dick.

Pyloroplastik. Es wird, soweit von innen und außen möglich, der Magen abgetastet, kein Ulcus oder Narbe gefunden. Rekonvalescenz durch eine schwere Enteritis, welche Pat sehr herunterbrachte, verzögert. Am 18. Juni ist der Puls vorübergehend außerordentlich schlecht.

25. Juni. Pat. steht auf, Gewicht 39 kg.

7. Juli. Pat. ist den ganzen Tag außer Bett.

12. Juli. Entlassung. Gewicht 42,6 kg. Schmerzen hat Pat. seit der Operation nicht gehabt.

6. Sept. 1898. Pat. stellt sich wiederum vor, sie hatte anfangs noch etwas Brennen im ganzen Leibe, jetzt Wohlbefinden. Sie geht ihrer Beschäftigung wieder nach, sie ißt alles, nur Saures nicht.

Sie ist noch immer ziemlich blaß, doch viel weniger als vor der Operation. Gewicht 51,5 kg. Keine Druckempfindlichkeit im Leib und Kreuz, von Magenaushebungen auf Bitten der Pat. vorläufig Abstand genommen.

5. Nov. 1898. Pat. stellt sich vor. Sie sieht recht wohl aus, Gewicht 54 kg. Sie malt bereits täglich 6—8 Std. Zuweilen noch etwas Schmerz, besonders wenn sie sich anstrengt. Großer Appetit, kein Erbrechen, Stuhl regelmäßig.

7 Std. nach Probemahl 0 Inhalt aushebbar, bei Spülen kommt sehr wenig Inhalt.

$^3/_4$ Std. nach Probefrühstück 30 ccm ausgehoben, Rest (Phenolpht.) 30 ccm, 0 Galle, Phenolpht. 13, Congo 3, Phloroglucin-Vanillin 0, Eisenchl. 0, mikrosk. normal.

12. Jan. 1899 Wohlbefinden bis auf leichte Magenstörung Weihnachten. Gewicht 53 kg.

Es könnte in diesem Falle gewagt und unerlaubt erscheinen, ein offenes Ulcus anzunehmen, weil bei der Autopsie in vivo keines gefunden wurde. Doch wird jeder erfahrene Chirurg zugeben, daß es bei der Eröffnung des Magens in so kleinem Umfange, wie es bei der Pyloroplastik und der Gastroenterostomie geschieht, unmöglich ist, wenn der Befund ein negativer ist, ein Ulcus mit Sicherheit auszuschließen. Es kann von der Eröffnungsstelle aus stets nur ein Teil des Magens mit dem Finger abgetastet werden, besichtigt mittels des bloßen Auges ein weit kleinerer; und ob es je gelingen wird, mittels mehr oder weniger komplizierter Instrumente vom Oeffnungsschnitt aus den ganzen Magen absolut zuverlässig abzusuchen, erscheint auch recht zweifelhaft; handelt es sich doch bei der Operation um ein znsammengefallenes, faltenreiches Organ, und was die Ulcera anbetrifft, so können diese sehr klein und oberflächlich sein.

Jedenfalls spricht bei vorstehender Patientin die Anamnese und der Verlauf mit solch großer Wahrscheinlichkeit für Ulcus und zwar für offenes — jede andere Erklärung für die sicher überstandenen Blutungen erscheint gezwungen — daß demgegenüber der negative Befund bei der Operation nicht entscheidend in die Wagschale fallen kann.

5) Seit 5 Jahren Magenbeschwerden. Magenblutungen. Pyloroplastik. Ulcus oder Narbe nicht gefunden. Heilung.

Marie v. K., 21 J., aus Neudorf in Russisch-Polen.

Familienanamnese ohne Belang. Seit dem 14. Jahr Migräne, seit 1892 Bleichsucht mäßigen Grades, dabei häufig Druck und Schmerz in der Magengegend, nach Essen Zunahme, keine Kreuzschmerzen, kein Erbrechen. Die Magenbeschwerden nahmen allmählich ab, die Bleichsucht blieb. 1893 Wiederkehr der alten Magenbeschwerden, außerdem Erbrechen, mehrmals täglich, es wurde alles zu sich Genommene erbrochen; nach Brechen Erleichterung. Juni 1894 in Bad Langenwiese schwere Magenblutung, etwa 2 Liter Blut erbrochen, schwarz, 3 Tage dauernde Ohnmacht, Abgang von viel Blut im Stuhl. Pat. lag 8 Wochen zu Bett, die Schmerzen besserten sich und blieben $^{3}/_{4}$ Jahre fast vollkommen fort. März 1895 neuer Anfall 2 Monate dauernd, mäßige Schmerzen, alle paar Tage Erbrechen ohne Blut. Anfang Juli 1896 wieder schwerer Anfall, starke Schmerzen. Nach 14 Tagen Blutabgang im Stuhl bemerkt, 3 mal hintereinander. Kein Erbrechen. Die Schmerzen besserten sich, wurden Weihnachten 1896 vorübergehend wieder schlimmer, keine weitere Blutung, seit einem Monat bricht Pat. wieder zuweilen.

11. Mai 1897 Aufnahme in die Privatklinik.

Große, kräftig gebaute Pat., blühend aussehend, 69,5 kg Gewicht (gesund etwa 75 kg). Innere Organe normal. Leib zeigt normales Aussehen, mäßige Druckempfindlichkeit im Epigastrium, mehr links, am stärksten hier in der Mitte des oberen Rectusabschnittes; geringe im Kreuz, mehr links in der Höhe des 12. Wirbels. Bei Aufblähung erreicht die große Kurvatur den Nabel. Stuhl verstopft.

Subjektiv: Zur Zeit sind die Beschwerden geringer als sonst, mäßige Schmerzen, selten nüchtern, öfters nach Essen in der Magengrube. Viel Aufstoßen, Appetit meist gut, nur wenn Schmerzen bestehen, schlecht. Unerträglich wird der Zustand der Pat. dadurch, daß sie in den letzten 5 Jahren nichts thun kann, ohne sofortige Steigerung der Beschwerden. Sie verträgt nicht den leisesten Druck über den Leib, nicht Bücken, Fahren, Reiten u. s. w. Sie liegt meist auf dem Bett oder Sopha.

12. Mai 1897. 12 Std. nach Probemahl 0 Inhalt aushebbar.

Darauf Probefrühstück, nach 1 Std. 6 ccm Inhalt ausgehoben, schwach blutig, mikrosk. sonst nichts Besonderes, 0 Galle, Phenolpht. 70, Congo 23.

13. Mai 1897. 40 Min. nach Probefrühstück 4,5 ccm ausgehoben, 0 Blut, Phenolpht. 44, Congo 18,6.

20 Min. nach Probefrühstück 50 ccm ausgehoben, 0 Blut, 0 Galle, 0 Eisenchl., 0 Congo, Phenolpht. 9, mikrosk. normal.

18. Mai 1897 Operation (Geheimrat Mikulicz) in Chloroformnarkose.

Pylorusgegend außerordentlich empfindlich; während Pat. in ziemlich tiefer Narkose bei allen Manipulationen ruhig bleibt, stöhnt sie, sobald der Pylorus erfaßt wird. Seine Gefäße bedeutend erweitert, keine Adhäsionen. Magen deutlich etwas vergrößert, Wand mäßig verdickt, Pylorus für Finger + Magenwand durchgängig. Er kontrahiert sich während des Anfassens mehrmals und erschlafft dann wieder. Er scheint sich dabei enger als normal zu kontrahieren. Sein Ring erscheint stark und fest.

Typische Pyloroplastik. Pylorus danach für 2 Finger bequem durchgängig. Normale Heilung.

5. Juni Entlassung ohne Beschwerden, leichte Diät.

20. Juli 1897. Pat. stellt sich vor, andauernd völliges Wohlbefinden, seit Operation kein Schmerz mehr aufgetreten. Pat. ißt wieder alles, kein Aufstoßen, Brechreiz u. s. w., Stuhl täglich. Pat. fühlt sich viel kräftiger als vor der Operation, doch noch nicht so wie vor der Krankheit. Sie kann jetzt Korsett tragen, blühendes Aussehen, Gewicht 75,5 kg.

1 Std. nach Kaffee mit Semmel 120 ccm ausgehoben, dünn, ohne Galle, mikr. Phenolpht. 50, Congo 20, Eisenchl. 0.

Nach Leerspülung Probefrühstück, nach $^3/_4$ Std. 30 ccm ausgehoben, wie oben Phenolpht. 69 (= 0,252 Proz.) Congo 37 (= 0,135 Proz.).

Mai 1898. Laut brieflicher Mitteilung befindet sich Pat. völlig gesund, absolut beschwerdefrei.

Februar 1899. Völliges Wohlbefinden.

Auch in diesem Falle müssen wir, trotz des negativen Befundes bei der Operation, ein Ulcus annehmen, und zwar wahrscheinlich ein offenes.

Es sind dies 5 Fälle von offenem Ulcus, in zwei derselben wurde das Ulcus allerdings bei der Operation nicht gefunden. Vier davon sind völlig geheilt und beschwerdefrei, ein Fall ist nur gebessert (Fall 3). Aus welchem Grunde in diesem Falle keine Heilung erfolgte, ist nicht festzustellen; ob das Ulcus nicht vernarbt ist, ob die Beschwerden als nervöse aufzufassen sind, läßt sich nicht entscheiden. Sicher ist keine Pylorusstenose vorhanden. Hervorzuheben ist bei diesem Falle das gleichzeitige Bestehen einer Hernia epigastrica und eines Ulcus ventriculi.

In keinem der Fälle speciell auch nicht in denen, in welchen bei der Operation ein Ulcus vorlag, wurden höhere Grade von Hyperacidität bemerkt, wohl aber geringere. Kontinuierlicher Magensaftfluß wurde in keinem Falle beobachtet. In sämtlichen Fällen wurde bei der Operation ein abnormer Kontraktionszustand des Pylorus gefunden. Während bei normalen Menschen — es wurde in unserer Klinik bei zahlreichen Laparotomien auf die Weite des Pylorus geachtet — der Finger mit der durch ihn eingestülpten Magenwand bei uneröffnetem Magen stets wenigstens zeitweise durch den Pylorus ohne große Gewalt hindurchgeführt werden kann, war dies hier nur in einem Falle möglich und auch in diesem bestand deutliche Verengerung auch in tiefster

Narkose. Der Pylorus erscheint in diesen Fällen auch auf dem Durchschnitt als ein verdickter Ring, meist stärker als es seinem Kontraktionszustande entspricht. Zuweilen besitzt er eine ausgesprochene Empfindlichkeit gegenüber dem übrigen Magen. Trotzdem war die Motilität nur in einem Falle (Fall 3) erheblich beeinträchtigt, in den anderen Fällen war sie normal oder wenig verlangsamt.

Nach der Operation erscheint die Motilität normal oder etwas beschleunigt gegenüber der Norm. Die Acidität ist ziemlich unverändert. Wie sind nun die operativen Erfolge zu erklären? Am ehesten verständlich wäre ein Erfolg in dem Falle 3, in dem die vorhandene mechanische Insufficienz durch die Operation beseitigt wurde, und gerade hier ist der subjektive Erfolg am wenigsten befriedigend. Warum wirkt aber die Beseitigung eines Pyloruskontraktionsringes günstig, wo derselbe keine erheblichen motorischen oder chemischen Störungen des Magens zur Folge hatte? Beinahe erscheint es, als ob der Pyloruskontraktionszustand die subjektiven Beschwerden verursachte, weniger das Ulcus, damit stimmt aber wieder nicht überein, daß in manchen Fällen (1 und 4) die Beschwerden erst allmählich oder unter Rückfällen verschwinden, während sie in anderen seit der Operation weggeblieben sind.

### 2. Offenes, stenosierendes Ulcus. Pyloroplastik. 4 Fälle.

6. (Fall 9 des Herrn Geh. Rat Mikulicz). 7 Jahre magenkrank, mehrere Blutungen. Ulcus des Pylorus, keine erhebliche Stenose. Pyloroplastik. Heilung.

Martha K., 34 J., ledig, aus Hausdorf.

Familienanamnese ohne Belang. Mit 16 Jahren ziemlich schwere Bleichsucht von 3jähriger Dauer, damals Magenbeschwerden nicht gehabt. Stuhl das ganze Leben lang träge, bis 8 Tage ausbleibend. 1889 traten allmählich zunehmend Magenschmerzen nach dem Essen auf. Bald waren sie auch nüchtern da. Pat. magerte ab und wurde blaß. Plötzlich Magenblutung, etwa $^1/_2$ Liter rotes Blut erbrochen. Nach 3 Tagen neue, etwas geringere Blutung. Stuhl enthielt viel Blut. Beide Male Ohnmacht von über 1 Std. Pat. lag 6 Wochen zu Bett, strenge Diät, starke Blässe. Pat. erholte sich allmählich; die Schmerzen waren seit der Blutung fort, doch bestand andauernd geringer Druck.

1891 Influenza. Juni 1892 — nach Mitteilung des Arztes — lokale Bauchfellentzündung im rechten Epigastrium und Hypochondrium, mit Frost und Fieber, ohne Magenbeschwerden. Dauer 4 Wochen. Juli 1893 neue Magen und Rückenschmerzen ohne Erbrechen. Einmal brach Pat. infolge enormer Schmerzen auf der Straße zusammen. Dauer des Anfalles etwa 2 Minuten, dann ließen die Beschwerden bis auf gewisses Druckgefühl wieder nach. März 1896 eines Abends Schwindelanfall, am folgenden Tage neue Blutung, etwa $^1/_2$ Liter; nach 4 Tagen weitere kleinere Blutung. Pat. blieb 3 Wochen zu Bett. erholte sich schnell, Aug. 1896 ein nur einen Tag dauernder Anfall starker Magen- und Kreuzschmerzen mit Schüttelfrost, ohne Fieber. Seither hat Pat. keine schweren Zustände mehr gehabt, doch wird sie nicht lebensfroh, sie ist außer stande, ihrer früheren Beschäftigung, Haus-, Hand-, Gartenarbeit nachzugehen. Nach jeder Mahlzeit spürt sie einen Druck in der Magengrube, im Kreuz nichts. Nach größeren Mahlzeiten zuweilen auch Schmerz, der nach 1 Std. kommt und $^1/_4$ Std. dauert. Nüchtern außer fauligem Geschmack im Munde und flauem Gefühl im Magen nichts Besonderes. Sie hat schließlich alles gegessen; Fleisch, Eier, Milch verträgt sie besser als Kohlehydrate.

4. Nov. 1896 Aufnahme.

Kräftige, große Person, blühendes Aussehen, leidlicher Ernährungszustand, Gewicht 66 kg (zu gesunden Zeiten 66—68 kg). Kleine Struma; rechtsseitige Wanderniere unter dem Rippensaum fühlbar; sonst innere Organe bis Magen normal. Keine allgemeine Enteroptose, Leber 2 Finger über Rippensaum.

Der Leib zeigt äußerlich nichts Besonderes. Epigastrium nicht eingesunken; es ist ziemlich stark druckempfindlich, besonders in seiner Mitte, der übrige Leib nicht, Kreuz minimal, links wie rechts. Keine Magenaufblähung. Urin reichlich, 1012 spec. Gew., normal. Stuhl verstopft.

5. Nov. $^3/_4$ Std. nach 45 g Semmel, 500 g Thee mit Zucker, 100 ccm ausgehoben, ziemlich dick, mikrosk. Amylum, vereinzelte Hefezellen, viele Kerne, Phenolpht. 76 (= 0,277 Proz.), Congo 44 (= 0,161 Proz.), Eisenchlorid 0.

6. Nov früh nüchtern leer, auch bei Spülen, abends zuvor Fleisch und Brot. Abends Magen leer gespült, danach ein Ei, 500 g Milch.

7. Nov. früh nüchtern 0 Inhalt, auch bei Spülen.

Operation (Geheimrat Mikulicz) in Chloroformnarkose.

Magen ziemlich groß, nach dem Pylorus zu leicht lösliche bindegewebige Verwachsungen an 10 Pfg. großer Stelle mit vorderer Bauchwand, wie sich später herausstellt, etwas links von dem vorhandenen Ulcus. Man fühlt an der vorderen Pyloruswand eine harte Stelle. Nach Eröffnung des Pylorus mittels Längsschnitt zeigt es sich, daß hier ein Defekt der Schleimhaut besteht, pfenniggroß. Pylorus etwas verengt. Das Ulcus wird mit Muscularis und Serosa excidiert. Typische Pyloroplastik.

Patientin bricht die nächsten drei Tage kaffeesatzartige, sauere, nicht gallige Massen, im ganzen etwa 1 Liter. Phenolpht. bis 80 (= 0,292 Proz.), Congo bis 27,7 (= 0,1 Proz.), Eisenchl. 0, mikrosk. veränderte rote Blutkörperchen und Pigmenthaufen, viel Kerne, einzelne Hefe. Darauf kein Erbrechen mehr, Pat. erholt sich schnell. Es bestehen zunächst noch recht heftige Schmerzen im Leibe, stärker als vor der Operation. Pat. vermag nicht zu unterscheiden, ob es Wundschmerzen sind oder die alten verstärkten Magenschmerzen. Sie nehmen allmählich ab.

18. Nov. Entlassung. Pat. fühlt sich erheblich besser als vor der Operation, sie ißt bereits fast alles, hat keinen Druck mehr, nur bald Völlegefühl. Nüchtern besteht kein schlechter Geschmack mehr, Stuhl noch verstopft. Gewicht 64,5 kg.

19. Dez. 1896. Anfang Dez. Influenzaanfall, dabei wieder leichte Magenschmerzen, besonders bei Husten, mit diesem hörten auch die Schmerzen wieder auf. Zur Zeit völliges Wohlbefinden. Gewicht 63 kg.

$^1/_2$ Std. nach 90 g Semmel, 300 g Thee 75 ccm ausgehoben, dick, ziemlich viel Hefe. Galle 0. Phenolpht. 60 (= 0,218 Proz.), Congo 10 (= 0,037 Proz.).

5. Febr. 1897. Einmal vor 14 Tagen nach Mittagessen, sehr saure Speise, $^1/_4$ Std. anhaltender mäßiger Schmerz, sonst andauernd keine Beschwerden. Appetit gut, Gewicht 66,5 kg.

$4^1/_2$ Std. nach Semmel und Thee Magen leer, nach langem Würgen kommt etwas galliger Schleim.

$^1/_2$ Std. nach 500 ccm Hafermehlsuppe 125 ccm ausgehoben, Galle 0. etwas Hefe, Phenolpht. 26 (= 0,106), Congo Spur, Eisenchl. 0.

7. April 1897. Vor drei Wochen trat nach starkem Aerger wieder einmal Magenschmerz auf, wie früher mehrere Stunden dauernd. Pat. hält ihn für nervös, kein Brechen. Sonst Wohlbefinden.

12 Std. nach 125 Beefsteak, Brot, Thee, früh nüchtern 0 Inhalt.

1 Std. nach Probefrühstück 0 Inhalt ausgepreßt, doch kommt bei Spülen etwas Inhalt, 0 Galle.

$^1/_2$ Std. nach Probefrühstück 80 ccm ausgehoben, dünn, 0 Galle, ganz vereinzelte Stäbchen, Phenolpht. 15 (= 0,0547 Proz.), Congo 5 (= 0,018 Proz.), Eisenchl. 0. Beim Wasserspülen ist Pat. sehr empfindlich, bricht neben der Sonde heraus.

28. April 1898. Völliges Wohlbefinden. Gewicht 62 kg. Pat. ißt alles, beschäftigt sich wie vor der Krankheit. Im August 1897 hatte sie einmal nachts einen kleinen Ohnmachtsanfall mit starken Leibschmerzen, ohne Erbrechen, im Stuhl kein Blut; nach 3 Tagen war Pat. wieder ganz gesund. Früh nüchtern, abends zuvor Probemahl, kein Inhalt aushebbar, auch nicht bei Spülen.

$^3/_4$ Std. nach Probefrühstück 50 ccm Inhalt, dünn, hell, ohne Galle, mikrosk. nichts Besonderes, Phenolpht. unfiltriert 54, filtriert 46; Congo unfiltriert 28, filtriert 34; Eisenchl. 0.

26. Juli 1898. Laut brieflicher Mitteilung völliges Wohlbefinden. Gewicht 59,5 kg. Pat. hat sich mittlerweile verheiratet.

**7. (Fall 10 des Herrn Geh. Rat Mikulicz). 10 Monate krank, starke Magenektasie, offenes Ulcus in der Vorderwand des Pylorus, hochgradige Pylorusstenose. Excision des Ulcus. Pyloroplastik. Heilung.**

Anna J., 32 J., Grenzaufsehersfrau aus Dürrarnsdorf.

Familienanamnese ohne Belang. 7 Geburten, 3 Fehlgeburten. Mit 15 Jahren schwere Bleichsucht, lag damals 8 Wochen zu Bett, früher nie Magenbeschwerden, stets Verstopfung. Das Magenleiden begann $^1/_2$ Jahr vor der letzten Entbindung, die am 1. Juli 1896 stattfand. Es trat allmählich zunehmender, krampfartiger Druck in der Magengrube auf, stets vorhanden, nach leichtem Essen meist besser werdend, nach schwerem, besonders saurem, schlimmer. Kein Schmerz, im Kreuz nichts. Appetit gut.

Geburt leicht, starker Blutverlust; danach besserten sich allmählich die Magenbeschwerden und verschwanden nach 4 Wochen vollkommen. Pat. war völlig gesund bis November 1896. Gewicht 83,5 kg. Alsdann traten ohne Veranlassung plötzlich von neuem Magenbeschwerden auf, derselben Art wie oben, doch bald stärker als zuvor, ein richtiger Schmerz. Er war fast andauernd vorhanden, nahm nach dem Essen stets zu, nach $^1/_2$—2 Std. Fast stets erfolgte dann, bald nach Zunahme der Schmerzen, Erbrechen, meist 1—2 mal, selten 3 mal pro Tag, danach Erleichterung. Im Kreuz nichts. Der Schmerz fehlte nur, wenn Pat. nüchtern ganz ruhig zu Bett lag. Bereits bei Bewegung, leichter Berührung des Magens trat er auf. Pat. vertrug am besten Milch, Fleisch, schlechter Kartoffeln und Brot, am schlechtesten Saueres. Allmählich Zunahme aller Erscheinungen.

Am 3. Januar 1897 suchte Pat. die hiesige medizinische Poliklinik auf. Gewicht 67,5 kg. Starke mechanische Ueberstauuug, Gesamtacidität 85, stets starke Congoreaktion, 0 Milchsäure, starke Hefe- und Sarcinegärung. Der Magen wurde 14 Tage lang täglich ausgespült, das Erbrechen ließ nach, blieb 8 Tage fort, die Schmerzen ließen nach, zuweilen ein schmerzfreier Tag. Zu Hause traten die Beschwerden wieder in alter Stärke auf. Pat. nährte das Kind bis Mitte Januar, dann hörte sie wegen des Leidens auf. Anfangs Februar traten die Menses wieder auf.

12. Febr. 1897 Aufnahme in die Klinik.

Große, kräftig gebaute Frau, schlechter Ernährungszustand, 62,5 kg Gewicht. Starke Blässe von Gesicht und Schleimhäuten. Zunge ziemlich stark belegt, Hämoglobin 55 Proz. Innere Organe bis auf Magen normal. Keine Enteroptose.

Der Leib ist in den mittleren nnd unteren Partien mäßig aufgetrieben, Epigastrium etwas eingesunken. Dasselbe mäßig druckempfindlich, der übrige Leib nicht. Starkes Plätschern im Mesogastrium, keine Peristaltik des Magens sichtbar, nichts Abnormes fühlbar. Kreuz nicht druckempfindlich. Die große Kurvatur, die perkutorisch in Ruhe 2 Finger unter dem Nabel steht, befindet sich bei Luftaufblähung 3 Finger unter demselben. Der Magen erscheint sehr groß.

Urin reichlich, 1500. Pat. fühlt sich sehr elend, kann ihre Arbeit, Haushaltung, nicht mehr versehen, am liebsten liegt sie zu Bett.

11. Febr. Abends 250 g Beefsteak, 50 g Semmel, 300 g Wasser in leergespülten Magen.

12. Febr. früh nüchtern 500 Inhalt, stark gegoren riechend, mikrosk. viel Hefe und Sarcine, vereinzelte Stäbchen, Amylum, Fett, vereinzelte schwach angedaute Fleichfasern. Phenolpht. 60 (= 0,22 Proz.) Congo mäßig stark, Eisenchl. 0.

12. Febr abends Magen leer gespült, darauf früh nüchtern, am 13. Febr. 30 ccm ausgehoben, leicht grünlich, nicht schleimig, sauer, mäßig Congo. Der Magen wird zur Operation reingespült, er faßt ohne erhebliches Druckgefühl 3 Liter.

13. Febr. 1897 Operation (Geheimrat Mikulicz) in Chloroformnarkose.

Magen ziemlich stark vergrößert. Wand schlaff, dünner als normal. Einige bindegewebige Stränge, die von einer harten Stelle in der vorderen Pyloruswand nach der vorderen Bauchwaud ziehen, werden durchtrennt. Nach Eröffnung des Magens an der vorderen Wand kurz vor dem Pylorus erscheint letzterer als harter Ring, durch den eine Schere soeben hindurchgeht, Finger nicht. An der Pars pylorica des Magens etwas auf den Pylorus übergehend, befindet sich an der vorderen Wand eine vertiefte Stelle, etwa 3 mm tief, im Grunde ohne Schleimhaut. Rand verdickt, stark. Der Defekt ist oval, 2 cm lang, $1^1/_2$ breit, Längsachse parallel der Magenachse. Das Ulcus wird excidiert, der Schnitt durch den Pylorus hindurch verlängert. Pyloroplastik. Der Pylorus danach für 2 Finger bequem durchgängig.

Die Heilung geht normal von statten, kein Erbrechen mehr. Pat. hat zunächst noch mäßige Schmerzen, anscheinend nur in der Wunde, nicht mehr die alten Magenschmerzen.

Sie erhält zunächst nur Eis, vom 15. Febr. ab flüssige Diät, 18. Febr. Semmel und Brei. 24. Febr. Entfernung der Nähte, seither keine Spur Schmerzen.

27. Febr. Pat. steht auf. 1. März Fleisch. Gewicht 58,5 kg.
5. März Entlassung. Pat. ist beschwerdefrei, Gewicht 59,75.
4. März abends 250 g Beefsteak, 100 g Brot, Thee.

5. März früh nüchtern, nach 12 Std. einige Tropfen stark sauren Inhalts ausgepreßt, 0 Galle, mikrosk. Kerne, wenig Hefe und Bakterien. Darauf ohne Spülung Prebefrühstück, nach 1 Std. 25 ccm ausgehoben, mikrosk. Amylum, sonst wie oben, Phenolpht. 113,8 (= 0,415 Proz.), Congo 72,4 (= 0,264 Proz.).

9. April 1897. Pat. kommt zur Vorstellung. Völliges Wohlbefinden. Nach Kartoffeln fühlt sie noch einen leichten Druck, sie läßt deshalb dieselben, sonst ißt sie alles. Gewicht 64 kg.

9. April früh nüchtern, 12 Std. nach Probemahl 75 ccm ausgehoben, dünn, leicht grüngelblich, 0 Galle, Phenolpht. 74 (= 0,27 Proz.), Congo 57 (= 0,21 Proz.), mikrosk. viel Kerne, Plattenepithel, einzelne Leukocyten, ganz vereinzelte Hefe, Bakterien 0, Eisenchl. 0.

Bei Leerspülung ist Pat. sehr empfindlich, bricht leicht neben der Sonde heraus.

$^1/_2$ Std. darauf Probefrühstück, nach 1 Std. 40 ccm ausgehoben, leicht grünlich, 0 Galle, Phenolpht. 56 (= 0,204), Congo 31 (= 0,11 Proz.).

17. Juni 1897. Laut brieflicher Mitteilung Wohlbefinden, doch verursachen Brot und Kartoffeln zuweilen leichtes Magendrücken. Stuhl regelmäßig. Einmal, vor 8 Tagen, Erbrechen, angeblich infolge von Aerger. Gewicht 67,5 kg. Pat. fühlt sich noch nicht so kräftig wie früher, doch kann sie gut ihren Haushalt besorgen.

20. April 1898. Zur Zeit der Menses Magendrücken, dabei regelmäßig Gewichtsabnahme bis $1^1/_2$ kg. Gewicht 75 kg, im übrigen ist Pat. völlig beschwerdefrei. 20. Juli 1898. Laut brieflicher Mitteilung Wohlbefinden.

### 8) 10 Jahre magenkrank. Blutung. Ulcus im Pylorus. Vernähung desselben. Pyloroplastik. Hämatemese. Heilung.

Max Schl., 25 J., Kaufmann, aus Breslau.

Familienanamnese ohne Belang. Vorleben bis auf Magenleiden ebenfalls. Seit 10 Jahren Magenbeschwerden unbestimmter Art. Vor 4 Jahren Zunahme derselben, schwere Magenblutung, 4 Wochen danach schwere Bauchfellentzündung, an der Pat. 6 Wochen krank lag, danach fast vollkommenes Nachlassen der Magenbeschwerden für 1 Jahr. Darauf neue schwere Magenblutung, vor 7 Wochen erfolgte die dritte. Behandlung mit Bettruhe, Eisblase, Wismuth. Während nach den früheren Blutungen die Schmerzen bald abnahmen, blieben sie nach der letzten bestehen, trotz energischer interner Behandlung.

11. Okt. 1897 Aufnahme in die Klinik.

Anämischer, schlecht genährter junger Mann, 59,5 kg Gewicht. Innere Organe normal, Epigastrium ziemlich stark druckempfindlich, sonst zeigt der Leib nichts Besonderes. Der Magen wird nicht aufgebläht.

1 Std. nach Probefrühstück 20 ccm ausgehoben; 14 Std. nach 200 g Fleisch, Gemüse Magen leer. 8 Std. nach 200 g Fleisch, 140 g Semmel, 150 g Brühe Spuren Inhalt, 0 Galle.

Phenolpht. bis 118 (= 0,413 Proz.), Congo 74,8 (= 0,273 Proz.).
Pat. wird vom 16.—20. Okt. beurlaubt.
21. Okt. Operation (Geheimrat Mikulicz) in Chloroformnarkose.

Magen ziemlich groß, Wand dünn. Einige leicht lösliche Adhäsionen in Pylorusgegend vom Duodenum zur Magenwand ziehend, so daß eine gewisse Abknickung des Pylorus erfolgt. Fingerkuppe soeben in Pylorus einlegbar, geht nicht durch. Eröffnung des Magens mittels Pyloroplastikschnittes. Es besteht gerade auf der hinteren Wand des Pylorus ein rautenförmiges Ulcus, in den Magen und das Duodenum reichend.

Dasselbe wird vernäht, typische Pyloroplastik. Während der Operation erbricht Pat. etwa 150 ccm Blut, Eisblase auf Leib, Morphium.

22. Okt. Pat. bricht innerhalb 24 Std. $1^1/_2$—2 Liter fast reinen Blutes.

23. Okt. $^1/_2$ Liter Blut erbrochen, geronnen, schwärzlich.

24. Okt. wenig schwarzes Blut erbrochen, einmal.

25. Okt. wenige Eßlöffel bräunlichen Schleimes erbrochen.

26. Okt. kein Erbrechen mehr.

7. Nov. Pat. steht auf.

16. Nov. Entlassung. Pat. ißt fast alles, keine Beschwerden außer ziemlicher Schwäche. Anämie.

13. Jan. 1898. Pat. stellt sich vor. Er hat sich sehr erholt. Geringe Anämie. Früh nüchtern, nach abendlichem Genuß von Beefsteak, 0 Inhalt, 0 Galle. $^3/_4$ Std. nach Probefrühstück 0 Inhalt, 0 Galle.

$^1/_2$ Std. nach Probefrühstück 35 ccm ausgehoben, dünn, schleimig, Spur gallig, einzelne Hefezellen, Amylum, Phenolpht. 50, Congo 30 Proz.

22. Juli 1898. Es geht dem Pat. nach brieflicher Mitteilung geradezu glänzend.

In diesem Falle ist besonders hervorzuheben die schwere Magenblutung, die nach der Operation auftrat; dieselbe kann wohl aus dem gefundenen und vernähten Geschwür erfolgt sein, wahrscheinlicher ist es indes, daß ein anderswo sitzendes und nicht gefundenes Ulcus dieselbe verursacht hat.

9) Vor 4 Monaten Laugenverätzung. Stenosis oesophagi, stenosierendes Ulcus des Pylorus. Gastrostomie, Pyloroplastik. Heilung.

Johann W., 24 J., Anstreicher aus Posen.

Familienanamnese ohne Belang, Vorleben gleichfalls. Am 18. Aug. 1898 trank Pat. bei fast leerem Magen aus Versehen Natronlauge, etwa 1 Eßlöffel. Sofort danach heftige Schmerzen in Mund und Speiseröhre, Pat. fiel in Ohnmacht. Nach etwa 1 Std. wurde durch einen Arzt der Magen ausgespült. 1 Woche lang Rectalernährung, alsdann erhielt Pat. flüssige Nahrung und auch einiges festes (Zwieback und fingerdicke Schnitten). Nach 2 Wochen Bougierung, unter sehr heftigen Schmerzen; es ging anfangs etwa kleinfingerdicke Sonde durch. Allmählich ging Sondierung und Schlucken schlechter, schließlich ging 2 Tage selbst Wasser nicht hinunter. Dann — seit 2 Wochen — wieder Besserung. Schmerzen bei Schlucken in Kehlkopfhöhe, nach einiger Zeit auch im Magen, häufig Erbrechen, mitunter schwach blutig. Geringer Appetit, kein Hunger und Durst; Speichelfluß. Schwäche, Gewichtsabnahme um 45 Pfd. Urinmenge um 600.

28. Okt. 1898 Aufnahme. Starke Abmagerung, elendes Aussehen, kein Fettpolster, Haut etwas trocken, erhobene Falten langsam vergehend, Gewicht 42,5 kg, mittelgroßer Mann. Lunge, Herz normal, Unterleib auch,

bis auf starke Druckempfindlichkeit des Epigastriums. Rachen, Kehlkopf gerötet, keine Narben, auch nicht im Munde; starker Foetor ex ore. Hämoglobin (Fleischl.) 80—90 Proz. Puls 83, ziemlich klein. Urin 500, 1030, normal.

29. Okt. 1898. Gastrostomie nach WITZEL in der linken Mamillarlinie.

Der Magen selbst erscheint dabei normal.

3. Nov. Bisher wurde Pat. ausschließlich durch die Magenfistel ernährt. Von nun an schluckt er auch ein wenig. Gewicht 40 kg.

3. Dez. Nachdem das Gewicht bis 41,75 gestiegen (am 27. Dez.), fällt es bis 40,75 am heutigen Tage. Der Magen erscheint groß und tiefliegend, es werden 1600 ccm anscheinend gärenden Inhaltes durch die Fistel entleert (letzte Nahrungsaufnahme vor 3 Std.), mikrosk. leider nicht untersucht, Phenolpht. 90, Congo (geleimt) 78, geb. HCl (Alizarin) 10.

Magen von Fistel aus völlig rein gespült, darauf Probefrühstück; nach 12 Std. 570 ccm ausgehoben, dünn, grünlich, geringes Sediment, Phenolpht. 38, Congo (geleimt) 22, geb. HCl 0.

Magen rein gespült, Probefrühstück, nach 1 Std. 880 ccm entleert, makrosk. unveränderte Hafermehlsuppe, geruchlos, Lakmus neutral, Congo 0, HCl Defizit etwa 5 Proz.

6 Std. nach Probefrühstück 610 ccm entleert, Phenolpht. 45, Congo (geleimt) 30.

6. Dez. 1898 Operation (Geheimrat MIKULICZ) in Chloroformnarkose.

Keine Adhäsionen, Magen eher klein, Wand normal dick, Pylorus verengt. Es wird der Magen eröffnet, Arterienklemme geht soeben durch Pylorus hindurch. Schnitt zur Pyloroplastik, 7—8 cm lang. Es besteht ein ringförmiges Ulcus am Pylorus, offen, etwa $1^1/_2$ cm breit, Schleimhaut davor und dahinter normal. Muskulatur am Pylorus stark verdickt, 1 cm stark, nach beiden Seiten zu spindelförmig abnehmend, so daß die Verdickung 4—5 cm breit ist. Sonst kein Ulcus oder Narbe fühlbar, Magen infolge der Fistel schwer abtastbar. Typische Pyloroplastik.

Normale Heilung.

14. Dez. Gewicht 39 kg, reichliche Urinmenge (bis 2500, 1008 spec. Gewicht). 1. Jan. 1899 Gewicht 49 kg, 22. Jan. 1899 Gewicht 53 kg, 29. Jan. 55 kg, 22. Febr. 63,5 kg. Seit dem 26. Dez. 1898 Sondierung ohne Ende des Oesophagus. Pat. wird bisher sowohl durch die Gastrostomie als auch per os ernährt, indem er neben dem im Oesophagus liegenden Drainrohr vorbei schluckt.

Es scheint in diesem Falle ein Magensaftfluß vor der Operation bestanden zu haben; wenigstens sprechen die großen ausgehobenen Mengen, die größer waren als die in den leergespülten Magen eingegebenen, dafür. Daß erhebliche Mengen Spülwasser zurückblieben, ist unwahrscheinlich, indem durch die Gastrostomie leicht eine völlige und sichere Entleerung des Magens möglich war. Leider wurde in diesem Falle nicht speciell auf Hypersekretion untersucht.

Es sind dies 4 Fälle, sämtlich geheilt. Fall 6 und 7 hatte zunächst noch leichte Beschwerden; Fall 8, der schwerste, ist — abgesehen von der Hämatemese sofort nach der Operation — seit der Operation beschwerdefrei.

Bei Fall 6 und 8 könnte man schwanken, ob er nicht besser in die vorige Gruppe einzureihen ist, da obwohl das Ulcus im Pylorus saß, derselbe nur wenig verengt war, kaum mehr als in den Fällen, die wir als nicht stenosierendes Ulcus bezeichnen, und wo keine schwere motorische Störung bestand; eine leichtere war in Fall 6 vorhanden, in Fall 8 überhaupt keine deutliche.

Wegen der Neigung derartiger Geschwüre zur Stenosenbildung ist es doch wohl zweckmäßiger, dieselben bereits den stenosierenden zuzurechnen.

In sämtlichen Fällen bestand vor der Operation Hyperacidität, in einem Falle ohne motorische Störung sogar die höchste (0,41 Proz. auf HCl berechnet). Daß ein Fall keine sehr erhebliche Hyperacidität zeigt, 76, beweist bei der einmaligen Untersuchung, nur nach Probefrühstück, nichts; man sollte eben stets mehrmals prüfen, mindestens auch nach Fleisch, doch ist es nach äußeren Gründen nicht immer möglich. Auch in Fall 7, in dem die Acidität nach der Operation einmal bis auf den Wert 114 stieg, hätten wir bei häufigerer Untersuchung vor der Operation wahrscheinlich ebenso hohe Werte erhalten.

In allen nachuntersuchten Fällen ist die Hyperacidität nach der Operation gesunken, in 2 zur Norm, in einem (Fall 7) zunächst noch nicht zur Norm (8 Wochen nach der Operation), doch wird dies jetzt, nachdem weitere $1^1/_2$ Jahre verstrichen sind, sicher erfolgt sein.

Magensaftfluß war nur in einem Fall nachweisbar und zwar leichteren Grades.

Die Motilität ist in 2 Fällen nach der Operation völlig normal resp. beschleunigt; in dem einen Falle (7), in dem vor der Operation schwere mechanische Insufficienz bestand, ist die Weitergabe der Speisen auch normal, doch wurden 12 Std. nach einem Probemahl noch 75 ccm speisefreier, stark saurer Inhalt gefunden; also bestand hier noch Magensaftfluß. Es wäre interessant, festzustellen, ob dieser Saftfluß im Laufe der Zeit verschwunden ist.

### 3. Offenes, stenosierendes Ulcus. Gastroduodenostomie. 1 Fall.

10) 1 Jahr krank, Magenektasie, Ulcus der kleinen Kurvatur, Fixation und Abknickung des Pylorus. Gastroduodenostomie. Heilung.

Robert W., 25 J., Schlosser, aus Klopschen.

Familienanamnese ohne Belang. Sommer 1897 Beginn des Leidens. Pat. mußte zuweilen erbrechen, nur nach Essen, etwa eine Stunde danach, nie nüchtern, keine Schmerzen. Im Oktober und November Verschlimmerung. Pat. brach häufiger, jeden Abend, obwohl er wenig aß, auch nachts und zwar Speisen, die er den Tag über genossen hatte. Es traten nun auch Schmerzen auf, die mit dem Brechen aufhörten. Sie strahlten von der rechten Seite nach dem Kreuz aus, kein Frost, Fieber, Gelbsucht. November bis Januar mußte Pat. die Arbeit aussetzen. Dann Besserung, das Brechen hörte auf, die Schmerzen ließen nach, Pat. aß alles. Doch bestanden noch andauernd geringe Schmerzen in der rechten Seite. Pat. arbeitete vom Januar bis März, dann nahmen die Schmerzen wieder zu. Pat. brach wieder fast nach jeder Mahlzeit. Blut niemals erbrochen.

Vom 1.—30. April 1898 wurde Pat. in der hiesigen medizinischen Klinik wegen Magenerweiterung mit Magenausspülung behandelt, worauf vorübergehende erhebliche Besserung auftrat.

19. Mai 1898 Aufnahme.

Kräftiger Mann, leidlicher Ernährungszustand, keine Anämie, Zunge belegt, Gewicht 65 kg. Brustorgane normal. Der Leib zeigt äußerlich nichts Besonderes, mäßige Druckempfindlichkeit im Mesogastrium und linken Hypochondrium; kein Tumor fühlbar. Bei Aufblähung große Kurvatur 2 Finger unter dem Nabel.

Pat. fühlt sich recht elend, hat Angst vor Nahrungsaufnahme, Schmerz bei jeder Berührung an der Magengegend, besonders beim Bücken.

1 Std. nach Probefrühstück 150 ccm ausgehoben. Phenolpht. 40, Congo 9, locker gebundene HCl 16, Eisenchl. 0.

12 Std. nach 600 ccm Probefrühstück 20 ccm ausgehoben (Rest nach Goldschmidt ungenau 10—50 ccm) eine Erbse darin, die zwei Tage zuvor gegessen, sauer, Congo schwach. 0 Galle.

12 Std. nach 250 g Fleisch 90 g Semmel, 50 ccm ausgehoben, zahlreiche Erbsen darin, 2 Tage zuvor gegessen; mikrosk. wenig unverdaute Muskelfasern. 0 Amylum, keine Gärung. Phenolpht. 98, Congo 46, Eisenchl. 0.

6 Std. nach demselben Probemahl 150 ccm ausgehoben, Phenolpht. 140, Dimethyl 22, locker gebundene HCl 66, Eisenchl. 0.

Nachdem abends der Magen leer gespült und nachts ein wenig Thee genommen, früh nüchtern 150 ccm leicht galligen Inhaltes ausgehoben, ohne Sediment, Phenolpht. 33, Dimethyl 10, Eisenchl. 0. Leerspülung, Pat. bleibt nüchtern bis zur Operation, kurz vor derselben, nach $4^1/_2$ Std., 100 ccm ausgehoben, wässerig, geht verloren, 0 Galle.

24. Mai 1898 Operation (Geheimrat Mikulicz) in Chloroformnarkose.

Magen steht sehr hoch, fast ganz verdeckt durch Därme, Wand ziemlich dick. Es zeigt sich, daß ein Ulcus zwischen kleiner Kurvatur und hinterer Magenwand besteht, 3 cm vom Pylorus entfernt, Daumenkuppe gerade einlegbar, 15 mm Durchmesser, ziemlich tief, mit Pankreas verwachsen. Der Pylorus ist hoch oben fixiert, kann nicht vorgezogen werden. Das Duodenum ist durch eine Narbe an den Magen herangezogen und mit ihm verwachsen. Auch mit Colon transversum Verwachsungen, die leicht löslich sind. Es besteht ferner ein bindegewebiger Strang, der vom unteren Pylorusrande schräg nach rechts oben über das Duodenum hin zur Leber zieht.

Der Pylorus ist durch seine Fixation in der Höhe abgeknickt, doch ist er für die Kuppe des Zeigefingers vom Duodenum aus durchgängig.

Es wird eine breite Anastomose mittels Naht zwischen dem Magen und dem Duodenum angelegt, etwa 5 cm vom Pylorus entfernt.

Die Heilung geht normal von statten, bis auf einmalige Temperatursteigerung auf 38 am Tage nach der Operation, an demselben galliges Erbrechen.

6. Juni. Pat. steht auf, Gewicht 62,5 kg.

17. Juni. Pat. ißt alles.

25. Juni Entlassung, 65,5 kg Gewicht. Pat. fühlt sich vollkommen wohl und arbeitsfähig. Keine Spur von Magenbeschwerden.

19. Juli 1898. Pat. stellt sich vor. Andauernd leichter Stich in der Narbe, der nach Essen besser wird. Sonst fühlt er nur, wenn er außerordentlich viel ißt, zuweilen einen Stich in der linken Seite. Er fühlt sich kräftig, will in 8 Tagen die Arbeit wieder aufnehmen. Appetit gut, Stuhl regelmäßig. Gesundes Aussehen, Gewicht 68,5 kg. Spur Druckempfindlichkeit der Narbe, sonst keine.

6 Std. nach einer aus Kalbfleisch und Oberrüben bestehenden Mahlzeit 60 ccm ausgehoben, dick, grünes Gemüse darin. Rest (Phenolpht.) 21—29 ccm, Phenolpht. 98—111, Congo 69, Galle 0, Eisenchl. 0.

20. Juli früh nüchtern, 12 Std. nach Probemahl 30 ccm Inhalt, geht verloren, makrosk. reiner Magensaft, leicht grünlich, ohne Speisen und Galle.

Darauf leer gespült, nach $^1/_2$ Std. Probefrühstück, nach $^3/_4$ Std. 52 ccm ausgehoben, Rest (Phenolpht.) 14 ccm, ziemlich dick, 0 Galle, mikrosk. 0, Phenolpht. 8—18, Congo 3, Eisenchl. 0.

6 Std. nach Probemahl 40 ccm ausgehoben, Rest (Phenolpht.) 5,5 ccm, 0 Galle, mikrosk. nichts Besonderes, Phenolpht. 95—119, Congo 53, Dimethyl 32, locker gebundene HCl 45.

Abends Probemahl, nach 12 Std. 26 ccm ausgehoben, Rest (Phenolpht.) 2 ccm, 0 Galle, mikrosk. Kerne, keine Speise, Phenolpht. 76—86, Congo 46, Dimethyl 32, locker gebundene HCl 28, Eisenchl. 0.

2. Nov. 1898. Pat. stellt sich vor. Wohlbefinden, Pat. hat vor 3 Wochen geheiratet. Gew. 69 kg.

6 Std. nach Probemahl 20 ccm ausgehoben, Rest (Phenolpht.) 4 ccm, sehr dick, 0 Galle, mikrosk. normal, Phenolpht. 88—106, Congo 58, Eisenchl. 0.

12 Std. nach Genuß von Wurst und Brot 0 Inhalt aushebbar. 100 ccm Wasser eingegossen, 90 darauf ausgepreßt, hell, Phenolpht. = 3 Proz. Leerspülung, nach $^3/_4$ Std. Probefrühstück, nach $^3/_4$ Std. 33 ccm ausgepreßt, dünn, Rest (Phenolpht.) 5 ccm, 0 Galle, Phenolpht. 39—51, Congo 23, Dimethyl 20, Eisenchl. 0, mikrosk. vereinzelte Hefezellen.

Dieser Fall ist von Herrn Dr. Henle[1]) publiziert, das Nähere über das operative Vorgehen und die Indikation zu dieser Operation ist daselbst zu finden. Es ist dies der einzige geheilte Fall von Gastroduodenostomie (einfache Gastroduodenostomie, ohne gleichzeitigen anderen Eingriff, wie Pylorusresektion), der in der Litteratur zu finden ist. Es existiert überhaupt nur noch ein Fall dieser Operation von Carle[2]); in diesem wurde die Operation mittels Murphy-Knopf ausgeführt — es bestand eine narbige Stenose des Pylorus. Nach vorübergehender Besserung traten von neuem Retentionen und Erbrechen auf, Patient starb 20 Monate nach der Operation an Entkräftung: also ein offenbarer Mißerfolg, an dem doch wohl die nicht ausreichende Weite der Anastomose Schuld trägt.

In unserem Falle bestand vor der Operation schwere mechanische Insufficienz, chronischer Magensaftfluß, starke Hyperacidität — nach der Operation normale Speisenbeförderung, ein leichterer Grad von

1) Centralbl. für Chirurgie, 1898, No, 29.
2) Archiv f. klin. Chirurgie, Bd. 56, 1898, p. 88.

Saftfluß, geringere Hyperacidität, bei zunächst noch geringen Beschwerden. Nachdem diese letzteren nunmehr verschwunden sind, ist mit Bestimmtheit zu erwarten, daß auch die anderen Abweichungen von der Norm verschwunden sind resp. verschwinden werden.

### 4. Offenes, stenosierendes Ulcus. Gastroenterostomie. 9 Fälle.

**11) 3 Jahre magenkrank. Stenosierendes großes Ulcus am Pylorus. Gastroenterostomie. Heilung.**

Auguste G., Wagenmeistersfrau, 53 J., aus Breslau.

Familienanamnese ohne Belang. 3 Geburten. Vor 6—7 Jahren Gallensteinkoliken. Seit 3 Jahren Magenbeschwerden. Zunächst Druck, Völlegefühl, saures Aufstoßen, Sodbrennen, dann Erbrechen, Abmagerung. Pat. begab sich deshalb in specialistische Behandlung. Die von Herrn Dr. Oppler gütigst zur Verfügung gestellten Notizen ergeben: 6. Dez. 1895 großer Magen, nach 12 Std. reichlich Speisereste vorhanden, Hefe, Sarcine. Gesamtacidität nach Probefrühstück 90, Salzsäure 0,22 Proz., 0 Milchsäure. Unter Magenausspülungen und Diät Besserung, vom Januar 1896 ab Wohlbefinden, mäßig strenge Diät und gelegentlich Magenausspülungen. Gewichtszunahme um 30 Pfd. bis auf 134$^1/_2$ Pfd.

Juni 1897 Rückfall, unter Diätfehler; ein starker, 2 leichte Tetanieanfälle; starke Retention des Magens, Gesamtacidität bis 102, Besserung unter Ausspülungen und Rectalernährung.

24. Juni 1897 Aufnahme in die Klinik.

Guter Ernährungszustand. 68 kg Gewicht. Rechts Ren mobilis. Mäßige Druckempfindlichkeit der Magengrube, große Kurvatur in Nabelhöhe, starke Retention. Hyperacidität bis 0,27 Proz.

26. Juni 1897 Operation (Geheimrat Mikulicz) in Chloroformnarkose.

Magen groß. Pylorus fixiert. Incision des Magens. Im Pylorusgebiet ein fast circuläres großes Ulcus mit harter Infiltration; ob Carcinom auf Grund des Ulcus muß offen gelassen werden. Keine Drüsen. Gastroenterostomie (Wöfler) mit Murphy-Knopf.

Normaler Wundverlauf. Einmal Erbrechen am 30. Juni. Seit Operation fehlen die Magenschmerzen. 8. Juli. Pat. steht auf. 12. Juli Entlassung. 67 kg Gewicht. Wohlbefinden.

20. Aug. 1897 Wohlbefinden.

$^3/_4$ Std. nach Probefrühstück 65 ccm ausgehoben, ziemlich stark gallig, Phenolpht. 10, Congo 0, Eisenchl. 0.

11. Mai 1898 Wohlbefinden, 78 kg Gewicht, blühendes Aussehen.

5 Std. nach Kaffee 25 Inhalt, stark gallig, Reaktion amphoter; bei Spülen Gallegehalt zunächst abnehmend, dann wieder zunehmend.

$^1/_2$ Std. nach Probefrühstück 25 ccm ausgehoben, leicht gallig, Rest (Phenolpht.) 54 ccm, Phenolpht. 10—24, Congo 0, HCl. Defizit 32. Locker gebundene HCl unbestimmt. Knopfabgang nicht bemerkt, trotz steten Achtens darauf.

26. Juli 1898. Pat. völlig beschwerdefrei. Nach beliebiger Diät ausgehoben 45 ccm, schwach gallig, Phenolpht. 46—58, Congo 27.

Leer gespült, dann Probefrühstück, nach $^3/_4$ Std. 20 ccm ausgehoben, dick, Spur gallig, Rest (Phenolpht.) 20 ccm, Phenolpht. 54—66, Congo 46, Eisenchl. 0.

Darauf Probemahl, nach 6 Std. 52 ccm ausgehoben, Rest (Phenolpht.) 27 ccm, dick, stark gallig, Phenolpht. 47—62, Congo 20, Eisenchl. 0.

Okt. 1898. Pat. fühlt sich außerordentlich wohl, keine Spur von Magenbeschwerden, Gewicht 85 kg. Pat. hat seit der Operation so an Korperfülle zugenommen, daß ihr dieselbe lästig wird; sie hat andererseits so vorzüglichen Appetit, daß sie das Essen nicht lassen kann. Charakteristisch für ihr Wohlbefinden ist, daß sie sich vor kurzem an ihren früheren behandelnden Arzt, welcher sie auch der Klinik überwiesen hatte, wandte (Herrn Dr. Oppler hier) mit der Bitte, ihr ein Mittel gegen die Körperfülle anzugeben.

**12) Seit 1 3/4 Jahren krank, offenes Geschwür der kleinen Kurvatur. Sanduhrmagen. Gastroplastik, Gastroenterostomie, Enteroanastomose. Heilung (14 Monate nach Operation).**

Wilhelm H., 39 J., Dominiumsschaffer, aus Plattwitz.

Familienanamnese und Vorleben ohne Belang, geringer Potus (1—3 Glas Bier, für 5 Pfg. Schnaps).

Anfang August 1895 traten, allmählich zunehmend, Schmerzen in der Magengrube auf. Weniger im Kreuz, zunächst nur nach dem Essen, bald auch nüchtern, doch nach Essen stets zunehmend. Sie kamen resp. nahmen zu sofort oder bis 1 und 2 Std. nach dem Essen, blieben eine Stunde auf der Höhe, ließen dann langsam nach. Sie waren brennend und stechend, oft so heftig, daß Pat. sich wand. Der Appetit nahm ab, der Stuhl wurde verstopft. 3 Wochen nach Beginn des Leidens begann Pat. zu brechen, täglich 1—5 mal, auch nüchtern, danach stets Erleichterung. Blut wurde nie erbrochen, auch später nicht. Nach im ganzen 2 Monaten besserten sich die Beschwerden, die Schmerzen wurden gering, behielten aber ihren Typus bei. Pat. brach seltener, 1—2—3 mal. Er erholte sich etwas. Ende Oktober 1896 nahmen die Beschwerden wieder zu, Schmerzen und Erbrechen, doch wechselten immer Perioden besseren mit solchen schlechteren Befindens ab. Nur einmal blieb das Erbrechen 3 Wochen lang aus. Pat. war nie frei von Magenbeschwerden. Seit 6 Wochen ist es ganz schlimm. Pat. hat andauernd heftige Schmerzen, nimmt stark ab. Er arbeitet noch, aber es fällt ihm schwer.

13. Mai 1897 Aufnahme.

Kleiner, untersetzter Mann, schlechter Ernährungszustand, Gewicht 49 kg. Hämoglobin 65, Zunge ziemlich stark belegt. Geringes Emphysem und Arteriosklerose.

Der Leib ist im ganzen etwas eingezogen, Epigastrium nicht besonders. Die Inskriptionen des Rectus auffallend gut sichtbar, in der Mitte des linken oberen Rectussegments befindet sich eine markstückgroße, sehr stark druckempfindliche Stelle, das übrige Feld ist weniger empfindlich, der übrige Bauch gar nicht. Man fühlt an dieser Stelle eine geringe Resistenz, die anscheinend nur dem Rectusbauch angehört, der sich bei Berührung anspannt. Keine Enteroptose; große Kurvatur reicht bei Luftaufblähung bis zum Nabel, das ganze Epigastrium wird dabei aufgetrieben, keine besondere Form des Magens. Urin reichlich, normal, wenig Indikan und Skatol.

14. Mai 1897. Nachdem gestern Abend Butterbrot gegessen, heute früh Magen leer bei Aushebung (nicht gespült).

Pat. erhält Probefrühstück, nach 3/4 Std. 100 ccm ausgehoben, ohne Galle, dünn, mikrosk. Amylum, 0 Hefe und Sarcine, wenig Bakterien, keine lange, Phenolpht. 35, Congo 8, Eisenchl. 0.

15. Mai mittags 1 Uhr Leerspülung des Magens; es dauert sehr lange, bis Magen ganz rein, doch nichts Auffallendes dabei. Darauf 250 g Beefsteak, 45 g Semmel, 300 g Wasser. Nach 6 Std. 70 ccm ausgehoben, sehr dick, mikrosk. viel Hefe, wenig kurze Stäbchen, Amylum, vereinzelte angedaute Fleischfasern. Phenolpht. unfiltriert 127, filtriert 128, Congo unfiltriert 12, filtriert 10, Eisenchl. 0.

Nach dieser Aushebung Leerspülung, darauf dasselbe Probemahl.

16. Mai. Nach 14 Std. 3 ccm ausgehoben, mikrosk. wie voriges, Phenolpht. 76, Congo 18, Eisenchl. 0.

Darauf Leerspülung, Probefrühstück, nach $^3/_4$ Std. 75 ccm ausgehoben, ziemlich dünn, 0 Galle, mikrosk. wie oben, Phenolpht. 35, Congo 7, Eisenchl 0.

18. Mai. Gestern Abend Leerspülung, Pat. bleibt nüchtern, heute früh kein Inhalt aushebbar, auch bei Spülen keiner.

Pat. fühlt sich infolge der Magenausspülungen erleichtert, er bricht nicht mehr, Schmerzen unverändert, er drängt auf Operation.

18. Mai 1897 Operation (Geheimrat Mikulicz) in Chloroformnarkose.

Magen ziemlich stark vergrößert, besteht aus zwei Hälften, von denen die orale etwas größer ist; sie sind durch eine starke Einschnürung getrennt, die an der kleinen Kurvatur gelegen ist. Das Lumen des Magens ist an dieser Stelle so weit verengt, daß nur soeben ein Finger mit Magenwand hindurchzuführen ist. Die Magenwand ist deutlich verdickt, kein Unterschied in beiden Hälften. Es wird ein Längsschnitt über die verengte Partie in der vorderen Magenwand angelegt; es zeigt sich, daß an dieser Stelle in der hinteren Magenwand, nahe der kleinen Kurvatur, ein Defekt von Dreimarkstückgröße besteht, ziemlich tief, mit harten Rändern. Grund des Geschwürs fest mit Pankreas verwachsen. Pylorus für Finger durchgängig, er liegt sehr weit nach hinten und kann infolge Fixation des Magens nicht vorgezogen werden.

Es wird eine Gastroplastik ausgeführt, indem obiger Längsschnitt quer vernäht wird; Naht etwa 5 cm lang. Das untere Ende des Schnittes wird offen gelassen, hier eine Gastrojejunostomie antecolica mittels Naht angelegt, 50 cm vom Duodenum entfernt. Alsdann wird eine Enteroanastomose, 15 cm von der Gastroenterostomie entfernt, angelegt, mittels eines kleinen Murphy-Knopfes.

Nach Erwachen aus der Narkose ist Pat. sehr elend, hat stärkere Schmerzen als vor der Operation, doch nur im Epigastrium.

19. Mai weniger Schmerzen als vor der Operation, gegen Abend bricht Pat. in 4 Std. 5 mal, im ganzen 150 ccm dunkelbraunrote Flüssigkeit, ohne Galle; kein Wind oder Stuhl. Wundgegend etwas druckempfindlich, sonst leidliches Befinden.

20. Mai. Pat. bricht noch 5—6 mal, im ganzen 170 ccm. Leib etwas aufgetrieben, viel Singultus, heute einzelne Winde.

21. Mai einige Winde, kein Erbrechen, Wohlbefinden, keine Spur der alten Magenschmerzen.

24. Mai Temperatur 39,3. Hinten links unten drei Finger hohe Dämpfung. Bronchopneumonie.

26. Mai. Pat. fieberfrei.

1. Juni. Pat. steht auf mit Leibbinde. Er ist sehr elend, kann nicht allein stehen. $1^1/_2$ Std. nach Aufstehen tritt heftiger Schmerz im Leibe auf, so daß Pat. laut jammernd zu Bett liegt, Leib aufgetrieben, besonders beide Hypogastrien und linkes Mesogastrium. Einige geblähte Darmschlingen ohne Peristaltik sichtbar. Starke Druckempfindlichkeit hier,

kein Wind und Stuhl seit heute früh, nachdem Pat. seit dem 25. Mai regelmäßig Stuhl gehabt. Nach Einguß und kalter Einpackung Besserung.

2. Juni einzelne Winde. 3. Juni Wohlbefinden.

15. Juni Entlassung. Pat. ist völlig beschwerdefrei, ißt alles, hat Appetit, regelmäßigen Stuhl, Zunge normal, Gewicht 47,5 kg. Knopf nicht abgegangen.

Nachdem Pat. gestern Abend 250 g Beefsteak, 45 Semmel, 400 g Wasser genommen, heute früh Magen leer, bei Aushebung. Beim Spülen mit Wasser kommt klare, intensiv gelbe Flüssigkeit. Eine Spur Gelbfärbung bleibt auch noch nach langem Spülen.

Pat. erhält nach $^1/_2$ Std. Probefrühstück, nach $^1/_2$ Std. 100 Inhalt ausgehoben, derselbe ist von Anfang an gleichmäßig stark gelb, Geruch schwach kotig, Farbe bleibt beim Stehen gelb. Mikrosk. Amylum, mäßig viel kurze Stäbchen, wenig Kerne. Phenolpht. 19, Congo 0, Eisenchl. 0.

18. Juli 1897. Pat. stellt sich vor, andauernd vollkommenes Wohlbefinden. Pat. hat seit der Entlassung leichten Dienst gethan, Leute beaufsichtigt, doch nicht selbst angefaßt. Gewicht 51,5 kg.

Abends zuvor 250 g Fleisch, 45 g Semmel, 200 Wasser, früh nüchtern, darauf einige Tropfen Inhaltes ausgehoben, Phenolpht. 42, Congo 0, Eisenchl. 0. $^3/_4$ Std. nach Probefrühstück 10 ccm ausgehoben, stark gallig, schwach alkalisch.

12. April 1898. Laut brieflicher Mitteilung vollkommenes Wohlbefinden. 20 Pfd. Gewichtszunahme (seit der Erkrankung).

25. Sept. 1898. Pat. stellt sich vor. Völliges Wohlbefinden seit der Entlassung, auch nicht eine Spur Beschwerden. Abgang des Murphy-Knopfes nicht beobachtet. Pat. hat 6 Wochen darauf geachtet, dann nicht mehr. Gesundes Aussehen. 53 kg Gewicht.

1 Std. nach Kaffee und Semmel 5 ccm dunkeln, galligen Breies ausgepreßt, deutlich mäßige Congoreaktion. Darauf Leerspülung, das Spülwasser ist dauernd, noch nach 10 Litern, gallig gefärbt, wechselnd stark. Nach $^3/_4$ Std. Probefrühstück, $^3/_4$ Std. danach 0 Inhalt aushebbar, Spülwasser gallig, ohne Speisen.

$^1/_2$ Std. nach Probefrühstück 27 ccm ausgehoben, Rest (Phenolpht.) 7 ccm, ziemlich dick, gallig, Phenolpht. 24—46, Congo 0, Eisenchl. 0.

Bei diesem Falle ist besonders die Art der Operation hervorzuheben: Nach der Gastroplastik, welche die Stenose zwischen den beiden Magenhälften beseitigte, erforderte der Zustand des Pylorus einen weiteren Eingriff; die Plastik war wegen Fixation desselben nicht angezeigt, deshalb wurde die Gastroenterostomie ausgeführt. diese wieder hatte die Enteroanastomose zur Folge.

13) 27 Jahre krank, schwere Blutungen. Narben und Ulcus am Pylorus. Stenose. Gastroenterostomie. Heilung.

Rudolf K., 53 J., Kaufmann aus Warschau.

Vater war jahrelang magenleidend, ein Bruder starb an Magenkrebs, ein anderer an Magenblutung. Im März 1871 erkrankte Pat. plötzlich ohne Veranlassung mit heftigen Schmerzen in der Magengrube, dieselben hielten 3—4 Tage an, dann war Pat. völlig gesund. Kein Erbrechen, kein Frost oder Fieber. 1873 und seither jedes Jahr solche Anfälle, zunächst einer im Jahr, später meist 2. Dieselben dauerten schließlich auch länger, Schmerz nur in der Magengrube. Anfangs nach Essen Besserung, später nicht mehr. Es trat auch Erbrechen hinzu, nur nach dem Essen, danach erhebliche Erleichterung. Pat. kam dabei nicht herunter. Januar 1893 plötzlich auf der Straße heftiges Blutbrechen, bis zum Auftreten von Ohnmacht; 3 Tage später dasselbe noch einmal, spärlicher. November 1893 wieder zweimal Blutbrechen, dann Januar 1894 zum letztenmal heftiges Blutbrechen. Schwarze Stühle. Vor dieser Blutung waren die Schmerzen besonders heftig. Seit mehreren Jahren spült sich Pat. den Magen gelegentlich aus, da immer von Zeit zu Zeit Erbrechen, besonders nach der Mahlzeit, auftrat. In letzter Zeit spült er sich täglich einmal aus und preßt außerdem noch einmal nachts den Magen leer. In den letzten 3 Monaten Gewichtsabnahme um 8 kg.

19. Mai 1898 Aufnahme in die Privatklinik.

Schlechter Ernährungszustand, Gewicht 60,5 kg, mäßige Arteriosklerose. Leib schlaff, nichts Besonderes fühlbar, keine Druckempfindlichkeit. Große Kurvatur reicht bei Aufblähen 3 Finger unter den Nabel. Sonst innere Organe normal.

Am Abend der Aufnahme 1500 ccm ausgehoben, 0 Blut, 0 Milchsäure, Phenolpht. 70, Congo 27, Eisenchl. 0.

21. Mai 1898 Operation (Geheimrat Mikulicz) in Schleich'scher lokaler Anästhesie.

Magen sehr groß, gute Muskulatur. Pylorus für Finger undurchgängig, zahlreiche Narben am Pylorus und frisches Ulcus an der kleinen Kurvatur, mehr auf Rückseite. Pylorusgegend recht blutreich, empfindlicher als übriger Magen, der Pylorus ist fixiert und infiltriert. Gastroenterostomie antecolica mittels Naht, darauf Enteroanastomose mit Naht, etwa 10 cm entfernt davon.

Verlauf zunächst gut. Nährklystiere. Flatus vom Tage der Operation ab.

25. Mai 1898. Pat. wird plötzlich schwach, leichte Ohnmacht, nach 1 Std. erbricht er blutige Flüssigkeit, schwarz, 200 ccm, ohne Galle.

26. Mai 1898 einmal wenig Blut erbrochen.

29. Mai Stuhl ohne Blut.

31. Mai einmal mäßiges Erbrechen mit wenig Blut, etwas Stuhl, schwarz.

4. Juni Aufstehen.

10. Juni Entlassung, ohne Beschwerde. Pat. ißt leichte Sachen. Gewicht 58,3 kg. Pat. geht nach Carlsbad zur Kur.

Juli 1898. Laut brieflicher Mitteilung völliges Wohlbefinden.

31. Dez. 1898. Briefliche Mitteilung:

August 1898 sehr heftige Magenblutung; Pat. behandelt sich selbst mit Eisumschlägen, zog keinen Arzt hinzu. Er war nur 3 Tage krank. Bald wieder völliges Wohlbefinden, Pat. ißt alles; Gewicht im Juli auf Normalhöhe, jetzt 2 kg darüber.

**14) 5 Jahre magenkrank, mehrere Blutungen, schwere mechanische Insufficienz, Hyperacidität. Großes, mäßig stenosierendes Ulcus der kleinen Kurvatur und hinteren Wand. Gastroenterostomie, Enteroanastomose. Heilung.**

Karl K., 29 J., Stellenbesitzer aus Polnisch Steine bei Ohlau.

Mutter starb an einem Magenleiden, welches zwei Jahre dauerte, mehrfach Erbrechen schwarzer Massen; sonst Familienanamnese und Vorleben ohne Belang.

Im September 1893 erkrankte Pat. mit Druckgefühl am Magen, welches allmählich zunahm; November 1893 traten Schmerzen auf, gleichzeitig Erbrechen, zunächst in der Woche einmal, allmählich häufiger, schließlich täglich einmal. Danach stets Erleichterung. Es kamen bis 12 Std. zuvor genossene Speisen. Starke Gewichtsabnahme. Im Februar 1895 suchte Pat. die hiesige medizinische Poliklinik auf. Während der Behandlung trat 3—4 mal Bluterbrechen auf, jedesmal etwa 2 Eßlöffel; Blut im Stuhl. Alsdann trat Besserung auf. Pat. hatte weniger Schmerzen und brach nur ab und zu. Im Herbst Verschlimmerung der Schmerzen und des Erbrechens. Pat. wurde wieder in der Poliklinik behandelt, wieder Besserung. Februar 1896 wieder Verschlimmerung, Pat. suchte deshalb die medizinische Klinik auf, wo er sich vom 18.—23. Mai befand. Befund damals: Schlechter Ernährungszustand, Gewicht 72,5 kg (großer Mann) Hämoglobin 90. Leib schlaff, Epigastrium etwas eingesunken; Magen perkutorisch bis Nabel, Peristaltik angedeutet. Urin reichlich, normal.

19. Mai 1896. 14 Std. nach letzter Mahlzeit 150 ccm ausgehoben, mikrosk. 0 Gärung, Fleisch verdaut, Amylum nicht gequollen, Phenolpht. 136 (= 0,49 Proz.), Congo, Methylviolett, Günzburg positiv, Eisenchl. 0.

Pat. verließ die Klinik gebessert, befand sich dann leidlich.

Anfang Mai 1898. $^1/_2$ Liter kaffeebrauner Flüssigkeit erbrochen, vorher 1 Eßlöffel roten Blutes. 20. Mai wieder 1 Eßlöffel Blut erbrochen, dabei heftigste Schmerzen, Gewichtsabnahme.

20. Mai 1898 Aufnahme in die medizinische Klinik.

Gewicht 71 kg. Pat. wird mit Milch, Diät und Bismutum subnitr. behandelt; keine Besserung, andauernd Magenüberstauung, häufiges Erbrechen kaffeesatzartiger Massen. Pat. wird deshalb am 11. Juni 1898 in die chirurgische Klinik verlegt.

Großer, kräftiger Mensch; gesunde Gesichtsfarbe, leidendes Aussehen, Gewicht 66,7 kg. Brustorgane normal. Leib etwas aufgetrieben, besonders Magengegend ziemlich stark vorgewölbt, sehr druckempfindlich, besonders schmerzhaft ist eine Stelle rechts von der Mittellinie nahe dem Rippenbogen. Keine Resistenz oder Tumor. Kirschgroßer Nabelbruch, beim Husten vortretend.

11. Juni $^3/_4$ Std. nach Probefrühstück 700 ccm ausgehoben, Phenolpht. 57—64, Congo 34, Eisenchl. 0.

12 Std. nach Probefrühstück 430 ccm ausgehoben, Phenolpht. 76—86, Congo 51.

12. Juni. 5 Std. nach Probemahl 590 ccm ausgehoben, Phenolpht. 120, Congo 15, Eisenchl. 0.

14. Juni 1898 Operation (Geheimrat Mikulicz) in Chloroformnarkose.

Magen sehr groß, an der vorderen Wand, kurz vor dem Pylorus befindet sich eine kleine sternförmige Narbe, die ausstrahlt nach einem an der hinteren Wand und kleinen Kurvatur sitzenden walnußgroßen Infiltrat. Dasselbe ist mit dem Pankreas fest verwachsen, offenbar besteht hier ein offenes großes Ulcus. In Pylorus Finger einlegbar. Infolge der Fixation der Magenwand wird Pyloroplastik nicht ausgeführt, sondern Gastroenterostomie antecolica mittels Naht, außerdem Enteroanastomose, kleinere Oeffnung, gleichfalls mittels Naht.

Die Heilung geht in normaler Weise vor sich, kein Erbrechen. Die ersten 8 Tage hat Pat. noch sehr große Schmerzen, welche er auf die Wunde bezieht, er meint, es sei nicht der frühere Magenschmerz. Dann

Abnahme derselben, beim Aufstehen, 14 Tage nach der Operation, sind sie verschwunden.

9. Juli 1898 Entlassung. Gewicht 66,5 kg. Pat. hat noch andauernd ein gewisses Druckgefühl auf dem Magen oberhalb der Narbe, dasselbe auch im Kreuz; wenn er Fleisch ißt, nimmt der Druck nach einer Stunde zu; andere Dinge, Milch, Eier, Semmel u. s. w. verursachen keine Zunahme. Epigastrium etwas druckempfindlich, Kreuz nicht. Pat. fühlt sich noch nicht kräftiger als vor der Operation, aber erheblich wohler. Guter Appetit, kein Aufstoßen, kein Brechen. Pat. ist wieder lebensfroh.

24. Juli 1898. Pat. stellt sich vor. Im ganzen Wohlbefinden; zuweilen, in der Woche 2—3 mal, verspürt er noch einen ganz leichten quetschenden Schmerz, 2—3 Std. nach dem Essen, denselben bei Bücken. Appetit gut. Pat. genießt alles, außer Bier. Stuhl alle 2 Tage. Gutes Aussehen, Gewicht 75,5 kg.

Nachdem Pat. heute früh 6 Uhr Kaffee und Brot, um $^1/_2$9 Cervelatwurst und Semmel gegessen, ist um 12 Uhr kein Inhalt aushebbar, bei Spülen kommt eine Spur Inhalt, weißliche Flocken ohne Galle; bei weiterem Spülen leicht gallige Flüssigkeit. Die gallige Färbung hört auch bei weiterem Spülen nicht auf.

$^3/_4$ Std. nach Probefrühstück 0 Inhalt, auch bei Spülen.

20 Min. nach Probefrühstück 22 ccm ausgehoben, Rest (Phenolpht.) 56 ccm, mäßig gallig, mikrosk. 0, Phenolpht. 19—29, Congo 0, Eisenchl. 0.

**15) Seit $^5/_4$ Jahren magenleidend. Pylorusstenose durch Ulcus. Schwere mechanische Insufficienz, Hyperacidität. Gastroenterostomie. Heilung.**

Otto H., 58 J., pensionierter Lokomotivführer aus Liegnitz.

Familienanamnese und Vorleben ohne Belang. Vor 13 Jahren war Pat. bereits einmal magenleidend, litt an Magendrücken, war 4 Monate dienstunfähig, Gewichtsabnahme um 15 Pfd. Pat. war im folgenden Sommer in Bad Ems, kehrte vollkommen geheilt zurück, blieb gesund bis Herbst 1894. Seither erkrankt Pat. regelmäßig jeden Herbst mit Magenbeschwerden, die stets um Weihnachten wieder verschwanden. 1896 erbrach Pat. an einem Tage 2—3 mal bräunliche Massen und hatte schwarzen Stuhl.

1897 hörten die Beschwerden bis Weihnachten nicht auf, sondern verschlimmerten sich. Zu dem Magendrücken, Sodbrennen, Speichelfluß trat Erbrechen hinzu, wöchentlich einige Male, meist nach den Hauptmahlzeiten, stets bräunlich oder schwarz. Der Stuhl sah dabei schwarz aus. Pat. suchte schließlich specialistische Behandlung auf. Es wurde Retention, Hyperchlorhydrie gefunden, einmal wurde etwa $1^1/_2$ Liter eines Gemenges von Speise und Blut mittels Sonde entleert. Pat. wurde 3 Wochen mit regelmäßigen Ausspülungen u. s. w. behandelt, dabei besserte sich sein Zustand, die Stagnationserscheinungen ließen nach, das Gewicht nahm um 4 Pfd. zu. Schließlich wurde Pat., da der Arzt eine narbige Pylorusstenose annahm, zur Operation der Klinik überwiesen.

2. Jan. 1898 Aufnahme.

Großer, kräftig gebauter Mann, mäßiger Ernährungszustand, Gewicht 67 kg, geringe Anämie. Mäßiges Lungenemphysem, ziemlich starke Arteriosklerose. Urin normal.

Ziemlich starke Pulsatio epigastrica. Oberhalb und rechts vom Nabel fühlt man einen über daumendicken 3 querfingerlangen, harten, beweglichen Knoten, der mit seiner Längsachse vom Nabel nach rechts oben zieht. Derselbe ist am deutlichsten bei leerem Magen. Bei Aufblähen mit Luft erscheint der Magen sehr groß, große Kurvatur 3 Finger unter Nabel, der Knoten wird dabei undeutlicher.

12 Std. nach abendlichem Genuß von Milch und Semmel früh nüchtern 50 ccm aushebbar, ziemlich klar, wenig Fett und Amylum, Phenolpht. 57 (= 0,21 Proz.), Congo 14 (= 0,16 Proz.).

3/4 Std. nach Probefrühstück 200 ccm ausgehoben, Phenolpht. 38 (= 0,14 Proz.), Congo 36 (= 0,13 Proz.), Eisenchl. 0.

4 Std. nach Probemahl 150 g Beefsteak, 50 g Semmel, 150 g Wasser 150 ccm ausgehoben, mikrosk. etwas Sarcine, vereinzelte Hefe, Phenolpht. 122 (= 0,454 Proz.), Congo 82 (= 0,3 Proz.), Eisenchl. 0.

29. Jan. 1898 Operation (Geheimrat Mikulicz) in Schleich'scher lokaler Anästhesie.

Magen sehr groß. Pylorus fixiert, an ihm ein etwa 2 wallnußgroßer Tumor, mit Pankreas fest verwachsen. Es ist nicht mit Sicherheit zu sagen, ob ein Carcinom vorliegt. Leichte Verwachsungen von Colon transversum mit Flexura sigmoidea. Nach deren Lösung Gastroenterostomia retrocolica posterior mittels Murphy-Knopfes.

Normaler Wundverlauf.

31. Jan. Pat. steht auf. Mäßiges Aufstoßen, sonst Wohlbefinden.

15. Febr. Entlassung, ohne Beschwerden. Pat. ißt Fleisch u. s. w. Gewicht 65 kg.

22. März. Pat. stellt sich wiederum vor. Gewicht 72 kg, keine Spur Magenbeschwerden. Pat. fühlt sich wie zu gesunden Zeiten. Kein Tumor fühlbar.

5 Std. nach Frühstück (Semmel und Kaffee) Magen leer, bei Spülen kommt hellgelbe Flüssigkeit, welche Färbung auch bei weiterem Spülen nicht aufhört, sondern zuweilen noch zunimmt.

3/4 Std. nach Probefrühstück 10 ccm ausgehoben, ziemlich stark gallig, mikrosk. nichts Besonderes, Phenolpht. 63, Congo 30, Eisenchl. 0.

20 Min. nach Probefrühstück 275 ccm ausgehoben, Spur gallig, Rest (Goldschmidt) 22 ccm, Phenopht. 14, Congo 0, Phlorogluein-Vanillin 0, Dimethyl 0, Eisenchl. 0.

17. Mai 1898. Pat. stellt sich vor. Andauernd völliges Wohlbefinden, guter Appetit, Gewicht 74 kg. Kein Tumor.

12 Std. nach Probemahl 0 Inhalt, 100 Wasser eingegossen, 70 ccm kommen heraus, klar, gallig, Spülwasser bleibt es auch weiterhin.

1/2 Std. nach Probefrühstück 163 ccm ausgepreßt, Rest (Phenolpht.) 31 ccm, stark gallig, Phenolpht. 21—29, Congo 0, Dimethyl 4, locker gebundene HCl 1, Eisenchl. 0.

1 Std. nach Probefrühstück 2 ccm ausgepreßt, gallig, Rest (Phenolpht.) 39 ccm, Phenolpht. 9, Congo 0, Eisenchl. 0.

19. Juli 1898. Gewicht 75 kg. Pat., bisher völlig gesund und wohl, klagt seit 8 Tagen über Schmerzen am Magen, Appetitlosigkeit, Uebelkeit, Stuhl erst verstopft, dann diarrhoisch. Beim Ausheben viel Galle im Magen. Pat. spült sich selbst weiter aus.

Okt. 1898. Völliges Wohlbefinden. (Ich verdanke die Mitteilung über diesen letzten Anfall Herrn Dr. Oppler.)

In diesem Falle wurde trotz sorgfältigen Suchens der Knopf nicht gefunden.

Besonders bemerkenswert ist hier das Vorhandensein eines vor der Operation durch die Bauchdecken gut fühlbaren Tumors, welcher bei der Operation in entsprechender Weise sicht- und fühlbar war. Er verschwand schnell nach der Operation, bei welcher es nicht sicher festzustellen war, ob er gut- oder bösartig, und wird also ein gutartiger, auf einer Ulcusinfiltration beruhender, gewesen sein. Derartige Tumoren geben für die Differentialdiagnose oft unüberwindliche Schwierigkeiten. Die Eigentümlichkeit, daß gutartige meist schneller, bösartige langsamer wachsen, läßt oft im Stich, z. B. im vorliegenden Falle wie in vielen anderen, in denen die Patienten von ihrem Tumor nichts wissen, selbst wenn derselbe noch so groß ist.

16) 8 Jahr magenkrank, schwere Magenblutungen. Gastroenterostomie. Besserung.

Heinrich L., 50 J., Kaufmann aus Breslau.

Familienanamnese ohne Belang. 1890 erkrankte Pat. mit Magenbeschwerden, Appetitlosigkeit, Völlegefühl, Schmerzen, Erbrechen, besonders nach dem Essen. 1891 schwere Magenblutung, pechartige Stühle. Pat. kam dabei sehr herunter, erholte sich allmählich, dann Wiederkehr der alten Beschwerden. 1893 Behandlung bei Herrn Professor v. Leube in Würzburg mittels heißer Breiumschläge u. s. w., anscheinend die typische Kur. Dabei trat eine schwere Magenblutung auf, die den Pat. sehr herunter brachte. Pat. hat seither noch die verschiedensten Kuren durchgemacht, August 1896, während eines Badeaufenthaltes, neue Blutung. Seither ist Pat. sehr blaß und elend, hat andauernd Schmerzen in der Magengegend, oft heftig, Druck- und Völlegefühl. Gewicht gesund 70 kg.

28. Okt. 1896 Aufnahme in die Privatklinik.

Starke Abmagerung, kein Fettpolster, Gewicht 49 kg. Wachsbleiches Aussehen, Schleimhäute sehr blaß. Hämoglobin 25 Proz., Puls klein und weich.

Leib, speciell Epigastrium, etwas eingesunken, Pylorusgegend mäßig druckempfindlich. Kein Tumor. Magenaufblähung und Aushebung unterbleibt, wurde im Januar 1896 vorgenommen, damals große Kurvatur 3 Finger unter Nabel. Probefrühstück wurde damals nach 1 Std. unverändert ausgehoben, Gesamtacidität und freie HCl vermehrt. Pat. macht in der Klinik einen schweren Ohnmachtsanfall durch, in dem der Puls bis 200 stieg. Kein Blut per os oder anum abgegangen.

12. Nov. 1896 Entlassung, Operation verweigert.

14. Febr. 1898 neue Aufnahme in die Privatklinik. Pat. hat sich trotz Fortdauer der Beschwerden ziemlich erholt, ist zeitweise seinem Berufe nachgegangen, doch in letzter Zeit wieder Gewichtsabnahme, mehr Beschwerden. Pat. hat sich deshalb zu einem operativen Eingriff entschlossen.

15. Febr. Operation (Geheimrat Mikulicz) in Chloroformnarkose.

Magen recht groß. Pylorus und kleine Kurvatur fixiert durch Narben und ein an letzterer sitzendes Ulcus. Pylorus für Finger nicht durchgängig.

Gastroenterostomia anticolica mittels Murphy-Knopf.

Die Rekonvalescenz geht infolge mehrfach auftretender Schwächezustände langsam von statten.

10. März. Pat. steht auf.

14. März Entlassung; bei leichter Nahrung beschwerdefrei. Gewicht 49 kg.

Knopfabgang nicht bemerkt; Pat. achtete 4 Wochen darauf, dann nicht mehr.

Als Pat. allmählich wieder alles zu essen begann, traten bald wieder Beschwerden auf; zunächst nur Druck, bald auch brennender Schmerz. Im April nahm er seine Arbeit auf; Juli-August befand er sich in Bad Reinerz, daselbst Besserung. Seit Beginn Oktober ist es wieder schlimmer. Bereits früh nüchtern Schmerz, der nach Essen meist zunimmt. Viel Schwindel. Kein Brechen.

24. Nov. 1898. Pat. sieht mäßig wohl aus. Gewicht 52 kg. Appetit mäßig, wenig Aufstoßen, viel Sodbrennen, viel Plätschern in Magengegend. Stuhl verstopft. Magen bei Aufblähen nicht groß und tiefstehend. Epigastrium mäßig druckempfindlich.

$5^1/_2$ Std. nach Probemahl 15 ccm ausgehoben, Rest (Phenolpht.) 100 ccm; Congo geleimt 56, Phenolpht. 66—84, leicht gelbbraun, keine Gallensackstoffnarbe; mikrosk. angedautes Fleisch und Amylum, mäßig viel Bakterien.

12 Std. nach Probemahl, früh nüchtern, 35 ccm ausgehoben, Rest (Phenolpht.) 75 ccm; wenig dick, gelbbraun, schwache Gallensackstoffnarbe. Phenolpht. 13—22, Congo geleimt Spur, filtriert 0, Eisenchl. 0, mikrosk. mäßig viel Hefe, deutlich vermehrt, einzelne eng angedaute Muskelfasern.

Bei Spülen bleibt das Wasser dauernd gelblich gefärbt; es kommen noch lange Speisen, darunter Eistückchen, die 24 Std. zuvor genossen.

$^3/_4$ Std. nach Probefrühstück 118 ccm ausgehoben, Rest 50 (Phenolpht.); ziemlich dick, gelbbraun, keine deutliche Gallensackstoffnarbe, mikrosk. einzelne Hefe. Phenolpht. 21—30, Congo 12, Eisenchl. 0.

Pat. wird mehrere Tage ausgespült: keine Besserung danach. Alsdann bleibt er fort.

**In diesem Falle ist eine Besserung, nicht Heilung eingetreten; und die Funktion des Magens ist nicht zur Norm zurückgekehrt, es besteht noch deutlich motorische Insufficienz, wenn auch geringeren Grades als vor der Operation. Es kann hier Atonie der Magenwand oder nicht ausreichende Weite der Anastomose oder vielleicht auch ein anderer Grund vorliegen.**

**17) Seit 2 Jahren krank, Hämatemese. Mechanische Insufficienz zweiten Grades. Hyperacidität, Hypersekretion. Narbige Stenose des Pylorus, frisches Ulcus. Gastroenterostomie, Enteroanastomose. Heilung. Thrombose der Vena cruralis.**

Thomas K., 29 J., Feldarbeiter aus Staude bei Pleß.

Familienanamnese ohne Belang. Vor 2 Jahren erkrankte Pat. mit heftigen Magenschmerzen, die nicht an die Nahrungsaufnahme gebunden waren. Oefters Erbrechen; einmal wurde viel schwarzes, zum Teil geronnenes Blut erbrochen, dabei Ohnmacht. Danach hörten die Schmerzen und das Erbrechen für einen Monat auf, kehrten in alter Heftigkeit wieder, Pat. brach fast täglich, meist nur wässerige Flüssigkeit, seltener Speisen;

nüchtern selten, Speisen nie. Pat. wurde mit Magenausspülungen und Carlsbader Salz behandelt, Neujahr 1898 neue Magenblutung, Ohnmacht, Stuhl auch schwarz; seither wenig Erbrechen. Die Schmerzen bestehen indes in solcher Heftigkeit fort, daß Pat. zur Operation in die Klinik kommt.

21. Juni 1898 Aufnahme.

Anämischer, abgemagerter Mann, schwächlicher Körperbau, Gewicht 57 kg. Hämoglobin 30. Zunge etwas belegt. Brustorgane normal. Epigastrium zeigt geringe Druckempfindlichkeit, im Kreuz keine.

Bei Aufblähen große Kurvatur 3 Finger unter dem Nabel. Urin normal.

21. Juni abends Probefrühstück in nicht entleerten Magen.

22. Juni. Nach 14 Std. früh nüchtern 1025 ccm ausgehoben, darin Gemüse, Fleisch, Milchgerinnsel, Brot, mikrosk. Hefe, Sarcine, Rest (Strauss) 400 ccm, Phenolpht. 78, filtriert 77, Congo 54, filtriert 56, Dimethyl 54, locker gebundene HCl 1.

Darauf Leerspülung, nach 1 Std. Probefrühstück, nach 1 Std. 800 ccm ausgehoben, 1010 spec. Gewicht, Rest (Strauss), Phenolpht. 62, filtriert 60, Congo 45, filtriert 48, Dimethyl 42, Eisenchl. 0.

22. Juni. Darauf Probefrühstück, nach 8 Std. 770 ccm ausgehoben, Rest (Phenolpht.) 90 ccm, Phenolpht. 59, filtriert 57, Congo 43, filtriert 45, Dimethyl 45, locker gebundene HCl 10, Eisenchl. 0.

23. Juni abends 800 ccm Hafermehlsuppe in entleerten Magen, nach 13½ Std. 435 ccm ausgehoben, Rest (Phenolpht.) 90 ccm, stark gallig, Phenolpht. 63, filtriert 60, Congo 51, filtriert 49, Dimethyl 52, Eisenchl. 0.

Darauf ohne Spülung ½11 früh 150 g rohes Fleisch, ½ Semmel, ein Glas Wasser; ½1 mittags 150 g gebratenes Fleisch, ½ Semmel, ½ Glas Wasser. 8 Uhr abends 750 ccm ausgehoben, Rest (Phenolpht.) 60 ccm, mikrosk. Muskelfasern, zum Teil schlecht verdaut, Amylum, Fett, vereinzelte Hefezellen und Sarcine, Phenolpht. 131, filtriert 113, Congo 70, filtriert 63, Dimethyl 56, locker gebundene HCl 43, Eisenchl. 0.

24. Juni 600 ccm Probefrühstück, nach 12½ Std. 150 ccm ausgehoben, Rest (Phenolpht.) 45 ccm, gallig, Phenolpht. 56, filtriert 52, Congo 43, filtriert 41, Dimethyl 36, Eisenchl. 0.

Darauf 250 g Fleisch, 45 g Semmel, 200 g Wasser; nach 7½ Std. 800 ccm ausgehoben, Rest (Phenolpht.) 120 ccm, Phenolpht. 133, filtriert 114, Congo 68, filtriert 61, Dimethyl 54. Darauf Magen leer gespült, nach 14 Std. früh nüchtern 110 ccm ausgehoben, Rest (Phenolpht.) 170 ccm, schwach gallig, Phenolpht. filtriert 49, Congo 35.

25. Juni. Darauf Operation (Geheimrat Mikulicz) in Chloroformnarkose.

Magen ziemlich groß, 2—3 Finger unter Nabel, Wand sehr dick, Muskulatur kräftig, kontrahiert sich stark. Pylorus hoch oben durch. Narben und Stränge fixiert und abgeknickt, durch Narben stark verengt.

An hinterer Pyloruswand und kleiner Kurvatur frisches Ulcus, welches in den Pylorus zu greifen scheint. Typische Gastroenterostomie mittels Naht. Enteroanastomose.

Zunächst normaler Verlauf; am 9. Juli tritt eine Thrombose der linken Vena cruralis auf, die günstig verläuft. 29. Juli Gewicht 66 kg.

9. Aug. Entlassung, Pat. ißt alles, keine Beschwerden.

Pat. hat keine Spur Magenbeschwerden mehr gehabt. 2 Monate nach der Entlassung bildete sich am linken Unterschenkel ein Ekzem, ferner schwoll dasselbe stärker an. Pat. konnte deshalb noch nicht arbeiten.

30. Dez. 1898. Pat. kommt wegen des Ekzems zur Aufnahme. Er sieht blühend aus, Gewicht 75,5 kg, am 21. Jan. 1899 Gewicht 79,5 kg. Guter Appetit, Stuhl täglich. Magen bei Aufblähen von normaler Größe. Wenn das Leiden am Unterschenkel nicht wäre, so wäre Pat. völlig gesund.

4. Jan. 1899 früh nüchtern, 13 Std. nach Probemahl 25 ccm ausgehoben, Rest (Phenolpht.) 60, stark gelb, mäßig dick, nicht sehr schleimig, mikrosk. einzelne Bacillen, wenig Kerne, Detritus; Phenolpht. 32—41, Congo 25, Eisenchl. 0, Gmelin deutlich.

Leerspülung, nach $^1/_2$ Std. Probefrühstück, nach $^3/_4$ Std. 58 ccm ausgehoben, Rest (Phenolpht.) 74 ccm, leicht gelb, mäßig schleimig, mikrosk. sehr viel zusammenhängendes, normales Cylinderepithel; Phenolpht. 47—61, Congo 38, Dimethyl 34, Eisenchl. 0, Gmelin Spur Hammerschlag 81 Proz. Beim Spülen kommen einige Blutgerinsel; es gelingt nicht, das Spülwasser völlig gallefrei zu erhalten. Der Magen faßt bei geringem Druckgefühl $1^3/_4$ Liter Wasser (ausfließend).

6. Jan. 6 Std. nach Probemahl 0 Inhalt auspreßbar, bei Spülen Spur heraus, gallig.

7. Jan. 6 Std. nach Probemahl 13 ccm ausgehoben, Rest (Phenolpht.) 30, gallig, Phenolpht 25, Congo 15.

8. Jan. 3 Std. nach Probemahl 120 ccm ausgehoben, Rest (Phenolpht.) 170 ccm, mäßig gallig, Phenolpht. 59—69, Congo 26, Eisenchl. 0.

### 18) 14 Jahre Magenbeschwerden, 2 Blutungen. Morphinismus. Offenes Ulcus der hinteren Wand, sanduhrförmige Abschnürung durch Stränge. Gastrolysis, Gastroenterostomie, Enteroanastomose, Heilung.

Carl G., 35 J., Apotheker aus Bremen.

Familienanamnese und Vorleben ohne Belang. Winter 1884 traten, angeblich infolge andauernden Genusses größerer Mengen saueren Moselweines, die ersten Magenbeschwerden auf, Appetitmangel, Schmerzen der Magengegend; Pat. kam herunter. Oktober 1885, 3 Wochen nach Aufnahme in eine Heilanstalt für Magenkranke, schwere Magenblutung, Bluterbrechen, Blut im Stuhl, Ohnmacht. Pat. erholte sich langsam, blieb bis Januar 1896 in der Anstalt. 1897 neue Blutung, weniger schwer. Pat. ist seither nie gesund gewesen. Seine Beschwerden wechselten: bald vertrug er alles Essen, bald Schmerzen nach jeder Nahrungsaufnahme. Pat nimmt seit 10 Jahren Morphium subkutan, angeblich täglich bis 0,3 g. Seit 1893 hebt er sich täglich aus, 1—2 mal. Das mittags Gegessene kommt dabei abends ziemlich unverändert heraus; nach kräftiger abendlicher Mahlzeit enthält der Magen früh nüchtern bald nur klaren Saft, bald wenig, bald viel Speisen. Gelegentlich spült er auch den Magen leer. Pat. kommt mit der Ernährung nicht mehr in die Höhe.

16. Dez. 1898 Aufnahme in die Privatklinik.

Großer, recht magerer Mann, ziemlich starke Anämie, Gewicht 57,8 kg. Haut trocken. Brustorgane, Urin normal. Der Leib zeigt äußerlich nichts Besonderes. Epigastrium mäßig druckempfindlich, in seiner linken Hälfte fühlt man 2 bleistiftdicke, recht empfindliche Stränge. Bei einer Aufblähung überragt die große Kurvatur den Nabel um 2 Finger, der Magen zeigt dabei Sanduhrform mit größerer oraler Hälfte; bei einer andermaligen Aufblähung reicht der Magen bis zum Nabel, zeigt keine Sanduhrform.

6 Std. nach Probemahl 550 ccm ausgehoben, mikrosk. spärliche Hefe,

0 Sarcine, einzelne Stäbchen, keine lange. Phenolpht. 54—70, Congo (geleimt) 34, Dimethyl 50, Eisenchl. 0.

Früh nüchtern, 14 Std. nach Probemahl 100 ccm ausgehoben, leicht gelblich, keine deutliche Gallenfarbstoffreaktion, Phenolpht. 6—16, Congo 0, Lackmus: amphoter, Eisenchl. 0.

1 Std. nach Probefrühstück in den leergespülten Magen 600 ccm ausgehoben, Phenolpht. 26—36, Congo 14, Dimethyl 24, Eisenchl. 0.

Früh nüchtern, 12 Std. nach Probemahl 60 ccm ausgehoben, deutlich GMELIN's Reaktion, schleimig, stark alkalisch, mikrosk. viel Bakterien, auch lange, stellenweise auch viel Hefe. Eisenchl. (Aetherextrakt) 0.

21. Dez. 1898 Operation in Chloroformnarkose (Geheimrat MIKULICZ). Derbe, dicke Stränge, welche von der großen Kurvatur an der vorderen Wand zur Porta hepatis ziehen, teilen den Magen, indem die große Kurvatur an deren Ansatzstelle stark emporgezogen wird, in eine große, orale, kleinere (etwa $^1/_6$) aborale Partie. Sie werden durchtrennt, darauf normale Form. Leichte flache Stränge ziehen ferner kurz vor dem Pylorus zu derselben Gegend der Leberpforte, auch sie werden durchtrennt. Diese beiden Arten von Strängen scheinen nicht die zu sein, welche bei geschlossenen Bauchdecken gefühlt wurden. Der Magen ist groß, schlaff. Der Pylorus steht ziemlich hoch und ist fixiert. Es wird deshalb eine Gastroenterostomia antecolica anterior angelegt, außerdem Enteroanastomose etwa 15 cm unterhalb ersterer. Nach Eröffnung des Magens zeigt es sich, daß der Pylorus verengt ist, indem die Kuppe des Zeigefingers soeben in ihn eingelegt werden kann, nicht durchführbar ist. Auf der hinteren Wand des Magens, etwa 3 cm vor dem Pylorus, befindet sich ein rundes Ulcus von 1 cm Durchmesser, 4—5 mm tief, in die Pankreassubstanz greifend.

Die Heilung geht in normaler Weise von statten. Kein Erbrechen, keine Magenbeschwerden. Pat nimmt Morphium weiter, anscheinend bis 1,0 g pro Tag.

17. Jan. 1899 Entlassung. Gewicht 56 kg. $4^1/_2$ Std. nach Probemahl 30 ccm ausgehoben, Rest (Phenolpht.) 15 ccm, 0 Galle, mäßig viel Hefe, viel Kerne, viel Amylum, wenig angedautes Fleisch; Phenolpht. 51—63, Congo 42, Dimethyl 38, Eisenchl. 0.

Leerspülung. Probefrühstück, nach $^3/_4$ Std. 8 ccm ausgehoben, Rest (Phenolpht.) 9 ccm, mikrosk. normal, Phenolpht. 60—76, Congo 46, Spur gallig, GMELIN auf Filter positiv.

In diesem Falle ist es möglich, daß der Morphiumgenuß mit von Einfluß auf die Magenfunktion war, dann wohl herabsetzend auf dieselbe wirkte, speciell auf die Acidität.

19) Seit 11 Monaten krank, schwere mechanische Insufficienz. Hyperacidität. Pylorusstenose. Gastroenterostomie; zunächst Besserung, dann Rückfall, Fortdauer der motorischen Insufficienz und Hyperacidität.

Ignaz S., 34 J., Arbeiter, aus Pakosch.

Vorleben ohne Belang. Seit November 1896 Magenbeschwerden, Speichelfluß, Brennen in der Magengegend, bei leerem Magen geringere Beschwerden.

Weihnachten 1896 trat Uebelkeit, Aufstoßen, Erbrechen hinzu, welches bald täglich 2—3 mal erfolgte. Starke Abmagerung (14 Pfd.). Arbeitsunfähigkeit. Diätetische und medizinische Behandlung ohne Erfolg. Vom 30. Aug. bis 13. Okt. 1897 befand sich Pat. im Posener Krankenhaus, wurde mit Magenausspülungen behandelt, dabei geringere Besserung.

15. Okt. 1897 Aufnahme in die Klinik.

Mäßiger Ernährungszustand, Gewicht 58 kg. Brustorgane normal. Urin normal. Stuhl alle 2 Tage. Epigastrium mäßig druckempfindlich, Kreuz nicht. Kein fühlbarer Tumor. Große Kurvatur 3 Finger unter dem Nabel. Zunge stark belegt.

1/2 Std. nach Leerspülung des Magens Probefrühstück, nach 3/4 Std. 325 ccm ausgehoben, wenig Hefe, vereinzelte Sarcine, Phenolpht. 80 (= 0,293 Proz.), Congo 35 (= 0,128 Proz.), Eisenchl. 0.

Abends leergespült, nach 1/2 Std. 250 g Fleisch, 75 g Brot, 300 g Wasser, nach 12 Std. 300 ccm ausgehoben, ziemlich dick, mikrosk. Fleischfasern, stark angedaut, ziemlich viel Hefe, 0 Sarcine, vereinzelte kurze Stäbchen, Phenolpht. 85 (= 0,310 Proz.), Congo 45 (= 0,164 Proz.), Eisenchl. 0.

Magen abends leer gespült, nach 12 Std. 20 ccm ausgehoben, Spur grünlich, 0 Galle, geht verloren.

18. Okt. 1897 Operation (Geheimrat Mikulicz) in Chloroformnarkose.

Magen groß, Pylorus hinten und oben fixiert, jedenfalls durch dort sitzendes Ulcus. Kein Tumor. Pylorus höchstens für Kornzange durchgängig, Pyloroplastik wäre nur schwer ausführbar, deshalb Gastroenterostomia antecolica mit Murphy-Knopf.

Normaler Verlauf.

31. Okt. 1897. Pat. steht auf.

2. Nov. Entlassung. Gewicht 59 kg. Schwächegefühl, sonst Wohlbefinden, guter Appetit, Pat. ißt bereits Fleisch, Semmel, Mehlspeisen.

Pat. hat sich zunächst vollkommen wohl gefühlt, er aß fast alles, auch Kartoffeln, ohne Beschwerden, noch nicht Erbsen, Kohl u. dergl. Gearbeitet hat Pat. noch nicht; er genoß volle Invalidenrente. Anfang Februar 1898 traten von neuem Magenbeschwerden auf, zunächst Brennen, nach 8 Tagen auch Erbrechen, welches schließlich täglich 1 mal, selten öfters erfolgte, dabei ziemlich viel Durchfall, bis 6 mal pro Tag.

Am 5. Mai 1898 wurde Pat. auf Veranlassung der Invalidenversicherungsanstalt zur Feststellung des Heilungsresultates wieder in die Klinik aufgenommen.

Pat. sieht leidlich aus, Gewicht 61,6 kg. Zunge leicht belegt. Subjektiv fühlt sich Pat. wie vor der Operation. Er behauptet, nicht arbeiten zu können. Magen groß wie vor der Operation, mäßige Druckempfindlichkeit des linken Hypochondriums. Narbe normal. Pat. wird mit regelmäßigen Magenausspülungen behandelt, ferner mit Diät, Massage. Es wird dabei oft der Mageninhalt untersucht.

5. Mai abends, nach beliebiger Diät mittags, 1 Liter Inhalt ausgehoben, etwas gallig, dick, leicht vergoren riechend, viel Hefe; nach Leerspülung Probefrühstück.

6. Mai früh nüchtern, nach 12 Std., 45 ccm ausgehoben, etwas gallig, Phenolpht. 54—96, Congo 26, Eisenchl. 0, mikrosk. Amylum, ziemlich viel Hefe.

Leer gespült, nach 1/2 Std. Probefrühstück, nach 50 Min. 35 ccm ebensolchen Inhaltes ausgehoben, Phenolpht. 40—60, Congo 30, Eisenchl. 0.

7. Mai abends, 6 Std. nach beliebiger Diät, 765 ccm ausgehoben, mit Spuren Galle, 3 schichtig. Oben dünne Schicht, weißlich, enthaltend

Fett, vereinzelte Sarcine; mittlere ziemlich klar, sehr hohe Schicht; untere breiig, mäßig hoch, enthält viel Sarcine, Hefe und Bakterien. Die klar abgesetzte Flüssigkeit zeigt Phenolpht. 107—123, Congo 45, Dimethyl 40, locker gebundene HCl 17, Eisenchl. 0.

Leerspülung, danach Probemahl, nach 12 Std. am 8. Mai Magen leer, bei Spülen kommen einzelne wenige Bröckel; nach 1/2 Std. Probefrühstück, nach 3/4 Std. 23 ccm ausgehobon, ohne Galle, wenig Hefe, Rest (Goldschmidt) 30 ccm, Phenolpht. 56—68, Congo 46, Eisenchl. 0.

9. Mai mittags ausgehoben nach beliebiger Diät, 500 ccm, etwas gallig, wenig Hefe, Phenolpht. 93—116, Congo 44.

Leerspülung, nach 1/2 Std. Probemahl, nach 6 Std. 100 ccm ausgehoben, Spur gallig, dick, mikrosk. einzelne Hefe, Bakterien und Stäbchen, 0 Sarcine, viel Fleischfasern in den verschiedenen Stadien zu Grunde gehender Querstreifung, Phenolpht. 105—127, Congo 60, Eisenchl. 0.

10. Mai. Leerspülung, mittags Probemahl, nach 4 Std. 105 ccm ausgehoben, Spur gallig, Rest (Goldschmidt) 42 ccm, (Strauss) 50 ccm, Phenolpht. 95, Congo 45, Eisenchl. 0.

11. Mai nach beliebiger Diät 200 ccm ausgehoben, Phenolpht. 116—130, Congo 57, Dimethyl 70, Spur gallig.

13. Mai. Abends zuvor leergespült, Pat. bleibt nüchtern, nach 12 Std. 67 ccm ausgehoben, Spur gallig, grün, mikrosk. mäßig viel Hefe, Kerne. Rest (nach Strauss) 57 ccm, (Phenolpht.) 59 ccm, Phenolpht. 59—73, Congo 42, Dimethyl 44, locker gebundene HCl 8, Eisenchl. 0

22. Mai früh nüchtern, 12 Std. nach Probemahl 0 Inhalt ausgehoben, darauf 100 ccm Wasser eingegossen, 67 ccm ausgepreßt mit 2 Proz. Gesamtacidität, also sicher nur wenig Inhalt.

Nach 1/2 Std. Probefrühstück, nach 3/4 Std. 300 ccm ausgepreßt, Rest (Strauss, Phenolpht.) 80 ccm, Phenolpht. 66—77, filtriert 60,5—74, Congo ungeleimt 39, filtriert 39,5, Congo geleimt 52,5, Dimethyl 53, locker gebundene HCl 6, Eisenchl. 0.

23. Mai in entleerten Magen Probefrühstück, nach 3/4 Std. 110 ccm ausgepreßt, Rest (Phenolpht.) 27 ccm, (Strauss) 83 ccm, Phenolpht. 66—82, filtriert 58—77, Congo geleimt 55, ungeleimt 47, Dimethyl 46, gebundene HCl 6, Eisenchl. 0.

30. Mai 1898. Pat. wird auf seinen Wunsch entlassen. Unter der Behandlung besserte sich das subjektive Befinden des Pat. überhaupt nicht. Objektiv war eine gewisse Besserung zu konstatieren. Pat. sah besser aus, das Gewicht stieg bis auf 64 kg bei der Entlassung. Erbrechen erfolgte seltener, doch noch fast täglich einmal. Ein neuer operativer Eingriff, der dem Pat. angeraten wurde, wurde, angeblich aus Furcht, verweigert. Pat. macht im ganzen entschieden den Eindruck, als wenn er seine Beschwerden übertriebe und die Operation hauptsächlich deshalb verweigerte, um in dem Besitz der Rente zu bleiben.

19. Juli 1898. Laut brieflicher Mitteilung ist der Zustand unverändert. Pat. hat guten Appetit, er verträgt aber nur Milch und Semmel, sobald er anderes ißt, hat er Magendrücken und Schmerzen, Erbrechen. Es besteht andauernd leichter Durchfall, Pat. kann nicht arbeiten, nicht einmal auf einem Wagen fahren, Gewicht 65,5 kg.

Es ist zweifellos, daß in diesem Falle die Gastroenterostomie nicht von dem gewünschten und gewohnten Erfolge begleitet gewesen ist. Es bestehen, abgesehen von den subjektiven Erscheinungen, deutliche solcher motorischer und chemischer Insufficienz; besonders auffallend ist in diesem Falle der Wechsel in der Motilität des Magens, bald, z. B. am 6. und 21. Mai, normale oder doch fast normale Entleerung des Magens, bald wieder enorm starke Verlangsamung, z. B. am 25. Mai, unter denselben Bedingungen.

Es spricht dies wohl mit großer Bestimmtheit dafür, daß hier ein Hindernis an der Anastomose zwischen Magen und Darm sitzt, einfache Atonie anzunehmen, liegt kein Grund vor, da erfahrungsgemäß Atonie bei genügend weiter Gastroenterostomose, bei der die Speisen ziemlich am tiefsten Punkt des Magens denselben verlassen, keine derartige Verzögerung der Entleerung abgiebt. Der Wechsel in der Motilität läßt es möglich erscheinen, daß vielleicht kein stabiles Hindernis, wie narbige Verengerung, vorliegt, sondern ein Klappenmechanismus, der nicht immer gleichmäßig funktioniert. Einem Fehler bei der Operation wird man nicht die Schuld geben können; die Gastroenterostomie wurde ausgeführt, wie in anderen Fällen, die günstiges Resultat lieferten. Ihre Stelle war zu weit von dem Ulcus entfernt, als daß dessen Schrumpfung auf die Anastomose einwirken könnte. Die Anwendung des großen Murphy-Knopfes widerlegt auch den bei der Naht möglichen Einwurf, daß die Anastomose vielleicht nicht genügend groß angelegt worden wäre.

Am zweckmäßigsten wäre es jedenfalls, in einem solchen Falle durch einen neuen Eingriff die Ursache aufzudecken und das Hindernis zu beseitigen, sei es durch eine Gastroenteroplastik, wie dies zuerst von Mikulicz [1]), später von Czerny [2]) geschehen ist, sei es durch einen anderen Eingriff.

Nicht ganz undenkbar, wenn auch unwahrscheinlich, ist es, daß der Murphy-Knopf im Magen läge und die Beschwerden verursache. Jedenfalls ist von seinem Abgange nichts bemerkt worden, weder in der Klinik, noch angeblich zu Hause; doch ist es zweifelhaft, ob Pat. zu Hause genügend darauf geachtet hat.

Immerhin beweist dieser Fall, daß auch nicht alle Fälle von Gastroenterostomie ein befriedigendes Resultat ergeben.

20) 3 Jahre krank, zahlreiche kleine Blutungen. Schwere Magenüberstauung. Ulcus, Tumor des Pylorus, Stenose. Gastroenterostomie. Enteroanastomose. Heilung.

Mathias T., 42 J., Landwirt aus Zitno.

Seit Geburt hochgradiger Klumpfuß, sonst Familienanamnese und Vorleben ohne Belang. Vor 3 Jahren traten Schmerzen in der Magengegend

1) l. c. p. 252, Fall 37, siehe auch Chlumský, Ueber die Gastroenterostomie. Beiträge zur klin. Chirurgie, Bd. 20. 1898, p. 246 (Fall 59) und p. 252.

2) Steudel, Chirurgenkongreß 1898, p. 194.

nach der Nahrungsaufnahme auf; dieselben waren zunächst gering, nahmen allmählich zu, waren bald auch vor dem Essen bereits vorhanden und quälten Pat. schließlich Tag und Nacht. Bald begann Pat. auch zu brechen, anfangs 1—2 mal pro Woche, später täglich, nur nach dem Essen; öfters enthielt das Erbrochene Blut. Starke Gewichtsabnahme; Stuhlverstopfung. Pat. wurde mit vorübergehendem Erfolge intern behandelt.

22. Jan. 1899 Aufnahme.

Mittelgroßer, mäßig kräftig gebauter Mann, geringes Fettpolster. Ziemlich starke Anämie. Starke Demenz. Gewicht 61 kg. Brustorgane normal. Der Leib ist im ganzen leicht eingesunken. Epigastrium ist ziemlich stark druckempfindlich; man fühlt in seiner Mitte eine unbestimmte Resistenz. Bei Aufblähen große Kurvatur am Nabel. Keine Peristaltik; Resistenz undeutlicher.

12 Std. nach beliebiger Diät 500 ccm ausgehoben, viel Speisereste, nicht weiter untersucht.

6 Std. nach Probemahl 750 ccm ausgehoben, Rest (Phenolpht.) 375 ccm, mikrosk. ziemlich starke Hefegärung, 0 Bacillen, 0 Galle, Amylum, Fleischfasern in allen Stadien der Verdauung. Phenolpht. 104—122 Proz., Congo 78 Proz., Dimethyl 66 Proz., locker gebundene HCl (Alizarin) 20, Eisenchl. 0, Hammerschlag = 66 $^2/_3$ Proz.

1 Std. nach Probefrühstück 350 ccm ausgehoben, Rest (Phenolpht.) 133 ccm, dünn, 0 Galle, mikrosk. viel Hefe, einzelne Sarcine, spärliche Stäbchen, Phenolpht. 20—28, Congo 16, Eisenchl. 0, Hammerschlag = 28 Proz.

26. Jan. 12 Std. nach Leerspülung und Pressung, früh nüchtern 220 ccm ausgehoben, Rest (Phenolpht.) 300 ccm, (Strauss) 266 ccm, Spec. Gewicht 1007, 0 Galle, mikrosk. einzelne Hefezellen, mäßig viel Kerne, Phenolpht. 44—54, Congo 30, Eisenchl. 0.

26. Jan. 1899 Operation (Geheimrat Mikulicz) in Chloroformnarkose.

Das S. romanum bildet eine sehr lange Schlinge, welche dicht am Pylorus liegt. Der Magen ist mäßig stark vergrößert, Wand deutlich verdickt. Es besteht ein kleinfaustgroßer Tumor an der hinteren Wand des Pylorus, etwa $^2/_3$ dessen Umfang einnehmend; die vordere Wand erscheint verdickt, sonst normal. Durch sie hindurch fühlt man in der Mitte des Tumors, also in der hinteren Pyloruswand, einen Defekt von 10 Pfennigstückgröße, offenbar ein offenes Ulcus. Das Infiltrat ist mit dem Pankreas verwachsen und geht in dessen Substanz über. Da der Pylorus hoch oben fixiert ist und nicht herabgezogen werden kann, ist eine Pyloroplastik unmöglich; es wird eine typische Gastroenterostomia antecolica anterior angelegt, ferner eine Enteroanastomose, 10 cm unterhalb ersterer; beide mittels Naht. Es wird versucht, von der Magenöffnung aus den Finger in den Pylorus zu führen; dies ist nicht möglich, der Pförtner ist stark verengt.

Heilungsverlauf normal. Kein Erbrechen, kein Schmerz.

29. Jan. Pat. steht trotz Verbot auf.

5. Febr. Pat. steht von heute ab täglich auf. Völliges Wohlbefinden, Pat. hat bereits Fleisch gegessen. Gewicht 57 kg.

13. Febr. 1899. Entlassung. Pat. ist den ganzen Tag auf; er ist absolut beschwerdefrei, hat sehr großen Appetit, Gewicht 60 kg.

12 Std. nach Probemahl, früh nüchtern, 40 ccm ausgehoben, Rest (Phenolpht.) 20 ccm, mäßig gallig, gelb, bald grün werdend, schleimig, mikrosk. Fett, Amylum, Kerne, 0 Gärung. Phenolpht. 30—40, Congo 20, Dimethyl 10, Alizarin 8 Proz., Eisenchl. 0.

3/4 Std. nach Probefrühstück 120 ccm ausgehoben, Rest (Phenolpht.) 33, schwach gallig, mikrosk. Amylum, 0 Gärung. Phenolpht. 68—78, Congo 42, Dimethyl 50, Alizarin = — 2! Hammerschlag 83,4 Proz., Eisenchl. 0.

6 Std. nach Probemahl 110 ccm ausgehoben, Rest (Phenolpht.) 100, Spur Galle, mikrosk. Fleisch, Amylum, Fett, viel Hefe; Phenolpht. 108—122, Congo 62, Dimethyl 54, locker geb. HCl (Alizarin) 22, Eisenchl. 0, Hammerschlag 94,5 Proz.

In diesem Falle besteht also nach Gastroenterostomie noch deutliche motorische Störung und Hyperacidität, bei Beschwerdefreiheit. Genau genommen ist die gefundene mechanische Insufficienz eine schwere, indem im Magen früh nüchtern, 12 Stunden nach der angeblichen letzten Einnahme (Fleisch, Amylum, Fett) noch Speisereste zu finden sind (Amylum, Fett).

Indes ist zu bedenken, daß 1) das gefundene Quantum ein geringes ist, 40 ccm + 20 ccm Rest, und daß geringe Speisereste wohl gelegentlich — zumal bei unebener Magenwand — länger im Magen verweilen können als der Motilitätsstörung entspricht; daß 2) es sich um eine Gastroenterostomie handelt, bei der die Speisen auch nach Verlassen des Magens nachträglich wieder in denselben gelangt sein können; daß 3) Patient T. außerordentlich unzuverlässig und dement ist, mehrfach bei Diätvergehen ertappt wurde und vielleicht trotz der ärztlichen Anordnung und seiner Versicherung nicht nüchtern war.

Es sind dies 10 Fälle von Gastroenterostomie. In sämtlichen fand diese Operation aus dem Grunde Anwendung, weil eine Kontraindikation zur Ausführung der Pyloroplastik bestand.

8 der Fälle sind geheilt, 1 ist ungeheilt (Fall 19); 1 ist gebessert (16).

In allen Fällen bestand bei der Operation eine Stenose des Pylorus und eine Vergrößerung des Magens. In 9 Fällen bestand Hyperacidität, in einem davon nur geringe, 70 Proz., in diesem konnte nur 1 mal darauf untersucht werden; in 6 Fällen stieg die Acidität bis über 100, also auf außerordentlich hohe Werte, die allerdings meist nur nach Fleischgenuß erreicht wurden. In allen Fällen — den einen ungeheilten ausgenommen und Fall 20 — ging die Acidität nach der Operation zurück, zur Norm oder unter dieselbe; in Fall 20 fand die Nachuntersuchung kurz nach der Operation statt.

Auffallend gering war die motorische Störung in dem Falle von Sanduhrmagen (12), bei bestehender hoher Acidität und bei einer ziemlich starken Stenose im Inneren des Magens. In allen anderen Fällen bestand mechanische Insufficienz schweren, zweiten Grades. Nach der Operation war die Motilität in 3 Fällen beschleunigt, in 3 Fällen normal, in den ungeheilten unverändert, d. h. es bestand die schwere Störung fort.

Magensaftfluß bestand in einigen der Fälle, in den meisten wurde nicht daraufhin untersucht.

In 2 Fällen (14 und 17) ist zu bemerken, daß nach dem Probefrühstück von 400 ccm meist mehr ausgehoben wurde als eingegeben, und zwar bis um 400 ccm mehr. Wenn auch Magensaftfluß in dem einen Falle nachgewiesen wurde, in den anderen wahrscheinlich bestand, so ist doch wohl anzunehmen, daß in diesen Fällen Spülwasser von der vorausgegangenen Ausspülung im Magen geblieben ist; die Werte sind zu hoch, als daß sie auf Sekretion des Magens zu beziehen wären, wenn wir auch seit MERING wissen, wie beträchtliche Mengen Flüssigkeiten bereits der normale Magen abzusondern imstande ist.

### 5. Offenes, stenosierendes Ulcus. Resectio pylori. 1 Fall.

21) Seit $2^1/_2$ Monat krank, Brennen und Druck in Magengrube, später Erbrechen, Blutungen (?). Mechanische Insufficienz zweiten Grades, normale Acidität. Ulcus, Tumor. Resectio pylori. Tod nach 2 Tagen. Pankreasnekrose.

Heinrich H., 44 J., Weichensteller aus Niederadelsbach.

Familienanamnese, Vorleben ohne Belang. Anfang Juni d. J. erkrankte Pat. mit Brennen in der Magengrube, seit Mitte Juli verträgt er besonders Fleisch und Brot schlecht. Seit Anfang August ist statt des Brennens ein unangenehmer Druck vorhanden, nach jeder Mahlzeit. Seit 14 Tagen besteht Erbrechen, zuerst alle zwei, dann jeden Tag. Vor 2 Tagen — bis dahin hat Pat. Dienst gethan — trat plötzlich große Schwäche auf, weshalb er vom Arzt in die Klinik geschickt wurde. Stuhl seit 4 Wochen verstopft, seit 8 Tagen soll er schwarz sein.

25. Aug. 1898 Aufnahme.

Großer, kräftig gebauter, muskulöser Mann, geringes Fettpolster, Gesicht und Schleimhäute normal gefärbt. Brustorgane zeigen nichts Besonderes. Der Leib äußerlich auch nichts. Epigastrium etwas druckempfindlich. Unbestimmte Resistenz in der Tiefe, etwas rechts von der Medianlinie, in der Gegend der Druckempfindlichkeit. Große Kurvatur bei Aufblähen zwei Finger unter dem Nabel. Urin normal, nicht vermindert.

Bei Aufnahme 230 ccm ausgehoben, schwärzlich-rot, mikrosk. rote Blutkörperchen, mäßig Hefegärung, Phenolpht. 38—48, Congo 29, Dimethyl 24, Eisenchl. 0.

1 Std. nach Probefrühstück 400 ccm ausgehoben, Phenolpht. 5—7, Congo 0, Eisenchl. 0.

12 Std. nach Probemahl 120 ccm ausgehoben, leicht grünlich, ohne Galle, mikrosk. Amylum, angedaute Fleischfasern, keine Gärung. Phenolpht. 54—68, Congo 59, locker gebundene HCl 2.

27. Aug. 1898 Operation (Dr. HÜBENER) in Chloroformnarkose.

Magen sehr groß, fast walnußgroßer harter Tumor des Pylorus, cirkulär, mit Pankreas verwachsen. Pylorus für Kornzange kaum durchgängig. Eine Drüse im großen Netz, ziemlich hart. Es wurde ein Carcinom als wahrscheinlich angenommen und deshalb zur Resektion des Pylorus geschritten. Art. pankreat. angerissen und unterbunden. Verschluß des Duodenums nach DOYEN, des Magens mit Naht. Typische Gastroenterostomia antecolica mittels MURPHY-Knopfes, 4 Finger von der Naht entfernt, nahe der großen Kurvatur an Vorderwand. Enteroanastomose mit Naht, sehr weit.

28. Aug. bis 3 Uhr nachmittags Wohlbefinden, darauf Erbrechen, schließlich deutlich blutig, Kochsalzinfusion, Kampher.

29. Aug. 2 Uhr mittags Exitus.

30. Aug. Autopsie. Magen stark gebläht, derselbe und obere Jejunumschlingen mit Blut gefüllt. Partielle Nekrosen im Pankreas. Ein Thrombus an der Gabelung der Art. duodenal. und pancreatica.

Die Untersuchung des Tumors ergiebt, daß es sich um ein altes Ulcus handelt, alte bindegewebige Stränge darin, dazwischen Rundzelleninfiltration.

Es ist dies einer der Fälle, in denen während der Operation nicht mit Sicherheit ein Carcinom ausgeschlossen werden kann und deshalb der schwerere Eingriff, die Resektion, indiziert ist. Sonst ist in den zwei letzten Jahren auf der Klinik kein Fall von gutartiger Erkrankung zur Resektion gekommen.

## 6. Narbige Pylorusstenose. Pyloroplastik.

22) 14 Monate krank. Schwere mechanische Insufficienz. Hyperacidität. Narbenstenose des Pylorus. Pyloroplastik. Heilung.

Adalbert W., 37 J., Dominiumarbeiter aus Augustinowo.

Familienanamnese und Vorleben ohne Belang. Das Leiden begann im Mai 1896 mit Brennen im Leibe, beiderseits bis zu Nabelhöhe und im Kreuz. Es war fast andauernd da, nach dem Essen stets Zunahme. Nach 8 Tagen Erbrechen, schließlich 4 mal pro Tag, nur nach dem Essen, meist nach $^1/_4$—2 Stunden, nie nüchtern, vorher Zunahme der Schmerzen, danach Aufhören derselben für etwa 10 Min., dann Wiederkehr. Nie Galle oder Blut erbrochen, doch war angeblich im Beginne der Krankheit, im ganzen 6—7 mal, der Stuhl schwarz, so daß Pat. selbst es für Blut hielt. Gewichtsabnahme. Stuhl ziemlich stark verstopft, ohne Mittel einmal pro Woche. Seit August 1896 ist Pat. arbeitsunfähig, liegt meist zu Bett. Vom 9.—26. Mai 1897 befand sich Pat. im Posener Krankenhaus, wurde durch tägliche Magenausspülungen und Diät gebessert, das Brechen hörte auf. Gewicht damals 52 kg. Zu Hause spülte Pat. sich den Magen weiter aus. Die Besserung hielt aber nicht an. Vom 18. Juni bis 19. Juli befand sich Pat. im polnischen Lazarethe zu Posen.

20. Juli 1897 Aufnahme.

Großer, schlecht genährter Mann, 59 kg Gewicht. Zunge wenig belegt, feucht. Geringe Arteriosklerose und Emphysem.

Der Leib ist im ganzen eingesunken, besonders das Epigastrium, Gegend unterhalb des Nabels etwas aufgetrieben. Leib weich, Decken schlaff. Man fühlt in Nabelhöhe, bald etwas höher, bald tiefer eine quere harte Leiste, die nach rechts als zum äußeren Rectusrand, nach links weniger weit reicht. Dieselbe wird durch die Aorta pulsatorisch gehoben, sie ist ziemlich stark druckempfindlich, der übrige Magen hingegen wenig. Kein Druckpunkt im Kreuz. Bei Aufblähung des Magens mit Luft bleibt das Epigastrium eingesunken, die kleine Kurvatur steht an der Grenze von mittlerem und unterem Drittel zwischen Nabel und Proc. xiph., die große Kurvatur steht zunächst zwei Finger unterhalb des Nabels und steigt schließlich bis zwei Finger oberhalb der Symphyse herab. Der Tumor verschwindet dabei vollständig, keine Peristaltik. Wasser faßt der Magen, ohne irgend erhebliches Druckgefühl, 4 Liter, dieselben fließen dann wieder ab.

Keine allgemeine Enteroptose. Urinquantum um 1000, 1020 spec. Gewicht, sonst normal. Stuhl stark verstopft.

23. Juli früh nüchtern, abends zuvor 250 g Beefsteak, 100 Brot, 300 Wasser in dem nüchternen Magen erhalten, 400 ccm ausgehoben, stark gegoren riechend, mikrosk. viel Hefe, einzelne Sarcine, wenig andere Bakterien, Amylum, Fett, mäßig angedaute Fleischfasern, Phenolpht. 77, Congo 29, Eisenchl. 0.

24. Juli. Abends zuvor Magen leer gespült, früh nüchtern 0 Inhalt aushebbar, darauf Probefrühstück, nach 3/4 Std. 370 ccm ausgehoben mikrosk. wie oben, Phenolpht. 36, Congo 13, Eisenchl. 0.

27. Juli Operation (Geheimrat Mikulicz) in Chloroformnarkose.

Magen sehr groß, schlaff, am Pylorus eine circuläre Narbe ziemlich groß, ihn so verengend, daß soeben eine Arterienklemme hindurchgeht. Typische Pyloroplastik.

Normaler Wundverlauf.

10. Aug. Pat. steht auf, Gewicht 52,5 kg.

17. Aug. früh nüchtern, abends zuvor 250 g Beefsteak, 90 g Semmel, 300 g Wasser, Magen leer.

Probefrühstück, nach 3/4 Std. 230 ccm ausgehoben, mikrosk. normal, Phenolpht. 45, Congo 22,5, Eisenchl. 0.

19. Aug. mittags Probemahl wie oben, nach 8 Std. 30 ccm, ziemlich stark gallig, ausgehoben, Phenolpht. 65, Congo 32, Eisenchl. 0.

20. Aug. 2 Std. nach Probefrühstück 32 ccm ausgehoben, schwach gallig, Phenolpht. 27, Congo 17, Eisenchl. 0.

Entlassung. Gewicht 60 kg.

15. Okt. 1897. Pat. kommt zur Vorstellung und Nachuntersuchung auf 2 Tage in die Klinik.

Er hatte zunächst nach der Entlassung noch leichte Beschwerden am Magen gehabt. Anfang September begann er auf dem Felde zu arbeiten, mußte aber bald aussetzen, da die Beschwerden zunahmen. Vom 13. Sept. bis 12. Okt. befand er sich in der Verpflegungsanstalt Lowenitz, hatte daselbst in den ersten 14 Tagen noch leichte Schmerzen nach Brot: er aß alles, später keine Spur Beschwerden, keine Behandlung daselbst. Zur Zeit sieht Pat. blühend aus, Gewicht 78 kg; doch fühlt Pat. sich noch nicht so kräftig wie vor der Krankheit. Magen unverändert groß, keine Beschwerden. Stuhl regelmäßig.

Früh nüchtern, nach Brot und Suppe abends zuvor, 0 Inhalt.

3/4 Std. nach Probefrühstück 50 ccm ausgehoben, 0 Galle, Phenolpht. 55, Congo 32, Eisenchl. 0.

Abends Probemahl, früh nüchtern 4 ccm ausgehoben, dünn, ohne Galle, Phenolpht. 75, Congo 40, Speisen mikrosk.

Leerspülung, Probefrühstück, nach 1/2 Std. 97 ccm ausgehoben, 0 Galle, Phenolpht. 45, Congo 36, Eisenchl. 0.

7. April 1898. Nach brieflicher Mitteilung Wohlbefinden, Gewicht 73,25 kg, keine Spur Beschwerde. Pat. verrichtet andauernd leichte Arbeit, Stuhl regelmäßig.

20. Juli 1898 Gewicht 71 kg. Sehr selten eine Spur Magendrücken, Appetit gut, Stuhl regelmäßig. Pat. arbeitet wie früher.

Es ist in diesem Falle schließlich vollkommene Heilung erfolgt, doch ist die Motilität 4 Wochen nach der Operation noch nicht ganz

**normal. Am 17. August 1897 $^3/_4$ Stunden nach 400 ccm Probefrühstück befinden sich noch 230 ccm Inhalt im Magen, also erheblich zu viel; auch besteht noch $^1/_4$ Jahr nach der Operation bei normaler Motilität mäßige Hyperacidität. Es ist wohl sicher, daß die verhältnismäßig späte Rückkehr der Magenfunktion zur Norm auf die starke Dilatation des Magens zurückzuführen sind.**

23) Seit 2 Jahren krank. Narbige Stenose dicht vor Pylorus, Gastropyloroplastik. Peritonitis. Exitus.

August B., 46 J., Bauerngutsbesitzer aus Schmiedeberg.

Vater starb an Magenkrebs, sonst Familienanamnese ohne Belang. Mäßiger Potus. Vor 25 Jahren litt Pat. bereits einmal $^1/_2$ Jahr lang an Magenbeschwerden, Schmerzen und Erbrechen. Dann war er völlig gesund. Vor 2 Jahren plötzlich von neuem Beschwerden, Erbrechen 3—5 mal pro Tag, nüchtern und nach dem Essen, nie blutig. Heißhunger und großer Durst; keine Schmerzen, nur geringer Druck im Kreuz und in der Magengrube. Abmagerung. Der Zustand war im ganzen sehr wechselnd. Stuhl stark verstopft. Pat. wurde viel ärztlich behandelt, mit Magenausspülungen, Rectalernährung, Badeaufenthalt u. s. w., ohne dauernden Erfolg.

13. Juli 1897 Aufnahme.

Kräftig gebauter, enorm abgemagerter Mann. Gewicht 48 kg. Zunge stark belegt, trocken; erhobene Hautfalten bleiben überall lange bestehen. Ziemlich starke Arteriosklerose, mäßiges Lungenemphysem.

Leib kahnförmig eingezogen, um den Nabel herum ein wenig aufgetrieben; hier starkes Plätschern, Epigastrium besonders stark eingezogen. Nichts Besonderes fühlbar. Mäßige Druckempfindlichkeit des ganzen Epigastrium, nicht im Kreuz. Keine allgemeine Enteroptose. Bei Aufblähen mit Luft steht die große Kurvatur 3 Finger unter dem Nabel, Epigastrium bleibt eingesunken. 24 stündiges Urinquantum 700, 1025 spec. Gewicht, ziemlich viel Indikan und Skatol, sonst normal.

Pat. kommt mittags 12 Uhr in die Klinik. Um 1 Uhr Magen ausgehoben, 750 ccm Inhalt, hellbraun, ohne Blut, mikrosk. viel Hefe, ziemlich viel Sarcine, vereinzelte Bakterien, Lackmus schwach gebläut, Phenolpht. 15, Congo 0, Eisenchl. 0.

Der Magen wird leergespült, Probefrühstück, nach $^3/_4$ Std. 375 ccm Inhalt ausgehoben, hell, dünn, mikrosk. wie oben, wenig Gärung, Phenolpht. 25, Congo 5, Eisenchl. 0.

Pat. wird abends leergespült, bleibt nüchtern, früh morgens 50 ccm ausgehoben, 0 Galle, dünn, leicht grünlich, Phenolpht. 22, Congo 10, viel Kerne, Hefe, Sarcine.

12. Juli 1897 Operation (Geheimrat Mikulicz) in Schleich'scher lokaler Anästhesie.

Magen stark vergrößert, tief stehend, leicht vorziehbar. Pylorus nicht verwachsen, anscheinend stark verengt, seine ganze Gegend sehr empfindlich. Nach Eröffnung des Magens mittels Schnitt zur Pyloroplastik zeigt es sich, daß eine alte, cirkuläre Narbe in der Pars praepylorica sitzt, ausgehend von einem etwa 10 pfennigstückgroßen, alten, vernarbten Geschwür, welches hier an der kleinen Kurvatur sitzt. Es geht soeben eine Kornzange durch die Stenose, die etwa 1 cm lang ist. Nach beiden Seiten hin von ihr wird das Lumen ziemlich weit, nach dem Pylorus zu fast daumenweit, es folgt dann, 2 cm von der Stenose entfernt, der Pylorus, der für den Zeigefinger durchgängig ist, doch erscheint sein Ring dicker als normal. Es wird der Schnitt im Magen bis über den Pylorus hinaus verlängert, so daß er schließlich 9—10 cm lang ist. Typische Pyloroplastik. Die Wand des Magens erscheint dünner und schlaffer als normal.

Nach der Operation erholt sich Pat. nicht recht. Am folgenden Tage ist er vollkommen verwirrt und wird bis zum Tode nicht mehr klar. Er nimmt wenig, bricht nicht, Ernährung per rectum.

19. Juli. Puls heute sehr frequent, bis 120, Leib zeigt nichts Besonderes. Appetitlosigkeit. Nährklysmen nicht gehalten.

26. Juli. Der Leib beginnt leicht aufgetrieben zu werden, Pat. kommt allmählich herunter, seit der Operation mehrfache intravenöse Kochsalzinfusionen.

28. Juli. Zusehender Verfall. Exitus.

29. Juli. Die Sektion ergiebt eine diffuse Perforationsperitonitis, ausgehend von einem kleinen Loch in der Magennaht.

Ein technischer Fehler bei der Operation ist auszuschließen. Man könnte vielleicht annehmen, daß die Beschaffenheit des Gewebes, in welchem die Naht angelegt wurde, zu beschuldigen wäre, insofern als die Narbe cirkulär war und daher mit in die Nahtlinie fiel; indes befand sich die Perforation nicht an der Stelle der alten Narbe, sondern an einer narbenfreien Stelle. Es ist dies der einzige Fall von Pyloroplastik oder Gastroenterostomie bei gutartiger Magenerkrankung, den die Klinik im Laufe der beiden letzten Jahre verloren hat. Mit in Betracht kommt für den unglücklichen Ausgang doch wohl der außerordentliche Grad von Elendigkeit und Trockenheit, in dem sich Pat. bei der Operation befand, er hätte eben früher zur Operation kommen sollen.

24) 4 Jahre krank. Ulcusnarbe dicht hinter Pylorus. Pyloroplastik. Besserung, dann Rückfall; Besserung unter Magenausspülungen und Massage, dann wieder Rückfälle, schließlich Besserung.

Karl N., 29 J., Porzellanmaler aus Breslau.

Familienanamnese ohne Belang. Im 2. und 3. Lebensjahre Rhachitis. Mit 10 Jahren wurde eine Rückenverkrümmung bemerkt, die allmählich zunahm, stärker erst, als Pat. mit 14 Jahren in seinen Beruf trat. Gewicht zu gesunden Zeiten 42 kg.

Nachdem Pat. bereits mehrere Jahre an schlechtem Appetit gelitten, traten vor 4 Jahren stärkere Magenbeschwerden auf, Aufstoßen, Uebelkeit, Schmerzen, Erbrechen von Speisen 1—2 Std. nach dem Essen, nie von Blut. Unter andauernder ärztlicher Behandlung trat nur zeitweise Besserung auf. Zuletzt wurde Pat. 7 Wochen in der hiesigen medizinischen Klinik behandelt, mit regelmäßigen täglichen Magenausspülungen und trockener Diät, ohne Erfolg. Er wurde alsdann in die chirurgische Klinik verlegt. Stuhl täglich.

18. März 1898 Aufnahme.

Kleiner, schwächlich gebauter Mann, dürftiger Ernährungszustand, Gewicht 38 kg. Hämoglobin 75. Urin normal, nicht vermindert. Starke Kyphoskoliose. Thorax stark deformiert. Keine nachweisbare Tuberkulose. Keine Enteroptose. Leib stark aufgetrieben, Epigastrium etwas eingesunken, mäßig druckempfindlich. Kein Tumor oder Resistenz fühlbar. Beim Aufblähen mit Luft steht die große Kurvatur 3 Finger unter Nabel.

Mageninhaltuntersuchung in der medizinischen Klinik:

$^3/_4$ Std. nach Probefrühstück (1 Tasse Mehlsuppe) 200 ccm Inhalt, mikrosk. nichts, Gesamtacidität 48, freie HCl +, Milchsäure 0.

8 Std. nach Probemahl (100 g Kartoffelbrei, 1 Zwieback, 1 Portion Kalbfleisch; nach 2 Std. 200 Milch) 200 ccm Inhalt, Gesamtacidität 93, freie HCl 41, Milchsäure 0.

1 Std. nach Einnahme von 1 g Salol Auftreten der Reaktion im Urin.

Subjektiv: Pat. fühlt sich schwach, doch hat er bis zur Aufnahme gearbeitet. Nach jeder größeren Mahlzeit heftiger, brennender Schmerz über dem Epigastrium und linken Hypochondrium, bis zur l. Scapula. Der Schmerz kommt $1^1/_2$—2 Std. nach dem Essen, dauert bis zu 3 Std., dann Speichelzusammenfluß, Erbrechen; darauf wieder Wohlbefinden. Viel Aufstoßen, besonders nach dem Essen, sehr scharf und sauer; viel Kollern im Leibe. Appetit sehr gering.

22. März 1898 Operation (Geheimrat Mikulicz) unter Schleich'scher lokaler Anästhesie.

Magen stark vergrößert, es gelingt nicht, einen Finger mit eingestülpter Magenwand durch den Pylorus zu bringen. Nach Eröffnung des Magens zur Pyloroplastik zeigt es sich, daß der Pylorus selbst anscheinend normal ist; $^1/_2$—$^3/_4$ cm von ihm entfernt im Duodenum befindet sich eine von der hinteren Wand ausgehende halbmondförmige Schleimhautfalte, die ventilartig das Lumen verlegt. Der Finger geht durch die Stenose hindurch. Auf der duodenalen Fläche der Falte befindet sich eine alte Narbe, von etwa $^1/_4$ cm Durchmesser. Es wird in typischer Weise Pyloroplastik ausgeführt.

Am 23. März abends Temp. 38,4; 24. März 38,3; danach fieberfrei, am 24. März bricht Pat. einmal, gallig, 200 ccm; sonst geht die Heilung gut von statten.

29. März Nähte entfernt.

1. April. Pat. steht auf.

3. April Entlassung. Gewicht 36 kg. Keine Beschwerden.

Bereits nach 8 Tagen treten von neuem Magenbeschwerden auf. Appetitlosigkeit, Aufstoßen, Speichelzusammenfluß. Bald beginnt Pat. auch zu brechen und der Zustand ist derselbe wie vor der Operation, bis auf die brennenden Schmerzen, die vorläufig nicht wieder auftreten.

Vom 25. April ab wird dem Pat. in ambulanter Behandlung der Klinik täglich der Magen ausgespült.

26. April früh nüchtern (nach beliebiger Diät abends) 290 ccm ausgehoben.

Leerspülung, nach $^1/_2$ Std. Probefrühstück, nach 1 Std. 320 ccm ausgehoben, Restbestimmung (Goldschmidt) 27 ccm, Phenolpht. 41, Congo 28, Eisenchl. 0

27. April. 6 Std. nach Fleischmahlzeit 500 ccm ausgehoben, Phenolpht. 91, Congo 54; Leerspülung, Pat. bleibt nüchtern.

28. April früh nüchtern, darauf 20 ccm ausgehoben, Spur gallig, klar, dünn, schleimig, mikrosk. mäßig viel Hefe, viel Kerne; Phenolpht. 70, Congo 62, Eisenchl. 0.

Darauf Leerspülung, nach $^1/_2$ Std. Probefrühstück, nach 3 Std. 110 ccm ausgehoben, schwach gallig, Phenolpht. 58, Congo 46, Eisenchl. 0.

29. April Leerspülung, nach $^1/_2$ Std. Probefrühstück, nach 2 Std. 260 ccm ausgehoben, ohne Galle, Phenolpht. 47, Congo 23, Eisenchl. 0.

30. April. Pat. wird wieder aufgenommen, mit Magenausspülung und Massage behandelt. Gewicht 34,5 kg.

1. Mai abends in leer gespülten Magen Probefrühstück, nach 12 Std. 100 ccm ausgehoben, stark sauer, Congo + Eisenchl. 0.

2. Mai. Nach Leerspülung Probefrühstück, nach $^3/_4$ Std. 200 ccm ausgehoben, Phenolpht. 42, Congo +, Eisenchl. 0, mikrosk. einzelne Hefe, wohl mehr als normal, 0 Sarcine.

12. Mai. Nach Fleischmahlzeit Phenolpht. 103—109, Congo 51 (0,18 Proz.).

21. Mai abends Probemahl, darauf früh nüchtern, nach 13 Std. 37 ccm ausgehoben, Spur gallig (grün) dünn, mikrosk. viel Kerne, einzelne Hefezellen, 0 Amylum, angedaute Fleischfasern, Phenolpht. unfiltriert 48, filtriert 45, Congo 28, Dimethyl 31, locker gebundene HCl 7, Rest (Phenolpht.) 4, (Strauss) 20 ccm.

Leerspülung, darauf Probefrühstück, nach 1 Std. 110 ccm ausgehoben, ohne Galle, mikrosk. einzelne Hefe, sehr wenig Stäbchen, ziemlich viel Plattenepithel, Amylum, Rest (Strauss) 35, (Dimethyl) 21, (Phenolpht.) 22,5 ccm, Phenolpht. 51—60 unfiltriert, filtriert 43,5—51, Congo unfiltriert 20, filtriert 23, Dimethyl 32, locker gebundene HCl 4, Eisenchl. 0.

23. Mai. Abends gewöhnliche Diät, früh nüchtern darauf 12 ccm ausgehoben, Phenolpht. 32, Congo 22, Dimethyl 18.

Leerspülung, Probefrühstück, nach 2 Std. 62 ccm ausgehoben, Spur gallig, Rest (Strauss) 25, (Phenolpht.) 28, (Congo) 29 ccm, Phenolpht. 35—56, filtriert 36—50, Congo 31, filtriert 27, Dimethyl 23, locker gebundene HCl 0, Eisenchl. 0.

24. Mai Leerspülung, Probefrühstück, nach 3 Std. 110 ccm ausgehoben, Spur gallig, Rest (Strauss) 43, (Phenolpht.) 38 ccm. Phenolpht. 57—70, filtriert 40—46,5, Congo 43, filtriert 34,5, Dimethyl 36, locker gebundene HCl 0.

Pat. wird weiter ambulatorisch mit Ausspülungen und Massage behandelt; wenig beschränkte Diät. Der Zustand bessert sich allmählich. Am 6. Juni nimmt Pat. die Arbeit wieder auf, ist beschwerdefrei.

19. Juni abends Probemahl, darauf früh nüchtern 18 ccm ausgehoben, Rest (Phenolpht.) 12 ccm, Phenolpht. 47—60, Congo 42, Eisenchl. 0.

Leerspülung, nach $^1/_2$ Std. Probefrühstück, nach 1 Std. 50 ccm ausgehoben, Phenolpht. 49—69, filtriert 32—39, Congo 35, filtriert 19, Dimethyl 14, Eisenchl. 0, Rest (Phenolpht.) 27 ccm.

Bis zum 27. Juni fühlt sich Pat. ganz wohl. Alsdann treten wieder leichte Magenbeschwerden auf, Appetit wird schlechter, Kreuzschmerzen, Speichelzusammenfluß. Gewicht schwankt zwischen 35,5—39 kg, bis 3 mal Stuhl pro Tag.

28. Juni. Magenvolumen für Luft (Methode Kelling) 1500 ccm.

2. Juli abends Leerspülung, nach 1 Std. Probemahl, nach 12 Std. 52 ccm fast klaren Schleimes ausgehoben, farblos, dünn, mikrosk. ganz vereinzelte angedaute Muskelfasern, Kerne, Rest (Phenolpht.) 29 ccm,

Phenolpht. 40—48, Congo 36,5, Dimethyl 32, locker gebundene HCl. 4, Eisenchl. 0.

Leer gespült, nach 1/2 Std Probefrühstück, nach 3/4 Std. 110 ccm ausgehoben, 0 Galle, Rest (leicht gallig, nach STRAUSS) 54 ccm. (Phenolpht.) 14 ccm, Phenolpht. 42.5—49,5, Congo 28,5, Dimethyl 24, locker gebundene HCl 4,5, Eisenchl. 0.

16. Juli abends Probemahl, nach 12 Std. 10 ccm ausgehoben, Rest (Phenolpht.) 20 ccm, leicht gallig, Phenolpht. 24—42, Congo 16, Dimethyl 16, Eisenchl. 0.

Leerspülung, Probefrühstück, nach 3/4 Std. 195 ccm ausgehoben, spec. Gewicht 1013, Rest (STRAUSS) 62 ccm, (Phenolpht.) 14 ccm, mikrosk. nichts Besonderes, Phenolpht. 41—53, Dimethyl 36, Congo 29, locker gebundene HCl 3, Eisenchl. 0.

19. Juli abends, 6 Std. nach größerer Mahlzeit, 170 ccm Inhalt, Phenolpht. 81—95, Congo 57, Eisenchl. 0.

20. Juli abends 150 ccm, Phenolpht. 83—93, Congo 59.

Pat. wird andauernd weiter behandelt; jeden Abend, 6—7 Std. nach dem Mittagessen, der Magen leer gespült, stets 200—500 ccm ausgehoben; niemals stärkere Gärung, doch andauernd deutlich vermehrt Hefe, 0 Sarcine, vereinzelte Stäbchen. Darauf Bauchmassage. Der Zustand bleibt unverändert. Gewicht 37—39 kg. Pat. arbeitet andauernd, fühlt sich nicht gesund.

4. Sept. Leerspülung, nach 1/2 Std. Probefrühstück, nach 3/4 Std. 100 ccm ausgehoben, hell, ziemlich dick, 0 Galle, Rest (STRAUSS) 100 ccm, Phenolpht. 55—62, Congo 17, Eisenchl. 0.

2. Sept. 1898 mittags beliebige Diät, nach 6 Std. 180 ccm ausgehoben, 0 Galle, Phenolpht. 67—81, Congo 46, Eisenchl. 0.

3. Sept. 6 Std. nach Probemahl 140 ccm ausgehoben, ziemlich dick, bräunlich, ohne Galle und Blut, mikrosk. mäßig viel Hefe, 0 Sarcine; Rest (Phenolpht.) 41, (Congo) 41 ccm; Phenolpht. 38—48, Congo 24.

Darauf Leerspülung, nach 12 Std. früh nüchtern 50 ccm ausgepreßt, ziemlich stark gallig, bei Stehen bald grün, Phenolpht. 45, Congo 20.

Der Magen ist bei Aufblähung außerordentlich groß und tiefstehend, große Kurvatur 1 1/2 Finger über Symphyse. Kleine Kurvatur 2 1/2 Finger unter Proc. xiph. Urin nicht vermindert.

Zu einem neuen operativen Eingriff, der dem Pat. vorgeschlagen wurde, konnte er sich nicht entschließen.

13. Nov. 1898. Pat. stellt sich vor. Er spülte sich selbst aus, zunächst 8 Tage lang jeden Abend; der Inhalt betrug 100—150 ccm. Dann setzte er 3 Tage aus, der Inhalt betrug darauf auch nur 150 ccm. Pat. hörte deshalb mit Ausspülen auf, er fühlte sich wohl, aß alles (auch Kartoffeln, Sauerkraut; Bier); Speichelfluß, Brennen, Aufstoßen schwanden. Gewicht 41,25 kg. Am 3. Nov. nach Anstrengung wieder Brennen, Appetitlosigkeit, Speichelfluß; am 4. Nov. mittags und abends je einen Mund voll Erbrechen. Darauf hob Pat. sich aus, 500 ccm Inhalt, Reinspülung. Pat. fühlte sich dann wieder besser, kein Erbrechen mehr, auch die anderen Beschwerden schwanden, der Appetit blieb geringer. Heute fühlt Pat. sich leidlich, Gewicht 40,75 kg. Zunge leicht belegt. Appetit mäßig, sonst keine Magenbeschwerden, Stuhl regelmäßig.

9. Febr. 1899. Pat. stellt sich vor.

Ende November nochmal ein Zustand Uebelbefindens: täglich einen Mund voll erbrochen, nur einmal tags, früh oder abends. Er spülte sich darauf wieder aus, alle 2 Tage, bald Besserung, so daß er nach 14 Tagen wieder aufhörte. Seither kein Erbrechen, Speichelfluß, Schmerz, Druck mehr gehabt.

Pat. sieht etwas elend aus, Gewicht 38 kg. Er fühlt sich nicht so kräftig wie zu gesunden Zeiten, doch stärker als vor der Operation; er wird leicht müde; er arbeitet andauernd. Keine Magenbeschwerden. Er ißt alles, bis auf gewisse schwere Sachen, die er schlecht verträgt, wie ganze Kartoffeln, Rüben u. s. w. Bier verträgt er in mäßigen Mengen. Stuhl täglich, dünn.

11. Febr. Abends zuvor Probemahl, nach 12 Std. früh nüchtern 50 ccm ausgehoben, hell, fast ganz klar, 0 Galle, schleimig, mikrosk. enorm viel Kerne, 0 Gärung, 0 Speisen; Rest (Phenolphtalin) 10 ccm; Phenolpht. 33—47, Congo 26, Dimethyl 18, locker gebunden HCl = 33—34 = — 1, Eisenchl. 0. Spülwasser leicht gallig.

Darauf Probefrühstück, nach $^3/_4$ Std. 95 ccm ausgehoben, Rest (Phenolpht.) 30 ccm, hell, nicht schleimig, 0 Galle, mikrosk. Amylum, 0 Gärung; Phenolpht. 42—53, Congo 30, Dimethyl 29, locker gebunden HCl = — 4, Eisenchl. 0, Hammerschlag.

Mittags Probemahl, nach 6 Std. 80 ccm ausgehoben, Rest (Phenolpht.) 40 ccm, dick, braun, 0 Galle, mikrosk.: Fleischfasern, wenig angedaut, Amylum, Fett, 0 Gärung, Phenolpht. 54—56, Congo 34, Dimethyl 28, Eisenchl. 0, Hammerschlag.

Pat. erhält Stomachica.

**Nach langem Hin- und Herschwanken scheint nunmehr endlich in diesem Falle ein gleichbleibender Zustand erreicht zu sein. Die Motilitäts- und Aciditätsverhältnisse sind normal, die Hauptbeschwerde ist der Appetitmangel: so daß wir diesen Fall gewiß als „gebessert" führen dürfen. Es spricht der Verlauf nach der Operation mit großer Wahrscheinlichkeit dafür, daß hier eine schwere Atonie der Magenwand, nicht etwa eine neue Stenose, vorlag und die Ursache der langsamen Besserung wie der Rückfälle war. Vielleicht hätte hier eine Gastroenterostomie schneller zu befriedigendem Resultate geführt; es hat diese Annahme immerhin manches für sich.**

**Es sind dies 3 Fälle von narbiger Stenose, infolge offenbar früher überstandenen Ulcus ventriculi. 1 davon ist geheilt, 1 gestorben, 1 gebessert. In allen Fällen wurde ein Hindernis am oder nahe am Pylorus gefunden. Der Magen war stets sehr groß. Mechanische Insufficienz bestand in allen Fällen und zwar in Fall 22 nachgewiesen schweren Grades; in Fall 23 und 24 nach der Anamnese und im letzteren nach dem Verhalten nach der Operation ebenfalls.**

**Hyperacidität wurde in Fall 23 nicht nachgewiesen, es beweist dies nichts wegen des Fehlens der Untersuchung nach Fleisch (der Fall kam zu schnell nach der Aufnahme zur Operation). In Fall 22 bestand leichte, in Fall 24 höhere Uebersäuerung.**

**Magensaftfluß wurde in Fall 23 nachgewiesen, in Fall 22 bestand keiner, in Fall 24 wurde erst nach der Operation darauf untersucht und auch solcher gefunden.**

**Fall 22 bietet in Bezug auf die Motilität ein durchaus befriedigendes Resultat — die Acidität ist in ihrem 3. Monat nach der Operation noch etwas hoch. In Fall 24 blieb mit der mechanischen Insufficienz lange auch die Hyperacidität, schließlich schwanden beide.**

### 7. Narbige Pylorusstenose. Gastroenterostomie. 1 Fall.

25) 1³/₄ Jahr magenkrank, mehrmals Bluterbrechen. Syphilis, Leichter Diabetes. Stenose und Fixation des Pylorus. Gastroenterostomie, Enteroanastomose. Heilung.

Julius M., 48 J., Kaufmann aus Breslau.

Familienanamnese ohne Belang. Vor 20 Jahren acquirierte Pat. Lues. Ferner hatte er als junger Mann Typhus; vor 9 Jahren ein Gichtanfall. Vor 2¹/₂ Jahren hatte er einmal vorübergehend Magenschmerzen. Januar 1897 traten plötzlich heftige Magenschmerzen auf, Appetitlosigkeit, Aufstoßen, Sodbrennen, Erbrechen saueren Schleimes. Kein Fieber, Frost, Gelbsucht. Die Schmerzen waren unabhängig von der Nahrungsaufnahme, saßen rechts oben im Bauche, strahlten nicht nach Kreuz oder Schulter aus. Das Erbrechen wurde allmählich heftiger, schließlich fast täglich, es wurden Mengen bis ¹/₂ Liter farbloser Flüssigkeit erbrochen, doch auch Speisen.

März 1897 trat Pat. in die Behandlung des Herrn Dr. Oppler, welcher ihn später der Klinik überwies. Gewicht 80,5 kg; Bauchdecken gespannt, nicht fühlbar; geringe Druckempfindlichkeit des Epigastriums, gute Motilität, starker HCl-Gehalt.

Das Befinden war unter Behandlung wechselnd. Ende April 75,5 kg Gewicht. Mai 1897 Leberanschwellung, die auf Jodkali und Quecksilber abnahm; dabei mehr Magenbeschwerden. August 1897 mehrmals Bluterbrechen, Gewicht 61,5; nüchtern stets 400—500 klaren, salzsauren Saftes im Magen. Unter täglichen Magenausspülungen, Diät, Jodkali per klysma langsam Besserung; im September und Oktober Rückfälle.

Unter Ausspülungen mit 1 Proz. Eisenchl. erhebliche Besserung der subjektiven und objektiven Beschwerden, früh nüchtern Magen leer. Gewicht 70 kg. Doch immer wieder Rückfälle. Ende Januar 1898 starke Blutung per rectum, Ohnmacht. Der Zustand blieb dann wechselnd, vorläufig keine Blutung. Juli 1898 Wasserkur ohne Erfolg. Ende August wieder Anfall mit Brechen, 3. Okt. 1898 Blutbrechen. Stuhl meist regelmäßig, nur zur Zeit der Anfälle stärker verstopft.

Am 13. Okt. 1898 wurde Pat. zur Operation in die Privatklinik aufgenommen, nachdem er bisher trotz ärztlichen Rates die Operation verweigert.

Mittelgroßer, schlecht genährter Mann, Gesichtsfarbe leidlich, Gewicht 61,5 kg. Geringes Emphysem, sonst Brustorgane normal. Urin enthält am Abend vor der Operation Spuren Zucker, nachdem er bisher bei häufigen Untersuchungen stets normal gefunden, kein Aceton, Acetessigsäure, Eiweiß. Leber nicht fühlbar, auch perkutorisch nicht deutlich vergrößert. Starkes Plätschern in der Magengegend; geringe Druckempfindlichkeit der Pylorusgegend, nichts fühlbar.

Bei Aufnahme 700 ccm ausgehoben, trübe, kein Blut, Phenolpht. 75. Congo 46, Leerspülung, darauf Probefrühstück.

³/₄ Std. danach 420 ccm ausgehoben, Phenolpht. 81, Congo 60.

Früh nüchtern 150 ccm ausgehoben, trübe, Phenolpht. 91, Congo 70.

14. Okt. 1898 Operation (Geheimrat MIKULICZ) in Chloroformnarkose. Magen sehr groß, deutlich hyperämisch, cyanotisch, ob der Pylorus es stärker ist, ist zweifelhaft; Wand deutlich verdickt, nichts von Peristaltik. Der Pylorus ist hinten oben, nach der Leberpforte fixiert; er ist etwa 2 cm vor ihm beginnend hart infiltriert, bis ins Duodenum hinein, an seiner unteren Kante nur scheint ein 1 cm breiter Streifen frei zu sein; er ist verengt; Narben, Verwachsungen. Netz sehr groß und fettreich. Ein Stück desselben wird zur Ermöglichung der Operation reseziert; Gastroenterostomia anterior antecolica mittels Naht, darauf Enteroanastomose mittels Naht, 10 cm von ersterer entfernt.

Pat. übersteht die Operation gut.

15. Okt. mittags Temperatur 38, Puls 128, klein, weich; leichte Benommenheit. Abends 6 Uhr Puls 140 und darüber, sehr weich, zunehmende Somnolenz, Hände und Füße kühl, Respiration zeigt nichts Besonderes. Nachts 12 Uhr Besserung, Puls 120.

16. Okt. Puls 104, Sensorium frei, keine Anämie, Urin spontan gelassen (Spuren Zucker, 0 Eiweiß, Aceton, Acetessigsäure). Sehr übelriechende Flatus; durch Klystiere große Mengen halbflüssigen, äußerst übelriechenden Stuhles entleert; ohne Blut.

17. Okt. Pat. gut erholt. Puls um 88.

19. Okt. Urin enthält 1,3 Proz. Zucker.

21. Okt. Pleuritis sicca sin. circumscripta. Stuhl teerartig, breiig.

25. Okt. Ebensolcher Stuhl.

2. Nov. Entlassung. Keine Magenbeschwerden; kein Erbrechen seit der Operation.

1. Febr. 1899. Pat. ist andauernd völlig frei von Magenbeschwerden. Im Januar bildeten sich harte Tumoren in der Leber, die auf Jodkali zurückgingen.

Dieser Fall ist kompliziert durch das Bestehen einer Leberaffektion, offenbar syphilitischer Natur; ferner durch das Bestehen eines leichten Diabetes. Es handelt sich wohl um einen solchen, nicht um einfache Glykosurie. Wie derselbe aufzufassen ist, ob als Leber-, ob als reiner Diabetes (NAUNYN), könnte erst weitere genaue Untersuchung und Beobachtung zeigen. Interessant ist das Auftreten von Koma am Tage nach der Operation. Es scheint, daß es sich nicht um das wahre, dyspnoische Coma diabeticum gehandelt hat; der Verlauf, das Fehlen von Eisenchloridreaktion, das ganze Bild sprechen dagegen. Auch ist es wohl nicht das Koma, welches öfters nach Narkosen Diabetischer beobachtet wurde und welche anscheinend stets zum Tode führt [1]); dasselbe wird heute auch als Säurekoma, also als typisches, dyspnoisches angesehen. Ueberhaupt hatte in diesem Falle die Narkose (Chloroform) keine wesentliche Steigerung der Glykosurie zur Folge. Möglicherweise hängt das Koma im vorliegenden Falle mit Fäulnisprozessen im Darmtraktus des Pat. zusammen; jedenfalls

1) BECKER, Deutsche med. Wochenschr., 1894, p. 359. NAUNYN, Der Diabetes melitus, 1898, p. 332.

ist der auffallend übelriechende, faulende Stuhl danach bemerkenswert. Vielleicht ist aber auch eine Magenblutung die Ursache gewesen.

Der Prozeß am Magen ist anscheinend ein gewöhnliches Ulcus, keine luetische Affektion.

## 8. Magenneurosen. Pyloroplastik.

**26. (Fall 38 des Herrn Geh. Rat Mikulicz). 6 Jahre Magenbeschwerden, nervöse Dyspepsie, mäßige Hyperacidität, geringer Magensaftfluß. Pyloroplastik. Danach 14 Tage Ueberstauung des Magens. Geringe Besserung, keine Heilung.**

Selma E., 37 J., Handschuhmachersfrau aus Haynau.

Familienanamnese, Vorleben ohne Belang, 4 Geburten, 2 Fehlgeburten. Vor 6 Jahren trat plötzlich ohne Ursache ein beklemmendes, unangenehmes Gefühl in der Mitte zwischen Nabel und Rippensaum an handgroßer Stelle auf. Es ist seither andauernd vorhanden, auch in Bettruhe, am stärksten bei tiefem Atmen. Kein eigentlicher Schmerz. Im Kreuz nichts. Viel Aufstoßen und Schlucken, besonders nach Nahrungsaufnahme, danach auch stets Zunahme der Beklemmung, Gefühl von Schmerzen und Völle. Bei reichlichem Essen bald Gefühl, wie wenn das Essen bis zum Hals in die Höhe steige, dort stehen bleibe und nicht hinunter wolle. Viel Plätschern und Kollern im Leib. Appetit wechselnd, meist mäßig. Geringe Gewichtsabnahme.

Pat. ist seit Bestehen des Leidens sehr nervös, war es stets etwas; seither oft Migräne, während derselben häufig Erbrechen, sonst nie. Pat. wurde viel behandelt, im ganzen von 10 verschiedenen Aerzten, vor 2 Jahren einmal auf der hiesigen medizinischen Klinik. Keine Besserung, auch nicht durch Magenausspülungen. Die meisten Aerzte sollen ein nervöses Magenleiden angenommen haben.

16. Febr. 1897 Aufnahme.

Mäßig kräftig gebaute Pat., ziemlich schlecht genährt, Gewicht 47,5 kg. Mäßige Blässe. Zunge ziemlich stark weiß belegt. Innere Organe bis auf Magen normal. Keine Enteroptose. Leib zeigt äußerlich nichts Besonderes. Urin normal. Ganzes Epigastrium druckempfindlich, am stärksten Mitte desselben, keine scharf circumskripte Stelle. Nichts Besonderes fühlbar. Geringes Plätschern im Mesogastrium. Kreuz nicht druckempfindlich. Große Kurvatur bei Aufblähen mit Brausepulver etwas unterhalb des Nabels. Ausgesprochen hysterisches Temperament, Globus, Tremor der Zunge und Hände, Patellarreflexe lebhaft, keine sensible Störung.

16. Febr. abends Magen leer gespült, darauf früh nüchtern 20 ccm ausgehoben, ziemlich stark sauer, auch freie HCl, geht verloren.

Probefrühstück, nach 1 Std. 90 ccm ausgehoben, mikrosk. 0, Phenolpht. 52 (= 0,19 Proz.), Congo 31,5 (= 0,115 Proz.), Eisenchl. 0.

18. Febr. früh nüchtern, 12 Std. nach 250 Beefsteak 50 Brot, 300 Wasser, 25 ccm ausgepreßt, mikrosk. Kerne, Detritus, Phenolpht. 64 (= 0,234 Proz.), Congo 46 (= 0,168 Proz.), Eisenchl. 0.

Darauf ohne Spülung Probefrühstück, nach $^1/_2$ Std. 150 ccm ausgehoben, mikrosk. Amylum, Fett, einzelne Stäbchen, Phenolpht. 36 (= 0,131 Proz.), Congo 13 (= 0,047 Proz.). Eisenchl. 0, Leerspülung, darauf 18. Febr. 1897 Operation (Geheimrat Mikulicz) in Chloroformnarkose.

Magen mäßig vergrößert, durch den Pylorus geht der Zeigefinger soeben hindurch, vor der Eröffnung, mit eingestülpter Magenwand nicht. Pylorus erscheint kontrahiert, abgesehen davon mäßig verdickt. Typische Pyloroplastik. Pylorus beinahe für 2 Finger durchgängig.

Pat. bricht sofort nach der Operation 3 mal, im ganzen 150 ccm, amphoter reagierende, dunkelbraune Massen, mikrosk. rote und weiße Blutkörperchen, Pigment; darauf weiter bis Abend 300 ccm. Sie erhält nur Eis.

19. Febr. Im Laufe des Tages 500 ccm ebensolchen Erbrechens, ohne Galle, Pat. erhält Eis und etwas Milch. Nährklystiere.

20. Febr. In 24 Std. 300 ccm erbrochen, wie gestern. Mittags erste Winde. Leib dauernd nicht aufgetrieben, auch nicht lokal.

21. Febr. 100 ccm erbrochen, Ernährung wie gestern.

22. Febr. Das Brechen nimmt zu, heute 350 ccm, nicht mehr dunkelbraun, sondern grünlich, nicht kotig. Bei Aushebung mittags 1 Liter Inhalt entleert, dunkelgrün, darin bräunliche Massen, Häminprobe +, Phenolpht. 34, Congo 7,2. Danach noch 175 ccm ebensolchen Inhaltes erbrochen. Pat. fühlt sich, wenn sie ruhig daliegt, wie vor der Operation. Das beklemmende Gefühl ist dauernd vorhanden, bei Brechen u. s. w. hat sie aber richtige Schmerzen in der Magengegend. Wenig Winde. Leib zeigt nichts Besonderes, 24 stündiger Urin stets um 800 ccm herum, 1010—1015 spec. Gewicht, wenig Indikan, sonst normal. Pat. erhält nichts per os, nur Klystiere.

Pat sieht nicht verfallen aus, Puls klein, doch nie beunruhigend.

23. Febr. 150 ccm in 3 mal erbrochen, wie gestriges. Phenolpht. 75 (= 0,274 Proz.), Congo 22 (= 0,08), Eisenchl. 0, mikrosk. keine starke Gärung, doch erscheinen die Stäbchen zahlreicher als normal.

24. Febr. 50 ccm erbrochen, Phenolpht. 20, Congo 0, abends 100 Wasser mit Wein.

25. Febr. Spur Erbrechen. Sie fühlt sich wohl. Bei Aushebung früh 520 ccm, andauernd deutlich grün, Phenolpht. 45, Congo 10. Nach Ausspülung stets Besserung. Mittags 200 ccm ausgehoben, Phenolpht. 50, Congo 20; niemals Spülung. Von jetzt ab halbstündlich 20 ccm Milch auf Eis.

26. Febr. früh 440 ccm ausgehoben, hellgrün, Phenolpht. 58, Congo 20, abends 460 ccm ausgehoben, Phenolpht. 74, Congo 16. Das Ausgehobene und Erbrochene wird bei Stehen bald dreischichtig. Pat. hat täglich wenig Winde, auch etwas Stuhl.

27. Febr. früh 420 ccm ausgehoben, dunkelgrün, sauer. Abends 300 ccm, ebenso.

28. Febr. früh 475 ccm ausgehoben, ziemlich dunkelgrün, Phenolpht. 50, Congo 20. Abends 200 ccm dunkelgrün. Pat. erhält von nun ab etwas Reis, Kalbfleisch, Thee.

1. März abends 650 ccm ausgehoben, Phenolpht. 63, Congo Spur, Eisenchl. 0. Hautnaht entfernt.

2. März abends 80 ccm ausgehoben, ohne Galle, dünn, breiig, Phenolpht. 98, Congo 18.

3. März. Pat. fühlt sich wie vor der Operation, jedenfalls nicht schlechter. Keine Aushebung mehr. Pat. steht auf. Gewicht 40,5 kg.

19. März früh nüchtern, 12 Std. nach 220 Fleisch, Brot, 40 ccm ausgehoben, mikrosk. nur Amylum, 0 Fleisch.

Probefrühstück, nach $^3/_4$ Std. 150 ccm ausgehoben, Phenolpht. 53, Congo 37, Galle 0, Eisenchl. 0. Gärung 0. Gewicht 43 kg.

20. März Entlassung. Pat. fühlt sich ziemlich wie vor der Operation.

8. April 1897 Status idem. Nervensystem eher schlechter.

29. Mai 1897 Gewicht 46,5 kg. Status idem.

Früh nüchtern, 12 Std. nach 250 g Beefsteak, 0 Inhalt bei starkem Pressen, bei Spülen kommt hellgelbes, klares Wasser mit wenigen eigelben Flocken.

1 Std. nach Probefrühstück 75 ccm ausgehoben, Phenolpht. 48 (= 0,175 Proz.), Congo 38, Eisenchl. 0, Galle 0, mikrosk. 0.

17. Juni 1897 Gewicht 46 kg.

18. Okt. 1897 Status idem. Gewicht 52 kg.

8. April 1898 Status idem, Gewicht 54 kg. Keine Druckempfindlichkeit. Nervensystem andauernd schlecht.

Früh nüchtern, 12 Std. nach 100 g Beefsteak, 50 g Brot, 300 Wasser, 0 Inhalt ausgehoben.

Darauf Probefrühstück, nach 1 Std. 165 ccm ausgepreßt, Phenolpht. 49 (= 0,182 Proz.), Congo 31 (= 0,113 Proz.), Eisenchl. 0.

31. Juli 1898 Status idem. Vor 14 Tagen 3 mal Erbrechen an einem Tage, sonst nie. Andauernd Beklemmung und Druck auf dem Magen. Pat. ißt alles, sie meint, es ginge ihr etwas besser als vor der Operation. Gewicht 50,5 kg.

In diesem Falle dürfte es sich zweifellos um eine Magenneurose handeln, die wir wohl als nervöse Dyspepsie bezeichnen dürfen. Es ist keine Heilung, auch kaum eine erhebliche Besserung erfolgt, jedenfalls auch keine Verschlimmerung. Die Motilität war vor der Operation vielleicht etwas verlangsamt und es bestand ein geringer Grad von Hypersecretio acida. Nach der Operation ist die Motilität jedenfalls nicht beschleunigt (siehe besonders den Befund am 8. April 1898). Der Magensaftfluß scheint indes aufgehört zu haben. In diesem Falle müssen wir wohl den nun bestehenden Zustand als Atonie leichten Grades auffassen.

Auffallend ist ferner die 14 Tage nach der Operation andauernde starke Ueberstauung des Magens mit Galle. Dieselbe ist so hochgradig, daß selbst bei Enthaltung jeder Nahrungsaufnahme per os innerhalb 24 Std. Mengen von gegen 1 Liter im Magen sind. Ob hier eine Lähmung speciell der obersten Darmpartien oder eine Abknickung resp. Kompression im Duodenum oder den benachbarten Darmteilen vorliegt, ist kaum festzustellen. Ein analoges Bild liefert der Fall 25, auch nach Pyloroplastik.

27. (Fall 34 des Herrn Geh. Rat Mikulicz.) Seit $^1/_2$ Jahr Koprostase, Erbrechen. Kottumoren, geringe motorische Insufficienz. Pyloruskontraktionsring. Pyloroplastik. Heilung nach $^1/_2$ Jahre. Hysterie.

Israel Tr., 12 J., aus Wilna.

Familienanamnese und Vorleben ohne Belang. Angeblich keine nervöse Belastung. Seit 6 Monaten hochgradige Stuhlverstopfung, alle 4—5 Wochen Stuhl. Nach dem Essen etwas Erbrechen. Seit einer psychischen Erregung vor 4 Monaten (Ertrinken eines Schulfreundes) erbricht Pat. alles außer Milch und Thee. Schmerzen im ganzen Leibe seit ca. 6 Wochen, besonders unterhalb des Nabels in der linken Seite. Durch Druck werden dieselben verstärkt. Pat. giebt an, keine festen Speisen herunterzubringen.

31. Okt. 1896 Aufnahme.

Blasser, schlecht genährter Knabe. Hämoglobin 60. Gewicht 28,5 kg. Brustorgane normal. Der Leib zeigt äußerlich nichts Besonderes. In der linken Regio hypogastr. ein cylinderförmiger, harter Tumor, anscheinend Flex. sigm. Urin normal, ohne Indikan.

Dickste Sonde leicht in den Magen einführbar, bei Aufblähen reicht große Kurvatur 2—3 cm unterhalb des Nabels.

5. Nov. Es wird Wasser in den Darm gegossen, darauf manuell einige nußgroße, harte Kotballen entleert, durch weiteres Spülen noch viel Kot. Der Tumor ist danach verschwunden.

Der ausgehobene Mageninhalt ist sauer, bläut Congopapier, 0 Milchsäure, mikrosk. 0.

Patellarreflex ist sehr stark, heftiger Patellarclonus, Fußclonus, überhaupt alle Reflexe stark gesteigert, Sensibilität normal.

7. Nov. Pat. wird mit täglichen Magenausspülungen behandelt. Bereits wenn $^1/_4$ und $^1/_2$ Liter Wasser in den Magen geflossen ist, beginnt Pat. trotz verhältnismäßig dicker Sonde neben derselben herauszubrechen. Pat. bricht täglich weiter, stets sehr leicht, ohne erhebliches Würgen. Er spuckt vielmehr die in den Mund gekommenen Speisen aus, nie mehr als einen Mund voll auf einmal. Keine Rumination. Da es absolut unmöglich ist, dem Pat. ein Probeessen einzubringen resp. ihn zum Zurückbehalten desselben zu bringen, wird Pat. am 13. Nov. mittels starken Stromes in der Magengegend faradisiert. Er erhält darauf nach 1 Std. eine größere Mahlzeit, ferner 0,01 g Morphium subkutan. Er wird ins Bett gelegt, schläft bald, nach 5 Std. wird der Magen ausgehoben; die Sonde verstopft sich andauernd mit Fleischstücken, so daß nur wenig Inhalt erhalten wird. Keine Congoreaktion, starke Uffelmann'sche Reaktion (Aetherextrakt nicht geprüft, also erscheint die Milchsäure nicht sicher nachgewiesen), mikrosk. unverdaute Speisereste, wenig Bakterien.

14. Nov. 7 Std. nach 100 g Fleisch und 1 Teller Reissuppe mittels Wasserspülung Fleischstückchen entleert. Die Flüssigkeit zeigt keine HCl-Reaktion, ganz schwache Milchsäurereaktion (?).

19. Nov. 6 Std. nach Probemahl wenig Inhalt ausgehoben, sauer, 0 Congo, 0 Milchsäure.

22. Nov. Manometrische Messung des Druckes, unter dem lauwarmes Wasser die Cardia passiert (Dr. Gottstein); das Wasser fließt bei 9—12 cm Druck ab; hierauf Sonde in den Magen geführt, Druck gemessen = 2—3 cm Wasser. Beim Erbrechen steigt Druck bis 18 cm.

24. Nov. Oesophagoskopie ergiebt nichts Abnormes.

Pat. erhält 500 ccm Probefrühstück, nach $1^1/_2$ Std. 100 ccm ausgehoben, Phenolpht. 71 (= 0,26 Proz.), Congo 33 (= 0,12 Proz.), Eisenchl. 0, mikrosk. 0.

25. Nov. 1897 Operation (Geheimrat Mikulicz) in Chloroformnarkose. Magen vergrößert, durch leichte Adhäsionen mit Leber und Diaphragma verbunden. Der Pylorusring erscheint stark kontrahiert, so daß mit der eingestülpten Magenwaud nur die Kuppe des Zeigefingers eingeführt werden kann. Lösung der Adhäsionen, Pyloroplastik.

Glatte Wundheilung. Pat. bricht bald wieder.

12. Dez. Pat. steht auf.

18. Dez. Entlassung. Gewicht 29 kg. Status idem.

22. Dez. 1896 Wiederaufnahme, da Pat. außerhalb der Klinik mehr bricht.

27. Febr. 1897 Entlassung. Gewicht 31 kg, 2 1/2 kg mehr als bei erster Aufnahme. Sonst Status idem, trotz verschiedenster Behandlung. Der Mageninhalt giebt nach Probefrühstück deutliche Congoreaktion.

Jan. 1899. Nach brieflicher Mitteilung ist Pat. seit 1/2 J. nach der Operation völlig gesund.

**Daß in diesem Falle eine Neurose vorliegt, dürfte nicht zu bezweifeln sein.**

**28) Seit 7 Monaten magenleidend. Hyperacidität, geringe motorische Insufficienz. Pyloroplastik. Vorübergehende Besserung, schließlich Zustand wie vor der Operation. Bauchhernie, nach 20 Monaten Ileus. Nervöse Dyspepsie?**

Wilhelm St., 36 J., Arbeiter aus Polnisch Hammer.

Familienanamnese, Vorleben ohne Belang. Ende August 1896 trat ohne Ursache ein Quetschen in der Magengrube etwas rechts von der Mittellinie auf, bei Bücken und Druck auf die Magengegend; ferner trat es während des Essens auf und hielt etwa 2 Std. an. Allmählich Verschlimmerung, so daß Pat. bei gutem Appetit sich nicht mehr satt essen konnte. Milch, Semmel besser vertragen, Kartoffeln, Fleisch, Klöße schlechter. Stuhl regelmäßig. Pat. stellte mehrmals die Arbeit ein; alsdann Besserung, kein völliges Verschwinden der Beschwerden. Pat. wurde viel behandelt, mit Diät, Leinsamenumschlägen u. s. w., ohne Erfolg.

17. März 1897 Aufnahme.

Mittelgroßer, mäßig kräftig gebauter Mann, ziemlich mager, etwas elend aussehend, Hämoglobin 80. Gewicht 57 kg, früher 62—63,5 kg. Brustorgane normal. Der Leib zeigt äußerlich nichts Besonderes. Bei der Palpation spannt Pat. die Muskeln außerordentlich, so daß nichts zu fühlen ist. Das Epigastrium ist etwas rechts von der Mittellinie an 5 Markstückgroßer Stelle ziemlich druckempfindlich. Kreuz nicht. Magen bei Aufblähen bis Nabel. Urin normal.

18. März früh nüchtern Magen leer, abends zuvor beliebige Nahrung. Darauf 1/2 Liter Hafermehlsuppe, nach 1/2 Std. 200 ccm ausgehoben, Phenolpht. 27,7 (= 0,09 Proz.), Congo 11 (= 0,04 Proz.), Eisenchl. 0.

Pat. bleibt dann nüchtern, erhält 200 g Fleisch und Kartoffeln, nach 3 Std. 10 ccm ausgehoben, Sonde dann verstopft; Phenolpht. 87 (= 0,317 Proz.), Congo 44 (= 0,16 Proz.), nach weiteren 2 1/2 Std. ist der Magen fast ganz leer. Spülung.

23. März. Nüchtern wenig schleimig-wässeriger Inhalt ausgehoben. Phenolpht. 40, Congo 30.

Darauf 1/2 Liter Probefrühstück, nach 3/4 Std. 200 ccm ausgehoben, Phenolpht. 61, Congo 49, Eisenchl. 0.

Einige Stunden darauf 150 g Fleisch, Brot, nach 3 Std. mäßig viel Inhalt, Phenolpht. 88, Congo 58.

29. März 1897 Operation (Geheimrat Mikulicz), zunächst in Schleich-scher Anästhesie, später, da Pat. sehr empfindlich, in Chloroformnarkose.

Einige leichte Verwachsungen der Pylorusgegend werden gelöst. Dieselbe ist sehr druckempfindlich. Pylorus deutlich enger als normal, Fingerkuppe geht eben durch; keine Narbe oder Ulcus zu finden. Magenwand auffallend dünn. Magen mäßig vergrößert. Die Schleimhaut des

Pylorus erscheint auffallend hyperämisch, nicht geschwollen. Pyloroplastik.

Pat. macht eine Bronchopneumonie RHU durch, sonst normaler Wundverlauf.

7. Mai 1897 Entlassung. Pat. fühlt sich erheblich besser als vor der Operation. Kräfte etwa wie damals. Gewicht 59,5 kg. Nüchtern Wohlbefinden. Bücken möglich. Zuweilen tritt nach dem Essen Druck auf, etwas rechts von der Narbe; dieselbe Stelle andauernd etwas druckempfindlich. Pat. hat alles gegessen, Kartoffeln u. s. w., Druck unabhängig von Nahrung. Am oberen Ende der Narbe besteht eine thalergroße Hernie, die empfindliche Stelle ist rechts von derselben. Leibbinde.

4. Mai früh nüchtern, 12 Std. nach 250 g Beefsteak, Brot, 0 Inhalt, auch bei Spülen nichts.

$^3/_4$ Std. nach. Probefrühstück 20 ccm ausgehoben, Phenolpht. 68 Congo 33, Eisenchl 0.

6. Mai. $^1/_2$ Std. nach Probefrühstück 50 ccm ausgehoben, Phenolpht. 25, Congo 13, Eisenchl. 0, Galle 0.

4 Std. nach Probemahl 90 ccm ausgehoben, Phenolpht. 28, Congo 1,5,

5. Juli 1897 Wiederaufnahme. Zunächst blieb der Zustand bis auf leichtes Drücken bei Bücken derselbe wie bei der Entlassung. Gewicht nahm bis 62,5 kg zu. Am 31. Mai nahm Pat. die Arbeit wieder auf, zunächst leichte, nach 3 Tagen schwere; Zunahme der Beschwerden. Am 15. Juni trat nach Heben einer schweren Schiene heftiger Schmerz vorn an der Narbe auf, so daß Pat. einige Minuten gebückt stehen bleiben mußte. Seither kann er nicht mehr arbeiten.

Pat. sieht leidlich aus, Gewicht 61,4 kg. Der Zustand ist zur Zeit ziemlich schlecht; auch nüchtern leichter Druck auf dem Magen, der bei Aufstehen zunimmt. Nach dem Essen direkt Schmerz, was er auch ißt. Kein Brechen. Pat. kann sich nicht bücken, nicht strecken, nicht längere Zeit sitzen. Ziemlich lebhafter Tremor der Hände, der bei Anstrengung und Aufregung zunimmt; Reflexe sämtlich etwas lebhaft. Pat. wird mit kaltem Wasser, Bauchmassage u. s. w. behandelt, ohne Erfolg.

$^1/_2$ Std. nach Probefrühstück 85 ccm ausgehoben, Phenolpht. 12, Congo 0, Eisenchl. 0.

19. Aug. 1897 Entlassung auf sein Drängen, ungebessert. Gewicht 64,5 kg.

27. Juli 1898. Laut brieflicher Mitteilung Zustand ziemlich derselbe, Bauchschmerz unverändert, zuweilen Erbrechen, Stuhl stark verstopft, bis zu 4 Tagen. Gewicht 60,5 kg. Pat. kann nur leichte Arbeit versehen, hat deshalb eine Nachtwächterstelle angenommen.

Nov. 1898. Status idem.

Febr. 1899. Mitteilung des Arztes (Dr. Hufschmid). Am 28. Nov. 1898 plötzlich Ileus, Schmerz im Leibe, galliges Erbrechen, welches im Laufe der Nacht fäculent wurde; letzter Stuhl und Wind am 28. Nov. nachmittags. Abends Aufnahme in das Krankenhaus zu Gleiwitz: In dem Bruche der Bauchnarbe reponibler Inhalt. 30. Nov. 1898 früh Operation (Dr. Hufschmid): Schnitt in der alten Narbe; es zeigt sich, daß eine Anzahl Darmschlingen unter sich und mit der alten Narbe verwachsen sind; eine derselben ist deutlich spitzwinklig abgeknickt. Starke Injektion dieser Schlingen; leichter Ascites. Lösung der Verwachsungen. Pylorus erscheint normal, kein Tumor.

23. Dez. Pat. geheilt entlassen. Zur Zeit sind die früheren Beschwerden, speciell auch die bei Gehen und Bücken völlig geschwunden.

Weitere Nachrichten nicht erhalten.

Dieser Fall ist vorläufig als nicht geheilt geführt, erstens weil irgend genauere Mitteilung über den jetzigen Magenzustand nicht erhältlich war, zweitens weil der Fall bis zu der zweiten Operation sicher ungeheilt war.

Es ist möglich, daß in diesem Falle die nach der ersten Operation (Pyloroplastik) gebliebenen Beschwerden durch die Verwachsungen und den Bruch bedingt waren; wenigstens spricht der weitere Verlauf dafür. Leider lehnte Pat. die vorgeschlagene Bruchoperation ab und ließ es dadurch zum Auftreten des Ileus kommen. Wir werden den Fall wohl am besten als nervöse Dyspepsie auffassen.

Ein Fall ist geheilt, in den beiden anderen wurde keine in Betracht kommende Besserung erzielt, in keinem eine Verschlimmerung. Aus welchen Gründen diese Fälle als Neurosen anzusehen sind, ist aus der Beschreibung derselben zu ersehen.

In sämtlichen Fällen befand sich bei der Operation der Pylorus in einem abnormen Kontraktionszustand, er war verdickt und mäßig verengt. Nirgends bestand ein höherer Grad von Verengerung. In einem Falle war der Pylorus auffallend hyperämisch und empfindlich. Der Magen war in allen Fällen wenig vergrößert, in einem die Wandung auffallend dünn.

In einem Falle bestand mäßige Hyperacidität, in zwei geringere.

In allen 3 Fällen bestand etwas verlangsamte Motilität, doch niemals in höherem Grade.

In einem Falle bestand leichter Magensaftfluß (26), in den anderen wurde nicht besonders darauf untersucht, doch spricht nichts für das Bestehen eines solchen.

Nach der Operation war die Motilität in einem Falle (26) noch deutlich etwas verlangsamt, doch bestand in demselben der Magensaftfluß nicht mehr. In den zwei anderen war sie völlig normal, eher etwas beschleunigt; in einem Falle wurde keine Nachprüfung angestellt.

Die Aciditätswerte nahmen in den beiden nachuntersuchten Fällen ab und wurden normal.

### 9. Unklare Fälle. Pyloroplastik.

29) Magenblutungen. Pyloruskontraktionsring. Ulcus oder Narbe nicht gefunden, Pyloroplastik, zunächst Heilung, dann Tumorbildung.

Luise B., 27 J., Schiffermeistersfrau aus Steinau.

Familienanamnese ohne Belang. 2 Geburten. Seit dem 12. Jahre Magenbeschwerdeu; immer etwas elend, Druck nüchtern und mehr nach Essen, Appetitlosigkeit, Stuhlverstopfung. Januar 1896 innerhalb 3 Tagen zwei Magenblutungen von je $^1/_2$ Liter, die letzte mit Ohnmacht. Sonst selten Erbrechen, besonders nach Fleisch. Nach den Blutungen Besserung.

Seit der letzten Entbindung, 10. Dez. 1897, Verschlimmerung, besonders wird der Druck unerträglich. Pat. kommt immer mehr herunter. Niemals starke Schmerzen.

28. März 1898 Aufnahme.

Kräftiger Bau, schlechter Ernährungszustand. Gewicht 50 kg. Innere Organe bis auf Leib normal. Derselbe ist im ganzen etwas eingesunken, am meisten das Epigastrium. Leber, Milz, Nieren normal. Spontan und bei Druck ist eine handtellergroße Stelle in der Mitte zwischen Nabel und Symphyse etwas links von der Mittellinie ziemlich stark schmerzhaft, der übrige Leib nicht. An jener Stelle fühlt man eine leichte quere Leiste, die besonders empfindlich erscheint. Stark pulsierende Bauchaorta, keine Druckempfindlichkeit im Kreuz. Bei Aufblähen große Kurvatur bis Mitte zwischen Nabel und Symphyse, die kleine 2 Finger oberhalb Nabel. Epigastrium leer. Magen erscheint im ganzen mäßig vergrößert. Stuhl ziemlich stark verstopft.

Subjektiv fühlt sich Pat. sehr elend, kann ihren Haushalt nicht mehr führen, fast andauernd Magendrücken.

29. März früh, nach beliebiger Diät abends zuvor, 17 ccm ausgehoben. Mikrosk. Kerne, sonst 0, Phenolpht. 65, Congo 48, Eisenchl. 0.

$^1/_2$ Std. nach Leerspülung Probefrühstück, nach $^3/_4$ Std. 240 ccm ausgehoben, Rest (Strauss) 33 ccm, (Goldschmidt) 23 ccm, Phenolpht 30, Congo 10, Eisenchl. 0.

30. März früh nüchtern, abends zuvor Probemahl, 0 Inhalt, auch bei Spülen 0.

5 Std. nach Probemahl 105 ccm ausgehoben, dick, braun, Rest (Goldschmidt) 86 ccm, mikrosk. Amylum, Fleisch in allen Stadien der Querstreifung, vereinzelte Hefe und Bakterien, Phenolpht. unfiltriert 170, filtriert 152, Congo unfiltriert 58, filtriert 66, Eisenchl. 0.

1. April 6 Std. nach beliebiger Nahrung 100 ccm ausgehoben, Phenolpht. 123, Congo 42, Eisenchl. 0.

2. April früh nüchtern, abends zuvor ausgehoben, nicht gespült, 10 ccm ausgehoben, hell, fast klar, Phenolpht. 76, Congo 60, Eisenchl. 0, danach

2. April Operation (Geheimrat Mikulicz). Kein Tumor. Magen ist deutlich vergrößert. Wand erscheint wohl etwas hyperämisch, sonst normal. Pylorus für Fingerkuppe + Magenwand nicht durchgängig, er zeigt einen Kontraktionsring, kein Ulcus oder Narbe zu fühlen. Pyloroplastik.

Nachdem der Verlauf zunächst normal, beginnt Pat. am 5. April abends zu brechen; das Erbrechen wird bald sehr heftig, häufig und voluminös; es sind schwarzgrüne, stark saure Massen, deutliche Häminprobe, niemals kotiger Inhalt. Winde sind, wenn auch spärlich, vorhanden, vom 8. April ab täglich ein Stuhl, keine Indikanvermehrung. Pat. wird, da es sich offenbar um eine Stauung im Duodenum handelt, nun regelmäßig ausgehoben. Es zeigt sich, daß am 7. zum 8. April mehr ausgehoben wird, als per os eingenommen (nur Eis). Am 8. April früh 860 ccm, tiefschwarz, die abgesetzte Flüssigkeit stark grün. Bald läßt das Quantum und der Blutgehalt aber nach, am 11. April abends noch 250 ccm ausgehoben, ohne Blut, stark gallig.

12. April 150 ccm, ohne Blut, wenig Galle. Dann zunächst kein Erbrechen mehr, keine Aushebung mehr notwendig. Auf der Höhe der Magenüberstauung war der Inhalt abnorm sauer, Phenolpht. 75—105, filtriert 72—101, Congo 34, Dimethyl 32, locker gebundene HCl 12, Eisenchl. 0.

Pat. erbricht dann im Laufe der Rekonvalescenz noch einige Male, die Acidität ist dabei normal, nur einmal Phenolpht. 65, filtriert 59.

30. April Entlassung. Pat. ist gebessert, doch fühlt sie sich noch nicht ganz gesund, kein rechter Appetit, unbehagliches Gefühl über dem Magen. Das Gewicht, welches bis auf 41,5 kg herunter war, beträgt 45,5 kg.

Mai 1898. Laut brieflicher Mitteilung Wohlbefinden.

29. Juli 1898. Pat. stellt sich vor. Die Besserung hielt nicht lange an. Seit Ende Mai spürt sie wieder Druck und Unbehagen, Aufstoßen, Appetitlosigkeit, Schwindel, kein Erbrechen.

Pat. sieht recht elend aus, Gewicht 49 kg. Man fühlt jetzt in der Mitte der Narbe mehr links eine kinderfaustgroße, aus einer großen Anzahl bis kirschgroßer, harter Knoten bestehende Masse; dieselbe ist wenig beweglich, mäßig schmerzhaft. Bei Aufblähen des Magens liegt sie zwischen großer und kleiner Kurvatur und wird etwas undeutlicher.

Pat. erhält in leer gespülten Magen Probefrühstück, nach $^3/_4$ Std. 150 ccm ausgehoben, Rest (Phenolpht.) 150 ccm, Phenolpht. 10—19, Congo 0, locker gebundene HCl 0, HCl-Defizit 6, Galle 0, Eisenchl. nicht deutlich.

4. Febr. 1899. Laut brieflicher Mitteilung leidliches Befinden. Gewicht 51,5 kg. Appetit gut, kein Erbrechen; Pat. fühlt sich ziemlich schwach. Leider kann sie zur Zeit nicht von Hause abkommen zur Untersuchung.

In diesem Falle scheint es sich um ein Neoplasma zu handeln, welches voraussichtlich vom Magen und zwar von einem Ulcus desselben ausgeht. Die Anamnese und der Befund nach der Operation sprechen mit großer Sicherheit für ein früher bestandenes Ulcus. Besonders hervorzuheben ist in diesem Falle die enorme Höhe der Acidität, 170 Proz. Gesamtacidität = 0,62 Proz. auf HCl berechnet.

30. (Fall 35 des Herrn Geh. Rat Mikulicz). 3 Monate magenleidend, Gastralgie, Erbrechen. Normale Acidität, geringe motorische Schwäche (Ulcus, Gastritis, Hysterie?) Pyloroplastik. Unter Rückfällen definitive Heilung.

Ernestine Str., 21 J., ledig, Dienstmädchen aus Domatschine.

Familienanamnese ohne Belang. Februar 1896 Entbindung. Mit 10 Jahren $^1/_2$ Jahr Bleichsucht, sonst Vorleben ohne Belang. Vor 3 Monaten traten allmählich zunehmende Schmerzen in der Magengrube auf, genau in der Mitte, nicht links und im Kreuz. Pat. führt dieselben zurück auf das Tragen eines schweren Gegenstandes, den sie gegen die Magengegend preßte; sofort danach Magendrücken. Druck andauernd vorhanden, wechselnd, nach dem Essen stets Zunahme. Nach 4 Tagen Erbrechen, früh morgens, nüchtern, $^1/_2$ Liter saueren Inhaltes, dann noch öfters Erbrechen, schließlich, nach 14 Tagen, täglich, nie blutig, Stuhl verstopft, angeblich zuweilen wie Kaffeesatz. Pat. wurde zusehends elender, schleppte sich die ersten 14 Tage herum, blieb dann 4 Wochen zu Bett. Die ersten 14 Tage davon brach sie täglich 3—4 mal, dann Besserung; sie brach seltener, Schmerzen geringer, sie konnte wieder aufstehen und leicht arbeiten. Seit 4 Wochen Behandlung in der hiesigen medizinischen Poliklinik mit Magenausspülungen, danach geringe Besserung.

30. Nov. 1896 Aufnahme.

Pat. fühlt sich sehr elend, arbeitsunfähig. Andauernd Druck in der Nabelgegend und Uebelkeit, nach dem Essen stets zunehmend, nach etwa 1/2 Std. Zur Zeit alle 3—4 Tage Erbrechen.

Schwächlich gebaute Pat., Blässe von Gesicht und Schleimhäuten, Hämoglobin 55, Gewicht 49 kg (gesund 57,5 kg.) Zunge leicht belegt, innere Organe normal, bis auf Magen. Urin normal. Pat. ist entschieden mäßig nervös, leicht erregbar. Keine Enteroptose. Leib mäßig aufgetrieben, besonders unterhalb des Nabels, Epigastrium nicht eingesunken. Etwas oberhalb des Nabels eine sehr druckempfindliche 5 Markstückgroße Stelle.

Hypochondrium und Kreuz nicht empfindlich. Nichts fühlbar. Bei Aufblähung Magen nicht tief stehend, nicht deutlich vergrößert, keine Peristaltik.

1. Dez. 1896 früh in leergespülten Magen 500 ccm Probefrühstück, nach 1 Std. 200 ccm ausgehoben, mikrosk. nichts Besonderes, Phenolpht. 41 (= 0,149 Proz.), Congo 24 (= 0,086 Proz.), Eisenchl. 0.

2. Dez. früh nüchtern, abends zuvor 250 g Beefsteak, 5 Kartoffeln, nach 13 1/2 Std. leer, auch bei Spülen.

3. Dez. früh nüchtern Probefrühstück, nach 1 Std. 150 ccm ausgehoben, Phenolpht. 34, Congo 14, Eisenchl. 0.

3. Dez. 1896 Operation (Geheimrat Mikulicz) in Chloroformnarkose. Magen vielleicht etwas vergrößert. Pylorus gut durchgängig für ganzen Finger, nicht verdickt. Kein Ulcus oder Narbe zu finden. Pyloroplastik.

Pat. hat zunächst starke Schmerzen nach der Operation, stärker als zuvor, sie bricht auch einige Male.

19. Dez. Sie steht auf, ist sehr elend.

19. Jan. 1897 Entlassung. Gewicht 46,5 kg. Pat. klagt noch andauernd über Schmerzen im Leibe, besonders links unten.

1 Std. nach 500 ccm Probefrühstück 100 ccm ausgehoben, Phenolpht. 27, Congo 15, Eisenchl. 0.

1/2 Std. nach 500 ccm Probefrühstück 250 ccm ausgehoben, Phenolpht. 41, Congo 26, Eisenchl. 0. Früh nüchtern leer.

16. Febr. 1897. Pat. stellt sich vor. Gewicht 52 kg. Sie fühlte sich nach der Entlassung zunächst leichter, sie aß alles ohne weitere Beschwerden. Direkt im Anschluß an ein Ausgleiten, wobei sie sich stark nach hinten überbeugte, nicht hinfiel, traten dann heftige Schmerzen auf in Magengrube und Kreuz, 2 mal Erbrechen, einmal will Pat. auch etwas dunkles Blut im Stuhle gesehen haben. Seither geht es wieder besser, aber im ganzen schlechter als bei der Entlassung.

5 Std. nach 1 Liter Milch 150 ccm ausgepreßt, 0 Galle, mikrosk. Fett, Phenolpht. 13,5, Congo schwach, Eisenchl. Spur (keine Prüfung im Aetherextrakt).

Leerspülung, darauf 400 ccm Probefrühstück, nach 1 Std. 150 ccm ausgepreßt, Phenolpht. 22,5, Congo schwach, Eisenchl. 0.

3. März 1897. Es geht eher schlechter, 4 mal Erbrechen gehabt, andauernd mäßige Schmerzen im Leibe, in Gegend der Narbe und Kreuz, nach Essen zuweilen Verschlimmerung, meist unverändert. Pat. ist zu Hause bei den Eltern und kann nur ganz leichte Arbeit versehen.

5. März früh nüchtern 0 Inhalt, abends zuvor 250 g Fleisch.

Darauf Probefrühstück, nach 1 Std. 100 ccm ausgehoben, Phenolpht. 31, Congo 7,5, Galle 0, Eisenchl. 0.

16. März. Es geht etwas besser; noch einmal Erbrechen.

31. März. Allmählich Besserung, seit 8 Tagen ist Pat. völlig schmerzfrei. Zeitweise noch etwas Aufstoßen und Sodbrennen. Sie fühlt sich noch etwas schwach, kräftiger als vor der Operation, hat bereits ziemlich schwer gearbeitet. Gewicht 51,5 kg.

Früh nüchtern 0 Inhalt, abends zuvor Schinken.

1 Std. nach Probefrühstück 200 ccm ausgehoben, leicht gallig, bereits von Anfang des Pressens an, Phenolpht. 14, Congo 9, Eisenchl. 0.

9. Juli 1897. Andauernd Wohlbefinden. Pat. ißt alles, arbeitet wie zu gesunden Zeiten, sieht blühend aus. Magen nicht druckempfindlich. Gewicht 50 kg.

12. April 1898. Weihnachten, angeblich infolge Verderbens des Magens wieder Magendrücken, Appetitlosigkeit, mehrmals Erbrechen. Pat. ließ sich mehrmals den Magen ausspülen. Seit Ende Januar wieder Wohlbefinden. Gewicht 50,5 kg. Große Kurvatur bei Aufblähen 4 Finger unter Proc. xiph.

$2^{1}/_{2}$ Std. nach Kaffee und Kuchen 200 ccm ausgehoben, Phenolpht. 51, Congo 36, Eisenchl. 0.

$^{3}/_{4}$ Std. nach Probefrühstück 73 ccm ausgepreßt, Rest (Goldschmidt) 20 ccm, Phenolpht. 20, Congo 11, Eisenchl. 0.

26. Juli 1898. Pat. stellt sich wieder vor. Wohlbefinden. Gewicht 51 kg.

$^{3}/_{4}$ Std. nach Probefrühstück 63 ccm ausgehoben, dünn, 0 Galle, Rest (Phenolpht.) 100 ccm (?) Phenolpht. 7, Congo 2, Eisenchl. 0, mikrosk. 0.

Es läßt sich in diesem Falle nicht mit Sicherheit feststellen, ob ein Magengeschwür vorlag. Es kann sich sehr wohl nur um eine Gastritis chronica gehandelt haben. Eine nervöse Affektion liegt wohl nicht vor; auch für ein Ulcus spricht nichts Bestimmtes. Sicher ist die geringe motorische Insufficienz, die bestand, hier nicht durch Affektion des Pylorus bedingt, sie ist demnach wohl auf Atonie zurückzuführen. Auch das Verhalten der Motilität nach der Operation ist dementsprechend. Die Motilität behält den gewissen Grad von Verlangsamung zunächst ziemlich unverändert bei, bessert sich indeß noch weiterhin. Jedenfalls ist die Patientin aber völlig genesen; ob sie es ohne den operativen Eingriff wäre, muß offen gelassen werden.

31) Seit 1 Jahr cardialgische Anfälle. Normale Motilität und Chemismus des Magens. Wanderniere. Pyloroplastik. Kontraktionsring des Pylorus. Heilung.

Selma L., 30 J., Schlosserfrau aus Breslau.

Familienanamnese ohne Belang. Pat. machte als Kind Scharlach, Diphtherie, Typhus durch. 4 schwere Geburten mit Kunsthilfe, 3 Aborte. Bei jeder Geburt heftiges Erbrechen. Pfingsten 1896 trat ganz plötzlich mitten bei der Arbeit ein Anfall heftigster, krampfartiger Schmerzen auf, in der rechten Lende, dicht oberhalb der Hüfte. Die Schmerzen strahlten nach dem Unterleib, dem Magen und dem rechten Schulterblatt aus; Schüttelfrost, galliges Erbrechen ohne Speisen. Nach 4 Tagen war Pat. bis auf ein leichtes Ziehen in der Nierengegend gesund. Im Juli bemerkte Pat. dann nach dem Urinieren stark ziehende, wehenartige Schmerzen in der rechten Weiche, nach der Blase ziehend; dieselben verschwanden auf heiße Scheidenspülungen. September 1896 ein Anfall wie Pfingsten, nur weniger heftig und länger dauernd. Pat. blieb 4 Wochen zu Bett, als sie dann, beschwerdefrei, aufstand, wurde das Brechen wieder heftig. Pat. wurde auf Wanderniere behandelt, erhielt Bandage, die Schmerzen blieben aber.

März 1897 neuer Anfall, der 5—6 Tage anhielt. Pat. kam dabei herunter, nahm 12 Pfd. seit Beginn der Krankheit ab. Sie konnte keine schwere Arbeit verrichten, besonders sich nicht bücken. Niemals Ikterus. Stuhl stets träge. Gallensteine trotz Suchens nie gefunden

13. Mai 1897 Aufnahme.

Mittelgroße, kräftig gebaute Frau. Ziemlich guter Ernährungszustand. Körpergewicht 58 kg. Brustorgane normal. Der Leib zeigt äußerlich nichts Besonderes. Leber reicht in Mamillarlinie bis Rippensaum, nicht fühlbar. Rechte Niere unter Rippensaum fühlbar, nicht vergrößert, leicht verschieblich, große Kurvatur reicht bei Aufblähen 1 Finger unter Nabel, Epigastrium nicht eingesunken. Keine hysterischen Stigmata. Urin normal.

12 Std. nach 250 g Beefsteak, Kartoffeln, früh nüchtern 0 Inhalt, bei Spülen vorübergehend leicht gallig gefärbte Flüssigkeit.

1 Std. nach Probefrühstück 0 Inhalt; am folgenden Tage dasselbe, danach einige Tropfen Inhalt ausgepreßt, ohne HCl.

$^1/_2$ Std. nach Probefrühstück 18 ccm ausgehoben, Phenolpht. 49, Congo 30, Eisenchl. 0.

20. Mai 1897 Operation (Geheimrat Mikulicz) in Chloroformnarkose.

Ren mobilis dexter, Niere sonst normal. In den Pylorus kann die Kuppe des Zeigefingers mit eingestülpter Magenwand soeben eingelegt, nicht durchgeführt werden. Der Pylorus erscheint weiter nach rechts als normal gelagert, Magen mäßig dilatiert. Magenwand deutlich verdickt. Sonst absolut negativer Befund. Pyloroplastik. Es zeigt sich dabei der Muskelring des Pylorus auffallend dick, wulstförmig in das Lumen vorspringend.

Pat. hat zunächst noch ziemliche Schmerzen, bricht mehrmals; im übrigen normaler Heilverlauf.

5. Juni. Von heute ab ist Pat. schmerzfrei.

14. Juni Entlassung. Pat. ist völlig beschwerdefrei. Gewicht 58 kg.

Pat. fühlt sich zu Hause zunächst vollkommen wohl. Ende Juli treten die Menses, die 1 Jahr ausgeblieben, wieder auf, um $^1/_4$ Jahr unaufhörlich anzudauern. Gewicht 60 kg. Pat. wurde in der hiesigen Frauenklinik behandelt, und als es nicht gelang, die Blutung zu beseitigen, am 21. Sept. 1897 die Exstirpatio uteri per vaginam vorgenommen. Sofort nach der Operation traten wieder Magenbeschwerden auf, Erbrechen und bald auch Schmerz; dieselben vergingen, traten aber anfallsweise wieder auf.

In einem solchen Anfalle heftigster Magenschmerzen und galligen Erbrechens kam Pat. am 2. Nov. 1897 wieder zur Aufnahme in die Klinik. Nach 3 Tagen war der Anfall vorbei, Pat. wieder völlig beschwerdefrei, Gewicht 55—56 kg. Pat. stellt sich noch zuweilen in der Klinik vor; sie hat noch gewisse leichte Beschwerden, die auf die Wanderniere zu beziehen sind, von Magenbeschwerden ist sie völlig frei. Bei den gelegentlich ausgeführten Mageninhaltuntersuchungen normale Motilität und Acidität, 0 Galle.

Auch dieser Fall ist recht unklar. Es könnte die sicher bestehende Wanderniere Ursache aller Beschwerden gewesen sein, der operative Eingriff nur subjektiv gewirkt haben; es kann eine uns völlig unbekannte Affektion vorgelegen haben, es kann aber sehr wohl der Kontraktionszustand des Pylorus der Grund des Uebels gewesen sein, sei es primär, sei es als Folge einer Magenneurose.

32) 8 Jahre magenleidend, mehrere kleine Magenblutungen. Pyloroplastik. Ulcus nicht gefunden. Pyloruskontraktur. Besserung. Hysterie.

Agnes U., 32 J., Krankenpflegerin aus Kattowitz.

Familienanamnese ohne Belang. 1886—1889 war Pat. schwer bleichsüchtig, außer Appetitlosigkeit keine Magenbeschwerden.

Febr. 1889 traten plötzlich ohne Ursache heftige Magenbeschwerden auf; bei starkem Appetit erbrach sie fast alles, Schmerzen bestanden nur nach dem Brechen, 1 mal, Juni 1889, will sie ziemlich viel Blut gebrochen haben.

1891 wurde ein Unterleibsleiden konstatiert, deshalb Dezember 1891 das linke Ovar, Januar 1892 ein Uteruspolyp entfernt. Die Magenbeschwerden verschwanden darauf. Nach 1 $^1/_2$ Jahren traten sie von neuem auf, zunächst nur Druck, auch nüchtern, nach dem Essen zunehmend: allmählich auch ins Kreuz ziehend.

1895 begann Pat. zu brechen, sogleich nach jedem Essen, zunächst nur wenig, schließlich angeblich alles, was sie aß, so daß Pat. behauptet, seit 2 Jahren nichts mehr bei sich zu behalten. Stuhl verstopft, bis zu 8 Tagen. Gewicht gesund 71 kg, Oktober 1896 68 kg, jetzt 51 kg. Pat. wurde viel behandelt mit Diät, Medikamenten u. s. w. ohne Erfolg Am schlechtesten vertrug sie Magenausspülungen, bereits bei der ersten Erkrankung. Pat. wird vom Arzt zur Operation in die Klinik geschickt.

26. April 1897 Aufnahme.

Pat. fühlt sich sehr elend, müde, ist seit 4 Wochen außer Stande ihrem Beruf nachzugehen. Andauernd Schmerz in Magengrube und Kreuz; bei jedem Essen erfolgt nach $^1/_4$—$^1/_2$ Std. Zunahme der Schmerzen. Es tritt dann Erbrechen auf, bald sofort, bald erst nach 1—2 Std., während des Brechens sind die Schmerzen sehr heftig, danach nehmen sie ab. Kein Appetit. Pat. macht einen hysterischen Eindruck in ihrem ganzen Wesen, ist leicht erregbar, häufig Globus, keine sensible Störung, Reflexe mäßig gesteigert.

Anämische, schlecht genährte Person. Innere Organe bis auf Magen normal. Keine Enteroptose, Leib zeigt äußerlich nichts Besonderes. Epigastrium und l. Hypochondrium ziemlich stark druckempfindlich, Kreuz in der Mitte ein wenig. Kein Tumor. Bei Aufblähung reicht große Kurvatur bis Nabelhöhe.

Die Untersuchung des Mageninhaltes ergiebt keine deutliche motorische Insufficienz. Es besteht eine leichte Hyperacidität. Die genaueren Werte sind verloren gegangen.

1. Mai 1897 Operation (Geheimrat Mikulicz) in Chloroformnarkose.

Magen nicht deutlich vergrößert. Pylorusring zeigt sich stark kontrahiert, entschieden dicker als normal. Bei Berühren des Magens, dessen Wand im ganzen vielleicht auch verdickt, lebhafte peristaltische Wellen, besonders dicht am Pylorus. In Pylorus Fingerspitze soeben einlegbar, er kontrahiert sich sofort und ist dann undurchgängig. Pyloroplastik. Die Heilung geht in normaler Weise vor sich, die Beschwerden der Pat. nehmen nach der Operation ab; doch klagt sie noch immer, bricht auch noch von Zeit zu Zeit, etwa pro Woche 2 mal.

24. Mai 1897. 20 Min. nach Probefrühstück erbricht sie 100 ccm, neutral, mikrosk. 0, nach 40 Min. 0 Inhalt aushebbar.

28. Juni Entlassung, Gewicht 48 kg (am 20. Mai 46 kg). Pat. ist nicht beschwerdefrei. Sie behauptet 2 Arten von Schmerzen zu haben: der eine sitzt an thalergroßer Stelle unterhalb des linken Rippensaumes, ziemlich in der Tiefe, ist bald da, bald nicht, im ganzen häufiger fehlend; er wird durch nichts beeinflußt. Der andere ist ein Druck, der nur nach dem Essen auftritt, $^1/_4$—$^1/_2$ Std. dauert, dann allmählich nachläßt.

30. Juli. Der Zustand wechselte, es kamen Perioden, in denen sie angeblich wieder fast alles erbrach, dann wieder Zeiten, in denen sie selten brach. Die Schmerzen verhielten sich gleichfalls sehr wechselnd. So Mitte August ein Fall heftigster Schmerzen, die 3 Tage anhielten mit kurzer Unterbrechung. Pat. war dabei so erregt, daß sie um sich schlug, dabei sehr häufiges Erbrechen. 7 Pfd. Abnahme, doch fühlte sich Pat. im ganzen entschieden besser als vor der Operation. Sie ist zuweilen sogar mehrere, bis 6 Tage, vollkommen schmerzfrei. Stuhl stark verstopft. Pat. stellt sich öfters vor.

Anfang Februar 1898 stärkere Schmerzen, auch mehr Erbrechen. Einmal Magenblutung, eine kleine Tasse voll, dunkel, etwas klumpig; nach $^1/_4$ Std. nochmals ein wenig. 10 Tage danach ein Anfall stärkerer Schmerzen, viel Brechen ohne Blut.

12. April 1898 früh nüchtern 0 Inhalt aushebbar, bei Spülen kommen einige Bröckel. $^1/_2$ Std. nach Probefrühstück 25 ccm ausgehoben, mikrosk. 0, Phenolpht. 42, Congo 22, Eisenchl. 0, Galle 0.

Im April und Mai 1898 macht Pat. dann eine Kur nach Leube durch, genau nach dessen Vorschriften. Keine Besserung dadurch; sie fühlte sich zunächst bei der Kur schwach, dann etwas besser, schließlich unverändert Dauer $5^1/_2$ Wochen.

7. Juli 1898. Pat. stellt sich wieder vor. Sie fühlt sich nicht gut, doch noch immer besser als vor der Operation. Gewicht 46 kg. Es bestehen noch immer obige 2 Arten von Schmerzen. Der eine unabhängig von Essen über dem Magen, in der Mitte des Leibes und links davon, der 2. an das Essen gebunden. Erbrechen alle Woche etwa 3 mal. Pat. verträgt am besten Flüssiges, je dünner um so besser, am schlechtesten Fleisch, danach Schmerz und Brechen.

12 Std. nach Probemahl enthält der Magen große Mengen dicker, nicht angedaut aussehender Fleischstückchen; er ist nicht leerspülbar, da Sonde andauernd verstopft; mikrosk. nur unangedautes Fleisch, einzelne Bakterien und Hefe. Reaktion sauer, 0 Congo. Pat. ist bei Wassereingießen sehr empfindlich; es drückt sofort, mehr als $^1/_2$ Liter ist nicht einzugießen. Pat. hat dann Schmerzen und bricht neben der Sonde heraus, oft bereits auch früher. Auch Luftaufblähung verträgt sie sehr schlecht (Apparat Kelling), bereits bei 8 cm Druckbeschwerden.

8. Juli. 12 Std. nach 500 ccm Probefrühstück 0 Inhalt, auch bei Spülen. 1 Std. nach 400 ccm Probefrühstück 0 Inhalt, bei Spülen nur Spuren.

$^1/_2$ Std. nach Probefrühstück (bald 20 ccm davon erbrochen, neutral) 32 ccm ausgehoben, Rest (Phenolpht.) 45 ccm, Phenolpht. 15—23, Congo 7,

Alizarin unbestimmt, Eisenchl. 0, Galle 0, Fermente vorhanden. Pat. geht nach Bad Salzbrunn.

**Wie sollen wir diesen Fall auffassen? Eine Hysterie besteht sicher. Hat Pat. außerdem ein Ulcus? Sie hat angeblich eine Anzahl kleiner Magenblutungen überstanden, welche natürlich für Ulcus sprächen, wenn die Angaben der Pat. uns unbedingt zuverlässig erschienen. Wir werden auch in diesem Falle die Diagnose offen lassen müssen. Man könnte an einen neuen operativen Eingriff denken, doch verweigert Pat. diesen vorläufig.**

**Hervorzuheben ist in diesem Falle, daß während die motorische und chemische Funktion sonst nichts besonderes zeigt, eher eine Beschleunigung der Motilität, bei einer Aushebung, 12 Stunden nach Fleisch, noch erhebliche Mengen unangedauter Stücke im Magen liegen. Pat. war damals nicht in der Klinik aufgenommen, nahm obiges Essen außerhalb der Klinik zu sich und kam nur zur Aushebung in dieselbe, so daß auch hier eine Täuschung von seiten der Pat. nicht ausgeschlossen ist. Häufigere Untersuchung war wegen des Widerwillens der Pat. gegen Sondierung nicht möglich.**

**33. (Fall 39 des Herrn Geh. Rat Mikulicz). 4 Jahre krank. 3 kleine Magenblutungen. Hysterie. Schleimhautfalte im Pylorus. Pyloroplastik. Besserung.**

Helene T., 25 J., ledig, Geschäftsinhaberin aus Kalisch.

Familienanamnese, Vorleben ohne Belang. Beginn des Magenleidens vor 4 Jahren, plötzlich, 3 Wochen nach starker psychischer Erregung (Tod der Mutter). Es waren andauernd heftige Schmerzen in der Magengrube, mehr rechts, und im Kreuz vorhanden. Es wurde angeblich alles erbrochen, nach Brechen Abnahme der Schmerzen. 3mal brach sie auch etwas Blut, jedesmal etwa 1 Glas voll, rot, flüssig, es kam stets nach dem Erbrechen von Speisen. Sie kam dabei sehr herunter. Sie wurde mit Bettruhe, Diät, Carlsbader Salz u. s. w. behandelt. Nach 8 Monaten Besserung. Pat. brach nur noch nach Fleischeinnahme, welche sie infolgedessen unterließ. Schmerzen bestanden nüchtern gar nicht mehr, nach Essen sehr selten und wenig. Anfang Januar 1897 wieder Verschlimmerung, Zunahme der Schmerzen auch in nüchternem Zustande. Es wurde wieder alles erbrochen, nicht Blut. Abmagerung.

6. März 1897 Aufnahme.

Mittelgroße, schlecht genährte Person, Gewicht 40 kg, ziemlich starke Blässe von Gesicht und Schleimhäuten. Brustorgane normal. Urin normal. Stuhl verstopft. Leib eingesunken, Epigastrium ziemlich stark druckempfindlich, Kreuz nicht. 6 cm unterhalb des Proc. Xiph. scheint eine haselnußgroße harte Stelle in der Tiefe zu bestehen, die besonders empfindlich ist. Leber, Milz normal, keine Enteroptose. Bei Aufblähen mit Luft steht die große Curvatur am Nabel, der Magen ist im ganzen mäßig vergrößert, Epigastrium ausgefüllt.

Die Untersuchung des Mageninhaltes ist sehr erschwert dadurch, daß Pat. wie nach allem, so auch nach Probenahrung bricht.

7. März. Pat. erbricht nach Probefrühstück bald etwa die Hälfte davon, nach 2 Std. 4,2 ccm ausgehoben. Phenolpht. 56, Congo 26, Eisenchl. 0, mikrosk. mäßig viel Hefe. Es wird eine Magenausspülung vorgenommen, dabei kommt etwas Blut.

8. März. Eine Stunde nach Probefrühstück, von dem wieder ein Teil erbrochen wird, ist kein Inhalt auszuheben, bei Wassereingießung wird indes deutlicher Mageninhalt ausgepreßt, nicht viel.

Subjektiv fühlt sich Pat. recht elend und schwach. Sie ist unfähig, ihrem Geschäft vorzustehen, sie hat fast andauernd mäßige Schmerzen in der Magengegend, die nach dem Essen oft sehr heftig werden. Sie ist zu allem bereit. Pat. zeigt entschieden ein hysterisches Temperament, eigentliche Stigmata sind nicht vorhanden. Ihr Befinden ist evident abhängig von Erregungen, die Schmerzen lassen sich erheblich beeinflussen.

11. März 1897 Operation (Herr Dr. Henle) in Chloroformnarkose.

Der Magen erscheint ziemlich deutlich dilatiert, kein Tumor. Der Pylorus erscheint verdickt, nach unten zu von ihm ein 1 cm dicker Strang. Nach Eröffnung des Magens zeigt es sich, daß der Pylorus durch eine von unten nach oben ragende, aus der pars praepylorica gebildete Schleimhautfalte verlegt ist. Ulcus oder Narbe nicht zu finden. Pyloroplastik.

Normaler Verlauf. In der Nacht nach der Operation erfolgt einmal Erbrechen, bräunlich, 100 ccm, dann keines mehr. Mäßige Schmerzen in der Wunde. Die alten sind seit der Operation verschwunden.

17. März. Keine Schmerzen mehr.

31. März. Pat. fühlt sich erheblich besser als vor der Operation. Gewicht 48 kg. Häufiger nüchtern kein Schmerz, nach Essen außer Fleisch kein Schmerz, nur Völlegefühl. $^1/_2$—1 Std. nach Fleischgenuß treten mäßige Schmerzen im Leibe auf, mehr rechts als früher, nicht im Kreuz. Nach $^1/_4$ Std. nehmen sie wieder ab. Kein Erbrechen.

Nachdem Pat. abends zuvor 250 g Beefsteak, 100 Brot, 300 Thee genommen, heute früh nüchtern 40 ccm ausgepreßt, etwas Galle, mikrosk. Kerne, 0 Fleisch, wenig Stäbchen, Phenolpht. 78, Congo 47, Eisenchl. 0.

Der Magen wird leergespült, dann Probefrühstück, nach $1^1/_2$ Std. 10 ccm ausgehoben, Phenolpht. 118, Congo 74, Eisenchl. 0, mikrosk. 0.

Entlassung.

7. Mai 1897. Pat. kommt wieder zur Aufnahme. 3 Tage nach der Entlassung begann sie wieder zu brechen, auch die Schmerzen kamen wieder. Sie bricht angeblich täglich 3—7 mal, jedoch nicht wie früher alles Essen, sondern nur zum Teil dasselbe. 2 mal brach sie auch etwas Blut. Stuhl alle 2—4 Tage, keine Gewichtsabnahme.

9. Mai 1897. Abends zuvor 100 g Beefsteak, 50 g Brot, 300 g Wasser; heute früh Magen leer.

$^3/_4$ Std. nach Probefrühstück 25 ccm ausgepreßt, mikrosk. etwas viel kurze Stäbchen, Phenolpht. 37, Congo 18, Eisenchl. 0, Galle 0.

10. Mai. Probefrühstück in leeren Magen, nach $^3/_4$ Std. 35 ccm ausgehoben, mikrosk. wie oben, Phenolpht. 35, Congo 8, Eisenchl. 0, Galle 0.

Pat. wird mit kalten Abreibungen, Bettruhe, Stopfdiät behandelt. Das Brechen hört auf, die Schmerzen nehmen ab.

14. Mai. Entlassung. Pat. fühlt sich gebessert.

14. Juni. Laut brieflicher Mitteilung geht es besser als vor der Operation. Pat. kann ihrem Berufe nachgehen, sie bricht selten, mäßige Schmerzen, Gewicht 43 kg.

23. Juli 1897. Pat. stellt sich vor. Status idem. Früh nüchtern, 12 Std. nach Probemahl, Magen leer: bei Spülen kommt etwas gallige Flüssigkeit, klar, gelb.

3/4 Std. nach Probefrühstück 30 ccm ausgehoben, Phenolpht. 32, Congo 0, Eisenchl. 0, Galle 0, mikrosk. wenig Hefe, kurze Stäbchen.

25. Juli. Pat bricht abends, 1/2 Std. nach Bouillon, 20 ccm, Phenolpht. 64, Congo 0, Galle 0, mikrosk. 0.

**In diesem Falle besteht auch sicher Hysterie. Ob auch die Magenaffektion funktionell ist, oder ob vielleicht ein Ulcus besteht, ist nicht feststellbar. Die bei der Operation gefundene Schleimhautfalte hat keine Störung der Motilität oder des Chemismus verursacht. Hervorzuheben ist der einmal gefundene, auffallend hohe Wert der Säure nach Probefrühstück, der selbst den nach Fleisch übersteigt.**

## 10. Unklarer Fall. Myotomie des Pylorus.

**34) Seit 1/2 Jahr kolikartige Schmerzen, normale Motilität und Chemismus, Gastroptose. Pyloruskontraktur. Subseröse Myotomie des Pylorus. Besserung.**

Ernst W., 56 J., Webermeister aus Womannsdorf.

Familienanamnese und Vorleben ohne Belang. Vor 1/2 Jahr erkrankte Pat. mit heftigen kolikartigen Schmerzen im Leibe, die 2—3 Std. nach der Mahlzeit auftraten, nach 1/2 Std. völlig verschwanden; oft bald darauf Stuhl, bis 7 mal pro Tag, breiig; dann wieder auch Verstopfung. Nie Erbrechen, zuweilen Aufstoßen. Anfang März hatte Pat. einen heftigen Anfall von Kolik, in dem der Leib angeblich stark aufgetrieben war, Fieber. Der Arzt soll damals eine Bauchfellentzündung angenommen haben. Seither sind die Koliken nicht mehr aufgetreten, vielmehr hat Pat. andauernd einen mäßigen Bauchschmerz im ganzen Leibe, auch beiderseits im Kreuz, nach Nahrungsaufnahme stets Zunahme. Im ganzen nimmt der Schmerz im Verlaufe des Leidens konstant zu. Stuhl regelmäßig. Nie Erbrechen oder Uebelkeit, zuweilen Aufstoßen. Pat. nimmt langsam an Gewicht und Kräften ab.

11. Juli 1898 Aufnahme.

Mittelgroßer, mäßig kräftig gebauter und genährter Mann. Gewicht 57,5 kg. Brustorgane normal. Der Leib ist weich, zeigt äußerlich nichts Besonderes, das Epigastrium ist in seiner rechten Hälfte ziemlich stark druckempfindlich; es besteht hier eine deutliche Resistenz, die sich wie ein lokal kontrahierter Muskelbauch anfühlt, kein deutlicher Tumor. Mäßiger Grad allgemeiner Enteroptose. Die Leber übersteigt perkutorisch in der Mamillarlinie etwas den Rippensaum, nicht fühlbar. Die Milz perkutorisch nicht vergrößert, überragt die Linea cost. clavic. um 1 Finger. Niere nicht fühlbar. Große Kurvatur des Magens bei Aufblähen 3 Finger oberhalb Symphyse, kleine in Medianlinie 1 Finger oberhalb des Nabels. Wassereingießung per Rectum ergiebt nichts Besonderes, nur tritt regelmäßig bei 1100 ccm ein Schmerz auf, der etwa der Mitte des Colon transversum entspricht.

Urin normal, kein Indikan. Auch bei 100 g Zuckereingabe 0 Zucker.

15. Juli. 5 Std. nach Mittagessen Magen leer.

$^3/_4$ Std. nach Probefrühstück nichts aushebbar, dasselbe 25 Min. nach Probefrühstück.

22. Juli 1898. Da eine sichere Diagnose nicht stellbar, wird zur Probelaparotomie geschritten (Geheimrat MIKULICZ) in Chloroformnarkose. Es zeigt sich der Magen etwas vergrößert, tief stehend. Die Leber steht etwas tief, in r. Parasternallinie 3 Finger, in r. Mamillarlinie $1^1/_2$—2 Finger unter Rippensaum. Milz bleibt $1^1/_2$ Finger hinter Rippensaum. An den Organen selbst, speciell Darm, Pankreas, Leber, Gallenblase nichts Pathologisches nachweisbar. Hingegen erscheint der Pylorus verengt, indem kaum $^1/_2$ Kuppe des Zeigefingers mit eingestülpter Magenwand in den Pylorus einlegbar ist, nicht entfernt Fingerkuppe durchführbar. Die Muskulatur des Pylorus erscheint wenig verdickt.

Es wird nun zunächst digital der Pylorus gedehnt, darauf mittels einer scharfen Nadel (Karlsbader Nadel) die Serosa an der vorderen Wand des Pylorus durchstochen, der Muskelring längs durchschnitten, ohne die Mucosa und weiter die Serosa zu verletzen. Danach wird der Pylorus für 2 Finger durchgängig. Es wird über dem Einstich eine quere Reihe von Serosanähten angelegt.

Normaler Verlauf.

7. Aug. Pat. ißt alles. Stuhl verstopft. Sonst ist Pat. völlig beschwerdefrei. Er wird heute entlassen. Gewicht 53,5 kg.

9. Sept. 1898. Pat. stellt sich vor. Er hat sich zunächst ganz wohl befunden. Gearbeitat hat er noch nicht; kein Schmerz, seit 14 Tagen hat er wieder Schmerzen, doch weniger als vor der Operation; sonst sind dieselben ähnlich, nur werden sie weniger durch Brechen beeinflußt.

Gewicht 58 kg. Appetit gut, Stuhl regelmäßig. Es besteht eine sehr geringe Druckempfindlichkeit der alten Stelle.

Der Magen ist früh nüchtern, 12 Std. nach Probemahl, sowie 6 Std. nach demselben leer.

$^3/_4$ Std. nach Probefrühstück 30 ccm ausgehoben. Rest (Phenolpht.) 20 ccm, leicht gallig, hellbraun, Phenolpht. 10, Congo 0, Eisenchl. 0.

Pat. erhält ein Amarum, leichte Diät.

15. Okt. 1898. Pat. stellt sich wieder vor. Er sieht wohler aus, Gewicht 59,7 kg. Er fühlt sich besser als vor der Operation; wenn er nicht arbeitet, hat er keinen oder minimalen Schmerz; wenn er arbeitet, hat er sofort und stets mäßigen Schmerz in dem ganzen Leibe, gelegentlich gleichzeitig auch im Kreuz. Keine Spur Magenbeschwerden, guter Appetit, Stuhl regelmäßig, nie Durchfall.

Pat. ist Neurastheniker, in seinem Wesen, leichter Tremor der Zunge, ziemlich lebhafter der Hände, mäßige Steigerung aller Reflexe.

$^3/_4$ und $^1/_2$ Std. nach Probefrühstück ist kein Inhalt aushebbar, bei Spülen kommt etwas schleimige neutrale Flüssigkeit.

$^1/_4$ Std. nach Probefrühstück 140 ccm ausgehoben, Rest (Phenolpht.) = 100 ccm; dünn, 0 Galle, mikrosk. 0, Phenolpht. 6—11; Congo 0, Dimethyl 0, Eisenchl. 0; HCl Defizit (Congo) 4 Proz.

12, 6, 3 Std. nach Probemahl Magen leer; 2 Std. danach 50 ccm sehr dicken, die Sonde verstopfenden Inhaltes ausgehoben, mikrosk. nichts Besonderes, Rest (Phenolpht.) = 62 ccm; Phenolpht. 31,5—43,5, Congo, Dimethyl, Phloroglucin-Vanillin 0, HCl Defizit (Congo) 2,5; locker gebundene HCl 11,5; Eisenchl. 0, Galle 0.

Größe und Lage des Magens bei Aufblähung wie vor der Operation.

In diesem Falle handelt es sich wohl um eine Neurasthenie. Sicher bestand ferner bei der Operation ein Pyloruskrampf — dabei war die Entleerung des Magens vor der Operation beschleunigt! Ist hier die Pyloruskontraktur Ursache der Beschwerden des Patienten? Ist sie ein Symptom und Folge der Neurasthenie? Oder ist sie nur ein zufälliger Befund? Jedenfalls sind die Beschwerden nach der Operation, der Myotomie des Pylorus, erheblich gebessert, die Entleerung ist unverändert, beschleunigt. Freie HCl fehlte bei den 2 Malen, in denen es gelang, Mageninhalt zu erhalten.

Hervorzuheben ist in diesem Falle noch der hohe Grad von Gastroptose bei nur geringer Vergrößerung des Magens, Pyloruskontraktur, beschleunigter Motilität, geringem Grade allgemeiner Enteroptose; es wird gelegentlich behauptet, daß der gastroptotische Magen fast immer Megalogastrie, stets Funktionsstörung zeigen müsse[1]).

Eine bewegliche 10. Rippe, die Costa fluctuans decima, bestand in diesem Falle so wenig, wie in anderen Fällen von Enteroptose, Wanderniere, Hypersecretio acida, Neurasthenie, in denen darauf geachtet wurde. Es scheint nach Stiller[2]), welcher diese Beweglichkeit der 10. Rippe als ein wahres Stigma neurasthenicum oder enteroptoticum ansieht — er fand sie oft, fast stets dabei bewegliche Niere, und etwas dilatierten Magen; das Umgekehrte nicht so regelmäßig, doch fast stets in prononcierten Fällen – als ob die Beweglichkeit der 10. Rippe in Ungarn besonders häufig, jedenfalls häufiger als in Deutschland, vorkommt.

Ich führe diesen Fall im allgemeinen unter der Rubrik Pyloroplastik, weil die in ihm ausgeführte Operation eine Abart der Plastik darstellt.

Auch in diesen Fällen ist das auf die Diagnose Bezügliche bereits bei denselben mitgeteilt. Der erste Fall (29) muß wegen der anscheinenden Tumorbildung anders als die übrigen beurteilt werden.

Von den übrigen sind 2 geheilt, 3 gebessert. In 5 der 6 Fälle war die Pyloroplastik angezeigt durch eine nachweisbare, wenn auch nicht beträchtliche Verengung des Pylorus. In 4 derselben war letztere bedingt durch einen Pyloruskontraktionsring, in einem durch eine anscheinend stenosierende Schleimhautfalte. In einem Falle (30) wurde trotz fehlender deutlicher Verengerung die Pyloroplastik ausgeführt und dieser Fall heilte.

In 4 Fällen war die Motilität vor der Operation normal, in 1 war die Beförderung der Ingesta eher beschleunigt; in 2 Fällen (29 und 30) bestand deutliche mäßige Verlangsamung, in einem derselben (29) viel-

---

1) Siehe Stiller: Ueber Enteroptose im Lichte eines neuen Stigma neurasthenicum. Arch. f. Verdauungskrankheiten, Bd. 2, 1896, p. 294.

2) l. c., p. 289.

leicht ein geringer Grad von Magensaftfluß, besonders in Anbetracht der hohen Aciditätswerte bei demselben.

Hyperacidität bestand nur in 3 Fällen; in einem derselben (29) wurden ganz enorm hohe Werte derselben erreicht, bis 170 Proz., in einem Falle betrug der Wert zwar nur 56 nach dem Probefrühstück, indes spricht die Acidität von 118 und 78 kurz nach der Operation mit großer Sicherheit dafür, daß bereits vor der Operation stärkere Hyperacidität bestanden. Nach der Operation war die Motilität gerade in dem geheilten Falle (30) noch nach über 1 $^1/_2$ Jahr etwas träge, die Verlangsamung derselben in Fall 25 ist durch das angenommene Neoplasma erklärt; in den anderen Fällen ist die Motilität nach der Operation normal. Das Schwinden der Hyperacidität in Fall 29 beweist wegen des Tumors nichts. In Fall 33 ist die besonders kurz nach der Operation vorhandene Hyperacidität schnell zur Norm gesunken.

35) 13 Jahre krank, häufiges Blutbrechen. Pylorusstenose, Gastroenterostomie (außerhalb der Klinik). Verkehrte Lage der Darmschlinge Circulus vitiosus, Enteroanastomose. Besserung.

Anna S., 28 J., Dienstmädchen aus Posen.

Familienanamnese ohne Belang. Mit 15 J. schwere Bleichsucht, damals angeblich durch Eisenpräparate Magen verdorben. Seither hat Pat. andauernd Magenbeschwerden. Mit 21 J. Pneumonie. Bald darauf begann Pat. Blut zu brechen, mehrere Wochen lang fast täglich, schwarzrot, geronnen, nie schaumig; die Mengen schwankten zwischen 1 Eßlöffel und 1 Tasse. Pat. kam sehr herunter, erholte sich unter Behandlung, befand sich mehrfach in verschiedenen Krankenhäusern. Das Blutbrechen blieb seither aus; Pat. brach noch zuweilen, ihre Beschwerden — besonders Magenkrämpfe und -Schmerzen — wechselten sehr.

Januar 1898 Verschlimmerung, Pat. begann täglich zu brechen, wurde elend, oft Ohnmachten. Deshalb 30. Juli 1898 Operation in Posen: ausgedehnte Narbe am Magenausgang bis in das Duodenum, Gastroenterostomie.

Pat. brach nach der Operation weiter, mit dem Unterschiede, daß während sie früher nur nach Nahrungseinnahme brach, sie nun auch nüchtern brach, außerdem gallig. Stuhl stets stark verstopft, angeblich bis 4 Wochen ausgeblieben, erfolgt nun mit Mittel.

Pat. wird von der Invaliditätsversicherungsanstalt der Klinik überwiesen, eventuell zur Operation.

12. Dez. 1898. Ueber mittelgroße, magere Person, schmächtig gebaut, Gewicht 58,5 kg. Mäßige Anämie. Hämoglobin 55 Proz. Brustorgane normal. 16 cm lange Narbe von Proc. xiph. bis dicht am Nabel. Der Leib ist im Ganzen etwas eingesunken. Große Kurvatur bei Aufblähen am Nabel; keine Peristaltik. Epigastrium stark druckempfindlich. Nichts fühlbar.

24-st. Urin um 1000 ccm, spec. Gewicht 1012—1023, normal, wenig Indikan.

Pat. erbricht täglich, ein bis viele (10) Male, im ganzen bis zu 1 l, selten nüchtern, meist nach Essen; das Erbrochene ist stets stark grün gefärbt, oft grasgrün, oft dreischichtig; es riecht gegoren; mikrosk. viel Hefe, 0 Sarcine, wenig Stäbchen, keine lange; sonst Amylum, Fett, unverdaute Fleischfasern. Es reagiert stets sauer, Phenolpht. 5—26 Proz., Congo meist positiv, bis 18 Proz., Eisenchl. 0.

Es gelingt nicht, genauere Untersuchungen mittels Probemahlzeiten vorzunehmen, indem Pat. dieselben stets erbricht.

Früh nüchtern enthält der Magen stets gallige, grüne Flüssigkeit, 10—200 ccm aushebbar, bald Spuren, bald größere Mengen Speisen darin, wenig Kerne, stets Hefe. Das Spülwasser ist dauernd gallig, gelbbraun, selten grünlich, bald weniger, bald mehr gefärbt. Bei $^3/_4$ l Wasser tritt unangenehmer Druck auf, der bei 1 l unerträglich wird.

20. Dez. 1898. Operation (Geheimrat Mikulicz) in Chloroformnarkose. Vereinzelte Adhäsionen vorhanden, die durchtrennt werden. Magenwand etwas schlaff, normal dick, beim Palpieren treten einzelne peristaltische Kontraktionen auf. Der Pylorus erscheint normal, für einen Finger mit eingestülpter Magenwand durchgängig. Nirgends etwas von Narbe oder Ulcus zu finden.

An der vorderen Wand des Magens, näher der Kurvatur, befindet sich die Gastroenterostomie, 7—8 cm lang, ausreichend breit, nichts von Abknickung oder Klappenmechanismus zu finden.

Die genauere Untersuchung ergiebt, daß der rechte Schenkel der am Magen befestigten Darmschlinge etwa 30 cm vom Magen entfernt zur Plica duodeno-jejunalis führt; dieser Schenkel ist abnorm weit. Der andere, linke Schenkel ist zunächst noch ziemlich weit, doch erheblich enger als ersterer; er verengt sich bald, der Dünndarm wird schließlich ganz außerordentlich eng, kollabiert. Die zu- und abführende Jejunumschlinge liegt also genau umgekehrt, wie sie soll, d. h. die Schlingen sind um 180° gedreht.

Es wird eine typische Enteroanastomose angelegt, mittels Naht, 15 cm von der Gastroenterostomie entfernt.

28. Dez. 1898. Bisher Wohlbefinden; Pat. brach nicht, hatte keine Schmerzen, bisher flüssige Nahrung. Heute Nacht zum ersten Mal Erbrechen, geringe Menge, nicht gallig.

6. Jan. 1899. Pat. steht zum ersten Mal auf; sie bricht wieder täglich, mehrmal, bis 250 ccm im ganzen, leicht gallig — nicht zu vergleichen mit früher, Phenolpht. zwischen 12—38 Proz., Congo 0—19 Proz, HCl deficit bis 8 Proz., Hammerschlag 0.

20. Jan. 1899. Pat. erholt sich nicht. Das Erbrechen hat zugenommen, bis 500 in 24 Std., es ist meist stärker gallig als anfangs nach der Operation, doch öfters auch noch ohne oder mit Spuren Galle.

24. Jan. 1899 Früh nüchtern, abends Probemahl, 60 ccm ausgehoben, Rest (Phenolpht.) 190 ccm, mäßig gallig, grün; mikrosk. sehr viel Hefe, vereinzelte Stäbchen; Amylum, Fett, unangedaute Fleischfasern. Phenolpht. 14—22, Congo Spur, Eisenchl. 0.

Probefrühstück, nach $^1/_4$ Std. 165 ccm erbrochen, wie die eingenommene Suppe aussehend, 0 Galle, Phenolpht. 12—19 Proz., Congo Spur; spec. Gewicht 1020.

$^3/_4$ Std. nach Einnahme 90 ccm ausgehoben, spec. Gewicht 1019, schwach gallig, Phenolpht 60, Congo 41, Eisenchl. 0, mikrosk. mäßige Hefegärung. Rest (Phenolpht.) 46 ccm.

Abends leer gespült, Pat. bleibt nüchtern; früh nüchtern, nach 12 Std., 100 ccm Inhalt, stark gallig, grün; mikrosk. Kerne, mäßig viel Hefe; Phenolpht. 10, Congo 0.

Pat. bricht andauernd weiter. Es wird ihr täglich früh der Magen ausgespült. Sie leidet an sehr starker Verstopfung, in der Flexura sigm. sind deutliche, einknetbare Kottumoren fühlbar. Es wird versucht, mittels regelmäßiger großer Darmauswaschungen den Darm zu entleeren, bis 3 l Wasser eingebracht; noch nach 8 Tagen werden zahlreiche, über pflaumengroße harte Kotballen herausbefördert. Einmal enthält das Erbrochene danach mäßig viel dunkles Blut.

Das Erbrechen bleibt unverändert. Pat. kommt herunter (Gewicht 30. Jan. 55 kg, 10. Febr. 54 kg.)

26. Febr. 1899. Es geht etwas besser. Gew. 56 kg. Pat. bricht oft 1—2 Tage gar nicht; das Erbrochene enthält meist keine oder nur geringe Spuren Galle.

Der vorliegende Fall zeigt, welche verhängnisvolle Folgen eine verkehrte Anheftung der Jejunumschlinge am Magen haben kann. Es handelt sich um einen richtigen, klinisch und durch die Autopsie in vivo festgestellten sogen. Circulus vitiosus: der Mageninhalt fließt in den, in der Richtung seiner Fortbewegung, d. h. rechts liegenden, zuführenden Schenkel der Darmschlinge, mischt sich hier mit Galle und Pankreassaft und wird durch die Peristaltik wieder in den Magen zurückbefördert; so wogt er hin und her. In den links liegenden, abführenden Schenkel gelangt offenbar nur wenig Inhalt, der Darm ist deutlich kollabiert.

Wenn auch zugegeben werden muß, daß gelegentlich bei richtig angelegter Gastroenterostomie ein Circulus zustande kommt, so ist es doch zweifellos, daß in unserem Falle der Lage der Schlinge Schuld zu geben ist.

Die Enteroanastomose bezweckt, den in den zuführenden Schenkel gelangenden Speisen, Galle und Pankreassaft den Uebergang durch die Enteroanastomose in den abführenden Schenkel zu gestatten, ohne wieder den Magen passieren zu müssen. Dieser Zweck wurde bisher nicht völlig erreicht. Es ist möglich, daß dem Chymus der Weg durch den zuführenden Schenkel zum Magen noch immer bequemer ist, als der durch die Enteroanastomose; es ist auch möglich, daß die Beschaffenheit der unteren Darmpartien die Ursache ist, sei es, daß der Darm in toto stark verengt ist, sei es, daß die Trägheit seiner Wand Schuld trägt, sei es, daß ein anderes Hindernis besteht.

Man muß hier event. eine weitere Operation in Erwägung ziehen: Verschluß des zuführenden Schenkels zwischen der Enteroanastomose und der Gastroenterostomie; vielleicht auch, da der Pylorus jetzt jedenfalls normal erscheint, Verschluß der Gastroenterostomie — falls kein Hindernis im Darm gefunden wird [1]).

Ich berichte nun über 2 bereits von Herrn Geheimrat Mikulicz mitgeteilte Fälle der Klinik aus den letzten 2 Jahren, Operationen, in denen der Magen nicht eröffnet wurde — 1 Fall von Probeincision,

1) Bei der später folgenden Zusammenstellung wird dieser Fall nicht angeführt, da die Gastroenterostomie außerhalb der Klinik angelegt wurde.

**1 Fall von Gastrolysis. Ich bringe von diesen Fällen nur die Fortsetzung der Krankengeschichte und berücksichtige dieselben nicht weiter bei der Zusammenstellung, eben weil am Magen selbst nichts gemacht wurde**[1].

**36. (Fall 36 des Herrn Geheimrat MIKULICZ.) August F. Gastralgische und dyspeptische Beschwerden, Probeincision, negativer Befund, Heilung. (Op. 21. Januar 1897.)**

**Patient befindet sich laut brieflicher Mitteilung (November 1898) dauernd wohl. Gewicht 65,5 kg, vor der Operation 60,0.**

**37. (Fall 23 des Herrn Geheimrat MIKULICZ.) Ernst R. Dyspeptische und gastralgische Beschwerden, verursacht durch Drehung des Pylorus infolge von Adhäsionen mit dem Colon, dem Ligamentum gastrocolicum und der Leber. Lösung der Adhäsionen (Gastrolysis), vollständige Heilung. (Op. 11. Januar 1897.) Recidiv.**

Pat. war bis April 1897 beschwerdefrei, dann plötzlich krampfartiges Erbrechen, zunächst von Schleim, seit Mitte Juni auch von Speisen, und zwar sofort nach Einnahme, allmählich zunehmend, schließlich 2, 3—4 mal in den letzten Monaten, zuweilen 3—4 Tage frei von Erbrechen. Pat. giebt nachträglich an, sein Vater habe an Epilepsie gelitten und jahrelang jeden Morgen erbrochen, er selbst habe mit 14 Jahren einen epileptischen Anfall gehabt.

25. März bis 2. April 1898 Aufenthalt in der Klinik.

Pat. sieht nicht schlecht aus, Gewicht 64 kg (11. Jan. 1897 62,5 kg). Man fühlt in der Magengegend eine unbestimmte Resistenz, keinen Tumor. Bei Aufblähen große Kurvatur zwei Finger über dem Nabel.

Die Untersuchung des Mageninhaltes ergiebt folgenden Befund: Sondierung leicht möglich, die Sonde ist, wie das in großen Mengen ein- und ausfließende Spülwasser zeigt, sicher im Magen.

30. März Probefrühstück, nach 35 Min. 106 ccm erbrochen, weißlich, ohne Blut, mikrosk. enorm viel Leukocyten mit schlecht erkennbaren Kernen, vereinzelte rote Blutkörperchen, außerdem zahlreiche große, ziemlich runde Zellen, 2—3 mal so groß wie Leukocyten mit ziemlich gut ausgebildetem Kern, das Protoplasma bald mehr, bald weniger angefüllt mit braunen und schwarzen Pigmentkörnchen, alkalisch, = 10 Proz. $^1/_{10}$ NaOH, HCl Defizit 15 Proz.

Darauf wird der Magen leer gespült, das Spülwasser ist leicht frischblutig gefärbt, im Sediment dieselben Zellen und zahlreiche rote unveränderte Blutkörperchen.

Nach 1 Std. wieder Probefrühstück, nach 20 Min. 17 ccm ausgehoben. Es fließt dabei viel Speichel zum Munde heraus. Rest (GOLDSCHMIDT) 30 ccm. Mikrosk. dieselben Zellen wie oben, frische rote Blutkörperchen, ziemlich viel Krystalle von oxalsaurem Kalk, neutrale Reaktion. (Der Urin enthält keine Oxalsäurekrystalle.)

Leerspülung, nach 4 Std. Probemahl, nach 3 Std. 10 ccm ausgehoben. Neutral, neben Sonde fließen 80 ccm heraus, schwach alkalisch.

Verdauungsproben angestellt mit dem am 30. März 1898 durch Erbrechen nach dem Probefrühstück erhaltenen Magensaft ergeben: 1) Der alkalische filtrierte Saft beginnt nach einer Stunde Karmin-Fibrin zu lösen,

---

1) Die Fälle sind fortlaufend numeriert, aber in der Statistik nicht mit angeführt.

nach 8 Std. fast alles gelöst; 2) neutralisiert, nach 8 Std. nichts gelöst; 3) der salzsaure Saft beginnt ebenfalls nach 1 Stunde zu lösen, nach 8 Std. ziemlich viel gelöst, doch weniger als bei 1). Ei wird von Probe 1 schlecht gelöst, von 2 und 3 nach 8 Std. minimal. Prüfung auf Lab und Labzymogen ergiebt erst nach 8 Std. Milchgerinnung, genau wie bei der unversetzten Kontrollmilch.

Weitere geplante Untersuchungen, sowie ein operativer Eingriff werden unmöglich gemacht dadurch, daß Pat. durch die Ausspülungen gebessert die Klinik verläßt, um sich wegen des drohenden Krieges nach seiner Heimat Amerika zurückzubegeben. Laut brieflicher Mitteilung Stat. idem (Dez. 1898).

Man muß nach den vorliegenden Resultaten hier wohl einen schweren ulcerösen Prozeß mit sekundärer Atrophie der Schleimhaut annehmen; vielleicht wird es sich um einen malignen Tumor handeln.

Auffallend sind die großen Oxalsäuremengen. Außer einer Beobachtung NAUNYN's [1]) ist in der Litteratur nichts Aehnliches zu finden. In NAUNYN's Falle handelt es sich um einen Patienten mit dyspeptischen Beschwerden. Bei Auswaschung nach dem Frühstück wurden sehr reichliche Mengen von Krystallen oxalsauren Kalks entleert, in den folgenden Tagen weniger, nach 4 Wochen war nichts mehr vorhanden. Es scheint sich hier um einen Fall von Magenkatarrh gehandelt zu haben.

Zum Schlusse bringe ich noch 2 Fälle, die nicht dem Materiale der Klinik entstammen.

38) $^1/_2$ Jahr magenkrank, Magenüberstauung. Narbige Pylorusstenose. Gastroenterostomie. Vorübergehende Besserung. Ulcus in der Gastroenteroanastomose, Perforation, Perigastritis. Naht des Ulcus, Enteroanastomose, Heilung.

Wolff, M., 30 J., Handelsmann aus Kalisch.

Seit $^1/_2$ Jahre Magenbeschwerden, Druck nach Essen, öfters Erbrechen; Stuhlverstopfung.

10—27. Juni 1898 Aufenthalt im hiesigen FRÄNKEL'schen Hospital. Großer, blasser, sehr magerer Mann, Gewicht 44,5 kg. Zunge belegt, trocken. Brustorgane normal. Abdomen weich, nichts Abnormes fühlbar, Leber und Milz nicht vergrößert. Bei Aufblähung reicht die große Kurvatur 2 Finger breit unter den Nabel.

Nach Probefrühstück (Semmel, Thee) viel unverdaute Kohlehydrate, keine Salz- und Milchsäure, keine Sarcine.

Urinmenge vermindert.

Unter abendlichen Magenausspülungen Besserung; Pat. führt dieselben zu Hause selbst weiter fort.

25. Aug. 1898 Wiederaufnahme. Zu Hause fühlte sich Pat andauernd unwohl.

Gewicht 50 kg. Status idem. 2 Std. nach EWALD's Probefrühstück 200 ccm Inhalt; früh nüchtern auch speiseführender Inhalt; stets 0 HCl, Spuren von Milchsäure.

2. Sept. 1898 Operation (Dr. TIETZE) in Chloroformnarkose. Magen sehr groß. Pylorus eng, deutlicher narbiger Schnürring.

1) Deutsches Archiv f. klin. Med., Bd. 31 1882, p. 242.

Gastroenterostomia anterior antecolica an der großen Kurvatur, 50 cm unterhalb des Duodenums.

10. Sept. Bisher ungestörter Verlauf: heute nach Genuß von 2 Eiern heftige Magenschmerzen; bei Aushebung 2400 ccm Inhalt, gelblich.

3. Okt. 1898 Entlassung; Pat. wurde noch mehrfach ausgehoben, bis 1900 ccm Inhalt, stets Spuren HCl, 0 Milchsäure. In den letzten 4 Tagen war keine Aushebung mehr notwendig. Pat. klagt noch über Druck.

19. Jan. 1899 Wiederaufnahme. Nach wenigen Wochen wurden die Schmerzen sehr heftig, blieben es bis jetzt; sie strahlen nach der linken Darmbeinschaufel aus. Kein Erbrechen.

Sehr starke Abmagerung. Man fühlt in Nabelhöhe links einen hühnereigroßen Tumor, hart, von leicht höckeriger Oberfläche. Die Untersuchung des Mageninhaltes nach Ewald's Probefrühstück und nach Fleischmahlzeit ergiebt: etwas verminderte Motilität, Acidität 90—110, keine Milchsäure, keine Sarcine oder Hefesporen.

24. Jan. 1899 Operation (Geheimrat Mikulicz) in Morphium-Chloroformnarkose.

Nach Eröffnung des Leibes in der Medianlinie, im alten Schnitte, liegt die Gastroenterostomose vor; oberhalb desselben der dilatierte Magen. Links von ihr Verwachsungen des Magens und auch noch der Anastomose mit der vorderen Bauchwand; nach Lösung derselben befindet sich hier eine Perforation an der Stelle der Anastomose. Die genauere Untersuchung zeigt, daß an dieser Stelle ein runder Defekt — von $1^1/_2$ cm Durchmesser — der Schleimhaut und übrigen Wand vorliegt, etwa zur Hälfte dem Magen, zur Hälfte dem Jejunum angehörend; rings herum befinden sich die Verwachsungen. Das bestehende Ulcus greift noch ein wenig in die vordere Bauchwand hinein. Die festen Verwachsungen haben offenbar die Anastomose und den nächstliegenden Teil des Darmes verengt.

Es wird die Perforationsstelle durch 2reihige Naht — im Sinne der Gastroenterostomie, also frontale Nahtlinie — geschlossen. Dann wird eine Enteroanastomose mittels Naht 10 cm unterhalb angelegt. Jodoformgazetamponade, Silberdrahtvereinigung der Bauchdecken.

2. Febr. Tampon entfernt, die Bauchdecken werden durch weitere Silberdrähte völlig geschlossen.

8. Febr. Pat. steht auf, völliges Wohlbefinden.

In diesem Falle ist also nach der Operation ein neues Ulcus entstanden, und zwar in der Magendarmnaht. Einen technischen Fehler anzunehmen, liegt kein Grund vor; auch schließen sich, nach den bisherigen Erfahrungen am Menschen und Tier, Schleimhautdefekte schnell ohne Ulcus zu setzen. Doch ist es immerhin möglich, daß die Naht an dieser Stelle insufficient wurde, Adhäsion, Perforation entstand. Wahrscheinlicher ist es, daß das vorliegende Ulcus als richtiges Magengeschwür anzusehen ist; zur Erklärung für den auffallenden Sitz ist vielleicht die verminderte Widerstandsfähigkeit der Stelle kurz nach der Operation im Verein mit der Hyperacidität herbeizuziehen. Ein ähnlicher Fall ist in der Litteratur nicht zu finden; deshalb ist eine sichere Deutung z. Z. nicht möglich. Immerhin scheint uns der Fall für die Theorie der Entstehung des Ulcus ventr. von Wichtigkeit. Es ist nicht undenkbar, daß auch nach anderen Operationen, z. B. nach der Pyloroplastik, an der Nahtstelle später ein Ulcus entsteht, das einem späteren Recidiv resp.

**Mißerfolg zugrunde liegt. Es würde sich in solchem Falle um ein echt traumatisches Ulcus ventriculi handeln[1]).**

**Ich bin Herrn Dr. Sandberg, dem dirigierenden Arzt des Hospitals, und Herrn Dr. Tietze, dem konsultierenden Chirurgen desselben, für die Ueberlassung des Falles zu großem Danke verpflichtet.**

**39) Angeborener Duodenalverschluß.**

**Den folgenden Fall verdanke ich der Güte des Herrn Dr. Baumm, Direktor der hiesigen Provinzialhebammenlehranstalt; ich spreche demselben an dieser Stelle für die Erlaubnis, den Fall und das Präparat benutzen zu dürfen, meinen ergebensten Dank aus. Herr Dr. Baumm hat das Präparat in einer Sitzung der medizinischen Sektion der Schlesischen Gesellschaft für vaterländische Kultur demonstriert[2]).**

Kind H., geb. 19. Jan. 1898. Das Kind sah gesund aus, brach häufig, war livid und kühl, starb am 27. Jan. 1898. 28. Jan. 1898 Sektion. Abmagerung, Magen gebläht, Duodenum über daumendick, gebläht, endet bald blind. In ihm und Magen gelblich-grüne, dünne Flüssigkeit. Der Dünndarm beginnt, ein Stück vom Duodenum entfernt, ebenfalls absolut verschlossen. Darm leer. Die in Lebensgröße angefertigte Zeichnung giebt am besten die Verhältnisse wieder.

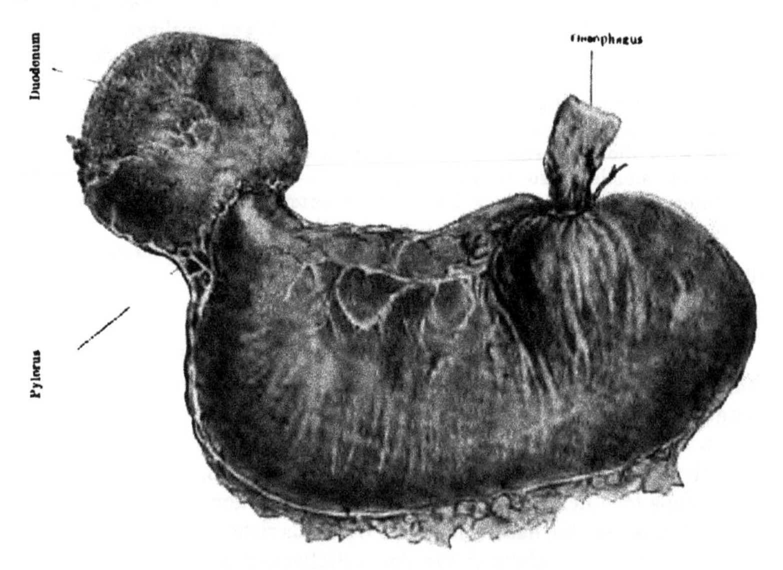


**Es liegt in diesem Falle ein kongenitaler, absoluter Verschluß des Duodenums vor, anscheinend unterhalb der Vater'schen Papille. Ein derartiges Vorkommnis ist jedenfalls enorm selten. Es erscheint danach mög-**

1) Bezüglich der traumatischen Entstehung von Magengeschwüren vergl. die später folgende Arbeit über diesen Gegenstand von Prof. Krönlein (No. XV. dieses Bandes). Die Redaktion.

2) Allgem. med. Centralzeitung 1898.

lich, daß es auch weniger schwere Fälle geben wird, in denen es sich nur um angeborene Verengerung des Duodenums oder des Pylorus handelt.

Betrachten wir nun die Gesamtresultate der ersten 34 Fälle, die ich meiner Statistik zu Grunde legen kann. Von den 34 Fällen sind 22 geheilt, 6 gebessert, 4 ungeheilt, 2 gestorben. Schließen wir den Resektionsfall aus, als einen Eingriff, der nur ganz ausnahmsweise und bei eingeengter Indikation ausgeführt wird, so ergiebt sich für die übrigen Operationen am Magen eine Mortalität von 1 auf 33, = 3 Proz.

Von den 20 Fällen von Pyloroplastik sind 12 geheilt, 4 gebessert, 3 ungeheilt, 1 gestorben.

Von 11 Gastroenterostomien sind 9 geheilt, 1 gebessert, 1 ungeheilt.

Den Fall von Gastroduodenostomie führe ich gesondert an, weil er nicht ohne weiteres zu einer der vorstehenden beiden Gruppen gerechnet werden kann; er ist geheilt. Der Fall von Myotomie des Pylorus ist gebessert.

Auf den ersten Blick scheinen die Resultate bei Pyloroplastik denen bei Gastroenterostomie nachzustehen; dieser Schluß wäre aber durchaus verfehlt, indem dabei die vorliegenden Affektionen, wegen deren die Operationen ausgeführt wurden, nicht berücksichtigt sind, und diese entsprechen sich in den beiden Gruppen keineswegs. Unter den Gastroenterostomien sind nur Fälle von Ulcus und narbiger Stenose, unter den Pyloroplastiken außerdem eine Anzahl unklarer Fälle, Neurosen u. s. w.

Scheiden wir die Fälle von Pyloroplastik in solche aus organischen Ursachen (Ulcus, Narbe) und solche aus unorganischen Ursachen (Neurose, unklare Fälle), so stellt sich das Verhältnis wesentlich anders: 11 Fällen von Gastroenterostomie wegen organischer Magenaffektion, von denen 9 geheilt, 1 gebessert, 1 ungeheilt, stehen 12 Fälle von Pyloroplastik wegen organischer Magenaffektion gegenüber, von denen 9 geheilt, 2 gebessert, 1 gestorben. Wie die 9 Fälle unorganischer Magenaffektionen verlaufen wären, wenn in ihnen nicht die Pyloroplastik, sondern die Gastroenterostomie ausgeführt worden wäre, wissen wir nicht, und dies steht darum außerhalb der Diskussion.

Selbstverständlich haftet derartigen statistischen Zusammenstellungen, zumal bei einer absolut genommen kleinen Anzahl von Fällen, eine Reihe von Mängeln an, und dieselben erlauben daher nur sehr beschränkte Schlüsse. So befand sich der letal verlaufende Fall von Pyloroplastik in einem derart heruntergekommenen und ausgetrockneten Zustande, wie entfernt keiner der Gastroenterostomiefälle, so daß wir die Insufficienz der Naht direkt mit dieser Verfassung des Pat. in Zusammenhang bringen möchten. Wäre er bei Gastroenterostomie durchgekommen? Für Gastroenterostomie mittels Naht dies anzunehmen, liegt kein Grund vor. Und die Anastomose mittels des Murphy-Knopfes hält auch nicht immer fest, wie die Erfahrungen lehren.

Was die sonstigen Erfolge anbetrifft, so steht 2 gebesserten Fällen von Pyloroplastik 1 ungeheilter, 1 gebesserter von Gastroenterostomie gegenüber. Für uns liegt jedenfalls keine Veranlassung vor, auf Grund der von uns erzielten Heilerfolge der einen oder der anderen der beiden in Betracht kommenden Operationen den Vorzug zu geben.

Zur leichteren Uebersicht und Vergleichung der funktionellen Verhältnisse sind die Resultate in Bezug auf die Motilität und die Sekretion vor und nach der Operation tabellarisch zusammengestellt (Tabelle IV s. p. 350 ff.). Die vielleicht etwas umständlich erscheinende Zusammenstellung und Betrachtung zumal der Verhältnisse vor der Operation wurde zum Teil deshalb ausgeführt, weil eine derartige Vergleichung von Magenfällen in Bezug auf ihre Symptome, in denen die Diagnose durch Autopsie in vivo möglich war, nicht existiert.

Zunächst sind die Fälle einzeln angeführt, dann dieselben nach verschiedenen Gruppen zusammengestellt, und zwar zunächst nach den Gruppen, in welchen die Fälle bei der erfolgten Beschreibung aufgeführt sind (a), dann nach der angewandten Operation Pyloroplastik — Gastroenterostomie (b), dann nach der zu Grunde liegenden Krankheit ohne Berücksichtigung der Operation (c), dann nach der Beschaffenheit des Pylorus (organische Affektion, Kontraktionsring, normal) (d), dann nach dem motorischen Verhalten und dem Bestehen von Magensaftfluß (e), schließlich nach den Aciditätsverhältnissen (f). Die Anzahl der Fälle vor und nach der Operation entspricht sich leider nicht genau, da nicht in allen Fällen Untersuchungen nach der Operation vorhanden sind, in einigen auch keine vor der Operation; trotzdem erschien es zweckmäßig, auch diese Fälle nicht zu vernachlässigen, da nicht allein eine Vergleichung der Verhältnisse vor und nach der Operation stattfinden soll, sondern auch eine absolute Besprechung der in Betracht kommenden Momente.

Von den 20 Fällen von Pyloroplastik zeigen 6 vor der Operation schwere Motilitätsstörung, d. h. mechanische Insufficienz zweiten Grades, 8 zeigen leichtere, 5 normale Motilität; nach der Operation besteht in 2 Fällen leicht verlangsamte, in 14 Fällen normale, in 1 beschleunigte motorische Leistung.

Die Acidität ist in 5 Fällen stark gesteigert, in 9 mäßig, in 5 normal; nach der Operation ist sie in 3 Fällen mäßig gesteigert, in 11 normal, in 2 vermindert.

Magensaftfluß besteht 5 mal, 8 mal wurde keiner gefunden, 7 mal nicht darauf untersucht; nach der Operation ist derselbe in 2 Fällen vorhanden, in 8 fehlt er.

In den 11 Fällen von Gastroenterostomie ist die Motilität 9 mal schwer gestört, 1 mal leicht; nach der Operation besteht 3 mal beschleunigte Entleerung, 3 mal normale, 2 mal schwere, 2 mal leichte

Tabelle IVa[1]).

| Nummer | Diagnose | Operation | Anzahl | Motilität: beschleunigt | Motilität: normal | Motilität: mechanische Insuffic. Grad I | Motilität: mechanische Insuffic. Grad II | Magensaftfluß: vorhanden | Magensaftfluß: nicht vorhanden | Acidität: vermindert | Acidität: normal | Acidität: vermehrt mäßig | Acidität: vermehrt stark |
|---|---|---|---|---|---|---|---|---|---|---|---|---|---|
| 1 | | | | | | 1 | | | 1 | | 1 | | |
| | | | | | 1 | | | | 1 | | 1 | | |
| 2 | | | | | | | 1 | ? | | | 1 | | |
| | | | | | | | | | | | | | |
| 3 | | | | | | 1 | | | 1 | | | 1 | |
| | | | | | 1 | | | | 1 | | 1 | | |
| 4 | | | | | | | | | | | | | |
| | | | | | 1 | | | | | 1 | | | |
| 5 | | | | | 1 | | | | 1 | | | 1 | |
| | | | | | 1 | | | | | | | 1 | |
| I. | Offenes, nicht stenosierendes Ulcus | Pyloroplastik | 5 | | 1 | 2 | 1 | | 3 | | 2 | 2 | |
| | | | | | 4 | | | | 2 | 1 | 2 | 1 | |
| 6 | | | | | | 1 | | | 1 | | | 1 | |
| | | | | | 1 | | | | 1 | | 1 | | |
| 7 | | | | | | | 1 | 1 | | | | | 1 |
| | | | | | 1 | | | 1 | | | | 1 | |
| 8 | | | | | 1 | | | | 1 | | | | |
| | | | | 1 | | | | | 1 | | 1 | | |
| 9 | | | | | | | 1 | 1 | | | | | 1 |
| | | | | | | | | | | | | | |
| II. | Offenes, stenosierendes Ulcus | Pyloroplastik | 4 | | 1 | 1 | 2 | 2 | 2 | | | 1 | 3 |
| | | | | 1 | 2 | | | 1 | 2 | | 2 | 1 | |
| III. | Offenes, stenosierendes Ulcus | Gastroduodenostomie | 1 | | | | 1 | 1 | | | | | 1 |
| 10 | | | | | 1 | | | | 1 | | | 1 | |
| 11 | | | | | | | 1 | ? | | | | | 1 |
| | | | | | 1 | | | ? | | | 1 | | |
| 12 | | | | | | 1 | | | 1 | | | | |
| | | | | 1 | | | | | 1 | 1 | | | |
| 13 | | | | | | | 1 | ? | | | | 1 | |
| | | | | | ? | | | | | | | | |
| 14 | | | | | | | 1 | 1 | | | | | |
| | | | | 1 | | | | | 1 | 1 | | | |
| 15 | | | | | | | 1 | ? | | | | | |
| | | | | | 1 | | | | 1 | 1 | | | |
| 16 | | | | | | | ? | | | | | 1 | |
| | | | | | | 1 | | | | | 1 | | |
| 17 | | | | | | | 1 | 1 | | | | | |
| | | | | | 1 | | | 1 | | | 1 | | |

1) Der obere Wert bezeichnet in jedem Falle das Verhalten vor, der untere das Verhalten nach der Operation.

## Tabelle IV a (Fortsetzung).

| Nummer | Diagnose | Operation | Anzahl | Motilität: beschleunigt | Motilität: normal | Motilität: mechanische Insuffic. Grad I | Motilität: mechanische Insuffic. Grad II | Magensaftfluß: vorhanden | Magensaftfluß: nicht vorhanden | Acidität: vermindert | Acidität: normal | Acidität: vermehrt mäßig | Acidität: vermehrt stark |
|---|---|---|---|---|---|---|---|---|---|---|---|---|---|
| 18 | | | | | | | 1 | | | | 1 | | |
| | | | | 1 | | | | | | | 1 | | |
| 19 | | | | | | | 1 | 1 | | | | 1 | |
| | | | | | | | 1 | 1 | | | | | 1 |
| 20 | | | | | | | 1 | 1 | | | | | 1 |
| | | | | | | | 1 | | | | 1 | | 1 |
| IV. | Offenes, stenosierendes Ulcus | Gastroenterostomie | 18 | | | 1 | 8 | 4 | 1 | | 1 | 3 | 6 |
| | | | | 3 | 3 | 1 | 2 | 2 | 3 | 3 | 4 | | 2 |
| V. 21 | Offenes, stenosierendes Ulcus | Resectio pylori | 1 | | | | 1 | ? | | | 1 | | |
| 22 | | | | | | | 1 | | 1 | | | 1 | |
| | | | | | 1 | | | | 1 | | | 1 | |
| 23 | | | | | | | 1 | 1 | | | 1 | | |
| 24 | | | | | | | 1 | ? | | | | | 1 |
| | | | | | 1 | | | 1 | | | 1 | | |
| VI. | Narbige Pylorusstenose | Pyloroplastik | 3 | | | | 3 | 1 | 1 | | 1 | 1 | 1 |
| | | | | | 2 | | | 1 | 1 | | 1 | 1 | |
| VII. 25 | Narbige Pylorusstenose | Gastroenterostomie | 1 | | | | 1 | ? | | | | | 1 |
| 26 | | | | | | 1 | | 1 | | | | 1 | |
| | | | | | | 1 | | | 1 | | 1 | | |
| 27 | | | | | | 1 | | ? | | | | 1 | |
| 28 | | | | | | 1 | | | | | | 1 | |
| | | | | | 1 | | | | | | 1 | | |
| VIII. | Magenneurosen | Pyloroplastik | 3 | | | 3 | | 1 | | | | 3 | |
| | | | | | 1 | 1 | | | 1 | | 2 | | |
| 29 | | | | | | 1 | | 1 | | | | | 1 |
| | | | | | | 1 | | | | 1 | | | |
| 30 | | | | | | 1 | | | 1 | | 1 | | |
| | | | | | 1 | | | | | | 1 | | |
| 31 | | | | | 1 | | | | 1 | | 1 | | |
| | | | | | 1 | | | | 1 | | 1 | | |
| 32 | | | | | 1 | | | | | | | 1 | |
| | | | | | 1 | | | | | | 1 | | |
| 33 | | | | | 1 | | | | | | | 1 | |
| | | | | | 1 | | | | 1 | | 1 | | |

## Tabelle IVa (Fortsetzung).

| Nummer | Diagnose | Operation | Anzahl | Motilität | | | | Magensaftfluß | | Acidität | | | |
|---|---|---|---|---|---|---|---|---|---|---|---|---|---|
| | | | | beschleunigt | normal | mechanische Insuffic. Grad I | mechanische Insuffic. Grad II | vorhanden | nicht vorhanden | vermindert | normal | vermehrt mäßig | vermehrt stark |
| IX. | Unklare Fälle | Pyloroplastik | 5 | | 3 | 2 | | 1 | 2 | | 2 | 2 | 1 |
| | | | | | 4 | 1 | | | 2 | 1 | 4 | | |
| X. | Unklarer Fall | Myotomie des Pylorus | 1 | 1 | | | | | | | ? | | |
| 34 | | | | | 1 | | | | | 1 | | | |
| | | Summa | 34 | 1 | 5 | 9 | 15 | 10 | 9 | | 7 | 12 | 12 |
| | | | | 4 | 18 | 3 | 2 | 4 | 11 | 6 | 15 | 4 | 1 |

## Tabelle IV b.

| Diagnose | Operation | Anzahl | beschleunigt | normal | Grad I | Grad II | vorhanden | nicht vorhanden | vermindert | normal | mäßig | stark |
|---|---|---|---|---|---|---|---|---|---|---|---|---|
| | Pyloroplastik | 20 | | 5 | 8 | 6 | 5 | 8 | | 5 | 9 | 5 |
| | | | 1 | 14 | 2 | | 2 | 8 | 2 | 11 | 3 | |
| | Gastroenterostomie | 11 | | | 1 | 9 | 5 | 1 | | 1 | 3 | 7 |
| | | | 3 | 3 | 1 | 2 | 2 | 3 | 3 | 4 | | 1 |

## Tabelle IV c.

| Diagnose | Operation | Anzahl | beschleunigt | normal | Grad I | Grad II | vorhanden | nicht vorhanden | vermindert | normal | mäßig | stark |
|---|---|---|---|---|---|---|---|---|---|---|---|---|
| Offenes Ulcus | | 21 | | 2 | 4 | 13 | 7 | 6 | | 4 | 6 | 10 |
| | | | 4 | 10 | 1 | 2 | 3 | 8 | 4 | 8 | 3 | 1 |
| Narbenstenose | | 3 | | | | 3 | 1 | 1 | | 1 | 1 | 1 |
| | | | | 2 | | | 1 | 1 | | 1 | 1 | |
| Organische Affektion | | 24 | | 2 | 4 | 16 | 8 | 7 | | 5 | 7 | 11 |
| | | | 4 | 12 | | 2 | 4 | 9 | 4 | 9 | 4 | 1 |
| Anorganische unklare Affektion | | 9 | 1 | 3 | 5 | | 2 | 2 | | 2 | 5 | 1 |
| | | | | 6 | 2 | | 0 | 3 | 2 | 6 | | |

## Tabelle IV d.

| Diagnose | Operation | Anzahl | beschleunigt | normal | Grad I | Grad II | vorhanden | nicht vorhanden | vermindert | normal | mäßig | stark |
|---|---|---|---|---|---|---|---|---|---|---|---|---|
| Ulcus od. Narbe od. Abknickung am Pyl. | | 20 | | 1 | 1 | 15 | 8 | 4 | | 3 | 5 | 12 |
| | | | 4 | 8 | 1 | 2 | 4 | 7 | 3 | 7 | 3 | 1 |
| Kontraktionsring des Pylorus | | 13 | 1 | 6 | 6 | 1 | 2 | 4 | | 3 | 7 | 1 |
| | | | 1 | 9 | 2 | | | 3 | 3 | 7 | 1 | |
| Normaler Pylorus | | 1 | | | 1 | | | 1 | | 1 | | |
| | | | | 1 | | | | | | 1 | | |

## Tabelle IV e.

| Diagnose | Operation | Anzahl | beschleunigt | normal | Grad I | Grad II | vorhanden | nicht vorhanden | vermindert | normal | mäßig | stark |
|---|---|---|---|---|---|---|---|---|---|---|---|---|
| Motorische Insuff. II. Grades | | 16 | | | | 16 | 8 | 1 | | 4 | 3 | 9 |
| | | | 2 | 7 | | 2 | 3 | 4 | 2 | 5 | 3 | 1 |
| Motorische Insuff. I. Grades | | 9 | | | 9 | | 2 | 5 | | 2 | 5 | 2 |
| | | | 1 | 5 | 2 | | | 5 | 2 | 6 | | |
| Normale Motilität | | 6 | | 6 | | | | 3 | | 1 | 3 | 1 |
| | | | 1 | 5 | | | | 3 | 1 | 4 | 1 | |
| Magensaftfluß vor Operation | | 10 | | | 2 | 8 | 10 | | | 1 | 2 | 7 |
| | | | 1 | 3 | 2 | 1 | 4 | 3 | 2 | 3 | 2 | 1 |
| Magensaftfluß nach Operation | | 4 | | | | 4 | 3 | | | | 1 | 3 |
| | | | | 3 | | 1 | 4 | | | 2 | 1 | 1 |

Tabelle IV f.

| Nummer | Diagnose | Operation | Anzahl | Motilität | | mechanische Insuffic. Grad | | Magensaftfluß | | Acidität | | vermehrt | |
|---|---|---|---|---|---|---|---|---|---|---|---|---|---|
| | | | | beschleunigt | normal | I | II | vorhanden | nicht vorhanden | vermindert | normal | mäßig | stark |
| | Stark gesteigerte Acidität | | 12 | | 1 | 2 | 9 | 6 | 2 | | | | 12 |
| | | | | 3 | 5 | 1 | 1 | 3 | 4 | 4 | 5 | 1 | |
| | Mäßig gesteigerte Acidität | | 12 | | 3 | 5 | 4 | 2 | 4 | | | 12 | |
| | | | | | 8 | 2 | 1 | 1 | 5 | | 7 | 2 | 1 |
| | Normale Acidität | | 7 | | 1 | 2 | 4 | 1 | 3 | | 7 | | |
| | | | | 1 | 3 | | | | 2 | | 4 | | |

Insufficienz. Entsprechend verhält sich die Acidität: in 7 Fällen ist sie hochgradig, in 3 leicht gesteigert, in 1 normal; nach der Operation ist sie einmal stark gesteigert (der ungeheilte Fall), 4 mal normal, 3 mal abnorm niedrig.

Wir sehen also, wo es zur Heilung kommt, bei der Pyloroplastik die gesteigerte Motilität langsam und fast stets zur Norm zurückgehen, selten unter dieselbe, bei der Gastroenterostomie schnell, stets und zwar häufig unter die Norm. Genau dasselbe gilt für die Acidität.

Bei der Betrachtung der Ursache des Magenleidens ergiebt sich folgendes (Tabelle IV c): Offene Ulcera werden gefunden resp. müssen angenommen werden 21 mal, davon zeigen 2 normale Motilität (Ulcus einmal auffallenderweise sogar im Pylorus [Fall 8], einmal nicht gefunden). 4 Fälle zeigen leichte, 13 schwere mechanische Störung. Nach der Operation bleibt die Motilität in 2 Fällen schwer, 1 mal leicht befallen, 10 mal wird sie normal, 3 mal ist die Entleerung beschleunigt. Hyperacidität besteht in hohem Grade 10 mal, 6 mal mäßige, 4 mal keine. Nach der Operation einmal hohe, 3 mal mäßige, 8 mal normale, 4 mal verminderte Acidität.

Daß die motorische und sekretorische Störung im allgemeinen am größten ist, wenn das Ulcus am Pylorus sitzt, verhältnismäßig gering, wenn es anderswo sitzt, ist bereits oben bemerkt. Im übrigen ließ sich ein Grund, warum sich die Fälle derselben Art nicht gleich verhalten, warum z. B. nicht alle Fälle mit offenem Ulcus am Pylorus starke Hyperacidität zeigen, nicht finden, speciell ließ sich kein bestimmter Einfluß der Dauer des Leidens, des Alters des Pat. u. s. w. nachweisen. In keinem unserer Fälle bestand vor oder nach der Operation Verminderung der Acidität, Fehlen von Salzsäure, Vorhandensein von Milchsäure, wenn die Affektionen auch noch so alt waren. Ganz besonders muß an dieser Stelle nochmals — Herr Geheimrat MIKULICZ hat dies bereits gethan [1]) — auf die Fälle von

1) l. c., p. 197.

Hyperacidität bei offenem Ulcus hingewiesen werden, in welchen bei der Operation das Ulcus unverändert gelassen wurde, und die Hyperacidität nach der Operation schwand oder abnahm.

Fassen wir die Fälle von offenem Ulcus mit denen von narbiger Stenose zusammen (Tabelle IV c), als organische Fälle, so finden wir unter 24 Fällen 16 mal schwere Insufficienz, 4 mal leichte, 2 mal normale Motilität; nach der Operation 2 mal schwere Motilitätsstörungen, 12 mal normale, 4 mal beschleunigte Entleerung: von den ungeheilten Fällen abgesehen, also höchst befriedigende Resultate. Die Aciditätsverhältnisse sind vorher 11 mal hoch, 7 mal mäßig gesteigert, 5 mal normal; nachher 1 mal hoch, 4 mal mäßig, 9 mal normal, 4 mal vermindert. Dem gegenüber sind die Ergebnisse der Motilität bei 9 unklaren Fällen weniger günstig. Vorher ist sie 5 mal leicht gestört, 3 mal normal. 1 mal beschleunigt, nachher 2 mal leicht gestört, 6 mal normal. Sehr günstig verhält sich die Acidität (alles Fälle von Pyloroplastik): vorher 1 mal stark, 5 mal leicht gesteigert, 2 mal normal, ist sie nach der Operation 6 mal normal, 2 mal vermindert.

Es folgen nun die Fälle nach dem Zustande des Pylorus zusammengestellt (Tabelle IV d).

In 20 Fällen besteht ein schweres Hindernis am Pylorus (exkl. Kontraktionszustand, also Ulcus, Narbe, stenosierende Fixation, Abknickung). In 15 derselben besteht schwere motorische Insufficienz, in 1 leichte, in 1 normales motorisches Verhalten. Nach der Operation ist die Motililtät in 8 Fällen normal, in 4 beschleunigt, in 2 unverändert, schwer geschädigt, in 1 leicht gestört. Die Acidität, die vor der Operation 12 mal stark, 5 mal mäßig vermehrt, 3 mal normal ist, ist nach der Operation 1 mal stark, 3 mal mäßig gesteigert, 7 mal normal, 3 mal vermindert.

Während so ein schweres, wenn man so sagen darf, organisches Hindernis am Pylorus meist mit schwerer motorischer und sekretorischer Störung Hand in Hand geht, kommt dies in den Fällen von Kontraktionszustand (Krampf, Hypertrophie) seltener vor. Es ist besonders hervorzuheben, daß niemals — ohne Narbe — eine solche Hypertrophie des Pylorus vorlag, welche die Bezeichnung hypertrophische Pylorusstenose verlangte; der Pylorus erschien kontrahiert, infolgedessen mußte er bereits dicker als normal sein, aber abgesehen davon, erschien er nicht oder nur mäßig stärker, als diesem Zustande entspräche. Ob neben dem Kontraktionszustande des Pylorus ein Ulcus besteht oder nicht, erscheint im übrigen nicht von einschneidender Bedeutung weniger für die Motilität und Acidität, weniger für den Verlauf.

Nur in 1 Fall ist die Motilität und Acidität schwer getroffen, in 6 resp. 7 Fallen leicht, in 6 resp. 3 Fällen ist sie normal, in 1 Falle ist die Motilität sogar beschleunigt. Nach der Operation ist die Motilität 2 mal mäßig verlangsamt, 9 mal normal, 1 mal beschleunigt; die Acidität 1 mal leicht gesteigert, 7 mal normal, 3 mal vermindert.

Normale Weite des Pylorus wird nur einmal gefunden, dabei besteht geringe Verlangsamung der Motilität, die wir wohl auf Atonie zurückführen müssen: nach der Operation ist die Motilitätsstörung verschwunden; ob sie es auch ohne Operation wäre, erscheint immerhin zweifelhaft. Die Acidität ist vor wie nach der Operation normal.

Nach dem motorischen Verhalten geordnet, zeigen unsere Fälle folgendes Verhalten (Tabelle IVe): Von 16 Fällen schwerer motorischer Insufficienz besteht in 9 starke Hyperacidität, in 3 mäßige, in 4 keine; nach der Operation besteht in 2 Fällen schwere motorische Störung, in den anderen Fällen wird die Motilität normal befunden, in 2 beschleunigt; die Acidität ist danach 1 mal unverändert, 3 mal mäßig hoch, 5 mal normal, 2 mal vermindert.

Von 9 Fällen leichter motorischer Störung besteht in 2 starke, in 5 leichte Hyperacidität, in 2 sind die Werte normal. Nach der Operation ist die Motilität in 2 Fällen noch verlangsamt, in 5 normal, in 1 beschleunigt. Die Acidität ist in 6 Fällen normal, in 2 vermindert.

Von 6 Fällen normaler Motilität zeigt 1 starke, 3 mäßige Hyperacidität, 1 Fall normale Höhe; nach der Operation ist die Motilität 1 mal beschleunigt, 5 mal normal, die Acidität wird 1 mal mäßig vermehrt, 4 mal normal, 1 mal vermindert befunden.

Gehen wir bei der Betrachtung von der Acidität[1]) aus, so resultiert folgendes (Tabelle IVf): Starke Hyperacidität wird 12 mal gefunden; 9 mal besteht dabei mechanische Insufficienz 2. Grades, 2 mal solche 1. Grades, 1 mal normale Motilität. Nach der Operation ist die Acidität 1 mal mäßig vermehrt, 5 mal normal, 4 mal vermindert. Die Motilität ist dabei 1 mal schwer, 1 mal leicht gestört, 5 mal normal, 3 mal beschleunigt.

Mäßige Hyperacidität wird 12 mal gefunden, 4 mal bei motorischer Insufficienz 2. Grades, 5 mal bei solcher 1. Grades, 3 mal bei normaler motorischer Leistung. Nach der Operation besteht 1 mal starke Hyperacidität, dieselbe wird auch wohl bereits vor der Operation bestanden haben (ungeheilter Fall), 2 mal mäßige Vermehrung, 7 mal normale Acidität. Die Motilität ist dabei 1 mal noch schwer geschädigt, 2 mal leicht, 8 mal normal.

Von 7 Fällen normaler Acidität handelt es sich in 4 um schwere motorische Störungen, 2 mal um leichte, 1 mal um normale Motilität. Nach der Operation ist die Acidität in den 4 nachuntersuchten Fällen normal bei normaler Motilität.

Um einen genaueren Ueberblick über die Verhältnisse der Acidität nach den verschiedenen Eingriffen zu erhalten, sind auf Tabelle V

1) Es sei an dieser Stelle nochmals die Aufmerksamkeit auf den Wechsel der Acidität in ein und demselben Falle bei verschiedenen Aushebungen gelenkt, speciell auf die Fälle, an denen Hyperacidität nur nach Fleischeinnahme bestand. Es zeigt dies Verhalten, wie notwendig es ist, wenn es irgend angeht, sich nicht mit einer Aushebung und nicht nur nach Kohlehydrateinnnahme zu begnügen, da man sonst auch bei normalem Befunde Hyperacidität nicht ausschließen kann.

Tabelle V.
Acidität des Magensaftes nach den verschiedenen Operationen.

| Operation | Zahl d Aus-hebungen | Alkalisch | Neutral | Sauer 0 freie HCl | Acidität vermindert bis 25 Proz. freie HCl vorhanden | normal bis 50 Prz. nach Kohlehydr., 60 Proz. nach Fleisch | leicht und mäßig gesteigert, bis gegen 100 Proz. | stark gesteigert über 100 Proz. |
|---|---|---|---|---|---|---|---|---|
| Pyloroplastik | 57 | | | 4 | 9 | 33 | 8 | 3 |
| Gastroenterostomie | 33 | 2 | 1 | 7 | 4 | 13 | 5 | 1 |
| Gastroduodenostomie | 7 | | | | 2 | 1 | 2 | 2 |

sämtliche in unseren Fällen nach der Operation angestellte Untersuchungen des Magensaftes — unter im übrigen gleichen Bedingungen — nach ihrer Zahl und ihren Aciditätsverhältnissen zusammengestellt. Es wurden, um gleichmäßige und vergleichbare Werte zu erhalten, Aushebungen und Erbrechen, welche aus irgendwelchen Gründen kurz nach der Operation erfolgten, nicht berücksichtigt, im übrigen sind die Angaben der Zeit nach der Operation, zu welcher die Aushebungen erfolgten, auf den Tabellen I und II zu ersehen. Starke Hyperacidität wurde von Werten gegen 100 an gerechnet, leichte und mäßige von 50 resp. 60 bis gegen 100, als normal wurde die Acidität angesehen welche innerhalb der Werte 25—50 (nach Probefrühstück oder sonstiger Kohlehydrateinnahme) bis 60 (bei Eiweißgenuß, immer auf der Höhe der Verdauung) sich befand. Als vermindert zählen die Werte bis 25. bei vorhandener freier Salzsäure, die Fälle mit Fehlen der freien HCl, mit neutraler und alkalischer Reaktion sind besonders in den folgenden Rubriken aufgeführt.

Es ist sofort aus der Tabelle ersichtlich, wie häufig die Acidität nach Gastroenterostomie vermindert ist; nur in 2 Fällen war die Reaktion alkalisch. Viel seltener ist die Acidität nach Pyloroplastik vermindert.

Auf einer weiteren Tabelle (VI) sind die Mageninhaltunter-

Tabelle VI.
Galle im Magen vor und nach der Operation.

| | Zahl der Fälle | Zahl der Aus-hebun-gen | Zahl der Aushebungen mit Galle: wenig | viel | in toto | Proz. |
|---|---|---|---|---|---|---|
| Ohne Operation | 31 | 96 | 3 | 1 | 4 | 4,2 |
| Pyloroplastik | 21 | 99 | 9 | 2 | 11 | 11 |
| Gastroenterostomie | 13 | 46 | 27 | 15 | 42 | 91 |
| Gastroduodenostomie | 1 | 8 | .0 | 0 | 0 | 0 |

suchungen nach dem Vorhandensein von Galle zusammengestellt und zwar bei unseren Fällen vor der Operation und nach den verschiedenen ausgeführten. Die Zahl der Aushebungen ist beträchtlich größer, wie in der vorhergehenden Zusammenstellung, weil hier die Fälle, in denen bei Aushebung kein Inhalt herausfloß, nach Wassereingießen aber Inhalt erschien, Berücksichtigung finden konnten. Gezählt wurden nur die Fälle, in denen der ausgepreßte Mageninhalt sofort bei Beginn des Ausfließens Galle enthielt, dasselbe gilt für die Resultate nach Wassereingießung.

Der Inhalt des normalen Magens zeigt bekanntlich fast nie Galle; wenn solche auftritt, wie z. B. bei sehr heftigem Erbrechen, ist der Magen eben nicht mehr ganz normal anzusehen; wenn bei Sondierung Galle gefunden wird, ist dies wohl meist Folge der Sondeneinführung und des Pressens. Nur in einem unserer Fälle (17) und in diesem 3 mal unter 8 Aushebungen wurde häufig Galle gefunden und zwar bei großen Mengen Mageninhaltes, wobei die gallige Färbung sofort bei Beginn der Aushebung vorhanden war, so daß sich hier also sicher die Galle bereits vor Einführung der Sonde im Magen befand. Es zeigt dieser Fall, daß auch bei Pylorusstenose Galle im Mageninhalt vorkommen kann, wenn auch selten. Nach der Pyloroplastik wurde selten, doch häufiger als normal, Galle gefunden. In 2 Fällen von Pyloroplastik (26 und 29) erfolgte kurz nach der Operation starke Ueberstauung des Magens mit Galle. In beiden Fällen bestand bei der Operation eine Pyloruskontraktur, das eine Mal auf nervöser Grundlage, das andere Mal wohl durch Ulcus (Tumor) bedingt. In beiden Fällen wurde übrigens später keine Galle mehr gefunden.

Ob in den anderen Fällen kurz nach der Operation größere Gallemengen oder ob überhaupt Galle durch den erweiterten Pylorus in den Magen trat, wissen wir nicht, weil der Magen in diesen frühen Stadien nicht ausgehoben wurde. Dies geschieht bei uns nur dann, wenn die Sondierung indiziert ist. Dasselbe gilt auch für die Gastroenterostomie, bei welcher Carle z. B. häufig und vorübergehend große Gallemengen kurz nach der Operation fand, ohne subjektive Beschwerden.

In unseren Fällen enthielt der Magen nach Gastroenterostomie im Gegensatz zur Pyloroplastik fast stets Galle und zwar ist überhaupt kein Fall vorhanden, in dem nicht Galle nachgewiesen worden wäre. Auch in den untersuchten Fällen, in denen die Operation jahrelang her war, auch wenn die Motilität nicht oder nicht mehr beschleunigt, sondern normal war, war Galle vorhanden. Nur der eine Fall (Dr. S.) zeigte Beschwerden davon. Der Fall von Gastroduodenostomie hatte keine Galle im Magen. Die Galle befand sich anscheinend in gleicher Weise im Magen, ob neben der Gastroenterostomie eine Enteroanastomose ausgeführt wurde oder nicht.

Bei den Magenausspülungen nach Gastroenterostomie ergab sich noch folgendes: In den Fällen, in denen bei Aushebung der Inhalt gallig war, gelang es wohl, das Spülwasser weniger gallehaltend oder auch gallefrei zu erhalten, doch immer nur vorübergehend. In all diesen, sowie in den wenigen Fällen, in denen bei der Aushebung zunächst keine Galle gefunden wurde, wurde das Spülwasser schließlich gallig und zwar erfolgte die Aenderung der Färbung in Schüben.

Dies Verhalten ist so charakteristisch, daß man in einem Falle, in dem man nicht wüßte, welche Operation vorgenommen worden wäre, mit Sicherheit daraus die Diagnose auf Gastroenterostomie stellen könnte.

In keinem unserer Fälle kam ein Circulus vitiosus zur Ausbildung.

In Bezug auf die abnormen Gärungen im Magen ergeben die vorstehenden Fälle nichts Neues: die Gärung hört mit der Stauung auf.

Lebhaftere Peristaltik wurde — wohl zufällig — in keinem unserer Fälle, auch wenn die Stenose noch so hochgradig war und die Magenwand bei der Operation nicht besonders dünn und schlaff erschien, bei uneröffnetem Leibe gefunden; antiperistaltische Bewegungen überhaupt nie. Es ist dies besonders hervorzuheben, weil noch immer als diagnostisch von Bedeutung angegeben wird: Bei Pylorusstenose ist die Peristaltik gesteigert, im Gegensatz hierzu bei atonischer Ektasie vermindert. Damit verliert eines der wichtigsten differentialdiagnostischen Momente für diese beiden Affektionen an Bedeutung.

Während der Operation war in einigen Fällen lebhaftere Peristaltik zu bemerken, so besonders in Fall 32; solche, nur auf den Pylorus beschränkt, wurde etwas häufiger gefunden. Die Wand des Magens war in diesen ersteren Fällen stets kräftig, weitere Schlüsse ließen sich daraus nicht ziehen.

Was die Größe des Magens vor und nach der Operation betrifft, so haben wir auch Verkleinerung des Magenvolumens beobachtet. Es zeigte sich dabei kein deutlicher Unterschied zwischen den Fällen von Gastroenterostomie und denen von Pyloroplastik. Zur normalen Größe schien uns der Magen in keinem Falle nach der Operation zurückgekehrt zu sein.

Was die Größe des Magens, wie sie vor der Operation erschien, im Verhältnis zu der bei der Operation gefundenen betrifft, so ergab sich im ganzen eine leidliche Uebereinstimmung; doch wurden öfters auch Mägen bei der Operation nicht deutlich vergrößert gefunden, die vorher deutlich dilatiert erschienen; seltener das Umgekehrte.

Daß eine Schlußfähigkeit der Anastomose resp. des erweiterten Pylorus bestand, beweist nicht nur das motorische Verhalten, sondern wie das auch andere Autoren gezeigt haben, die Zurückhaltung von Gas bei der Aufblähung. Im ganzen haben wir den Eindruck, daß sich speciell auch in den Fällen von Gastroenterostomie im Laufe der Zeit ein gut funktionierender Sphinkter ausbildet.

Auf die Beschaffenheit der Wand des Magens bei der Operation wurde meist genau geachtet, besonders in der letzten Zeit; die Beurteilung derselben ist durchaus nicht einfach, Vergleiche sind nur erlaubt mit der des gesunden, lebenden Menschen, keinesfalls mit dem toten Magen.

Deutlich verdünnt wurde die Wand nur in 3 Fällen gefunden. In einem davon (8) handelte es sich um ein im Pylorus sitzendes Ulcus bei ziemlich großem Magen, normaler Motilität und 10jähriger Dauer des Leidens. In einem andere (23) bestand eine schwere Narbenstenose des Pylorus bei sehr großem Magen, schwerer motorischer Störung, normaler Acidität; Dauer 2 Jahre. Der Magen war dünn und schlaff. Im 3. Falle (28) ist eine Neurose angenommen. In einem weiteren Falle von Narbenstenose ist die Wand als schlaff angegeben, bei starker Erweiterung (Fall 22).

Deutlich verdickt erschien die Magenwand nur in 2 Fällen; der eine davon wurde als Neurose angesehen (26), im anderen handelte es sich wahrscheinlich ebenfalls um eine solche (32). Im ersten war der Magen mäßig vergrößert, im anderen normal groß.

In den meisten Fällen von Ulcus ventriculi erschien die Magenwand stärker injiziert als normal, besonders von cyanotischer Färbung. Selbst in dem schwersten Falle von Anämie, der bei Ulcus zur Beobachtung kam, war diese Eigentümlichkeit noch deutlich, im Gegensatz zu der Färbung der übrigen Unterleibsorgane. Im ganzen erschien dabei wohl der Pylorus noch stärker hyperämisch als der übrige Magen, so besonders in einem Falle von Neurose (28).

In einigen Fällen erschien der Pylorus auffallend schmerzempfindlich (die reflektorische Empfindlichkeit ist bei der Peristaltik erwähnt). Es zeigte sich dies am deutlichsten, wenn lokale Anästhesie angewandt wurde; doch auch in Chloroformnarkose, indem die Patienten, die bei gleicher Tiefe der Narkose ruhig waren, wenn der übrige Magen angefaßt wurde, unruhig wurden, sobald der Pylorus berührt wurde. Besonders deutlich war dies in einem Falle (4), in dem kein Ulcus gefunden wurde, obwohl alles für das Bestehen eines solchen spricht; in einem anderen Falle, in dem Narbenstenose vorlag (23).

In Bezug auf Magenblutungen ergiebt sich folgendes: In 14 Fällen wurden anamnestisch schwere Blutungen angegeben; in 10 davon wurde offenes Ulcus gefunden, in 1 Narbe. in 2 nichts; 1 Fall ist der unklare (29), in dem kein Ulcus gefunden wurde. in dem ein Ulcuscarcinom angenommen werden muß.

In 4 Fällen wurden leichte Blutungen berichtet, in 2 davon wurde Ulcus gefunden, in 2 nicht; in diesen beiden lag Hysterie vor und sind die Angaben suspekt; glaubwürdige Zeugen waren nicht zu erlangen. In 1 Fall (22), Narbenstenose, wurde nur im Stuhle Blut bemerkt.

Von 22 Ulcusfällen und 4 Narbenstenosen hatten demnach 15 schwere, 2 leichte Blutungen durchgemacht.

Nach der Operation fand in 2 Fällen (8 und 13) eine schwere Magenblutung statt; ersteres ist der Fall, in dem ein großes, im Pylorus sitzendes Ulcus vernäht wurde. Es muß in diesem Falle offen gelassen werden, ob hier die Blutung nicht aus einem weiteren, nicht gefundenen Ulcus erfolgt ist. In 2 Fällen (26 und 29), in den beiden, in denen nach der Operation eine Ueberstauung des Magens mit Galle statthatte, befand sich gleichzeitig auch mäßig viel Blut im Magen; in beiden Fällen wurde bei der Operation kein Ulcus gefunden. Sonst war in keinem Falle, besonders auch nicht in denen, in welchen das Ulcus intakt blieb, eine in Betracht kommende Blutung konstatiert.

Der Stuhlgang wurde in den Fällen, in denen er vor der Operation verstopft war — zum Teil sehr stark — normal oder doch erheblich besser.

Was das Auftreten von Magensaftfluß betrifft, so ist darüber folgendes zu bemerken. Solange eine allgemein anerkannte Definition dessen, was man unter chronischem Magensaftflusse zu verstehen hat, namentlich in Bezug auf seine objektiven Symptome, noch nicht existiert, wird es in vielen Fällen von der Willkür des Autors abhängen, ob er ein gefundenes Magensaftquantum unter den in Betracht kommenden Bedingungen als normal oder pathologisch ansieht. In den vorliegenden Fällen wurde ein Magensaftfluß angenommen 1) — nach Strauss[1]) — wenn das früh nüchtern, bei bestehender schwerer mechanischer Insufficienz nach abendlicher Leerspülung, sofort bei Einführung der Sonde, ohne starkes Pressen und Würgen gewonnene Quantum 10 ccm überstieg, durch HCl sauer war, womöglich freie HCl enthielt, speisefrei, frei von galliger Farbe war, von gelbgrüner oder meergrüner Farbe, dünn, möglichst wenig fadenziehend, von niederem specifischen Gewicht; 2) in jedem Falle[2]), in dem nüchtern bei Speisefreiheit Hyperacidität bestand.

In den Fällen schwerer motorischer Insufficienz wurde der Magen abends leergespült und nüchtern gelassen. Wenn auch Autoren, wie Schreiber, Boas u. a. das abendliche Ausspülen verwerfen und einen danach gefundenen Saftfluß als mögliches Artefakt ansehen, so ist es doch schwer, auf andere Weise in solchen Fällen, die Hypersekretion nachzuweisen; längere Zeit die Patienten ohne Nahrung per os zu lassen, erscheint — in einer chirurgischen Klinik — in Anbetracht der bevorstehenden Operation nicht zweckmäßig.

In 10 unserer 34 Fälle ist Magensaftfluß zu konstatieren, in 9 keiner, in 15 wurde nicht darauf untersucht. In keinem der 10 Fälle bestehenden Saftflusses ist die Motilität normal (Tabelle IV e); in 8 Fällen ist sie schwer, in 2 leicht gestört.

Es scheinen also doch die Fälle von Magensaftfluß mit völlig normaler Motilität, wie Strauss und Lichtheim je einen Fall be-

1) Berl. klin. Wochenschr., 1894, No. 41—43.
2) Schüle, Berl. klin. Wochenschr., 1895, p. 1112.

schrieben haben, recht selten zu sein. Der kontinuierliche Magensaftfluß ist eben wohl nie ein Krankheitsbild für sich, sondern nur eines der Symptome eines bestehenden Ulcus, einer Ektasie, eines Katarrhs, einer Neurose; er kommt auch keineswegs einer dieser Affektionen ausschließlich zu, wie es einige wollen, z. B. besonders der Neurasthenie.

In 7 Fällen besteht dabei starke Hyperacidität, in 2 mäßige, in 1 normale. Als verursachende Magenaffektionen wurde in 7 Fällen offenes Ulcus gefunden, in 1 Fall narbige Pylorusstenose, in 1 Fall Neurose; in 1 Fall (29) lag wahrscheinlich ein Carcinom auf Grund eines Ulcus vor. In den beiden letzten Fällen, wie in den Fällen von Ulcus, in welchen dasselbe nicht direkt stenosierend wirkte, bestand ein abnormer Kontraktionszustand des Pylorus.

Gehen wir von der Betrachtung der verursachenden Momente aus, so ergiebt sich folgendes für den Magensaftfluß: von 21 Fällen von offenem Ulcus bestand in 7 Magensaftfluß, in 6 keiner, in 8 wurde nicht darauf untersucht. Von 3 Fällen narbiger Pylorusstenose zeigt 1 Fall keinen Saftfluß, in 1 Falle besteht solcher, in 1 Falle wurde vor der Operation nicht darauf untersucht, doch ist Hypersekretion anzunehmen, da sie nach der Operation bestand.

Von 3 Magenneurosen bestand in 1 Falle Saftfluß, in den beiden anderen wurde nicht darauf untersucht.

Von 20 Fällen sogenannten organischen Hindernisses am Pylorus zeigen 8 Saftfluß, 4 keinen. Von 13 Fällen von Pyloruskontraktionszustand zeigten nur 2 Saftfluß, 4 keinen.

Von 16 Fällen schwerer motorischer Insufficienz wurde 8 mal Magensaftfluß gefunden, nur in 1 keiner, in 7 wurde nicht darauf geprüft.

Von 9 Fällen leichter Motilitätsstörung zeigen nur 2 Magensaftfluß, 5 keinen, 2 mal wurde nicht darauf untersucht. Bei normaler Motilität wurde, wie bereits erwähnt, niemals Saftfluß gefunden.

Von 12 Fällen starker Hyperacidität bestand Magensaftfluß in 6, in 2 nicht, 4 mal wurde nicht darauf untersucht.

Von 12 Fällen geringer Hyperacidität bestand Magensaftfluß in 2, in 4 keiner, in 6 wurde nicht darauf untersucht.

Von 7 Fällen normaler Acidität bestand Magensaftfluß in 1 Fall, in 3 keiner, in 3 nicht darauf untersucht.

Der Magensaftfluß wurde also nur bei gestörter Motilität beobachtet, besonders bei schwerer Störung derselben; meistens bestand starke Hyperacidität, selten geringe oder normale. Mit Vorliebe kam er bei offenem stenosierenden Ulcus oder bei narbiger Pylorusstenose vor, seltener bei Pyloruskontraktur.

Nach der Operation wurde er in 4 Fällen gefunden (Tabelle IV e), in 2 Fällen von Gastroenterostomie, 2 Fällen von Pyloroplastik. Der eine Fall von Gastroenterostomie ist ungeheilt, der andere und der eine von Pyloroplastik sind nur gebessert, das Fortbestehen des Saftflusses ist daher in denselben nicht zu verwundern. In dem anderen Falle von Pyloroplastik (Fall 7) bestand etwa 2 Monate post operationem noch Saftfluß, bei bestehenden geringen subjektiven Beschwerden, normaler Beförderung der Ingesta, noch vorhandener Hyperacidität. In ihm trat bald völlige Beschwerdefreiheit auf, weitere Nachuntersuchungen waren bisher nicht möglich.

Hervorzuheben ist der Fall von Magensaftfluß bei Neurose (26), in dem trotz Verschwinden des Flusses nach der Operation, bei gleichzeitigem Schwinden einer geringen motorischen Störung und einer geringen Hyperacidität keine Besserung auftrat. Es spricht dies mit Bestimmtheit dafür, daß in manchen Fällen der Magensaftfluß nicht Ursache, sondern Begleiterscheinung der — wohl auf nervöser Grundlage beruhenden — Magenaffektion ist.

Im ganzen stimmt das Verhalten des chronischen Magensaftflusses nach der Operation überein mit dem übrigen Verhalten der Symptome nach der Operation: nach Pyloroplastik schwindet speciell die Störung im Chemismus langsamer als nach Gastroenterostomie, aber schließlich doch mit derselben Sicherheit und demselben Erfolge.

Bisher anderweitig operativ behandelte Fälle von Magensaftfluß existieren nicht zahlreich in der Litteratur: ein Fall von Rosenheim [1]), Gastroenterostomie (Hahn), Heilung; ein Fall von Boas [2]), Gastroenterostomie (Hahn), Heilung; ein Fall von Schreiber [3]), Gastroenterostomie (v. Eiselsberg), Heilung. In allen Fällen erfolgte Heilung, es sind alles Fälle schwerer mechanischer Insufficienz. In Schreiber's Fall ist die Ursache nicht bestimmt angegeben, in den beiden anderen liegt narbige Pylorusstenose vor. Außerdem bestand in mehreren Fällen von Carle und Fantino [4]) chronischer Magensaftfluß.

Eine Zusammenstellung der wichtigeren funktionellen Ergebnisse bei den verschiedenen Magenaffektionen in unseren Fällen vor und nach der Operation ergiebt folgendes:

a) Vor der Operation.

1) Ulcera, welche nicht am Pylorus sitzen oder ihn direkt in Mitleidenschaft ziehen, zeigen selten schwere motorische oder sekretorische Störungen.

2) Es kann ein großes Ulcus im Pylorus bestehen ohne eine Spur motorischer Störung.

3) Kontraktionszustände des Pylorus scheinen stets vorhanden zu sein bei Sitz des Ulcus irgenwo im Magen.

---

1) Berlin. klin. Wochenschr., 1894, No. 50.
2) Berlin. klin. Wochenschr., 1894, No. 46.
3) Arch. f. Verdauungskrankh., Bd. 2, 1896, p. 435.
4) Arch. f. klin. Chir., Bd. 56, 1898, p. 1.

4) Ein Kontraktionszustand des Pylorus ruft selten, wenn überhaupt, schwere motorische und sekretorische Störungen hervor, häufiger hingegen leichtere Grade derselben.

5) Magensaftfluß wird nur bei gestörter Motilität beobachtet; meist besteht dabei offenes Ulcus oder narbige Pylorusstenose, seltener Kontraktionszustand des Pylorus. Gewöhnlich besteht dabei starke Hyperacidität, seltener geringe, oder normale Acidität.

b) Nach der Operation.

1) Die Motilität wird nach Gastroenterostomie schnell normal oder sinkt ebenso häufig unter die Norm. Nach Pyloroplastik kehrt sie langsamer zur Norm zurück, sinkt selten unter dieselbe.

2) Die gesteigerten Aciditätswerte sinken nach Gastroenterostomie schnell zur Norm oder meist unter dieselbe, so daß der Magensaft häufig ohne freie HCl ist, selten alkalisch. Nach Pyloroplastik sinken die Werte langsam zur Norm, selten unter dieselbe.

3) Im Laufe der Zeit scheint sich nach Gastroenterostomie die motorische und sekretorische Funktion, wo sie durch die Operation unter die Norm herabgesunken war, zuweilen wieder zur Norm zu heben.

4) Nach Gastroenterostomie befinden sich in allen Fällen, und in diesen meist, geringe Mengen von Galle im Magen. Dies Verhalten bleibt das ganze Leben hindurch bestehen. Nur selten verursacht es Beschwerden.

Nach Pyloroplastik befindet sich häufiger als normal, aber doch im ganzen selten, wenig Galle im Magen.

5) Es scheinen nach Pyloroplastik, wie nach Gastroenterostomie die Ulcera meist schnell zur Ausheilung zu kommen, auch solche, an welchen bei der Operation nicht gerührt wurde; dies erfolgt auch in Fällen, in denen vor der Operation keine motorische Insufficienz bestand.

Fragen wir uns nun, was die von uns und anderen gefundenen Ergebnisse für unsere Vorstellungen über das motorische und sekretorische Verhalten des Magens und über das Ulcus ventriculi zu bedeuten haben, so ergiebt sich folgendes:

Pyloruszustand, Motilität, Hyperacidität, Ulcus, sind Momente, welche offenbar in gewisser Beziehung zu einander stehen; in welcher und welche Momente als Ursache, welche als Wirkung anzusehen sind, darüber herrscht bisher noch keineswegs Gewißheit.

Sicher und allgemein anerkannt ist, daß ein Hindernis am Pylorus, welches die Motilität des Magens erheblich beeinträchtigt, Hyperacidität verursacht; letztere kommt auch zustande, bei Ueberstauung des Magens ohne Hindernis am Pylorus. Wird die Stauung durch Operation oder sonstwie beseitigt, so schwindet die Hyperacidität.

Ferner tritt Hyperacidität auf bei Ulcus, auch wenn es nicht am Pylorus sitzt, bei Neurose, gewissen Formen von Katarrhen, chronischem Magensaftfluß, falls man diesen als besonderes Krankheitsbild gelten läßt. Daß in solchen Fällen motorische Störung keineswegs notwendig ist, wußte man auch. Wie verhält sich nun der Pylorus in solchen Fällen? Ist er normal, ist er kontrahiert, ist er die Ursache der Hyperacidität oder wirkt die Affektion der Magenwand selbst als Reiz und ruft die Hyperacidität hervor?

In keinem unserer Fälle, in denen Hyperacidität bestand, war der Pylorus normal; er war Sitz einer organischen Affektion oder er war kontrahiert, oft auch mäßig hypertrophisch. Andererseits zeigen durchaus nicht alle Fälle von Kontraktionszustand des Pylorus oder sonstiger stenosierender Affektion desselben Hyperacidität oder spricht etwas dafür, daß früher einmal eine solche bestanden hätte und im Laufe der Zeit, z. B. infolge Atrophie der Drüsen, verschwunden wäre. Wir werden also wohl die Pyloruskontraktion keineswegs, wie manche es wollen, stets als Ursache der Hyperacidität, geschweige denn als Ursache des Magenleidens überhaupt ansehen. Auch können wir andererseits nicht die Hyperacidität als Ursache der Pyloruskontraktur betrachten; denn in einer Anzahl von Fällen besteht dieselbe bei normaler Acidität. Die Affektion wird das Primäre sein, sie verursacht als Reizmoment gleichzeitig die Hyperacidität und den Pyloruskrampf.

Trotzdem sehen wir nach Ausschaltung des Pylorus, sei es durch Pyloroplastik, sei es durch Gastroenterostomie, Heilung eintreten. Heilung der Hyperacidität, Heilung offenbar auch des Ulcus, auch in Fällen, in denen keine motorische Störung bestand. Auch ohne Bestehen eines Ulcus nimmt die Hyperacidität nach Pyloroplastik ab, wo ein Pyloruskontraktionszustand ohne motorische Störung bestand (Fall 32 und 33). Bei den Fällen von Gastroenterostomie könnte man die schnellere Entleerung des Magens als Erklärung annehmen, indem bei bestehendem Ulcus des Pylorus oder der kleinen Curvatur die Speisen den Pylorus und das Ulcus nicht mehr zu passieren brauchen; in den Fällen von Pyloroplastik wird aber dieselbe Heilung erzielt, ohne eine derartige völlige Entlastung der erkrankten Stelle.

Es ist doch wohl beides, Stauung und Hyperacidität, welches die Ausheilung des Ulcus aufhält oder verhindert. Jedenfalls haben wir in keinem unserer Fälle ein sicheres Ulcus gefunden, in dem Motilität und Acidität gleichzeitig normal gewesen wären.

Im übrigen müssen wir gestehen, daß wir die genaueren Details der für die Entstehung und die Ausheilung des Ulcus in Betracht kommenden Momente noch nicht genügend übersehen.

Was wird denn eigentlich aus dem Ulcus selbst? Daß es in den Fällen, in denen es vernäht oder excidiert wurde, heilt, nachdem die anderen als Ursache für das Fortbestehen des Ulcus in Betracht kommenden Momente — wie motorische und sekretorische Störung — sich bessern resp. schwinden, ist nicht zu verwundern.

Es scheint aber auch zu heilen, wenn es offen bleibt. Leider kann man sich durch Augenschein vorläufig noch nicht über das Schicksal des Geschwüres unterrichten, der Gastroskopie gehört auch in dieser Beziehung vielleicht die Zukunft. Wir sind, wenn wir von zufälligen Autopsien oder nochmaliger Operation absehen, bei der Beurteilung der Heilung auf die Symptome, die objektiven wie in der Hauptsache auf die subjektiven angewiesen. Wir sehen, wie das auch jeder Internist thut, ein Magenulcus als geheilt an, wenn das Individuum alles ißt und auch sonst lebt, wie zu gesunden Zeiten, ohne Beschwerden, ohne seinen Magen zu fühlen. Es ist dies besonders hervorzuheben, weil noch immer gelegentlich behauptet wird, die angeblichen Heilungen nach Operationen am Magen beruhten auf Täuschung, sie beständen nur so lange nach der Operation, wie der Patient beschränkte Diät genösse.

In einer Anzahl unserer Fälle erfolgte das Aufhören der Beschwerden langsam, auch unter Rückfällen; in einer großen Anzahl aber hörten die Beschwerden so prompt mit der Operation auf, ohne je wiederzukehren, daß man versucht ist, das Bestehen der Beschwerden in diesen Fällen nicht direkt auf das Vorhandensein des Ulcus zurückzuführen, sondern auf Momente im Zustand des Pylorus, Hyperacidität, Motilitätsstörung.

Wir wissen ja überhaupt nicht sicher, worauf bei dem Ulcus ventriculi die Beschwerden beruhen: Das zunächst Liegende ist natürlich anzunehmen, auf dem Ulcus selbst, und dies ist im allgemeinen wohl auch das Richtige. Indes, es giebt große und tiefe Geschwüre, die mit Ausnahme des Pylorus vielleicht überall ihren Sitz haben können, ohne Beschwerden zu verursachen; sie werden, wenn sie zur Perforationsperitonitis führen oder sonstige Komplikationen hervorrufen, oder erst bei der Autopsie gefunden. Dann sprechen unsere obigen Fälle, in denen wir doch nicht annehmen können, daß das Ulcus mit dem Moment der Operation geheilt ist, in denen also noch ein offenes Ulcus besteht, und die dabei völlig beschwerdefrei sind, auch dafür, daß ein offenes Magengeschwür keine subjektiven Erscheinungen zu machen braucht.

Auch die Reizung des Ulcus durch vorbeiziehende Speisen, die Zerrung durch die Ueberstauung des dilatierten Magens kann nicht die alleinige Ursache sein, da Ulcera auch bei normaler Motilität Schmerzen machen und letztere auch in solchen Fällen nach Pyloroplastik z. B. schwinden.

Oder ist etwa die Hyperacidität Ursache der Beschwerden? Dagegen spricht, daß von unseren Patienten eine Anzahl beschwerdefrei war, während die Hyperacidität — bald nach der Operation — noch bestand. Andererseits zeigen keineswegs alle Fälle von Ulcus, die Beschwerden machen, Hyperacidität.

Auch der Pyloruskrampf kann nicht alleinige Ursache der Schmerzen sein; zuweilen sieht man dieselben genau auf die Stelle, an welcher das Ulcus sitzt und welche sich nicht am Pylorus befindet, lokalisiert; auch hören die Beschwerden nicht immer mit der Durchtrennung des Pylorus auf.

Es werden gewiß verschiedene Momente hier eine Rolle spielen.

In Bezug auf Recidive der Ulcera nach Operation, sei es, daß dieselben entfernt, verschlossen wurden oder unberührt blieben, wissen wir nicht viel. Giebt es überhaupt Recidive? an der Stelle des alten Ulcus oder an neuer? Es scheint jedenfalls kein sicherer derartiger Fall zu existieren.

Einige Worte seien noch dem Pyloruskrampf gewidmet; speciell französische Autoren wollen demselben bei den verschiedensten Erkrankungen des Magens hervorragende Bedeutung zuschreiben, sei es in ätiologischer Beziehung, sei es als ein die Heilung hinderndes Moment. Wir wissen darüber noch wenig. Näher liegt es vielleicht, an einen Zusammenhang mit der sogenannten primären, der atonischen Stauungsinsufficienz zu denken.

Bei Lebzeiten ist in der Mehrzahl der Fälle die Frage, ob Pylorusstenose, ob Atonie der Grund der Insufficienz ist, kaum zu entscheiden; alle angeführten Momente, wie Anamnese, Verlauf, Gallenrückfluß, auch die Peristaltik lassen oft im Stich (was diese letztere anbetrifft, so sehe man nur unsere Fälle an, in denen trotz Stenose keine erhebliche Peristaltik beobachtet wurde). Nimmt man nun die Fälle mit Pyloruskrampf hinzu, so wird man in solchen selbst bei der Sektion kaum sagen können, ob eine gefundene, bei Lebzeiten schwere Ektasie des Magens (natürlich im üblichen, funktionellen Sinne) nicht vielleicht durch solchen Krampfzustand bedingt war; denn dieser braucht bei der Autopsie gewiß nicht mehr nachweisbar zu sein.

Auch die Erfolge innerer Therapie, speciell von Magenausspülungen, beweisen, obwohl dies vielfach behauptet wird, nichts Sicheres für die Ursache des Leidens: einerseits kommt Besserung der Motilität und der übrigen Symptome auch bei schwerster Pylorusstenose vor. Boas [1]) will sogar einen Fall von Pylorusstenose in Heilung übergehen gesehen haben; leider führt er diesen Fall nicht genauer an, der an dieser Stelle mitgeteilte Fall ist offenbar einer jener 2 von atonischer Dilatation, die er heilen sah. Andererseits sieht man auch Fälle atonischer Insufficienz meist ebensowenig ohne Operation dauernd heilen, wie solche von Stauungsinsufficienz bei Pylorusstenose. Wie selten übrigens Fälle atonischer schwerer Insufficienz wirklich heilen,

---

1) Diagnostik u. Therapie d. Magenkrankheiten, II. Teil, 1896, p. 112.

sieht man wohl am besten daraus, daß ein Autor wie Boas schreibt, nur zweimal dies gesehen zu haben und ob der an obiger Stelle mitgeteilte Fall wirklich dauernd geheilt ist, erscheint auch nicht sicher: enthält doch der nüchterne Magen noch Reste von Residuen. Daß hingegen akute Fälle von Magendilatation und Insufficienz heilen, und solche von chronischer motorischer Insufficienz anscheinend heilen, nämlich so lange die Magenausspülungen und die sonstige Behandlung fortdauert, ist nichts Außergewöhnliches. Auch aus diesem Grunde sollte man in derartigen Fällen häufiger als es bisher geschieht, zur Operation schreiten.

Im ganzen genommen scheinen überhaupt die Fälle von motorischer Insufficienz, welche auf Atonie beruhen, nicht so häufig zu sein im Verhältnis zu denen, welche auf Pylorusstenose beruhen. In der Litteratur sind wenigstens die Fälle ersterer Art außerordentlich selten zu finden und dies auch in Ländern, wie Frankreich und Italien, wo die Operationen am Magen auch bei weniger eingeengter Indikation als bei uns stattfinden.

Inwieweit bei vorhandenem organischen Hindernis am Pylorus auch ein Krampfzustand desselben eine Rolle spielt, ist schwer zu sagen. Bereits bei der Operation ist die Beurteilung eines solchen Pylorus daraufhin nicht leicht. A priori hat diese Annahme viel für sich, findet man z. B. bei nicht am Pylorus sitzendem Ulcus eine Kontraktion desselben, warum soll dies nicht erst recht der Fall sein, wenn das Ulcus im Pylorus sitzt? Auch der Sphincter ani verfällt in einen Kontraktionszustand, wenn ein Ulcus oder eine Fissur in seinem Bereiche sitzt. Es wurde in unseren Fällen, in denen keine sonstige Erklärung für den Pyloruskrampf zu finden war, natürlich auch auf Fissuren und auf andere in Betracht kommende Momente geachtet, ohne je etwas zu finden.

Man könnte versucht sein, größere feststellbare Unterschiede in der Motilität von Fällen mit organischen Hindernissen im Pylorus auf einen wechselnden Kontraktionszustand des erkrankten Pylorus zu beziehen, indes könnte auch ebensogut Wechsel in der Kontraktionsfähigkeit der Magenwand die Ursache sein.

Genauere Nachuntersuchungen von Magenfällen in Bezug auf das Erhaltenbleiben der Funktionen sind bisher noch nicht in sehr großer Zahl angestellt; uns interessieren hier nur die bei gutartigen Erkrankungen. Die meisten Autoren, welche Resultate publizieren, geben keinen genaueren Befund, sondern teilen nur die Thatsache der Heilung mit, oder geben an, der Magen habe normal funktioniert und verdaut, so Orthmann, Känsche, Dreyhoff, Mündler, Doyen u. a.

G. Klemperer[1]) hat einen Fall von schwerer Magendilatation

1) Deutsche med. Wochenschr. 1889, p. 171.

nach Verätzung beschrieben, in dem nach der Pyloroplastik (BARDELEBEN), 5 Monate nach der Verätzung die Größe des Magens zur Norm zurückging, die Wand etwas verdickt blieb. Der Fall kam zur Autopsie, Exitus an Phthise 7 Monate nach der Operation. Angaben über motorisches und sekretorisches Verhalten nach der Operation fehlen. Patient soll beschwerdefrei gewesen sein.

Auch BOAS [1]) teilt in seiner Beschreibung dreier Fälle von stenosierender Gastritis, einem eigentümlichen und neuen Krankheitsbilde, welches in allen drei Fällen durch Gastroenterostomie (HAHN) zur Heilung kam, aber nur in zwei derselben zum völligen Schwinden der Beschwerden, keine genauere Nachuntersuchung mit. Ferner hat BOAS [2]) in einem Falle gutartiger Pylorusstenose mit starker Magenerweiterung (Adhäsionen und hochgradige Verengung des Pylorus) nach Pyloroplastik (KÖHLER) völlige Heilung und bei funktioneller Prüfung völlig normales Verhalten der mechanischen und chemischen Funktionen gesehen. In einem anderen Falle erfolgte nach Lösung von Adhäsionen mit der hinteren Leberfläche (HAHN) keine Aenderung in der Ueberstauung des Magens.

DUNIN [3]) hat 3 Fälle von narbiger Pylorusstenose beobachtet, die durch Gastroenterostomie geheilt wurden. In zwei derselben wurden Nachuntersuchungen angestellt. Im ersten Falle (operiert von CIECHOMSKI) bestand vor der Operation mechanische Insufficienz anscheinend zweiten Grades, mäßige Hyperacidität, nach der Operation bestand noch mehrere Wochen deutliche mechanische Insufficienz, ob ersten oder zweiten Grades, ist nicht zu erkennen, da die Angabe fehlt, ob im nüchternen Mageninhalt Speisen enthalten waren; war dies nicht der Fall, dann bestand jedenfalls noch erheblicher Magensaftfluß. Acidität dabei mäßig gesteigert. Unter Magenausspülungen nahmen diese Erscheinungen ab, waren aber nach 5 Monaten noch nicht völlig verschwunden. Die Größe und der Tiefstand des Magens nahm schließlich bis zu anscheinend normalen Verhältnissen ab. Im zweiten Falle handelte es sich um einen analogen Fall, Magensaftfluß nachgewiesen. Gastroenterostomie (KRAJEWSKI). Der Befund nach der Operation ist derselbe wie in Fall 1.

In Fall 3 handelt es sich zunächst um eine mechanische Insufficienz sicher 1. Grades (ob ein 2. Grad oder Magensaftfluß vorliegt, ist nicht zu ersehen), mäßige Hyperacidität, keine Gärung, Nervosität. Innerhalb zweier Jahre ging der Zustand in eine mechanische Insufficienz 2. Grades über. Gastroenterostomie (CIECHOMSKI). Nach der Operation derselbe Befund wie in Fall 1 und 2, dabei in allen drei

1) Arch. f. Verdauungskr. Bd. 4, 1898, p. 47.
2) Deutsche med. Wochenschr., Vereinsbeilage, 1895, No. 4.
3) Berl. klin. Wochenschr., 1894, No 3, p. 56.

Fällen Wohlbefinden, Beschwerdefreiheit. Ein 4. Fall starb einige Tage nach der Operation an Enteritis purulenta. Nachuntersuchungen erfolgten hier natürlich nicht.

DUNIN hebt besonders hervor, daß in allen seinen Fällen Besserung der Motilität. Minderung der Acidität, Schwinden der Gärung, Verkleinerung des Magens erfolgte; in keinem der Fälle aber wurden Werte beobachtet, die der Norm entsprachen oder gar unter dieselben gingen. Einige Male wurden größere Mengen Galle im Magen gefunden. In allen Fällen fand bei Aufblähung gute Gasretention im Magen statt, also vorübergehender Schluß der Anastomose.

ROSENHEIM[1]) untersuchte in 10 Fällen von Gastroenterostomie — 4 wegen gutartiger, 6 wegen bösartiger Erkrankung — die Magenfunktionen nach der Operation. Er fand im Gegensatz zur Resektion bei fast allen Fällen, ob gut- oder bösartig, eine Verlangsamung in der Beförderung der Ingesta, darunter sind Fälle, die fast 1 Jahr nach der Operation bei gutem Allgemeinbefinden beobachtet wurden. Er hebt noch besonders hervor, daß gerade in diesen Fällen die Motilität für Flüssiges nicht der für Festes parallel zu gehen braucht, daß er besonders die für letzteres verlangsamt fand, während die für Flüssiges selbst beschleunigt war. Niemals fand er nach der Operation schwerere mechanische Insufficienz. In einem genauer mitgeteilten Falle (KOCH) ist die Motilität jedenfalls normal resp. beschleunigt.

MINTZ[2]) fand in einem Falle 9 Monate nach der Gastroenterostomie (ODERFFLD) bei einer narbigen Stenose mit Hyperacidität und anscheinend mechanischer Insufficienz normales Verhalten: Acidität und anscheinend auch Motilität; ein Einwurf gegen die Beweiskraft seiner Mitteilung ist eingangs dieser Arbeit angeführt.

In einem anderen Falle von Gastroenterostomie[3]) (ODERFELD) wegen gutartiger Pylorusstenose besserte sich zwar der Magenmechanismus, doch war er nach 3 Monaten noch nicht zur Norm zurückgekehrt. Die vor der Operation vorhandene gesteigerte Acidität war 11 Wochen nach derselben ziemlich normal, noch etwas hoch.

Auf dem Chirurgenkongreß 1897 hat dann MIKULICZ[4]) in seinem Vortrage über die chirurgische Behandlung des chronischen Magengeschwürs auch kurz über die funktionellen Resultate der bis dahin beobachteten Fälle der Klinik berichtet; es ist dabei als für die vorliegenden Fragen besonders in Betracht kommend hervorzuheben 1) die nach Pyloroplastik erfolgte Heilung der Fälle von offenem Ulcus, in denen das Ulcus intakt blieb, auch wenn keine motorische Störung und keine Stenose bestand; 2) die allmähliche Abnahme der

1) Berl. klin. Wochenschr., 1894, No. 50, p. 1134.
2) Zeitschr. f. klin. Med., Bd. 25, 1894, p. 123.
3) Wiener klin. Wochenschr., 1895, No. 20, p. 365
4) l. c. p. 197.

Hyperacidität nach Pyloroplastik in den Fällen von Ulcus, wie auch in Fällen, in denen kein Ulcus gefunden wurde. In jüngster Zeit erschien eine umfassende Arbeit von CARLE und FANTINO[1]), in welcher zahlreiche von ihnen operierte und beobachtete Fälle mit zum Teil genauen und brauchbaren Befunden der Motilität und des Chemismus vor und nach der Operation mitgeteilt sind.

Im großen und ganzen stimmen die Heilerfolge und funktionellen Resultate von C. und F. mit denen unserer Fälle überein.

Von 44 Fällen gutartiger Erkrankung wurde in 14 Pyloroplastik ausgeführt, in 3 digitale Dilatation des Pylorus, in 27 Gastroenterostomie.

Als Zahl der Todesfälle infolge Gastroenterostomie bei gutartiger Stenose geben CARLE und FANTINO 2 an (p. 35), während bei der Aufführung der Fälle 3 zu finden sind. Sie haben einen Fall (31) nicht angeführt, obwohl derselbe sonst unter ihren Zahlen mit verrechnet ist. Von den 3 Todesfällen kommen 2 auf die Gastroenterostomia anterior (WÖLFLER); Todesursache in dem einen Klappenbildung, in dem anderen Stauung in dem unteren Sack eines Sanduhrmagens; ein Fall kommt auf die Gastroenterostomia posterior (v. HACKER), Ursache Marasmus, Darmtuberkulose (?), Tod 5 Mon. nach Operation.

Die übrigen Fälle von Gastroenterostomie heilten sämtlich bis auf den Fall von Gastroduodenostomie (Fall 21).

Die Untersuchungen bei Gastroenterostomie ergaben folgendes:

1) Die motorische Funktion kehrte zur Norm zurück, bisweilen langsam und allmählich, und wurde schließlich meist gegenüber der Norm beschleunigt; zuweilen war anfangs Stauung und Erbrechen vorhanden.

2) Der Magen verkleinerte sich bis zur Norm.

3) Es bildete sich im Laufe der Zeit eine Schlußfähigkeit des neuen Pylorus, offenbar ein ganz gut funktionierender Sphinkter aus.

4) Hyperchlorhydrie schwindet, wo sie vor der Operation besteht, oft geht die freie HCl unter die Norm herab.

5) Gallenrückfluß findet in allen Fällen statt, nüchtern und nach der Mahlzeit, doch nicht andauernd, stärker nach der Gastroenterostomia anterior. Oft erreicht derselbe hohe Grade, in einem Falle 400—800 ccm; in vielen Fällen verschwand er schließlich. Dabei weder Uebelbefinden noch Erbrechen.

Von den zu Gebote stehenden Methoden bevorzugen sie die Gastroenterostomia posterior retrocolica mittels MURPHY-Knopf und Verstärkungsnaht über demselben.

1) l. c.

Von den 14 Fällen von Pyloroplastik verlief einer tödlich, Ursache nicht feststellbar trotz Sektion. 3 lieferten ein funktionell ungünstiges Resultat. Es bestand bei diesen motorische Insufficienz ohne verursachendes Moment am Pylorus oder sonst am Magen, also primäre Atonie; in zwei der Fälle erfolgte geringe Besserung, in einem keine Aenderung; in einem der ersteren schaffte spätere Gastroenterostomie völlige Heilung.

Die übrigen Fälle von Pyloroplastik, wie die drei Divulsionen, lieferten zufriedenstellende Resultate:

1) Die motorische Funktion wurde schnell normal.

2) Der Magen verkleinerte sich, kam aber selten zu normaler Größe.

3) Die Hyperacidität ging allmählich zur Norm zurück.

4) Der Pylorus wurde wieder schlußfähig.

5) Es erfolgte kein Gallenrückfluß.

In allen Fällen von Hypo- oder „Anachlorhydrie" (wie C. und F. schreiben) blieb das Verhalten durch die Operation unbeeinflußt (3 mal Pyloroplastik, 3 mal Gastroenterostomie).

Was die Frage der zu wählenden Operation betrifft, so haben Carle und Fantino die Ausführung der Pyloroplastik, welche sie früher häufiger anwandten, im Laufe der Zeit beschränkt, und empfehlen dieselbe hauptsächlich für spasmodische Stenosen, begrenzte ringförmige Pyloritis mit noch nachgiebigen Wunden.

Carle und Fantino greifen dann Mikulicz an [1]), weil derselbe in Fällen, in denen er nach Eröffnung der Bauchhöhle keine greifbaren Veränderungen, namentlich keine deutliche Verengerung des Pylorus findet, und wenn auch sonst keine zwingenden Gründe für das Ulcus sprechen, empfiehlt, sich mit der Incision zu begnügen und die Bauchhöhle zu schließen. Mikulicz [2]) thut dies besonders, gestützt auf Fälle, in denen erhebliche Beschwerden bei negativem Operationsbefunde nach der Probelaparotomie schwanden.

Carle und Fantino wollen auch in solchen Fallen eine den Magen entlastende Operation ausgeführt wissen, also wohl die Gastroenterostomie.

Wenn Carle und Fantino behaupten, Mikulicz empfehle sein Vorgehen bei mechanischer Insufficienz überhaupt, so ist dem gegenüber zu bemerken: Mikulicz spricht ausdrücklich von Fällen, in denen Kranke unter dem Bilde der Neurasthenie über Magenbeschwerden klagen und in denen eine bestimmte Diagnose oft nicht möglich ist; Mikulicz führt dann weiter an, daß solche Kranke dabei einen hohen Grad von Atonie und motorischer Insufficienz zeigen können. Mikulicz

---

1) l. c. p. 65.
2) l. c. p. 219.

spricht also keineswegs, wie Carle und Fantino es darstellen, von motorischen Insufficienzen überhaupt, sondern von solchen in ganz besonderen Fällen.

Ueberhaupt ist der Standpunkt von Carle und Fantino sehr nahe verwandt dem der französischen Autoren, wie Doyen, die im Pylorus den Feind und die Ursache jeder Magenaffektion sehen und die schließlich dazu kommen, wie Defontaine [1]), bei chronischem Magenkatarrh zur Gastroenterostomie zu raten.

Was die funktionellen Resultate nach Resektion bei gutartiger Erkrankung betrifft, so existieren nur 2 nach der Operation auf die Funktion hin untersuchte Fälle. In dem Falle von Béla-Imredi [2]) (operiert von Dollinger) bestand nach der Operation Heilung der motorischen und Besserung der sekretorischen Funktion.

## Pyloroplastik oder Gastroenterostomie?

Die bei gutartigen Erkrankungen des Magens zu Gebote stehenden Operationen sind, abgesehen von Gastrolysis: Divulsion, Gastroplicatio, circumskripte Excision (deren Abarten segmentäre und sektoräre Resektion), Resektion, Pyloroplastik, Gastroenterostomie, als Abarten letzterer beider Gastroplastik und Gastroduodenostomie.

Die Divulsion wird heute kaum noch angewandt; sie ist sicher nicht ungefährlicher als die Pyloroplastik, eher gefährlicher, sie liefert leicht Recidive.

Die Gastroplicatio (Bircher) wird auch wenig geübt. Sinn hat sie nur bei Ektasien des Magens, in denen der Pylorus normale Weite besitzt. In jüngster Zeit [3]) ist empfohlen worden, die Gastroplicatio im Falle starker Magenektasie bei bestehender Pylorusverengerung mit der Pyloroplastik zu verbinden, so daß die große Kurvatur in die Höhe des Pylorus zu liegen kommt; der Abfluß des Speisebreies wird dann auch bei starker Atonie leicht der Schwere nach erfolgen. Wenn auch nicht zu leugnen ist, daß dies Verfahren viel Bestechendes hat, so wird man im allgemeinen doch in allen Fällen, in denen man sich bei normal weitem oder künstlich erweitertem Pylorus keine normale Motilität des Magens versprechen kann, lieber die Gastroenterostomie als das weniger komplizierte Verfahren wählen.

Daß man ein Ulcus, wenn die Operation wegen akuter Blutung vorgenommen wird, unschädlich zu machen sucht, indem man es womöglich excidiert oder auch ohne Excision vernäht, sonst das blutende Gefäß unterbindet oder kauterisiert, ist selbstverständlich. Operiert

---

1) Arch. prov. de chir., T. 6, No. 3.

2) Ung. Arch. f. Med., ref. Wiener klin. Wochenschr., 1895, No. 16, p. 293.

3) Casatio, Gazz. degli ospedali e delle chir., 1898.

man wegen überstandener oder wegen wiederholter kleiner Blutungen, so erscheint die Entfernung des Ulcus nicht unbedingt angezeigt. Wir haben gesehen, daß nach Pyloroplastik und Gastroenterostomie das Ulcus ausheilt, und werden infolgedessen ein derartiges Ulcus nur dann entfernen, wenn dies nach seiner Lage ohne einen weiteren erheblichen Eingriff angeht. Auf jeden Fall erscheint es geboten, sich nicht mit der einfachen Excision des Ulcus zu begnügen, sondern — nach unseren Befunden und Erfahrungen — wegen der nie fehlenden Affektion des Pylorus, stets eine diese letztere paralysierende Operation, die Pyloroplastik oder die Gastroenterostomie, folgen zu lassen.

KOCHER[1]) erwähnt einen Fall, in dem er nach glatt verlaufener und geheilter Gastroenterostomie eine Blutung aus einem Ulcus rapide den Tod herbeiführen sah. Solche Fälle scheinen jedenfalls sehr selten zu sein; außerdem fehlen in KOCHER's Falle alle Angaben über die näheren Umstände, die hierbei doch erheblich in Betracht kommen, so daß sich derselbe vorläufig der Beurteilung entzieht. KOCHER will deshalb jedes Ulcus, abgesehen von den Fällen, in denen Schmerz und Dyspepsie die Indikation zur Operation geben, entfernt wissen, und zwar nicht mittels Excision, sondern mittels richtiger Resektion.

Während wohl fast sämtliche Chirurgen heute die Resektion (scil. cirkuläre) — bekanntlich wegen Ulcus zuerst von RYDYGIER ausgeführt — als eine Ausnahmeoperation ansehen, dieselbe nur dann ausführen, wenn Verdacht auf Carcinom besteht, redet KOCHER[1]) so der Resektion bei Ulcus das Wort und betont nachdrücklich diesen Gegensatz gegenüber MIKULICZ.

Zur Begründung seines Vorgehens führt KOCHER an, daß die Resektion nach seiner Methode — vollständige Occlusionsnaht des Magens, Implantation des Duodenums in die hintere Magenwand mittels Naht — ungefährlicher sei als die anderen in Betracht kommenden Operationen, speciell ungefährlicher als eine unregelmäßige Ulcusexcision, bei welcher nicht überall glatte Serosafläche zur Naht benutzt werden kann, ungefährlicher als die Excision eines größeren Ulcus am Pylorus mit folgender Pyloroplastik.

Nach den Erfahrungen unserer Klinik können wir uns KOCHER hierin nicht anschließen. Ohne weiteres wird zugegeben, daß die Gefährlichkeit der cirkulären Resektion mit der Höhe der Technik des Operateurs sinkt; aber unter den im übrigen gleichen Bedingungen ist und bleibt die Resektion der erheblich gefährlichere Eingriff gegenüber der Pyloroplastik, mit und ohne Excision des Ulcus am Pylorus oder sonst wo, wie gegenüber der Gastroenterostomie; es gilt dies für die Resektion bei beweglichem Pylorus, erst recht bei verwachsenem Pylorus, zumal bei in das Pankreas greifendem Ulcus.

---

1) Die Magenchirurgie bei Carcinom und bei Ulcus simplex. Korrespondenzbl. f. Schweizer Aerzte, 1898, No. 20, p. 610.

Ob die Vereinigung des Duodenums mit dem Magen nach KOCHER geschieht oder nach BILLROTH, indem dasselbe in das untere Ende der Magennaht eingefügt wird, erscheint uns von geringer Bedeutung und keinesfalls ausschlaggebend. Insufficienz der Naht an der Stelle, wo die Magennaht mit der Duodenalmagenanastomose zusammentrifft, wie dies KOCHER betont, haben wir nicht beobachtet; wir haben allerdings auf diese Stelle stets besonders geachtet, und sie besonders fest vernäht. Auch den zweiten Punkt, den KOCHER anführt, daß er bei seiner Methode den Magen mittels Zangen abklemmen und so das Austreten von Inhalt verhindern kann, halten wir nicht für entscheidend; man kann dasselbe auch bei BILLROTH's Verfahren thun; überdies haben wir keine während der Operation durch Mageninhalt stattfindende Infektion gesehen.

Was ferner das Verhältnis der Gastroduodenostomie bei Resektion zur Gastrojejunostomie, der zweiten BILLROTH'schen Methode, resp. der Modifikation von MIKULICZ, bei welcher das Jejunum in das untere Ende der Magennaht implantiert wird, betrifft, so ist zu bemerken, daß während KOCHER fast stets ersteres Verfahren wählt, in den Fällen ausgedehnter Resektion meist letzteres Verfahren den Vorzug verdient. Fälle sehr ausgiebiger cirkulärer Resektion, wie sie bei Ulcus allerdings selten, sehr gewöhnlich hingegen — wenn man sich nach MIKULICZ [1]) Vorschriften richtet — bei Carcinom nötig wird, sind jedenfalls nicht häufig, in denen eine Vereinigung von Magen und Duodenum, oder gar, wie in BROOKS BRIGHAM's [2]) Falle von Totalexstirpation, von Oesophagus und Duodenum möglich ist, ohne eine die Anastomose gefährdende Spannung.

Wie stellt sich nun das Verhältnis der Pyloroplastik zur Gastroenterostomie? Es läßt sich nicht leugnen, daß zur Zeit im allgemeinen eine Voreingenommenheit und Abneigung unter den Chirurgen, wie auch unter den Internen gegen die Pyloroplastik besteht, daß Chirurgen, welche die Pyloroplastik früher anwandten, sie verlassen haben und die Gastroenterostomie meist oder stets vorziehen.

Als Hauptgrund hierfür wird angeführt, daß die Heilerfolge der Pyloroplastik schlechter und weniger sicher sind, bei im übrigen nicht geringerer Gefahr und keinem sonstigen Vorteil.

Im folgenden ist zusammengestellt, was in der Litteratur über ungünstige Heilerfolge nach Pyloroplastik zu finden ist.

DOYEN [3]) sah sich genötigt, in einem Falle, in dem er wegen Narbenstenose des Pylorus die Plastik ausgeführt hatte, wegen Recidiv derselben Gastroenterostomie auszuführen, die definitive Heilung brachte. Derselbe führt dann einen weiteren Fall an von Pyloroplastik bei

1) MIKULICZ, Chirurgenkongreß, 1898, p. 258.
2) Boston med. and surg. Journal, 5. Mai 1898.
3) Traitement chirurg. des affections de l'estomac, 1895, p. 229 und 231.

Narbenstenose (Fall 2), der 12 Tage nach der Operation an Adynamie starb und in dem das Erbrechen nach der Operation fortdauerte.

CARLE und FANTINO [1]) führten in einem Falle von relativer Stenose des Pylorus — durch Anoxie und Gastroptose — die Pyloroplastik aus (Fall 14 = 33). Der Fall heilte zunächst, nach 5 Monaten traten neue Beschwerden auf, weshalb zur Gastroenterostomie geschritten wurde. Es bestanden hier peripyloritische Verwachsungen, die vielleicht den Pylorus fixierten, sein Ring war jedoch durchgängig. C. und F. möchten die Stauung vor allem auf die Schlaffheit der Muskulatur zurückführen. Heilung.

3 weitere Fälle von C. und F., primäre Atonie und Mageninsufficienz, in denen Pyloroplastik nicht Heilung brachte, sind bereits oben angeführt.

Ein Fall von Pyloroplastik (op. ROHNER), in dem nach 5 Monaten wegen Recidiv die Gastroenterostomie (GROSS) ausgeführt werden mußte, findet sich bei TROGNON [2]).

MÜNDLER [3]) hat unter den Resultaten der Magenoperationen aus Klinik CZERNY einen Fall von Pyloroplastik angeführt, in dem es später zur Gastroenterostomie kam. Es handelt sich um eine Narbe der kleinen Kurvatur, der Schnitt zur Pyloroplastik war $3^1/_2$ cm lang. Pat. war $3^1/_2$ Monate beschwerdefrei, dann Recidiv. Es wurde 1 Jahr nach der ersten Operation zur Gastroenterostomie geschritten; der Pylorus und die angrenzenden Teile der kleinen Kurvatur waren durch Adhäsionen fixiert; über seine Weite und die sonstigen Verhältnisse des Magens ist nichts Näheres angegeben. Eine recidivierende Pylorusstenose scheint nicht bestanden zu haben. Es wurde vielmehr angenommen, daß die Beschwerden des Pat., die Schmerzen — objektive Symptome bestanden nicht — durch die Passage der Nahrung am fixierten Pylorus hervorgerufen wurden.

STEUDEL [4]) hat dann auf dem letzten Chirurgenkongresse berichtet, daß wegen weiterer ungünstiger Resultate auf der Klinik CZERNY die Pyloroplastik völlig verlassen worden ist und nur die Gastroenterostomie ausgeführt wird, und zwar mit dem MURPHY-Knopf.

Auf der CZERNY'schen Klinik wurde im Ganzen 11mal die Pyloro-

1) l. c., p. 100.
2) La Gastroenterostomie en France. Thèse de Paris, 1893.
3) Beiträge zur klin. Chirurgie, Bd. 14, 1895, p. 293.
4) Chirurgenkongreß 1898, p. 194. Beiträge z. klin. Chirurgie, Bd. 23, 1899, p. 1.

plastik ausgeführt. 1 Fall kam im Anschluß an die Operation zum Exitus; 1 Fall 7 Monate nach der Operation an Peritonitis, ausgehend von einem perforierten Magengeschwür; 1 Fall starb 20 Monate nach der Operation, nachdem bereits 3 Monate nach der Operation von neuem Magenbeschwerden aufgetreten. 2 Fälle lieferten gutes Resultat, doch soll in beiden vielleicht nicht der Pyloroplastik das Verdienst des Erfolges gebühren (Gallensteinkompression — Adhäsionslösung). 2 Fälle gaben befriedigendes Resultat, d. h. bei vorsichtiger Lebensweise des Patienten. In einem Falle wurde wegen Recidiv später Gastroenterostomie notwendig (obiger Fall Mündler's), in einem Falle steht dieselbe zur Zeit bevor. In einem Falle entstand ein Carcinom.

Die ungünstigen Resultate anderer Autoren im Gegensatze zu den unserigen und denen von Carle und Fantino können auf verschiedenen Ursachen beruhen. Zunächst kann die Technik der Operation die Schuld tragen. In unserer Klinik wird die Plastik z. B. meist recht ausgiebig angelegt, mittels eines 5—6—8 cm langen Schnittes; die Plastik wird im ganzen um so ausgedehnter sein müssen, je schwerer die Stenose ist. Auf der Klinik Czerny wird nach den erfolgten Mitteilungen die Plastik meist kleiner, $3^1/_2$—$4^1/_2$—5 cm, angelegt.

Dann wird die Auswahl der Fälle eine große Rolle spielen, z. B. führen wir bei fixiertem Pylorus nicht die Plastik aus. Außerdem sind gewiß zuweilen nicht voraussehbare Momente von Bedeutung, z. B. nach der Operation sich bildende Adhäsionen u. s. w. Daß im übrigen auch die technische Fertigkeit des Operateurs von Bedeutung ist, ist selbstverständlich. Auch wir führen unsere günstigeren Resultate der letzten Jahre zum Teil hierauf zurück; dies gilt in gleicher Weise auch für die Gastroenterostomie.

Die Gründe, welche gegen die Pyloroplastik und für die Gastroenterostomie ins Feld geführt werden, sind folgende:

1) Die Gastroenterostomie soll die ungefährlichere Operation sein (Carle und Fantino u. a.). Demgegenüber ist anzuführen, daß davon nicht die Rede sein kann. Bei Anwendung der Naht zur Gastroenterostomie gewiß nicht; es wird dies auch hauptsächlich für die Anwendung des Murphy-Knopfes behauptet. Bei demselben soll das Ausfließen von Darminhalt weniger leicht erfolgen, ferner soll die Operation technisch leichter ausführbar sein. Dies zugegeben, sind doch andere Punkte vorhanden, welche diese Vorteile wieder aufheben. Was die Mortalität anbetrifft, so kann diese hierfür in keinem Sinne ausschlaggebend sein, dafür existieren noch zu wenig Fälle. Was die Sicherheit der Anastomose anlangt, so kommt Insufficienz derselben

bei Gebrauch des Knopfes wie bei der Naht vor. KOCHER [1]) z. B. erlebte sogar 3 mal Perforation bei Anwendung des MURPHY-Knopfes und nachfolgenden Exitus, und wir erlebten dasselbe auch 3 mal.

2) Die Gastroenterostomie soll schneller ausführbar sein als die Pyloroplastik. Auch dies gilt nur für die Anwendung des MURPHY-Knopfes, das Gegenteil für die Gastroenterostomie mit Naht.

3) Die Gastroenterostomie soll bessere Dauererfolge liefern als die Pyloroplastik. Demgegenüber ist auf die Resultate unserer Klinik und auf die im allgemeinen übereinstimmenden von CARLE und FANTINO hinzuweisen, und es muß danach trotz der gegenteiligen Resultate anderer Kliniken aufrecht erhalten werden, daß bei Auswahl der geeigneten Fälle die Pyloroplastik im allgemeinen der Gastroenterostomie nicht nachsteht.

Von LINDNER und KUTTNER [2]) werden noch hierher gehörende Einwürfe gegen die Pyloroplastik vorgebracht: dieselbe soll meist kontraindiziert sein, z. B. bei erheblicher Ektasie mit weit gediehener Schwächung der Muskulatur. Auch von anderer Seite ist der Umstand, daß bei Gastroenterostomie die Speisen am tiefsten Punkte den Magen verlassen, infolgedessen am denkbar leichtesten, für die Gastroenterostomie und gegen die Pyloroplastik sprechend angeführt worden. Demgegenüber ist hervorzuheben, daß bisher kein sicherer Fall bekannt ist, in dem bei genügender Weite des vorher verengten Pylorus und Fehlen einer sonstigen Ursache, der Muskelschwäche die Schuld an dem ungünstigen Verlauf zuzuschreiben gewesen wäre.

Ferner soll die Narbenzusammenziehung einer an oder nahe am Pylorus sitzenden Narbe resp. eines daselbst befindlichen heilenden Ulcus Recidive verursachen. Die oben angeführten Recidivfälle könnten auch dafür sprechen. Doch ist dagegen zu bemerken, daß in unseren Fällen selbst bei derartigem Sitze des Ulcus oder der Narbe nichts davon zu beobachten war. Auch hier wird es auf zweckmäßige Auswahl der Fälle ankommen.

4) Wegen der Neigung von Geschwüren und Narben zur bösartigen Entartung sollen Reize möglichst von der gefährdeten Stelle ferngehalten, deshalb die Speisen, womöglich ohne diese Stelle zu berühren, in den Darm geleitet werden. Aus diesem weiteren Grunde verdient die Gastroenterostomie den Vorzug (LINDNER und KUTTNER [3]).

Demgegenüber ist anzuführen, daß denn doch solche theoretische

1) l. c., p. 619.
2) Die Chirurgie des Magens, 1898, p. 210.
3) l. c., p. 211.

Erwägungen, wenn sie immerhin auch im Bereiche der Möglichkeit liegen, vorläufig für unsere Entscheidung nicht maßgebend sein können. Nach unseren bisherigen Erfahrungen scheinen offene Ulcera nach Pyloroplastik. wie nach Gastroenterostomie schnell auszuheilen. Mag man zusehen, in wieviel Fällen jeder Kategorie sich späterhin Carcinom entwickelt, eher kann diese Frage nicht entschieden werden.

5) Die Absuchung des Magens soll bei Gastroenterostomie leichter sein als bei Pyloroplastik und daher sollen bei ersterer weniger leicht Tumoren übersehen werden (Lindner).

Dagegen ist einzuwenden, daß die Mehrzahl der für uns in Betracht kommenden Affektionen am Pylorus oder in dessen Nähe sitzt, daß ferner bei Gastroenterostomie mittels Knopf die vorschriftsmäßige Oeffnung im Magen kleiner ist, als bei Pyloroplastik und daher nur für die Gastroenterostomie mittels Naht zugegeben werden kann, daß die Abtastung des Fundus besser möglich ist als bei Pyloroplastik, bei letzterer hingegen die der Pylorusgegend.

Jedenfalls kann auch dies kein ausschlaggebendes Moment sein.

6) Die Pyloroplastik soll kontraindiziert sein bei Hyperacidität, weil dieselbe nach dieser Operation bestehen bleibt oder wenig sinkt, nicht zur Norm zurückkehrt (Steudel [1]). Demgegenüber ist auf unsere damit nicht übereinstimmenden Resultate hinzuweisen.

Die Gründe, welche uns bestimmen, in den Fällen, in welchen beide Operationen gut ausführbar sind und Erfolg versprechen, der Pyloroplastik den Vorzug zu geben sind folgende:

1) Die Pyloroplastik ist und bleibt diejenige der beiden Operationen, welche der Norm entsprechende Verhältnisse schafft, sie ist — wie von anderer Seite gesagt worden ist — die ideale Operation, was von der Gastroenterostomie nicht gerade behauptet werden kann.

2) Herr Geheimrat Mikulicz wendet in Fällen gutartiger Magenaffektionen seit einiger Zeit nicht mehr den Murphy-Knopf an. Der Hauptgrund ist, daß die Gastroenteroanastomose mittels Murphy-Knopf nicht zuverlässig ist, jedenfalls unzuverlässiger, als die mittels Naht. Wir haben in letzter Zeit 3mal Perforation bei Anwendung des Knopfes gesehen, allerdings bei Carcinom, 2mal davon 14 Tage nach der Operation; in einem dieser beiden Fälle befand sich die Perforationsstelle etwa 4 cm von der Anastomose entfernt; der Knopf lag im Magen. In diesen beiden Fällen, zumal in dem letzteren, kann man gewiß einem technischen Fehler nicht die Schuld geben. Ein weiterer Grund ist, daß man bei Benutzung des Murphy-Knopfes nie weiß, ob er den beabsichtigten Weg einschlägt, ob er nicht in den Magen fällt.

---

1) Beitr. z. klin. Chir., Bd. 23, 1899, p. 37.

Im Gegensatz zu den mehrfachen Mitteilungen aus der Klinik CZERNY muß betont werden, daß dies gar nicht so selten geschieht, und zwar bei Gastroenterostomia antecolica wie retrocolica. Es sind bereits nicht wenige derartige Fälle bekannt. Wir fanden den Knopf 2mal bei der Autopsie im Magen, CARLE und FANTINO[1]) bei 3 Autopsien sogar 3mal, also jedesmal, u. s. w. KOCHER[2]) führte in 2 glücklich verlaufenen Fällen nachträglich die Gastroenterostomie aus, um den Knopf zu entfernen. Außerordentlich häufig wurde trotz eifrigen Suchens der Knopf nicht gefunden.

Wenn nun auch zugegeben werden muß, daß bisher — abgesehen vielleicht von unserem obigen — kein sicherer Fall bekannt ist, in dem die Anwesenheit des Knopfes im Magen Beschwerden, geschweige denn schwereren Schaden verursacht hätte, so kann doch eine solche Möglichkeit nicht von der Hand gewiesen werden. Der Knopf wird noch nicht genügend lange angewandt, um hierüber ein definitives Urteil zu fällen. Daß harte Fremdkörper im Laufe der Zeit ein Magengeschwür hervorrufen können, ist sicher; ich möchte nur auf einen mir bekannten, von MANASSE[3]) beschriebenen Fall hinweisen, in welchem ein Schellackstein als die Ursache des gefundenen Ulcus anzusehen ist. Jedenfalls kann es für keinen Menschen von Vorteil sein, bis an sein Lebensende einen Fremdkörper aus Metall im Magen zu tragen; und brauchbare Knöpfe aus resorptionsfähiger Masse existieren zur Zeit noch nicht. Wendet man aber bei der Gastroenterostomie die Naht an, so nimmt diese Operation jedenfalls längere Zeit in Anspruch als die Pyloroplastik.

Auf unserer Klinik findet aus den angeführten Gründen der MURPHY-Knopf in gutartigen Fällen überhaupt nicht mehr Anwendung; in bösartigen würde er auch nur angewandt werden, wenn die Patienten so elend sind, daß um jeden Preis möglichste Beschleunigung der Operation angezeigt erscheint, wenn diese — immerhin geringe — Beschleunigung so dringend geboten erscheint, daß dieser Vorteil die eventuellen Nachteile des Knopfes aufwiegt.

3) Die Pyloroplastik ist als Eingriff technisch leichter und ungefährlicher als die Gastroenterostomie mittels Naht, geeignete Beschaffenheit des Pylorus vorausgesetzt.

4) Die Dauererfolge der Pyloroplastik sind, falls die Auswahl der Fälle zweckmäßig ist, denen der Gastroenterostomie ebenbürtig.

5) Auch nach möglichster Vervollkommnung der Methoden kann

1) l. c., p. 58.
2) l. c., p. 619.
3) Berl. klin. Wochenschr., 1895, No. 33, p. 724.

man in keinem Falle von einfacher Gastroenterostomie mit Sicherheit die Bildung eines Circulus vitiosus, jenes allgemein bekannten und gefürchteten Bildes, ausschließen. Führt man in den Fällen, in denen man wegen besonders starker Atonie des Magens das Zustandekommen des Circulus für möglich hält, außerdem die Enteroanastomose aus, so wird die Operation gegenüber der Pyloroplastik weiter kompliziert und verlängert.

6) Die in jedem Falle von Gastroenterostomie und fast andauernd gefundene Anwesenheit von Galle im Magen scheint meist keinen Schaden zu thun. Es giebt aber Fälle, in denen — siehe unser Fall Dr. S. — diese das Individuum schwer schädigt, ihm direkt jede Schaffens- und Lebensfreudigkeit nimmt, und in denen es auch durch weitere Eingriffe nicht gelingt, den Gallezufluß in den Magen zu beseitigen. Worauf die Empfindlichkeit des Magens gegen Galle resp. Pankreassaft in dem einen Falle beruht, während sie in dem anderen fehlt, ist schwer zu sagen; besonders große Mengen sind es nicht einmal. Ist Nervosität daran schuld? Jedenfalls bestehen erhebliche und bisher nicht beseitigende Beschwerden, wie sie nach Pyloroplastik nicht zu erwarten sind.

7) Ob die auf lange Zeit oder dauernd bei Gastroenterostomie resultierende Verminderung der Acidität resp. das Fehlen der freien HCl im Magensaft schädlich ist, wissen wir nicht sicher. Es scheint nach unseren und anderer Erfahrungen zwar nicht der Fall zu sein; es scheint vielmehr, als ob bei normaler Motilität der Chemismus des Magens von keiner oder geringer Bedeutung ist. Indes ist diese Frage doch noch nicht abgeschlossen. Irgend einen Zweck wird die Salzsäure doch wohl haben. Und wenn sie für die Ernährung auch belanglos sein sollte, besteht doch noch die Möglichkeit, daß sie als Schutzmittel gegen vom Munde aus eindringende Krankheitserreger oder in sonstiger Beziehung Aufgaben zu erfüllen hat.

Die Indikationen, welche uns bestimmen, einerseits zur Gastroenterostomie, andererseits zu Pyloroplastik zu schreiten, sind die folgenden:

Die Gastroenterostomie ist angezeigt

1) bei fixiertem oder abgeknicktem Pylorus;

2) bei Tumor oder einer Beschaffenheit des Pylorus infolge von Ulcus, Narbe, Infiltration, welche Zweifel setzt in die Zuverlässigkeit der Naht oder in die genügende dauernde Weite des neuen Pylorus bei Pyloroplastik;

3) zur Beseitigung von Motilitätsstörung, falls am Pylorus keine Erklärung für dieselbe zu finden ist, dieselbe demnach als primäre, atonische angesehen werden muß.

In allen anderen Fällen geben wir der Pyloroplastik den Vorzug, speciell stets

1) bei Kontraktionszuständen und Hypertrophien des Pylorus;

2) bei nicht cirkulärem Ulcus oder Narbe in oder nahe am nicht fixierten Pylorus;

3) bei Ulcus, welches sonst irgendwo im Magen sitzt.

In vielen Fällen wird es von der Willkür des Operateurs abhängen, ob er die Pyloroplastik noch für angezeigt hält, besonders bei Narben und Ulcus im Pylorus, Abknickung desselben, immer natürlich Beweglichkeit desselben vorausgesetzt.

Was die Indikationen zur Operation gutartiger Magenkrankheiten anbetrifft, so möchte ich zu der Aufstellung des Herrn Geh. Rat Mikulicz [1]), welche sich nur auf die Indikationen beim Ulcus ventriculi bezieht, folgendes hinzufügen:

1) Jede mechanische Insufficienz schwereren Grades, bei der eine Stenose des Pylorus angenommen werden muß, gehört dem Chirurgen.

2) Jede atonische mechanische Insufficienz 2. Grades, bei welcher es durch kürzer oder länger dauernde interne Therapie nicht gelingt, Heilung, oder derselben nahekommende Besserung, mit oder ohne Fortdauer der Therapie, zu erzielen, sollte operiert werden.

Es wird in solchen Fällen sehr von der Geduld der Patienten und von den äußeren Verhältnissen abhängen, ob und wann man operieren soll.

3) Andersartige gutartige Magenaffektionen, speciell Neurosen, sind im allgemeinen zur chirurgischen Behandlung nicht geeignet; jedenfalls sollte in ihnen die Indikation zum operativen Eingriff nur mit großer Vorsicht gestellt werden.

Zu den Operationsmethoden, welche wir bei Pyloroplastik und Gastroenterostomie zur Zeit anwenden, ist folgendes zu bemerken:

Die Pyloroplastik wird in der typischen Weise ausgeführt, der Schnitt, wenn die Verhältnisse es nicht anders gebieten, in der Mitte zwischen großer und kleiner Kurvatur an der vorderen Wand, so daß der Pylorus resp. das Hindernis ihn ungefähr halbiert, der Schnitt durch Serosa und Muskulatur wird 5—6—8 cm lang angelegt, die Schleimhaut etwas weniger weit eröffnet.

Es wird bei uns fast stets die Gastroenterostomia antecolica anterior ausgeführt (Wölfler). Nachdem bei uns früher wegen schlechter Resultate derselben zeitweise die Gastroenterostomia retrocolica posterior

---

1) l. c. p. 220.

(v. HACKER) ausschließlich in Gebrauch war, sind wir wieder völlig zu ersterer zurückgekehrt,

1) weil uns dieselbe, so wie wir sie zur Zeit ausüben, durchaus befriedigende, jedenfalls nicht schlechtere Resultate giebt;

2) weil sie leichter ausführbar ist; bei kleinem Magen ist oft die hintere überhaupt nicht ausführbar.

Wir nehmen die Dünndarmschlinge stets etwa 50 cm unterhalb des Duodenums. Näheres über unser Verfahren ist in der Publikation von Herrn Dr. CHLUMSKY [1]) aus unserer Klinik zu finden.

---

1) Beitr. z. klin. Chir., Bd. 20, 1898, p. 231.

# XIV.

# Ueber primäre Typhlitis als Ursache recidivierender Appendicitisattacken[1]).

Von

**Dr. Dauber**-New York.

---

Wohl bei keiner Erkrankung der Abdominalorgane ist durch die Thätigkeit der Chirurgen die Pathogenese so geklärt worden, als bei dem früher Typhlitis und Perityphlitis, jetzt Appendicitis genannten Krankheitsbilde. Denn durch die Häufigkeit der Operationen wurde Gelegenheit geschaffen, die pathologischen Veränderungen in den verschiedensten Stadien zu sehen und zu studieren[2]). Während man früher das Typhlon meist als den eigentlichen Sitz der Entzündung annahm, fand sich nun bei den Operationen der Appendix so häufig primär erkrankt, daß manche Autoren die Entstehung des Krankheitsbildes ausnahmslos in den Appendix verlegen, so z. B. VOLKMANN und jetzt DIEULAFOY[3]), der nach seinen Erfahrungen behauptet, daß Typhlitis und Perityphlitis nicht primär existieren und daß kein Zusammenhang zwischen Appendicitis und Colitis besteht. Wenn dies auch nicht vollkommen den Thatsachen entspricht, so sind doch Fälle von primärer Erkrankung des Typhlon mit sekundärer Appendicitis recht selten. So fand z. B. LANGHALS[4]) im Jahre 1848 in 112 Fällen von an Perityphlitis Gestorbenen 83 mal Perforation des Wurmfort-

---

1) Nach einem in der Deutsch. med. Gesellsch. zu New York gehaltenen Vortrage.

2) Vgl. MEUSSER, Mitteil. a. d. Grenzgeb. d. Med. u. Chir., Bd. 2, p. 397 ff.

3) Ref. nach Münch. med. Wochenschr., 1897, p. 525, und Deutsche med. Wochenschr., 1897, Vereinsbeilage.

4) Vgl. MEUSSER, l. c.

satzes und nur 12 mal Perforation des Coecums. EINHORN[1]) fand in 91 Proz. primäre Erkrankung des Appendix, CZERNY[2]) in 90 Proz. Der Norweger FRANCIS HARBITZ[3]) fand unter 30 Sektionen und Operationen nur einmal den Ausgangspunkt im Coecum, 29 mal im Appendix, dann unter den Sektionsprotokollen von 10 Jahren nur einmal Ausgehen vom Coecum aus. Von anderen Autoren, welche die Möglichkeit eines ätiologischen Zusammenhanges von Enterocolitis oder Typhlitis und Appendix betonen, sind anzuführen RECLUS[4]), KÜMMELL[5]), NOTHNAGEL[6]), POTAIN[7]) etc. Während KÜMMELL im Jahre 1895[8]) noch nicht von einer besonderen Häufigkeit eines solchen Zusammenhanges spricht, betont er diese in einer kürzlich veröffentlichten Arbeit[9]). Andere Autoren, wie C. MONOD et J. VANVERTS[10]) gehen noch weiter, indem sie Enterocolitis als eine der häufigeren Ursachen der Appendicitis anführen und LUCAS-CHAMPONIÈRE[11]) bezeichnen das Coecum und Kolon sogar in der überwiegenden Mehrzahl der Fälle als den primär erkrankten Teil.

Trotzdem gelten nach der herrschenden Lehre die Fälle, in denen die dem Appendix benachbarte Darmpartie zuerst erkrankt ist und dann eine Appendicitis im Gefolge hat, als Seltenheiten.

Noch seltener sind die als Appendicitis klinisch diagnostizierten Fälle, bei denen sich dann in obductione oder operatione eine Erkrankung des Coecums herausstellte ohne Beteiligung des Appendix. So führt SIEGEL[12]) vom rein klinischen Standpunkte aus an, daß wir entgegen den Anschauungen von SAHLI eine, wenn auch selten vorkommende Stercoraltyphlitis annehmen müssen, sowohl nach dem Palpationsbefunde am Krankenbette, als auch dem raschen, günstigen Verlaufe des Prozesses nach einer auf leichte Abführmittel erfolgten Darmentleerung. Den anatomischen Beweis für die Möglichkeit einer Stercoraltyphlitis erbrachte LOP[13]), dessen Patient trotz zweimaliger

---

1) Inaug.-Diss., München 1891.
2) XXIV. Chir.-Kongr. 1895.
3) Ref. nach Deutsche med. Wochenschr., Bd. 50, 1897, p. 5, und Centralbl. f. inn. Med., 1896, p. 1054.
4) Münchener med. Wochenschr., 1897, p. 525, und Deutsche med. Wochenschr., 1897, Vereinsbeilage 16.
5) Berl. klin. Wochenschr., Bd. 15, 1898.
6) Spec. Pathol. u. Therap.
7) Acad. de méd., 6 Avril 1896.
8) Deutsche Naturforschervers. 1895.
9) Berl. klin. Wochenschr., Bd. 15, 1898.
10) Encyclop. science des aide-mémoire, ref. nach Centralbl. f. inn. Med., 1898, p. 351.
11) Acad. de méd., 23 Mars 1897.
12) Mitteil. a. d. Grenzgeb. d. Med. u. Chir., Bd. 1, p. 179.
13) Rev. de méd., T. 8, 1897, u. Centralbl. f. inn. Med., 1898, p. 47.

Operation an einer durch Kotstauung bedingten lokalen Gangrän des Coecums bei völlig normalem Appendix starb. MEUSSER[1]) fand unter 61 Fällen von Appendicitis nur 2 Typhlitiden ohne Beteiligung des Appendix, SCHLAEFKE[2]) sah vier solche Fälle in operatione. Es handelte sich dabei um größere und geringere Verwachsungen am Typhlon und Colon ascendens, die das gewohnte Krankheitsbild der Appendicitis verschuldet hatten. Wenn diese Verhältnisse auch so selten sind, daß RIEDEL[3]) unter 132 operierten Fällen nur einmal eine reine Typhlitis sah, so müssen wir trotzdem im gegebenen Falle durchaus mit der Möglichkeit einer primären Typhlitis ohne Beteiligung des Processus vermiformis rechnen.

In der Regel haben wir jedoch in dem Krankheitsbilde der Appendicitis auch einen erkrankten Appendix vor uns, der aber nach der Annahme der meisten Forscher erst dann die bekannten Symptome der Appendicitis bedingt, wenn sein Inhalt sich staut. Nur SIREDEY et LE ROI[4]) und RIEDEL[5]) lassen die Stauungstheorie nicht gelten. Letzterer hat niemals Stenosen nachweisen können und erstere fanden bei 5 pathologisch-anatomisch untersuchten Fällen keine Zeichen der Stauung. Vielmehr fanden sie die hauptsächlichste Ursache der Perforation in den abscedierten Follikeln. Daß jedoch die Stauung im Appendix wohl trotz dieser Angaben die hauptsächlichste und direkte Ursache der Auslösung der Appendicitissymptome bildet, und daß trotz der angeführten, immerhin möglichen Einwendungen die Stauungstheorie in den meisten Fällen zu Recht besteht, zeigen massenhafte Beobachtungen; ja wir nehmen wohl mit Recht an, daß fast nur die Stauung des Sekrets im Appendix die Ursache der Symptome ist und daß sie in hervorragendem Maße Verhältnisse schafft, welche zu Geschwürsbildung, Sepsis, Peritonitis mit oder auch ohne Perforation führen kann. KÜMMELL (l. c.) weist darauf hin, daß es auch peritoneale Eiterungen ohne Perforation giebt, und TAYLOR[6]) beschreibt einen Fall, in dem eine akute Sepsis bei äußerlich normal aussehendem Appendix entstanden war; nur die Mucosa zeigte einige Erosionen. Eine Stauung des Sekrets kann nun sehr leicht im entzündeten Appendix eintreten, und SAHLI[7]) führt mit Recht aus, daß es nicht zu verwundern ist, wenn ein Organ häufig der Sitz schwerer Entzündung ist, in welches Entzündungserreger so leicht hinein- und Entzündungs-

1) l. c.
2) Münch. med. Wochenschr., 1895.
3) Münch. med. Wochenschr., Bd. 41, 1898, p. 1321, und 70. deutsche Naturforscherverѕ. zu Düsseldorf, 1898.
4) Soc. méd. des hôp. de Paris, Janvier 1897.
5) l. c.
6) New York med. Journ., Nov. 1895.
7) Korresp. f. Schweizer Aerzte, 1895, No. 18 u. 19.

produkte so schwer herausgelangen. Diese oft entstehenden Stenosen des Appendix sitzen nun meist an seiner physiologisch engsten Stelle, an seiner Einmündung in das Typhlon, dort, wo eine Schleimhautfalte, die GERLACH'sche Klappe, sein Lumen zum Teil gegen den Darm verschließt. Wenn nun aus irgend einem Grunde an dieser oder einer anderen Stelle ein vollständiger Verschluß eintritt, so daß er auch gegen einen vom Appendix gegen das Coecum gerichteten Druck bis zu einem gewissen Grade wirksam wird, so sind nach der herrschenden Ansicht Verhältnisse gegeben, welche die Ursachen zu allen beobachteten Graden und Ausgängen der Appendicitis sein können. Ein Hauptverteidiger dieser Theorie ist DIEULAFOY [1]). Nach ihm entsteht Appendicitis nur durch Verwandlung des Appendixlumens in einen geschlossenen Hohlraum. Er fand im Verein mit CAUSSADE eine vermehrte Virulenz der in der geschlossenen Höhle bei Appendicitis enthaltenen Bakterien, vor allem des Bacterium coli. Die in der Höhle abgesonderten Bacillenprodukte zeigten sich toxisch. Auch KÜMMELL (l. c.) fand die Stauung häufig so stark, daß unter der Striktur oft eine starke, ampullenförmige Erweiterung, mit Kot oder Sekret gefüllt, vorhanden war (Strikturen wurden häufig von ihm gefunden). Derselben Ansicht ist auch NOTHNAGEL (l. c.), der den Appendix als „verdickt, steifer und starrer" beschreibt. Auch MEUSSER (l. c.), JOSUÉ [2]) und andere halten die Verlegung der Oeffnung nach dem Darme für wichtig für die Entstehung des Appendicitisanfalles. JOSUÉ hat in Tierversuchen Appendicitis durch Blutinfektion hervorgerufen und glaubt, daß die durch Obliteration des Kanals gestauten Sekrete bis zum gewissen Grade das Krankheitsbild bedingen können. Er hat im Vereine mit ROGER [3]) gefunden, daß es nicht der Injektion von virulenten Bakterien bedarf, um eine Appendicitis auszulösen, sondern daß die alleinige Ligatur des Wurmfortsatzes genügt. Ich möchte diesen Versuchen nicht zu viel Gewicht beilegen, da eine Ligatur des Appendix doch kaum dem Zustande einer Stenose des Lumens in allen Punkten entspricht.

Wie schon oben erwähnt, sitzen die Obliteration bedingenden Stenosen meist an der physiologisch engsten Stelle, an der GERLACHschen Klappe und im Anfangsteil des Appendix. Sie können durch die verschiedensten Ursachen bedingt sein. Zu den am häufigsten vorkommenden gehören die hypertrophischen Stenosen, die durch Schwellung der Darmwand oder eines Teiles derselben (meist der Mucosa) hervorgebracht sind. Man hat sich nach den darüber

1) l. c., und DIEULAFOY et CAUSSADE, ref. nach Münch. med. Wochenschrift, 1898, p. 66.
2) Soc. de biolog., 13 Mars 1897.
3) Rev. de méd., 1896, No. 6, und Centralbl. f. inn. Med., 1897, No. 5.

mitgeteilten Erfahrungen von NOTHNAGEL, KÜMMELL, RECLUS, LETULLE et WEINBERG[1]) u. a.) ihre Entstehung so zu denken, daß es zu einer katarrhalischen Schwellung der Schleimhaut des Appendix kommt Das sich absondernde entzündliche Sekret entleert sich zuerst in das Coecum; später ist dies unmöglich, da, wie dies z. B. KÜMMELL ausführt, die physiologisch engste Stelle, die GERLACH'sche Klappe, durch ihre Schwellung das Lumen verlegt, und den Austritt verhindert.

Weiterhin kann es durch langdauernde, chronische Entzündung im Appendix auch zu einem Schwund des Drüsenapparates und der Muskelschicht kommen, ja es kann eine vollständige Obliteration des Appendix eintreten oder ein Verschluß an einer Stelle. Diese atrophische Stenose stellt, wenn sie den ganzen Appendix betrifft, eine Art Heilung dar, kann jedoch, wenn sie cirkumskript ist, ebenso leicht, wie andere, erneute Attacken bedingen (LETULLE et WEINBERG l. c.).

Eine dritte, und zwar nach manchen Autoren häufige, nach anderen seltenere Art der Verlegung des Appendixlumens ist bedingt durch die Einklemmung von Fremdkörpern und Kotsteinen. Letztere sind nach den Erfahrungen mancher Autoren (vergl. PENZOLDT[2]) die häufigste Ursache der Appendicitis, während Fremdkörper weit seltener gefunden werden (nach MATTERSTOCK etwa $^1/_7$, nach RENVERS etwa $^1/_{10}$ der Kotsteine). Andere rechnen beides zu den Ausnahmen.

Die hypertrophische und atrophische Stenose und die Kotsteine verlegen in der überwiegenden Mehrzahl der Fälle das Lumen des Appendix, und es handelt sich bei den jetzt noch zu erwähnenden Verhältnissen um Dinge, die ganz vereinzelt dastehen, die aber immerhin wichtig genug sind, um gekannt zu sein. So hat JESSEN eine Incarceration des Appendix durch Achsendrehung beschrieben, KAMM[3]) hält die Appendicitis für nichts weiter, als eine Incarceration des Appendix, hervorgebracht durch eine plötzliche Ausdehnung des Coecums. Zum Beweise führt er die Experimente von BUSCH und KOCHER an, nach denen man durch plötzliche Ausdehnung eines Darmstückes das absteigende Stück incarcerieren könne. Ueberzeugende Beweise für die Richtigkeit dieser Annahme kann er jedoch nicht beibringen.

Weiterhin führen zur Verlegung des Lumens Konstriktionen des Appendix, Abknickungen und Narben (vergl. NOTHNAGEL).

Es sind nun noch 2 Beobachtungen bekannt, die jede in ihrer Art vereinzelt dastehen. Die erste verdanken wir SONNENBURG[4]), der

---

1) Société de biologie Paris, ref. nach Münch. med. Wochenschr., 1897, p. 1009.
2) Handbuch d. spec. Therapie (PENZOLDT-STINTZING).
3) Centralbl. f. innere Medizin, 1896, p. 649.
4) Berl. med. Wochenschr., 1897, p. 896.

folgenden Befund aufnahm: Ein wahrscheinlich primäres tuberkulöses Geschwür saß in der Gegend der GERLACH'schen Klappe und hatte von hier aus die angrenzenden Teile der Appendixschleimhaut mitergriffen. Die Serosa des Appendix zeigte eine Reihe grauer Knötchen. Auch ein Teil des Typhlou war miterkrankt und mußte mit weggenommen werden. Ob eine Stauung des Appendixinhalts eingetreten war, ist aus dem Berichte nicht zu ersehen. Diese war mit Sicherheit von MÜLLER [1]) beobachtet, der eine zwischen 2 Blättern des Mesenteriums, zwischen Coecum und Processus vermiformis sitzende Cyste sah, die den Appendix an seinem Anfangsteile abknickte, sein Lumen so verlegte und dadurch zu chronischer Entzündung und Steinbildung Veranlassung gab. Die Cyste war mit Cylinderepithel ausgekleidet, also als versprengter Darmepithelkeim anzusehen.

Diesen Kuriositäten kann ich eine weitere, dritte, hinzufügen, in der, um dies gleich vorwegzunehmen, ein chronischer Katarrh des Colons zu einem an der GERLACH'schen Klappe sitzenden submucösen Absceß geführt hatte. Dieser sperrte das Lumen des Appendix so vollkommen ab, daß eine ganz dünne Sonde nur unter einem gewissen Drucke durchgeführt werden konnte und half so zur Auslösung des Appendicitisanfalls, wenigstens der zweiten Attacke, indem zu gleicher Zeit die Schleimhaut des Appendix katarrhalisch erkrankt und ihr eiteriges Sekret durch die geschilderten Verhältnisse gestaut war. Es handelte sich um ein 8jähriges, hereditär nicht belastetes Mädchen, das nach Aussagen der Mntter schon während des Sommers 1897 öfter an Attacken von Leibschmerzen und Obstipation gelitten hatte. Im ganzen waren 3 solche Anfälle durchgemacht worden, die alle 2—4 Tage dauerten und auf reichliche Stuhlentleerung hin wieder verschwanden. Auch vor der jetzigen Erkrankung litt das Kind an Obstipation, doch war regelmäßig für Darmentleerung gesorgt worden. Am 13. November 1897 erkrankte das Kind an typischer Appendicitis mit Spontanschmerz, Druckschmerz, leichtem Fieber und kleinem Tumor. Der Anfall verlief unter Eis- und Opiumbehandlung in etwa 10 Tagen. Nachdem der Tumor anfing kleiner zu werden und nur mehr geringe Druckempfindlichkeit zeigte, wurden noch einige Tage heiße Kataplasmen verordnet, und unter dieser Behandlung schwanden Tumor und Druckempfindlichkeit rasch vollkommen und es blieb nur die schon früher bestandene Neigung zu Obstipation mit den Zeichen eines geringen Katarrhs im Kolon zurück. Seitdem sah ich das Kind alle 4—6 Wochen, ohne daß sich eine wesentliche Aenderung zeigte. Da trat am 8. Mai 1898 die zweite Attacke ein, die dieses Mal ohne Fieber, fast abortiv auf anfängliche, leichte Stuhl-

1) Chirurgenkongreß 1898, cf. nach. Münch. med. Wochenschr., 1898. p. 548.

entleerung durch ein kleines Klystier mit folgender Eis- und Opiumbehandlung verlief. Im Anfalle konnte ich den Appendix als eine stark druckempfindliche, längliche Resistenz an der gewohnten Stelle palpieren. Doch blieb dieses Mal eine kleine, mehr rundliche Resistenz zurück, die dauernd druckempfindlich blieb. Möglich ist es durchaus, daß das Kind schon im Sommer 1897 an einer öfters exarcerbierenden, schleichenden, katarrhalischen Affektion des Appendix litt. Ich stütze mich bei dieser Annahme auf die Erfahrungen von KAREWSKI [1]), der ausführt, daß eine ganze Reihe der Kinder, welche wiederholt Bauchschmerzen und Darmstörungen gehabt haben, verdächtig auf eine Affektion des Appendix sind. Man solle in solchen Fällen so lange den Verdacht festhalten, daß eine Perityphlitis vorliegen könne, bis der strikte Gegenbeweis erbracht sei. Da ich nun der Ansicht bin, daß bei dauerndem Zurückbleiben eines Tumors, oder selbst nur einer Druckempfindlichkeit in der Appendixgegend nach einer überstandenen Appendicitis, in jedem Falle aber nach dem zweiten Anfalle, wenn dieser dem ersten in kürzerer Frist folgt, eine Operation in der Zeit der relativen Gesundheit indiziert ist, so riet ich nun zur Operation und diese wurde am 20. Mai von Herrn Dr. F. LANGE in seiner Klinik ausgeführt [2]) Ich erwartete, den Appendix an seinem distalen Ende ampullenförmig, wie dies KÜMMELL (l. c.) beschreibt, ausgedehnt zu sehen. Nach Eröffnung der Bauchhöle fand sich der Appendix allerdings im ganzen etwas starrer und steifer, wie erigiert aussehend (KÜMMELL [3]) hat in der letzten Zeit auf diese Form des erkrankten Appendix aufmerksam gemacht). Doch fanden sich keine Verwachsungen, keine Residuen einer lokalen Peritonitis und der Appendix war mit einer ganz normal aussehenden Serosa bekleidet. Weiterhin zeigte sich aber noch in der Wand des Coecums dicht an der Ansatzstelle des Appendix ein kleiner, etwa haselnußgroßer Tumor, der sich ziemlich derb anfühlte. Dieser wurde mit dem Appendix zusammen entfernt. Beim Aufschneiden des Appendix zeigte er sich an seiner Basis fast vollständig durch den kleinen Tumor strikturiert, so daß man nur mit einiger Gewalt eine feine Sonde durchführen konnte. Der Tumor selbst dokumentierte sich als ein submucös liegender Absceß, dessen Höhle etwas mehr als erbsengroß war. Mikroskopisch bestand sein Inhalt aus Leukocyten, denen Schleim, spindelförmige Zellen und auffallend spärliche Bakterien beigemischt waren. Zersetzt oder fäkal roch dieser Absceßinhalt nicht, Tuberkelbacillen wurden nicht gefunden. Der mäßig stark gestaute Inhalt des Appendix war rein eiterig,

1) Deutsche med. Wochenschr., 1897, p. 19 ff.

2) Das Kind machte eine glatte Rekonvalescenz durch und ist seitdem vollkommen gesund. Das früher etwas blasse und anämische Mädchen sieht jetzt frisch und gesund aus und hat stark an Gewicht zugenommen.

3) XII. internat. med. Kongreß zu Moskau 1897.

mit vielen Kokken untermischt. Seine Mucosa war geschwellt, jedoch war makroskopisch nirgends ein Geschwür zu sehen. Dieser eigenartige, bisher noch nicht beschriebene Befund zeigt einmal die im Stadium der sogenannten Heilung ruhig weiter bestehende eiterige Entzündung der Appendixschleimhaut und zweitens illustriert er in ausgezeichneter Weise Bedingungen, unter denen ein Stauung von Sekret im Appendix statthaben kann.

Die mikroskopische Untersuchung, von dem Pathologen des deutschen Hospitals, Herrn Dr. SCHWYZER ausgeführt, zeigte, daß die Schleimhaut über dem Absceß deutliche katarrhalische Veränderungen, wie Verschleimung der tubulären Drüsenepithelien und beträchtliche Rundzelleninfiltration aufwies. Die Submucosa zeigte eine dünne Schicht von Rundzellengewebe, worin die Rundzellen in Zügen zwischen die Faserstränge der Submucosa eingelagert waren, und daran anschließend eine eigentlich pyogene Schicht. Hierauf folgte die Absceßhöhle, an welche sich nach außen hin, außerhalb der pyogenen Membran, eine Schicht von lymphadenoidem Gewebe und dann die ziemlich infiltrierte Muscularis anschloß.

Der Appendix selbst zeigte eine wenig veränderte Serosa und Muscularis. Die Mucosa dagegen war auffallend reich an Lymphfollikeln, welche die Drüsen teilweise verdrängt zu haben schienen. Das Epithel war hier und da abgestoßen.

Nach der pathologisch-anatomischen Untersuchung ist demnach das Primäre ein Prozeß, welcher zur Schwellung und Vereiterung einiger Lymphfollikel an der Mündung des Appendix geführt hat. Die Erscheinungen von seiten des Appendix sind danach durchaus sekundär und die Kolik wohl als auf Sekretretention der katarrhalisch affizierten Appendixschleimhaut beruhend aufzufassen. Es ist nun nicht anzunehmen, daß der Dammwandabsceß schon im ersten Anfalle bestand, oder daß er allein das Lumen des Appendix im zweiten Anfalle verschlossen haben könnte. Denn im ersteren Falle hätte der kleine Tumor und die Druckempfindlichkeit auch nach der ersten Attacke konstatierbar sein müssen, und im zweiten Falle hätte die Kolik in der zweiten Attacke bis zur Operation weiterbestehen müssen. Vielmehr deute ich den Fall so, daß die direkte, unmittelbare Ursache des Verschlusses des Appendixlumens in beiden Fällen die Schwellung der Schleimhaut war, und daß der Absceß nur als unterstützendes Moment gedient hat. Nach Abschwellen der Schleimhaut war der Verschluß auch nicht mehr vollkommen, der Appendix entleerte sich bis zu einem gewissen Innendrucke, den die Absceßstenose noch aushielt, und die klinischen Symptome schwanden. Diese sind durch die Spannung der Serosa des Appendix zu erklären, da sonst keine Ursachen dafür auffindbar sind, und da es als sichergestellt gelten muß, daß während der Kolik der Appendix nach dem Palpationsbefund viel größer in seinen Dimensionen gewesen sein muß. Denn in der Attacke war an der gewohnten Stelle ein länglicher, derber, sehr druckempfindlicher Tumor von etwa Kleinfingergröße zu fühlen, während nach Ablauf derselben nur der kleine, rundliche Tumor zurückblieb.

Daß die Spannung der Appendixwand für die Schmerzen verantwortlich gemacht werden darf, legten auch Fälle von SIEGEL nahe (vergl. NOTHNAGEL, l. c.), in denen nur die Mucosa ergriffen war, und wo doch der Appendix infolge der Ausdehnung jahrelang der Sitz heftigster Schmerzen gewesen war.

Wir haben also, abgesehen von dem Befunde des Abscesses, eine rein katarrhalische Appendicitis vor uns, ohne Verwachsungen, Kotsteine, Geschwüre u. s. w. Auch in diesem Falle betrifft die auffallendste pathologisch-anatomische Veränderung den Follikelapparat der Mucosa, wie dies von den Autoren, die sich mit der pathologischen Anatomie der Appendicitis beschäftigt haben, übereinstimmend erwähnt wird. LETULLE [1]) fand bei Appendicitis immer infektiöse Folliculitis, und von da ausgehend interstitielle Lymphangitiden. Diese sind der Weg, auf denen die anderen Darmschichten erkranken. Auch im Verein mit WEINBERG [2]) fand er bei 50 untersuchten Fällen Veränderungen der Lymphfollikel, sogar in Fällen, in denen die Schleimhaut völlig gesund erschien. Diese bieten pathologisch-anatomisch eine gewisse Analogie zu meinem Falle, da auch hier die Hauptveränderungen am Appendix seinen Follikelapparat betreffen. Daß die pathologischen Veränderungen sogar nach Recidiven sich auf die Follikel beschränken können, zeigte MERKLEN [3]), der oft nach 4—5 Recidiven nur oberflächliche Läsionen der Follikel fand. Bei seinen Tierversuchen fand CHARRIN [4]) das Auftreten weißlicher, den Follikeln entsprechender Granulationen, und spricht deshalb in Analogie mit der gleichartigen Erkrankung der Tonsillen, wie SAHLI, von einer Angina follicularis coecalis. SYREDEY et LE ROY [5]) fanden ebenfalls die Entzündung der geschlossenen Follikel konstant, bei weiter fortgeschrittenen Veränderungen kompliziert mit interglandulärer Proliferation, mit Atrophie und progressiver Zerstörung der Drüsen, oder auch mit Abscessen, die in den tieferen Schichten zerstreut waren. Ja sie schreiben, wie schon oben gelegentlich erwähnt, die Hauptrolle bei der Perforation den abscedierten Follikeln zu. So weit braucht man nicht zu gehen, um anzuerkennen, daß dem Follikelapparate bei den entzündlichen Vorgängen im Appendix wie im Darm überhaupt große Bedeutung zukommt. Das erkennen auch alle Autoren an, die diesen Punkt berühren (NOTHNAGEL, PENZOLDT u. a.)

1) Soc. méd. des hôp., 26 Mars 1897.
2) l. c.
3) Ref. nach Münch. med. W., 1897, p. 525.
4) Soc. de biologie, Fevrier 1897.
5) l. c.

Im vorliegenden Falle waren dementsprechend die Follikel auch der am stärksten befallene Teil der Cöcalwand, und es muß nach dem Verlaufe und der Untersuchung als erwiesen gelten, daß wir es mit einer wahrscheinlich schon länger bestehenden katarrhalischen Affektion der obersten Kolonpartie zu thun hatten, die per continuitatem auf die Appendixschleimhaut übergegriffen hatte. Nun löste wahrscheinlich eine nur durch die Schwellung der Schleimhaut bedingte Stenose des Appendixlumens den ersten Anfall aus, der mit wieder freiwerdender Passage unter interner Behandlung mit leichtem, kurz dauerndem Fieber verlief. Es bestand aber der Katarrh weiter (wie die Stuhluntersuchung ergab), und der zweite Kolikanfall (ohne Fieber) wurde dann hauptsächlich durch den aus vereiterten Follikeln entstandenen und das Appendixlumen fast vollständig verschließenden Absceß ausgelöst. Ich sage mit Bedacht „hauptsächlich“, denn dieser durch den Absceß bedingte Verschluß war wohl aller Wahrscheinlichkeit nach nicht absolut, sondern höchstens so stark, wie er sich bei der Operation präsentierte. Die Vervollständigung der Striktur, Sekretretention und Kolikanfall waren höchst wahrscheinlich direkt bedingt durch die stärkere Schwellung der Mucosa, wie im ersten Anfalle. Denn obwohl auch bei der Operation noch von einer Sekretretention im Appendix gesprochen werden konnte, so war er doch zu dieser Zeit nicht so über die Norm ausgedehnt, wie im Kolikanfalle, in welchem er vergrößert als derber, druckempfindlicher, strangförmiger Tumor gefühlt werden konnte, der nach dem Anfalle verschwand und nur den oben erwähnten kleinen rundlichen Tumor, der sich später als der Absceß im Typhlon präsentierte, zurückließ. Zuletzt spricht aber noch gegen die Annahme, daß der Absceß allein den zweiten Anfall durch Stenosierung hervorgerufen habe, der Umstand, daß am Abscesse und seinem Inhalte nichts gefunden wurde, was auf eine Schrumpfung desselben gedeutet und also den Schluß erlaubt hätte, daß er früher größer gewesen wäre. Demnach kann ich den Absceß nur als ein den Ausbruch der Attacke unterstützendes Moment gelten lassen.

# XV.

# Ueber Ulcus und Stenosis des Magens nach Trauma.

Von

**Prof. Dr. Krönlein.**

(Hierzu Tafel VI.)

Unsere klinischen Erfahrungen über die Verletzungen des Magens durch stumpfe Gewalten, welche die Bauchdecken von außen treffen, ohne diese selbst zu zerreißen oder auch nur erheblich zu quetschen, sind auch heute noch bescheidene. Was sicher feststeht und durch eine Reihe guter Beobachtungen illustriert wird, ist, daß bei solchen Anlässen die Magenwand an einer Stelle oder an mehreren in ihrer ganzen Dicke bersten kann, und daß in der Regel der Tod in wenigen Stunden oder Tagen das Krankheitsbild jäh abschließt. Selten befindet sich der Chirurg in der Lage, sozusagen frisch nach der That, d. h. schon in den ersten Stunden nach dem Trauma, die rettende Operation, nämlich die Bloßlegung und Vernähung des zerrissenen Eingeweides vornehmen zu können, und ebenso selten lassen es Ort der Rißstelle und Füllungszustand des Magens zu, daß der Verlauf sich länger hinzieht und Heilung, wenn auch auf Umwegen und erst nach Verlauf geraumer Zeit, auch ohne solche immediate Hilfe erfolgt. — In der erwähnten glücklichen Lage war bekanntlich Rehn [1]), welcher im Jahre 1896 durch sein mutiges Vorgehen schon 5 Stunden nach dem Trauma einem 19-jährigen Mädchen das Leben rettete; und für den zweiten günstigen Ausgang lieferte E. Rose [2]) aus dem Jahre 1891 ein Beispiel.

Wenn wir von diesen durch die Sektion oder die Operation aufgeklärten Fällen kompleter Magenruptur absehen, so bleibt immer noch eine größere Zahl von Beobachtungen übrig, in welchen nach

1) Rehn, Die Verletzungen des Magens durch stumpfe Gewalt. Verh. d. deutschen Gesellsch. f. Chir., 25. Kongreß, 1896.

2) E. Rose, Beiträge zur inneren Chirurgie. Deutsche Zeitschr. f. Chir., Bd. 34, 1892.

einer Kontusion der Magengegend aus den an das Trauma sich anschließenden Symptomen zwar wohl die Diagnose auf eine „Magenquetschung“ oder eine „inkomplete Magenzerreißung“ gestellt worden ist, eine Sicherstellung dieser Diagnose aber aus dem erfreulichen Grunde nicht erfolgen konnte, weil der Ausgang in Heilung die Gelegenheit zu einer Autoskopie des verletzten Magens nicht schaffte.

Die Epikrise solcher auf nicht operativem Wege zur Heilung gebrachten Fälle von Magenverletzung ist ganz unzweifelhaft sehr schwierig; weder der Ort noch die Art der Verletzung läßt sich aus den klinischen Symptomen genau feststellen, und es wird meist dem subjektiven Ermessen des Beobachters überlassen bleiben, ob er sich die Verletzung mehr als eine hämorrhagische Infiltration der Mucosa oder als eine Ablösung der Mucosa von der Submucosa, etwa durch ein Hämatom, oder als eine partielle Zerreißung der einen oder anderen Schicht der Magenwand, vielleicht nur der Mucosa, vielleicht nur der Serosa, vielleicht auch der Serosa und Muscularis zusammen, vorstellen will. Denn daß diese Möglichkeiten vorliegen können, ist sowohl durch gelegentliche Obduktionsbefunde bei Verunglückten, welche aus anderen Gründen gestorben sind, als auch durch das Tierexperiment sicher festgestellt. Ich verweise in dieser Beziehung auf die Arbeit von Rehn, in welcher verschiedene solche Leichenbefunde (Hofmann, Clayton, V. Jackson) aufgeführt sind und auch über die Ergebnisse der Tierexperimente von Vanni und Ritter kurz berichtet wird.

Auffallend ist nun in vielen der mitgeteilten Fälle von geheilten Magenverletzungen die kurze Heilungsdauer und das rasche Verschwinden der dem Trauma unmittelbar folgenden und meist sehr alarmierenden Symptome, wie heftigster Schmerz in der Magengegend, Synkope, Bluterbrechen oder einfaches Erbrechen; schon nach 2 bis 3 Wochen konnten die Verletzten des öfteren geheilt entlassen werden. Auch Rehn hebt diesen raschen und glatten Heilverlauf hervor und meint, daß er nichts Ueberraschendes haben könne, da er völlig unserer Erfahrung über die leichte und rasche Heilung von Magenschleimhautwunden entspreche. Wenn Rehn bei dieser Aeußerung etwa an die Erfolge der operativen Magenchirurgie gedacht hat, so möchte ich ihm keineswegs widersprechen; denn in der That vollzieht sich der Wundheilungsprozeß genähter Magenwunden gemeiniglich außerordentlich rasch und schön. Dagegen möchte ich doch glauben, daß bei den durch Kontusion des Bauches entstehenden Magenverletzungen die Verhältnisse wesentlich andere sein können, als wir sie bei unseren Magenoperationen erzeugen. Ich lege dabei das Hauptgewicht auf die traumatischen Veränderungen in der Mucosa, insbesondere auf die ausgedehnte hämorrhagische Infiltration, die Flächenzerquetschung und Flächenablösung, wie sie bei der Einwirkung von stumpfen Gewalten auf die Magengegend erwiesenermaßen zustande kommen. Zu diesen flächenhaften Schleimhautläsionen finden wir in unseren Magenoperationswunden doch schwerlich ein Analogon; wo wir aber einmal ausnahmsweise ähnliche Wundverhältnisse bei unseren Operationen zu schaffen gezwungen wären, da möchte ich denn doch die Aussichten auf einen glatten Wundverlauf nicht in so günstigem Lichte erscheinen lassen, wie es REHN thut. Ich hätte in solchen Fällen vielmehr die Besorgnis, daß die hämorrhagisch infiltrierte, gequetschte und von der Submucosa abgelöste Magenschleimhaut unter der peptischen Wirkung des Magensaftes leicht nekrotisch und verdaut werden könnte, wie dies von RITTER auf Grund seiner Tierexperimente behauptet worden ist. — Es ist sogar denkbar, daß auf diesem Wege auch einmal ein wirkliches Ulcus entstehen könnte, für welches also der Ausdruck „Ulcus traumaticum ventriculi" die richtige Bezeichnung wäre. Ob für die Einleitung eines solchen ulcerösen Prozesses eine besondere Infektion der verletzten Schleimhautstelle erforderlich sei, wie REHN annimmt, möge dahingestellt bleiben. Es genügt für unsere Betrachtung zunächst der Hinweis, daß die Möglichkeit der Umwandlung eines traumatischen Herdes oder einer Quetschwunde der Magenschleimhaut in ein Magengeschwür mit allen seinen Folgen und Komplikationen, vom rein theoretischen Standpunkte aus betrachtet, kaum ernstlich bestritten werden kann, daß sogar nach den Anschauungen, welche in der Pathogenese des gewöhnlichen runden Magengeschwürs zur Geltung gelangt sind, mit dieser Eventualität von vornherein gerechnet werden muß.

Wie stellt sich nun die Erfahrung zu dieser wichtigen Frage?

Es ist oben schon darauf hingewiesen worden, daß viele der beobachteten und beschriebenen Fälle von Magenkontusion auffallend rasch heilten. Schon nach 2–3 Wochen konnten die meisten dieser Verletzten geheilt entlassen werden, und es wird uns dann gewöhnlich nicht weiter mitgeteilt, was nach Monaten und Jahren aus diesen Geheilten geworden. — Hierin liegt meines Erachtens eine Lücke in der Beobachtung; denn es wäre doch sehr erwünscht, zu wissen, ob diese Geheilten, bei welchen vielleicht urspünglich eine ganz erhebliche und ausgedehnte Magenverletzung der oben geschilderten Art vorgelegen hatte, auch in der ferneren Zeit gesund geblieben sind, oder ob sich vielleicht gewisse Störungen in der Digestion später noch eingestellt haben, welche mit der früheren Verletzung in kausalen Zusammenhang gebracht werden können.

In der Litteratur findet man über die Beziehungen zwischen Magenverletzungen und späteren chronischen Magenkrankheiten, speciell dem Magengeschwür, außerordentlich wenige Mitteilungen. Um so wertvoller und wichtiger muß daher eine kleine Arbeit erscheinen, welche aus der Feder von v. LEUBE [1]) stammt und im Jahre 1886 publiziert

1) v. LEUBE, Ulcus ventriculi traumaticum. Centralbl. f. klin. Med., 1886, No. 5.

worden ist. — Der gerade auf diesem Specialgebiete so kompetente und erfahrene Kliniker schreibt folgendes:

„Traumen geben unter allen Umständen höchst selten Veranlassung zum Magengeschwür. Ich selbst habe unter Hunderten von Fällen dieser Krankheit weder vom Patienten ein Trauma als ätiologisches Moment des Geschwürs anschuldigen hören, noch je Grund gehabt, auf ein solches als Ursache der Erkrankung zu rekurrieren. . . Erst vor Jahresfrist trat die Frage ernstlich an mich heran, ob es möglich sei, daß ein Sprengstück eines explodierten Maschinenkessels, welches noch mit großer Gewalt gegen das Abdomen eines in der Nähe beschäftigten Arbeiters geschleudert worden war, ein Ulcus ventriculi, an dessen Symptomen der betreffende Arbeiter seit dem Tage der Unterleibsquetschung litt, zu erzeugen imstande gewesen sei". . . v. Leube entscheidet dann diese Frage in bejahendem Sinne, indem er sich dabei auch auf Duplay stützt, welcher in mehreren Fällen beobachtet habe, daß an Insulte der Magengegend die Erscheinungen des Magengeschwürs sich anschlossen, sowie auf E. Hofmann, welcher bei einem Manne, der zwischen zwei Puffer geraten war, eine handtellergroße Ablösung der Magenschleimhaut des Fundus ventriculi konstatiert hatte.

Außer dem forensischen Falle, welchen v. Leube nur flüchtig andeutet, teilt er in der gleichen Arbeit noch eine zweite Beobachtung mit, „in welcher die traumatische Genese eines Ulcus nach Anamnese und Krankheitsverlauf noch klarer war als im obigen Falle", nämlich:

„Pat., ein 57jähriger Bierbrauer, überstand im 20. und 52. Jahre eine Lungenentzündung, war sonst ganz gesund gewesen und hatte namentlich nie an Verdauungsbeschwerden gelitten. Am 7. April 1885 wurde er in der Frühe von einem Wagen an die Wand gedrückt, so daß die Wagendeichsel gegen die Regio epigastrica andrängte. Erst nach 10 Min. gelang es, den Wagen wegzuheben. Sofort verspürte Pat. Schmerzen im Magen, die sich gegen Mittag so steigerten, daß er 2 Tage lang nicht außer Bett bleiben konnte. Als Pat. jetzt die Arbeit wieder aufnahm, nahmen die Schmerzen wieder an Intensität zu und hielten von da ab ohne Unterbrechung an bis zum 25. April, dem Tage seines Eintritts in die Erlanger Klinik. 8 Tage nach dem Insult trat Erbrechen 3 Std. nach dem Mittagessen auf, ohne daß irgendwelche weitere Schädlichkeit eingewirkt hätte und wiederholte sich das Erbrechen jeden Tag gewöhnlich nachmittags, zuweilen auch nachts, trotzdem der Kranke lediglich von Suppe, Eiern und Milch lebte. Dabei bestand andauernd saures Aufstoßen. Blut wurde im Erbrochenen nicht bemerkt. Der Schmerz ist auf das linke Hypochondrium konzentriert und wird heftiger, wenn Pat. sich auf die linke Seite legt, ebenso durch den Druck der Beinkleider; beim Husten ist wenig, bei tiefer Inspiration keine Schmerzempfindung vorhanden. In letzter Zeit haben die Schmerzen etwas nachgelassen.

Die Untersuchung der einzelnen Organe ergab normales Verhalten derselben. Der Urin war zucker- und eiweißfrei; speciell das Abdomen weich, nicht aufgetrieben, die Palpation der Magengegend, die keine Zeichen der Quetschung mehr zeigte, durchaus schmerzfrei, ausgenommen eine cirkumskripte Stelle in der Parasternallinie, wo äußerer Druck intensive Schmerzen hervorruft. Zunge nicht belegt."

Am 17. Mai konnte Pat. geheilt entlassen werden.

Einen dritten Fall der v. Leube'schen Klinik in Würzburg erwähnt endlich Ritter noch in seiner oben citierten Arbeit.

„Er betraf, um es kurz zu erwähnen, ein junges, kräftiges, vorher ganz gesundes Individuum, welches einige Wochen vor seinem Eintritte ins Spital von einem Stuhle herab mit der Magengegend gegen eine Tischkante gefallen war, einige Tage später mit den heftigsten Schmerzen nach dem Essen erkrankte und 8 Tage nach dem Falle mit einer Hämatemesis den Beweis lieferte, daß jener Fall die Entstehung eines Magengeschwürs verschuldet hatte."

Man wird gegen die Beweiskraft dieser v. Leube'schen Fälle als Beispiele traumatischer Magengeschwüre nicht viel einwenden können. Immerhin muß zugegeben werden, daß niemand eben die Geschwüre gesehen hat, da alle 3 Fälle in relativ kurzer Zeit in Heilung übergingen und daß ferner nur in der dritten Beobachtung die Hämatemesis ausdrücklich erwähnt wird. Wenn dieser Umstand für mich auch keinen Grund bildet, die Diagnose v. Leube's in diesen Fällen im geringsten anzuzweifeln — ich verweise auf v. Leube's am 26. Chirurgenkongreß im Jahre 1897 gehaltenen Vortrag über die chirurgische Behandlung des Magengeschwürs, in welchem diese diagnostische Frage gestreift wird — so empfinden wir doch wohl alle das Bedürfnis und hegen den Wunsch, einmal in die Lage versetzt zu werden, wo wir das diagnostizierte traumatische Geschwür des Magens mit eigenem Auge sehen und mit eigenem Finger befühlen können; das Krankheitsbild erhielte dadurch erst seine ganze Vollständigkeit und Abrundung.

In dieser Lage nun habe ich mich, seitdem ich Magenchirurgie treibe, zweimal befunden, und es dürfte sowohl von medizinischem als auch von chirurgischem Interesse sein, die beiden Beobachtungen in extenso zur Kenntnis zu bringen. Dabei ist es mir eine angenehme Pflicht, hier voranzustellen, daß es mein Kollege Eichhorst war, welchem die beiden Kranken zunächst zugingen, daß er zuerst auf seiner Klinik die Diagnose einer traumatischen Pylorusstenose stellte und demnächst die Güte hatte, die Kranken zur operativen Behandlung mir zu überweisen.

Des einen dieser Fälle gedenkt Eichhorst in der 5. Auflage seines Handbuchs (Bd. 2, p. 127), indem er ihn ganz kurz so skizziert:

„Ich verlor auf meiner Klinik einen Bereiter, der wenige Tage, nachdem er beim Galoppieren des Pferdes mit der epigastrischen Gegend heftig gegen den Sattelknopf aufgestoßen war, an den Erscheinungen eines runden Magengeschwürs erkrankte und nach wenigen Monaten durch narbige Pylorusstenose, die man vergeblich operativ zu beseitigen versucht hatte, zu Grunde ging."

**Ich glaube nicht, daß durch diese kurze Mitteilung die folgende ausführliche Darstellung des Falles überflüssig geworden sei.**

1. Fall: Benedikt L., 24 J. alt, Bereiter, von H., wurde am 17. Nov. 1887 von der medizinischen Klinik der chirurgischen überwiesen. Die Anamnese, schon auf der Abteilung des Herrn Kollegen Eichhorst sorgfältigst aufgenommen, ergab folgendes: Pat. stammt von gesunden Eltern, hat 3 gesunde Schwestern und 2 gesunde Brüder; bis zu seiner jetzigen Affektion war er niemals krank gewesen, insbesondere hatte er nie an Erbrechen und anderweitigen Magenbeschwerden gelitten; er versah den strengen Dienst eines Bereiters. Ungefähr um die Mitte März 1887 stürzte Pat. mit dem Pferde so unglücklich, daß er einen heftigen Stoß gegen die Magengegend durch den Sattelknopf erlitt. Zunächst empfand er keinen erheblichen Schmerz; erst am anderen Tage nach dem Essen stellte sich ein schmerzhaftes Reißen in der Magengegend ein, das aber, als Pat. trotzdem weiter ritt, mit dem Reiten wieder nachgelassen habe. Dieser Schmerz in der Magengegend stellte sich von da an täglich, jeweils nach dem Essen, ein; er zog gegen das linke Hypochondrium hin, wo der Druck des Sattelknopfes am stärksten gewirkt hatte. 4 Wochen nach dem Unfalle traten zum erstenmal Erbrechen auf und zwar am Morgen, früh, ohne daß Pat. eine Erklärung für diese Erscheinung geben konnte. Das Erbrochene soll schleimig, grüngelb, ohne Blutbeimengung gewesen sein und sehr bitter geschmeckt haben. — 2 Wochen später mußte Pat. das Reiten aufgeben, da die Schmerzen mehr und mehr sich steigerten und er, wie er meint, infolge der strengen Diät, welche er seit einigen Wochen beobachtete, ziemlich von Kräften kam. Er hütete von da ab das Bett, wurde in der Kaserne verpflegt und am 17. Mai zu seiner Erholung nach Hause entlassen. — In der folgenden Zeit ging es dem Pat. ordentlich; das Erbrechen stellte sich nur selten ein, nur 2—3mal und soll nie eine Spur von Blut enthalten haben. Dagegen magerte er ganz bedeutend ab, so daß sein kräftiger Körper, der zur Zeit des Unfalls 75 kg wog, am 27. Juli 1887, wo Pat. in die medizinische Klinik verbracht wurde, nur noch 53 kg Gewicht aufwies. 4 Tage nach dem Eintritt erbrach Pat. abends ganz plötzlich ungefähr 2 Liter einer Masse, welche er nach ihrem Aussehen mit nassem Torf verglich. Von der Zeit an empfand er einen brennenden Schmerz in der linken Seite des Epigastrium, wo nach des Pat. Meinung der Druck des Sattelknopfes am intensivsten gewirkt hatte. Pat. verlor gänzlich den Appetit und erbrach sich trotz streng geregelter Diät von jetzt an alle 3—4 Tage, gewöhnlich nach dem Essen. Am 7. Aug. wird in dem Erbrochenen Blut nachgewiesen. Der Magen ist dilatiert. — Das Blutbrechen wird in der Folge noch wiederholt konstatiert und das Erbrechen tritt häufiger auf; das Erbrochene reagiert meist stark sauer. — Mehr und mehr nimmt Pat. während des Aufenthalts auf der medizinischen Klinik an Kräften und Körpergewicht ab; die Erscheinungen der Magendilatation und der Pylorusstenose sind je länger, je deutlicher geworden und sein Körpergewicht ist so heruntergegangen, daß er bei der

Aufnahme auf die chirurgische Klinik, am 17. Nov. 1887, also 8 Monate nach dem Unfall, nur noch 38 kg Körpergewicht (gegenüber 75 kg im März, und 53 kg im Juli!) besitzt. Pat. ist hochgradig kollabiert und bis zum Skelet abgemagert; er erbricht eigentlich alles und wird bis zum Tage der Operation durch Nährklystiere, so gut wie möglich, ernährt. Rechts von der Linea alba, oberhalb des

Nabels, fühlt man deutlich eine walnußgroße Resistenz durch die Bauchdecken, welche dem Pylorus anzugehören scheint.

„Am 24. Nov. 1887 [1]) wird nach sorgfältiger Vorbereitung zur Operation geschritten. Dabei bestand die Absicht, womöglich den stenosierten Pylorus zu resezieren und nur, wenn solches sich als unmöglich erweisen sollte, die Gastroenterostomie nach WÖLFLER vorzunehmen. Nach Eröffnung der Bauchhöhle zeigte sich die Pars pylorica durch ein derbes Narbengewebe mit der Rückseite der Bauchhöhle und besonders mit der Leber fest verwachsen und selbst narbig verhärtet. Gleichwohl hoffte man durch geduldige Präparation die Pars pylorica so weit isolieren zu können, um die Resektion folgen zu lassen. Dies gelang auch. Allein als die Resektion der narbig degenerierten Pars pylorica vollzogen wurde, zeigte es sich, daß der duodenale Querschnitt nur eine für eine feine Knopfsonde passierbare Oeffnung besaß; ein weiteres Stück des Duodenum zu resezieren aber war nach Lage der Verhältnisse ganz unmöglich und so entschloß sich der Operateur, zunächst das Duodenalende des Darmes durch zahlreiche Nähte ganz zu verschließen und zunächst das Magenlumen in eine Schlinge des Jejunum zu inserieren, also eine modifizierte WÖLFLER'sche Gastroenterostomie auszuführen.

Die ganze Operation dauerte 2 Std.; im übrigen konnte sie sauber und ohne bedeutenden Blutverlust ausgeführt werden. — Sublimatantiseptik.

Der Verlauf war leider ein ungünstiger; Pat. war nach der Operation sehr erschöpft und starb unter den Erscheinungen des Kollapses am folgenden Tage."

Soweit in Kürze das Referat über die Operation; in die Technik derselben genauer einzutreten ist hier nicht der Ort, zumal da ich am Chirurgenkongreß 1898 Gelegenheit fand, in der Diskussion über den MIKULICZ'schen Vortrag, „Beiträge zur Technik der Operationen beim Magenkrebs", mein Verfahren darzustellen und durch eine Skizze an der Tafel zu erläutern [2]).

Was uns aber hier ganz besonders interessieren muß, sind die anatomischen Verhältnisse der Pylorusgegend des Magens.

Schon bei der Operation konnte man sich davon überzeugen, daß die Narbenstenose des Pylorus fast zu einem vollständigen Verschlusse geführt hatte, so daß der Kranke in den letzten Wochen seines Lebens schwerlich auch nur einen Tropfen Flüssigkeit vom Magen in den Darm durchpressen konnte. Der Fall erinnert in seiner Hochgradigkeit an die ebenfalls an dem Chirurgenkongreß vom Jahre 1898 von HEIDENHAIN mitgeteilte Beobachtung nicht trau-

---

1) Ich folge hier dem Referate, welches ich am 17. Dez. 1887 in der Sitzung der Gesellschaft der Aerzte in Zürich von dem Falle gegeben habe und welches nachher im Korrespondenzblatt f. Schweizer Aerzte, Jahrg. 1888, p. 317 erschienen ist.

2) S. Verhandlungen der deutschen Gesellsch. f. Chirurgie. 27. Kongr. 1898, I, p. 47.

matischen narbigen Verschlusses des Pylorus[1]). Auch HEIDENHAIN's Patient überlebte die Operation der Gastroenterostomie nicht lange; er war leider auch erst sehr spät, fast in extremis, dem Chirurgen zugeführt worden und starb, wie unser Patient, an Erschöpfung.

Bei der Sektion erwies sich der Magen in unserem Falle stark dilatiert. Die Magenschleimhaut ist im ganzen dick und zeigt in der Pars pylorica das Aussehen des „État mamellonné"; an der kleinen Kurvatur finden sich einzelne flache Substanzverluste der Schleimhaut. Am Pylorus selbst fehlt die Schleimhaut und an deren Stelle zeigt sich eine ausgedehnte Geschwürsfläche mit narbigem Grunde, von oben nach unten 4,5 cm und in der Quere 3 cm messend, und bis zu dem, nicht einmal stecknadelkopfgroßen Ostium nach dem Duodenum sich fortsetzend, wie ein Vergleich mit dem resezierten Pylorusteil ergiebt (s. die Abbildung 1). An den Rändern des narbigen Geschwürs schneidet die Schleimhaut sehr scharf gegen den vertieften Geschwürsgrund ab. — Im übrigen keine Spur von Peritonitis; alle Nähte sitzen fest und solide. — Die diktierte anatomische Diagnose lautet demnach:

„Frische Laparotomiewunde. Cirkuläres Ulcus pylori et duodeni mit narbigem Grunde. Resektion des Pylorus. Verschluß des Duodenums durch Naht. Gastroenterostomie. Inanition. Dilatation und chronischer Katarrh des Magens."

2. Fall: Heinrich J., 48 J. alt, Arbeiter, von A., wurde am 14. Nov. 1898 von der medizinischen Klinik der chirurgischen überwiesen. Aus der uns gütigst überlassenen Krankengeschichte von Prof. EICHHORST entnehme ich folgendes:

Der Vater des Pat. starb mit 56 Jahren nach einer Halsoperation, die Mutter mit 40 Jahren im Wochenbett. Zwei Brüder verunglückten, einer starb an Typhus, vier leben und sollen gesund sein. — Pat. hat bis zur Stunde noch keine innere Krankheit durchgemacht; im Jahre 1892 wurde er wegen einer Unterschenkelfraktur und später wegen einer Vorderarmphlegmone auf der chirurgischen Klinik behandelt. Sein gegenwärtiges Leiden führt er auf einen Unfall zurück, den er Ende Juni 1898 beim Heuen erlitt. Damals sprang Pat. von einem Heustock nach einem tiefer gelegenen Standort und stieß sich dabei das Ende des Schaftes der Heugabel heftig gegen die Magengrube. Er konnte aber ruhig weiter arbeiten, da sofortige nachteilige Folgen nicht eintraten. Allein schon in der darauffolgenden Nacht wurde er von heftigen Schmerzen befallen, welche er in die Gegend der größten Konvexität des linken Rippenbogens verlegte. Am folgenden Tage versuchte er die gewohnte Landarbeit wieder aufzunehmen; doch empfand er bei den Mähbewegungen so intensive Schmerzen in der linken Seite, daß er den Versuch aufgeben mußte. — Nun schleppte er sich etwa 3 Wochen arbeitslos herum, verlor dabei mehr

1) l. c., I, p. 39.

und mehr den Appetit und fühlte beständigen Schmerz im Epigastrium, so daß er sich erst an die chirurgische Poliklinik, dann an die Sanitätsbehörde der Stadt Zürich, endlich an die medizinische Poliklinik wandte, welch letztere darauf die Aufnahme auf die medizinische Klinik vermittelte. — Pat. will während dieser Zeit abgemagert und schwach geworden sein, und seit etwa 8 Tagen hat er täglich spontan sich erbrochen. Unmittelbar nach dem Essen verspüre er Magendrücken, und da ihm das Erbrechen jedesmal Erleichterung bringe, so habe er in letzter Zeit absichtlich den Brechakt durch Einführung der Finger in die Kehle anzuregen versucht. Das Erbrochene habe nie Blut enthalten, dagegen stark sauer gerochen.

Die Aufnahme auf die medizinische Klinik erfolgte den 20. September 1898, also ca. 3 Monate nach der Verletzung.

Status praesens. Mittelgroßer, abgemagerter, aber gut aussehender Mann. Er liegt am liebsten auf dem Rücken in halber Linkslage, da er in anderen Lagen bald unangenehme Schmerzen im Epigastrium und unter dem linken Rippenbogen empfindet. Kein Fieber; Puls regelmäßig, kräftig; Zunge leicht belegt; der Magen erreicht den Nabel nicht; das Abdomen von gewohnter Wölbung, ohne Druckempfindlichkeit. Appetit fehlt. Der Magensaft reagiert sauer; keine freie Säure. Gesamtacidität 42 Proz. Resorptionszeit für Jodkalium 14 Min.

Pat. befindet sich die nächste Zeit recht ordentlich; die Magenschmerzen setzen oft tagelang aus; er verträgt die Speisen. — Gegen Mitte Oktober klagt er wieder mehr über Magenschmerzen, besonders nach der Mahlzeit. Pat. erhält feuchtwarme Umschläge auf die Magengegend. — Bei der Palpation konstatiert man gegen Ende Oktober einen konstanten Druckschmerz im Bereich einer 5-frankstückgroßen Fläche, ungefähr zwischen Nabel und Schwertfortsatz, doch etwas mehr nach rechts von der Mittellinie gelegen. Körpergewicht 46—47 kg.

Am 14. November wird Pat. auf die chirurgische Klinik verlegt.

Pat. sieht leidend aus; Puls und Temperatur sind normal; Zunge ziemlich stark belegt. Das Abdomen ist etwas eingefallen: der Magen erreicht perkutorisch den Nabel nicht. Zwischen Nabel, linkem Brustkorbrand und Process. ensiformis giebt Pat. eine konstante Druckempfindlichkeit zu; doch ist hier kein Tumor zu palpieren

Bis zum 24. November, also in 10 Tagen, hat Pat. um 3 kg Körpergewicht abgenommen.

Die Diagnose lautet auf traumatische Stenosis resp. tr. Ulcus pylori und die Operation wird beschlossen und vom Pat. angenommen.

Operation den 26. November 1898: Cirkuläre Resektion des Pylorus nach Billroth's I. Typus der Pylorektomie.

Die Operation, in Aethernarkose und bei strenger Aseptik ausgeführt, verlief in $1^1/_2$-stündiger Dauer regelrecht. Nach Eröffnung der Bauchhöhle in der Linea alba läßt sich der Magen ohne weiteres vor die Bauchwand luxieren; er ist etwas dilatiert. Die ganze Pars pylorica fühlt sich verdächtig derb und infiltriert an, insbesondere an der großen Kurvatur erscheinen die Magenwände verdickt und in der Serosa zeigt sich eine Reihe weiß-gelblicher, derber, stecknadelkopfgroßer Knötchen; in dem anstoßenden großen Netze liegen längs dieser Partie mehrere bohnengroße derbere Lymphdrüsen. Bei diesem zweifelhaften Befunde, der ein Pyloruscarcinom mit Sicherheit nicht ausschließen ließ, entschloß ich mich ohne weiteres zur typischen cirkulären Pylorektomie in der ganzen Ausdehnung der infiltrierten Magenwände, mit gleichzeitiger Exstirpation der omentalen Lymphdrüsen. — Ich führte die Operation im übrigen so aus, wie ich es früher schon einläßlich beschrieben habe [1]) und vereinigte demgemäß das Duodenalende nach BILLROTH direkt mit dem verkleinerten Magenlumen. Dann Verschluß der Bauchwunde und Kollodiumverband.

Vollständig fieberloser Verlauf und Heilung per prim. — Entlassung den 24. Dezember 1898 in bestem Wohlbefinden und nachdem Pat. seit der Operation bereits wieder um 6 kg Körpergewicht zugenommen hatte.

Von besonderem Interesse ist nun das Präparat, welches durch die Operation gewonnen wurde. Es enthält die ganze erkrankte Partie des Organs unversehrt (s. Abbildung 2) und mißt an der kleinen Kurvatur 4,5 cm, an der großen Kurvatur 7,5 cm. Der Pylorusring ist mitexstirpiert und ist nicht abnorm verändert; dagegen besteht unmittelbar vor dem Pylorus eine hochgradige, narbige Stenose, die für eine 5 mm dicke Sonde gerade noch durchgängig ist. Die Innenseite der vor dieser engen Oeffnung gelegenen Magenwand zeigt ein ganz eigenartiges Aussehen; 2—4 cm vor dem kleinen, kraterförmigen Lumen hört die normale sammetartige Schleimhaut mit scharfem Rande auf und die Strecke bis zu der kleinen Oeffnung zeigt eine glatte, blaßrote Oberfläche, etwas tiefer gelegen als die angrenzende Schleimhautoberfläche. Wie die mikroskopische Untersuchung zeigt, fehlt in dieser Gürtelzone die Schleimhaut vollständig; es liegt die sehr stark zellig infiltrierte Submucosa frei zu Tage. Von Carcinom ist nirgends etwas nachzuweisen; auch die exstirpierten Lymphdrüsen sind nicht carcinomatös. Die an den Defekt anschließende Schleimhaut ist zellig infiltriert.

Mit den mitgeteilten Beobachtungen ist, wie ich glaube, vollkommen einwandfrei der Beweis geliefert worden, daß durch Kontusionen des Abdomens, welche die Magengegend betreffen, Verletzungen der Magenwand entstehen können, welche in relativ kurzer Zeit zu schweren Formen ausgedehnter Gechwürsbildung und zu hochgradigen Narbenstrikturen führen, und zwar bei Menschen, welche bis zum Moment der Verletzung stets kerngesund gewesen sind und insbesondere niemals an Verdauungsstörungen irgendwelcher Art gelitten haben. Besonders verhängnisvoll sind die ausgedehnten und zuweilen cirkulären Geschwüre dann, wenn sie die enge Pars pylorica oder den Pylorus selbst einnehmen, wenn also die von außen einwirkende Gewalt gerade die Pförtnergegend gequetscht hat; dann kann sich leicht im Verlaufe der Krankheit eine Narbenstriktur bilden, welche sogar bis zu einem absoluten Verschlusse des Pylorus führen mag.

1) Vergl. Beiträge zur klin. Chirurgie, Bd. 15.

Die beiden Präparate zeigen, daß es sich bei diesen Geschwüren um vollständige Defekte der Mucosa bis auf die Submucosa handelt; ob erstere infolge der Verletzung zerrissen oder nur von ihrer Unterlage abgelöst war und hinterher nekrotisiert und verdaut wurde, mag unentschieden bleiben. Das letztere scheint mir aber schon deswegen das viel Wahrscheinlichere zu sein, weil damit das klinische Krankheitsbild am einfachsten erklärt wird; vor allem die relativ geringen Anfangserscheinungen gleich nach dem Trauma, der Mangel des Erbrechens und speciell des Bluterbrechens und die allmähliche Steigerung der Symptome im weiteren Verlaufe.

Die optimistische Auffassung von Rehn, daß man die Magenschleimhaut „ablösen, quetschen, ausschneiden, in großen Stücken resezieren" könne, ohne daß ein Ulcus eintrete, möchte ich nach diesen meinen Beobachtungen jedenfalls nicht ohne weiteres als richtig gelten lassen. Es wird doch gut sein, wenn man den Befund, welchen die Abbildungen der beiden Präparate meines Erachtens recht hübsch illustrieren, gelegentlich sich vor Augen hält und auch bei unserem operativen Handeln am Magen möglichst zarte Behandlung der Schleimhaut sich zur Pflicht macht.

Wie häufig solche traumatischen Ulcera und Stenosen nach Kontusionen des Magens entstehen, läßt sich heute nicht annähernd sicher beurteilen. v. Leube hat in jahrelanger Beobachtung und sicherlich bei großem Material nie eine solche Beobachtung machen können, bis er dann in der kurzen Zeit von 1--2 Jahren 3 Fällen begegnete. Und Eichhorst und ich haben in 12 Jahren 2 mal dieses Krankheitsbild studieren können. Jedenfalls dürften schon diese wenigen, aber sicheren Beobachtungen genügen, um uns zu veranlassen, diesen Verletzungen und ihrem späteren Verlaufe etwas mehr Aufmerksamkeit zu schenken, als es vielleicht bisher geschehen ist. Es ist aber wohl möglich, daß die Unfallgesetzgebung unserer Zeit zur Feststellung der „Endresultate" in solchen Fällen den äußeren Anlaß giebt.

Was die operative Behandlung des traumatischen Ulcus und der traumatischen Stenose des Magens betrifft, so liegt es mir fern, diese wichtige Frage, welche vor allem eine chirurgisch-technische ist, hier eingehend zu erörtern. Ich habe in beiden Fällen der cirkulären Resektion des Pylorus den Vorzug gegeben gegenüber der Pyloroplastik und der Gastroenterostomie, und wegen dieser Wahl seien mir einige Bemerkungen gestattet. In dem letztoperierten Falle war die Resektion ohne weiteres durch den begründeten Verdacht, daß möglicherweise ein Ulcuscarcinom vorliege, geboten und eine Wahl zwischen den verschiedenen anderen Methoden ausgeschlossen. Aber selbst angenommen, daß ich diesen Verdacht nicht gehabt hätte, so würde ich höchst wahrscheinlich in diesem Falle der typischen cirkulären Resektion doch den Vorzug gegeben haben, einmal, weil im Falle des

Gelingens dieser Operation eine vollständige Restitutio ad integrum dadurch erzielt wird und ferner, weil ein solches Gelingen heutzutage doch in viel größere Nähe gerückt ist als beispielsweise noch vor 10 Jahren. Die Gefahr der Pylorektomie in nicht komplizierten Fällen ist heute so wesentlich eingeschränkt worden, daß diese Operation, so weit nur die Mortalitätsfrage in Betracht kommt, mit der Gastroenterostomie wohl konkurrieren kann.

Jeder Chirurg wird aber gerne nach seiner eigenen Erfahrung auf diesem schwierigen Gebiete sich vorwärtsbewegen; denn die Litteraturstatistiken mit ihren Monstrezahlen beweisen herzlich wenig; ja, man möchte die Autoren, welche mit Aufwand ungewöhnlichen Fleißes und Sammeldranges solches Material zusammentragen, ob ihrer Mühe und mit Rücksicht auf das sehr zweifelhafte Ergebnis solcher Arbeit fast bedauern. — So leiten mich auch in dieser technischen Frage zunächst meine persönlichen Erfahrungen, und diese lauten für die Pylorektomie und für den Zeitraum der strengen Aseptik, d. h. seit 1888, recht günstig. Von 24 wegen Carcinom ausgeführten Resektionen resp. Exstirpationen des Magens der Jahre 1888 bis 1899 (Februar) starben 4, während 20 heilten (Mortalität also wie 1:6). — Ich glaube nicht, daß die Erfahrungen für die Gastroenterostomie günstiger lauten.

In dem erstoperierten Falle, der noch in das Jahr 1887, also in die Zeit der Sublimatantiseptik, fällt, lagen die Dinge wesentlich anders. Pat. war aufs höchste entkräftet, ja fast verhungert, und die Pylorusgegend innig mit der Umgebung, besonders mit der Leber, verwachsen. Heute würde ich in solchem nach zwei Richtungen sehr bedenklichen Falle ohne Besinnen auf die cirkuläre Resektion der Pars pylorica von vornherein verzichten und die Gastroenterostomie als die rebus sic stantibus beste und gefahrloseste Operationsmethode zur Anwendung bringen: die gereiftere Erfahrung lehrt individualisieren!

Frommannsche Buchdruckerei (Hermann Pohle) in Jena. — 1917

# XVI.

# Ueber Bedeutung und praktischen Wert der Prüfung der Fussarterien bei gewissen, anscheinend nervösen Erkrankungen.

Von

**W. Erb**, Heidelberg.

Vor kurzem habe ich in der Deutsch. Zeitschr. f. Nervenheilkunde (Bd. XIII, 1898, S. 1—76) eine größere Arbeit über das sog. „intermittierende Hinken" veröffentlicht.

Name und Begriffsbestimmung dieses eigentümlichen Symptomenbildes beim Menschen stammen von CHARCOT, der in einem höchst prägnanten Falle schon vor langer Zeit (1858) den Nachweis lieferte, daß dasselbe — ähnlich wie bei Pferden, bei welchen dies die Tierärzte schon früher konstatiert hatten — auf einer Obliteration der großen Arterienstämme der unteren Extremitäten beruhen könne. CHARCOT hat die Sache auch in späteren Publikationen wiederholt besprochen und in verschiedenen Fällen konstatiert, daß auch Erkrankungen, Verengerungen und Obliterationen der kleineren Arterienstämme dabei zur Beobachtung kommen.

Das Krankheitsbild ist in den typischen Fällen ein höchst charakteristisches; es besteht im wesentlichen darin, daß die Kranken, die sich in der Ruhe, im Sitzen, Liegen, Stehen vollkommen oder nahezu vollkommen wohl befinden, die auch beim Beginn des Gehens nicht die leiseste Störung erkennen lassen und sich vollkommen normal bewegen, nach kürzerem oder längerem Gehen (nach 5—10—20—30 Minuten) Störungen sensibler, vasomotorischer und motorischer Natur (Kribbeln, Bitzeln, Kältegefühl, Spannungsgefühle, Schmerz — Kälte, Cyanose, Blaßwerden, „Absterben" — Krampf, Steifheit, Bewegungsunfähigkeit) in einem oder beiden Füßen, Waden, Unterschenkeln und selbst in den Oberschenkeln bekommen, welche nach kurzer Zeit das Gehen unmöglich machen und die Kranken zum Ausruhen zwingen; nach kurzer Ruhe (im Stehen, Sitzen oder Liegen) verschwinden alle diese Störungen, um mit der Fortsetzung des Gehens alsbald wieder aufzutreten, so daß die Kranken nur mit immer sich wiederholenden Ruhepausen weitergehen können.

Diese „intermittierende Gehstörung“ (Hinken) kann sehr hohe Grade erreichen, sich mehr und mehr steigern, so daß die Kranken nicht selten ganz hilflos werden.

In gar nicht so seltenen Fällen gesellen sich über kurz oder lang kleine Entzündungen an den Zehen und Füßen hinzu, die einen üblen Charakter annehmen, Neigung zum Gangränescieren zeigen und schließlich — und darin liegt die große praktische Wichtigkeit der Sache — zu der spontanen Gangrän der Chirurgen sich entwickeln.

In meiner oben erwähnten Arbeit habe ich nun auf Grund meiner eigenen Beobachtungen und der in der Litteratur mir zugänglichen fremden Kasuistik den strengeren Nachweis zu liefern gesucht, daß dieses typische Symptomenbild nicht ausschließlich und nicht einmal vorwiegend auf Gefäßverstopfung oder Obliteration in den Hauptarterienstämmen beruht, sondern viel häufiger, ja in der Regel, aus weit mehr distal gelegenen Erkrankungen der peripheren Arterien (fast immer einer Arteriitis obliterans) am Unterschenkel und Fuß hervorgeht.

Und ich habe die früher nicht so bestimmt betonte Thatsache festgestellt, daß man diese Arterienerkrankung schon frühzeitig durch eine sorgfältige Untersuchung der Arterien des Fußes und Beines erkennen kann und deshalb die Wichtigkeit einer regelmäßigen und genauen Prüfung der Fußarterien in solchen und ähnlichen Krankheitsformen hervorgehoben.

Bei der Bearbeitung dieses Stoffes habe ich mich so recht eigentlich auf einem „Grenzgebiete“ der inneren Medizin und der Chirurgie bewegt. Schon Charcot hat immer und immer wieder darauf hingewiesen, daß das intermittierende Hinken ein Vorläufer der spontanen Gangrän sei und daß man sich nicht genug vor dieser schweren Komplikation hüten könne, daß es aber auch durch ein rechtzeitiges Erkennen der Krankheit und durch frühes therapeutisches Einschreiten gegen dieselbe wohl möglich sei, diesen schlimmen Ausgang zu verhüten oder doch lange hinauszuschieben.

Fälle dieser Art gehen in der That scharf an der Grenze hin; jeden Augenblick, oft nur durch eine geringe Schädlichkeit dazu getrieben, können sie die Grenze überschreiten und in das Gebiet der

Chirurgie geraten: jeder Erfahrene weiß, daß dann meistens Teile einer Extremität oder ganze Gliedmaßen verloren gehen, ja daß häufig ein noch schlimmerer Ausgang nicht abzuwenden ist.

Es ist nicht selten in die Hände des zuerst konsultierten Arztes — und das ist in der Regel nicht der Chirurg: zu ihm kommen die Kranken doch meist erst dann, wenn bereits gangränescierende Entzündung oder schon vollentwickelte spontane Gangrän eingetreten ist — gegeben, solche „Grenzüberschreitungen“ zu verhüten und die Kranken vor Schlimmerem zu bewahren, wenn er das Leiden richtig erkennt; und dazu gehört, daß er bei dem Symptomenbild des „intermittierenden Hinkens“ und ebenso bei ähnlichen unklaren Beschwerden an den unteren Extremitäten (die gar nicht so selten vorkommen und in ihrer Deutung lange unklar bleiben können) eine genaue und sorgfältige Untersuchung der Fußarterien vornimmt; wenn er sozusagen den Kranken auch „am Fuße den Puls fühlt“! So stereotyp und obligat in der Praxis auch das Befühlen des Radialpulses sein mag, an die „Fußpulse“ wird selten gedacht und noch weniger werden dieselben untersucht — und doch hat diese Untersuchung eine gar nicht zu unterschätzende praktische Bedeutung.

Zur Illustration dessen will ich von meinen eigenen Beobachtungen vier kurz skizzieren: zwei, in welchen die Grenze nach der Seite der Chirurgie hin überschritten wurde, und zwei, in welchen es gelang, für längere Zeit, bis heute, diese drohende Grenzüberschreitung zu verhüten.

### Beobachtung 1.

Die erste betrifft einen Referendar, M. C. aus Rußland (Beob. 4 meiner citierten Arbeit, auch von Goldflam[1]) bereits beschrieben), der niemals Syphilis hatte, aber übermäßigem Tabaksgenuß ergeben war.

Er erkrankte, 31 Jahre alt, im Jahre 1889, indem er beim Gehen einen dumpfen Schmerz in der Wade fühlte; langsame Verschlimmerung; der zunehmende Schmerz verhindert das weitere Gehen, nach kurzem Ausruhen ist die Sache wieder gut. — Häufig auffallende Anämie und Kälte des rechten Fußes, er wird „wie ein Leichenfuß“; das linke Bein ist angeblich etwas schwächer geworden.

Die objektive Untersuchung im Juni 1890 ergiebt an den Beinen, außer Steigerung der Sehnenreflexe, inbezug auf das Nervensystem nichts Abnormes; Sensibilität und Motilität normal. Gelenke und Nerv. ischiad. frei, „an beiden Füßen sind keine Arterien fühlbar“; die Füße werden bei der Untersuchung vorübergehend ganz blaß. (Nauheim, Jodpinseln am Rücken, Arg. nitr., Kal. jodat.)

1891: Deutliche Besserung; Schmerz und Cirkulationsstörung geringer; Anämie und Kälte des Fußes treten nicht mehr auf, dagegen sei das

1) Goldflam, Ueber intermittierendes Hinken und Arteriitis der Beine. Deutsche med. Wochenschr., 1895, No. 36.

Gehen nicht viel besser: Pat. kann nicht mehr als einige Hundert Schritte gehen, ohne Schmerzen zu bekommen und stehen bleiben zu müssen. Objektiv derselbe Status; keine Pulse an den Fußarterien fühlbar.

1892: Wechselndes Befinden; im Frühjahr eine Art Lymphangitis am r. Bein; das Marschieren geht etwas besser; Kälte und Anämie des Fußes treten nicht mehr auf; die Arterien am l. Fuß sind jetzt deutlich fühlbar, die am rechten noch nicht. (Schlangenbad; Besserung.)

1893, Febr.: Onychia und Paronychia an der r. großen Zehe; März: Operation des Nagels der großen Zehe; Caries der 1. Phalanx; Elimination eines nekrotischen Knochenstückes. — Juni: Gangrän der Zehen des r. Fußes; hohes Fieber; gangränescierende Phlegmone des r. Fußes, Lymphangitis am ganzen r. Bein, Schwellung der Leistendrüsen, rasende Schmerzen. 16. Juni: Amputation im unteren Drittel des Oberschenkels! man findet nicht nur die Art. dorsalis pedis und Tibial. postica, sondern auch die Femoralis vollständig obliteriert, mit hochgradiger Endarteriitis obliterans. — Langwierige und schwere Rekonvalescenz, größte Lebensgefahr, schließlich aber doch völlige Genesung.

Letzte Nachricht vom Nov. 1897: Pat. ist seit der Operation vollkommen gesund, hat sich 1896 verheiratet und ist 1897 Vater von gesunden Zwillingskindern geworden.

Beobachtung 2.

Der zweite Fall betrifft einen russischen Großkaufmann, A. E., 56 J. alt, den ich zum ersten Male im Juli 1897 sah (s. Beob. 8 in meiner Arbeit!) Er hat früher Syphilis gehabt, reichlich gelebt, gegessen, getrunken, sehr stark geraucht, sehr häufig Erkältungsschädlichkeiten erlitten, und seit langer Zeit mehr oder weniger erhebliche Glykosurie gehabt; keine Gicht.

Klagt besonders über Schmerzen in den Waden beim Gehen, die ihn nach kurzer Zeit verhindern, weiter zu gehen (außerdem nur arteriosklerotische Beschwerden). — Objektiv finden sich die Beine in jeder Beziehung (Motilität, Sensibilität, Reflexe, Muskelernährung) normal; aber der Puls ist in keiner der 4 Fußarterien fühlbar; auch in der r. Femoralis nicht. (Natr. jodat., warme Fußbäder, Frottieren, Galvanisieren.)

Aug. 1897: Entzündung im Bereich der 4.—5. Zehe rechts; Ulceration der einander zugekehrten Flächen; Heilung der kleinen Zehe; an der 4. entwickelt sich Caries; Ende Jan. 1898 muß die Exartikulation der 4. Zehe gemacht werden; Heilung sehr langsam. — Die mikroskopische Untersuchung ergiebt in fast allen kleinen Gefäßen (Arterien und Venen) der abgenommenen Zehe hochgradige Veränderungen — Endarteriitis und Endophlebitis obliterans.

Diesen beiden Fällen, in welchen das intermittierende Hinken als Vorläufer der spontanen Gangrän erschien, stelle ich die beiden folgenden gegenüber, welche die gleichen Symptome in typischer Weise darboten, aber sehr erheblich gebessert wurden und bis heute frei von bedrohlichen Erscheinungen geblieben sind.

Beobachtung 3.

Der erste betrifft den Kranken, der den Ausgangspunkt meiner größeren Arbeit bildete und dessen Geschichte dort in extenso (Beob. 1) wiedergegeben ist; ich gebe nur eine kurze Skizze des sehr beachtenswerten Falles:

54jähr. Herr; erste Untersuchung im Juni 1897. 1870 Syphilis; erst 1872 gründliche Hg-Kur in Aachen; seitdem frei von Symptomen. — Vor langer Zeit etwas Alkoholabusus (Bier); enorm starkes Rauchen, Jahrzehnte hindurch. — Unglaublich starke und lange fortgesetzte Erkältungsschädlichkeiten: 5 Jahre lang (1890—95) täglich kalte „Schenkelgüsse", besonders auf die Unterschenkel, unsinniges Fischen in kalten Gebirgswässern, Durchnässungen aller Art etc. — Gelegentlich noch Berufsüberanstrengungen. — 1880: Neurasthenie. — 1889: angeblich Phlebitis beider Beine, die wieder abheilt und nur mäßig erweiterte Venen zurückläßt.

Seit 1895 — bei den Fischtouren — vorübergehendes „Schwerwerden" der Beine, das nach kurzer Ruhe verschwindet. Allmählich entwickelt sich nun im Laufe des folgenden Jahres das typische Bild des „intermittierenden Hinkens" in geradezu klassischer Weise: schließlich treten schon nach 5 Min. Gehens starkes Ermüdungsgefühl, stechender Schmerz in der Wade, Wadenkrampf, Parästhesien in den Zehen auf; nach kurzer Pause ist das verschwunden, um dann pünktlich nach weiteren 5 Minuten Gehens wiederzukehren.

Die verschiedensten Kuren bleiben erfolglos; das Leiden wird immer schlimmer: es treten ausgesprochen vasomotorische Störungen, „Absterben" der Zehen, Cyanose, Kälte der Füße auf; die Gehfähigkeit wird immer mehr vermindert, die zur Erholung nötigen Ruhepausen werden länger. Auch nachts treten gelegentlich Wadenkrämpfe und Krampf in den Fußsohlen auf. Dabei ist immer beim Beginn des Gehens die Motilität vollkommen frei uud ohne jede Beschwerde: Pat. kann tanzen, springen, die Treppe hinauflaufen — nach 3—5 Min. ist das vorbei und wenn er das Gehen fortsetzt, muß er nach wenig Minuten in voller Erschöpfung und Unfähigkeit zu weiterem Gehen innehalten; nach 5 Min. Ruhe ist wieder alles vorüber.

Im übrigen ist der Mann ganz frei von Beschwerden (abgesehen von einer mehr oder weniger hervortretenden Neurasthenie). Die Untersuchung ergab Kälte und leichte Cyanose der Unterschenkel und Füße, ohne große Phlebektasien; in allen vier Fußarterien (Pediaeae und Tibiales post.) keine Spur von Puls zu finden; ebensowenig in den Popliteis; in den Crurales war der Puls deutlich. (Ordin.: Jodkalium, Nauheim, warme Fußbäder.)

Mäßige Besserung im Laufe des Sommers 1897. Anfang Oktober tritt Pat. in meine Klinik zur eingehenden Untersuchung und Behandlung ein: Die subjektiven Beschwerden im wesentlichen die gleichen: typisches „intermittierendes Hinken". Objektiv: Herz etwas erregbar, Töne rein, aber leise; Puls immer über 100 (—108); Radiales weich, nicht geschlängelt; auch in den Carotiden, Temporales, Brachiales und Crurales keine Zeichen von Arteriosklerose Rigidität oder dergl. — Puls in den Popliteis beiderseits sehr schwach fühlbar, in beiden Pediaeis und Tibiales post. absolut nicht zu finden.

In der Haut der Beine zahlreiche kleine und kleinste erweiterte Venen, keine größeren Varikositäten. Unterschenkel und Füße kalt, Zehen in der Bettlage eher blaß, bei kurzem Herabhängen der Füße cyanotisch. — Nervensystem — speciell die Sensibilität, Motilität, Koordination, Haut- und Sehnenreflexe an den Beinen — vollkommen normal. Nach einigem Gehen werden die Füße deutlich cyanotisch, zeigen sonst keine erhebliche Veränderung; ab und zu Blaßwerden einzelner Zehen.

Behandlung: Kal. jodat. (2,0—3,0 pro die); galvanische Fußbäder: Warmhalten der Füße; Erhöhung des Blutdrucks durch Herztonica (Strophanth.); mäßige, vorsichtig gesteigerte Bewegungen und Gehübungen.

Das Resultat war ein erstaunlich günstiges: Die Besserung schritt vom Tage der Behandlung an kontinuierlich fort. Pat. lernte mehr und mehr ohne Beschwerden gehen, anfangs nur ca. 1 Stunde täglich, in 7 Abteilungen; dann bis zu 3 Stunden täglich, in Abteilungen von 15—20 Min. Dauer; endlich bis zu $4^1/_2$ Stunden täglich, mit Steigerung der Einzelleistungen (ohne Ruhepausen) auf 25—30 Min. Der Schritt wird flotter, die Beschwerden in den Beinen treten zwar immer noch auf, verschwinden aber nach kurzer Pause sofort. — Wichtiger aber erschien noch, daß der Puls in der Pediaea dextr. am 10. Nov. wieder zweifellos gefühlt werden konnte; am 1. Dez. auch der in der Tibial. post. dextr. und am 4. Dez. auch der Puls in der Pediaea sin., wenn auch sehr schwach; der in der Tib. post. sin. blieb dauernd verschwunden. — Die Frequenz der Herzaktion sank auf 90—96, später auf 84—90 in der Minute, der Radialpuls wurde entschieden kräftiger.

Vor Weihnachten konnte Pat. entlassen werden, blieb jedoch bis heute (Dez. 1898) unter meiner Kontrolle und Beobachtung.

Es trat im Laufe dieses Jahres (bei fortgesetzter Behandlung mit Kal. jodat., abwechselnd mit Pilul. tonic., periodisch Strophanthus, warmen Salzfußbädern, fortgesetzten Gehübungen etc.) eine langsam fortschreitende Besserung ein. Pat. lernt allmählich 40—60 Min. ohne jede Pause und ohne jede Beschwerde gehen, und zwar in flotterem Schritt wie früher; befindet sich andauernd wohl, giebt jedoch an, daß er bei raschem Gehen und bei etwas ansteigendem Terrain noch immer Beschwerden, wenn auch mäßigen Grades, bekomme (Spannung in den Waden, Ermüdungsgefühl in den Oberschenkeln etc.).

Objektiv hatte sich im Herbst 1898 nicht viel geändert; die Fußpulse waren eher wieder undeutlicher geworden, die kleinen ektasierten Venen an den Unterschenkeln eher zahlreicher; aber die Füße warm, nicht cyanotisch. Ich hielt es deshalb für geboten, im Hinblick auf die zweifellos vorhandene Endarteriitis obliterans und die früher überstandene Syphilis, noch eine Hg-Kur machen zu lassen; Pat. trat wieder in die Klinik ein (6. Okt.) und machte eine Inunktionskur von 30 Einreibungen à 4,0 durch, nahm außerdem etwas Strophanthus und galvanische Fußbäder wie früher.

Das Resultat war wieder — besonders für die Funktion und das subjektive Wohlbefinden des Kranken — ein höchst erfreuliches: Pat. machte jetzt neben seinen regelmäßigen Gehübungen auf ebenem Terrain (wobei er nun 60—70 Min. anhaltend, ohne Beschwerden, in mittlerem Tempo ging) auch Versuche mit rascherem Gehen und mit Gehen auf ansteigenden Wegen (neue Schloßstraße) und machte auch hierin sehr erhebliche Fortschritte: anfangs stieg er nur je 5 oder 6 oder 7 Min.

hintereinander, dann immer mehr, und brachte es schließlich (vom 14.—18. Nov.) auf 50—55 Min. anhaltenden Steigens (ohne Pause) auf ziemlich ansteigendem Fahrweg; die Gesamtleistung im Gehen stieg bis gegen 5 Stunden täglich.

Die Hg-Kur wurde sehr gut ertragen, schloß mit einer Gewichtszunahme von 1,5 kg ab; die Herzaktion war kräftiger, die Pulsfrequenz bewegte sich zwischen 84 und 96; Füße und Unterschenkel sind warm; die Fußpulse waren in den Pediaeis meist deutlich, in den Tibial. post. niemals mit voller Sicherheit fühlbar; in den Pobliteis schwach.

Pat. wurde am 19. Nov. mit der Verordnung weiteren, periodischen Jodkaliumgebrauchs (für je 3 Wochen, gleichzeitig mit etwas Strophanthus) abwechselnd mit Pilul. ton. (je 6 Wochen) und warmer Fußbäder mit leichtem Frottieren der Füße entlassen.

Seither — Jan. 1899 — eingelaufene Berichte lauten durchaus günstig.

Dieser interessante Fall — ein geradezu klassisches Paradigma des intermittierenden Hinkens auf Grund von Gefäßalteration — in welchem ganz gewiß die Gefahr einer spontanen Gangrän der Zehen eine ganz imminente war, lehrt zugleich, wie durch passendes Verhalten und geeignete Behandlung diese Gefahr beschworen, das Leiden gebessert und die Leistungsfähigkeit der Kranken wieder hergestellt werden kann.

Ein ähnlicher, wenn auch viel leichterer Fall, ist der folgende, der dadurch bemerkenswert ist, daß sein Bruder (s. o. Beob. 1.) dasselbe Leiden hatte und es bis zur spontanen Gangrän sich entwickeln sah.

Beobachtung 4.

Herr M. C., Rechtsanwalt aus Rußland (Beob. 5 meiner citierten Arbeit, 46 Jahr alt, beobachtet im August 1895. — Nie Syphilis; kein Alkoholmißbrauch, aber vom 15. Jahre an übermäßiges Tabakrauchen; hat viel gearbeitet, ist nervös und reizbar.

Seit ca. 1 Jahr Parästhesien am l. Fuß, im Winter starkes Kältegefühl darin; die Zehen werden blaß und kalt beim Gehen, wohl auch beim Sitzen; bei längerem Gehen Ermüdung; in der Ruhe und Wärme hört das alles auf. — Neuerdings auch der r. Fuß affiziert. Keine Zuckungen, keine Schmerzen in den Beinen.

Objektiv: Arteriosklerose; rechte Temporalis auffallend geschlängelt; Verstärkung des 2. Aortentons. Am r. Fuß der Puls in beiden Arterien wohl deutlich zu fühlen, aber sehr kleiu; am l. Fuß fehlt der Puls in der Pediaea, ist in der Tibial. postica noch zu fühlen.

Die Diagnose lautete auf Arteriosklerose, besonders in den Fußarterien; vasomotorische Neurose. Daß es hier wohl sicher nach einiger Zeit zum intermittierenden Hinken gekommen wäre und daß hier wie bei dem Bruder die Gefahr der spontanen Gangrän sehr nahe lag, liegt auf der Hand.

Es wurde das Rauchen verboten, periodischer Gebrauch von Jodnatrium, warme Moorumschläge etc. verordnet. — Nach einer Mitteilung des behandelnden Arztes vom Herbst 1897 befindet sich Pat. wieder ganz wohl; er kann weite Strecken ohne Ermüdung zurücklegen und hat keinerlei Störung mehr in den Beinen.

---

Die vorstehenden, aus zahlreichen ähnlichen Beobachtungen ausgewählten Fälle illustrieren hinreichend die Thatsache, daß mancherlei nervöse und vasomotorische Störungen, besonders aber das charakteristische intermittierende Hinken lange Zeit dem Auftreten der so wichtigen und bedenklichen spontanen Gangrän vorausgehen können; daß sie ein sehr ernstes „Memento" sind für den kundigen Arzt, dem es dann unter Umständen gelingen wird, durch ein rechtzeitiges Eingreifen das drohende Unheil zu verhüten, während dem Unkundigen leicht die Gefahr der Situation entgeht oder sogar von ihm durch unzweckmäßige Maßnahmen (Kälteapplikationen, elastische Binden, unzweckmäßige Massage, forcierte Bewegungen) noch ge steigert wird.

In allen 4 Fällen wurde als ein sehr bedeutungsvolles Zeichen das Kleinersein oder gänzliche Fehlen des Pulses in einzelnen oder allen Fußarterien konstatiert, temporär oder dauernd. Es konnte damit direkt die Anwesenheit von arteriosklerotischen Veränderungen an den Fußarterien festgestellt werden. Dabei war es gar nicht nötig, daß etwa an den übrigen Körperarterien (den Radiales, Temporales, Carotiden) regelmäßig dieselben Veränderungen zu konstatieren waren, obgleich diese ebenfalls in einem Teil der Fälle vorhanden sind. — Wichtig und wesentlich für die Entstehung der spontanen Gangrän ist eben doch nur die lokale Endarteriitis obliterans an den unteren Extremitäten.

Ich glaube, daß sich daraus zur Evidenz die große Wichtigkeit der Prüfung der Fußarterienpulse in allen hierher gehörigen und durch ihre Symptome verdächtigen Fällen ergiebt. Man muß solchen Kranken auch „den Puls am Fuße fühlen". Ich pflege das schon seit lange zu thun, da ich schon früh durch einzelne Beobachtungen auf die Bedeutung der Sache aufmerksam gemacht war; ich glaube aber, der Litteratur entnehmen zu können, daß diese Prüfung von anderen Beobachtern vielfach vernachlässigt wurde; jedenfalls wird in Fällen von intermittierendem Hinken die Beschaffenheit der Fußpulse nur sehr selten erwähnt; erst dann, wenn schon gangränescierende Entzündung vorhanden oder die spontane Gangrän manifest geworden ist, pflegt man die Fußarterien genauer zu untersuchen und in den chirurgischen Beobchtungen über spontane Gangräna ist auch das Fehlen der Fußarterienpulse häufig konstatiert.

Die Sache ist offenbar von großer Bedeutung, speciell in Verbindung mit den Symptomen des intermittierenden Hinkens: findet sich doch das Fehlen der Fußarterienpulse in meinen eigenen 11 Beobachtungen von intermittierendem Hinken nicht weniger als 10 mal vor!

Es ist klar, daß man auf diesem Wege schon frühzeitig schwere Gefäßerkrankungen erkennen kann, auch wenn im übrigen Körper davon vielleicht nichts nachweisbar ist. Da solche Erkrankungen (Arteriitis und Phlebitis obliterans) in derartigen Fällen von intermittierendem Hinken mit nachfolgender spontaner Gangrän nachgewiesen sind (so z. B. auch in den oben mitgeteilten Beobachtungen 1 und 2 von GOLDFLAM und von mir), und zwar sowohl in den Hauptarterien, an welchen man die Fußpulse zu fühlen pflegt, als auch in den tieferen Aesten und in den kleinsten Arterienstämmchen in den Muskeln, den Nervenstämmen, der Haut etc., von welchen offenbar der größte Teil der Symptome abhängig ist, so erhellt daraus ohne weiteres die hohe Bedeutung der Untersuchung der Fußpulse und die Wichtigkeit der dabei sich findenden Anomalien.

Die Methode der Untersuchung der Fußpulse ist ja eine sehr einfache: in horizontaler Lage des Kranken, dessen untere Extremitäten von allen beengenden Kleidungsstücken möglichst frei sein müssen, bei gestreckten Knieen, prüft man mit der Fingerspitze am Fußrücken zunächst die Pediaea und dann hinter dem inneren Knöchel die Tibialis postica; in der Regel fühlt man sofort die gesuchten Arterien deutlich pulsieren; so bei allen möglichen gesunden Individuen, jungen und alten, beiderlei Geschlechts. Etwaige Lageanomalien der Arterien werden in der Regel leicht gefunden, man fühlt den Puls dann an anderer Stelle deutlich; manchmal muß man aber auch lange danach suchen, findet gelegentlich den Puls an einer mehr peripher gelegnen Stelle, an der centraleren nicht und ähnliches. Nicht selten aber, bei schwacher Herzthätigkeit, anämischen Personen, kalten Füßen etc. fühlt man auch den Puls sehr schwer und es ist zeitraubend und mühsam, ihn zu finden, sowohl auf dem Fußrücken wie hinter dem inneren Knöchel; die Pulsation in der eignen Fingerkuppe kann störend sein, doch ist das leicht durch den Vergleich mit dem Radialpuls des Untersuchten auszuschalten. Gelegentlich fühlt man auch die Arterie selbst als harten dünnen Strang, aber pulslos; oder man fühlt den Puls wohl an einer centralen Stelle und sieht ihn gegen die Peripherie zu verschwinden. Der Vergleich mit den Pulsen des anderen Fußes ist natürlich unbedingt notwendig, ev. auch der mit dem Radialpuls oder Carotidenpuls; in pathologischen Fällen soll die Untersuchung der Poplitea und der Femoralis nicht unterbleiben;

auch in diesen finden sich nicht selten Anomalien (s. o. Beob. 2 und 3). In solchen Fällen muß auch zu verschiedenen Zeiten, im warmen Bett, bei künstlich erwärmten Füßen, nach dem warmen Fußbad, nach der Galvanisation, nach etwas angestrengterem Gehen etc. untersucht werden — der zu anderen Zeiten fehlende Puls kann dann vielleicht vorhanden sein.

Das Ergebnis dieser Untersuchung bei dem intermittierenden Hinken und verwandten Krankheitsformen ist nun in der Regel dies, daß sich mehr oder weniger ausgesprochene Anomalien der Fußpulse finden (vergl. darüber meine ausführliche Arbeit!): in einem nicht unerheblichen Teil der Fälle fehlen alle 4 Fußpulse völlig und zu allen Zeiten (gelegentlich auch weiter hinauf noch die Pulse der Popliteae und Femorales); daraus ist nicht ohne weiteres zu schließen, daß diese Arterien etwa sämtlich und vollständig obliteriert wären; würde dies der Fall sein, so müßte doch schon Gangrän bestehen; im Gegenteil — die Abwesenheit derselben läßt darauf schließen (und das ist auch bereits hinreichend durch die mikroskopische Untersuchung solcher Fälle bestätigt), daß keine völlige Obliteration vorhanden sein kann, sondern daß bei sehr erheblicher Wandverdickung der Arterien nur mehr ein so dünner Blutfaden in denselben cirkuliert, daß ein fühlbarer Puls nicht mehr zustande kommt; oder es fehlen einzelne Pulse, auf jeder Seite nur einer, oder auf einer Seite beide, auf der anderen nur einer, u. s. f. in mannigfacher Kombination; dabei können die restierenden Pulse ganz normal oder auch quantitativ verändert sein; am häufigsten ist es wohl, daß bei zunächst einseitigem Leiden die Pulse nur auf einer Seite völlig fehlen; dann giebt es Fälle, in welchen die Pulse nur auf einer Seite schwächer, auf der anderen noch normal sind, entweder in beiden Arterien oder nur in einer derselben; oder man findet den Puls im oberen proximalen Teil der Arterie noch, deutlich oder schwach, und er verschwindet dann im distalen Teil alsbald völlig; oder man fühlt ihn nur noch an einem einzigen Punkte schwach, während er im übrigen Teil der Arterie nicht mehr zu fühlen ist, während auf der anderen Seite normales Verhalten besteht; — endlich können bei völliger Pulslosigkeit die Arterien selbst doch noch als deutliche, rigide, drahtartige Stränge gefühlt werden, in welchen bei späterem günstigen Verlauf (wie in dem oben geschilderten Falle 3) auch wieder ein schwacher Puls zum Vorschein kommen kann.

Alle diese mannigfaltigen Erscheinungsformen an den Fußpulsen deuten jedenfalls darauf hin, daß die Arterien erkrankt sind, mehr oder weniger hochgradige Veränderungen, Wandverdickung, Verengerung ihres Lumens, Obliterationen und dergl. darbieten müssen.

Natürlich gewinnen aber diese Befunde erst dann ihre wahre Bedeutung, wenn man die normalen Verhältnisse kennt und berücksichtigt und wenn man dadurch die Gewißheit erlangt, daß der erhobene Befund auch in der That als pathologisch anzusehen ist.

Es ist also vor allen Dingen die Frage zu prüfen, ob die 4 Fußarterienpulse bei gesunden Menschen regelmäßig zu finden sind und unter welchen physiologischen oder pathologischen Umständen sie etwa fehlen können.

Schon in meiner citierten Arbeit bin ich dieser Frage näher getreten und habe mich bemüht, durch fortgesetzte Untersuchungen bei vielen Personen: Gesunden, leicht und schwer Erkrankten jeder Art, festzustellen, ob die 4 Fußpulse leicht und regelmäßig unter annähernd normalen Umständen zu finden sind, und wie oft von denselben etwa einzelne, oder mehrere oder alle fehlen können und wie besonders Erkrankungen der Cirkulationsorgane (Herzfehler, Myodegeneratio cordis, Arterioklerose, venöse Stauungen und dergl.) auf das Vorhandensein oder Fehlen derselben wirken. Die Zahl der dort angegebenen 700 untersuchten Personen hat sich seitdem um einige Hunderte vermehrt, aber die aus jenen Beobachtungen gezogenen Schlüsse sind im wesentlichen dieselben geblieben, so daß ich auf alle Details hier nicht wieder einzugehen brauche.

Wie ich dort ausgeführt habe, sind natürlich Fälle mit schweren Störungen des Blutdrucks durch Herzerkrankungen, Lungenemphysem, mit hochgradigen Oedemen, Elephantiasis, Hautverdickung durch Ekzeme, Varicen etc., endlich wohl auch Fälle mit hochgradiger allgemeiner Arteriosklerose von dieser Statistik auszuschließen.

Außerdem war herausgekommen, daß die Untersuchung an ambulatorischen Kranken — aus leicht ersichtlichen Gründen — weniger zuverlässige Ergebnisse lieferte, als bei den Kranken der stationären Abteilungen. Ich habe deshalb die Untersuchung nur auf den stationären Abteilungen fortsetzen lassen und bin meinen Herrn Assistenten für die Weiterführung derselben dankbar verpflichtet.

Es sind bis jetzt — ausschließlich der schon früher mitgeteilten — weit über 1000 Fälle untersucht; wenn ich davon die 320 Fälle aus den Ambulatorien abziehe, so bleiben noch 755 Fälle von den stationären Abteilungen übrig; nach Abzug von 5 Fällen, in welchen überall hochgradige Oedeme durch Myocarditis, Herzschwäche, Nephritis mit Urämie, Emphysem etc. für das Fehlen aller 4 Fußpulse verantwortlich zu machen waren, bleiben also 750 Fälle. Dieselben betreffen Individuen im Alter von 2—76 Jahren, beiderlei Geschlechts, mit den verschiedensten akuten oder chronischen, leichten und schweren Krankheiten behaftet, von allen Abteilungen meiner Klinik.

Unter diesen 750 Fällen fand sich keiner, bei welchem alle 4 Fußpulse gefehlt hätten und nur 5, bei welchen einzelne derselben fehlten und zwar 2mal in beiden Tibiales post. (bei einer jugendlichen Chlorotischen und bei einem 63-jährigen Mann mit Gastroptose), 2mal in beiden Arterien des linken Fußes (bei einem 19-jährigen Phthisiker und bei einem älteren Manne mit Bronchitis) und endlich 1mal in beiden Pediaeis (bei einem 63-jährigen Emphysematiker mit Oedemen).

In allen übrigen Fällen wurden die sämtlichen 4 Fußpulse — wenn auch manchmal nur mit einiger Mühe — gefunden.

Das Ergebnis dieser Untersuchung an stationären Kranken bekräftigt also noch entschiedener, als ich es seiner Zeit aussprechen konnte, den Satz: „daß bei Leuten jeglichen Alters und beiderlei Geschlechts, die nicht gerade an erheblicher Arteriosklerose, an schweren Herzstörungen. Oedemen oder groben Anomalien in der Haut der Füße leiden, die Pulsation der Fußarterien ganz regelmäßig, mit fast völliger Konstanz zu fühlen ist" — d. h. in mehr als 99 Proz. der Fälle!

Es ergiebt sich daraus ohne weiteres, daß das Fehlen einzelner oder aller Fußarterienpulse fast überall als pathologisch anzusehen ist ausgenommen in den — im ganzen doch auch sehr seltnen — Fällen, wo Arterienvarietäten vorliegen, die aber auch wohl zu entdecken sind). Daß die Fußpulse fehlen werden bei hochgradigen Oedemen, bei schweren Hauterkrankungen (Sklerodermie, Elephantiasis, chronischen Ekzemen etc.), bei vielen Herzkrankheiten, bei Emphysem mit darniederliegender Cirkulation etc., ist selbstverständlich. Wenn jedoch alle diese, an sich leicht zu erkennenden Krankheiten nicht vorhanden sind, gestattet das Fehlen der Fußpulse zunächst den Schluß, daß lokale Veränderungen in den Arterien vorhanden sein müssen. Dieselben können zunächst in der bei alten Leuten so häufigen Form der Rigidität und Verkalkung der Gefäßwandungen (Atherom) erscheinen und haben dann, wie mich verschiedene Beobachtungen — von welchen ich eine sehr drastische in meiner Arbeit als Beobachtung 12 mitteilte — gelehrt haben, nicht immer eine sehr erhebliche Bedeutung; meist pflegt dieselbe Affektion dann weit über die Körperarterien verbreitet, an den Radiales, Carotides, Temporales nachweisbar zu sein.

Ist auch diese Erkrankung ausgeschlossen, so kann mit großer Sicherheit, besonders wenn es sich um jüngere Individuen handelt, eine andere Form der Arteriosklerose — die Arteriitis oder Endarteriitis obliterans — angenommen werden; das ist wegen der schweren Folgen, welche dies Leiden nach sich zu ziehen pflegt, eine sehr wichtige

Schlußfolgerung. Die meisten mit diesen Leiden behafteten Individuen stehen unter der Gefahr der Entwickelung spontaner Gangrän mit allen ihren traurigen Konsequenzen.

Besonders die Chirurgen, die mit diesem unerfreulichen Zustand öfter zu kämpfen haben, werden es zu schätzen wissen, wenn man das Herannahen desselben frühzeitig erkennen lernt und dadurch in die Lage versetzt wird, dem ersten Auftreten der Gangrän vorzubeugen, oder dasselbe doch für längere Zeit hinauszuschieben.

Ich hielt es deshalb für geboten, auch an dieser Stelle eindringlich auf das so häufige Vorkommen der Endarteriitis obliterans gerade an den unteren Extremitäten hinzuweisen und einige Punkte hervorzuheben, welche das frühzeitige Erkennen derselben erleichtern.

Wenn man es in allen Fällen, wo Kranke mit zunächst unbestimmten nervösen Beschwerden an den Füßen und Unterschenkeln — mit Schmerzen, Parästhesien, Spannungsgefühlen in den Waden und Füßen, mit Kältegefühl, raschem Ermüden zum Arzt kommen, oder wo sie über ausgesprochene vasomotorische Störungen: Kälte, Erblassen, „Absterben" der Zehen, oder abnorme Röte bezw. Cyanose derselben mit prickelnden Empfindungen klagen, wo diese vasomotorischen Störungen vielleicht auch direkt zu sehen sind, sich besonders bei Bewegungen, bei längerem Gehen, bei kühler Witterung oder in fußkalten Räumen einstellen — oder wenn gar das Symptomenbild des „intermittierenden Hinkens" in seinen Anfängen oder schon in voller Ausbildung sich präsentiert, wenn man es in solchen Fällen nicht unterläßt, den Kranken „den Puls am Fuße zu fühlen", die Fußarterien genau auf ihr Verhalten und ihre Pulsationen zu prüfen, so wird man gar nicht so selten die Endarteriitis obliterans auch schon in frühen Entwickelungsstadien erkennen können; und nicht selten wird man sie dann in ihrem verderblichen Weiterschreiten aufzuhalten vermögen.

Es wird von Nutzen sein, dabei auch einige Rücksicht auf die ätiologischen Momente zu nehmen, welche die Diagnose stützen können. Ich habe loc. cit. nachgewiesen, daß dabei neben dem Alkoholmißbrauch und der Syphilis, deren notorische Einwirkung auf die Gefäße ja wohl feststeht, besonders der übermäßige Tabaksgenuß und grobe, oft wiederholte Erkältungsschädlichkeiten, die lokal auf die Füße einwirken (Durchnässungen der Füße, Waten im kalten Wasser beim Fischen, unsinnige „Fußgüsse" bei Kneippkuren, Schlittenreisen in strenger Winterkälte, russisches Klima u. dgl.) zu beschuldigen sind; um so mehr und sicherer, wenn mehrere von diesen Schädlichkeiten zusammenwirken. — Ob Diabetes und Gicht dabei einen besonderen Einfluß haben, steht dahin — sie scheinen mir eher Koeffekt derselben Schädlichkeiten zu sein, welche auch die Gefäßerkrankung bedingen.

Uebrigens dürfen sie ebensowenig wie die zuerst genannten Schädlichkeiten bei der Therapie dieser Gefäßerkrankungen unberücksichtigt bleiben. Diese Therapie ist zugleich die Prophylaxe der spontanen Gangrän und als solche von nicht geringer Wichtigkeit auch für den Chirurgen; es mögen mir deshalb auch darüber noch einige Worte gestattet sein, unter Hinweis auf das in meiner größeren Arbeit Gesagte!

Hauptsache ist natürlich die Ausschaltung aller ursächlichen Schädlichkeiten: gründliche Behandlung der Syphilis (mit Hg und JKa), Reduktion des Alkohol- und Tabakgenusses, Beseitigung aller thermischen Schädlichkeiten, diätetische Behandlung von Gicht und Diabetes; endlich Beseitigung von allen Schädlichkeiten, welche eine Reizung der Gefäße und stärkere vasomotorische Wirkungen im Gefolge haben könnten (energische Kaltwasserprozeduren, Barfußlaufen im nassen Gras oder am Seestrand, sehr heiße Fußbäder, Senffußbäder, energische Massage, forcierte Gymnastik, Märsche etc.; Vermeiden von Thee, Kaffee und starken Gewürzen in der Diät, von vasomotorisch wirkenden Medikamenten — Ergotin, Digitalis etc. — in der Behandlung).

Zur direkten Bekämpfung des Gefäßleidens sind in erster Linie Jodkalium oder -natrium in kleinen Dosen längere Zeit zu geben, mit entsprechender Diät (viel Milch, grüne Gemüse, vorwiegend weißes und frisches Fleisch, Fische, Geflügel, Eier etc.); — weiterhin ist die Applikation milder Wärme (aber nicht der Hitze!) in Form von Fußbädern, Einwickelungen, Priessnitz-Umschlägen, guter Bedeckung im Bett u. dgl.; zweifellos nützlich; — ebenso auch der galvanische Strom mit seiner direkt gefäßerweiternden und hautrötenden Wirkung, in Form von galvanischen Fußbädern, Applikation der Anode stabil auf Nervenstämme, Plexus und Lendenmark, von labiler Kathodenanwendung auf Haut und Muskeln.

Hebung der Herzkraft und des Blutdruckes (besonders durch Strophanthus, ferner durch allgemeine Tonica etc.) kann diese Maßregeln unterstützen.

Besondere Vorsicht aber erheischt die Regulierung der Bewegung der Kranken und des Gebrauchs ihrer Beine. In allen schwereren Fällen ist die schon von Charcot empfohlene längere Ruhe, vollkommenes Stillliegen, zu empfehlen. Erst wenn Besserung da ist oder in leichteren Fällen darf man zu vorsichtig, allmählich gesteigerten Gehübungen raten; in meinem oben (sub 3) mitgeteilten Fall wurde damit ein geradezu glänzendes Resultat erzielt.

Bei den geringsten Verletzungen, Schrunden, Rhagaden, Entzündungen, Frostbeulen u. dgl. an den Füßen ist die sorgfältigste chirurgische, desinfizierende und antiseptische Behandlung dringend angezeigt.

Es ist nicht zu bezweifeln, daß auf diese Weise in manchem Falle eine glückliche Wendung herbeigeführt und schwerem Unheil für die Kranken vorgebeugt werden kann und die Chirurgen werden es am wenigsten beklagen, wenn auf diese Weise das für sie so wenig erfreuliche Grenzgebiet der spontanen Gangrän etwas eingeengt wird.

Heidelberg, Februar 1899.

Aus der chirurgischen Universitätsklinik in Heidelberg.



# XVII.
# Ueber tuberkulöse Lymphome und ihr Verhältnis zur Lungentuberkulose.

Von
**Edwin Blos,**
Arzt in Karlsruhe.

---

### Zur Geschichte der tuberkulösen Lymphome.

Ich möchte beginnen mit einem kurzen Rückblick auf die Geschichte der tuberkulösen Lymphome, weil die Lehre von der primären Drüsentuberkulose auch heute noch trotz der Erkenntnis des Wesens dieser Krankheit sich nicht völlig von ihrer Geschichte emanzipiert hat.

Diese Abhängigkeit wird klar, wenn man bedenkt, daß eigentlich bis auf den heutigen Tag die Lehre von der Skrofulose die Geschichte der tuberkulösen Lymphome ist. Abgesehen von dem Interesse, das ein solcher Rückblick für die Entwickelung der Lehre von der Krankheit der Krankheiten, der Tuberkulose, in sich birgt, wird uns die Geschichte einen Fingerzeig geben für den richtigen Weg, auf dem sich eine reinliche Scheidung zwischen Skrofulose und Tuberkulose wissenschaftlich wird begründen lassen.

Wie der Name Skrofel besagt, verstand man von alters her darunter eine Anschwellung der seitlichen Halsgegenden, die zu allermeist auf einer Schwellung der Halslymphdrüsen beruhte, ohne daß man versuchte, die Symptome oder das Wesen anderer Krankheiten damit in Beziehung zu bringen. Soviel wissen wir von Hippokrates, auf dessen Erkenntnisstande sich das medizinische Wissen zwei Jahrtausende lang bewegen sollte. Sylocus, 1614—1672, ist der erste, der einen anatomischen Zusammenhang zwischen Skrofulose und Phthise in dem Sinne statuierte, daß die bei Phthise in der Lunge gefundenen makroskopischen Knoten, Lungentuberkeln genannt, selbst skrofulöse Drüsen seien; auf einer skrofulösen Konstitution beruhe auch die Erblichkeit der Lungenphthise. Diese erste Erkenntnis war zugleich ein erster folgenschwerer Irrtum. Denn die Skrofulose wird nunmehr der weit umfassendere Begriff, dem sich unter vielem anderen auch die Lungentuberkulose unterordnet. In der Folgezeit werden kleine, makroskopisch nicht sichtbare Drüschen in der Lunge angenommen, die skrofulös entarten und so die Schwindsucht erzeugen sollen: Morton, 1689, Kortum 1789, Hufeland 1796 u. a.

Unterdessen hatte der Franzose Manget die miliaren Tuberkel entdeckt und beschrieben, 1700, die ebenfalls der Skrofulose zugerechnet werden.

Morgagni, † 1771, zweifelte zuerst an dem Drüsencharakter der Lungentuberkel; aber erst Stark und dem Engländer Reid gelang es auf wissenschaftlicher Grundlage die Tuberkel als drüsige Gebilde aus der Lehre von der Phthise auszuscheiden und Manget's Erkenntnis von der Miliartuberkulose zu allgemeinerer Beachtung zu bringen, 1785. Ihre Darstellung bildet einen Wendepunkt in der Geschichte der Skrofulose. Mit dem Verschwinden der Lungenskrofeln aus der Phthisiologie fällt jeder Zusammenhang zwischen Tuberkulose und Skrofulose; beide Krankheiten stehen sich selbständig gegenüber.

Aus diesem Gleichgewicht in der Wertung bringen Bayle und vor allem Laënnec 1810 und 1819 Tuberkel und Skrofel in ganz neue Beziehungen zu einander, und zwar wird nunmehr der Tuberkel der übergeordnete Begriff, unter dem die Skrofel eigentlich nur ein Scheindasein fristet als eine der vielen Formen der tuberkulösen Erkrankung des Körpers. Entscheidend für die neue Lehre ist die „tuberkulöse Materie“, die von der einfachen Infiltration bis zur specifischen Verkäsung verfolgt werden kann. Lebert 1844 ist der erste, der mit dem Wort Skrofulose einen völlig neuen Begriff verbindet: eine klinisch definierbare Krankheit ohne nachweisbare anatomische Grundlage, die in chronischen Entzündungen der Haut und Schleimhäute neben Knochen- und Gelenkaffektionen besteht. Er sondert zum erstenmal das seit Jahrtausenden für die Skrofulose Charakteristische von ihr ab, die Drüsenschwellungen sind rein tuberkulöser Natur und entstehen, wo sie bei Skrofulösen im neuen Sinne überhaupt vorkommen, durch eine Komplikation der Skrofulose mit Tuberkulose.

So waren Tuberkel und Skrofel zwei überhaupt nicht mehr vergleichbare Dinge geworden; auch Virchow's Beschränkung der Bezeichnung Tuberkel auf die miliaren Bindegewebsneubildungen förderte die Erkenntnis in gleichem Sinne, obwohl er noch festhält an dem Begriff der Drüsenskrofeln als Teilerscheinung einer Konstitutionsanomalie, eben der Skrofulose. Es besteht nach ihm eine gewisse „Unvollständigkeit in der Einrichtung der Drüsen, eine Schwäche des lymphatischen Systems überhaupt.“ So können die Hals-, Brust-, Bauch- u. s. w. Drüsen an Skrofulose erkranken je nach der bestehenden Prädilektion; sie teilen im übrigen das Schicksal der tuberkulösen Drüsen. Zu derselben Zeit hatte man in Frankreich den Begriff der Skrofulose überhaupt fallen lassen wollen wegen ihrer Identität mit der Tuberkulose: CRUVEILHIER. In Deutschland hielt man dagegen im allgemeinen an der Lehre VIRCHOW's fest von der Skrofulose als einer Konstitutionsanomalie, die in gewissen Ernährungsstörungen der Haut, der Schleimhäute, Lymphdrüsen, Knochen und Gelenke ihren pathologischen Ausdruck fände: WALDENBURG, BILLROTH, HENOCH, WOHLGEMUTH, ZIEGLER, ARNOLD u. a.

Bis zur Hälfte unseres Jahrhunderts war man in der Emanzipation der Tuberkulose von der Skrofulose stetig fortgeschritten, mit LEBERT war sie vollendet bis auf seine „skrofulösen“ Gelenk- und Knochenaffektionen. Nach ihm leitete sich wieder eine rückläufige Bewegung ein, die eine specifische, nicht tuberkulöse Veränderung der Lymphdrüsen von neuem als zum Wesen der Skrofulose gehörig in das Bild dieser Krankheit aufnahm. Ja man neigte sogar (WALDENBURG 1869) dahin, diese Drüsenschwellungen als die primäre Erkrankung zu bezeichnen, von der aus durch sekundäre Infektion die skrofulöse Haut- und Schleimhautaffektion erst entstünde! Damit war cum grano salis der Kreislauf zum HIPPOKRATES vollendet.

Nach diesem geschichtlichen Rückblick wollen wir uns dem Thema der Arbeit zuwenden und versuchen, wie wir unsere Darstellung im Sinne der geschichtlichen Entwickelung etwa zu gestalten vermöchten.

## Material. Kritik der früheren Statistiken.

Meine Arbeit stützt sich auf die Krankengeschichten von 328 Fällen von tuberkulösen Lymphomen aller Körpergegenden, die während 10 Jahren, 1886 bis inkl. 1895, in der CZERNY'schen Klinik in Heidelberg operiert worden sind. Im Februar 1898 verschickte ich an alle diese Operierten Fragebogen, deren Inhalt sich im wesentlichen auf das allgemeine Befinden, auf die Heilung der seiner Zeit operierten Drüsen, auf das Auftreten von Recidiven und die Notwendigkeit von Nachoperationen erstreckte und die Aufforderung an die Betreffenden enthielt, den Fragebogen durch einen Arzt ausfüllen zu lassen oder sich persönlich vorzustellen. So konnten denn 112 Status aufgenommen werden, bei weitem die meisten in der Heidelberger chirurgischen Ambulanz, nur einen kleinen Teil verdanke ich der Freundlichkeit auswärtiger Aerzte. 48 Fragebogen waren von den Adressaten selbst in gut brauchbarer Weise ausgefüllt worden, oft ausführlicher, als wir uns zu fragen erlaubt hatten. Die übrigen 168 Krankengeschichten, deren Träger nicht mehr zu eruieren waren, verwertete ich für Fragen, die unabhängig von diesen Nachforschungen sich beantworten ließen.

Es wurden immer nur ganz bestimmte Angaben verwertet, alles Zweifelhafte außer acht gelassen. Unsere Resultate stellen somit

Minimalwerte dar, wir haben versucht, unsere Statistik möglichst auf wissenschaftlichen Boden zu stellen. Es schien dies um so erstrebenswerter, als viele der früheren Statistiken über diesen Gegenstand wenig Anspruch auf Wissenschaftlichkeit erheben dürfen. Ich habe 23 Statistiken über tuberkulöse resp. „skrofulöse" Lymphome in der Litteratur gefunden, von der sehr bescheidenen RIEDEL'schen mit 12 Beobachtungen bis zu den großzahligen von DEMME, BERRUTI und MILTON (1000 Operationen, 1300 konservative Behandlungen). Einen sicheren Aufschluß über die Endresultate geben die wenigsten weder hinsichtlich der Operierten noch der konservativ behandelten Fälle, da die Beobachtungszeit post operationem aut medicationem eine zu kurze ist, und bei längerer Dauer die Zahlen nach 1, ja nach $^1/_2$ Jahr Beobachtungszeit mit denen nach 14 Jahren zusammengeworfen werden. Die Dauerresultate sind vielmehr für die ersten 6 Jahre für jedes Jahr und erst nach diesem Zeitraum in größeren Abschnitten zusammen zu berechnen, um einigermaßen sicher die Recidive ausschließen zu können. Nach v. NOORDEN darf man erst vom 6. Jahre post operationem ab die Dauerheilungen rechnen. Seine eigene Statistik hebt erst mit dem 3. Jahre p. o. an, während fast alle anderen Autoren die Jahre 1—3 p. o. in ihre Statistik mit aufgenommen haben, die natürlicherweise die größte Ausbeute, aber auch die unsichersten Zahlen geben. Nur in 3 Statistiken wird jenseits des 5. Jahres noch beobachtet. Von großer Wichtigkeit ist die Art und Weise, wie die Nachforschungen angestellt werden. Auf je mehr Status von ärztlichem Urteil sich solche Statistiken stützen, um so größer ist ihr wissenschaftlicher Wert. Viele Statistiken, die ich durchgesehen habe, sind überhaupt nur auf Laienaussagen aufgebaut. Das Hauptmaterial der unserigen erfüllt dieses Postulat. Der Arzt wird oft ein beginnendes Recidiv entdecken, wo der Laie Dauerheilung meldet. So muß die Frage nach dem Recidiv besonders vorsichtig aus den Statistiken beurteilt werden. Auch die zu allgemeinen Fragestellungen in den mir vorliegenden Statistiken bedingen sichere Fehlerquellen. Wenn man den Begriff „unvollständige Heilung" oder „gute Erfolge" trotz des Nachweises kleiner und längere Zeit unverändert bestehender Drüsen in die Statistik eingeführt, Phthise und „gestörtes Allgemeinbefinden" identifiziert, für die hereditäre Belastung irgend einen elterlichen Verwandten verantwortlich gemacht findet u. dergl. mehr, kann man eine Reihe der angeführten Statistiken nur in sehr beschränktem Maße verwerten. Das gilt besonders noch für jene, die mehr oder weniger im Dienste irgend einer zu beweisenden Idee abgefaßt sind und damit ihren Zweck erfüllt sehen. Zu alledem ist dann oft noch an einseitigem Material gearbeitet worden, ausschließlich Kindern, oder vorwiegend Erwachsenen mit Bevorzugung eines Geschlechts, so daß allgemein giltige Gesetze kaum abzulesen sind. Allein schon die allzugroßen

Differenzen der Zahlen in manchen Fragen würden dies verbieten. In der vorliegenden Statistik soll nun versucht werden, aus einem und demselben Material möglichst vielen dieser Fragen eine Antwort zu finden; so dürfen wir vielleicht hoffen, der Antwort etwas näherzukommen.

## Zur Aetiologie der tuberkulösen Lymphome.

Daß die früher und vielfach auch heute noch sogenannten skrofulösen Drüsen des Halses, die verkäsenden Lymphome, der lokalen bezw. der lokalisierten Tuberkulose angehören, ist bewiesen. Die Aetiologie im weiteren Sinne dagegen will noch manches erforscht wissen: Unter welchen Bedingungen gelangt der Tuberkelbacillus in jene Organe, unter welchen bleibt er die Ursache einer dauernd lokalen Affektion, unter welchen tritt Generalisation der Tuberkulose von jenem Herd aus ein, was ist Skrofulose und in welchem Verhältnis steht sie zur Tuberkulose — das sind die vornehmsten Fragen, die wir jetzt zu beantworten suchen wollen.

„Aus heiler Haut heraus", wie SCHÜPPEL sagt, bekommt der Mensch keine Tuberkulose. Man hat also nach Umständen geforscht, die den Körper für das Eindringen des Tuberkelbacillus disponieren. Ein oberster Satz unserer Erfahrung lautet: jeder Mensch bekommt eine Tuberkulose, wenn nur genügend Tuberkelbacillen in seinen Körper eingedrungen sind. Nach BOLLINGER's klassischen Untersuchungen besteht sogar die Aussicht, dereinst zahlengemäß den Infektionskoëfficienten für jeden Menschen bestimmen zu können. Seine Versuche mit verdünntem tuberkulösen Virus haben unsere Erkenntnis von der tuberkulösen Infektion bedeutend gefördert. So wissen wir jetzt, daß vom Magendarmkanal aus der Körper nur sehr schwer zu infizieren ist, durch Milch, wie wir sie gewöhnlich konsumieren, die sogenannte Sammelmilch, niemals; wenn auch die Milch einer tuberkulösen Kuh dabei ist, so wird sie doch durch die Vermischung mit der übrigen gesunden unschädlich gemacht. Die Impfungen mit solcher Milch an Meerschweinchen fielen stets negativ aus. Die Infektiosität der tuberkulösen Milch einer Kuh erlischt bei einer Verdünnung von 1:40, 1:50 bis 1:100, bei intraperitonealer Impfung von 1 ccm. Das phthisische Sputum ist weit virulenter, 1:100000 ist noch wirksam, bei Fütterung gelingt mit 1:8 noch keine Infektion. Reinkulturen von 1:400000 ebenfalls 1 ccm intraperitoneal sind noch infektiös. Auch zeitlich und räumlich ist die Infektion direkt abhängig von der Zahl der Bacillen.

Ferner konnte BOLLINGER nachweisen, daß das Virus gewisse Organe zu passieren vermag, ohne lokale Veränderungen hervorzurufen: bei der peritonealen Impfung mit dem verdünnten Virus entsteht in $^{2}/_{3}$ der Fälle keine Peritonealtuberkulose, während Lymphdrüsen und

Milz erkrankt befunden werden; erst eine bacillendichtere Lösung verursacht sichere Tuberkulose des Bauchfells. Dabei fand BOLLINGER die Lymphdrüsen am empfänglichsten für Tuberkulose, nach ihnen Milz, Lunge, Leber. Bei subkutaner Impfung erhielt er immer zuerst einen Absceß, dann Lymphdrüsenschwellung und danach erst innere Tuberkulose anderer Organe. Ferner wurde eine individuelle Disposition beim Meerschweinchen festgestellt, indem die einzelnen Tiere bei sehr verschiedenen Verdünnungsgraden erkrankten. Auch zahlenmäßig konnte das ausgedrückt werden. Dabei war es meist unmöglich, in den verdünnten Flüssigkeiten den Bacillus mikroskopisch nachzuweisen, wo er doch sicher virulent anwesend war. WATSON-CHEYNE sprach den Satz schon aus, daß bei der Mehrzahl der Infektionskrankheiten die Intensität des Verlaufs, wie die Schwere der Affektion direkt von der Menge der eingeführten Keime abhänge. Ferner ist es eine Eigentümlichkeit des Tuberkelbacillus, sich in den Lymphdrüsen jahre- und jahrzehntelang virulent zu erhalten, ohne sie wesentlich zu verändern, ja ohne sie oft auch nur deutlich nachweisbar zur Schwellung zu bringen. Die Menge, in der die Einwanderung stattgefunden hat, ist eben zu gering gewesen, als daß sie die Energie der Gewebe hätte überwinden können. Wird die Lebenskraft der Körperzellen jedoch in irgend einer Weise geschädigt und vermindert, so tritt der Körper in den Zustand der Disposition jenen Bacillen gegenüber und der tuberkulöse Prozeß setzt ein. Dabei dürfen wir nicht vergessen, daß auch der gesündeste, kräftigste Organismus erkrankt, wenn eben die Masse der eingedrungenen Bacillen seiner vitalen Energie von vornherein überlegen ist. Die Disposition zur Tuberkulose spielt darum in der Aetiologie nicht jene absolute Rolle, die ihr für gewöhnlich zugeschrieben wird. Das ist aus allen Statistiken abzulesen. Ein beträchtlicher Teil tuberkulöser Erkrankungen entsteht, ohne daß sich das Geringste von ererbter oder erworbener Disposition nachweisen läßt. Unter gewissen Bedingungen, die wir nunmehr kennen, vermag der Körper eben einfach der Infektion nicht zu widerstehen. Daß wir jedoch in der Mehrzahl der Fälle mit der Disposition zu rechnen haben, ergiebt eine genaue Beobachtung.

Die Disposition zur Tuberkulose, d. h. also die Schwächung der vitalen Energie der Gewebe dem Tuberkelbacillus gegenüber, kann ererbt und erworben sein. Ein Individuum, das dem geschwächten Organismus tuberkulöser Eltern sein Leben verdankt, ist als nicht vollkräftig und -saftig und demnach als hereditär belastet, als zur Tuberkulose in dem eben dargelegten Sinne disponiert zu betrachten. Die Frage der ererbten Disposition ist jedoch nicht so einfach zu erledigen, wie die der erworbenen. Es giebt Individuen, die direkt hereditär belastet sind und die körperlich das Bild von Gesundheit und Kraft darbieten und sicherlich nicht zu den disponierten gehören. Da läßt sich denn stets feststellen, daß deren Eltern erst nach Zeugung resp. Geburt des Kindes tuberkulös geworden sind. Es ist darum bei der Feststellung der hereditären Belastung absolut zu unterscheiden zwischen Eltern, die bereits vor der Erzeugung des Kindes tuberkulös waren, sei es, daß sie selbst ihre Tuberkulose erst erworben haben, oder das Opfer eines seit Generationen eingewurzelten familiären Leidens geworden sind — und solchen, die von Natur aus gesund erst als Eltern eines gesunden Kindes Tuberkulose acquiriert haben. Ist das letztere der Fall, so ist weiter zu entscheiden, ob die Krankheit äußeren zufälligen Ursachen oder schon einer inneren Disposition ihre Entstehung verdankte; denn ein nach der Erzeugung des Kindes bei den Eltern einsetzendes Leiden schließt eine hereditäre Belastung dieser nicht aus, auch sie muß in Rechnung gezogen werden. Trifft ersteres zu, dann liegt beim Kinde hereditäre Belastung nicht vor. Unterlassen wollen wir es, der Frage weiter nachzuforschen, in welcher Weise wohl eine phthisische Mutter als dauernder Infektionsherd auf ein nicht disponiertes Kind wirken mag. Eine solche Trennung statistisch durchzuführen, war mir unmöglich, weil in den Krankengeschichten auf diese Unterschiede nicht geachtet war. Die fremden Statistiken ließen bei dieser Fragestellung ebenfalls im Stich; mit Ausnahme der LEBERT-schen Beobachtungen, der die Schwierigkeiten in der Feststellung der Erblichkeit voll würdigte und zu überwinden suchte. So dürfen denn die diesbezüglichen Zahlen nur mit Vorsicht und mit dem Bedenken gedeutet werden, daß gewiß manche „Belastung“ darin enthalten ist, die wir nach obiger Ueberlegung ausscheiden würden, aber auch umgekehrt manche fehlen wird, die nach einer Anamnese in unserem Sinne hätte registriert werden müssen, was immerhin eine gewisse Selbstkorrektur und -regulierung der statistischen Daten zur Folge hat.

Ich fand unter den 308 Fällen der Heidelberger Klinik 101 mal hereditäre Belastung notiert = 32 Proz. Den gleichen Prozentsatz fand LEBERT nach sehr genauen Nachforschungen (44 Fälle), während er für Lungentuberkulose nur in $^1/_6$ der Fälle = 16,6 Proz. Belastung feststellen konnte, was direkt der Negation einer Belastung überhaupt gleichkam; denn in großen Städten sterben $^1/_6$ der Menschen an Lungentuberkulose, und somit müßte man für jede Krankheit 16,6 Proz. hereditäre Belastung finden. In 7 Statistiken nun inkl. der meinigen (851 Fälle) stellt sich der Prozentsatz zwischen 14 und 38 Proz., im Mittel 28 Proz., während BRUHN (40 Fälle) gar 77,5 Proz. Belastung konstatiert. Diese BRUHN'sche Zahl entspricht auf keinen Fall den thatsächlichen Verhältnissen; das zeigt schon die Art und Weise, wie sie gewonnen wurde. Wenn bei Geschwistern von Eltern und Großeltern ein Fall von „skrofulöser Entzündung“ oder Phthise vorgekommen ist, so erkennt BRUHN auf Heredität. Dabei bleibt vollkommen unklar, was er unter „skrofulöser Entzündung" versteht. Diese Statistik habe ich darum aus der Gesamtberechnung der Heredität ausgeschaltet. So stellt die Zahl 28 den Maximalprozentsatz der hereditären Belastung dar, indem nach den obigen Ausführungen eher mehr als weniger unserer Kranken in diese Kategorie aufgenommen worden sind. Daß damit in der That eine Belastung konstatiert ist, ist nicht mehr zu leugnen, wenn sie bei den Lymphomkranken auch nicht die Rolle spielt, die man ihr gewöhnlich in der Lehre von der Tuberkulose vindiziert. Wir finden also für eine Minderheit unserer Patienten die Quelle der Disposition in einer ererbten Empfänglichkeit der Gewebe für den Tuberkelbacillus, sicher des lymphatischen Gewebes, das ja auch an und für sich die größte Affinität zu dieser Mikrobe besitzt.

Forschen wir weiter nach veranlassenden Momenten, so haben wir zunächst die Beziehungen der Krankheit zu Alter und Geschlecht zu erledigen. Dem Geschlecht wird von vielen ein Einfluß zugeschrieben, das weibliche soll aus mehreren Gründen öfter erkranken resp. zur Operation kommen als das männliche. Das ist sicher nicht der Fall; die Differenzen in kleineren Statistiken rühren lediglich von Zufälligkeiten her und sind weder bedingt durch den Mut der Männer zur Operation noch durch die größere Schwäche und Eitelkeit des weiblichen Geschlechtes! In meiner Statistik prävalieren zur Abwechselung Männer und Knaben (196 : 112); LEBERT, VOLLAND, WOHLGEMUTH finden an einem großen Material keinen Unterschied des Geschlechts.

Anders verhält es sich mit dem Alter. Da läßt sich der Sinn der Zahlen folgendermaßen formulieren: im ersten Kindesalter entstehen die Drüsenschwellungen, 1.—10. Jahr, bleiben jedoch zum größten Teil latent. In der Zeit der Pubertät, Mädchen 10.—15., Knaben 15.—20. Jahr, treten sie in Erscheinung, wachsen, abscedieren, führen zu Komplikationen u. s. w. und kommen während dieser Zeit größtenteils zur Operation. Es ist geradezu auffallend, wie die Jahre der Pubertät an den Zahlen der Statistik sich ablesen lassen mit dem genau markierten Unterschied in der Zeit für männliches und weibliches Geschlecht. Ich habe versucht, die Zeit der Entstehung zu bestimmen, fand aber immer nur die Frage beantwortet: Wann wurden die Drüsen zuerst bemerkt? Trotzdem ließen sich 71 Kranke zwischen dem 1. und 10. Jahre eruieren, von denen nur 16 auch während dieser Zeit operiert worden waren. Diese Art der Nachforschung war naturgemäß sehr ungenau; denn viele haben sicher ihre Drüsen schon lange getragen und sie erst „bemerkt", als sie zu wachsen anfingen und Beschwerden machten. Auch nach WOHLGEMUTH (430 Fälle), BAGINSKY, HENOCH, FRÄNKEL u. a. stellt das Alter bis zum 10. Jahre die größte Prädisposition für die Entstehung der Lymphdrüsentuberkulose dar. Zu Gunsten dieser Ansicht und für die Deutung der von mir gefundenen Zahlen sprechen nun absolut die Forschungen VOLLAND's, der in großem Maßstabe in Schweizer Schulen Untersuchungen anstellte und konstatieren konnte, daß 96,6 Proz. aller Kinder zwischen dem 7. und 9. Jahr geschwollene Drüsen tragen. Auf die Folgezeit kommt es nun an, ob die Keime in diesen Drüsen durch die Kraft der Gewebe überwunden werden oder zur Entwickelung gelangen. Und das ist eben die Zeit der Pubertät, die Zeit des rascheren Wachstums des Körpers, der volleren Säftedurchtränkung der Gewebe, die auch diese schlummernden Keime aus ihrem Ruhezustande aufstört. Zwischen dem 10. und 20. Jahre fand ich allein 135 Operationen verzeichnet, zwischen dem 20. und 25. 80, im ganzen 215 Operationen = 70 Proz. der 308 Fälle meiner Statistik, Knaben und Mädchen zusammengerechnet; LEBERT zählt $^2/_3$, SCHNELL ebenfalls die große Mehrzahl aller operativen Fälle in diese Jahre. HÜBENER, BALMAN, LEBERT haben diese Zahlen getrennt zusammengestellt und als Beweis für den Einfluß der Pubertät das oben angegebene Verhältnis gefunden: die größte Häufigkeit der zur Behandlung kommenden Drüsenkranken fällt bei Mädchen zwischen das 10. und 15., bei Knaben zwischen das 15. und 20. Jahr entsprechend dem früheren resp. späteren Eintritt der Pubertät bei den Geschlechtern. Diese Thatsache enthält wichtige Fingerzeige für Prophylaxe und Therapie. Nach dem 25. Jahr, also nach Abschluß der körperlichen Entwickelung, kommen die Drüsenoperationen viel seltener vor, nach dem 35. Jahre nur ganz vereinzelt, wie übereinstimmend die Beobachtungen aller Autoren lehren.

Von mehr sekundärer Bedeutung für Entstehung und Entwickelung ist die Jahreszeit. Es werden im Winter und besonders im Frühjahr mehr Operationen beobachtet als im Sommer; fast von jedem Patienten kann man hören, daß die Drüsenschwellungen im Sommer zurückgehen oder vorhandene Fisteln sich schließen, um im Winter wieder zu wachsen oder aufzubrechen. Dies Spiel ist oft durch Jahrzehnte zu verfolgen und hat seinen Grund in den im Winter häufigeren Entzündungen von Haut und Schleimhäuten in den lymphatischen Wurzelgebieten der Halsdrüsen, die ja fast ausschließlich in Frage kommen. Dadurch ist die Möglichkeit zu sekundärer Infektion der Drüsen gegeben, die an sich schon die Drüsen schwellen macht, aber auch den Boden bereitet für ein rasches Aufflammen des tuberkulösen Prozesses — die Operation wird nötig. In ähnlicher Weise soll die Schwangerschaft die Entwickelung der tuberkulösen Lymphome fördern. LÜCKE beschreibt den Fall einer Frau, die nie an Drüsenschwellungen gelitten hatte und bei der mit Eintritt der Schwangerschaft regelmäßig die Halsdrüsen anschwollen; ihre beiden Kinder erkrankten in den ersten Jahren an Lymphdrüsentuberkulose.

So wohlbegründet uns nach alledem auch der Satz erscheinen

mag, daß die Disposition bei der Entstehung der tuberkulösen Lymphome ihren Anteil hat, so wenig vermögen wir uns diesen Anteil wissenschaftlich zu erklären. Wir können nur ganz im allgemeinen sagen, daß da etwas vorliegt, mit dem wir rechnen müssen. Viel klarer sehen wir schon, wenn wir weiter fragen: Was ist die Ursache der direkten Einwanderung der Tuberkelbacillen in den Körper, oder enger und richtiger gefaßt: in das Wurzelgebiet der Kopf- und Halsdrüsen? Denn selbst die Achseldrüsen, die nächstdem am häufigsten erkranken, sind primär so gut wie nie ohne jene erkrankt (Berruti-Loano, 1310 Fälle). Meine Statistik weist 268 Hals- und Kopflymphome auf, also 89 Proz. aller Lymphome, und in fast $^2/_3$ der Fälle waren neben den Achseldrüsen die Halsdrüsen nachweisbar an der Tuberkulose mitbeteiligt. Nach Volland's Untersuchungen entstehen die echten tuberkulösen Lymphome der Achselgegend überhaupt immer von primären Halskopfdrüsenherden aus. Wohlgemuth findet 95,9 Proz., Berruti 88,2 Proz. tuberkulöse Hals- und Kopflymphome unter sämtlichen Drüsenkranken. Die Antwort auf diese Frage scheint fast a priori gegeben: Im Gesichte und am Kopf bestehen für Haut und Schleimhaut die kompliziertesten Verhältnisse, ihr Epithellager ist bei weitem am gefährdetsten sowohl durch reine Traumen als auch durch entzündliche Prozesse der verschiedensten Art, die dem tuberkulösen Virus den Zutritt in den Körper gestatten. In den meisten Statistiken sind nun auch solche entzündliche Prozesse meist chronischer Natur bei Betrachtung der Aetiologie zusammengestellt bis zu 57,5 Proz. der Fälle (Bruhn): Anginen, Rhinitis, Otitis, Conjunctivitis, Blepharitis, Periostitis dentum, Ekzeme etc. Manche Autoren haben diese Entzündungen auch als Symptome einer Konstitutionsanomalie, einer specifischen Diathese zusammengefaßt zu dem Bild der Skrofulose; sie soll nach ihren Erfahrungen in der Aetiologie die Hauptrolle spielen, zumal die Drüsentuberkulose meist doppelseitig sich entwickelt und damit schon von vornherein auf eine Multiplicität des ursächlichen peripheren Prozesses zurückweist, wie ihn eben diese Skrofulose darstellen würde (Lebert, Schüppel, Hueter, Virchow, Aufrecht, Birch-Hirschfeld, Fränkel, Fede, de Bonis u. a.). Mit meinen einleitenden geschichtlichen Bemerkungen habe ich schon andeuten wollen, daß man auch heute noch nicht über Drüsentuberkulose schreiben kann, ohne sich mit der Lehre von der Skrofulose auseinanderzusetzen. Diese Lehre, möchte ich sagen, leidet noch an ihrer Geschichte. Die Zeit liegt noch zu kurz hinter uns, seitdem der strikte Beweis geliefert ist, daß die „Halsskrofeln" tuberkulöser Natur sind. Man konnte und kann sich großenteils auch heute noch nicht entschließen, diese tuberkulösen Drüsen aus dem Bilde der Skrofulose auszuscheiden gleich den übrigen tuberkulösen Erkrankungen, die alle einmal „Skrofulose" gewesen waren. Bleibt man konsequent im Sinne der Geschichte und streicht auch diese „Skrofulose“ noch aus dem Krankheitsbilde der Skrofulose, dann erhält man endlich einen Symptomenkomplex, der in der That einen pathologischen Prozeß sui generis darstellt. Man war bereits gegen Ende des 18. Jahrhunderts in Deutschland besonders durch HUFELAND auf die allgemeinen Ernährungsstörungen aufmerksam geworden, die bei den Drüsenkranken vorzukommen pflegen. Nur war es gerade wieder HUFELAND, der diese neue Lehre in allzu romanhafter Weise aufputzte und fälschte. Sein torpider und erethischer Status scrofulosus spukt heute noch in fast allen Lehrbüchern, obwohl bereits LEBERT und neuerdings andere Autoren an zahlreichen Beobachtungen bewiesen haben, daß diese „status“ Phantasiegebilde sind. Vor allem ist der torpide Habitus nichts weiter als die ausgebildete Skrofulose (FRÄNKEL), während das erethische Bild von dem schönen Kinde mit den blauen Augen und dem blonden Haare ganz und gar das Erzeugnis eines freundlichen Dichterherzens ist und mit der Skrofulose ebensoviel und ebensowenig zu thun hat als mit jeder anderen Krankheit. Es sind einfach zarte Kinder mit Drüsentuberkulose ohne jede Spur von Skrofulose, die zu der erethischen Fabel verführt haben, als man die tuberkulösen Lymphome noch Skrofeln nannte. Nicht viel besser steht es mit der Gelenk- und Knochentuberkulose, die immer noch, man mag die neueste Litteratur einsehen wo man will, unter dem Namen „Skrofulose“ geführt werden. Auch eine tuberkulöse und nicht tuberkulöse „Skrofulose“ wird konstruiert (BOLLINGER), ein specifisches „skrofulöses“ Granulationsgewebe erfunden (RABL), ja man nennt den Miliartuberkel bereits wieder „Scrofulom“ an (ORTH), während Andere Namen und Begriff der Skrofulose überhaupt fallen lassen wollen, VIRCHOW ihm nur die Bedeutung einer tuberkulösen Diathese zuerkennt. Nur wenige Autoren, am eifrigsten FRÄNKEL und AUFRECHT, haben angesichts dieser Verwirrung nach einer sauberen Nomenklatur gesucht, die meist auch, in unserem Falle sicher, der Sache nützlich ist. Es entspricht daher meiner Ansicht nach dem Sinne der geschichtlichen Entwickelung wie der modernen Forschung, wenn wir mit LEBERT, HUETER und DE BONIS die tuberkulösen Lymphome, aber auch entgegen der Ansicht dieser Autoren die Knochen- und Gelenkaffektionen derselben Provenienz (Spina ventosa, Tumor albus etc.) dem Bilde der Skrofulose entnehmen und mit diesem Namen eine Krankheit eigener Art, und zwar diejenige Konstitutionsanomalie des Kindesalters bezeichnen, die sich in chronisch entzündlichen Prozessen der Haut und Schleimhaut des Gesichtes und Kopfes äußert, in nichts von den gewöhnlichen Entzündungen pathologisch-anatomisch sich unterscheidet, und die Zeit der Pubertät meist nicht überdauert. Dabei ist charakteristisch, daß diese Entzündungen zu gedunsenem Gesicht, dicker, aufgelaufener Oberlippe, geschwollener Nase, Triefaugen, schlaffer Muskulatur führen als Folgen der chronischen Ekzeme, Rhinitis, Conjunctivitis etc. Ob auch die chronische, nicht gonorrhoische Vaginitis und Urethritis der Kinder auf dem Boden dieser Konstitutionsanomalie sich entwickelt (Baudeloque, Hübener u. a.) steht noch in Frage. Damit haben wir ein Krankheitsbild skizziert, für das wir weder Veränderungen des lymphatischen Systems (Hueter, Virchow), noch ein specifisches Virus oder Granulationsgewebe (Kortum, Rabl) noch eine eigentümliche Vulnerabilität der Zellen (Billroth) u. dergl. mehr verantwortlich machen wollen und können, das aber in dieser Kombination der Entzündungen existiert und charakteristisch ist und die erste Stelle einnimmt in der Aetiologie der tuberkulösen Lymphome. Im folgenden soll von Skrofulose nur noch in diesem Sinne die Rede sein.

Es ist nun ein Gesetz der Pathologie, daß, wo Entzündungen sich etablieren, die Lymphdrüsen schwellen, und daß diese Schwellungen wieder verschwinden mit dem Erlöschen des entzündlichen Prozesses in den Lymphwurzelgebieten der Drüsen. Bei der Skrofulose sind diese Schwellungen minimal, oft kaum nachweisbar; so hat Berruti unter seinen 1310 Skrofulösen nur 31.6 Proz. Drüsenschwellungen konstatieren können, einen noch geringeren Prozentsatz fand Lebert. Es bestehen also für gewöhnlich bei der Skrofulose keine der Behandlung bedürftigen Drüsenschwellungen, und die bestehen, bilden sich zurück mit dem Verschwinden der Konstitutionsanomalie. Alle jene Drüsen aber, die während des floriden skrofulösen Prozesses auffallend sich vergrößern oder nach Heilung der Skrofulose deutlich geschwollen bestehen bleiben, sind tuberkulös infiziert, sind tuberkulöse Lymphome geworden, seien sie nun rein hyperplastisch oder bereits in Verkäsung oder Abscedierung begriffen. Diese Schwellungen sind stets dauernd geworden und brauchen in gar keinem Verhältnis zu der Intensität oder Extensität des äußeren entzündlichen Prozesses zu stehen (Virchow). Lange war der tuberkulöse Prozeß zu Gunsten des „skrofulösen" hinter der Wendung versteckt gewesen: Reize, welche auf gesunde Drüsen nicht wirken, bringen bei „skrofulösen" Schwellung hervor. Die tuberkulöse Infektion allein ist für diese charakteristische, dauernde Drüsenschwellung verantwortlich zu machen. Denn daß beim Nachweis des Tuberkelbacillus in den rein hyperplastischen Drüsen sogar die Impfung im Stiche lassen kann, beweisen exakt Bollinger's Verdünnungsversuche; aber oft genug sind die Impfungen mit hyperplastischen Lymphdrüsen positiv ausgefallen, so daß wir berechtigt sind, unter allen Umständen jede deutlich nachweisbare chronische Halsdrüsenschwellung bei Kindern, in erster Linie aber bei solchen, die skrofulös sind oder es waren, als tuberkulös anzusprechen. Denn infolge der Multiplizität und Pertinacität der Entzündungen gerade im

Quellgebiet der Halslymphdrüsen muß die Skrofulose primo loco genannt werden, wenn es sich um die Feststellung der Eingangspforten für das tuberkulöse Virus handelt. Nach SCHÜPPEL's Beobachtungen entsteht die Drüsentuberkulose überhaupt nur bei Skrofulösen, und VIRCHOW lehrt, daß jede chronische Drüsenschwellung der Tuberkulose verdächtig sei. Nach alledem darf man beinahe wörtlich an den anfangs citierten Satz SCHÜPPEL's sich halten: „Die Drüsentuberkulose entsteht nicht aus heiler Haut heraus."

Es bleibt übrig, noch einiger seltener Zusammenhänge zu gedenken, die für die tuberkulösen Lymphome als wichtig erkannt worden sind. So hat man die Caries der Zähne beschuldigt, den Bacillen die Passage in die Lymphbahnen zu bereiten. In den wenigen Statistiken, wo darauf geachtet wurde, tritt ein besonderer Einfluß nicht zu Tage. Auch meine Krankengeschichten enthalten darüber zu spärliche Notizen, als daß auf meine Zahlen irgend ein Wert gelegt werden könnte. Dagegen hat STARK in der Heidelberger chirurgischen Klinik in einer Arbeit aus dem Jahre 1896 diese Frage gründlich studiert und konnte bei Kindern zwischen 3 und 14 Jahren mit Drüsen in der Kiefergegend nicht nur 41 Proz. finden, bei denen jede andere Ursache für die „einfachen chronischen" Drüsenschwellungen außer Caries der Zähne ausgeschlossen schien, sondern auch in 2 Fällen den exakten Nachweis liefern, daß die operierten tuberkulösen Kieferlymphome ausgegangen waren von cariösen Zähnen, deren Wurzeln tuberkulöses Material enthielten. In weiteren 3 Fällen war zeitlich direkt im Anschluß an Zahnweh und Zahncaries Drüsentuberkulose aufgetreten, die zur Exstirpation Anlaß gab, ohne daß jedoch in den extrahierten Zähnen der Tuberkelbacillus hätte nachgewiesen werden können, und wo trotzdem die klinische Beobachtung dazu drängte, einen solchen Zusammenhang anzunehmen. Auch UNGAR-Bonn hat speciell darauf hin eine große Anzahl Kinder untersucht und kam zu einem sehr bemerkenswerten Resultat: Unter 429 Kindern mit Caries der Zähne hatten 425 Drüsenschwellungen; von 558 ohne Caries dent. waren über die Hälfte frei von Drüsenschwellungen.

Die „einfache chronische Drüsenschwellung" STARK's ist übrigens eine Annahme, die unbewiesen bleiben mußte; für den einfachen Charakter spricht nur der Umstand, daß nach STARK's Beobachtungen vom 11. Jahre ab das Vorkommen der Drüsen rapide abnimmt, während unter den 6—9-jährigen Kindern fast niemals Halsdrüsen vermißt wurden. Tuberkulose auszuschließen, war unmöglich, zumal ihr Nachweis nach Zahncaries gelungen war. Unaufgeklärt bleibt ferner das starke Zurückgehen der Drüsen nach dem 11. Jahre, nach dem die Caries der Zähne keineswegs seltener wird: unter 100 Rekruten fand CUNNINGHAM nur 4 mit gesunden Zähnen; auch die zweite Dentition vermag keine befriedigende Erklärung zu geben. Ich vermute, und wenn man den VOLLAND'schen Zahlen (s. u.) glauben schenken darf, ist dies ziemlich sicher, daß die Drüsenschwellungen gar nicht so „rapide“ abnehmen, wie STARK es darstellt, sondern daß viele Drüsen bei guter Körperentwickelung kleiner und härter werden und weniger leicht zu palpieren sind neben anderen, die in der That ausheilen. Jene bleibenden geringfügigen Schwellungen sind wohl zu beachten, weil der Tuberkulose äußerst verdächtig, wofür ich weiter unten die Beweise noch zu erbringen hoffe.

Die akuten Exantheme, besonders Masern, ferner Keuchhusten, Vaccination (WIDERHOFER, GUSSENBAUER, MANSON, HENOCH), reine Traumen, z. B. der Ohrläppchenstich bei Mädchen (GRÜNFELD) können die Entstehung resp. Manifestation tuberkulöser Lymphome bewirken. Bei Frauen wurde die Entwickelung primärer, axillarer Drüsentuberkulose beobachtet nach Ekzema mamillae (BRUHN) und Mastitis. Nach KRÜCKMANN bildet die Tonsillartuberkulose eine nicht seltene Infektionsquelle für die tuberkulösen Lymphome; für mehrere Fälle ist ein solcher Zusammenhang bereits pathologisch-anatomisch bewiesen.

## Der Infektionsmodus bei Tuberkulose.

Es ist eine Thatsache und die Untersuchungen CORNET's sprechen in nichts dagegen, daß das tuberkulöse Virus nicht in der Luft suspendiert ist, sondern am Boden haftet und von da aus den Weg in den Körper finden muß. „Der Träger des Giftes, das tuberkulöse Sputum, wird im wesentlichen auf den Boden entleert und muß an ihm verhältnismäßig fest haften, da es, auch getrocknet, wegen seiner hygroskopischen Eigenschaften nur sehr vorübergehend vom Boden mechanisch aufgewirbelt werden kann. Die Infektion mit tuberkulösem Virus muß deshalb für gewöhnlich vom Boden aus erfolgen, beim Menschen zu einer Zeit, wo er am innigsten mit dem Boden in Berührung kommt, also in der Kindheit“ (VOLLAND). Wir wissen, daß das Säuglingsalter am seltensten von der Tuberkulose, auch der Drüsen, heimgesucht wird und das lediglich aus dem Grunde, weil der Säugling, der getragen wird, vor dem Kontakt mit den Infektionsquellen, die dem Boden angehören, am meisten geschützt ist. Wir wissen aber auch weiter, daß gerade die erste Kindheit der tuberkulösen Infektion am häufigsten, ja bis zu 96,6 Proz. der Lebenden, zum Opfer fällt, und ich glaube, wir dürfen jetzt sagen, lediglich aus dem Grunde, weil das Kind gerade in seinem ersten Lebensjahrzehnt dem Boden und seinen Einflüssen am nächsten ist: es kriecht auf allen Vieren, wenn es laufen lernt, auf dem Boden umher, es spielt am Boden, ißt am Boden und es wäre ein Wunder, wenn beim Bestehen von günstigen Eingangsverhältnissen für den Tuberkelbacillus eine Infektion nicht zustande käme und zwar eine solche der

Drüsen, wie die Erfahrung lehrt. Und doch steht der Satz fest: Die Tuberkulose befällt den Menschen in den weitaus meisten Fällen als Lungentuberkulose. Der Versuch im folgenden, diese beiden Thatsachen in ursächlichen Zusammenhang zu bringen, gründet sich fast ausschließlich auf die Lehre VOLLAND's vom Modus der Infektion bei Tuberkulose und bescheidet sich, seinen Forschungen über diese Frage einiges bestätigende Material zu liefern.

## Pathologie.

Man kann die Lymphdrüsentuberkulose in lokale und lokalisierte unterscheiden je nachdem der Prozeß primär in den Drüsen entstanden oder sei es sekundär, sei es gleichzeitig der Ausdruck einer bereits in anderen Organen bestehenden Tuberkulose ist, die sich u. a eben auch in den Drüsen lokalisiert hat. Aus den ätiologischen Betrachtungen geht schon hervor, daß im folgenden vorwiegend die primären, lokalen tuberkulösen Schwellungen betrachtet werden sollen; die spärlichen sekundären werden nicht ausgenommen, weil auch sie für den Zusammenhang und die Abhängigkeit der tuberkulösen Prozesse in verschiedenen Körperregionen und Organen verwertet werden können. Abgesehen wurde von allen Vergrößerungen und Abscessen der Drüsen, die irgend einen akuten Prozeß, Entzündung, Verletzung, Infektionskrankheit ihren Ursprung verdanken, und die nach Erlöschen der peripheren Affektion rasch zurückgehen, weder Fisteln noch Recidive bilden, auch sonst nicht die Zeichen eines zu räumlicher und zeitlicher Ausdehnung neigenden Prozesses an sich tragen und im Falle der Vereiterung nur Streptokokken und Staphylokokken nachweisen lassen. Ich erwähne das deshalb, weil es zahlreiche Fälle giebt, wo wir vom klinischen Standpunkt aus auf Drüsentuberkulose erkennen müssen, ohne daß wir auf irgend eine Weise imstande wären, in den excidierten, meist rein hyperplastischen Drüsen den KOCH'schen Bacillus nachzuweisen. Daß selbst die Impfung hier im Stiche lassen kann, erklären uns sehr schön die BOLLINGER'schen Versuche. Der absolute Beweis der Tuberkulose ist heute also für eine große Zahl tuberkulöser Lymphome noch nicht zu erbringen, er ist vor allem dann unmöglich, wenn die Drüsenschwellung im ersten Stadium noch eine reine Hyperplasie darstellt und die Bacillendichte noch nicht bis an die Grenze der Nachweisbarkeit gelangt ist. Die Pathologie bietet jedoch genügend charakteristische Symptome, um klinisch eine relativ exakte Diagnose stellen zu können. Die reinen Hyperplasien kommen sehr selten zur Beobachtung und noch seltener zur Operation. Die Träger solcher Drüsen haben keine Beschwerden, die Drüsen sind klein, oft kaum von ihnen bemerkt, und wenn sie zu wachsen beginnen, und ein Eingriff erforderlich wird, ist meist die Verkäsung oder Vereiterung schon im Gange und im Centrum fast stets nachzuweisen.

So habe ich unter den 308 Fällen nur 14 finden können, die sich pathologisch-anatomisch als reine Hyperplasien erwiesen. Der Nachweis des KOCH'schen Bacillus ist in meinen Fällen niemals versucht worden. In HAEHL's Statistik werden beinahe $^1/_4$ der Lymphome als „hyperplastisch" bezeichnet und den „tuberkulösen" gegenübergestellt. Dem Wesen der Krankheit nach ist diese Trennung nicht berechtigt, außerdem aus seiner Darstellung nicht zu ersehen, ob eine reine Hyperplasie vorlag, und wie oft diese Diagnose eine klinische, wie oft eine pathologisch-anatomische war. Es ist auch unwahrscheinlich, daß gerade in Straßburg ein so hoher Prozentsatz Drüsenkranker im allerersten Stadium der Krankheit bereits zu operativer Behandlung kommen soll. Ich muß deshalb auf Grund der Heidelberger Erfahrungen auf dem Satz bestehen bleiben: Die zur Operation kommenden tuberkulösen Lymphome sind mit spärlichen Ausnahmen verkäst oder vereitert. In kaum fühlbaren Drüsenknötchen, erbsengroß und kleiner, konnte man bereits Verkäsung nachweisen, ebenso in anderen, die erst seit 1—2 Wochen in die Erscheinung getreten waren (MÜLLER). In mehr als $^1/_3$ meiner Fälle konnte klinisch Fluktuation festgestellt werden, weit über $^3/_4$ der Fälle waren bei MANSON nach der Operation vereitert gefunden worden. LEBERT notiert mehr als die Hälfte seiner Fälle als vereitert. Solche Abscedierungen treten häufig im Anschluß an akute Infektionskrankheiten oder Entzündungen im Wurzelgebiet der Lymphdrüsen ganz akut auf und täuschen so oft genug eine harmlose Erkrankung vor, bis Recidive oder Fistelbildung lehren, daß eine unbeachtet gebliebene tuberkulöse Lymphdrüse zur Vereiterung gekommen war. Diese Gefahr der akuten Vereiterung besteht bei der kleinsten tuberkulösen Lymphdrüse oder, was dasselbe heißt, bei der geringsten chronischen Drüsenschwellung. Diese Gefahr hat die weitere der Perforation und der Fistelbildung im Gefolge. 30 Proz. meiner Fälle waren perforiert, bei 36 Proz. war Fistelbildung eingetreten, die Fisteln nach operativen Eingriffen mitgerechnet. MANSON beobachtete beinahe 50 Proz. fistulöse Drüsen. Die Vorstufe der Fistelbildung, die Periadenitis, konnte ich in 65 Proz. der Fälle feststellen, in 60 Proz. konnte sie bereits klinisch nachgewiesen werden durch Rötung der Haut, Mangel an Verschieblichkeit resp. vollkommene Fixation. In 2 Proz. nur waren die Drüsen mit der Haut fest verwachsen; dies Ereignis besteht also relativ selten. 40 Proz. der Lymphome waren frei beweglich. Die Fisteldauer war in 78 Fällen angegeben: 11mal zählte sie nach Wochen, 31mal nach Monaten, 36mal nach Jahren. Daraus folgt, daß die Prognose der Fistelheilung um so schlechter wird, je länger der Prozeß schon besteht. Nach v. BERGMANN hängt die Dauer der Fistel ab von der Energie der ersten Eiterung; vermag diese alles tuberkulöse Material auszustoßen, so hört die Eitersekretion auf und die Periadenitis ermöglicht es, daß der tuberkulöse Herd aus dem Körper verschwindet. Kann sich jedoch infolge träger Vereiterung eine „Absceßmembran“ bilden und erhalten, die eine Schicht von Granulationsgewebe aus miliaren Tuberkeln darstellt und damit der Propagation des tuberkulösen Prozesses und der Eiterung dient, so wird nach der Perforation an einen raschen Fistelschluß kaum zu denken sein, was die tägliche Erfahrung zur Genüge beweist. Eine solche Vereiterung tuberkulöser Drüsen kann in jedem Lebensalter erfolgen, bis ins 75. Jahr ist sie in Heidelberg beobachtet, an anderen Orten in nicht minder hohem Alter. Wenn man bedenkt, daß solche Vereiterungen fast ausnahmslos den auffallenden Ausgang eines selten beachteten, lange schon bestehenden Leidens darstellen, so wird man auch für die Dauer der Lymphdrüsentuberkulose Jahre und Jahrzehnte ansetzen müssen. Direkte Beobachtungen bestätigen das. In einem Falle bestanden die Drüsenschwellungen 65 Jahre ohne Komplikation, um nach dieser Zeit erst in die Vena jugularis durchzubrechen und mit akuter Miliartuberkulose abzuschließen. Die Lymphdrüsentuberkulose ist demnach zu charakterisieren als eine eminent chronische Krankheit, deren Virus die Eigentümlichkeit hat, sich für ungemessene Zeit im Gewebe des menschlichen Körpers lebens- und wirkungsfähig zu erhalten.

Die Lymphdrüsen jeder Körperregion können von primärer Tuberkulose befallen werden. Modus und Weg der Infektion erklären, warum gerade die Kopf- und Halsdrüsen so häufig, ja fast ausschließlich Sitz der Erkrankung sind. Selten schwellen die Drüsen anderer Körpergegenden, ohne daß die Halsdrüsen mitbeteiligt sind. Die Axillardrüsen z. B., nach den Halsdrüsen am häufigsten erkrankt, waren nach Berruti nie ohne die letzteren infiziert. Die Vermutung liegt nahe genug, daß die Halsdrüsen überhaupt es sind, die für gewöhnlich dem Tuberkelbacillus den Weg in den Körper vermitteln. Dieser Verdacht scheint sich mehr und mehr zu bestätigen, wichtige Beweisstücke liegen bereits vor. Am seltensten, oft unter 0,1 Proz., kommen die Popliteal- und Cubitallymphome vor, etwas häufiger die inguinalen. Ueber die inneren Körperdrüsen, die retroperitonealen, bronchialen, mediastinalen etc. besteht noch keine Statistik in dieser Frage; sicher ist, daß mancher retropharyngeale und peritonsilläre Absceß in die Kategorie der tuberkulösen Drüsenerkrankungen gehört und als vereitertes tuberkulöses Lymphom aufzufassen ist.

Eine weitere Folge der Entstehungsgeschichte ist die Thatsache, daß in der Regel von vornherein mehrere Drüsen ergriffen sind und daß die Erkrankung doppelseitig ist. Dies gilt besonders für die ersten 3 Jahrzehnte, für die der Therapie deshalb auch besondere Indikationen erwachsen; im späteren Alter treten die Lymphome nicht mehr so multipel auf, wie sie ja in diesen Jahren überhaupt selten sind. Man sieht hier für gewöhnlich die Form der beschränkt isolierten, selbst solitären Drüsentuberkulose, am häufigsten noch am Kieferwinkel. Sie stellen meist Reste früherer Drüsenerkrankungen dar, die irgend ein sekundär entzündlicher Prozeß zu so später Manifestation bringt, seltener sind es primäre Spätinfektionen, was an und für sich schon nach den Volland'schen Untersuchungen unwahrscheinlich wäre.

In den großen Paketen sind die einzelnen Drüsen stets durch Periadenitis miteinander fest verwachsen, während oft das Paket als Ganzes noch frei beweglich ist. Diese Pakete haben eine höckerige Oberfläche entsprechend ihrer Zusammensetzung aus einzelnen Knollen, die für sich wieder die verschiedensten Grade der Verkäsung und Vereiterung aufweisen können. Daraus resultiert eine charakteristische Konsistenz, indem in einem solchen Tumor neben einander harte, elastische, weiche und fluktuierende Stellen vorkommen können. Die solitären Drüsen nehmen für sich neben einer glatten Oberfläche jede Art der Konsistenz in Anspruch, je nachdem der tuberkulöse Prozeß in hyperplastischem, verkästem oder vereitertem Gewebe angetroffen wird. Die Vereiterung solitärer Drüsen kann sogar, wie ich in einem Falle fand, mit so exakter Membranbildung und ohne die geringste Periadenitis einhergehen, daß dadurch eine Halscyste vorgetäuscht wird. Daß der Prozeß tuberkulös ist, bezeugen jedoch häufig zur Genüge die kleinen verkästen Drüschen, die sich neben einer solchen Cyste oder in der Nähe einer scheinbar akut erkrankten und vereiterten Drüse finden.

Solche akuten Vereiterungen tuberkulöser Drüsen können mit Temperatursteigerungen einhergehen, die der tuberkulösen Lymphomerkrankung an und für sich nicht eigen sind. Die subakuten und chronischen Vereiterungen verlaufen stets fieberlos, und wenn Fieber vorhanden ist, so rührt es in der Regel von einem chronischen Prozeß in den Lungen her, die bei jedem Drüsenkranken gefährdet sind. Eine Lungenkomplikation, ein Knochen- oder Gelenkleiden liegt gewöhnlich auch der Störung des Allgemeinbefindens zu Grunde, die ich nur in 11 Proz. konstatieren konnte. Einigemal waren es aber auch chronische Drüseneiterungen, die zu solchen Störungen geführt hatten. Es ist nichts Seltenes, daß man Drüsenkranke mit geradezu blühendem Aussehen antrifft; eine Störung des allgemeinen Körperbefindens bildet auch nach anderen Autoren die Ausnahme (v. Lesser, Wohlgemuth); entsprechend der seltenen akuten Abscedierung ist der Verlauf der Krankheit abgesehen von Komplikationen meist auch ein schmerzloser. Meine Statistik weist 24 Proz. subakute bis chronische Abscedierungen auf, unter denen 15,3 Proz. schmerzhaft verliefen und die in 16,5 Proz. frei von Periadenitis waren. Es ist demnach wahrscheinlich, daß nur in den Fällen Schmerz empfunden wird, wo bei mehr akuter Vereiterung noch kein periadenitisches Bindegewebslager sich hat bilden und die Drüse schützend hat umgeben können. Selbst das sehr rasche Wachstum der Lymphome ist ein schmerzloses Ereignis. Indes kommt es vor, in meiner Statistik in 6,3 Proz. der Fälle, daß bei lange bestehender Krankheit ein periodisches An- und Abschwellen der Lymphome beobachtet wird, im Winter wachsen die Tumoren, um im Sommer sich wieder zurückzubilden. Ein derartiges Anschwellen wird oft schmerzhaft empfunden und auf Erkältung zurückgeführt. Es ist anzunehmen, daß diese Schwellungen durch einfache entzündliche Prozesse in den Lymphwurzeln der betr. Drüsen herbeigeführt werden (Angina, Rhinitis, Conjunctivitis etc.), die in der kälteren Jahreszeit ja so oft vorkommen. Eine solche Schwellung geht naturgemäß leicht einmal in Eiterung und Perforation über. (Auf andere Weise muß das zum Teil auch periodische Wachsen der Drüsen erklärt werden, das im Zusammenhang mit den physiologischen Entwickelungsvorgängen des Körpers beobachtet wurde: Pubertät, Cessieren der Menses, Schwangerschaft. Diese Erscheinungen sind besonders von Lücke studiert und beleuchtet worden; doch sind die Akten darüber noch nicht geschlossen.)

Heilt die Perforation aus, so läßt sie die charakteristische strahlenförmige, eingezogene häßliche Narbe zurück. Sie muß um so häßlicher und verunstaltender werden, je länger der Eiterungsprozeß gewährt hat, und da dieser, wie die Statistik über die Fisteldauer lehrt, in der Regel lange währt, muß das Aussehen der Narbe so auffallend eigenartig sein.

Zu den außergewöhnlichen Erscheinungen der tuberkulösen Lymphome gehören die folgenden Komplikationen, die teils durch die Größe der Tumorbildung, teils durch ausgedehntere Periadenitis verursacht, in meinen 308 Fällen sich finden: Kompression des Plexus cervicalis und der Kopfnerven, der Trachea und des Oesophagus, Lähmung des Facialis, Beschränkung der Kopfbewegung. Zur Illustration dieser Komplikationen führe ich folgendes aus den Krankengeschichten an:

1) 20-jährige Patientin, mit Achseldrüsen rechterseits, klagt in den letzten Jahren über stechende Schmerzen an der Beugeseite des rechten Unterarms vom Ellenbogen bis zur Hand. Die Beugung des Armes ist sehr schmerzhaft, seit 8 Wochen sind die Schmerzen kontinuierlich geworden; der ganze rechte Arm erscheint gegenüber dem linken atrophiert, Motilität und Sensibilität intakt. Drückt man die Drüsenknoten etwas in die Tiefe, so werden die ausstrahlenden Schmerzen im Ulnaris heftiger. Nach Entfernung der Drüsen, die mit dem Plexus brachialis verwachsen waren, verschwinden die neuralgischen Beschwerden.

2) 38-jährige Frau. Geschwulst am hinteren Ende des rechten Unterkiefers, kleinapfelgroß, macht Schluckbeschwerden seit 14 Tagen, außerdem während ihres Wachstums starke lancinierende Schmerzen im

rechten Hinterkopf, der rechten Halsseite und dem rechten Arme. Nach Operation Heilung.

3) 20-jähriger Patient. Großer Tumor, rasch sich entwickelnder Lymphdrüsenabsceß der tiefen rechtsseitigen Halsdrüsen, macht Schluckbeschwerden, starke Schmerzhaftigkeit, Stechen im Hinterkopf und im rechten Ohr. Nach Operation Heilung.

4) 22-jähriger Patient. Orangegroßes Paket rechts und links am Halse, schmerzhaft; entsteht Atemnot und Erschwerung des Schluckens; bei der Operation werden keine Verwachsungen gefunden. Heilung.

5) 20-jähriges Mädchen. Kleinkindskopfgroßer Tumor links hinter dem Ohr beginnend und bis zum Nacken und Protuberantia ext. occip. reichend, nach vorn bis zum Kehlkopf, verdrängt das Ohr nach oben und geht in das Gesicht über auf die Parotis; Lähmung des Facialis auf dieser Seite. Erfolg der Operation unbekannt.

6) 35-jähriger Patient mit Lymph. coll. et axill. Ueber dem Bereich des Sternums entsprechend dem Mediastinum scheint der Schall verkürzt; es bestehen Beschwerden in der Nahrungsaufnahme, in der Höhe der Bifurkation der Trachea hat P. das Gefühl, als ob die Speisen an dieser Stelle stecken blieben. Es kam nie zur Regurgitation verschluckter Speisen. Diagnose: Wahrscheinlich Lymphomata tubercul. des Mediastinums. Keine Operation, keine Nachricht.

7) 22-jähriges Mädchen. In 2 Tagen aufgetretene große Schwellung der Drüsen vor dem linken Ohr mit sofort darauffolgender Gehörstörung; kein Ausfluß aus dem Ohr. Die Uhr wird 4 cm entfernt gehört. Besteht seit 1/2 Jahr schmerzlos; Tumor verschiebbar, derb. Exstirpation, Heilung.

8) 18-jähriges Mädchen. Ein Ring von harten, mit der Umgebung verwachsenen Lymphomen umschließt den Hals, auf Druck schmerzhaft, rasch gewachsen. Es bestehen Atembeschwerden infolge Kompression der Trachea.

Am seltensten scheint die Kompression der Luftwege zu sein; v. BERGMANN leugnete ihr Vorkommen noch in seiner Arbeit über Lymphome. Dagegen haben sie POULET und NÉLATON beobachtet, letzterer sogar in der Durchschneidung des Kopfnickers ein Verfahren zur Beseitigung der Dyspnoë empfohlen und selbst angewandt.

## Schicksal und Bedeutung der tuberkulösen Lymphome.

Es ist erwiesen, daß eine spontane Rückbildung der rein hyperplastischen tuberkulösen Lymphome möglich ist und vorkommt. VOLLAND hat diese Frage an einem großen Material studiert und bejaht, desgleichen v. LESSER. Unter den 308 Fällen der Heidelberger Klinik konnte 16mal eine solche dauernde spontane Rückbildung beobachtet werden. Anders verhält es sich mit den verkästen tuberkulösen Lymphomen; nach VIRCHOW ist eine vollkommene Resolution und damit Ausschaltung der verkästen Drüsen aus dem Organismus möglich. Diese Behauptung zu beweisen, ist sehr schwierig, war jedenfalls bis heute unmöglich. Denn wie soll festgestellt werden, daß die beobachtete, sich rückbildende Drüse verkäst ist? Kann sie sich nicht ebensogut nur im Zustande der reinen Hyperplasie befunden haben, und die scheinbare Resolution auf dieser pathologisch-anatomischen Grundlage erfolgt sein? Selbst wenn man bei Exstirpation verkäster Drüsen eine erkrankte Drüse zum Zweck der Beobachtung ihrer Resolution zurückließe, wäre durch nichts bewiesen, daß diese Drüse nicht auch verkäst gewesen sei. Denn es ist charakteristisch für die tuberkulöse Drüsenerkrankung, daß nebeneinander alle Stadien der Entwickelung und regressiven Metamorphose der Lymphome vorkommen können. Nach COLIN D'ALFORT (Bull. Acad. de méd. 1892), schreitet bei Tieren der Rückbildungsprozeß bis zur Verkalkung und bleibt bei dieser relativ günstigen Veränderung stehen. Beim Menschen hat er dergleichen nie beobachtet; auch HUETER spricht sich gegen die Möglichkeit einer Resolution aus. Jedenfalls dürfen wir praktisch nicht mit ihr rechnen, solange der strikte Beweis nicht erbracht worden ist. Damit wäre die Prognose der lokalen Affektion, von jeder Behandlung abgesehen, als eine durchaus dubiöse gekennzeichnet. Und trotzdem liegt die Bedeutung der tuberkulösen Lymphome nicht in dem Ablauf des lokalen Prozesses; der Grund, warum sie ein Interesse in ganz großem Stil praktischer wie theoretischer Natur verdienen, liegt in der Rolle, die sie nach unserem heutigen Erkenntnisstande in der Entstehung der Krankheit der Krankheiten, der **Lungentuberkulose**, zu spielen berufen scheinen. Daß sie diese Rolle thatsächlich spielen, ist heute noch nicht zur Evidenz erwiesen; aber für diese Auffassung sprechen folgende Thatsachen.

Es waren nach den Statistiken der Wiener (49 Fälle), Bonner (37 Fälle), Breslauer (92 Fälle), Straßburger (104 Fälle) und Erlanger Universität 10 Proz., 11 Proz., 18 Proz., 22 Proz., 26,4 Proz. der Operierten an Lungentuberkulose gestorben, ausschließlich oder doch fast ausschließlich; nur selten ist Tuberkulose anderer Organe beobachtet worden. WOHLGEMUTH (167 Fälle) findet 12 Proz., DEMME (692 Fälle) 21 Proz. Lungenphthisen bei Drüsenkranken. Nach v. NOORDEN gehen 28 Proz. der Lymphomkranken an anderweitiger Tuberkulose zu Grunde; dabei sei auffallend, daß selten andere tuberkulöse Affektionen als Phthisis pulmonum nachfolgen, und daß es geradezu eine Ausnahme sei, wenn einmal eine Knochen- oder Gelenktuberkulose Platz greife. BIRCH-HIRSCHFELD schreibt: „Wenn Menschen mit Drüsen zur Lungenschwindsucht disponiert sind, so ist der erste Anfang derselben schon gleichzeitig mit der Entwickelung der käsigen Degeneration da, weil trotz Exstirpation noch Individuen an allgemeiner Tuberkulose zu Grunde gehen.“ AUFRECHT konstatiert intime Beziehungen zwischen Drüsentuberkulose und Schwindsucht: „Die Skrofulose spielt eine hervorragende Rolle bei der gewöhnlichen Lungenschwindsucht. Gerade die skrofulösen Individuen werden mit solcher Vorliebe von der Tuberkulose heimgesucht, daß eine Tuberkulose nichtskrofulöser Individuen eigentlich gar nicht vorkommt. Skrofulöse Individuen brauchen nur eine Entzündung zu bekommen, um in der Gefahr der Entwickelung der Tuberkulose zu schweben."

PRÉLAT beobachtete Fälle, wo die Drüsenschwellungen $^1/_2$ bis 1 Jahr vor der Lungentuberkulose aufgetreten waren; LINDENBAUM solche, wo die Drüsenaffektion 2—3 Monate dem tuberkulösen Lungenprozeß vorangegangen war. Nach CRAMER geht die Infektion der Lunge gleichfalls von tuberkulösen Halsdrüsen aus, nach HENOCH erkranken die skrofulösen Drüsenkinder besonders häufig an Miliartuberkulose und Meningitis, und oft genug hat er bei der Sektion solcher Kinder Käseherde in der Lunge gefunden. HUETER sagt ganz einfach und kategorisch: „Die Tuberkulose entwickelt sich auf dem Boden der Skrofulose (Lymphdrüsenschwellungen)" und mit ihm WOHLGEMUTH: „Die Lymphdrüsentuberkulose ist als der erste Ausdruck der allgemeinen Durchseuchung des Körpers von dem tuberkulösen Virus anzusehen."

Die Heidelberger Statistik (160 beobachtete Fälle) ergiebt 26 Proz. Lungentuberkulose und 14 Proz. Tuberkulose anderer Organe bei den Drüsenkranken, gleich 40 Proz. anderweitiger Tuberkulose überhaupt. Diese Befunde und Erfahrungen waren zu auffallend, als daß man an dem Versuche vorübergegangen wäre, einen Zusammenhang zwischen Drüsen- und Lungentuberkulose aus exakten Forschungen heraus darzuthun, die Lungenphthise ätiologisch abhängig zu machen von der Drüsenerkrankung. Es ist das Verdienst VOLLAND's, zuerst und konsequent in diesem Sinne gearbeitet zu haben. Zwei Fragen mußte er vor allem die Antwort finden, bevor an die Begründung einer „neuen Lehre" zu denken war: 1) was spricht gegen die Annahme, daß die Lungentuberkulose beim Menschen eine Inhalationskrankheit ist? und 2) wie groß ist der Prozentsatz der Phthisen, bei denen tuberkulöse Lymphome nachgewiesen werden können?

Für die 1. Frage gilt zunächst, was wir für den Infektionsmodus der Lymphdrüsentuberkulose konstatieren konnten. Wir wissen, daß der Tuberkelbacillus sich nicht in einem einatembaren Zustande frei in der Luft schwebend befindet, was die Theorie CORNET's unbedingt postulieren muß. Gegen die weitverbreitete CORNET'sche Ansicht spricht ferner die Art und Weise, wie die Lungentuberkulose bei den Quadrupeden sich entwickelt. Hier treffen wir die Folgen der reinen Inhalationstuberkulose, die lobulär und in der Nähe der Bifurkation der Trachea einsetzt. Die Art der Nahrungsaufnahme ist bei ihnen maßgebend für den Modus der Infektion. Sie nehmen ihr Futter vom Boden auf, die Respirationsluft streicht direkt über den Boden hin, die Quelle der tuberkulösen Infektion, und reißt die Keime mit dem Luftstrome in den Körper. Es entsteht eine ganz charakteristische Form der Lungentuberkulose, die beim Menschen höchst selten vorkommt, nach MÜLLER nur dann, wenn die Infektion von den primär erkrankten Bronchialdrüsen ausgeht; bei Kindern wurden solche Mittel- oder Unterlappenphthisen beobachtet, wo die Sektion regelmäßig den Infektionsheerd in verkästen und perforierten Bronchialdrüsen nachweisen konnte. Nach alledem erscheint die Theorie CORNET's unhaltbar, und die gewöhnliche Lungenspitzentuberkulose des Menschen nicht von der Inhalation abhängig.

Die 2. Frage erledigt sich leichter. Aus den Lymphomstatistiken geht hervor, daß ein bedeutender Prozentsatz der Drüsenkranken an Tuberkulose der Lunge zu Grunde geht, und also ein Zusammenhang beider Krankheiten wahrscheinlich ist. VOLLAND hat umgekehrt die Phthisiker auf tuberkulöse Lymphome untersucht, und bei 108 Lungenkranken 101 mal geschwollene Halsdrüsen nachgewiesen. Demnach sind 93 Proz. der Phthisiker drüsenkrank. Daß die Halsdrüsen sekundär von der Lunge aus entgegen dem Lymphstrom infiziert sein könnten, währe eine Besonderheit, die den allgemein pathologischen Gesetzen widerspräche, auch der scheinbaren Ausnahme der retrograden Bewegung nicht angegliedert werden könnte. Einer solchen künstlichen Erklärung bedarf es auch gar nicht, wenn man die Thatsachen zu Rate zieht, die VOLLAND an einem anderen großen Materiale gefunden hat. Diese besagen, daß ein ungeheurer Prozentsatz aller Menschen in der Jugend mit Drüsentuberkulose behaftet ist:

| | | | | |
|---|---|---|---|---|
| Zwischen | 7— 9 | Jahren | 96,6 | Proz. |
| „ | 10—12 | „ | 91,6 | „ |
| „ | 13—15 | „ | 84,0 | „ |
| „ | 16—18 | „ | 69,7 | „ |
| „ | 18—24 | „ | 68,0 | „ |

Diese Untersuchungen wurden in Schweizer Schulen angestellt an einem Material von 2506 Individuen. ODENTHAL hat ähnliche Studien, aber nur an Kindern gemacht und findet 70 Proz. mit chronischen Halsdrüsenschwellungen behaftet. Ein Teil dieser latent Lymphomkranken überwindet die Infektion im Keime, der lokale Herd heilt aus. Bei diesem Heilungsprozeß müssen uns einige Bedenken kommen, vor allem: waren die ausgeheilten Drüsen wirklich tuberkulös? Lagen nicht vielmehr einfache Drüsenschwellungen nach chronischen Katarrhen von Haut und Schleimhaut, nach cariösen Zähnen, die unterdessen entfernt wurden, nach Störungen der 2. Dentition u. s. w. vor? Thatsache ist, daß auch eine tuberkulöse Drüse unter günstigen Verhältnissen zur Ausheilung kommt, zumal wenn die Infektionsquelle bald versiegt. Auffallend bleibt jedenfalls, daß es mit dem 24. Jahre noch 68 Proz. sind, die nachweisbar geschwellte Halsdrüsen tragen. Es ist wahrscheinlich, und entspräche der klinischen Beobachtung, daß die

Mehrzahl dieser Lymphome tuberkulöser Natur ist; zu der Anschauung drängt neben anderem die Erfahrung, daß unter Umständen dieser ganze Prozentsatz an entwickelter allgemeiner Tuberkulose zu Grunde gehen kann. So starben z. B. nach CORNET 63 Proz. der Schwestern des katholischen Krankenpflegeordens an Tuberkulose, nach VOLLAND werden sogar 66 Proz. überstiegen. Auch auf das Verhältnis der Skrofulose in oben definiertem Sinne zu den tuberkulösen Lymphomen werfen diese Zahlen ein Licht. Sie wirkt nach alledem in vielen Fällen nur durch die in den Lymphwurzeln aufgesaugten, entzündlichen Stoffe, die sie liefert, auf bereits vorhandene tuberkulöse Drüsen. Sie schafft so den Boden, auf dem sich die Tuberkulose zu entwickeln vermag und der besonders der Abscedierung günstig ist. Jede neue Thatsache spricht dafür, daß der Begriff der „skrofulösen Drüse" pathologisch-anatomisch wie klinisch zu verwerfen ist.

Ueber den Weg nun, den das tuberkulöse Virus von den Drüsen aus nimmt, um zu den Lungenspitzen zu gelangen, stellte VOLLAND zwei Hypothesen auf. Nach KOCH ist es möglich, daß die Bacillen, denen jede Eigenbewegung fehlt, durch Leukocyten verschleppt, die Lymphdrüsen in centripetaler Richtung verlassen können, dem Blute zugeführt werden und zunächst in den kleinen Kreislauf gelangen. Dort übt, wie die Histologen lehren (RANVIER's technisches Lehrbuch der Histologie), „der Sauerstoff der Atmungsluft eine erregende Wirkung auf sie aus, und zwar in der Art, daß sie die Neigung bekommen, Fortsätze zu bilden und an den Gefäßwänden hängen zu bleiben. Nur durch die rasche Bewegung des Blutstromes werden sie daran gehindert, aber an allen Punkten des Gefäßsystems, wo der Blutstrom verlangsamt ist, findet eine Anhäufung von weißen Blutkörperchen statt." Bei allgemeiner Anämie wird eine solche Verlangsamung des Blutstromes zuerst in den Lungenspitzen, wenigstens bei aufrechter Haltung, eintreten. Denn die Arterien des kleinen Kreislaufs besitzen keine aktive Kontraktilität wegen des Mangels der Muskelfaserschicht, und so kann sich das arterielle System desselben bei Anämie nicht der verminderten Blutmenge wie im großen Kreislauf anpassen. Dem Gesetz der Schwere nach, das sich unter solchen Umständen bei der Blutverteilung in der Lunge geltend macht, muß nur sehr wenig Blut, und deshalb in sehr langsamem Strom nach den Lungenspitzen gelangen; infolge davon werden die weißen Blutkörperchen vielfach an den Gefäßwänden hängen bleiben, sich auf diese Weise ansammeln und auch reichlich in die Kapillarwände durchwandern. Bei stattgehabter Infektion werden viele darunter sein, die bacillenhaltig sind, und so muß schließlich die Zahl derselben reichlich genug werden, um es zu tuberkulösen Wucherungen in dem durch ungenügende Blutzufuhr schlecht ernährten und so disponierten Lungenspitzengewebe bringen zu können. Auf die gleiche Weise muß man sich das Zustandekommen der Tuberkulose in ganz entfernten Körperteilen vorstellen; durch eine Entzündung oder ein Trauma ist irgendwo eine Schädigung des Gewebes zustandegekommen, die Folge ist Anhäufung von weißen Blutkörperchen, von denen viele Träger von Bacillen sind, und endlich Infektion.

Die zweite Hypothese erklärt die Infektion der Lungenspitze von den Halsdrüsen aus auf dem direkten Lymphwege. Der Leukocyt befindet sich durch seinen Inhalt in einem gewissen Reizzustande, bildet Fortsätze, wandert durch die Lymphgefäßwand aus in die freien Lymphräume. Auf seinem Wege nach abwärts gelangt er schließlich in das Gewebe über dem reich entwickelten Kapillarnetz der Pleura costalis, die serösen Höhlen kommunizieren direkt mit den Lymphräumen, die Leukocyten wandern ein und befinden sich nun direkt über den Lungenspitzen. Die Luft ist für sie ein energisches Erregungsmittel (sie wandern sogar noch auf dem geeigneten Objektträger nach der Luftseite hin, RANVIER), die Stomata der Pleura pulmonalis sind offen, und ihr Weg führt sie ganz natürlicherweise in das ausgebreitete Lymphkapillarnetz unterhalb des Brustfells. Finden sie hier einen lebhaften Lymphstrom vor, wie es der Fall ist bei guter Blutversorgung der Lungenspitzen, so werden sie, mit ihm fortgerissen, weiter wandern und wahrscheinlich erst wieder in bronchialen Lymphdrüsen aufgefangen werden, ein Weg, der zugleich die primäre Infektion dieser Drüsen erklärt. Dort werden sie bis auf weiteres zu einer scheinbaren Ruhe gelangen oder bei genügender Menge und sonstigen für sie günstigen Verhältnissen erst hier ihre Wucherung beginnen. Dieser Weg ist möglich, das hat BOLLINGER experimentell nachgewiesen.

Finden aber die mit Bacillen beladenen Leukocyten bei ihrer Ankunft in den subpleuralen Lymphkapillaren der Lungenspitze keinen lebhaften Lymphstrom vor, wie das der Fall sein muß bei allgemeiner Anämie aus den oben angeführten Gründen, so werden die Wanderzellen mit ihrem Inhalt ansässig werden, sich anhäufen und wuchern, und die Lungentuberkulose hat begonnen. Die adhäsive Pleuritis zwischen den beiden Brustfellblättern, die bei keiner Sektion vermißt wird, wird nicht fehlen, in den meisten Fällen sogar vorangehen, wie Entstehungsgeschichte und klinische Erfahrung lehren.

Die direkte Inhalationstheorie (Spitzentuberkulose in CORNET'schem Sinne) ist übrigens schon lange nicht mehr so allgemein anerkannt, wie VOLLAND es befürchtet, wenn auch an dem Inhalationsmodus noch festgehalten wird. So lehrt ERB z. B., daß die Tuberkelbacillen mit dem Luftstrom nicht unmittelbar in die schlecht ventilierten Spitzen aspiriert werden, sondern, von der Bronchialschleimhaut aufgefangen in die Lymphspalten dringen und nach den Bronchialdrüsen abgeführt werden. Von dort aus sollen sie dann in den Ductus thoracicus und in den kleinen Kreislauf gelangen und dann in ähnlicher Weise die Spitzenaffektion erzeugen wie eben geschildert. Im wesentlichen stimmt somit ERB mit VOLLAND überein, indem auch er lehrt, daß die Infektion von den Drüsen aus erfolgt. Danach ist auch verständlich, warum die Disposition eine so hervorragende Rolle in der Geschichte der Phthisiologie spielt. Die Sterblichkeit an Tuberkulose in Gefängnissen (50 Proz.) und Klöstern mit asketischen Regeln (63 Proz.), wo die Erwerbung der Disposition die natürliche Folge der Lebensweise ist, ist gleichsam der experimentelle Nachweis dieser Lehre. In den Gefängnissen werden diese 50 Proz. Sterblichkeit bereits nach 2 Jahren beobachtet; demnach müssen die Menschen den Keim der Tuberkulose bereits in sich tragen, wenn sie der Anstalt überliefert werden; auch das Klosterleben entwickelt diesen Keim erst zu lebensgefährlicher Reife, wenn die Konstitution untergraben ist. In solch latentem Zustande tragen $^{2}/_{3}$ aller Lebenden den nicht mehr zu beseitigenden Keim der Tuberkulose in den Lymphdrüsen des Körpers während ihres ganzen Lebens in sich.

Aber nicht nur klinisch konnte das festgestellt werden, auch pathologisch-anatomisch ist es erwiesen, daß in jeder dritten bis vierten Leiche, die an Tuberkulose Gestorbenen ausgenommen, sich Spuren einer latent verlaufenen oder geheilten Tuberkulose finden (BAUMGARTEN). Wenn nun die Lymphdrüsentuberkulose bei der Entstehung der Lungenphthise die erste Rolle spielt, so bleibt übrig, ihren Einfluß auf die tuberkulöse Erkrankung anderer Organe noch festzustellen. Dieser Einfluß besteht, wenn auch nicht in dem Grade wie bei der Phthise. Meine Statistik weist 14 Proz. solcher Tuberkulosen auf, ohne daß überall ein direkter Zusammenhang hätte konstatiert werden können. DEMME findet 8,2 Proz., WOHLGEMUTH 7,5 Proz. Speciell von der Drüsenerkrankung abhängig wurde Miliartuberkulose gefunden. SCHUCHARDT berichtet in VIRCHOW's Archiv über eine solche, an der eine Frau zu Grunde ging, bei der 65 Jahre lang die Halsdrüsen unverändert fortbestanden und nach dieser Zeit erst Durchbruch in die Vena jugularis stattgefunden hatte. Pericarditis tuberculosa entsteht nach WEIGERT und HANAU fast immer durch Uebergreifen der Tuberkulose von einer erkrankten Bronchialdrüse per continuitatem. Tiefe Halsphlegmonen, Mediastinitis, Tuberkulose und specifischer Lupus der Haut sind in der Litteratur als Komplikationen tuberkulöser Lymphome erwähnt. Mit Ausnahme der Pericarditis tub. konnten durch unsere Statistik alle diese Abhängigkeiten tuberkulöser Erkrankungen einzelner Körperorgane von einem primären Lymphdrüsenprozeß bestätigt werden.

Diese Erfahrungen zwingen von neuem, in jedem Falle von tuberkulöser Drüsenkrankheit eine ernste Prognose zu stellen. Sie bessert sich schon in den Fällen isolierter Tumoren, weil diese der Therapie zugänglicher sind als die diffus und multipel auftretenden Lymphome.

Die eigentliche Gefahr liegt jedoch nicht in dem Drüsenprozeß selbst, an ihm stirbt nach meiner Statistik kaum 1 Proz. infolge langer Eiterung und daraus sich entwickelnder Verfettung und amyloider Entartung innerer Organe. Der Schwerpunkt der Prognose liegt in dem Auftreten der sekundären Infektion, die von der primären Drüsentuberkulose ausgeht und besonders in den ersten drei Lebensjahrzehnten zu beobachten ist. 75 Proz. der Todesfälle an sekundärer Tuberkulose fallen in diesen Lebensabschnitt. v. BERGMANN, BAGINSKY, HENOCH u. a. stellen der Drüsenerkrankung bei Kindern eine besonders schlechte Prognose; und doch vermag die Therapie gerade bei Kindern die Prognose des lokalen Leidens günstig zu beeinflussen, und damit auch die allgemeine Prognose zu bessern. Mit zunehmendem Alter nimmt die Gefahr der Erkrankung ab, entsprechend dem allgemeinen Gesetze der Tuberkulosenprognose. Hereditäre Belastung verschlechtert die Prognose. In 20 Proz. der an Tuberkulose zu Grunde Gegangenen liegt nach meiner Statistik Belastung vor; auch WOHLGEMUTH weist darauf hin. Auf alle Fälle thun wir bei der Prognosestellung gut, an dem Satze festzuhalten, den die Erfahrung uns lehrt: „Jede tuberkulöse Lymphdrüse, jeder gut abgekapselte Käseherd bleibt stets eine Gefahr für den Körper“ (v. BERGMANN).

## Differentialdiagnose.

Die Differentialdiagnose hat v. BERGMANN im GERHARDT'schen Handbuch so erschöpfend und meisterhaft behandelt, daß mir nur wenig und in der Hauptsache Kasuistisches hinzuzufügen übrig bleibt. Praktisch am wichtigsten hat sich aus meiner Statistik ergeben die Unterscheidung der tuberkulösen Lymphome von den pseudoleukämischen Tumoren, malignen und gummösen Lymphomen. Vier solche Fälle finden sich unter den 328 der Heidelberger Statistik, wo eine sichere Diagnose klinisch und selbst pathologisch-anatomisch nicht gestellt werden konnte. Der erste Fall betrifft ein 6jähriges Mädchen, tuberkulös nicht belastet, bei dem seit einem Jahre rasch wachsende Tumoren zu beiden Seiten des Halses beobachtet wurden. Die Exstirpation ergiebt rein hyperplastische Lymphdrüsen, die pathologisch-anatomische Untersuchung läßt die Frage offen, ob maligne oder tuberkulöse Lymphome bestehen. Leider entzog sich gerade dieser Fall der späteren Beobachtung. Der zweite Fall ist durch seinen Doppelbefund besonders interessant: Das 21jährige, phthisisch belastete, tuberkulöse Mädchen (Spina ventosa, Caries metacarpi dextri) leidet seit dem 15. Jahre an Drüsenschwellungen des Halses, der Axilla und der Cubitalgegend beiderseits! Die Diagnose schwankte klinisch zwischen malignen und tuberkulösen Lymphomen. Bei der Operation fanden sich verkäste Drüsen neben rein hyperplastischen, leicht auszuschälenden, die als maligne Tumoren auch pathologisch-anatomisch angesprochen werden mußten. Auch in diesem Fall blieb das fernere Schicksal unbekannt. Dritter Fall: 23jähriges, phthisisch belastetes Mädchen, selbst phthisisch, leidet seit dem 15. Jahre an Drüsenschwellungen, hat bereits zwei Drüsenoperationen durchgemacht. Die Drüsen- und die Blutbeschaffenheit (Verminderung der roten, geringe Vermehrung der weißen Blutkörperchen) war derart, daß man an Pseudoleukämie denken mußte. Längere Zeit Behandlung mit Sol. Fowleri ohne Erfolg. Die im Mai 1893 vorgenommene Exstirpation ergiebt verkäste Drüsen. Im Februar 1898 Narbenrecidive, die Phthisis pulm. hat keine Fortschritte gemacht, das Allgemeinbefinden hat sich bedeutend gebessert. Der vierte Fall betrifft einen Patienten, bei dem die Diagnose auf tuberkulöse Halslymphome gestellt wurde, und wo die Operation typische gummöse Drüsen ergab.

v. Bergmann wies vor 16 Jahren bereits darauf hin, wie wichtig die Spätlues sei für die Betrachtung der Differentialdiagnose. Die Forschungen auf diesem Gebiet sind seitdem äußerst spärliche geblieben. Vor 4 Jahren hat Joseph's Poliklinik einen Beitrag geliefert, der beweist, daß die gummösen Lymphome nicht gar so selten sind, jedenfalls häufiger vorkommen als der Gold'schen Statistik (1 auf 533 Fälle tertiärer Lues) entspricht. Als man in Joseph's Poliklinik darauf zu achten anfing, fand man in kurzer Zeit eine ganze Reihe solcher Fälle, die man für gewöhnlich einfach den tuberkulösen Lymphomen zugezählt hätte. Die gummösen Lymphome können wenige bis 30 Jahre post infectionem erscheinen und bilden oft die einzige Manifestation der Syphilis. Sie sind streng zu scheiden von den sekundären luetischen Drüsenschwellungen. Im Anfangsstadium der Schwellung sind sie nicht zu trennen von den tuberkulösen Hyperplasien, auch später, wenn sie vereitern, oder käseähnliche Detritus bilden, ist eine Unterscheidung schwer, oft unmöglich.

Es kommen besonders die Hals- und Leistendrüsen in Betracht, von den Halsdrüsen wiederum werden die submaxillaren am häufigsten gummös. Die Regel ist, daß ganze Pakete als Krankheitsprodukte auftreten, hierin der tuberkulösen Erkrankung analog. Auch die langsame, schmerzlose Entwickelung, nicht selten im Alter zwischen 20 und 30 Jahren, die bald derb-elastische, bald weiche Konsistenz, Vereiterung, Perforation u. s. w. deckt sich mit dem Bilde des tuberkulösen Prozesses. Die Diagnose kann klinisch nur ex juvantibus gestellt werden. Auf Jodkali und Quecksilber gehen rasch die größten Tumoren zurück. Vor kurzem konnte ich im Karlsruher Militärlazarett einen solchen Fall beobachten, wo die Jodkaliumbehandlung auf große, schmerzlose, langsam entstandene, beiderseitige Halsdrüsenpakete geradezu wunderbar heilend wirkte, und die Diagnose „gummöse Lymphome" kaum mehr zweifelhaft war. Es erscheint mir nach alledem für die Differentialdiagnose besonders wichtig, auf diese Form der Lymphome zu achten und die Jodkali-Quecksilberbehandlung in keinem, nur irgend zweifelhaften Falle zu versäumen. Ich bin sicher, daß manches gummöse Lymphom die Resultate der Statistiken der tuberkulösen Lymphdrüsen trübt und eher in die operative Therapie der Lues einzureihen wäre.

## Therapie.

In der Behandlung der tuberkulösen Lymphome ist grundsätzlich zu unterscheiden zwischen den rein hyperplastischen und den bereits verkästen Drüsenschwellungen. Dieser Unterschied ist in erster Linie ein theoretischer. Klinisch-praktisch kann die Diagnose auf Hyperplasie oder Verkäsung nicht gestellt werden; nur ex juvantibus, wenn die eingeschlagene resorbierende Behandlung von Erfolg gekrönt ist, dürfen wir auf eine vorhanden gewesene reine Hyperplasie schließen. Denn eine verkäste Drüse ist, wie wir bereits erörtert haben, auf „innerem Wege" schlechterdings nicht mehr aus dem Körper herauszuschaffen. Diese Erkenntnis und die tausendfältige Erfahrung, daß ein Käseherd tuberkulöser Natur nie aufhört, eine Gefahr für den Körper zu sein, haben Hueter bewogen, zuerst konsequent und in großem Stile die Entfernung der kranken Drüsen auf chirurgischem Wege durchzusetzen. Heute sind wir bereits dahin gekommen, zu konstatieren, daß die tuberkulösen Lymphome das größte Kontingent aller chirurgischen Kinderkrankheiten darstellen (Wohlgemuth).

Die konservative Behandlung muß sich auf die reinen Hyperplasien beschränken; von ihnen wissen wir, daß sie unter günstigen äußeren Verhältnissen spontan zurückgehen, und rascher zurückgehen, wenn eine vernunftgemäße Behandlung den natürlichen Heilungsprozeß unterstützt. Die Heidelberger Statistik, die allerdings nur aus Fällen der stationären Klinik zusammengesetzt ist, enthält 33 Proz. solcher dauernden Rückbildungen. In der chirurgischen Ambulanz derselben Klinik ist naturgemäß viel häufiger von resorbierenden Mitteln Gebrauch gemacht und vielleicht auch Rückbildung erzielt worden. Die Anamnesen der Krankengeschichten jedoch lehren, daß nur ein sehr kleiner Prozentsatz dieser heilfähigen Hyperplasien rechtzeitig zur Behandlung kommt. Es ist das schlimme Geschick der tuberkulösen Lymphome, daß sie dem Arzte erst vorgeführt werden, wenn sie „Beschwerden machen", „sehr groß" sind, „auffallend wachsen" u. s. w., also meist in einem Zustande, den ein sekundärer Entzündungsprozeß hervorgerufen hat, in der Regel an schon lange bestehenden und darum meist verkästen Drüsen. Es soll jedoch, wo vermutet werden darf, daß noch reine Hyperplasie besteht, die konservative Behandlung nicht unversucht bleiben; möglicherweise bestehen neben verkästen noch hyperplastische Drüsen, die zurückgehen, eine spätere Operation wird dann einfachere Verhältnisse vorfinden. Auf alle Fälle aber wird der

Körper gekräftigt und widerstandsfähiger für die später eventuell vorzunehmenden operativen Eingriffe. Vor allem muß die konservative Behandlung dann versucht werden, wenn die Drüsenschwellungen diffus und über verschiedene Körperregionen ausgebreitet sind, wo eine radikale Operation kaum durchzuführen wäre. Die schulgemäße Behandlung in diesem Falle (Abreibungen mit Salzwasser, Schwitzkuren, Schmierseifeneinreibungen, Karbolsäure- und Arsenikinjektionen, Jodkali u. s. w.) hat bei der beschränkten Indikation sehr wenig Dauererfolge aufzuweisen. WOHLGEMUTH meldet zwar 24 Proz. Heilungen nach 1—6jähriger Beobachtungszeit, nennt aber selbst dieses Resultat schlecht und spricht der Operation sehr entschieden das Wort. Nehmen wir übrigens die 3 Proz. spontaner Heilungen hyperplastischer Drüsen und die 17 Proz. spontanen Schlusses fistulöser Drüsen, die meine Statistik ergeben, so hat WOHLGEMUTH recht und die Kunst nicht viel mehr gethan als die Natur an und für sich vermocht hätte. Am wirksamsten wird der tuberkulöse Drüsenprozeß noch bekämpft durch den Aufenthalt in Seehospizen und Solbäderheilstätten, dank besonders der günstigen Wirkung dieser Heilfaktoren auf die Skrofulose. Die entzündlichen peripheren Prozesse heilen aus, die Eingangspforten für den Tuberkelbacillus werden geschlossen und die Eliminierung des tuberkulösen Virus in den Drüsen dadurch erleichtert, wenn nicht überhaupt ermöglicht. In diesem Sinne müssen wir vor allem Prophylaxis treiben, ohne sie kommen wir bei Kindern zu keinem Ende. Kein Wunder auch, daß die Operateure klagen, kaum sei eine Drüse entfernt, so wachse daneben schon wieder eine neue (ALBERT u. a.). Die Operation allein genügt eben nicht zur Verhütung der Recidive, die Allgemeinbehandlung bildet die Grundlage für ein gutes Resultat nach gelungener Operation. Am idealsten wäre ja die Prophylaxis im VOLLAND'schen Sinne, die den Bedingungen der Infektion im frühesten Kindesalter entgegenarbeitet; denn die Infektion ist geschehen, wie er nachgewiesen hat, wenn die Kinder in die Schule kommen. Darum fordert er „Kinderpflegerinnenschulen“, in denen aufs peinlichste die Errungenschaften ärztlichen Wissens zur praktischen Durchführung gelehrt werden. Das Wesentliche und die Kunst dabei ist, die Infektionsgefahr, die dem Boden anhaftet, für die Kinder zu vermindern; daß diese Kunst scheinbar mit Unmöglichem rechnet, darf uns nicht abschrecken; es liegt an der Ferne des Zieles, das bisher für unerreichbar galt. Man halte fest an den VOLLAND'schen Postulaten, sie bedeuten einen Fingerzeig auf dem unsicheren Wege nach jenem Ziele.

Von Heilungen durch konservativ allgemeine Behandlung werden aus den Seehospizen in Loano 29,1 Proz. Berk sur Mer 72 Proz. gemeldet; Jagstfeld und Oldesloe veröffentlichen ähnliche Resultate. Der Begriff „Heilung“ ist in diesen Resultaten sehr cum grano salis zu nehmen; sie werden nach Schluß der Saison veröffentlicht, über das spätere Schicksal dieser „Heilungen“ erfahren wir nichts. Die entzündlichen Prozesse mögen ja zurückgegangen, die Drüsen abgeschwollen sein, und doch kann der Keim der Tuberkulose in vielen kleinen, harten, unsichtbaren Drüsen fortbestehen und nach Jahren und Jahrzehnten noch manifest werden.

Die Operation ist in allen Fällen indiziert, wo die Allgemeinbehandlung nutzlos gewesen, wo rasches Wachstum, Verkäsung, Vereiterung oder Fistelbildung eingetreten sind. Eine absolute Indikation besteht nicht, denn der Drüsenprozeß an sich gefährdet das Leben fast nie. Erst die sekundäre Infektion wird verhängnisvoll für den Körper. Das ist auch der Grund, weshalb man heute noch die tuberkulösen Lymphome nicht ernst genug nimmt, sich einredet, es sind ja nur „skrofulöse“ Drüsen; es ist eine durchaus zu tadelnde Methode, wie Strümpell anrät, die Eltern mit der „Skrofulose“ über die tuberkulöse Natur und die Gefahr hinwegzutäuschen und so jedes energische Handeln von seiten der Eltern oder Patienten lahmzulegen. Gerade die Drüsentuberkulose ist der Heilung wie kaum ein anderer tuberkulöser Prozeß fähig; mit Redensarten kommt man wohl über die Zeit, aber nicht über die Gefahr hinweg, und zwar über die beste Zeit, die eine beginnende Tuberkulose mit Glück bekämpfen ließe.

Merkwürdig ist die Furcht, die man anfangs vor der Drüsenoperation hatte und die heute noch nicht ganz gewichen ist. Man scheute die Operation wegen der Gefahr der Generalisation der Tuberkulose, nachdem einige derartige ungünstige Erfahrungen veröffentlicht worden waren. Weber (Pitha-Billroth) will darum nur die Abscesse öffnen, Bardeleben mahnt zur Vorsicht, Fränkel, König, v. Bergmann haben wenig Vertrauen zur Operation und glauben an eine Propagation des tuberkulösen Prozesses post et propter operationem. Auch in Frankreich dachte und denkt man nicht viel anders: Poulet, Chauvel, Verneuil, Nélaton stehen der Operation mit denselben Bedenken gegenüber. Besonders bei Kindern hielt man die Prognose der Operation für schlecht, so will v. Bergmann noch Kinder unter 10 Jahren überhaupt nicht operieren! und ältere nur bei isolierter Schwellung und Fehlen jeder Periadenitis, während Hueter gerade dem relativ dicken, periadenitischen Bindegewebslager, welches man bei der Exstirpation zurückläßt als die ehemalige Bindegewebshülle der Drüsen, den Schutz vor phlegmonöser Eiterung und dabei rasche und sichere Produktion eines gesunden Granulationsgewebes zuschreibt. Aus ähnlichen Gründen ist ja auch die Laparotomie bei der Peritonealtuberkulose ein so relativ leichter Eingriff. Thatsache ist, daß die Hueter-sche Ansicht mit den heutigen Erfahrungen in Einklang steht und die Exstirpation tuberkulöser Lymphome danach zu den ungefährlichsten Eingriffen gehört, die es giebt, und von einer Generalisation der

Tuberkulose propter operationem ebensowenig die Rede sein kann wie das Alter keine Kontraindikation gegen die Operation abzugeben vermag.

Bevor ich zu dem Beweis dieser Sätze übergehe, möchte ich kurz noch die Operationsmethoden schildern, die man seither zur Beseitigung der tuberkulösen Lymphome erdacht hat, und die auch im geeigneten Falle angewandt zu werden verdienen. Da ist zunächst ein Verfahren aus der jüngsten Zeit, das CORDUA als eine „konservative" Methode versucht und vorgeschlagen hat. Er will bei den Drüsen ähnlich vorgehen, wie man es heute bei den tuberkulösen Knochen- und Gelenkleiden zu thun gewohnt ist, bei deren konservativer Behandlung allerdings das an irgend einer Stelle lädierte Organ dem Körper erhalten bleibt, während die vereiterte tuberkulöse Lymphdrüse nach Entleerung des Abscesses günstigsten Falles durch eine Schwarte ersetzt wird, die als lymphatisches Organ kaum mehr in Funktion treten dürfte. Regeneration ist möglich, wie BAYER gezeigt hat, sie geht aber nicht von Resten der Lymphdrüse aus, wie wir später sehen werden. Abgesehen von dieser unlogischen Bezeichnung, verdient die Methode immerhin Erwähnung: Punktion des Abscesses und Auswaschen mit schwach desinfizierenden Lösungen; auch Jodeinspritzung hat er versucht, durch die entstehende Entzündung wird jedoch die Heilung sehr verzögert, ohne daß die Heilresultate günstiger wären. CORDUA beschränkt sein Verfahren selbst auf die Fälle, wo keine Periadenitis und vor allem keine Hautverwachsungen bestehen. Die Vorteile dieser Methode sind: Vermeidung der gefürchteten Narbe und Verhütung der nicht seltenen Nervenverletzungen (Facialis, Accessorius). CORDUA berichtet über gute Resultate. Der häßlichen Narbenbildung nach einem offenen Eingriff verdanken eine ganze Anzahl von „subkutanen" Methoden ihren Ursprung, abgesehen von der subkutanen Discission der Drüsenkapsel, die früher gehandhabt wurde, um den verkästen Inhalt zur Resorption zu bringen (!), sind folgende Verfahren ausgebildet worden: „Die subkutane Auslöffelung nach v. LESSER ermöglicht ambulante Behandlung und frühzeitiges Operieren; kleine Narben. Die subkutane Exstirpation nach AUBERT: Die mobilen hyperplastischen Drüsen werden von einer kleinen Hautwunde aus zerstückelt und entfernt; kleine Narben. Die subkutane Exstirpation nach DOLLINGER: Der Schnitt wird in die behaarte Kopfhaut verlegt, in der die Narbe unsichtbar bleibt. Hinter dem oberen Kopf des M. sternocleidomastoid. werden die Haare abrasiert und 1 cm von der Haargrenze entfernt der Schnitt geführt. Es folgt die Bildung einer Tasche, die bis zur Parotis vertieft werden kann, die mobilen Drüsen werden hervorgezogen und unter Kontrolle des Auges exstirpiert. Für die Drüsen vor dem Ohr ist eine Taschenbildung von einem Schnitt hinter dem Tragus zu empfehlen, wo die Narbe ebenfalls weniger sichtbar ist. Diese Methode beschränkt sich auf bestimmt geartete und lokalisierte Tumoren, für die sie aber auch als ein ideales Operationsverfahren durchaus Anwendung verdient. DOLLINGER hat 40 derartige Exstirpationen gemacht und 30 mal Heilung per primam erzielt. Eine ganz besondere Methode hat sich M. BECK, Chicago, ausgedacht: Er bildet über dem Tumor einen Epidermislappen nach THIERSCH, der an der Basis stehen bleibt, also eine Art Epidermisthür darstellt. Innerhalb dieser Epidermiswunde wird der Schnitt gelegt, nach Exstirpation der Drüsen fein vernäht und die Epidermisthür wieder zugeklappt. Das Verfahren hat sich aber nicht bewährt, die häßliche Narbenbildung wird dadurch nicht verhütet.

Mit allen diesen Methoden kommt man jedoch über das klassische und naturgemäße Verfahren der typischen Exstirpation nicht hinweg: breite Eröffnung, genaue Präparation und gründliche Entfernung alles kranken Gewebes, gelegentlich kombiniert mit Excochleation und Thermokauterisation. Daß auch hierbei die Narbenverhältnisse günstig zu gestalten sind, werden wir an der Hand der Statistik zu beweisen haben.

Um diese allgemeinen Betrachtungen über die operative Therapie zu vervollständigen, möchte ich noch einiges über die Regeneration des lymphatischen Gewebes nach Drüsenerkrankungen und Exstirpationen hinzufügen. Die Neubildung geht nach BAYER in der Drüsenfettkapsel, die ein ausgebildetes Organ jeder Lymphdrüse darstellt, vor sich. Der Reiz hierzu wird gegeben durch den erhöhten Lymphdruck, der in dem befallenen Lymphdrüsengebiet entstehen muß. Das reich vaskularisierte Fettgewebe geht in retikuliertes Bindegewebe über, in dem die Bildung von Lymphfollikeln zu beobachten ist. Periadenitis oder Heilung per secundam zerstören den Fettmantel, die Regeneration bleibt aus. Für die Halsdrüsen ist dies selten von praktischer Bedeutung, obwohl lange bestehende halbseitige Kopf- und Gesichtsödeme beschrieben sind; die Kollateralen der Lymphbahnen sind am Hals und auch in der Achselhöhle so ausgebildet, daß ganz besondere und seltene Verhältnisse vorliegen müssen, wenn einmal ein chronisches Oedem entstehen soll. Praktisch wichtiger gestaltet sich die Frage für die Leistengegend, die sehr viel ungünstiger hinsichtlich ihres lymphatischen Cirkulationsapparates bestellt ist. Es werden nach Leistendrüsenexstirpationen oft chronische Oedeme und typische Elephantiasis beobachtet an den Labien, dem Penis und selbst am Beine in toto (RIEDEL, TH. MAYER). Bei Leistendrüsenexstirpation sollte man darum möglichst frühzeitige Operation vor Eintreten einer Periadenitis und möglichst Erhaltung des regenerierenden Organs, der Fettkapsel, anstreben, ohne die Gefahr des Recidivs außer acht zu lassen, die besteht, wenn in der Fettkapsel bereits neugebildete und infizierte Lymphdrüschen zurückgelassen werden.

## Operationsresultate.

Den Kern des Interesses bilden in diesem Kapitel die Dauererfolge post operationem und ihr Einfluß in der Frage der allgemeinen und vor allem der Lungentuberkulose, während die seltenen Komplikationen während und nach der Operation ohne praktische Bedeutung sind und nur die ihnen schuldige Erwähnung finden. Bei der Berechnung der Dauerresultate bin ich an der Hand der 140 Fälle der Heidelberger Klinik folgendermaßen verfahren: Ich habe als Dauerresultat denjenigen Fall bezeichnet, wo sich bei genauester Untersuchung nirgends mehr eine geschwellte Drüse fand; dadurch schied ich auch Fälle aus, bei denen nach Angabe der Patienten Drüsenschwellungen bestanden, die operativ nicht in Angriff genommen wurden und bis zur Wiederuntersuchung im Jahre 1898 unverändert fortbestanden hatten. In anderen Statistiken ist dieser Unterschied zahlengemäß festgelegt, in der meinigen ist er in letzter Hinsicht unberücksichtigt geblieben, obwohl ich versucht habe, auch für ihn Zahlenwerte zu finden. Meine Resultate stellen aus diesen wie aus den früher angegebenen Gründen Minimalwerte dar und entsprechen dem Versuch, mit statistischen Mitteln möglichst wissenschaftlichen Boden zu gewinnen. Für die „Dauererfolge" werden nach dem Vorschlage v. Noorden's mindestens 6 recidivfreie Jahre gefordert, als „fragliche Dauererfolge" aber auch die 2—6 Jahre lang recidivfreien Fälle mitregistriert, nicht als ob nach dieser Zeit eine Wiedererkrankung ausgeschlossen sei — auszuschließen ist eine solche niemals, zumal die Frage der Reinfektion für unsere Betrachtungen noch nicht diskutierbar ist und gerade diese die Resultate sehr zu trüben vermag. Aber die Erfahrung lehrt uns, daß eine 6 Jahre lang bestehende Heilung in der Regel von Dauer ist; v. Noorden wenigstens sah nach 6 recidivfreien Jahren in keinem seiner bis 14 Jahre beobachteten Fälle einen Wiedereintritt der lokalen Tuberkulose.

Ich lasse nun die Resultate meiner Statistik folgen mit Berücksichtigung alles dessen, was sich auf die operative Therapie der tuberkulösen Lymphome bezieht. Von den 328 Fällen der Heidelberger Klinik sind 160 gut beobachtet (140 wieder untersucht, 20 während der 10 Beobachtungsjahre gestorben); die übrigen 168 sind nur durch die Krankengeschichte bekannt. Eine zusammenfassende Berechnung ergiebt, daß an 140 + 168 = 308 Lymphomkranken im ganzen 429 Operationen gemacht worden sind: 202 Exstirpationen, 119 Excochleationen und 108 Incisionen. Ein erster resp. einmaliger Eingriff fällt auf 169 Kranke, 139 waren zum 2. und wiederholten bis 13. Mal operiert worden. Die vielen Incisionen fallen fast ausschließlich auf die wenig energischen Voroperationen, die dem Recidiv nicht vorbeugen konnten und bald zur „Hauptoperation“ führten. Die Recidive beliefen sich in den 308 Fällen auf 33 Proz. (102 Fälle).

Diese Verhältnisse finden sich ziemlich getreu wieder, wenn wir nunmehr die 140 beobachteten Fälle für sich betrachten. Auf diese 140 Lymphomkranken kommen im ganzen 290 Operationen; davon fallen 113 Eingriffe auf Voroperationen an 61 Individuen, 37 auf Nachoperationen an 23 Kranken. Bei den Vor- und Nachoperationen stellen auch hier die Incisionen das größte Kontingent. Es bleiben 140 „Hauptoperationen“, wie ich die in der Heidelberger Klinik aufgenommenen und in den von mir benutzten Krankengeschichten aus den Jahren 1886–1895 beschriebenen Eingriffe einmal bezeichnen möchte: 85 Exstirpationen, 43 Excochleationen, 5 Incisionen und 7 Exstirpationen und Excochleationen. An 68 dieser Kranken, also nahezu der Hälfte, war nur diese eine Hauptoperation vorgenommen worden, die 72 übrigen hatten mehrere Operationen durchgemacht.

Auf Grund meiner Nachforschungen im Jahre 1898 ließ sich ganz im allgemeinen ein Stillstand des Leidens in 76 Fällen konstatieren, in 45 nach einer Operation, in 31 nach wiederholten Eingriffen. Diese Eingriffe bestanden in 47 Exstirpationen, 24 Excochleationen und 5 Incisionen. Von besonderem Interesse ist, daß auf die 45 einmalig Operierten allein 33 Exstirpationen, also 70 Proz. dieser Operationsart, und keine Incision fallen. Bei den 64 übrigen Lymphomkranken zeigten sich noch floride Prozesse in den Drüsen.

Für die Berechnung der Dauerresultate blieben mir von den 140 Fällen 82 übrig, so viel waren 6 und mehr Jahre beobachtet. 43 = 52,4 Proz. sind von diesen 82 Fällen als dauernd geheilt zu bezeichnen, darunter 28 = 34,1 Proz. nach einer Operation. Stellt man die Bedingungen für die Dauererfolge noch schwerer und fordert 8 recidivfreie Jahre, so bleibt das Resultat das gleich günstige, obwohl diese Berechnung nicht so viel wiegt wegen der entsprechend kleineren Zahlen. Ich muß mich auf 45 solcher Fälle beschränken, davon sind 25 recidivfrei geblieben, also 55,5 Proz. als Dauerheilungen zu bezeichnen: 13 = 28.8 Proz. nach einer Operation. Diese Zahlen stellen Minimalwerte dar, weil nur die Fälle in Rechnung gezogen worden sind, bei denen sich bei der Wiederuntersuchung am ganzen Körper überhaupt keine Drüse mehr auffinden ließ. Läßt man dagegen, wie in manchen Statistiken geschehen, auch die Fälle als Dauererfolge gelten, die frei von einem Narbenrecidiv geblieben sind, wo also der tuberkulöse Herd durch die Operation in der That an der Stelle des Operationsfeldes ausgemerzt worden war, die aber neue Drüsenaffektionen an einer andern Körperregion aufweisen, so wird das Resultat noch um einiges günstiger. Solche Drüsenkranke finden sich unter den 82 Fällen von mindestens 6-jähriger Beobachtungszeit 17 mal, also in 20,7 Proz. der Fälle. Rechnet man diese hinzu zu jenen 52,4 Proz. sicherer Dauerresultate, so steigen die Erfolge auf 73,1 Proz. Der Wahrheit entspricht diese Zahl jedoch kaum; denn es ist in keinem jener 17 Fälle mit absoluter Gewißheit zu sagen, ob nicht doch ein wahres Recidiv vorliegt, ob eine neue Drüsentuberkulose in der Achselhöhle z. B. nicht abhängig ist von einem Rest tuberkulösen Gewebes der primären Affektion, das dem Messer des Operateurs entgangen war. Und doch ist gewiß mancher Kranke darunter, bei dem es sich um Reinfektion handelt, oder dessen Drüsen an anderer Körperstelle schon zur Zeit der Operation infiziert gewesen. Deshalb möchte ich dahin entscheiden: jene 52,4 Proz. Dauerheilungen dürfen praktisch als ein sicheres Besitztum unserer chirurgischen Therapie angesehen werden, die Hälfte der Lymphomkranken kann geheilt werden, wahrscheinlich sogar ein gut Teil über die Hälfte.

Für diese Erfolge spricht nun auch der negative Teil meiner Statistik. Unter den 140 Fällen finden sich 42 = 30 Proz. Narbenrecidive. 30 Proz. der Operationen sind demnach als direkt ungenügend zu bezeichnen, weil der Tuberkulose im Operationsfelde selbst keine Schranken gesetzt werden konnten. Dabei hatte sich der tuberkulöse Prozeß in der Mehrzahl dieser Fälle auch über die operierten Drüsen hinaus in der Nachbarschaft und nicht selten in entfernteren Regionen ausgebreitet, nämlich in 17 Proz. (24 Fälle); nur in den übrigen 13 Proz. (18 Fälle) hatte der Prozeß rein lokal recidiviert. Nimmt man die Patienten zusammen, die überhaupt noch erkrankte Drüsen bei der Wiederuntersuchung aufgewiesen haben, so ergeben die Recidive im weitesten Sinne 51,4 Proz. (72 Beobachtungen) aus den 140 Fällen. Dieses negative Resultat stellt somit einen Maximalwert dar. Es spricht für die Brauchbarkeit meiner Statistik, daß die aus den 308 resp. 140 Fällen berechneten negativen Resultate übereinstimmen mit den aus den 82 Beobachtungen erhaltenen positiven. In der Litteratur habe ich 11 brauchbare Statistiken gefunden, die über Dauererfolge und Recidive berichten. Obwohl bei der Berechnung in keiner dieser Statistiken das Postulat v. Noorden's beobachtet wurde, selbst in v. Noorden's Zusammenstellung nicht, so deckt sich doch die Durchschnittszahl ziemlich mit dem von mir gefundenen Wert für die Dauererfolge. Im einzelnen sind die Resultate oft sehr verschieden. Bruhn (40 Beobachtungen) und Grünfeld (57 B.) finden 70 Proz. Heilungen, Krisch (92 B.) und Fränkel-Wien (89 B.) nur 35 Proz. resp. 24 Proz. Diese Differenzen sind leicht zu verstehen, wenn man bedenkt, auf welch verschiedene Art und Weise diese Werte festgestellt wurden. Bruhn beobachtet nur 2—3 Jahre, Grünfeld „mehrere" Jahre, Krisch's Statistik hebt schon mit dem ersten Jahre post operationem an, SCHNELL's (37 B.) gar mit dem ersten halben; 4 Autoren schließen ihre Nachforschungen bereits mit dem 3. Jahre post op. ab; nur je 2 Autoren sammeln ihr Material bis zum 6. resp. 14. Jahre (WOHLGEMUTH 81 B., MÜLLER-Halle 37 B., v. NOORDEN 149 B., KRISCH 14 B.). Außerdem bleibt bei einigen unklar, was sie unter ihren Resultaten verstehen, wie sie die verschiedenen Arten der Recidive registrieren und ob sie überhaupt solche Arten unterscheiden. „Heilung" schlechthin oder „gute Erfolge" sind dehnbare Begriffe. Auffallend bleibt immerhin, daß 7 von den 11 Arbeiten bessere Resultate als 50 Proz. geben. Diese 11 Statistiken enthalten 745 Fälle mit 54 Proz. Dauerresultaten, die meine hinzugerechnet 827 Fälle mit 53,2 Proz. definitiven Heilungen. Damit dürfte wohl für den jetzigen Stand unserer operativen Technik der Erfolg der chirurgischen Therapie bestimmt sein, und wir dürfen sagen: Ueber die Hälfte aller Lymphomkranken kann geheilt werden. Was dieser Satz bedeutet in der Tuberkulosenfrage überhaupt, ist an anderer Stelle bereits erörtert worden. Für eine präcise Bestimmung der Recidive sind die Angaben in der Litteratur wenig zu verwerten, sie schwanken zwischen 7 Proz. und 50 Proz. und betragen im Mittel aus 1150 Fällen, die in 14 Statistiken, inkl der meinigen verarbeitet sind, 28 Proz. In einigen Statistiken sind lokale und nicht lokale Recidive getrennt:

| | | | |
|---|---|---|---|
| MANSON | 16 — | 5 | Proz. |
| MÜLLER | 19 — | 5 | „ |
| BRUHN | 10 — | 10 | „ |
| GRÜNFELD | 12,3 — | 3,5 | „ |

v. NOORDEN berechnet nur Narbenrecidive; in allen übrigen Fällen ist aus der Darstellung nicht zu ersehen, wie die Werte für die Recidive gefunden worden sind. Allein dieser Mangel ist kaum zu bedauern. Das positive Ergebnis steht so fest, daß daraus die negativen Resultate von selbst sich ergeben. Wenn über die Hälfte unserer Kranken geheilt werden, so besteht das Schicksal der anderen, kleineren Hälfte eben in Fortdauer des alten Leidens oder in Tod an Tuberkulose mit den wenigen Ausnahmen, die einer interkurrenten Krankheit erliegen. Aus jenen 28 Proz. Recidiven und 53 Proz. Heilungen darf deshalb wohl der Prozentsatz der Mortalität abgeleitet werden = 19 Proz. Ich selbst konnte nur darum 51 Proz. Gesamtrecidive finden, weil ich die Verstorbenen von vornherein aus dieser Berechnung ausgeschieden habe, was fast in allen Statistiken der Litteratur nicht geschehen ist. Meine direkte Berechnung der Mortalität ergiebt 18 Proz. († 65 unter 373 Lymphomkranken, 20 an bekannter, 45 an unbekannter Krankheit), innerhalb 12 Jahren, also denselben Wert, wie er in der Litteratur im Durchschnitt bereits niedergelegt ist. Ein Einfluß der phthisischen Belastung auf die an Tuberkulose Gestorbenen ist vorhanden, wenn auch wenig ausgesprochen; er konnte in 22 Proz. der 20 bekannten Fälle nachgewiesen werden. Von diesen 20 Fällen, über die ich Nachricht erhalten konnte, waren 18 an Tuberkulose, 2 an Pneumonie zu Grunde gegangen; eine Beobachtung von höchster Bedeutung. Die Tuberkulose war in diesen 18 Fällen folgendermaßen über die Körperorgane verteilt:

9 mal Lunge
3 „ Knochen und Gelenke
3 „ Meningen
3 „ fortschreitende Drüsentuberkulose,

die 2 mal den Tod an Erschöpfung herbeiführte und 1 mal eine tötliche Mediastinitis verursachte. In den drei letzten Fällen konnte bereits in Heidelberg nicht mehr radikal operiert werden, betreffs der übrigen 15 wurde von den Angehörigen, resp. dem Arzte 8 mal besonders betont, daß das Drüsenleiden ausgeheilt gewesen sei. Genaueres konnte ich nicht erfahren. Das aber steht fest, daß die Drüsenkranken einen erschreckend hohen Prozentsatz an Tuberkulosensterblichkeit stellen, und daß den tuberkulösen Lymphomen als Initialerscheinung in der Tuberkulosenfrage eine Bedeutung ersten Ranges in jedem Sinne des Wortes zukommt.

Nach der Feststellung der Resultate, die die operative Therapie dem lokalen Leiden gegenüber aufzuweisen hat, gilt unser nächstes Interesse dem Einfluß, den diese Therapie auf die Entstehung resp. Verhütung der Lungentuberkulose hat. Und dieser Einfluß ist deutlich.

Von den 20 Phthisen, die bei der Hauptoperation in Heidelberg unter den 140 Lymphomkranken gefunden worden sind, waren 16 bei der Wiederuntersuchung ausgeheilt. 11 von diesen 16 geheilten Lungentuberkulosen waren zugleich recidivfrei, dürfen also mit ziemlicher Sicherheit jenen Fällen zugerechnet werden, wo der Erfolg der lokalen Therapie die Heilung der Lungentuberkulose unterstützt, wenn nicht überhaupt ermöglicht hat. In mehr als der Hälfte der Fälle (55 Proz.) ist demnach der günstige Einfluß der Operation evident, in den anderen 5 Fällen (25 Proz.) wahrscheinlich auch wirksam gewesen; denn ein großer Infektionsherd war doch immerhin ausgeschaltet und der Heilung günstigere Bedingungen gestellt. Also in 80 Proz. der Phthisen ist die Operation für die Lungentuberkulose von Bedeutung gewesen. Die genauere Analyse dieser Lungenkomplikationen ergiebt, daß von den 33 Fällen, die im ganzen in Heidelberg unter den 140 Lymphomkranken beobachtet wurden, 13 bei der Wiederuntersuchung als nach der Operation entstanden gefunden worden sind. Dazu kommen die vier, trotz der Operation fortbestehenden Phthisen, so daß im ganzen bei der Wiederuntersuchung 17 Fälle gezählt werden konnten. Von diesen 17 Lymphomkranken mit Lungenphthisen waren 11 von neuem drüsenkrank, 6 waren recidivfrei geblieben; von diesen letzteren bestand bei zweien die Lungenaffektion bereits bei der Operation, bei den anderen 4 war sie innerhalb der letzten 3—5—6 Jahre aufgetreten, also hart an der Grenze noch möglicher Recidive. Diese 4 recidivfreien Phthisen sind besonders zu berücksichtigen, weil sie zu jenen 80 Proz. durch die Operation beeinflußten Lungenaffektionen in Beziehung stehen. Sie sagen zwar nichts weiter aus, als daß eine scheinbar gelungene Operation gegen die Lungentuberkulose nicht immun macht; und das ist nur natürlich. Erstens kann die Heilung der Tuberkulose unmöglich allein von der Entfernung des lokalen Infektionsherdes abhängig gemacht werden; die ganze übrige Lungentherapie hat mit einzugreifen. Wir dürfen heute nur sagen, jene vermag nichts zu thun, wenn der lokale Herd nicht zerstört wird. Zweitens: So radikal können wir nicht operieren, daß auch die kleinste tuberkulöse Drüse, die verborgen in der Halstiefe sitzt, Gesicht und Messer zugänglich gemacht würde. Das Virus kann in solchen Drüsen sitzen, und sie passieren, wie wir wissen, ohne sie bis zum äußeren Nachweis zu verändern. Dabei darf nicht außer acht gelassen werden, daß jene 4 Fälle noch innerhalb der Grenzen möglicher Recidive liegen; die Manifestation des tuberkulösen Drüsenprozesses könnte also immerhin noch erfolgen. Selbst wenn wir diese ungünstigen Fälle (4 unter 15) mit in Rechnung ziehen, so bleiben doch noch 80 Proz. weniger 27 Proz., mehr als die Hälfte der Lymphomkranken übrig, bei denen selbst dieser Erfolg noch als ein glänzender zu bezeichnen wäre.

Nach den Erfahrungen von Wohlgemuth und Schüller können diese Erfolge noch besser und gesicherter werden, wenn möglichst frühzeitig, im Kindesalter schon, mit radikalen Operationen vorgegangen wird. Im Beginn der operativen Therapie der tuberkulösen Lymphome war man sehr vorsichtig, fast ängstlich den Kindern gegenüber, nur die leichtesten Fälle solitärer Drüsenaffektionen wagte man mit dem Messer zu kurieren. Allen voran war es v. Bergmann, der warnte und die äußersten Indikationen ersann, um die Kinder vor dieser Operation zu schützen, die bald das größte Kontingent chirurgischer Patienten in den Kinderkliniken darstellen sollte. Wohlgemuth berichtet über 167 solcher Operationen an Kindern ohne einen einzigen Operationstod mit 67 Proz. Dauerresultaten und nur 4,7 Proz. Mortalität überhaupt in 127, 1—6 Jahre beobachteten Fällen. Davon fallen 2,5 Proz. auf Kinder, die innerhalb dieser Zeit an Tuberkulose zu Grunde gegangen sind gegen 18—28 Proz. Erwachsener! Die Prognose auch dieser lokalen Tuberkulose ist bei Kindern nach dem allgemeinen Gesetze der Lokaltuberkulose zu stellen, das für Kinder so viel günstiger lautet, als für Erwachsene. Wohlgemuth hat auch Erfahrungen über konservativ behandelte Kinder gesammelt und gefunden, daß

39 Proz. von diesen überhaupt nicht beeinflußt werden konnten, daß das Drüsenleiden im Gegenteil bei den meisten Fortschritte gemacht hatte gegen 7 Proz. Recidive post operationem. Von den nicht operierten waren 8 Proz., von den operierten 2,5 Proz. phthisisch geworden; nach Heilung der Drüsen zeigten die konservativ Behandelten in 5 Proz., die Operierten in 2 Proz. Entwickelung sonstiger lokaler Tuberkulose. Nach diesen Erfahrungen ist das Schicksal von weit aus der Hälfte der operierten Kinder in jeder Hinsicht ein besseres, als das der nicht operierten. Diesen Satz unterschreibt auch Schüller. Meine Statistik verfügt über 9 Kinderfälle (Kinder unter 10 Jahren). Kein Operationstod: eines starb im 15. Jahre an Phthise. Von den noch lebenden 8 sind 4 als dauernd geheilt zu bezeichnen, 2 sind frei von Narbenrecidiven, haben aber sonst noch Drüsen, bei 2 lag Narbenrecidiv vor. Diese Erfahrungen sind nicht besser, aber auch nicht schlechter als die bei den Erwachsenen gemachten guten und sind aus einem zu kleinen Materiale gewonnen, als daß sie mit denen Wohlgemuth's verglichen werden dürften. Sie sprechen jedoch nicht entgegen dem Satze Wohlgemuth's und Schüller's: „Die operative Behandlung der tuberkulösen Lymphome muß bei Kindern grundsätzlich angestrebt werden."

## Zufälle bei und nach der Operation.

Vervollständigen möchte ich diesen Bericht über das Für und Wider in der Behandlung der häufigsten lokalen Tuberkulose mit der Wiedergabe jener Zufälle und Folgen während und nach der Operation, die zum größten Teil mit einem Mangel, resp. Versagen der Technik in Beziehung zu bringen sind. Ich habe in 10 Statistiken Nachrichten über den Operationstod gefunden, in 7 ist die Mortalität = 0, in 3 sind Todesfälle beobachtet:

| | Fälle | gestorben | Todesursache |
|---|---|---|---|
| Fränkel | 116 | 5 | 1 eiterige Mediastinitis<br>3 Pyämie<br>1 Pneumonie |
| Milton | 1000 | 5 | 1 Nachblutung aus der Carotis externa<br>1 Herzschwäche nach Vagusdurchschneidung<br>3 Shock und Erschöpfung |
| Krisch | 92 | 3 Proz. | |

In Heidelberg (328 Fälle) wurde kein Todesfall erlebt. Neben den guten Dauererfolgen ist dies um so bemerkenswerter, als die Drüsenoperationen ausschließlich von Assistenten ausgeführt wurden, niemals vom Chef der Klinik selbst, häufig genug von den jüngsten Assistenten, die sich mit der Drüsenchirurgie in die Operationstechnik überhaupt einführten. Geheimrat Czerny empfahl mir, noch besonders auf diesen Umstand hinzuweisen, weil durch ihn am besten die Operation als ein ungefährlicher Eingriff charakterisiert wird.

Die Unterbindung der Vena jugularis machte Wohlgemuth 1 mal, Grünfeld 4 mal neben 33 maliger Bloßlegung derselben; in Heidelberg mußte sie 3 mal unterbunden werden. Ueber einen Fall möchte ich Genaueres berichten, weil durch Luftaspiration beinahe der letale Ausgang eingetreten wäre: „20jähr. Patient. Vena jugularis reseciert. Die centrale Ligatur löst sich, wird wieder gefaßt. 25 Minuten darauf, nachdem Pat. schon lange kein Chloroform mehr bekommen hatte, wird er plötzlich cyanotisch. Künstliche Atmung 3 Minuten. Pat. kommt wieder zu sich. 2½ Stunden nach der Operation: Pat. cyanotisch, ödematös, völlig bewußtlos; Pupillen reaktionslos, Atmung röchelnd, Puls 80, gut; kalter Schweiß. Künstliche Atmung, Kampfer, Essigklystier. Nach ca. 40 Minuten kommt Pat. wieder zu sich." (Krankengeschichte.) In Heidelberg wurde ferner beobachtet: 3 mal Schädigung des N. accessorius mit einer dauernden Lähmung als Folge, und einer, die nach einem Jahre wieder heilte. Ueber das Schicksal der dritten konnte ich nichts erfahren. 1 mal mußte das radikale Operieren wegen der allzugroßen Gefahr der Accessoriusverletzung aufgegeben und eine Drüse unter dem stark entwickelten Kopfnicker zurückgelassen werden. 1 mal Durchschneidung des unteren Facialisastes nach teilweiser Resektion der Parotis. 1 mal trat Neuralgie im rechten Arm als Folge der Operation auf; 1 mal entstand im Anschluß an die Operation eine Fistel, die zu Lupus der Haut in der Vorderhalsgegend führte. In mehreren Fällen wurde nach Exstirpation stark verwachsener Drüsen Lymphsekretion beobachtet, die die Prima intentio störte und in einem Falle die Ursache einer 4 Wochen bestehenden Fistel wurde; 1 mal war Temperatursteigerung auf 39,5 eingetreten, die auf Drainage der Lymphe sofort verschwand.

In der Litteratur finden sich bei Fränkel 20 Facialislähmungen, partielle und totale, als Folgen der Operation erwähnt, 6 sind dauernd geblieben; Haehl berichtet über 4, von denen 2 sich wieder zurückbildeten. Schnell sah 1 Recurrenzlähmung. Oedeme und Elephantiasis als Operationsfolgen wurden von mehreren Autoren beobachtet: Werner und Fritsch sehen chronisches Oedem der Vulva, Th. Mayer ebensolches des Penis, Riedel Elephantiasis des Beines nach Leistendrüsenexstirpation sich ausbilden. Manson beobachtete in 2 Fällen geringe Oedeme des Gesichts in der operierten Hälfte, die nach 6 Monaten noch bestanden. So selten diese unglücklichen Zufälle auch sind, so gewiß können sie doch vermieden werden, wenn frühzeitig genug operiert wird.

Welch große Operationen man schon zur Heilung der Drüsentuberkulose unternommen hat, möge ein Fall von J. S. Wight illustrieren, dem die Heidelberger Klinik einen ähnlichen an die Seite zu stellen hat. Eine 30 Jahre alte Frau hatte tuberkulöse Drüsen in der rechten Halsseite, die seit 2 Jahren sich stetig entwickelt und eine selten große Ausdehnung angenommen hatten. Bei der Operation mußte bis zur Art. anonyma vorgedrungen, die Art. subclavia, Carotis communis, Art. brachialis, der Cervikalplexus und der obere Pol der Pleura freigelegt werden. Es trat Heilung ein.

## Die Narbenverhältnisse.

Es bleibt noch übrig, über den Schluß der Operationswunden zu berichten. Wir kennen ja alle die Furcht vor dem Messer, die die Drüsenkranken hegen; wir kennen aber auch die häßlichen, eingezogenen, strahligen keloiden Narben, die der Drüsentuberkulose wie keiner anderen Krankheit eigentümlich und zum großen Teile mit daran schuld sind, daß von Frühoperationen so wenig die Rede sein kann. Je mehr einfache Exstirpationen gemacht werden, um so seltener werden jene häßlichen Drüsennarben. Ich habe unter den Heidelberger Fällen Patienten wiedergesehen, wo ich Mühe hatte, die Narben zu entdecken; in einer Hautfalte verborgen war die strichförmige feine Narbe jedem Laienauge entzogen. Solche Narben können natürlich nur vorkommen nach Exstirpation nicht verwachsener, reaktionsloser Drüsen. Wird dabei Wunde und Naht geschickt angelegt, so darf bei aseptischem Verlauf auf eine wenig- bis unsichtbare Narbe gerechnet werden. Wenn freilich Periadenitis, gerötete und festgelötete Haut oder drohende Perforation zur Operation mitgebracht werden, so kann auch kein Anspruch auf eine glatte Narbe, oft nicht einmal auf prima intentio gemacht werden. Die Haut wird infolge der Erweichung der Lymphome oft so verdünnt gefunden, daß nach Ausschabung keine Naht angelegt werden kann, sondern offene Wundbehandlung mit Granulationsbildung und Aetzung eingeleitet werden muß. Auch dabei werden gelegentlich wundervoll bewegliche Narben erhalten, wie ein Fall zeigen möge, der mit einer ganz ungeheueren Narbenfläche zur Ausheilung kam: 22-jähriges Mädchen. In der rechten Oberschlüsselbeingrube ein isoliertes, großes Lymphdrüsenpaket, in der Tiefe verwachsen, Haut verschieblich. Exstirpation, Heilung z. T. per primam, z. T. per secundam. Nach 6 Wochen, wo sie schwer arbeitete, brach die Narbe wieder auf, und eiterte 3 Wochen. Jetziger Befund: Das ganze untere Halsdreieck und die Fossa supraclav. ist ausgekleidet von einer großen Narbenfläche. Unter dem M. cucullaris und unter dem acromialen Ende der Clavicula findet sich eine Höhle, in die man den Daumen 2 cm tief einlegen kann; eine kleinere findet sich unter dem M. sternocleidomastoid. und dem sternalen Ende der Clavicula. Das Ganze bildet eine große Höhle im unteren Halsdreieck, in deren Tiefe man die Lungenspitze sich bewegen sieht. Der Boden des narbigen Bettes ist überall fest, von vielen Strängen in verschiedener Richtung durchquert. Ein solcher Strang (M. omohyoideus) trennt die Fläche in zwei Teile; nach innen von ihm ist Pulsation sichtbar (Art. transversa colli). Mehrere Stränge verlaufen von unten außen nach oben innen hinter die Querfortsätze der Halswirbelkörper (Cervikalplexus). Die ganze narbige Haut ist leicht verschieblich, am Rand des M. cucullaris entlang zieht eine schöne, glatte Narbe aus der narbigen Hautfläche nach oben. Quer durch die Mitte der Fläche zieht ein 1 cm breites Stück Haut, das keinen narbigen Charakter hat; nach innen und außen von ihm liegt strahlige Narbenfläche. Die Funktion des Armes ist durchaus nicht behindert, nur schweres Arbeiten läßt ihn früher ermüden als den linken. Es bestehen keine Schmerzen außer im Beginn der Periode, wo Patientin ca. einen halben Tag spannendes Schmerzgefühl empfindet.

Nach MANSON's Erfahrungen erhält man die schönsten Narben dann, wenn man nach sorgfältiger Naht die Fäden herausnimmt, bevor sie eingeschnitten haben; bei solcher, möglichst früher Entfernung erhielt er ideale Narben. Davon sind wir leider noch weit entfernt, solange unser nächstes Streben eine prima intentio überhaupt bleiben muß. In der Heidelberger Klinik heilten unter 300 Fällen nur 169 per primam, 131 per secundam, z. T. mit längerer Fistelbildung post operationem. Wie wenig rein hyperplastische oder reaktionslose Drüsen kamen aber auch zur Behandlung, und wie oft konnte nur incidiert und excochleiert werden! Auf die 429 Operationen an den 300 Fällen kommen allein 108 Incisionen und 119 Excochleationen! Ein genaueres Studium der Narbenverhältnisse konnte bei 108 der Wiederuntersuchten durchgeführt werden. In 48 Fällen waren die Narben als schön, z. T. ideal zu bezeichnen, sämtlich nach Exstirpation. Tadelnswerte Narben nach Exstirpation fanden sich 9mal, und zwar: 1 verbreiterte, aber glatte Narbe infolge Aufbruchs wegen zu frühem Arbeiten, 1 strahlige Narbe infolge Aufbruchs und Fistelbildung, 1 verdickte Narbe ohne bekannte Ursache, 3 verbreiterte, glatte Narben ohne bekannte Ursache und 3 häßliche, strahlige Narben, ebenfalls ohne bekannte Ursache; 3 kaum sichtbare Narben fanden sich nach Excochleation; die übrigen 48 Fälle waren mit den typischen, häßlichen Narben behaftet, sämtlich nach Incision, Excochleation, Heilung per secundam oder Fistelbildung.

In anderen Statistiken finden sich bessere Resultate. FRÄNKEL zählt 91 Heilungen per primam gegen 25 per secundam, GRÜNFELD 14 per secundam unter 157 Fällen, BRUHN sah fast stets prima intentio nach Exstirpation, WOHLGEMUTH niemals Fistelbildung post operationem. AUBERT und DELORE melden als etwas Besonderes, daß sie nach Curettage prima intentio erzielten.

## Litteratur.


ALBERT, Lehrbuch der Chirurgie.

AUBERT, Ueber Lymphdrüsenexstirpation. Lyon méd., 1895.

AUFRECHT, Ueber Skrofulose. SCHMIDT's Jahrb., 1874.

BAGINSKY, Die Skrofulose, GERHARDT's Handb. d. Kinderkrankh., 1877.

BAYER, CARL, Altes und Neues über kranke Lymphdrüsen, Arch. f. klin. Chir., Bd. 49.

Idem, Ueber Regeneration und Neubildung der Lymphdrüsen. Prager Zeitschrift f. Heilkunde, 1886.

BERGMANN, E. v., Die Lymphdrüsentuberkulose, GERHARDT's Handbuch d. Kinderkrankh., 1882.

BILLROTH, v., Ueber Skrofulose, PITHA-BILLROTH's Chir., 1867.

BIRCH-HIRSCHFELD, Die Skrofulose, v. ZIEMSSEN's Handb., 1876.

BOLLINGER, Verdünnung und Wirksamkeit des tuberkulösen Giftes. 62. Versamml. d. Naturforscher u. Aerzte in Heidelberg, 1889.

BRUHN, Beitrag zur Statistik tuberkulöser Lymphome. Inaug.-Diss., Kiel 1887.

COLIN D'ALFORT, Ueber die Resorption verkäster Lymphdrüsen. Bull. de l'acad. de méd.

CORDUA, Ueber die konservative Behandlung der tuberkulösen Lymphdrüsen. Jahrb. d. Hamb. Staatskrankenanst., Bd. 4, 1893/94.

CRAMER, Zur Behandlung der skrofulösen Drüsenschwellungen am Hals. Inaug.-Diss. Würzburg, 1882.

DOLLINGER, Ueber subkutane Exstirpation der Halslymphdrüsen. Dtsch. Zeitschr. f. Chir., Bd. 44.

FRÄNKEL, A., Zur Histologie, Aetiologie und Therapie der Lymphomata colli. Centralbl. f. Chir., 1885.

FRÄNKEL, Ueber Skrofulose, GERHARDT's Handb. d. Kinderkrankh., 1878.

FEDE und DE BONIS, Ueber Skrofulose und Tuberkulose. Kongr. zu Neapel, Jahrb. f. Kinderheilk., 1893.

FÜRNROHR, Erfolge über exstirpierte tuberkulöse Lymphome. Inaug.-Diss. Erlangen, 1896.

GRÜNFELD, Erfahrungen über die Exstirpation tuberkulöser Lymphdrüsen. Centralbl. f. Chir., 1888.

GUTTMANN, Ueber gummöse Lymphome, Dtsch. med. Wochenschr., 1894.

HAEHL, Ueber die Erfolge der Exstirpation hyperplastischer und tuberkulöser Lymphomata colli, Dtsch. Zeitschr. f. Chir., Bd. 35.

HELLER, Ueber zwei Fälle, welche beweisen, daß die Tuberkelbacillen, ohne in das Gewebe einzudringen, an mit Epithel bedeckten Flächen eine Erkrankung hervorzurufen vermögen. 62. Vers. dtsch. Naturforsch. u. Aerzte in Heidelberg, 1889.

HENOCH, Lehrbuch der Kinderheilkunde, 1893.

HÜBENER, Pathologie und Therapie der Skrofeln. Wien 1860.

HUETER, Ueber Tuberkulose und Skrofulose. Sammlung klin. Vorträge VOLKMANN's.

KRISCH, Beitrag zur Statistik der Operation der Lymphomata colli. Inaug.-. Diss. Breslau, 1883.

LEBERT, Lehrb. d. skroful. u. tuberk. Krankh., bearb. v. KÖHLER. Stuttgart 1851.

LESSER, v., Ueber die operative Behandlung verkäsender Lymphdrüsenschwellungen. Centralbl. f. Chir., 1882.

LINDENBAUM, Ueber tuberkulöse Lymphadenitiden des Halses. Centralbl. f. Chir., 1891.

MANSON, Traitement des adénopathies tuberc. par l'exstirpation et en particulier chez les enfants. Inaug.-Diss. Paris 1895.
MÜLLER, Behandlung der Lymphdrüsentuberkulose. Inaug.-Diss. Halle, 1896.
NOORDEN, v., Ergebnisse nach Lymphdrüsenexstirpation, Beitr. z. klin. Chir., Bd. 6.
POULET, Sur un cas de mort à la suite de l'exstirpation des Ganglions de cou. Centralbl. f. Chir., 1884.
RABL, Ueber die Aetiologie der Skrofulose. Wiener med. Blätter, 1887.
RIEDEL, Lymphstauung nach Lymphdrüsenexstirpation Arch. f. klin. Chir., Bd. 47.
SCHEYER, Zur Statistik der Operation der Tuberculosis lymphomata colli. Inaug.-Diss. Breslau, 1887.
SCHNELL, Ueber Lymphdrüsentuberkulose. Inaug.-Diss. Bonn, 1885.
SCHÜPPEL, Untersuchungen über Lymphdrüsentuberkulose. Tübingen 1871.
VOLLAND, Ueber die Entstehung der Lungentuberkulose und die Gründung von Kinderpflegerinnenschulen. Zeitschr. f. klin. Med., Bd. 23.
WALDENBURG, Tuberkulose und Skrofulose. Berlin 1869.
WHIGT, J. S., Ein seltener Fall von Lymphdrüsenexstirpation. Centralbl. f. Chir., 1890.
WOHLGEMUTH, Zur Pathologie und Therapie der skrofulösen und tuberkulösen Lymphdrüsen bei Kindern bis zu 10 Jahren. Arch. f. Kinderheilkunde, 1890.

# XVIII.
# Zur Debatte über die Gallensteinfrage in Düsseldorf nebst Bemerkungen über die schleichende Infektion des Gallengangsystems nach Abgang von Steinen per vias naturales.[1])

Von

**Prof. Riedel**, Jena.

M. H. Ein Referat über die chirurgische Behandlung des Gallensteinleidens zu geben, wie das hier gewünscht wurde, habe ich abgelehnt, weil ich erst kürzlich sowohl in den Grenzgebieten wie im PENZOLDT-STINTZING meine Ansichten über dieses Thema ausführlich erörtert habe. Ich versprach mir auch wenig Nutzen von zwei hintereinander gehaltenen Vorträgen seitens eines internen Klinikers und eines Chirurgen; jeder wird seine Anschauungen verfechten; eine Annäherung kommt dadurch nicht zustande. Ich will versuchen, sofort auf die Ausführungen[2]) des Vorredners einzugehen, um die etwa vorhandenen Differenzen klarzustellen und, wenn möglich, zu beseitigen. Letzteres wird so schwer nicht sein, obwohl wir auf sehr verschiedenem Boden stehen; der eine zieht seine Schlüsse aus der sorgfältigen Beobachtung des Krankheitsverlaufes und der Obduktionen, der andere hat es weit bequemer und leichter, er studiert bei offener Bauchhöhle am Lebenden. Da sich oft, sehr oft Gelegenheit zu diesem Studium bietet, so resultieren ganz bestimmte, gegen früher veränderte Anschauungen über das Leiden; es ist unsere Aufgabe, klar darzustellen, was wir gesehen haben. Dazu müssen wir uns erst über die Nomenklatur verständigen; mit alt eingebürgerten Worten werden augenscheinlich sehr verschiedene Dinge bezeichnet, so daß Mißverständnisse unausbleiblich sind. Ich muß gestehen, daß mir manches in den Ausführungen des Herrn Vorredners unklar geblieben ist. Das kommt zum Teil wohl daher, daß derselbe wohl relativ viele sehr komplizierte Fälle beobachtet, die gar nicht in die chirurgischen Kliniken aufge-

1) Abgekürzt in Düsseldorf vorgetragen, später unter Benutzung weitererer Beobachtungen niedergeschrieben.

2) Grenzgebiete, Bd. 4, p. 1.

nommen werden; wir haben es vorwiegend mit dem entzündeten Hydrops vesicae felleae und seinen Konsequenzen (Eintreibung von Steinen in den Duct. cyst. resp. choled.), Obliteration des Duct. cysticus sowie mit dem Empyema vesicae felleae mit seinen Perforationen zu thun, also mit vielfach relativ einfachen, durchsichtigen Sachen.

Um nun zunächst die Nomenklatur zu berücksichtigen, so scheint der Herr Vorredner unter „Gallensteinkolik" vorwiegend „Einklemmung eines Gallensteines" in einen engen Gang — sei es in den Duct. cyst. oder in den Duct. choled. — zu verstehen; dieser Gallensteinkolik steht die Cholecystitis gegenüber. Ich habe diese Unterscheidungen fallen gelassen, weil nach meiner Ansicht jeder Einklemmung eine schmerzhafte Entzündung des den Stein beherbergenden Organes (Gallenblase oder Duct. cyst. samt Gallenblase oder des D. choled.) vorhergeht, erstere ohne letztere nicht existieren kann und weil schließlich klinisch beide gar nicht von einander zu unterscheiden sind.

Der Erörterung bedarf weiterhin, was unter „Cholecystitis" zu verstehen ist. Der Vorredner definiert dieselbe, falls ich ihn recht verstehe, als „eine Infection der Galle enthaltenden Gallenblase und der Gallengänge mit Bacterium coli".

Eine solche Cholecystitis etabliert sich immer in Gallenblasen, in denen ein mehr oder weniger vollkommen erfolgreicher Gallensteinkolikanfall gespielt hat; man findet dann wohl ausnahmslos Galle und Bact. coli in den Gallenblasen; von beiden nehme ich an, daß sie meist rückläufig in die Gallenblase eingedrungen sind, nachdem ein Stein den Duct. cyst. passiert hatte, doch ist auch ein primär in einer gallehaltigen Gallenblase auftretender entzündlicher Prozeß nicht ausgeschlossen, wenn er auch selten vorkommt, weil der Duct. cyst. offen steht. Ueber das Verhalten der Gallengänge ist mir in diesen Fällen nichts bekannt, weil sie nicht geöffnet werden bei der Operation und weil Obduktionen fehlen (abgesehen von einem Falle, s. u.). Dieser Cholecystitis in einer gallehaltigen Gallenblase steht nun die weit häufiger vorkommende Cholecystitis in einer Gallenblase gegenüber, die neben den Steinen entweder Serum oder Schleim oder Eiter enthält. Derartige Gallenblasen verhalten sich meistens, zuweilen sogar bei eiterigem Inhalte, vollkommen ruhig; nur von Zeit zu Zeit lodert ein entzündlicher Prozeß in denselben auf, der zu rascher Schwellung der Gallenblase, zu Auftreibung des Leibes und zu Erbrechen führt, Erscheinungen, die für gewöhnlich vom Arzte als Gallensteinkoliken bezeichnet werden: sie repräsentieren das Gros der sog. Gallensteinkolikanfälle; ich nehme an, daß diese Cholecystitiden, die ja vielfach als Hydrops resp. Empyem der Gallenblase bezeichnet werden, vom Herrn Vorredner bei Besprechung der akuten und chronischen Cholecystitis (p. 10) gemeint sind.

Diese Fälle will derselbe sowohl im akuten wie im chronischen

Stadium der operativen Behandlung zuführen. Damit ist ein außerordentlich großer Fortschritt angebahnt, wir sind eigentlich vollständig einig; das Ziel, was die Chirurgen erstrebt haben: „den akut entzündeten Hydrops rechtzeitig zu operieren“, dieses Ziel ist erreicht.

Mit wie großem Rechte der Herr Vorredner die Operation in diesen Fällen empfiehlt, das lehren auch die von mir erzielten Resultate: von 100 Kranken mit Hydrops und Empyem wurden 98 mittelst ein- oder zweizeitiger Cystotomie operiert; niemand ging an den Folgen des Eingriffes zu Grunde; bei zweien machte ich unrichtigerweise die Exstirpation der Gallenblase (meine erste Gallensteinoperation 1885, damals unter dem Einflusse einer neuen, unrichtigen Lehre stehend; die zweite 1892, in der Annahme, ein Carcinom der Gallenblase vor mir zu haben); beide gingen zu Grunde, schmerzen mich noch heute, weil sie gar nicht in Gefahr kommen durften, da für gewöhnlich keinerlei Gefahr vorhanden ist, wenn die Kranken überhaupt eine Narkose vertragen können.

Ueber die Praxis, über die Behandlung der Kranken sind wir also einig; das ist für die letzteren die Hauptsache, und wenn diese Lehre Boden gewinnt, dann werden tausende und abertausende dem Herrn Vorredner dafür danken, daß er für dieselbe eingetreten ist.

Ob wir in Betreff der theoretischen Fragen noch etwas differieren, das spielt fürs Leben gar keine Rolle. Ueber diese theoretischen Fragen werden wohl unsere Kinder und Kindeskinder noch debattieren, sie spielen sich ab in der Arena der Wissenschaft, können nunmehr aber das Leben nicht mehr gefährden.

Ich knüpfe an folgende Worte des Herrn Vorredners an: „Ich habe mich schon vor mehr als sechs Jahren dafür ausgesprochen, daß man diese Fälle grundsätzlich sollte operieren lassen, denn einerseits handelt es sich wohl in allen solchen Fällen um eine infektiöse Erkrankung, deren Ausgang immer unsicher bleibt, und andererseits ist die Cholecystotomie wohl nirgends leichter auszuführen.“

Betrachten wir die oben erwähnten Fälle in Betreff der Infectiosität des Gallenblaseninhaltes, so resultiert Folgendes: es fand sich

55 mal = klares oder durch Cholestearin getrübtes Serum,
13 „ = Schleim,
9 „ = durch Beimischung von Eiter getrübtes Serum.
23 „ = Eiter.

Nicht in allen Fällen, aber doch sehr oft, in den letzten Jahren immer, ist der Inhalt der Gallenblasen mikroskopisch und mittelst des Züchtungsverfahrens untersucht worden von sachverständiger Seite resp. unter der Kontrolle eines Sachverständigen. Es hat sich ergeben, daß Eiter und eiteriges Serum natürlich stets Mikroorganismen (Staphylo- und Streptokokken samt Bact. coli-Arten) enthielt, dagegen wurden in Serum und Schleim, auch wenn kurz vor der Operation heftige entzündliche Attacken gespielt hatten, fast nie Mikroorganismen entdeckt. Ich weiß, daß an anderen Orten die Züchtungen positivere Resultate ergeben haben; der Zufall mag ja eine große Rolle spielen; ich habe aber keinen Grund, den hier mit großer Sorgfalt durchgeführten Untersuchungen, die demnächst im Zusammenhange publiziert werden sollen, Mißtrauen entgegenzubringen.

Gering ist die Zahl unserer Untersuchungen von galligen Flüssigkeiten in der Gallenblase bei erfolglosen Anfällen und offenem Duct. cyst. ohne Ab- resp. Durchgang von Steinen). Es wurden nur 12 derartige Fälle operiert; es war vorhanden

in 3 Fällen = eingedickte schwarze Galle,
„ 7 „ = dunkle flüssige Galle,
„ 1 Falle = helle flüssige Galle,
„ 1 „ = trübe eiterige Galle (schwer infiziert).

Dazu ist zu bemerken, daß bei eingedickter Galle die Schmerzattacken gering, bei dunkler flüssiger (steriler) Galle noch geringer waren. Die Kranken wurden meistens deshalb operiert, weil sie bei längerem Arbeiten Unbequemlichkeiten empfanden, gelegentlich auch an Erbrechen litten; nur einzelne klagten über stärkere Beschwerden. Die Patientin mit heller flüssiger Galle hatte heftige Anfälle gehabt mit Ikterus, obwohl lediglich 3 große Steine in der Gallenblase waren; wahrscheinlich hatte ein heftiger entzündlicher Schub in einer hydropischen Gallenblase die Steine beiseite gedrängt und den Duct. cyst. vorübergehend geöffnet, so daß Galle rückläufig einströmen konnte. Ebenso erklärt sich vielleicht der zuletzt erwähnte Fall, nur mit dem Unterschiede, daß vielleicht durch die heftige Attacke die Papille geöffnet wurde; von letzterer aus erfolgte vielleicht sofort eine Infection des Gallengangsystems. Patientin ging bei der ersten Attacke von Gallensteinkolik zu Grunde, die einzige Kranke, deren Gallengangsystem sich beim Steine lediglich in der Gallenblase als inficiert erwies (vergl. Grenzgeb., Bd. III, S. 211) und zwar mit Staphylo- und Streptokokken sowie mit Bact. coli-Arten.

Die dunkle flüssige Galle erwies sich in den zuletzt operierten 2 Fällen völlig steril (Dr. Hartmann), obwohl gerade diese Patienten erheblichere Beschwerden gehabt hatten; aus früherer Zeit liegen keine Untersuchungen vor.

Diese negativen Resultate bei den Züchtungsversuchen mit Serum und Schleim gaben mir Veranlassung zu behaupten, daß die in diesen mit Serum gefüllten Gallenblasen von Zeit zu Zeit auftretende Entzündung, die der Arzt als Gallensteinkolik bezeichnet, eine aseptische, dem Gichtanfalle parallel zu setzende sei. Ich konnte diese Behauptung bis jetzt nicht durch Sektionsprotokolle begründen, weil Individuen mit entzündlichem Hydrops post operationem nicht starben. Im letzten Sommer hatte ich aber das Mißgeschick, daß zwei derartige gute Fälle

6 resp. 8 Tage nach der Operation aus anderweitigen Gründen (Perforation eines Ulcus intest., Embolie der Art. pulm. von einem thrombosierten Hämorrhoidalknoten aus) zu Grunde gingen. In beiden Fällen hatten Jahr und Tag heftige Gallensteinkoliken, d. h. Gallenblasenentzündungen gespielt, trotzdem fanden sich die Gallenblasen bei der Operation, die Gallengänge der Leber bei der Obduktion frei von Mikrokokken.

Wie wichtig das für die Therapie ist, das liegt auf der Hand: wir wollen die Gallensteine extrahieren, wenn möglich, in ganz aseptischem Zustande (klares Serum in der Gallenblase) oder wenigstens bei nur lokaler Infection der Gallenblase allein (trübes Serum oder Eiter). Weil diese lokale Infection eines durch großen Stein im Blasenhalse oder durch Verschwellung des Duct. cyst. vollständig vom übrigen Organismus abgeschlossenen Sackes längere Zeit hindurch meist gut ertragen wird, können wir leicht des eiterigen Prozesses Herr werden, so lange der Eiter nicht perforiert ist, und auch dann glückt Heilung noch oft genug.

90 Proz. dieser lediglich in der Gallenblase sich abspielenden Entzündungen verlaufen ohne Ikterus; in 10 Proz. der Fälle tritt bei einer heftigen Attacke von Fremdkörperentzündung Ikterus auf; dieser Ikterus ist meiner Ansicht nach nicht auf Infection zurückzuführen. Ich schließe dies aus dem Umstande, daß mir noch nie ein Kranker, der einen derartigen „entzündlichen“ oder begleitenden Ikterus gehabt hatte, post operationem zu Grunde gegangen ist. Ich stelle den „entzündlichen“ Ikterus in Parallele mit dem sog. katarrhalischen, nehme an, daß lediglich eine von der Gallenblase aus auf die Gallengänge der Leber sich fortsetzende Schleimhautschwellung vorliegt, wenn in der Gallenblase ein entzündlicher Schub spielt. Diese Schwellung der Schleimhaut erfolgt sehr rasch, dementsprechend tritt auch der Ikterus nach wenigen Stunden schon ein. Daß er nicht auf Infection zurückzuführen ist, wurde übrigens hier auch durch eine Sektion erwiesen; es starb eine nicht operierte Kranke an den Folgen der Abknickung des Magens durch Verwachsung des Duodenum mit der steinehaltigen Gallenblase; sie litt an Ikterus gravis. Die Obduktion ergab helle, klare Galle in den Gallengängen der Leber.

Der Ausdruck „entzündlicher Ikterus“ kann zu Mißverständnissen führen; wer bei dem Worte „Entzündung“ immer an Infection denkt, der wird ganz besonders unzufrieden mit dem gewählten Ausdrucke sein. Ich hätte auch gerne einen besseren genommen, weiß aber noch heute nichts Brauchbareres vorzuschlagen, da die Bezeichnungen „begleitender Ikterus“ oder gar „katarrhalischer Ikterus“ erst recht zu Mißverständnissen geführt hätten. Mir lag daran, den Ikterus, der beim Steine, lediglich in der Gallenblase allein, durch Fortsetzung der Schleimhautschwellung auf die Gallengänge der Leber entsteht, scharf vom reell-lithogenen, durch das Eintreten eines Steines in den Ductus choledochus hervorgerufenen Ikterus zu trennen, wenn letzterer zeitweise auch ein entzündlicher ist, worauf ich unten zurückkomme.

**Der entzündliche Ikterus entsteht rasch nach Beginn der akuten Attacke von Gallenblasenentzündung; er ist meist leicht, geht rasch vorüber. Zuweilen wird er auch zum Ikterus gravis von langer Dauer. Dann wird auch das in der Gallenblase angehäufte Serum gelegentlich eine gelbliche Farbe annehmen können, für gewöhnlich bleibt es farblos, so daß wir also keine Galle in der entzündeten Gallenblase haben trotz des Ikterus.**

**Diesen „entzündlichen" Ikterus streift der Herr Vorredner nur ganz kurz. Soviel beweisende Fälle ich auch bereits publiziert habe — ich will, um mein Lieblingskind möglichst zur Anerkennung zu bringen, noch drei weitere neuerdings beobachtete mitteilen, zumal die Leidensgeschichte dieser Kranken geradezu typisch ist für den Verlauf der Krankheit und für die Konsequenzen der nicht vom Herrn Vorredner gebilligten Therapie:**

No. 234. Herr C., 49 Jahre alt, aufg. 9. Aug. 1898.

In früheren Jahren häufige Magenverstimmungen (Sodbrennen und Aufstoßen). 1888 erster kolikartiger heftiger Schmerzanfall während der Nacht; von der Lebergegend aus strahlten die Schmerzen nach der entsprechenden Rückengegend und nach dem rechten Arm aus bis zur Unerträglichkeit; dabei bestand heftiges Erbrechen. Heiße Umschläge halfen nichts, erst die Morphiumspritze des noch während der Nacht zugerufenen Arztes brachte Ruhe und festen Schlaf, aus dem Pat. am anderen Morgen, wenn auch etwas angegriffen, so doch frei von jeglichem Schmerzgefühl erwachte. Dem ersten Anfalle folgten mit genau demselben Verlaufe in mehrmonatlichen Pausen einige neue Anfälle. Es wurde deshalb Prof. E. konsultiert. Derselbe bezeichnete die Krankheit sofort als Gallensteinleiden und verordnete zunächst Krummholzöl, später wegen neuer Anfälle eine Kur in Karlsbad (Herbst 1889), worauf längere Zeit Ruhe eintrat. Im Jahre 1891 wurde wegen neuer Anfälle und immer wieder auftretender Magensäure eine Massagekur instituiert, wieder mit leidlichem Erfolge. 1893 neue Kur in Karlsbad, doch hörten die Anfälle nicht auf; sie hinterließen jetzt ein mehrtägiges dumpfes Schmerzgefühl in der Lebergegend. Es folgten neue Anfälle im Mai 1895, Nov. 1896, endlich Oktob. 1897. Dieser Anfall hatte eine wesentlich veränderte Form; er hielt fast 8 Tage an; zum ersten Male zeigte sich leichte Gelbsucht circa 3 × 24 Stunden lang; Pat. fühlte sich sehr angegriffen danach. Operation wird abgelehnt; Pat. wandert Mai—Juni 1898 abermals nach Karlsbad, was wieder recht gut bekommt, doch bleibt ein dumpfes Schmerzgefühl in der Lebergegend. Der letzte Anfall (Juli 1898) trat mit besonderer Heftigkeit auf, wenngleich die Schmerzen nicht so arg wie früher waren, aber am 4. Tage setzte Schüttelfrost ein mit 41,3 Temperatur und leichter Gelbsucht; der Stuhlgang wurde hell, später dunkel-grünlich; er wurde durchsucht, ohne daß man Steine fand. Keine Geschwulst in der Gallenblasengegend nachweisbar. Die Temperatur sank in den nächsten Tagen langsam zur Norm, doch blieb 3—4 Wochen lang ein erhebliches Schwächegefühl; gleichzeitig erfolgte starke Abmagerung, so daß Patient sich endlich zur Operation entschloß.

St. praes.: Wohlgenährter Mann, Gewicht 149 Pfd. Objektiver Befund vollständig negativ, nur Schmerz bei Druck auf die Gallenblasengegend. Urin frei von Eiweiß und Gallenfarbstoff. Während der nächsten Tage Temperatur 36,5—9; Puls 60—65.

13. Aug. Incision: Gallenblase eben unter der Leber vorragend, gelblich-durchscheinend, mit Netz verwachsen. Pylorus weithin mit der Leber verklebt durch ödematöse Adhäsionen, wird abgelöst. Gallenblasenhals, nicht verwachsen, enthält Stein; Duct. cyst. und D. choled. sind intakt. Durch die Wand der Gallenblase hindurch schimmert ein Stein; an der Leberseite der Gallenblase ist bereits ein kleiner Stein durch die Wand der Gallenblase hindurch gewandert, er liegt zwischen Leber und Gallenblase in Adhäsionen eingebettet, läßt sich einfach fortnehmen; der Defekt in der Gallenblasenwand hat sich offenbar spontan wieder geschlossen. Die Punktion der Gallenblase entleert eiterig-gelbe Flüssigkeit, die Incision zunächst 5 kleinere, dann 3 kirschengroße, sodann wieder kleinere, endlich steckt oben im Blasenhalse ein großer Schlußstein: er wird zertrümmert und extrahiert.

Gallenblasenwunde herausgenäht; Galle fließt sofort. Die Züchtung des eiterig-gelben Blaseninhaltes ergab Bact. coli.

Reaktionsloser Verlauf; höchste Temperatur 37,6 am 3. Tage post op.; das Rohr konnte bald entfernt werden. Geh. entl. 26. Sept. 1898.

Typischer Fall: Viele Jahre lang „schwacher“ Magen mit Sodbrennen, seit 10 Jahren erfolglose Attacken von Gallenblasenentzündung ohne Ikterus, von sachverständiger Seite alsbald als Gallensteinkoliken gedeutet, während sie für gewöhnlich als Magenkrämpfe bezeichnet sein würden. Dann Oktober 1897 der erste, Juli 1898 der zweite Anfall (letzterer mit 41,3 Temperatur), mit leichtem Ikterus; keine Steine im Stuhlgange gefunden, weil großer Schlußstein im Blasenhalse steckt. Schüttelfrost erklärbar durch Attacke bei eiterigem Inhalte der Gallenblase. Die Attacke führte sogar zum Durchtritte eines Steines durch die Wand der Gallenblase, ohne daß sich ein Absceß zwischen letzterer und der Leber gebildet hätte. Dabei das Gallengangsystem vollständig intakt, sonst wäre wohl der Ausgang des operativen Eingriffes ein anderer gewesen. Inhalt der Gallenblase eiterig-gelb, wahrscheinlich noch etwas gefärbt von dem Ikterus her, weil erst circa 5 Wochen seit der letzten Attacke vergangen waren, als Pat. operiert wurde. Im eiterig-gelben Inhalte der Gallenblase nur Bact. coli, ohne jeden Einfluß auf den Verlauf der Operation.

Viel intensiver war der „entzündliche“ Ikterus in folgendem Falle:

No. 247. Frl. L. J., 52 Jahre alt, aufg. 20. Okt. 1898.

Großmutter † an Gelbsucht, Vater klagte viel über Schmerzen in der Lebergegend, † an Schlaganfall.

Seit 1871 wegen immer sich wiederholender Leberanschoppungen (Leibschmerzen) in ärztlicher Behandlung (Karlsbader Kur). 1883 Magen- und Darmkatarrh, seitdem beständige Stuhlgangsbeschwerden. 1888 wird eine rechtsseitige Wanderniere konstatiert. 1896 häufige Magenkrämpfe; im Frühjahr 1897 erster Anfall von Gallenblasenentzündung, sehr heftig, 14 Tage dauernd, weder Gelbsucht noch Fieber, aber so intensive Schmerzen, daß Pat. sich nicht bewegen, weder husten noch laut sprechen konnte. Seitdem oft sich wiederholende Magenkrämpfe mit heftigem Erbrechen (Oelkur).

Am 18. Okt. 1897 excessive Schmerzen, am 19. Okt. Ikterus; derselbe wird bald intensiv, Haut dunkelbraun, desgleichen der Urin; Stuhlgang vollständig farblos. Der Ikterus dauerte 5—6 Wochen fast in gleicher Stärke; Fieber wohl vom 10. Tage an, weder hoch, noch lange anhaltend. Rekonvalescenz durch Thrombophlebitis in alten Krampfadern gestört. Sommer 1898 leidlich wohl; vor 5 Wochen ein leichter Anfall von Gallenblasenentzündung. Pat. kommt zunächst nur zur Begleitung ihrer jüngeren Schwester hierher, weil letztere wegen Gallensteinen operiert werden soll trotz Abgang von 16 Gallensteinen per vias naturales vor 6 Jahren. (Unmittelbar nach einem sehr heftigen Anfalle ohne Ikterus. Diagnose wird deshalb auf Adhäsionen gestellt nach Durchbruch von Gallensteinen ins Colon transversum; die Kranke am 25. Okt. von ihren Verwachsungen zwischen geschrumpfter am Fundus narbiger Gallenblase einerseits, Quercolon und Magen andererseits befreit; geheilt).

St. praes.: Große kräftige, blühend aussehende Dame, kaum 40 Jahre alt erscheinend, während die jüngere Schwester bereits ergraut ist. Großer Schnürlappen nachweisbar: an der medialen Seite desselben besteht Empfindlichkeit auf Druck. Urin normal. Während der 5 wöchentlichen Beobachtungszeit kein Fieber: in den letzten Tagen wieder Schmerzen in der Gallenblasengegend.

23. Nov. 1898 Incision. Große, unten mit dem Duodenum fest verwachsene Gallenblase, prall, fest. Sie läßt sich nach Lösung der Adhäsionen samt dem Schnürlappen nach rechts auf die Bauchdecken werfen. Der Schnitt in den Fundus entleert cholestearinhaltiges, nicht gelblich verfärbtes Serum, dann folgen 13 mehr als kirschengroße, buckelige, nicht facettierte Steine: hoch oben im Blasenhalse steht fest ein ebenso großer Schlußstein; er wird leicht zertrümmert und extrahiert.

Duct. cyst. und choled. deutlich sichtbar, ungemein zart und dünnwandig. Gallenblase ins Peritoneum der vorderen Bauchwand eingenäht. Abdomen circa 20 Minuten offen. Im Serum fanden sich wenige Kolonien von Staphylokokken.

Verlauf reaktionslos, nur in den ersten Tagen Störungen durch starke Auftreibung des S romanum (wahrscheinlich infolge von chronischer Mesenterialperitonitis). Höchste Temperatur abends 37,9.

1. Dez. Drainrohr entfernt.

30. Dez. Wunde fest geheilt.

Hier war also vor Jahresfrist 6 Wochen lang Ikterus gravis vorhanden gewesen, obwohl sicher kein Stein damals den Duct. choled. passiert hatte. Letzterer erwies sich ebenso zart und dünnwandig, als der Duct. cystic.; beide waren sicher nie von durchgehenden Steinen berührt worden. Im Blasenhalse steckte fest und unbeweglich ein derber, mehr als kirschengroßer Schlußstein; er hatte sich bestimmt seit 27 Jahren nicht mehr von der Stelle gerührt, er konnte sich gar nicht rühren, und trotzdem der Ikterus gravis, der farblose Stuhlgang.

In der Gallenblase selbst nur farbloses cholestearinhaltiges Serum, von galliger Verfärbung keine Spur; war doch ein Jahr seit dem Ikterus vergangen; damals war vielleicht das Serum in der Gallenblase gelblich verfärbt gewesen, weil allgemeiner Ikterus bestand. Diese Spur von Farbstoff war längst resorbiert worden; wir fanden nur klares Serum mit einzelnen Kolonien von Staphylokokken, letztere ohne jede Bedeutung. Hatte Pat. doch 5 Wochen hier verweilt, ohne zu fiebern; hatte sie doch sorgfältig Tag und Nacht die operierte Schwester gepflegt, ohne zu klagen; erst in den allerletzten Tagen trat wieder ein ziehender Schmerz in der Gallenblasengegend auf. Dieser Schmerz veranlaßte die Kranke, sich operieren zu lassen; eigentlich wollte sie das gar nicht, weil ihr Leiden ja erträglich, wahrscheinlich überhaupt nur Wanderniere vorhanden sei; ihr Erstaunen war groß, als post op. 13 gewaltige Gallensteine präsentiert wurden.

Beide Kranke hatten also große „Schlußsteine" im Blasenhalse stecken, trotzdem hatten sie Ikterus bekommen, die zuletzt erwähnte sogar Ikterus gravis 5—6 Wochen lang; dabei waren die tiefen Gänge ganz intakt, so daß niemals ein Stein sie passiert haben konnte, die D. cystici speciell so unversehrt, daß sofort nach der Entfernung der Schlußsteine Galle abfloß. Den gleichen Ikterus haben wir nun auch bei kleinen Steinen im Blasenhalse und einfach verschwollenem Ductus cysticus:

No. 251. Frau A. Grube, 39 Jahre alt, aufg. 30. Nov. 1898. Mutter hat vielfach Magenkrämpfe gehabt, einmal Gelbsucht, † an Phthisis pulm. Vater desgleichen. Pat. bekam vor circa 10—12 Jahren die ersten Anfälle von Magenkrämpfen mit Erbrechen; dieselben wiederholten sich zuerst alljährlich einmal, später kamen sie öfter; sie waren außerordentlich schmerzhaft. Vor 5 Jahren bekam sie 2 Tage vor einer Entbindung schleichend und schmerzlos Gelbsucht; sie brachte diese Gelbsucht mit der Gravidität in Verbindung, ebenso das Erbrechen. Stuhlgang war farblos: ein Stein wurde nicht gefunden. Der Ikterus dauerte nur kurze Zeit. Seit jener Zeit hatte sie ziemlich Ruhe, nur hin und wieder gab es eine Attacke von Magenkrampf. Im Juni 1898 bekam sie abermals unter heftigen Schmerzen Ikterus gravis; Stuhlgang wieder vollständig farblos. Fieber war vorhanden. Dieser Anfall dauerte circa 6 Wochen.

Ganz langsam erholte Pat. sich von dieser schweren Attacke, bis sie Anfang Okt. 1898 abermals unter intensiven Schmerzen und Ikterus erkrankte. Sie wurde so schwach, daß Transport zunächst unmöglich erschien; erst gegen Ende des Monats erholte sie sich einigermaßen.

St. praes.: Blasse, nicht ikterisch gefärbte Frau. Kein Tumor in der Gallenblasengegend nachweisbar, Druck daselbst schmerzhaft. Temperatur und Puls normal, Urin desgl.

4. Dez. Incision: Nach Spaltung des Rect. abd. fühlt man durch den schwachen Musc. transv. hindurch deutlich einen harten Knoten unter der Leber. Nach Eröffnung der Bauchhöhle sieht man, daß der Fundus der Gallenblase eben unter der Leber hervorragt. Gallenblase succulent, prall gespannt, deshalb hart, ist mit Quercolon und Duodenum weithin verwachsen. Nach Ablösung dieser Därme präsentieren sich Duct. cyst. und choled. als zarte, dünne, ganz normale Gänge. Der Schnitt in den Fundus vesicae entleert Spuren von Eiter, sodann werden circa 500 erbsen- bis stecknadelkopfgroße Steine extrahiert. Annähung der Gallenblase ans Peritoneum parietale gelingt nur mit großer Mühe, weil Gallenblase klein, ihre Wandung morsch, fast zerfallend ist. Galle wird auch beim Schlusse der Operation nicht gesehen.

Verlauf: In den ersten Tagen die gewohnten Beschwerden, kein Fieber, kein Ausfluß von Galle.

16. Dez. Heute zum erstenmal Galle im Verbande, bis dahin nur Schleim entleert. Beim Verbandwechsel am nächsten Tage fließt klare Galle aus der Fistel ab. Allgemeinbefinden vortrefflich; Pat. erholt sich zusehends. 21. Jan. 1899 geheilt entlassen.

Hier haben also trotz kleiner Steine im Blasenhalse jahrelang dauernde, erfolglose Attacken von Gallenblasenentzündung, 3mal mit schwerem Ikterus kompliziert, bestanden, ohne daß je ein Stein die tiefen Gänge passiert hätte. Wäre letzteres der Fall gewesen, so hätte man den Duct. cyst. und choled. erweitert, vor allen Dingen hätte man statt Eiter Galle in der Gallenblase gefunden. Ihrer Größe nach hätten die Steine recht wohl die tiefen Gänge passieren können; sie thaten das zum Glücke für die Pat. nicht, weil der Duct. cyst. verschwollen war. Bei drei Attacken von Gallensteinkolik setzte sich der entzündliche, in der Gallenblase spielende Prozeß auf die Gallengänge der Leber fort, Ikterus gravis hervorrufend, obwohl der Duct. cyst. verschwollen war. Von „Stauung" ist sicherlich nicht die Rede; es lag kein Fremdkörper im Duct. choded. vor, hinter dem sich Galle hätte „stauen" können.

So viel von dem „entzündlichen", durch vielfache Operationen, wie durch Obduktion festgestellten Ikterus, der anscheinend doch etwas öfter vorkommt bei erfolglosen Gallenblasenentzündungen, als in 10 Proz. der Fälle. Klinisch ist er von außerordentlicher Wichtigkeit und von großem Interesse, weil er große diagnostische Schwierigkeiten hervorruft.

Wann tritt nun Galle bei dem als Gallensteinkolik bezeichneten Symptomenkomplexe in der Gallenblase auf?

Galle findet sich vorwiegend dann in der Gallenblase, wenn der Kolikanfall so weit erfolgreich war, daß ein Stein durch den Duct. cysticus hindurch getrieben wurde. Sitzt statt eines großen zufällig ein kleiner Stein zu oberst im Blasenhalse, so kann der akut entzündliche Schub in der hydropischen Gallenblase, die Perialienitis oder besser die Perixenitis (Vorschlag eines Wiener Kollegen; περι und ξενος fremd), durch Vermehrung der in der Gallenblase befindlichen Flüssigkeit den Stein durch den Ductus cysticus in den Ductus choledochus werfen, dann strömt Galle rückläufig durch den Ductus cysticus in die Gallenblase; gleichzeitig entsteht meist bei irgend wie erheblicher Größe des in den Ductus choledochus getriebenen Steines reell lithogener Ikterus. Dieser Ikterus ist zunächst ein Stauungsikterus, weil der bis dahin unberührte Ductus choledochus, wie ich mir denke, das Konkrement alsbald fest umschließen wird. Lange dauert diese Umschließung aber sicherlich nicht; wenn es dem nunmehr im gesamten Gallengangsysteme und in der Gallenblase spielenden entzündlichen Prozesse nicht gelingt, den Stein durch die Papille hindurchzuwerfen, so geht dieser entzündliche Prozeß nach einigen Tagen spontan zurück; der Ductus choledochus erweitert sich, der Stein ist nicht mehr eingeklemmt, er bewegt sich frei in dem erweiterten Gange; der Stauungsikterus nimmt ab, resp. er verschwindet ganz, bis eine neue Attacke von Perixenitis einsetzt, die, meist aseptischen Charakters. lediglich zur Schleimhautschwellung im Bereiche der Gallengänge führt, also zu entzündlichem Ikterus im oben definierten Sinne. Sowohl wenn der Stein die Papille passiert, als wenn er im Ductus choled. stecken bleibt, haben wir also jetzt Galle in der Gallenblase, und diese Galle enthält in der That wohl meistens das Bacterium coli. Ich halte diesen geschilderten Zustand meist für einen sekundären, für die Folge einer primär in der hydropischen Gallenblase spielenden Entzündung, da nur selten Perixenitis einsetzt in einer Galle enthaltenden Gallenblase bei dauernd offenem Ductus cysticus (s. o.).

Was nun das Bacterium coli anlangt, so wird es, wenn in Masse auftretend, auch die deletären Folgen haben können, welche der Vorredner schildert. Aus dem Auffinden einzelner oder auch mehrerer derartiger Mikroorganismen in der Gallenblase läßt sich aber leider gar kein Schluß betreffs der Prognose des Falles, speciell betreffs der Infektion des Gallengangsystemes ziehen. In weitaus den meisten Fällen ist der Verlauf ein günstiger gewesen, wenn die in der Gallenblase zurückgebliebenen, in Galle schwimmenden Steine extrahiert wurden, auch wenn Bacterium coli in dieser Galle nachgewiesen wurde. Aber es sind auch Ausnahmen beobachtet worden, Ausnahmen ganz erschütternder Natur sowohl bei solchen Individuen, die Steine durch die Papille entleert hatten, als bei solchen, die ihre Steine im Ductus choledochus behalten hatten, stets aber sind es Mischinfektionen gewesen; Staphylo- und Streptokokken fanden sich gleichzeitig mit dem Bacterium coli in den Gallengängen; eine reine Infektion der tiefen Gallengänge lediglich mit dem Bacterium coli ist hier wenigstens nur einmal beobachtet worden; es war aber eine harmlose Infektion, denn der Ausgang der Choledochotomie war ein glücklicher. Diese Mischinfektion des Gallengangsystemes erfolgt wohl vom Darme aus, aber nicht etwa durch die intakte Papille — diese ist immer offen — sondern wohl durch eine Papille, welche infolge der austreibenden Entzündung schon verändert ist. Ich habe allerdings erst einmal Gelegenheit gehabt, eine Papille 4 Tage nach einer schweren Attacke von Gallensteinkolik mit Ikterus (40 Steine in der Gallenblase, 15 im D. choled.; Pat. bereits ante op. inficiert, stirbt 72 Stunden post op.) zu sehen; sie glich einem kirschengroßen ödematösen Pfropfe, war also geradezu monströs zu nennen. Ob die Papille sich immer so verhält, wenn Steine vom Choledochus her andrängen, das glaube ich nicht; die Veränderungen werden hier wohl besonders stark gewesen sein, weil das Gallengangsystem bereits längere Zeit ante mortem inficiert war. In einem gewissen, wenn auch geringerem Grade wird die Papille immer verändert sein, wenn ein Stein andrängt und daß dann Mikroorganismen in das Gallengangsystem vom Darme aus eindringen können, das ist wohl nicht zu bezweifeln. Beim Stein im Choledochus rechnen wir ja auch stets mit dieser Infection und zwar besonders dann, wenn Pat. relativ rasch „elend" wird, sich gar nicht nach den Attacken von Perixenitis erholen kann, rasch abmagert u. s. w., lauter Symptome, die allerdings auch bei aseptischer Perixenitis im Ductus choledochus vorkommen können, aber doch nicht in so ausgesprochenem Maße, wie bei schweren Infectionen des Gallengangsystemes.

Daß aber auch nach glücklichem Abgange einzelner Steine oder sogar sämtlicher Steine durch die Papille das Gallengangsystem einzelner Individuen schwer inficiert bleiben kann, das habe ich erst in neuerer resp. neuester Zeit erleben müssen. Zunächst ging ein nicht operierter Mann auswärts zu Grunde, der die gewohnte Leidensgeschichte hinter sich hatte: „ein Jahr lang erfolglose Anfälle mit Bildung eines großen Gallenblasentumors, sodann partiell erfolgreicher Anfall mit Eintritt eines oder mehrerer Steine in den Ductus choledochus, intensiver reell-lithogener Ikterus; Operation jetzt hier abgelehnt; wieder Attacken von Perixenitis, Kopfschmerzen, Somnolenz, Tod. Obduktion ergiebt Vereiterung der Gallenblase und des gesamten Gallengangsystemes, aber nirgends mehr Steine; Eiterherde in Lungen und Gehirn." Derartige Fälle werden noch öfter beobachtet sein; wenn das Gallengangsystem schwer inficiert ist, so nützt der Abgang der Steine per vias naturales ebensowenig als die Extraktion derselben aus dem Duct. choled. (von einzelnen wohl nicht ganz sicheren Ausnahmen abgesehen). Bei diesen schwer inficierten bronzefarbenen kachektischen Individuen rechnet man immer mit einem event. ungünstigen Ausgange des Leidens.

Wenn aber die Kranken nach dem Abgange einzelner Steine per vias naturales unter Auftreten eines leichten reell-lithogenen Ikterus sich anscheinend wieder erholen, den Ikterus vollständig verlieren, wieder leidlich mobil werden, gar nicht fiebern, nur auffallend rasch abmagern, und wenn dann die Operation trübe Galle in der Gallenblase, die Obduktion die gleiche Galle in den Gallengängen ergiebt, dann möchte man schier verzweifeln. Derartige Fälle habe ich, wie gesagt, erst in neuester Zeit kennen gelernt, nachdem ich jahrelang ungestört Steine aus Gallenblasen extrahiert hatte, die nach Abgang einzelner Konkremente per vias naturales mehr oder weniger trübe Galle enthielten. Bei ihnen war das Gallengangsystem eben nicht oder so wenig inficiert, daß die Infection durch die Drainage der Gallenblase nach Entfernung der Steine aus derselben beseitigt wurde. Wahrscheinlich waren sie gar nicht

**inficiert — ohne Obduktion können wir ja immer nur Vermutungen hegen — deshalb der durchweg günstige Ausgang der Operationen auch bei trüber Galle in den Gallenblasen, so daß ich eigentlich gar nicht mehr an Gefahr dachte; da wurde ich in brüskester Weise überrascht durch den ersten Fall:**

No. 201. Frau W., 63 Jahre alt, aufg. 24. Okt. 1897. Der behandelnde Arzt, Herr Dr. Ayrer-Guben, teilte Folgendes mit: Frau W. hat seit vielen Jahren an schwachem Magen gelitten. Anfang 1896 der erste Anfall von „Magenkrampf"; derartige Krämpfe (Erbrechen unter relativ leichten Schmerzen im Abdomen) wiederholten sich seitdem öfter. Einen solchen Anfall sah ich am 30. Okt. 1896 und hielt denselben für Gallensteinkolik. Neben den heftigen krampfartigen Schmerzen im Epigastrium, über welche Pat. besonders intensiv klagte — von dort strahlten sie in den Rücken aus — trat mehrfaches Erbrechen galliger Massen auf. Kein Fieber, kein Ikterus, Puls 48 p. M. während des etwa 6-stündigen Anfalles. Leib aufgetrieben. Objektiv fand ich am Magen nichts Pathologisches, den rechten Leberlappen leicht zungenförmig ausgezogen, intensive Druckempfindlichkeit entsprechend der Lage der Gallenblase, welche ich nicht palpieren konnte. Urin frei von Eiweiß und Zucker, sowie von Gallenfarbstoff. Die Attacke verlief weiterhin fieberlos, es trat kein Ikterus auf. der Stuhl blieb gefärbt, Steine wurden nicht gefunden. Pat. fand sich weiterhin völlig wohl, bis am 30. Juli 1897 ein außerordentlich intensiver Anfall mit heftigem Erbrechen einsetzte. Die äußerst druckempfindliche Gallenblase wurde jetzt deutlich palpabel, sie überragte das Niveau der Leberoberfläche. 5 Tage lang bestand Fieber bis zu 38,6, dazu schnell vorübergehender leichter Ikterus, den ich als „entzündlichen" ansah. Stuhl war nicht entfärbt; keine Steine gefunden; im Urin vorübergehend Spuren von Gallenfarbstoff. Merkwürdigerweise trat am dritten Tage rechterseits Parotitis auf: sie verschwand nach 3×24 Stunden spontan. Seit dem Oktober 1896 ist Pat. niemals wieder in den Vollbesitz der Gesundheit gekommen; häufig fiel mir die schmutziggelbliche Gesichtsfarbe auf, so daß ich manchmal an die Entwickelung eines Carcinoms dachte. Der Allgemeinzustand hat seit dem letzten Anfalle wieder dauernd einen Schritt rückwärts gemacht, doch will Pat. das nicht eingestehen. Auffallende Abmagerung ist nicht sicher konstatiert worden.

St. praes.: Bleiche, aber leidlich wohlgenährte Frau. Leber hat deutlichen zungenförmigen Fortsatz, Gallenblase nicht zu fühlen; Schmerz bei Druck auf die Gallenblasengegend ausgesprochen. Urin frei von Eiweiß und Gallenfarbstoff; kein Ikterus. Während mehrtägiger Beobachtung im Hotel kein Fieber, guter Appetit; heitere Stimmung. Temp. am 24. Okt. 35,7 Puls 60. Hernia cruralis dextra.

25. Okt. Incision: Schlaffe, 2 Finger breit unter der Leber vorragende Gallenblase, mit Quercolon und Duodenum durch etwas succulente Adhäsionen verwachsen; Lösung gelingt rasch und leicht. Im Fundus der Gallenblase ein etwas über kirschengroßer, facettierter Stein, sodann folgen, in trübe Galle eingebettet, mehrere kleinere (erbsengroß, facettiert), weiterhin ein zweiter großer, der Gallenblasenwand fest anliegender Stein; er läßt sich ebenfalls in toto mittelst stumpfen Löffels herausschaffen, worauf alsbald Galle fließt. Duct. cyst. und choled. sind frei von Steinen, anscheinend ganz intakt. Fundus vesicae wird ins Peritoneum der vor-

deren Bauchwand eingenäht, Drain in die Gallenblase. Ab. 36,6 Temp. Puls 60, gut.

26. Sept. morg. 37,3 und 75, abends 38,0 und 84, gut.

27. Sept. morg. 37,7 und 92, abends 38,1 und 92; Verbandwechsel, weil Galle ausgeflossen. Leib mäßig aufgetrieben; kein Abgang von Blähungen.

28. Sept. morg. 38,6 und 100, abends 38,4 und 90, Leib noch mehr aufgetrieben. Viel Galle im Verbande.

29. Sept. morg. 39,3 und 104, abends 38,5 und 95, Zunge trocken, große Schwäche. Leib unten aufgetrieben.

30. Sept. morg. 38,2 und 82, abends 37,8 und 92. Pat. erbricht, deshalb Ausspülung des Magens; wenig Inhalt entleert. Galle stets in großen Mengen im Verbande.

1. Okt. morg. 38,0 und 100. Heute früh deutliche peristaltische Bewegungen rechterseits unten sichtbar; Hernie ist verschwunden. Es wird angenommen, daß die Hernie doch in ursächlichem Zusammenhange mit der Stenose des Darmes steht, deshalb Schrägschnitt oberhalb des Lig. Poup. Schenkelbruchsack enthält leicht entzündetes Netz dicht an der Bruchpforte nach dem kleinen Becken zu adhärent. Um diesen Netzstrang haben sich Dünndarmschlingen lose herumgeschlagen; der Strang wird durchschnitten. Nachmittags Puls 80, gut; abends 6 $^{1}/_{2}$ Uhr wieder 38,6 und 110 Puls.

2. Okt. morg. 39,4, Puls 120. Pat. apathisch. Bauch noch immer aufgetrieben, deshalb wird die gestern angelegte Wunde abermals geöffnet, aber sogleich wieder geschlossen, weil der Darm gar nicht gespannt erscheint. Exitus nachmittags 4 Uhr.

Obduktion 3. Okt. 1897. Aorta ikterisch. Das vordere und hintere Tricuspidalsegel leicht verdickt, gelb gefärbt. Herzmuskel bräunlich-rot, schlaff, etwas brüchig. Linke Lunge an ihrer Spitze verwachsen, dort mehrere tiefe, schwarz umsäumte Narbeneinsenkungen, dem entsprechend mehrere schiefergraue, stellenweise verkalkte Narbenzüge im Spitzenteile des Oberlappens. Bronchien bläulich-rot verfärbt; mehrfache schwarze, auf unterliegende Bronchialdrüsen führende Narben der Schleimhaut.

Das mediastinale Bindegewebe in der Umgebung des Oesophagus von der Trachealteilung an bis zur Cardia hin ödematös, schmutzigbraun, trübe chokoladefarbige Flüssigkeit enthaltend.

Bauchfell glatt und glänzend, nur zu beiden Seiten der oberhalb des Ligam. Poup. befindlichen Wunde grünlich-grau verfärbt. Das Netz nach der rechten Bauchseite hin verzogen und mit der Wunde verklebt; ein strangförmiger Ausläufer desselben mit der rechten Tubenecke des Uterus verwachsen. Flexura hep. coli mit dem Peritoneum lose verklebt, hier und da sugilliert, grau verfärbt; im Umkreise der Verklebung eine geringe Menge trüben chokoladenfarbigen Eiters.

Die untere Fläche der Gallenblase gegen den Hals hin und ebenso die obere Wand der Pars horizontalis duodeni 35 mm hinter dem Pylorus schiefergrau verfärbt, beide etwas trübe. Duct. choled. mittelweit. In der Gallenblase wenig trübe, gelbbraune Galle, die Schleimhaut nach hinten hin stellenweise blaurot, mit trübgelblich belegten, flachen Geschwüren besetzt. Im D. cyst. eiterig-trübe, grünlich-gelbe Galle, dieselbe Galle in den Duct. hep. bis in die feinsten Ausläufer derselben hinein: Leber etwas schlaff, sonst normal.

Unter der Kapsel der linken Niere eine graugelbe, elastisch feste Einsprengung; eine zweite analoge Einlagerung an der Grenze von Rinde und Mark. In der linken Vena hypogastrica ein rotbrauner, mattglänzender Thrombus; einzelne Thromben in den Venengeflechten um die Vagina.

Beiderseits die Gland. submaxill. um das Doppelte vergrößert, grüngelb; im Bindegewebe zwischen den Läppchen mehrfach dicker, grüngelber Eiter.

Die mikroskopische Untersuchung der in den feinsten Gallengängen der Leber befindlichen Galle ergab in jedem Präparate enorme Mengen von Staphylo- und Streptokokken, desgl. Bacterium coli.

Patientin bot von Anfang an ein mir durchaus unbekanntes, bis dahin noch nie gesehenes Krankheitsbild; sie litt offenbar an irgend einer vorläufig unklaren Sepsis. Selbstverständlich dachte man an Infection inter operationem; aber wie sollte diese zustande gekommen sein? Die Operation war leicht und einfach, die Bauchhöhle höchstens 15 Minuten offen gewesen; auch fehlte jede Spur von Peritonitis; Patientin hatte die gewohnte Auftreibung der Unterbauchgegend, wie sie fast nach jeder Gallensteinoperation vorkommt, bis Blähungen abgehen; sie hatte und behielt dauernd einen langsamen, ziemlich vollen Puls; sie hatte kein Erbrechen, trotzdem wurde sie bei harter, trockener Zunge immer elender. Am 7. Krankheitstage wurden peristaltische Bewegungen rechts unten entdeckt; man dachte an eine Appendicitis oder an Darmstenose, die mit der Hernie zusammenhing. Letzteres war zutreffend, während der Appendix sich als ganz gesund erwies, aber auch der Netzstrang spielte keine erhebliche Rolle; lose hatten sich die mehr und mehr aufgeblähten Darmschlingen um denselben herumgelegt, es fehlte jegliche Schnürfurche; es lag nur ein sekundäres minderwertiges Ereignis vor; es mußte etwas anderes dahinterstecken.

Dieses „andere" lehrte die Obduktion kennen: Eiterige Galle in der Gallenblase und in den gesamten Gallengängen, während ich doch nur einmal mittelst wohlausgekochten Löffels in den Hals der Gallenblase eingedrungen, einen Stein abgelöst und entfernt hatte; bei dieser Gelegenheit konnte unmöglich eine Infektion zustande gekommen sein, sie mußte a n t e o p e r a t i o n e m eingetreten sein, um alsbald post op. ihre deletären Wirkungen in Gestalt einer Infektion aller lokal bei und nach der Operation verletzten Gewebe zu entfalten. So vereiterten, ohne daß allgemeine Peritonitis, die unbedingte Folge einer direkten Infection des Peritoneum inter operationem, eingetreten wäre, die von einander abgelösten Flächen der Gallenblase, des Querkolon und des Duodenum; so vereiterte sogar das Gewebe in der Umgebung der unteren Hälfte des Oesophagus, nachdem augenscheinlich durch die Einführung der Schlundsonde dort ein Bluterguß entstanden war, ein Ereignis, das auch nur durch Allgemeininfektion des betreffenden Individuum erklärt werden kann.

Daß diese Allgemeininfektion in früherer Zeit, wahrscheinlich bei der letzten Attacke von Gallensteinkolik am 30. Juli 1897 stattgefunden

**hatte, dafür sprachen die alten eingedickten Eiterherde in der linken Niere, dafür sprach vielleicht auch die damals spielende Parotitis. Aber diese Infection war doch anstandslos bis zur Operation ertragen worden; wenn Patientin auch etwas abgemagert war, so hatte sie sich doch im übrigen leidlich wohl gefühlt; es war anscheinend nur „entzündlicher“ Ikterus vorhanden gewesen, kein reell-lithogener, zumal Patientin anscheinend einen guten großen Schlußstein im Blasenhalse hatte. Aber woher kam die trübe Galle in der Gallenblase? Das ließ sich nur so erklären, daß jenseits des Schlußsteines, also zwischen ihm und dem Duct. cysticus, im Laufe der Zeit ein kleiner Stein entstanden und daß dieser Stein am 30. Juli 1897 durch den Duct. cysticus und weiter durch den Duct. choled. und die Papille geworfen war, daß Patientin also damals reell-lithogenen Ikterus gehabt hatte mit nachfolgender Infection ihres gesamten Gallengangsystems.**

**Immerhin blieb der Fall etwas unklar, deswegen behielt er etwas Unheimliches; ich geriet in Sorge, wenn ich einen Kranken operierte, bei dem sich trübe Galle nach Abgang von Steinen per vias naturales in der steinehaltigen Gallenblase fand. Diese Sorge erwies sich als unbegründet, fast ein Jahr lang wurden Gallensteine bald aus seröser, bald aus eiteriger, bald endlich aus gallig-trüber Flüssigkeit extrahiert. Niemand ging direkt an den Folgen der Operation zu Grunde, so oft wir auch Bact. coli in der trüben Galle gefunden hatten — da wiederholte sich das unglückliche Ereignis leider bei der noch jugendlichen Frau eines vortrefflichen Kollegen.**

No. 239. Frau Dr. X, 34 Jahre alt, aufgenommen 10. Sept. 1898. Vater stets gesund, starb an Apoplexie im 61. Lebensjahre; Mutter kränkelte viel, sie starb 62 Jahre alt an einem Lungenleiden; 2 Geschwister sind gesund. Pat. war bis 1888 frei von Beschwerden; sie hatte sogar einen guten Magen. 3 Wochen nach der ersten Entbindung (1888) trat die erste Gallensteinkolik ein; kein Ikterus. Diese Anfälle wiederholten sich jetzt öfter. Am 3. Wochenbettstage der zweiten Entbindung (1889) setzte ein sehr schwerer Anfall ein; er dauerte $2^1/_2$ Tage, jetzt Ikterus sehr stark, 8—14 Tage lang; geringfügiges Erbrechen. Dann längere Pausen, doch kehrten die Koliken immer in Zeiträumen von 3 bis 6 Monaten wieder trotz des Genusses von viel Karlsbader Wasser. Im Frühling 1897 und 1898 ging Pat. 5 resp. 4 Wochen nach Karlsbad selbst; kein Nutzen, im Gegenteil: die Zahl der Anfälle nahm zu, das Erbrechen wurde andauernder und intensiver. Seit Febr. 1898 kamen die Anfälle fast täglich; der letzte am 1. Sept. 1898; nach demselben wurde ein linsengroßer, sechsflächiger Stein in dem braun gefärbten Stuhlgange gefunden. Ikterus stets nur gering und immer rasch vorübergehend. Da Pat. im Laufe des letzten Jahres 25 Pfd. an Gewicht verloren hatte und sich dauernd matt und elend fühlte, so entschloß man sich endlich zur Operation.

Stat. praes.: Schlanke, gracil gebaute Dame; Haut sehr leicht ikterisch gefärbt. Herz und Lunge gesund. In der rechten Bauchseite ein verschiebbarer Tumor (rechtsseitige Wanderniere). Gallenblase nicht fühlbar; Druck auf die Gallenblasengegend empfindlich. Urin sine Alb., aber mit etwas Gallenfarbstoff. Puls 70, Temp. 37,0; am 12. Sept. 37,2, 75. Abends 37,3; 80.

13. Sept. 1898. Inc.: Leidlich gespannte, mittelgroße, nicht verwachsene Gallenblase; Duct. cysticus enthält kleinen Stein; der Ductus ist leicht mit dem etwas erweiterten, aber sonst ganz intakten Duct. choled. verwachsen. Der Schnitt in die Gallenblase entleert 250 in trübe, gallige Flüssigkeit eingebettete kleinere und kleinste Steine. Da sie sehr hart sind, so wird der Stein im Duct. cyst. nicht zertrümmert, sondern der Ductus wird gespalten, worauf der Stein leicht entfernt wird. 3 Seidennähte, schwer anzulegen, weil die Wand des Ductus sehr dünn ist. Gallenblase in gewohnter Weise herausgenäht. Dauer der Operation 1 Stunde. Abends T. 36,9 und P. 82, gut.

14. Sept. Morgens T. 37,3, P. 84; abends T. 37,5, P. 108. Befinden gut.

15. Sept. Morgens T. 37,3, P. 108; abends T. 37,1, P. 92. Verbandwechsel. Leib wenig aufgetrieben; reichliche Blähungen alsbald durch Klysmata erzielt, doch fühlt Pat. sich schwach und angegriffen.

16. Sept. Morgens T. 37,2, P. 104; abends T. 37,4, P. 96. Aufstoßen.

17. Sept. Morgens T. 37,8, P. 92; abends T. 37,7, P. 92. In der Nacht vom 17. zum 18. hat Pat. grüne, sauer riechende Massen erbrochen, deshalb Ausspülung des Magens. Wunde gut, reichlicher Ausfluß von Galle.

18. Sept. Morgens T. 36,8, P. 86; abends T. 37,4, P. 112. In der Nacht vom 18. zum 19. nach Genuß von etwas Haferschleim wieder Erbrechen. Magen nochmals ausgespült.

19. Sept. Morgens T. 36,6, P. 96; abends T. 36,4, P. 100. Abends Befinden ziemlich gut, zumal die mittags genossenen Speisen nicht erbrochen sind.

20. Sept. Morgens T. 36,1, P. 92; abends T. 37,2, P. 104. Wunde gut, reichlicher Gallenfluß. Leib nicht aufgetrieben, nicht schmerzhaft. Mittags treten Schmerzen im Abdomen auf; Puls klein, oft flatternd. Um 6 Uhr abends Ausspülung des Magens, weil abermals Erbrechen auftritt. Nachts sinkt die Pulsfrequenz zuweilen auf 30, um dann wieder auf 130 zu steigen, doch erlahmt das Herz immer mehr; Tod 21. Sept., morgens 5 Uhr.

Obduktion: Spitze der linken Lunge leicht eingezogen; graue Narbe daselbst.

Herz schlaff. Rechter Ventrikel dünnwandig, linker desgl. (7 mm). Das kleine Bicuspidalsegel am Saume wenig, das große stark und ungleichmäßig verdickt.

Serosa des Dünndarmes fein injiziert, glatt und glänzend. Der Magen S-förmig gebogen. Der Anfang des Duodenum aufgetrieben, der absteigende Teil mit der Gallenblase lose verklebt, ebenso das Netz mit dem blau verfärbten Bauchfelle unterhalb der Wunde. In der Gallenblase schmutzig-graue, etwas eiterige Galle. Die Schleimhaut grauweiß, die netzförmigen Vorsprünge gerötet. Im Duct. choled. und in beiden Duct. hep. grünlich-gelbe, eiterige Galle. Duct. cyst. 22 mm lang, das Lumen desselben nicht unterbrochen durch die Nähte. Leber klein, ihre Kapsel glatt; Substanz gelblich-braun; deutlicher Fettbeschlag. Auch in den mittleren und kleinsten Gallengängen graulich-gelbe, trübe Galle. Duct. choled. 17 mm im Umfange; seine Schleimhaut bis zur Papille stellenweise rötlich injiziert; Papille blaß. V-förmige Schleife der Flexur.

Von Infection inter op. ist auch hier keine Rede; weder Puls noch Temperatur noch das Verhalten des Abdomen deuteten auf

Peritonitis hin; sie fehlte auch in der That vollständig, wie die Obduktion bewies. Ebensowenig konnte das Gallengangsystem bis in seine feinsten Verzweigungen hinein inter op. inficiert sein; der Obducent selbst erklärte die Infektion für eine alte. Diese Kranke bot nicht, wie No. 201, von Anfang an das ausgesprochene Bild der Sepsis, aber sie war schwach und elend, sie klagte und jammerte viel. ohne daß man recht den Grund finden konnte. Während nicht inficierte Kranke, sobald die ersten Tage mit der obligaten Auftreibung der Unterbauchgegend (V-förmige Schleife der Flexur resp. chronische Peritonitis des Mesent. derselben) vorüber sind, gewöhnlich sehr mobil werden, Appetit bekommen, war hier das Befinden stets mehr oder weniger gestört; es verschlechterte sich am 7. Krankheitstage zusehends, bis die Katastrophe unter den Erscheinungen der Herzschwäche am 8. Tage erfolgte. Das Herz war ja schlecht, aber die Causa mortis war die alte, d. h. die seit dem 1. Sept. 1898 bestehende Infection des Gallengangsystems.

Ein komplizierteres Krankheitsbild bot eine 3. Kranke:

No. 245. Frau Q., 53 Jahre alt, aufg. 28. Okt. 1898. Seit 15 bis 20 Jahren bestehen Magenkrämpfe; Pat. konnte mancherlei Speisen nicht vertragen, mußte sich immer in Acht nehmen. Im Laufe der Zeit wurden die Krämpfe immer heftiger, sie kamen immer häufiger; im Nov. 1897 lag Pat. sogar 6 Wochen im Bette unter excessiven Schmerzen und abundantem Erbrechen. Weil Ikterus fehlte, wurde hartnäckig die Diagnose auf Ulcus ventriculi festgehalten. Von der schweren Attacke im Jahre 1897 erholte Pat. sich nur langsam, doch wurde der Zustand ein leidlicher, bis vor ca. 8 Wochen abermals ein außerordentlich heftiger Anfall mit excessivem Erbrechem einsetzte. Schon 3 Stunden nach Beginn des Anfalles wurde leichter Ikterus konstatiert; die Attacke dauerte von Nachmittags 3 Uhr bis zum nächsten Morgen 5 Uhr. Der erste Stuhlgang im Laufe dieses Tages war noch gefärbt, der zweite schon farblos; ein Stein wurde nicht gefunden, doch wurde offenbar nicht genügend danach gesucht. Pat. lag 5 Tage im Bette, die höchste Temperatur war 38,0, dann langsame Rekonvalescenz; Ikterus verschwand rasch.

St. praes.: Blasse, gegen früher abgemagerte, aber doch noch kräftige Frau. Brustorgane gesund, Leber mit großem Schnürlappen, auf Druck sehr empfindlich; man glaubt an der medianen Seite derselben eine Härte wahrzunehmen. Urin sine Albumen. Gewicht 137 Pfund. Während mehrtägiger Beobachtung bleibt der Leib trotz Abführmittel stark aufgetrieben. Temp. beständig 36,1; Puls 60—70.

31. Okt. Incision: Dicker, plumper Schnürlappen, dahinter ganz in der Tiefe die flache, weiche, Steine enthaltende kleine Gallenblase. Quercolon adhärent durch ödematöse Granulationen, läßt sich leicht ablösen. Weiter unten besteht feste Verwachsung mit dem Duodenum; beim Ablösen desselben quillt flockiger Eiter an circumskripter Stelle heraus; man gerät in einen wallnußgroßen Absceß, der direkt in den perforierten Hals der Gallenblase zu führen scheint; der Eiter hat sich tief in die Wand des Duodenum hineingewühlt, doch bleibt es unsicher, ob auch die Schleimhaut des Duodenum durchbrochen ist. Fundus der Gallenblase wird eröffnet, ca. 25 erbsen- bis kleinkirschengroße Steine werden entleert, dann die Gallenblase von der Leber abgelöst und exstirpiert. Duct. cyst. morsch,

sodaß die Ligatur sofort durchschneidet, deshalb wird höher oben die Wand des Ductus oberflächlich durchstochen und nun abermals eine Seidenligatur um denselben herumgeführt und mäßig festgeknotet; diese Ligatur schneidet nicht durch; sie liegt fest und sicher. Leberwundfläche mittelst Paquelin verschorft, Tampon auf dieselbe, desgl. auf die Ligatur des Duct. cyst. Dauer der Operation 2 Stunden.

Die Untersuchung der entfernten Gallenblase ergiebt Folgendes: Fundus perforiert in schwieliges Narbengewebe hinein, in letzterem lag der größte Teil der Steine, von Eiter umspült. Dieser perivesicale Absceß war im Narbengewebe nach oben gewandert und dann in der Richtung nach dem Duodenum zu durchgebrochen; die Verklebung des Duodenum mit diesem Narbengewebe hatte die Perforation in die freie Bauchhöhle verhindert. Die sehr kleine Gallenblase war in ihrem Halsteile obliteriert. Im untersten Teile des Duct. cyst., also jenseits der obliterierten Partie des Blasenhalses, steckte ein etwas mehr wie erbsengroßer Gallenstein; weiterhin war der Duct. cyst. zunächst wieder verengt, im obersten Abschnitte dagegen normal weit.

Verlauf: Ab. T. 36,6, P. 84. Vollständig gutes Befinden.

31. Okt.: Morg. T. 38,0, P. 116. Während der Nacht Erbrechen galliger Massen, deshalb 10 Uhr vormittags Entfernung der Tampons; ca. 2 Eßlöffel Galle fließen hinterher, nachdem die Tampons in leichter Narkose aus der Bauchwunde herausgezogen sind. Drainage. Magen ausgespült. Ab. T. 38,2. P. 120. voll und kräftig. Subjektiv ganz wohl, kein Erbrechen mehr, nur Aufstoßen. Gegen die Nacht zu wird das Befinden weniger gut.

1. Nov. Morg. T. 37,7, P. 120, klein. Verbandswechsel; viel Galle im Verbande. Leib wenig aufgetrieben. Gegen Mittag Atemnot.

Ab. T. 37,4, P. 124. Zunehmende Schwäche während der Nacht. Exitus 2. Nov. morg. $8^1/_2$ Uhr.

Obd. (3. Nov.): Herz und Lungen unwesentlich verändert. Col. asc. stark von Gas aufgetrieben, in seinem oberen Teile von dem zu einem dreieckigen, 77 mm über den rechten Rippenbogen vorragenden blaßrötlichbraunen rechten Leberlappen gedeckt. Die untere Fläche dieses Lappens, 50 mm vom Aufhängebande entfernt, mit einer graubraunen, flachen Wundfläche versehen, welche mit dem anliegenden Anfangsteile des Quercolon durch stark gallig gefärbte Fibrinbelege lose verklebt ist. Die Serosa des Netzes und der unteren Darmschlingen stellenweise baumförmig injiziert, sonst bleich. In der Tiefe der Gallenblasenwunde finden sich etwa 3 ccm trüber, gallig gefärbter Flüssigkeit. Neben dem Duct. cyst. sitzt 13 mm hinter seinem Ursprunge, dort, wo er frei in die Wunde ausmündet, eine Seidenligatur. Die Galle im Duct. hep. braunrot, trübe: auch aus den kleinen Gallengängen entleert sich auf Druck trübe, gelbe Galle. Die Leber klein; der rechte Lappen 100 mm oberhalb des Vorderrandes mit einer flachen Schnürfurche versehen, in deren Bereiche die Galle nur mäßig getrübt ist. In den Gallengängen des linken Leberlappens gleichfalls trübe Galle. Leber selbst etwas schlaff, sehr bleich; starker Fettbeschlag.

Duct. choled. 27 mm, Duct. cyst. 12, Duct. hep. 16 mm im Umfange. Schleimhaut bleich und glatt; Gallengangsdrüsen deutlich.

Die mikroskopische Untersuchung der aus den feinsten Gallengängen stammenden Galle ergab zahllose Staphylo- und Streptokokken, desgleichen Bakterien. Auf Schnittpräparaten sah man diese Mikroorganismen sowohl in den Gallengängen wie im Lebergewebe selbst zerstreut umherliegen.

Auch hier muß zuerst die Frage erörtert werden, ob die Infection des Gallengangsystemes inter op. zustande gekommen ist. Sie muß entschieden verneint werden. Die Infection stammte aus viel früherer Zeit, sie kam bei der letzten Attacke zustande. Damals setzte eine Perixenitis im Duct. cyst. oberhalb des obliterierten Blasenhalses ein und warf einen kleinen Stein, der oberhalb des jetzt noch steckenden im Ductus cysticus saß, in den Duct. choled. und weiter durch die Papille hindurch. Der damals auftretende Ikterus war ein reell-lithogener: Beweis: die Dilatation des Duct. choled. auf 27 mm Umfang. Die allerdings sehr geringfügige Infection des Bauchfelles ist auf das Insufficientwerden der Ligatur des Duct. cyst. zurückzuführen und dieses wieder auf die alte Infection des Gallengangsystemes. Bei inficiertem Gallengangsysteme hält eben keine Ligatur, das ist leider eine in jedem Falle sich wiederholende Thatsache.

Das Durchschneiden oder Abrutschen der Cysticusligatur hätte aber schwerlich Schaden gethan, wenn die Galle der Pat. nicht inficiert gewesen wäre. Wiederholt habe ich nach Exstirpatio vesicae felleae (bei gesunder Galle in den Gallengängen) Austritt von Galle nach der Entfernung der Tampons beobachtet, ohne daß die Kranken dadurch geschädigt worden wären; obwohl die Cysticusligatur insufficient wurde, bekamen sie keine Peritonitis, einmal weil die in die Bauchhöhle strömende Galle aseptisch und zweitens weil das ganze Terrain unterhalb der Leber zumeist durch Tamponade abgeschlossen war. Zieht man diese Tampons 48 Stunden post op. fort, so hat sich schon ein abgeschlossener Hohlraum gebildet, aus dem sich die Galle nach Einführung eines Drainrohres direkt nach außen entleeren kann.

Dieser Abschluß des Operationsterrains gegen die übrige Bauchhöhle war auch hier, obwohl die Tampons schon 22 Stunden post op. entfernt wurden, fast erreicht; es fand sich keine Galle in der Bauchhöhle, sondern sie war lediglich in der Nähe des Duct. cyst.-Restes angehäuft. Die Peritonitis des übrigen Bauchraumes beschränkte sich auf „stellenweise baumförmige Injektion“ der Serosa; während des Krankenlagers war sie klinisch nicht hervorgetreten: Pat. starb wie No. 239 unter den Erscheinungen der zunehmenden Herzschwäche, Atemnot u. s. w., wie eben inficierte Menschen zu sterben pflegen.

Um in diesem Aufsatze nicht bloß oft Gesagtes zu wiederholen, sondern auch etwas Neues zu bringen, habe ich die Krankengeschichte dieser drei unglücklichen Patientinnen ausführlich gebracht; sie sind außerordentlich instruktiv, weil sie beweisen, daß die ganze Infectionsfrage bei Gallensteinkranken sehr kompliziert, daß die Sache nicht einfach mit dem Eindringen von einigen Mikrokokken erledigt ist.

Wann sind die drei Kranken inficiert? Nach meiner Ansicht bei ihren letzten Anfällen; diese waren „vollkommen erfolgreich“, wenn auch nur bei No. 239 ein Steinchen im Stuhlgange gefunden wurde;

die beiden anderen hatten so heftige Attacken mit Ikterus gehabt, daß höchstwahrscheinlich auch bei ihnen kleine Steine durch die Papille entleert waren.

Tausende entleeren Steine durch die Papille, ohne daß ihr Gallengangsystem inficiert wird. In unseren Fällen müssen beim Andrängen des Steines gegen die Papille, bei der Oeffnung derselben solche anatomischen Verhältnisse geschaffen sein (längeres Offenbleiben der Papille oder ähnliches), daß Infectionsträger vom Darme aus einwandern konnten.

Wie äußerte sich nun diese Infection? Lediglich dadurch, daß die Kranken zum Teil abmagerten, sich mehr oder weniger, auch sehr wenig (No. 201) angegriffen fühlten. Kein Fieber! Ikterus bei zweien rasch vorübergehend, also wohl lediglich Stauungsikterus vor dem Durchtreten des Steines durch die Papille entstanden, später vollständig verschwindend, während die Dritte (No. 239) noch 10 Tage nach dem Anfalle leichten Ikterus zeigte. Keine Vergrößerung der Leber! Genug, kein Symptom, was auf eine schwere Erkrankung des Gallengangsystems hindeutete, und doch war letzteres schwer inficiert.

Warum trotzdem keine Anfälle? No. 201 war seit 3 Monaten inficiert und hatte doch keine akuten Attacken, No. 245 6 Wochen lang, sie hatte gleichzeitig Gallenblasenvereiterung und trotzdem kein Fieber, keine Anfälle. Wie erklärt sich das? Ich meine, dadurch, daß der Fremdkörper, der Stein, im inficierten Gallengangsysteme, also im Duct. hep. oder choled. fehlte, deshalb konnte es nicht zu Perixenitis, zur akuten Attacke kommen (bei No. 239 war die letzte Attacke durch Perixenitis in der Gallen*blase* bedingt). Gewissermaßen als Perixenitis wirkte aber in allen drei Fällen der operative Eingriff; sofort begann ein mehr weniger intensiver Sturm. Die Erklärung für dieses sofortige Auflodern des entzündlichen Prozesses ist ungemein schwierig. Das Abfließen der inficierten Galle aus der Gallenblasenwunde spielt doch keine Rolle; bei diesen Kranken konnte die Galle stets in den Darm abfließen, weil kein Stein im Duct. choled. steckte; ob jetzt etwas mehr Galle aus der Fistel abfloß, das war doch ohne Belang. Erheblich „aufgerührt“ — wenn diese Vorstellung überhaupt gestattet ist — wurde der bis dahin schlummernde Prozeß durch das Abfließen der Galle aus der Fistel gewiß nicht. Oder war es der schädigende Einfluß der Operation als solcher, der das latente Leiden zum Ausbruch brachte? Wurde durch Narkose und Blutverlust, so minimal letzterer auch war, der Organismus so geschwächt, daß er jetzt im Kampfe mit den Mikrokokken unterlag, und zwar frühzeitiger, als das sonst der Fall gewesen wäre?

Daß diese Kranken mit dem schwer inficierten Gallengangsysteme dem Tode verfallen waren, das unterliegt wohl keinem Zweifel; sie hatten, obwohl die Galle frei durch die Papille abfließen konnte, die Infectionsträger nicht abgestoßen, verhielten sich also genau ebenso, als diejenigen zahlreichen Individuen, die bei *lose* im Duct. choled.

**sitzenden resp. umherrollenden Steinen auch sich der Infectionsträger aus ihrem Gallengangsysteme nicht entledigen können, obwohl die Galle recht gut die Papille passieren kann, der Stuhlgang dementsprechend gefärbt ist.**

**Bei diesen Kranken mit Choledochusstein schien mir nach meinen früheren Beobachtungen die Infection schubweise zu erfolgen; ich glaubte, allgemein giltigen Anschauungen folgend, die plötzlichen Schüttelfröste derartiger Kranker am besten durch das plötzliche Eindringen von Infectionsträgern in das Gallengangsystem erklären, den Moment der Infection durch das rasche Ansteigen des Fiebers (wie beim Erysipel) erkennen zu können. Die eben erwähnten 3 Fälle scheinen dafür zu sprechen — man kann ja über alle diese Details immer nur Vermutungen hegen — daß doch öfter, als ich früher annahm, chronisch schleichende Infection des Gallengangsystems von der partiell geöffneten Papille aus erfolgt und daß der erwähnte, als Infectionsmoment gedeutete Schüttelfrost lediglich eine Attacke von Perixenitis bei bereits schleichend inficierter Galle bedeutet, was ja im übrigen mit meinen früher dargelegten Anschauungen am meisten übereinstimmen würde.**

**Ich neige jetzt besonders deshalb dieser ev. auch wieder zu modifizierenden Annahme zu, weil ich kürzlich zum ersten Male Gelegenheit hatte, einen Kranken mit Choledochusstein zu beobachten, der trotz schwerer Infection seines Gallengangsystems (durch Andrängen eines Steines gegen die Papille entstanden) durchaus frei von Fieber und Schüttelfrösten blieb.**

No. 243. Herr G., 57 J. alt, aufg. 9. Okt 1898. Seit 1885 leberleidend (Anschoppung), öfter sich wiederholende Magenkrämpfe, deshalb 1886 und 1887 Kuren in Karlsbad. 1890 Nierensteinkolik mit Abgang von größeren Konkrementen. Ende August 1893 erster Gallensteinkolikanfall, binnen 5 Wochen sich 6mal wiederholend. Leib aufgetrieben, Erbrechen; leichter Ikterus, heller Kot. Erst Juli 1898 begannen neue Anfälle mit wenig Ikterus; damals wurde ein wallnußgroßer Tumor in der Gallenblasengegend gefühlt; derselbe wurde im Juli birnförmig, prall, auf Druck sehr schmerzhaft; kein Ikterus. Ende Abgust Abreise nach Karlsbad; dort wurden die Koliken unter dem Genusse der Quellen immer heftiger, in der 3. Woche waren die Schmerzen unerträglich. Am 14. Sept. trat plötzlich Ikterus auf, der Stuhlgang wurde farblos, der Urin dunkelbraun. Die Schmerzen wurden jetzt geringer, doch lag der Appetit gänzlich danieder, 4 Tage lang nahm Pat. überhaupt gar nichts zu sich. Fieber war nicht vorhanden, wohl aber hatte Pat. eisigkalte Hände bei den heftigen Schmerzen. Jetzt schlug der Karlsbader Arzt, weil keine Steine im Stuhlgange gefunden wurden, die Operation an Ort und Stelle vor, doch reiste Pat. am 25. Sept. nach Hause. Auf der Heimreise trat dumpfer Schmerz in der Gallenblasengegend ein; der Hausarzt fand statt des früheren glatten Tumors eine höckerige Geschwulst in der Gallenblasengegend; er stellte die Diagnose auf Carcinoma vesicae felleae und schickte den Kranken, der inzwischen fieberlos geblieben war und wieder angefangen hatte zu essen, nach Jena.

Stat. praes.: Leidlich gut genährter Mann; Ikterus gravis. Höckeriger Tumor in der Gallenblasengegend, auf Druck mäßig empfindlich; weder

Ascites noch Oedem der Beine. Urin enthält viel Gallenfarbstoff, aber kein Eiweiß. Stuhlgang thonfarbig. Gewicht 146 Pfd. Während der nächsten Tage Temp. beständig 36,3, nur einmal 36,7. Puls 70—75, gut.

13. Okt. Incision: Kleine, tief hinter der Leber stehende, im Fundus mit Netz, weiter unten mit Duod. durch succulente Adhäsionen verwachsene Gallenblase. Leber nicht vergrößert, durch Pseudomembranen fixiert, die am Lig. teres haften; nirgends Neubildung sichtbar. Steine in der Gallenblase, ein Stein im Duct. choled. deutlich fühlbar. Punktion der Gallenblase ergiebt trübe Galle, durch Incision werden 7 eckige facettierte, fast kleinkirschengroße Steine extrahiert. Durch Schnitt in den Duct. hepat. wird ein ähnlicher, aber durch Inkrustationen vergrößerter Stein entleert. Jetzt rutscht ein 9. Stein aus dem D. cyst. in den D. hep.; er wird ebenfalls extrahiert, dann der Schnitt im D. hep. sorgfältig mittelst Seidennaht geschlossen. Nun zeigt sich, daß die Gallenblase trotz der Extraktion der Steine sich nicht bis an die vordere Bauchwand heranholen läßt, zumal sie morsch und infiltriert ist, deshalb Entfernung der Gallenblase. Ablösung schwer, Lebergewebe weich, blaurot, stark blutend. D. cyst. in sich vernäht, Art. vesic. fell. isoliert unterbunden. Leberwundfläche mit Paquelin verschorft.

3 Tampons, 2 auf Leberwundfläche, der 3. auf Cysticus- und Hepaticusnahtstelle.

Die Untersuchung des Gallenblaseninhaltes ergab wenig Kolonien von Bact. coli; die aus dem D. hep. entleerte Galle enthielt zahlreiche Kolonien desselben Bacterium.

Verlauf: Abends 36,0, P. 70

14. Okt.: Morgens 36,9, P. 116. Nacht gut. Im Laufe des Vormittags beginnen heftige Schmerzen im Operationsgebiete. Abends 36,6, P. 100. Urin enthält sehr viel Eiweiß.

15. Okt.: Morgens 37,1, P. 120. Nacht schlecht. Atemnot. Erbrechen. Im Laufe des Tages zunehmender Verfall, Hände werden kalt. Abends 35,3, P. 130, klein, kaum fühlbar. Exitus.

Die Obduktion ergab neben Bronchitis purulenta und Bronchopneumonie resp. Pleuritis serosa sin. leichte Peritonitis (Serosa der Dünndarmschlingen fein injiziert, mattglänzend), verursacht durch das Eindringen von inficierter Galle in die Bauchhöhle. Weder die Cysticus- noch die Hepaticusnaht hatte gehalten. D. choled. hinter der Papille 26 mm im Umfange. Die Wand mehrfach flach ulceriert. Leber mäßig groß (240 : 220 : 200), mittelfest; Läppchen deutlich, ikterisch. In den mittleren und kleinsten Gallengängen eiterig trübe Galle.

Die mikroskopische Untersuchung derselben ergab neben Bact. coli zahllose Staphylo- und Streptokokken.

Hier war also anscheinend am 14. Sept. nach dem Eintritte des Steines in den Duct. choled. die Infection des Gallengangsystems erfolgt, trotzdem keine Spur von Fieber, soweit Patient und seine Frau das beobachten konnten — die Temperatur wurde in Karlsbad selbst unter so bedrohlichen Erscheinungen nicht gemessen — in der Heimat bestimmt kein Fieber, so daß der Hausarzt wohl zum Teil daraufhin die Diagnose auf Carcinom stellte; hier ebenfalls während 4 Beobachtungstagen keine Temperaturerhöhung. Trotzdem war Patient schwer inficiert, wie schon der makroskopische Befund bei der Operation ergab; morsche, blaurot verfärbte Gallenblase und Gallengänge, Leber dunkelblaurot und weich; alles dieses sprach für schwere Infection, abgesehen von den post operationem nachgewiesenen Mikroorganismen, unter denen — wohl durch Zufall — zunächst Staphylo- und Streptokokken fehlten. Wenn hier also während einer 4wöchentlichen Infectionszeit Fieber und Schüttelfröste nicht auftraten, so kann das wohl nur so erklärt werden, daß just die Perixenitis bis dahin ausblieb; sie würde sich bei längerer Dauer schon gelegentlich eingestellt haben.

Doch genug der Hypothesen; wer weiß, ob die etwas mechanische Auffassung, daß die Infection des Gallengangsystems beim Andrängen des Steines gegen die Papille zustande komme, überhaupt zutreffend ist, ob nicht die Infection in anderer Weise vor sich geht. Sicher ist, daß die Verhältnisse wohl sehr kompliziert sind und daß sich aus einzelnen Kokken- resp. Bakterienbefunden in der Galle gar keine Schlüsse ziehen lassen. Während der eben erwähnte Patient (No. 243) mit Stein im Choledochus trotz Fieberlosigkeit schwer infiziert zur Operation kam, hatte seine Vorgängerin (No. 225)[1]) Schüttelfröste und excessives Fieber gehabt; in der dem Duct. choled. entnommenen Galle fanden sich mehr Kulturen von Bact. coli als bei No. 243; aber Pat. kam glatt mit der Choledochotomie durch, desgleichen eine kurze Zeit vorher operierte Kranke (No. 217)[1]); sie hatte Steine per vias naturales verloren; Dutzende von Steinen wurden aus dem Duct. choled. entfernt, die bereits perforierte Gallenblase exstirpiert; man fand Streptokokken in der Galle des Duct. choled.; trotzdem gelang auch diese Operation, weil klinisch Infection des Gallengangsystems fehlte. Die wechselnde Virulenz und Menge der Kokken, die verschiedene Resistenzfähigkeit des einzelnen Kranken, die Gewöhnung an bestimmte Gifte, alle diese Momente werden eine Rolle spielen. Wir haben eben lebende Wesen als Träger und Empfänger von Giften vor uns; das chemische Experiment führt bei richtiger Anordnung immer zu einem ganz bestimmten Resultate; die Infection des Menschen mit Kokken oder Bacillen wird niemals einem chemischen Experimente gleichen. In den beiden zuletzt erwähnten Fällen (No. 225 und 217) waren Bact. coli und Kokken in der Galle des Duct. choled. nachgewiesen; diese Galle war während der Operation direkt in die Bauchhöhle geflossen, ohne daß die Kranken irgendwie geschädigt worden wären.

Im klinischen Sinne handelte es sich um nicht inficierte Kranke; auch grob-anatomisch sah man keine Konsequenzen der Infection: die Gewebe waren fest und derb trotz der in der Galle befindlichen Mikroorganismen. Das Vorhandensein der Mikrokokken als solches beweist also klinisch gar nichts. Leider sind auch Brüchigkeit und dunkel-blaurote Verfärbung der Gewebe nicht charakteristisch, ebensowenig spricht Festigkeit der Gewebe (Gallenblase und Duct. choled.) mit

1) Nicht publizierte Fälle.

Sicherheit gegen Infection; im Gegenteil. sie können fest, und doch kann die Leber vereitert sein. Wir werden fast immer vor und während der Operation im Unklaren bleiben, ob das Gallengangsystem in einer klinisch bedenklichen Weise inficiert ist oder nicht; erst die Beobachtung des weiteren Verlaufes post operationem stellt die Sache klar.

Selbstverständlich hängt die Prognose des Falles fast ausschließlich davon ab, ob des Patienten Gallengangsystem in klinischem Sinne schwer inficiert ist oder nicht. Ob lokale Infection der Gallenblase besteht oder nicht, das spielt — richtige chirurgische Behandlung vorausgesetzt — kaum eine Rolle, da wir mit dem Eiter in der Gallenblase, selbst wenn er schon in die Umgebung derselben perforiert ist, leicht fertig werden. Von jenen oben erwähnten 23 Patienten mit Eiter in der Gallenblase ist kein einziger gestorben, weil die Infection eben noch lokalisiert war auf den Bereich der Gallenblase und ihre Umgebung.

Die Kardinalfrage ist immer die: Ist das Gallengangsystem der Leber frei von Mikrokokken (in größerer Menge), oder ist es inficiert? Die weitere Frage lautet: Unter welchen Bedingungen, bei welcher Stellung des oder der Steine kommt die Infection am leichtesten bezw. am schwersten zustande. Die Antwort läßt sich leicht aus meinem eigenen Materiale geben. Teilt man die Gallensteinkranken in die klinisch-differenten 3 Gruppen:

1) Steine lediglich in der Gallenblase und event. im Duct. cyst. ohne Abgang von Steinen per vias naturales,
2) Steine in der Gallenblase und event. im Duct. cyst. nach Abgang von Steinen per vias naturales.
3) der Stein oder die Steine im Duct. choled. mit oder ohne Steine in der Gallenblase resp. dem Duct. cyst.,

so resultiert folgendes:

Bei 112 Individuen der Gruppe I bestand Infection des Gallengangsystems = 1 mal;
bei 31 Individuen der Gruppe II bestand Infection des Gallengangsystems = 3 mal;
bei 53 Individuen der Gruppe III bestand Infection des Gallengangsystems = 16 mal.

Daraus folgt, daß die Infektionsgefahr rapide wächst mit dem Eintreten des Steines in den Duct. choled. Geht er durch denselben hindurch, so haben wir mit 10 Proz., bleibt er im Duct. choled. stecken, sogar mit 30 Proz. Infectionsgefahr zu rechnen. Diese Infection hat ausnahmslos den Tod der Kranken zur Folge gehabt, gleichgiltig, ob sie operiert wurden oder nicht. (8 Patienten wurden nicht mehr resp. nicht mehr fertig [Choledochotomie] operiert.)

Diese ante operationem bereits bestehende Infection des Gallengangsystemes hat also hier den Tod von zahlreichen Kranken verursacht; mit dieser Infection hat der Chirurg am meisten zu rechnen und je mehr Privatkranke er von auswärts bekommt, desto häufiger wird er vor derartig desolaten, durch langes Abwarten ins Elend geratenen Fällen stehen. In der lokal beschränkten Praxis des einzelnen konservativ behandelnden Arztes erfolgt der Tod der Gallensteinkranken wohl öfter durch Perforation einer vereiterten Gallenblase in die Bauchhöhle. Ein mir befreundeter Arzt mit großer Praxis teilte mir gütigst mit, daß er in 12-jähriger Praxis 8 Kranke habe an Gallensteinen sterben sehen: 3 gingen an Infection des Gallengangsystemes zu Grunde, 4 an Perforation einer vereiterten und 1 an Carcinom der Steine enthaltenden Gallenblase. Eine 9. Kranke schickte er mit Choledochussteinen und inficiertem Gallengangsysteme in die hiesige Klinik, sie starb, während 6 seiner nicht inficierten Fälle hier mit Glück operiert wurden.

Der Tod durch Perforation einer vereiterten Gallenblase ist ein illegitimer; er darf, falls Patient nicht die Einwilligung zur Operation verweigert, überhaupt gar nicht eintreten, zumal die Diagnose auf Gallenblasenempyem außerordentlich leicht zu stellen ist.

Den Kranken mit schwer inficiertem Gallengangsysteme rettet dagegen kein Sterblicher mehr; er ist — von einzelnen Ausnahmen abgesehen [1]) — sicher verloren. Zu wünschen wäre nur, daß wir die Infection des Gallengangsystemes rechtzeitig diagnostizieren könnten — dann überließen wir diese Kranken sehr gerne weiterer konservativer Behandlung, da das Leben dieser Kranken unzweifelhaft durch die Operation verkürzt wird, während es doch die Aufgabe des Arztes ist, das Leben des Kranken zu verlängern.

Diese traurigen Konsequenzen des Gallensteinleidens (es kommen noch, sage und schreibe, 28 Fälle von Carcinom der Vesica fellea hinzu) würden — richtige Therapie vorausgesetzt — nicht in solchem Maße eintreten, wenn das Leiden **erkannt** würde, bevor Ikterus, speciell bevor reell-lithogener Ikterus auftritt.

Der entzündliche Ikterus ist ja, weil der Stein in der Gallenblase steckt, harmloser Natur, aber er ist anfangs schwer vom reell-lithogenen zu unterscheiden, so daß also die Situation beim Auftreten jeg-

1) Auf diesem Gebiete herrscht anscheinend noch viel Unklarheit. Immer wieder liest man, daß Kranke mit infectiöser Cholangitis durch einen operativen Eingriff gerettet seien. Das Studium der beigebrachten Krankengeschichten lehrt aber gewöhnlich, daß die Gallengänge entweder gar nicht oder nur unwesentlich inficiert waren. Wenn der Eiter nicht schon durch das Lebergewebe hindurchscheint, bleibt man während der Operation im Unklaren darüber, ob die Gallengänge inficiert sind oder nicht. Noch kürzlich glaubte ich mit völliger Sicherheit bei Choledochussteinen eine inficierte Leber vor mir zu haben, stopfte deshalb die Wunde aus und operierte zweizeitig. Der Verlauf bewies, daß ich mich geirrt hatte; bei der zweiten Operation floß klare Galle aus dem Duct. choled., die Kranke genas. Schwere Infection der Gallengänge kann eben, falls deutlicher Eiter in der Leber fehlt, nur durch Obduktion sicher festgestellt werden.

licher Art von Ikterus sofort unsicher wird. **Das Gallensteinleiden soll aber erkannt werden, bevor überhaupt irgendwelcher Ikterus auftritt.** Leider fängt in praxi die Diagnose meist erst mit dem Erscheinen des Ikterus an, während re vera das Leiden außerordentlich selten sofort mit Ikterus einsetzt. Fast immer gehen deutliche Vorboten voraus, die nur richtig gedeutet werden müssen; sie wiederholen sich in so typischer Weise, daß man gar nicht begreift, woher diese Unsicherheit in der Diagnose kommt; erzählt doch fast jeder Gallensteinkranke (vergl. auch die sämtlichen oben mitgeteilten Krankengeschichten) immer dieselbe Leidensgeschichte: Vater oder öfter Mutter litten vielfach an Magenkrämpfen, zuweilen auch an Leberanschoppung. Patientin selbst leidet seit Anfang der zwanziger Jahre oder später gelegentlich an Magenkrämpfen. Dabei setzt plötzlich ein heftiger Schmerz in der Pylorusgegend ein, der Leib treibt sich etwas auf, die Kleider müssen gelockert werden; bald kommt es zu Erbrechen, bald auch nicht. Nach einigen Stunden geht der Schmerz nach Applikation von warmen Umschlägen wieder vorüber; ebensogut wirkt eine Injektion von Morphium. Derartige Anfälle wiederholen sich zuerst jährlich einmal, dann zweimal, später kommen sie etwas öfter. Zwischen den Anfällen ist Patientin ganz gesund, verheiratet sich, bekommt Kinder; während der Gravidität befindet sie sich meist gut, sie ist frei von den Anfällen, weil das Blut nach den Beckenorganen abfließt. Gewöhnlich nach den Entbindungen treten neue Anfälle auf; nötig ist das nicht; 10, 20, 30 Jahre Ruhe, das ist gar nichts Seltenes. Meistens wiederholen sich allerdings die Anfälle später öfter, sie werden auch heftiger; bald wird ein Knoten in der Gallenblasengegend gefühlt, meistens nicht, weil die Oberbauchgegend zu empfindlich gegen Druck ist. Fieber ist bis jetzt kaum aufgetreten; der Arzt wird selten geholt, weil der „Magenkrampf" ja doch bald vorüber ist. Inzwischen ist der Verkehr mit der jetzt 30-jährigen Patientin etwas schwerer geworden; bei jedem Aerger, bei jeder Erregung tritt der Magenkrampf ein. Das Fahren auf holperigen Wegen wird zuweilen schlecht ertragen, beim Arbeiten auf dem Felde stellt sich der Magenkrampf ein, noch öfter erfolgt die Attacke ohne nachweisbare Ursache, doch wird mit Vorliebe ein Diätfehler angenommen. In der That bemerken die Kranken, daß sie bestimmte Speisen nicht recht vertragen können, doch verträgt die eine dieses, die andere jenes nicht, jede probiert an sich aus, was sie vertragen kann, dabei sind und bleiben weitaus die meisten Kranken gut genährt. Sie haben ja in der That auch ein ganz benignes Leiden, einen oder mehrere Steine in einer hydropischen Gallenblase; sie laborieren an erfolglosen Gallenblasenentzündungen aseptischen Charakters; wie können solche aseptische Fremdkörperentzündungen den Organismus schwer schädigen? Der Gichtiker wird ja auch nicht in seiner Ernährung reduziert, wenn er einige Attacken von Podagra durchmacht.

Im Laufe der Zeit werden aber die Anfälle doch schlimmer, sie kommen öfter; einzelne Kranke fangen an zu fiebern bei den Attacken, weil an die Stelle des serösen Sekretes allmählich serös-eiteriges oder ganz eiteriges tritt. Die Schmerzen werden unerträglich, „eine Entbindung ist nichts dagegen".

Von Ikterus noch immer keine Spur; 90 Proz. der Kranken haben zunächst keinen Ikterus; bei 10 Proz. erscheint er relativ früh, aber außerordentlich selten ist es, daß gleich der erste Anfall mit Ikterus verläuft; fast immer sind die beschriebenen Vorboten, die Magenkrämpfe, vorhanden gewesen, bei denen jeglicher Ikterus fehlte.

Einzelne Individuen giebt es allerdings, bei denen sofort der erste „Magenkrampf" mit Ikterus verläuft, so daß alsbald die Diagnose auf Gallensteine gestellt werden kann.

Das sind Individuen mit kleinen Steinen in der hydropischen Gallenblase; sie bekommen sofort reell-lithogenen Ikterus, oft unter Abgang von kleinsten Konkrementen per vias naturales.

Weitaus die größte Zahl der Kranken hat zunächst keinen Ikterus; sie leiden ausschließlich an erfolglosen Gallenblasenentzündungen ohne Gelbsucht; sie haben eben große Steine im Blasenhalse stecken oder auch kleine bei verschwollenem Duct. cyst. In späterer Zeit können auch sie Ikterus bekommen, das ist dann meist ein „entzündlicher", wenn nicht gerade das Unglück es will, daß sich jenseits des Schlußsteines im Blasenhalse neue kleine Steine bilden. Immer und immer wieder habe ich betont, daß dieser erfolglose Anfall meist leicht zu erkennen sei, daß er aber gewöhnlich als Magenkrampf mit heftigem Erbrechen gedeutet würde, daß wohl Ulcus ventriculi sanatum und Wanderniere, Ileus und Appendicitis, Echinococcus hepatis und Hernia lineae albae retrofascialis in Frage kämen, daß aber eigentlich nur Verwechselung mit einer an abnormem Orte, d. h. in der Gallenblasengegend fixierten Wanderniere möglich sei — und heute sagt der Herr Vorredner in No. 12 seiner Sätze folgendes: „Es wäre selbstverständlich äußerst wichtig, wenn man die erfolgreichen von den erfolglosen Gallensteinanfällen diagnostisch unterscheiden könnte. Das gelingt aber leider nicht. Ein sicheres Unterscheidungsmerkmal giebt es nicht: die Symptome sind, wie Riedel selbst ausdrücklich betont, ganz die gleichen beim erfolgreichen wie beim erfolglosen Anfalle." Ich besinne mich umsonst, wo ich das gesagt haben soll; gerade das Gegenteil habe ich oft genug ausgeführt. Wie aber der Vorredner zu dem Mißverständnisse kommt, das ist klar: er verwechselt das, was ich über den erfolglosen, mit **entzündlichem** Ikterus verlaufenden Anfall gesagt habe, mit dem, was ich über den erfolglosen, ohne Ikterus verlaufenden mitgeteilt habe. Dort habe ich allerdings ausdrücklich betont, daß man den „entzündlichen", bei erfolglosem Anfalle auftretenden Ikterus zunächst nicht vom reell-lithogenen unterscheiden könne, daß dies aber später doch meist möglich sei.

Der erfolglose, **ohne Ikterus** verlaufende Anfall ist dagegen, wie erwähnt, meist so durchsichtig, daß man die Diagnose in der That leicht stellen kann; es kommen, falls man keinen Tumor fühlt, eigentlich nur die Adhäsionen in Frage, die nach unbemerktem Abgang von Steinen per vias naturales rings um die Gallenblase zurückbleiben können; sie verursachen genau dieselben Schmerzanfälle, dieselben Attacken von Erbrechen, als die erfolglosen Gallensteinkolikanfälle. Da wir in ca. der Hälfte der Fälle die entzündete Gallenblase **nicht** fühlen, weil sie auch im ausgedehnten Zustande den unteren Leberrand nicht überragt (wegen angeborener Kleinheit des Organs, Entwickelung eines Schnürlappens, Fixation der Gallenblase in der Tiefe durch Adhäsionen am Duodenum u. s. w.), so hat man öfter diagnostische Schwierigkeiten gegenüber den Adhäsionen nach Abgang der Steine per vias naturales; diese Schwierigkeiten schädigen den Kranken direkt aber gar nicht; seine Adhäsionen müssen, wenn sie Schmerzattacken verursachen, beseitigt werden durch die Laparotomie, ebenso wie seine Steine durch dasselbe Verfahren entfernt werden müssen.

Weitaus die meisten Kranken sind im jugendlichen Alter, wenn das Leiden beginnt; es zieht sich in manchen Fällen hin bis in die späteren Jahre, aber das Gros meiner Operierten befindet sich in der Blütezeit des Lebens. Wenn der Vorredner angiebt, daß die Kranken meist über 50 Jahre alt seien, so beweist diese Aeußerung, daß wir mit außerordentlich verschiedenem Materiale arbeiten; bei meinen Kranken läßt sich das Leiden vielfach bis auf den Beginn der zwanziger Jahre zurück verfolgen, wenn man genau nach den Magenkrämpfen forscht. Andere, besonders Männer, erkranken in der That in späteren Jahren, einzelne anscheinend erst im hohen Alter, die Majorität der Operierten steht im Alter von 25--45 Jahren; die beste Zeit des Lebens liegt noch vor ihnen, deshalb ist es Pflicht des Arztes, sie rechtzeitig von ihren Steinen zu befreien, damit sie des Lebens wieder froh werden und nicht ins Elend geraten.

Weitaus die meisten Kranken **kann** der Arzt rechtzeitig von ihren Steinen befreien, eine sehr geringe Minorität der Fälle muß er zunächst ihrem Schicksale überlassen.

Scharf und sicher lassen sich die Grundsätze für die **Behandlung** des Gallensteinleidens aufstellen, falls dasselbe rechtzeitig erkannt wird:

Operiert soll werden unbedingt und sofort der an erfolgloser Gallenblasenentzündung ohne Ikterus leidende Kranke, falls nicht besondere Kontraindikationen (anderweitige ernste Leiden) existieren. Am liebsten würde ich sogleich noch während des 1. Anfalles operieren, weil dann die Gallenblase meist prall, mit Serum gefüllt, relativ groß ist. Leider wird es sehr selten möglich sein, während des Anfalles zu operieren; man soll aber möglichst bald nach demselben den Stein entfernen. Warum einen zweiten Anfall abwarten? Handelt es sich doch meist um Individuen, bei denen ein großer Stein im Blasenhalse steckt oder um solche, die kleine Steine in der Gallenblase haben bei verschwollenem Duct. cyst. Den ersteren wird ein zweiter resp. dritter Anfall nicht viel schaden, den letzteren desto mehr, weil dieser zweite Anfall den zuoberst sitzenden kleinen Stein in die Tiefe, in den Duct. cyst. resp. choled., und weiter treiben kann, wodurch eventuell Infection des Gallengangsystems bedingt ist, ganz abgesehen davon, daß wir den Stein, falls er im Duct. choled. stecken bleibt, per choledochotomiam entfernen müssen.

Nicht operiert soll ein Kranker werden, bei dem sofort beim ersten Anfalle reell-lithogener Ikterus auftritt mit Abgang von kleinen Steinen per vias naturales. Der alte typische Anfall giebt also zunächst keine Indikation für einen operativen Eingriff. Ist es doch möglich, daß Patient überhaupt nur einen einzigen kleinen Stein hatte oder daß er mehrere kleine Steine auf gleichem Wege per vias naturales ungefährdet entleert. Sein Schicksal ist ein ungewisses; er kann von der Papille aus inficiert werden oder auch nicht; eingreifen können wir für gewöhnlich nicht.

Das sind die Indikationen für die Behandlung zu Beginn des Leidens; danach sind ca. 90 Proz. der Fälle zu operieren, 10 Proz. nicht; jene leiden eben an akut entzündetem Hydrops ohne Durchgang von Steinen durch die tiefen Gänge, diese an akut entzündetem Hydrops mit Durchgang von kleinen Steinen durch die tiefen Gänge. Das harte[1]) Wort des Herrn Vorredners betreffs der frühzeitigen Operation des Gallensteinleidens konnte also ungesprochen bleiben; niemand will frühzeitig den frisch in den Duct. choled. eingeklemmten Gallenstein operieren; wir wollen ihn operieren, bevor er eingeklemmt ist, wenn er noch in der Gallenblase oder im Duct. cyst. sitzt.

Im weiteren Verlaufe des Leidens bleibt die Indikation zu operieren bestehen bei weiteren erfolglosen Anfällen, gleichgiltig ob die Attacken den alten Charakter behalten oder ob sie schwerer werden, ob Fieber und Schüttelfröste eintreten oder nicht; letztere würden dafür sprechen, daß das seröse Sekret in serös-eiteriges oder in rein eiteriges umgewandelt ist. Jetzt droht Perforation der Gallenblase, folglich muß möglichst bald operiert werden. Da es sich immer noch um ein rein lokal in der Gallenblase sich abspielendes Leiden handelt, so ist die Prognose immer noch außerordentlich günstig; mit diesen lokalen Eiterungsprozessen wird man schon fertig. Oft, sehr oft wird aber trotz immer wiederholter erfolgloser Attacken die Operation versäumt, und jetzt tritt endlich Ikterus, der lang ersehnte Ikterus auf. Der Fall ist endlich klar, die Diagnose wird auf Gallenstein gestellt — aber für den Chirurgen beginnt jetzt die Unsicherheit.

War der Ikterus ein entzündlicher, von der Gallenblase aus fort-

1) Vergl. weiter unten p. 600 No. 8.

gesetzter oder ein reell-lithogener? In ersterem Falle bleibt die Indikation zu operieren, die Prognose bleibt ebenfalls günstig, in letzterem muß zunächst abgewartet werden; es beginnt das Spiel des blinden Zufalls.

Findet man einen Stein im Stuhlgange nach der Attacke, hört dieselbe ganz plötzlich auf, verschwindet der Ikterus rasch, dann haben wir wahrscheinlich vollkommen erfolgreichen Anfall vor uns; dabei kann Patient von der Papille aus inficiert, gewöhnlich wird er nicht inficiert sein. Hat er nur einen Stein, so kann er jetzt vollständig gesund werden. Meist hat er aber mehrere; sind sie sämtlich klein, so können sie auch sämtlich durch oft wiederholte erfolgreiche Anfälle entleert werden; nötig ist das aber nicht. Der nächste Anfall braucht nicht vollkommen erfolgreich, er kann auch erfolglos sein; er wird sogar sicher erfolglos sein, wenn große Steine neben kleinen in der Gallenblase sitzen geblieben sind und erstere sich jetzt im Blasenhalse einstellen. Die Indikation zum Operieren kommt wieder, aber die Prognose ist nicht mehr so absolut günstig, weil Patient schleichend von der Papille aus beim Durchtreten des ersten Steines inficiert sein kann. Trotzdem wird man operieren, um die nicht inficierten — und das ist weitaus die größte Majorität — zu retten; überläßt man sie alle ihrem Schicksale, so wird der eine Teil derselben beim Abgange weiterer kleiner Steine von der Papille aus inficiert, der andere Teil (große Steine) wird bei bald wieder auftretendem galligem Hydrops neue erfolglose Anfälle oder bei Auftreten von Eiter im galligen Hydrops Perforationen der Gallenblase erleben.

War der reell-lithogene Ikterus das Symptom eines unvollkommen erfolgreichen Anfalles, blieb also der Stein im Duct. choled. stecken, so ist zunächst von Operation keine Rede. Der Duct. choled. ist dünnwandig, das Vernähen einer Längswunde in diesem zarten Gebilde würde schwerlich ohne Beeinträchtigung des Lumen vom Gange glücken; er muß erst durch längeres Verweilen des Steines sich erweitern, seine Wand muß sich verdicken. Dazu kommt, daß event. der nächste Anfall den Stein, wenn er nicht allzu groß ist, doch noch durch die Papille wirft. Inzwischen kann natürlich — und diese Gefahr ist hier sehr groß — das Gallengangsystem durch das erfolglose Andrängen des Steines gegen die Papille von dort her schleichend inficiert werden. Trotzdem müssen wir zunächst wenigstens abwarten. um anatomisch günstige Bedingungen für die Operation zu schaffen. Der Kranke bleibt dem Walten unberechenbarer Naturkräfte überlassen. Geht der Stein trotz wiederholter Attacken von Perixenitis nach 2 bis 4 Wochen nicht weiter, so würde ich ihn aus dem Duct. choled. extrahieren, weil die Gefahr der Infection von der Papille her immer größer wird, aber sie kann dann schon recht gut erfolgt sein (vergl. oben No. 243), ohne daß wir die Diagnose zu stellen vermöchten.

Zum Glück bleiben selbst beim Stein im Duct. choled. die meisten

Kranken frei von schwerer Infection, doch rechne ich nach meinen bisherigen Erfahrungen mit 15 Proz. Mißerfolg bei der Choledocho tomie nicht etwa weil die Operation als solche irgend wie gefährlich wäre — bei reiner klarer Galle ist sie ebenso hoch einzuschätzen, wie jede andere aseptische Laparotomie, bei der das Abdomen ca. 1 2 Stunde lang geöffnet bleibt; ich habe bei keimfreier Galle noch keinen Todesfall infolge von Choledochotomie erlebt — sondern weil das Gallengangsystem sehr oft ante operationem inficiert ist.

Diese schwer mit Staphylo- und Streptokokken resp. mit Bact. coli inficierten Kranken werden sterben. gleichgiltig, ob man sie operiert oder nicht. Selbstverständlich würde man die Operation vermeiden, wenn man die Diagnose auf Infection des Gallengangsystemes rechtzeitig stellen könnte; das ist leider ganz unmöglich, da sich inficierte und nicht inficierte Kranke ganz gleich verhalten können. Erst in ganz späten Stadien, wenn sich schon metastatische Eiterungen in entfernten Organen entwickelt haben. was recht selten ist, kann die Diagnose gestellt werden; Eiterungen im Bauche selbst, d. h. Vereiterungen der Adhäsionen per diapedesin, sind nicht immer von prognostisch ungünstiger Bedeutung; sie können bei keimfreiem Gallengangsystem lediglich von der vereiterten Gallenblase aus zur Entwickelung kommen. Der Schwerpunkt der Behandlung von Gallensteinkranken liegt also in der **frühzeitigen Entfernung der Gallensteine auf operativem Wege,** bevor reell-lithogener Ikterus und mit ihm gleichzeitig die Gefahr der Infection auftritt.

Daß wir dieses Ziel nicht in allen Fällen erreichen können, auch nicht erreichen wollen, das ist oben erörtert worden; es giebt eben eine Anzahl Individuen, die sofort ohne Vorboten bei der ersten Attacke reell-lithogenen Ikterus mit Abgang von Steinen per vias naturales bekommen. Weitaus die meisten Kranken haben erfolglose Anfälle, bevor die erfolgreichen kommen; man soll die Kranken operieren, bevor die Anfälle erfolgreich werden, damit sie nicht in Gefahr kommen, von der geöffneten Papille aus inficiert zu werden.

Dies gelingt leicht bei Kranken aus der arbeitenden Klasse, schwer, sehr schwer bei besser situierten Leuten.

Die arme Frau, die wegen ihrer „Magenkrämpfe" nicht mehr arbeiten kann, stellt sich frühzeitig zur Operation, oder der Mann zwingt sie dazu, weil der Haushalt nicht richtig geführt wird; sie kommt in nicht inficiertem Zustande zur Operation; der Stein wird gefahrlos aus der entzündeten hydropischen, event. auch aus der lokal inficierten, also vereiterten Gallenblase entfernt, und Pat. ist dauernd gesund.

Die vornehme Dame geht nach Karlsbad und wieder nach Karlsbad, gleichgiltig, ob sie erfolglose oder erfolgreiche Anfälle hat. Jahr und Tag spielen erfolglose Anfälle, die gute Zeit geht unbenutzt vorüber, endlich jagt ein besonders schwerer Anfall den im Blasenhalse steckenden Stein in den Duct. choled., oder es haben sich jenseits des Schlußsteines neue kleine Steinchen gebildet, die jetzt in den Duct. choled. getrieben werden; nun ist der Infection Thor und Thür geöffnet, und nun, wenn Pat. inficiert ist, verlangt sie Hilfe vom Chirurgen. Möge man doch endlich aufhören, Kranke mit erfolglosen Anfällen (90 Proz. der Gallensteinkranken) nach Karlsbad zu schicken; sie haben Serum oder Eiter in der Gallenblase, sie gehören dem Chirurgen, und wenn letzterer, wie es der Herr Vorredner mitteilt, die Operation ablehnt, so ist das sehr zu beklagen.

Nach Karlsbad gehört eventuell derjenige Kranke, der sofort beim ersten Anfalle (ohne jegliche Vorboten, also relativ selten) kleine Steine unter Auftreten von reell-lithogenem Ikterus entleert; er gehört überhaupt dem internen Mediziner, dieser mag ihn nach Karlsbad schicken; ich thue es nicht gerne, weil ich die Kraft der zur Durchtreibung von kleinen Steinen nötigen Anfälle nicht verringern will; ich weiß aber auch, daß trotz des Wassers die Anfälle in Karlsbad energisch wirken können, und da der Kranke wünscht, daß etwas für ihn geschieht, so habe auch ich in derartigen geeigneten Fällen nichts dagegen, wenn er den berühmten Kurort aufsucht; kommt es doch darauf an, Zeit zu gewinnen, den Kranken weiter zu kontrollieren, damit man herausbringt, ob neben kleinen auch noch große Steine in der Gallenblase zurückgeblieben oder ob nur kleine vorhanden sind, die ja allmählich im Laufe von Jahren abgehen können, also keiner Operation bedürfen, wenn auch mit diesen wiederholten erfolgreichen Attacken immer die Gefahr der Infection des Gallengangsystemes verbunden ist.

Wollte man nur solche geeignete Fälle mit kleinen Steinen nach Karlsbad schicken, so wäre alles gut; wir würden nur mit wenig Prozent Todesfällen zu rechnen haben und die Verantwortung für dieselben ablehnen können. Aber was wandert resp. was wird nicht nach Karlsbad geschickt, was absolut nicht dorthin gehört? Individuen mit tauben- mit hühnereigroßen Steinen in hydropischer Gallenblase, Individuen mit beständig sich wiederholenden erfolglosen Anfällen, die gelegentlich einmal „entzündlichen", aber nie reell-lithogenen Ikterus bekommen, alle ziehen gen Karlsbad; sie befinden sich dort oft sehr gut, aber kaum sind sie zu Hause angelangt, so geht der Sturm von Neuem los, weil die Ableitung auf den Darm fehlt, die Diät nicht mehr geregelt ist. Und alle diese Individuen könnte man bei rechtzeitiger Operation in völlig gefahrloser Weise binnen 15–30 Minuten von ihren Steinen befreien und zwar definitiv für alle Zeiten.

Es ist nicht im Interesse der Kranken, immer wieder von der Gefahr des Recidivs von Steinen zu sprechen. Wo sind in praxi die Recidive, wenn der Gallensteinkranke nach Entfernung der Steine richtig behandelt, d. h. die Gallenblase so lange drainiert wird, bis sie gesund ist und bis jeder etwa versehentlich zurückgebliebene Stein entfernt ist. Seit 12 Jahren operiere ich Gallensteine, bis jetzt sah ich noch keinen Fall von Recidiv.

Wohl aber kenne ich Komplikationen des Gallensteinleidens, die als Recidive gedeutet werden können, aber keine Recidive sind.

Es handelt sich in erster Linie um unvollständige und zwar um notwendigerweise unvollständig ausgeführte Operationen. Wenn gleichzeitig große Steine in der vereiterten, mit den umgebenden Organen verwachsenen Gallenblase, und kleinere oder größere im Duct. choled. stecken, so bleibt eben nichts anderes übrig, als zunächst die großen Steine aus der vereiterten Gallenblase zu ziehen, die im Duct. choled. befindlichen stecken zu lassen, weil man doch absolut die Adhäsionen in diesen Fällen nicht lösen darf. Entschließt sich dann der Kranke später nicht zur Choledochotomie, oder ist letztere — bei Verdacht auf kleine Steine — contraindiciert, so kann daraus bei neuen Attacken von Gallensteinkolik der allerschönste Fall von Recidiv nach Gallensteinoperation konstruiert werden; es handelt sich aber gar nicht um Recidiv, sondern um Steine, die bei der ersten Operation notwendigerweise stecken bleiben mußten. Weiter: Extrahiert man bei obliteriertem Duct. cyst. Steine aus der Gallenblase und schließt sich sodann die Schleimfistel nach einiger Zeit, so daß ein Hydrops vesicae felleae ohne Steine restiert, so entwickeln sich auch in einem solchen Hydrops gelegentlich Attacken leichteren Charakters, weil ein so vollständig abgeschlossener Hydrops doch auch ein Fremdkörper ist; diese Attacken können als Symptome eines Recidivs von Gallensteinen gedeutet werden, obwohl letztere fehlen.

Vereinzelt kommt es auch vor, daß restierende Adhäsionen — bei eiterigen Prozessen in der Gallenblase dürfen dieselben selbstverständlich nicht gelöst werden — Schmerzattacken hervorrufen, die gar nicht von Gallensteinkoliken zu unterscheiden sind. Alles dieses kommt vor, aber nur ausnahmsweise; jedenfalls handelt es sich dabei nicht um ein Recidiv von Gallensteinen.

Würde aber jemals ein Recidiv eintreten, so wäre ja die mit der vorderen Bauchwand verwachsene Gallenblase so leicht zu eröffnen, und zwar extraperitoneal, daß überhaupt von Gefahr keine Rede sein könnte; nöthig habe ich allerdings diesen Eingriff bis jetzt nicht gehabt, weil die von mir operierten Kranken frei von Recidiv blieben. —

Zum Schlusse wende ich mich kurz zu den direkten Interpellationen des Herrn Vorredners auf p. 12 seiner Arbeit.

1) Welche Bedeutung hat das Vorhandensein einer fühlbaren Gallenblase bei chronisch recidivierender Cholelithiasis?

*Falls kein Ikterus besteht, bedeutet sie für gewöhnlich einen chronischen Hydrops mit grofsem Steine im Blasenhalse oder mit kleinen Steinen daselbst bei verschwollenem Ductus cysticus. Die fühlbare Gallenblase kann aber auch serös-eiteriges oder gans eiteriges Sekret enthalten.*

*Ist Ikterus bei gut fühlbarer Gallenblase vorhanden, so wird es sich meist um „entzündlichen" Ikterus bei „erfolglosen" Attacken in einer hydropischen Gallenblase handeln; die Gallenblase entleert sich nicht, deshalb bleibt sie fühlbar. War der Anfall erfolgreich, wurde ein Stein in den Duct. choled. geworfen, trat dementsprechend reell-lithogener Ikterus auf, so hat sich infolge der Attacke die Gallenblase entleert, man fühlt sie meist nicht mehr, weil sie hinter dem vorderen Leberrande emporsteigt; sie enthält sodann zunächst Galle statt Serum; stellt sich sodann ein großer Stein im Blasenhalse ein, so entwickelt sich von neuem Hydrops, aber meist gallig gefärbt bleibender Hydrops; man fühlt sodann besonders während der Anfälle die Gallenblase wieder.*

2) Welchen Wert hat das Bestehen von Lebertumor — ich lege keinen Wert darauf.

*Die Leber schwillt sicherlich bei jedem Ikterus etwas an, doch ist der Grad der Anschwellung bei der ungemein großen Verschiedenheit des Volumen der Leber schwer zu bestimmen. Ein größerer Lebertumor entwickelt sich bei wiederholten Attacken von Fremdkörperentzündung um einen im Duct. choled. steckenden Stein herum, gleichgiltig, ob diese Entzündung auf aseptischem oder inficiertem Boden sich abspielt: kommt es aber auf inficiertem Boden zu Eiterungsprozessen in den Gallengängen der Leber, so wird die Vergrößerung der Leber sehr beträchtlich. Ohne entzündliche Attacken bleibt die Leber auch zuweilen beim Steine im Duct. choled. ganz klein.*

3) Den gleichen Standpunkt nehme ich der Milzschwellung gegenüber an.

*Nur einmal sah ich erhebliche Milzschwellung und zwar bei einem enormen, im Duct. choled. seit 20 Jahren steckenden Steine; es war kein Ikterus vorhanden, wohl aber Vergrößerung der Leber, bedingt durch Thrombose eines Astes der Ven. port. Die Milzschwellung ließ sich durch direkten Druck des Steines auf die Vena port. erklären, doch fehlte jeglicher Ascites. Oft mag mir Milzschwellung bei den Kranken entgangen sein.*

4) Ascites scheint mir, wo er überhaupt vor der Operation nachweisbar ist, immer von ungünstiger Bedeutung zu sein; er spricht für Carcinom.

*Unbedingt, da Ascites auch bei den schwersten Verstopfungen des Duct. choled., selbst bei infectiösen Prozessen im Gallengangsysteme kaum vorkommt. Leider ist Ascites oft erst im späteren Stadium des Carcinomes vorhanden, vorwiegend dann, wenn schon Ikterus besteht. Beschränkt sich das Carcinom noch lediglich auf die Gallenblase, so fehlen Ascites und Ikterus.*

5) Dem Fieber vindiziere ich Bedeutung höchstens in einer Richtung, d. h. wo das eigentümliche, durch Monate protrahierte intermit-

tierende Fieber besteht, ist dasselbe ein wichtiges Zeichen für Cholelithiasis, obgleich genau das gleiche Fieber mit heftigen Frösten auch bei Neubildung und sogar bei solcher ohne Ikterus und ohne jede Eiterung vorkommt.

*Ist kein Ikterus vorhanden, handelt es sich also lediglich um entzündliche, auf die Gallenblase lokalisierte Attacken, so verursacht die bei serösem keimfreien Exsudate einsetzende Perixenitis oft kein Fieber; häufiger tritt dasselbe auf bei serös-eiterigem, am häufigsten bei rein eiterigem Exsudate auf. Bei Neubildungen in der Gallenblase verhält sich die Temperatur ebenso; falls überhaupt entzündliche Schübe einsetzen, richtet sich das Fieber vorwiegend nach dem Charakter des Exsudates; oft fehlen entzündliche Schübe bei Carcinoma vesicae felleae.*

6) Höheres Alter scheint mir an und für sich durchaus keine Kontraindikation.

*Damit stimme ich überein; die Versorgung der Bauchdeckenwunde mufs aber eine besonders sorgfältige sein, weil bei längerer Bettruhe immer Bronchitis droht.*

7) Daß das Bestehen von Ikterus die Prognose verschlechtert, darf als ausgemacht gelten. ,7 Proz. Mortalität für die Fälle hat sogar Kehr noch in letzter Zeit gehabt. Dürfte aber nicht ein ganz bestimmter Unterschied nach dem Grade des Ikterus zu machen sein? Ich meine, nach meinen Erfahrungen, daß nur das Bestehen von schwerem Bronceikterus bei gesperrtem oder sehr gestörtem Gallenabfluß in den Darm direkt üble Bedeutung hat; ein geringer Ikterus bei annähernd normaler Färbung der Faeces scheint mir unerheblich. Die Bedeutung jenes schweren Bronceikterus scheint mir ferner viel größer bei alten Leuten. — Komplizierendes Carcinom?

*Bestehender Ikterus verschlechtert unbedingt im allgemeinen die Prognose der Operation, doch kommt es nicht auf den Grad, sondern auf den Charakter des Ikterus und weiter darauf an, ob das Gallengangsystem des Kranken inficiert ist, oder nicht.*

*Ganz harmlos ist der „entzündliche“ Ikterus bei den Steinen lediglich in der Gallenblase oder im Duct. cyst.; er ist meist leicht und vorübergehend, kann aber auch schwer werden.*

*Der reell-lithogene Ikterus ist ebenfalls unbedenklich, wenn das Gallengangsystem noch nicht inficiert ist; man sieht auch Bronceikterus, ohne dafs das Gallengangsystem inficiert ist. Meist aber trifft Bronceikterus mit Infection des Gallengangsystemes zusammen, doch kann Infection desselben auch bei ganz leichtem Ikterus, selbst ohne Gelbsucht bestehen. Bronceikterus bei alten Leuten bedeutet gewifs oft Carcinom, doch wird die Diagnose erst sicher, wenn Ascites auftritt.*

8) Die wichtigste Frage bleibt: Wann, wie bald soll operiert werden? — Man antworte nicht: so früh als möglich! denn das wäre keine Antwort — sondern, falls ernstlich gemeint, Hohn!

*Oben ist erörtert, dafs bei dem früher sogen. typischen Anfalle mit raschem Abgange von kleinen Steinen per vias naturales unter Auftreten von reell-lithogenem Ikterus zu Anfang gar nicht operiert werden soll; die Operation kommt auch weiterhin nicht in Frage, wenn fort und fort durch neue Anfälle kleine Steine entleert werden.*

*Wenn aber in weiterem Verlaufe trotz immer sich wiederholender Anfälle keine Steine mehr entleert werden, so ist auf das Zurückbleiben von gröfseren Steinen in der Gallenblase resp. im Duct. cyst. oder — bei mehr oder weniger dauerndem Ikterus — im Duct. chol. zu schliefsen, dann kommt wieder die Operation in Frage, jedenfalls also unter diesen Umständen spät.*

*Tritt aber das Gallensteinleiden, wie gewöhnlich* (90 *Proz. der Fälle*), *in Form von erfolglosen Gallenblasenentzündungen auf, meist also ohne Ikterus* (*entzündlichem*) *auf, so ist die Operation so früh als möglich indiziert, d. h. sobald durch einmaliges Auflodern des entzündlichen Prozesses die Diagnose auf Stein in der meist Serum, zuweilen aber auch Eiter enthaltenden Gallenblase gestellt ist. Der nächste Anfall kann den im Blasenhalse stehenden Stein schon in die Tiefe treiben; es ist richtig, ihn zu extrahieren, bevor er in die Tiefe geht, weil er aus der Gallenblase selbst leicht und gefahrlos zu entfernen, Patient meist nicht, oder doch nur lokal* (*bei Eiter in der Gallenblase*) *inficiert ist.*

9) Ich meine, sobald die Krankheit chronisch recidiv geworden ist, d. h. sobald ernste Recidive sich mehrfach gefolgt sind und eine Karlsbader Kur erfolglos geblieben ist, sei die Operation indiziert.

*Recidive sind abzuwarten bei kleinen Steinen, weil dieselben bei recidivierenden Anfällen per vias naturales abgehen können, also beim alten typischen Anfalle mit sofortigem Abgange von kleinen Steinen unter Auftreten von reell-lithogenem Ikterus. Bei allen gröfseren, in Serum, Schleim oder Eiter eingebetteten Steinen, wobei ein grofser Schlufsstein im Blasenhalse steckt, würde ich niemals Recidive abwarten, ebensowenig bei kleinen Steinen, die nicht in den Duct. cysticus eindringen können, weil letzterer verschwollen ist. Je früher die Operation stattfindet, desto leichter und einfacher ist sie; je mehr Attacken vorangegangen sind, desto intensiver sind die Verwachsungen der Gallenblase mit den umliegenden Organen, desto mehr verändern sich Form und Inhalt der Gallenblase. Niemand läfst sich gerne operieren; wenn aber sämtliche Symptome dafür sprechen, dafs Patient anders, als auf operativem Wege, nicht geheilt werden kann, so soll man diese Operation frühzeitig, d. h. unter den denkbar besten Bedingungen machen, nicht durch Abwarten diese Bedingungen ungünstiger gestalten.*

# XIX.
# Schlusswort zur gleichen Diskussion.

Von
**B. Naunyn** in Straßburg i. E.

Der vorstehende Aufsatz RIEDEL's ist die Antwort auf ein Referat, das ich auf der Düsseldorfer Naturforscherversammlung gab; dieses findet sich im 1. Hefte dieses Bandes dieser Zeitschrift, und ich bitte die Leser, dasselbe zu vergleichen.

Meiner Einsicht nach ist nun der gegenwärtige Stand der Diskussion dieser: Wir beide, RIEDEL und ich, vertreten gleich nachdrücklich die Ansicht, daß beim Gallensteinleiden und auch in den Gallensteinkoliken die Cholecystitis eine große Rolle spielt. RIEDEL läßt jeden Gallensteinkolikanfall mit solcher Cholecystitis beginnen und will die Gallensteinkolik im alten Sinne, d. h. den durch den Abgang des Steines allein — ohne Cholecystitis — hervorgerufenen Schmerzanfall nicht anerkennen; soweit gehe ich nicht — vielmehr glaube ich Fälle von reiner Gallensteinkolik, auch mit Abgang von Gallensteinen, ohne irgendwelches Zeichen von Cholecystitis oft genug zu sehen.

Ich glaube, daß diese Cholecystitis von Anfang an eine infektiöse ist, RIEDEL meint dagegen, es handele sich bei ihr zunächst um eine aseptische Perialienitis — jetzt Perixenitis — und später käme die Infektion hinzu.

Der Grund für diese Differenz ist zum Teil — aber nur zu einem Teile — darin zu suchen, daß wir unter „infektiös" nicht das gleiche verstehen. Ich nehme Infektion des Inhalts der Gallenblase oder der

Gallengänge an und erkläre die Cholecystitis etc. für infektiös überall da, wo ich bei solcher aus der bei Lebzeiten oder kurz nach dem Tode aseptisch entnommenen Galle Infektionsträger, Bakterien — dann übrigens immer reichlich — züchten kann, und stütze meine Ansicht darauf, daß in der überwiegenden Mehrzahl der Fälle von frischer Cholecystitis calculosa, welche ich aus meiner und anderer Erfahrung kenne, reichlich pathogene Bakterien gefunden wurden, meist Bacterium coli, aber auch andere.

Was Riedel unter infektiös und speciell unter infektiöser Cholecystitis, Cholangitis versteht, wolle man aus seinem Aufsatze entnehmen; er fand pathogene Bakterien in größerer Menge selten, und während ich die nach meiner Ansicht seltenen Fälle, wo solche fehlen, so zu erklären suchen würde, daß hier früher vorhandene Infektionserreger bereits abgestorben seien, betrachtet Riedel die Fälle mit reichlichem Befund von solchen als Ausdruck später zustande gekommener Infektion oder als Ausnahmen. Hier müssen weitere Untersuchungen entscheiden — bis aber der Beweis geliefert ist, daß die frische Cholecystitis calculosa aseptisch sein kann, halte ich an ihrer infektiösen Entstehung fest; denn ich kann für die aseptische Perixenitis als Ursache einer Cholecystitis mit reichlicher Exsudation seitens der erkrankten Schleimhaut — darum handelt es sich doch hier — kein Verständnis gewinnen.

Riedel meint ferner seinen „erfolgreichen Anfall" vom „erfolglosen" sicher unterscheiden zu können und legt auf diese Unterscheidung großen Wert. Mir wollte diese Unterscheidung bisher nicht gelingen, und ich glaube, daß sie zu falschen Konsequenzen in der Praxis führt.

Was die „erfolglosen Anfälle" anlangt, so kann auch Riedel sicher nur die „ohne Ikterus" erkennen (vergl. hinten), für diese ergiebt sich ihm aus der Diagnose die Indikation zur schleunigen Operation; das sind nun, sofern sie, wie gewöhnlich, mit nachweisbarer Gallenblasenschwellung einhergehen, meine Fälle von akuter, kalkulöser Cholecystitis ohne Ikterus, und für diese Fälle vertrete auch ich die Indikation zur Operation; doch bitte ich sehr, das, was ich hierzu in meinem Vortrage, p. 10 unter b) einschränkend gesagt habe, zu beherzigen — das war in Kürze folgendes: In diesen Fällen von frischer Cholecystitis calculosa besteht sicher die Indikation zur Operation — doch verlaufen sie oft so schnell und günstig, daß es beim besten Willen aller Beteiligten nicht zur Operation kommt.

Mit der Cholecystitis calculosa pflegt nach meiner Ansicht eine infektiöse Cholangitis Hand in Hand zu gehen.

Riedel scheint von Cholangitis nur da sprechen zu wollen, wo schwere — meist eiterige oder ulceröse — Formen derselben vorliegen — ich kann ihm darin nicht nachgeben, weil auch die nicht eiterige — colibakterische — Cholangitis im Symptomenkomplex der Cholelithiasis nicht gleichgiltig ist: die Leberschwellung, das Fieber, auch der Ikterus kommen zum großen Teil auf ihre Rechnung.

Sehr wenig wird leider durch unsere Diskussion für das große und schwer abzugrenzende Gebiet der chronisch-recidiven Cholelithiasis gewonnen.

Zwei allgemeinere Regeln dürften aber doch feststehen: Die Operation ist kontraindiziert, wo Ascites vorhanden ist, und die Indikationsstellung ist da, wo schwerer Bronzeikterus besteht, sehr vorsichtig zu behandeln. Auf die Größe der Steine die Indikation für die Operation zu gründen, bin ich deshalb außer stande, weil ich aus den Symptomen nicht entscheiden kann, ob große oder kleine Steine vorliegen, und ebensowenig, wie schon gesagt, auf die Unterscheidung zwischen erfolgreichen und erfolglosen Anfällen.

Riedel, der auf diese Unterscheidung viel Wert legt, geht so weit, daß er da, wo die Anfälle dauernd erfolgreich sind, d. h. „fort und fort kleine Steine entleert werden“, von der Operation abrät — ich kann den Abgang von Steinen, auch den fortdauernden, als Kontraindikation gegen die Operation nicht gelten lassen, scil. in den Fällen von chronisch recidiver Cholelithiasis, von denen ich jetzt spreche.

Der allerwichtigste Punkt, in welchem wir noch uneinig sind, betrifft die Erfolge der Operation, eine vielfach geradezu entscheidende Differenz!

Riedel leugnet Recidive nach der Operation, ich glaube immer wieder betonen zu müssen, daß der Erfolg nicht selten unbefriedigend ist, die Beschwerden dauern trotz der Operation fort, oder kehren wieder, und es kommt auch vor, daß wieder Gallensteine abgehen (s. auch Herrmann im 1. Heft dieses Bandes). Hier werden weitere Erfahrungen entscheiden, d. h. Mitteilungen pro et contra, einerseits solche von durch Nachbeobachtung garantierter dauernder Heilung, und andererseits solche von unvollkommenem Erfolg und „Recidiven“ bei Operierten.

Schließlich noch ein Wort über die Aufgaben der inneren Therapie, welches jedenfalls solange nicht unterdrückt werden darf, bis in dem eben besprochenen wichtigen Punkt Entscheidung herbeigeführt ist. Die Chirurgen heben überall die Aussichtslosigkeit hervor, die Cholelithiasis jedenfalls da, wo große Steine vorliegen, ohne Operation zu heilen; Riedel hat dementsprechend oft betont, daß die „großen Steine“ unbedingt dem Chirurgen gehören. Ich halte zunächst, wie schon gesagt, die Diagnose der Größe der Steine für sehr mißlich, muß aber ferner nachdrücklichst darauf hinweisen, daß nicht nur die

Heilung des Gallensteinleidens die Aufgabe der Therapie darstellt! Es ist kein wahreres und wichtigeres Wort in dieser ganzen Diskussion gesprochen worden, wie das von HERRMANN in Carlsbad (s. im 1. Heft dieses Bandes), der geradezu sagt, die hauptsächliche Aufgabe der internen Therapie sei es, das Gallensteinleiden nicht sowohl zu „heilen“, als in den Zustand von Latenz zurückzuführen, in dem es von so vielen Menschen getragen wird — ohne Beschwerden und ohne Schaden, und das gelingt, wie ich in Düsseldorf zeigen konnte, auch bei großen Steinen.

# XX.

# Ueber das Verhalten der Temperatur nach Kropfoperationen.

Von

Dr. **Georg Reinbach,**

Assistenzarzt der Klinik.

(Mit 17 Temperaturkurven im Texte)

Mit der Bearbeitung des Kropfmaterials der Breslauer Klinik von meinem hochverehrten Chef, Herrn Geheimrat MIKULICZ, beauftragt, bin ich neben einer großen Zahl von Fragen, welche speciell chirurgisch-technischer Natur sind, auch an einen Abschnitt des Kapitels „Unmittelbare Wirkungen der Operation“ gelangt, welcher den Rahmen specialistischer Interessen überschreitet und vielleicht eine allgemein pathologische Bedeutung beanspruchen darf. Es handelt sich um das Verhalten der Temperatur im Anschluß an Kropfoperationen, ein Thema, welches gesondert zu besprechen ohne Schaden für den einheitlichen Charakter jener Arbeit möglich ist und aus verschiedenen Gründen zweckmäßig erscheint.

Ueber das Material, welches den in den folgenden Zeilen mitgeteilten Thatsachen zu Grunde liegt, seien an dieser Stelle nur einige kurze orientierende Bemerkungen gestattet.

Die Klinik verfügt einschließlich der Privatpatienten des Herrn Geheimrats MIKULICZ aus den Jahren 1891—1898 über:

147 operativ behandelte Fälle von gutartigem Kropf
15 „ „ „ „ BASEDOW-Kropf,
8 „ „ „ „ Struma maligna,

Zahlen, bei deren Beurteilung die Thatsache zu berücksichtigen ist, daß es sich ausschließlich um sporadische Fälle von Kropf handelt, da sowohl unsere Heimat- wie die benachbarten Provinzen frei von Kropfendemien sind.

**Die Statistik der an gutartigen, auch Basedow-Strumen ausgeführten Operationen veranschaulicht folgende Tabelle:**

A. Gutartige Strumen mit Ausschluß der Basedow-Fälle.

| Art der Operation | Zahl der oper. Fälle | Zahl der Todesfälle | Mortalität | Bemerkungen |
|---|---|---|---|---|
| Enucleatio (Socin) | 60 | 0 | — | |
| Typische Resektion (Mikulicz [1]) (teils einseitig, teils doppelseitig) | 74 | 3 | 4 Proz. | 2 Todesfälle an doppelseitiger Pneumonie ohne Infektion der Wunde, 1 Todesfall an Infektion u. Pneumonie. |
| Kombinationsoperationen (Enukleationsresektionen, Exstirpationsresektionen etc.) | 12 | 0 | — | |
| Exstirpatio eines Lappens | 2 | 0 | — | |
| Unterbindung der Schilddrüsenarterien | 3 | 1 | 33¹/₃ Proz. | |
| Summa | 151 | 4 | 2,6 Proz. | |

B. Basedow-Kröpfe.

| Art der Operation | Zahl der oper. Fälle | Zahl der Todesfälle | Mortalität | Bemerkungen |
|---|---|---|---|---|
| Enucleatio (Socin) | 4 | 0 | — | |
| Resectio (Mikulicz) | 4 | 0 | — | |
| Enukleationsresektionen | 2 | 0 | — | |
| Unterbindung der Schilddrüsenarterien | 4 | 1 | — | Atheromatose. Nachblutung. |
| Implantatio menschlicher Schilddrüse in die Peritonealhöhle | 1 | 0 | — | |
| Summa | 15 | 1 | 6,6 Proz. | |

**Diese Statistik kann im allgemeinen befriedigen, besonders im Hinblick auf die durchschnittlich beträchtliche Schwere der Erkrankung in unseren sporadischen Fällen, auf welche schon wiederholt hingewiesen wurde [2]).**

1) Es ergiebt sich auch aus unseren Erfahrungen, übereinstimmend mit jenen anderer Operateure, daß die unmittelbaren Operationserfolge nach der Socin'schen Enukleation besser sind als nach der Mikulicz-schen Resektion. Wollte man danach allein den Wert beider Methoden bemessen, so würde man fehlgehen, wie jeder Chirurg weiß. Auch wir geben dem Socin'schen Verfahren als dem einfacheren den Vorzug, wo es überhaupt ausführbar ist, und das sind die an und für sich einfachen und leichten Fälle. Wo das Verfahren nicht anwendbar ist — bei uns ist das die Mehrzahl der Fälle — kommt die Mikulicz'sche Resektion zur Anwendung, und das sind die von Hause aus schwereren, zum Teil auch die schwersten und kompliziertesten Fälle. Also nicht die Operationsmethode ist für die Verschiedenheit der Mortalität verantwortlich zu machen, sondern der Umstand, daß die vorwiegend leichten Fälle dem einen, die vorwiegend schweren Fälle dem anderen Verfahren zufallen.

2) Arbeit von Mikulicz, siehe darüber das Litteraturverzeichnis am Schluß der Arbeit, desgl. Reinbach.

So sind wir denn in Uebereinstimmung mit zahlreichen anderen Autoren, ich nenne nur KOCHER, BRUNS, KROENLEIN, dahin gelangt, in der Kropfoperation einen fast ungefährlichen Eingriff zu erblicken, und sind gewohnt, mit größter Zuversicht dem Verlauf selbst nach der schwersten Strumaresektion entgegenzusehen. Trotzdem ist die Zeit noch nicht so fern — da waren manche unserer Operierten für uns tagelang ein Gegenstand der Sorge, und zwar wegen des Fiebers, vielleicht vorsichtiger ausgedrückt der Temperatursteigerung, die sie oft in auffallender Weise darboten.

Wenn das jetzt nicht mehr der Fall ist, so liegt der Grund dafür in dem Fortschritt unserer Erkenntnis von der klinischen Bedeutung dieses Fiebers. Sonderbar könnte der Umstand erscheinen, daß diese Erkenntnis so spät erfolgt, jedenfalls mehrere Jahre, nachdem die Technik der Kropfoperationen als abgeschlossen betrachtet werden konnte. Indessen ist auch hierfür die Ursache leicht ersichtlich. So lange als wir die Technik der Asepsis nicht in dem Maße beherrschten, daß wir in jedem einzelnen Falle auf einen aseptischen, richtiger vielleicht reaktionslosen Verlauf mit voller Sicherheit rechnen konnten, mußte die nach der Operation auftretende Temperatursteigerung, sofern sie eine gewisse Höhe und besonders eine gewisse zeitliche Ausdehnung erreichte, zunächst an eine Infektion der Wunde denken lassen. Hat doch die tausendfältige Erfahrung optimistische Auffassungen über die Natur postoperativer Temperaturerhöhungen in der Regel Lügen gestraft. Allmählich wurde jedoch mit der weiteren Ausbildung des aseptischen Verfahrens die Verläßlichkeit unserer Maßnahmen immer größer. Was die Breslauer Klinik betrifft, so verdanken wir den besonders intensiven Arbeiten auf diesem Gebiete, welche bekanntlich vor 3 Jahren von Herrn Geheimrat MIKULICZ inauguriert wurden und seitdem von ihm und seinen Schülern mit lebhaftem Interesse weiter fortgesetzt worden sind, einen in hohem Maße befriedigenden Aufschwung. Ich darf, die bezüglichen Arbeiten von MIKULICZ und seiner Assistenten als bekannt voraussetzend, wohl behaupten, daß wir das Ziel des aseptischen Operierens erreicht haben und jetzt diejenige Sicherheit des Verfahrens besitzen, welche überhaupt erreicht werden kann.

Trotz dieses Wandels blieb das Phänomen der Temperatursteigerungen nach Kropfoperationen bestehen, und nunmehr ergab sich als Konsequenz mehr als früher die Aufgabe für uns, den Ursachen dieser Erscheinung nachzuforschen.

Bei der Durchsicht der deutschen Litteratur, welche bekanntlich an großen statistischen Arbeiten über Kropfchirurgie sehr reich ist, finde ich, abgesehen von der Arbeit BERGEAT's aus der BRUNS'schen Klinik, keine näheren Angaben über das Verhalten der Temperatur nach Kropfoperationen. BERGEAT widmet diesem Punkte eine ausführliche Besprechung und betont, daß es sich hierbei um ein Moment handle, in welchem die Erfahrungen der BRUNS'schen Klinik mit den an anderen Anstalten gemachten nicht übereinstimmen, vielleicht, weil andere Autoren der Frage weniger oder keine Beachtung geschenkt haben.

Das bemerkenswerte Resultat der Ausführungen BERGEAT's ist die Mitteilung, daß unter 249 Kropfoperationen (teils Exstirpationen, teils Enukleationen), deren überwiegende Zahl eine ideale Wundheilung aufwies, nur 3 im strengsten Sinne des Wortes fieberfrei blieben. Bei allen übrigen überschritt die Temperatur — allerdings im Rectum gemessen — jeweilig für kürzere Zeit 38. „Nach der wohl als Norm anzunehmenden Auffassung von WUNDERLICH, ZIEGLER u. a. besteht aber bei Temperaturen über 38 bereits Fieber.“ BERGEAT sucht sein Material in dieser Hinsicht durch eine Reihe tabellarischer, von verschiedenen Gesichtspunkten ausgehender, sehr sorgfältiger Zusammenstellungen zu veranschaulichen, welche freilich die Wiedergabe einzelner Kurven oder Kurventypen — wohl die wertvollste Methode — nicht zu ersetzen vermögen. Die wichtigste und schwierigste Frage, wie das Auftreten von Fieber zu erklären sei, vermag er nicht präzis zu beantworten; er betont, daß es kein septisches Fieber sei, das Aussehen der Wunde, die Abwesenheit von Sekret, das vollkommene subjektive Wohlbefinden und das spontane Zurückgehen der Affektion sprächen dagegen. Auch die Möglichkeit einer Catgutinfektion weist er zurück und kommt schließlich zu der Annahme, daß es sich um „eine protrahierte Form des sogenannten Resorptionsfiebers handle“. Die Kompliziertheit der Wunde, die Eröffnung so vieler Gefäßlumina, der Sitz der Affektion in der Tiefe des Halses begünstigen außerordentlich die Resorptionsverhältnisse.

Wie schon bemerkt, sind diese interessanten Angaben BERGEAT's, wenn ich von einigen kurzen Bemerkungen BALLY's und den noch später zu berücksichtigenden, allerdings im wesentlichen auf BASEDOW-Kröpfe bezüglichen, Mitteilungen von RANZY absehe, in der Litteratur vereinzelt geblieben. Dieser Umstand wäre einer Aufklärung dringend bedürftig, die ich weder selbst zu geben imstande bin, noch allerdings in dem von BERGEAT angeführten Grunde zu erblicken vermag, denn es erscheint kaum glaublich, daß ein so auffallendes und konstantes Phänomen, wie es die Temperatursteigerungen darstellen, von einer Reihe ausgezeichneter Autoren übersehen werden konnte. War es aber in den Fällen dieser Chirurgen thatsächlich nicht vorhanden, so besteht die noch größere Schwierigkeit, eine Erklärung für diese Inkongruenz zu finden. Leider haben auch die an der BRUNS'schen Klinik gesammelten Erfahrungen nicht ausgereicht, um eine Streifung der Frage in unseren bekannten Lehrbüchern und Sammelwerken der Chirurgie zu veranlassen.

Ich liefere in den folgenden Zeilen zunächst einen Bericht über das mir zu Gebote stehende thatsächliche Material und schließe daran in einem zweiten Abschnitt den Versuch einer Deutung.

Vor allem bedarf es der Erledigung einer Vorfrage. Was soll man als Temperatursteigerungen bezeichnen? Selbstverständlich hat die Erörterung dieser Frage nur für diejenigen Fälle eine Bedeutung, in welchen sich die erhöhte Temperatur denjenigen Grenzen nähert, innerhalb deren die normale Körperwärme schwankt. Wäre die Temperatur des einzelnen Individuums täglich eine, wenn auch nur an entsprechenden Tageszeiten, konstante, so würde jede, selbst noch so geringfügige Ueberschreitung des betreffenden Normalwertes ohne weiteres als Temperatursteigerung anzusehen sein. Bekanntlich trifft jene Voraussetzung nicht zu. Deshalb halte ich es nicht für gerechtfertigt, eine absolute Höhe der Temperatur als Grenze anzusehen, jenseits deren die Frage, ob Fieber vorliegt, im positiven Sinne beantwortet wird. Bergeat nimmt z. B. 38° als eine solche Grenze an. Ich möchte lieber als Grundlage für die Entscheidung dieser Frage die im konkreten Falle in gesunden Tagen festgestellten Temperaturen ansehen, d. h. keine absolute Zahl als Grenze angeben, sondern die Steigerung der normalen Temperatur um einen bestimmten Wert als Bedingung fordern. So ist z. B. sicherlich eine Abendtemperatur von 37,5 bei einem Individuum, dessen Körperwärme gewöhnlich zwischen 36,4 (morgens) und 36,8 (abends) sich bewegt, als Temperatursteigerung anzusehen, während sie anderenfalls bei normalerweise höher eingestellter Temperatur nicht auffallend erscheint. Diskutierbar ist nur, wie hoch — relativ — die Steigerung sein muß, um als Temperaturerhöhung betrachtet zu werden. Das muß freilich doch willkürlich fixiert werden. Ich habe eine Steigerung um 0,5° gefordert. Ich darf gleich hier bemerken, daß die Zahl jener an der Grenze liegenden Fälle ungemein gering ist.

Wie erwähnt, erstreckt sich mein Bericht zunächst auf 151 Operationen, welche an 147 Fällen von gutartigem Kropf vorgenommen wurden. Abgesehen von den malignen Strumen schließe ich auch die Basedow-Fälle von der Betrachtung aus, um Einwänden, die sich etwa auf die „nervöse Natur“ dieser Krankheit und daraus resultierende Folgerungen beziehen, zu begegnen[1]).

In allen Fällen, mit Ausnahme von 7, war nach der Kropfoperation eine fieberhafte Temperatursteigerung vorhanden.

Nach der Art der ausgeführten Operationen gruppieren sich die Fälle in folgender Weise:

1) Ferner werden die 3 Fälle von Arterienunterbindung als nicht „eigentliche“ Kropfoperationen hier nicht berücksichtigt.

In allen Fällen von Resectio nach Mikulicz 74 Fälle, in allen Fällen von Kombinationsoperationen 12 Fälle, in den 2 Fällen von Exstirpation eines Lappens trat die Temperatursteigerung ein. Nur aus der Zahl der Enukleationsfälle — 60 — sind 7 ohne Temperatursteigerung geblieben. Ich führe diese 7 Fälle, welche später noch ein Gegenstand eingehender Besprechung sein werden, hier kurz an:

1) Struma nodosa. Enucleatio (Socin). Starke Blutung. Penghawar-Jambi-Tamponade. Infektion. Heilung per secundam intentionem.

2) Struma nodosa. Enucleatio. Vollständiger Verschluß der Wunde bis auf den unteren Winkel (kein Drain).

3) Struma cystica. Incisio der Cyste. Exstirpatio derselben. 1 Drain.

4) Struma cystica. Enucleatio. Schluß der Wunde bis auf den untersten Winkel (Jodoformgazestreifen).

5) Struma cystica. Incisio. Evidement des Inhalts. Exstirpatio der Kapsel. 1 Drain.

6) Struma cystica. Enucleatio. Wunde ganz geschlossen.

7) Struma nodosa. Enucleatio. Verschluß.

Um zu einer genaueren Kenntnis der Temperatursteigerungen zu gelangen, müssen wir jetzt diejenigen Fälle ausscheiden, in welchen Wundinfektionen vorlagen oder Komplikationen in Gestalt anderer, gewöhnlich fieberhafter sekundärer Erkrankungen eintraten. Die Gruppe der letzteren wird im wesentlichen durch Entzündungen der Luftwege repräsentiert. Diese Trennung ist erforderlich, nicht weil wir glauben, daß notgedrungen in allen den abzusondernden Fällen die beobachtete Temperatursteigerung eine Folge dieser Komplikationen — Infektion, Bronchopneumonie etc. — sein muß [1], sondern weil wir nicht in der Lage sind, einen derartigen Zusammenhang auszuschließen.

Bei dem Versuch einer solchen Scheidung stoßen wir wiederum auf einige Schwierigkeiten, nicht so sehr in den Fällen von entzündlichen Erkrankungen der Luftwege, wie in den „infizierten". Natürlich betrifft die Schwierigkeit auch hier wieder die auf der Grenze stehenden Fälle. Der Begriff der Infektion wird immer schwieriger zu definieren, je gründlicher unsere Beobachtungen des Wundverlaufs werden und je exakter sich die vornehmlich bakteriologischen Untersuchungen der Wunde und ihrer Sekrete gestalten. Angesichts dieses Momentes, dessen Erklärung und weitere Ausführung den Rahmen dieser Mitteilung überschreiten würde, dagegen demnächst von anderer Seite [2])

1) Es giebt bekanntlich Bronchitiden und Bronchopneumonien ebenso wie Infektionen ohne Fieber.

2) Herr Dr. Gottstein ist mit der Ausarbeitung dieses Themas beschäftigt.

aus der hiesigen Klinik erfolgen wird, bedarf es der ausdrücklichen Erwähnung, daß ich alle Fälle als infiziert angesehen habe, in welchen die Betrachtung der Wunde selbst die Zeichen einer — wenn auch noch so leichten — Entzündung (Rötung der Nahtlinie oder einzelner Stichkanäle, Schwellung, Druckempfindlichkeit der Wunde und ihrer Umgebung, Sekretion etc.) ergab. Ich bin überzeugt, in dieser Hinsicht manchmal zu weit gegangen zu sein, glaubte jedoch dadurch am ehesten gewisse, noch später zu besprechende Einwände von vornherein zu beseitigen. In diesem Sinne sind von den genannten 141 Fällen 34 teils infizierte, teils irgendwie sonst komplizierte auszuschalten. Dazu kommt eine Beobachtung von echter Strumitis und eine zweite, welche aus einem äußeren Grunde (Verlust des Temperaturkurvenblattes) nicht zu verwerten ist. Es kann vielleicht von Interesse sein, zu erfahren, in welcher Weise sich jene 34 Fälle nach den angewandten Operationsverfahren klassifizieren. Darüber giebt folgende kleine Tabelle eine Uebersicht:

| Operationsverfahren | Zahl der Fälle |
|---|---|
| Resectio (Mikulicz) einseitig | 7 |
| " " doppelseitig | 17 |
| Enucleatio (Socin) | 5 |
| Kombinationsverfahren | 4 |
| Exstirpatio eines Lappens | 1 |
| | 34 |

Es bleibt jetzt noch die Zahl von 105 Beobachtungen übrig. Wir werden dieselbe noch weiter einschränken müssen, um einem Verständnis des Wesens jener Temperatursteigerungen näherzukommen, wollen jedoch zunächst über die Verhältnisse der Wundversorgung in allen diesen Fällen berichten, weil ja die Beziehungen zwischen diesem Faktor und jenem Moment evident sind. Zu der Tabelle, welche darüber Aufschluß geben soll, seien folgende orientierende Bemerkungen gestattet. Im Laufe der letzten 8 Jahre — diesen Zeitraum umfaßt das mir zur Verfügung stehende Material — haben sich auch an der Breslauer Klinik die Anschauungen über Wundbehandlung und die praktischen Maßnahmen der Wundversorgung geändert. Ohne auf diese Frage und speciell auf die Wandlung in der Behandlung der Kropfwunden eingehen zu können, möchte ich nur erwähnen, daß wir seit einigen Jahren uns bestreben, auch die aseptischen Kropfwunden ganz oder fast ganz zu schließen, daß die früher mitunter angewandte primäre Tamponade der Wunde mit Jodoformgaze in letzter Zeit nicht mehr üblich war, daß endlich auch die Penghawar-Jambi-Tamponade, deren Wert für vereinzelte Fälle durchaus noch anerkannt werden muß, im wesentlichen einer vergangenen Zeit angehört.

Wir unterscheiden in der folgenden Tabelle:

I. Vollständigen Verschluß der Wunden.

Dazu rechnen wir auch diejenigen Fälle, in denen am unteren

Wundwinkel eine kleine Lücke der Naht bleibt, ohne daß ein Drain eingeführt wird.

II. Drainage der sonst ganz geschlossenen Wunden.

Einführung eines oder zwei Drains vom unteren Wundwinkel nach der Stelle der Drüsenwunde hin (bei doppelseitigen Resektionen je ein Drain nach jeder Resektionsstelle). Hierher gehören auch die seltenen Fälle, in denen Jodoformgazestreifen an Stelle des Drains verwandt wurden.

III. Tamponade der Wunde.

Nur teilweise Naht. Tamponade mit Jodoformgaze.

IV. Penghawar-Tamponade.

Nur in Fällen abundanter Blutung angewandt; die ganze Wunde mit einem Gazebeutel ausgefüllt, welche einen oder mehrere Penghawar-Jambi-Beutel enthält.

Bemerkenswert ist ferner, daß die Art der Wundversorgung nicht in einer konstanten Beziehung zur Art der ausgeführten Operation steht, wenngleich bemerkt werden muß, daß bei vollständigem Verschluß der Wunde meistens leichtere Operationen (Enukleationen) vorangegangen waren.

| Art der Wundversorgung | Zahl der Fälle |
|---|---|
| Vollständiger Verschluß | 27 |
| Drainage (1 oder 2 Drains) | 66 |
| Einfache Tamponade | 6 |
| Penghawar-Tamponade | 6 |
| | 105 |

Ich habe endlich aus der Zahl der von Temperatursteigerungen begleiteten 105 Fälle, in denen keine Infektionen, auch sonstige accidentelle Erkrankungen, nicht nachgewiesen werden konnten, noch weiter eine engere Auswahl getroffen, und zwar derjenigen Beobachtungen, in welchen die reaktionslose Prima intentio sichergestellt, d. h. in der Krankengeschichte ausdrücklich angegeben, bezw. — jüngste Periode — durch den Nachweis einer, freilich nur im Falle positiven Verhaltens beweiskräftigen Keimfreiheit des aus der Wunde entfernten Nahtmateriales oder Sekretes erhärtet ist. Selbstverständlich gehört der Mangel von selbst geringfügigen Stichkanalalterationen mit zu den Voraussetzungen für die Auffassung: reaktionslose Heilung.

Die Frage, ob diese vorhanden ist, läßt sich bei primär geschlossenen Wunden meistens leicht beantworten. Schwieriger steht es um die Verhältnisse drainierter Wunden im allgemeinen, besonders aber solcher, in deren Tiefe verletztes Drüsenparenchym vorhanden ist. Schon bei anderen, nicht in dieser Weise komplizierten drainierten Wunden kann eine präcise Angabe betreffs der Dauer und der klinischen Befunde einer reaktionslosen Heilung nicht gegeben werden, denn die innerhalb normaler Grenzen sich bewegenden Schwankungen, ganz besonders der Sekretion solcher Drainkanäle, sind nicht unbedeuteud. In Fällen von Kropfoperationen vollends, wo stets, bei vielen Resektionen sogar nicht unbedeutende Drüsenwunden zurückbleiben, ist ein sonst klinisch immerhin verwertbarer, wenn auch nicht unbedingt sicherer Maßstab — nämlich die Dauer der Sekretion aus der Drainöffnung — kaum anzulegen. Denn der Drüsenrest secerniert ja auch seinerseits, gleichviel ob normal oder in einem pathologisch — durch die Verletzung oder sonstwie (kompensatorisch) — gesteigerten Maße, und es muß der Abfluß dieses Sekretes, sofern es nicht resorbiert wird, naturgemäß aus der Drainstelle erfolgen. Angenommen, es secerniere eine solche Drainfistel ohne Neigung, sich zu schließen, 3 Wochen lang, wer möchte da mit Sicherheit entscheiden, ob es sich hier um eine physiologische Drüsenabsonderung handelt, die aus irgend einem noch nicht näher bekannten Grunde unterhalten wird oder um irgend eine Infektion „in der Tiefe“ [1]).

Dazu kommt die allgemein bekannte Thatsache, daß die Dauer bis zum Verschluß eines Drainkanals in hohem Maße davon abhängig ist, wie lange post operationem das Drain entfernt wird.

Diese und noch manche andere Erwägungen zeigen, daß wir nicht imstande sind, stets mit, ich möchte sagen, mathematischer Genauigkeit den Beweis für eine Prima intentio solcher drainierten Wunden zu liefern, selbst mit Hilfe bakteriologischer Untersuchungen nicht immer. Daraus folgt, daß die klinische Beurteilung einer Wundheilung in solchen Fällen häufig ausschlaggebend ist und jedenfalls zunächst noch nicht entbehrt werden kann.

Unter Hinweis auf diese Bemerkungen berichte ich, daß die Zahl der absolut reaktionslos, prima intentione geheilten Wunden beträgt:

A. bei drainierten Wunden: 55,

B. bei verschlossenen Wunden: 23.

Diesen Zahlen mögen auch noch Angaben darüber hinzugefügt werden, welches die Heilungsdauer in den soeben erwähnten Fällen gewesen ist, weil sich daraus vielleicht gewisse, wenn auch nur vorsichtige Rückschlüsse auf den Zustand der Wundheilung ziehen lassen. Absolut identisch mit der Zeit der Wundheilung sind freilich diese Zahlen, welche die Anzahl der Tage vom Datum der Operation bis zur

---

1) Ich habe erst vor wenigen Monaten einen solchen Fall beobachtet. Diffuse parenchymatöse Struma mäßigen Umfanges bei einer 27-jährigen Patientin. Typische beiderseitige Resektion nach Mikulicz; 2 Drains. Diese werden nach 2 Tagen entfernt. Die bakteriologisch untersuchten Drains steril, ebenso das aus den Fisteln entleerte gelbliche, klare Sekret. Die sonst ganz geschlossene Wunde reaktionslos geheilt. Die Sekretion aus den Drainstellen dauert 3 Wochen an. Keine Zeichen einer Infektion.

Entlassung der Patienten angeben, nicht, denn es wurden mitunter Fälle vor dem Eintritt einer völligen Vernarbung der Drainstellen in ambulatorische Behandlung entlassen, andererseits — gewiß ebenso häufig — Kranke mit geheilter Wunde noch tagelang aus äußeren Gründen verschiedener Art in der Klinik zurückbehalten. Im großen ganzen dürften jedoch wohl die folgenden Zahlen einen Maßstab für die Dauer der Wundheilung abgeben:

A. Drainierte Wunden.

Anzahl der Tage vom Zeitpunkt der Operation bis zur Entlassung: in minimo 5 Tage, in maximo 24 Tage.

Durchschnittszahl, alle 55 Fälle betreffend: 13,2 Tage.

B. Geschlossene Wunden.

Anzahl der Tage vom Zeitpunkt der Operation bis zur Entlassung: in minimo 6 Tage, in maximo 15 Tage.

Durchschnittszahl, 21[1]) Fälle betreffend: 10,3 Tage.

Ich habe jetzt die Aufgabe, speciellere Angaben über Eintritt, Dauer, Schwankungen, Ablauf der Temperaturen nach Kropfoperationen zu machen, kurz — über die Temperaturkurve zu berichten. In erster Reihe stütze ich mich hierbei auf die sicher reaktionslos verlaufenen Fälle, aus deren Zahl ich ohne besondere Auswahl einige zur Wiedergabe ihrer Kurve entnommen habe. Von gewisser Bedeutung ist es, daß diese Fälle den verschiedensten Zeitepochen entstammen, sowohl Jahren, in denen noch antiseptisch operiert wurde, als auch den letzten Jahren entlehnt sind, wo die Asepsis mit strengster Konsequenz während der Operation selbst und bei der Wundversorgung durchgeführt wurde. Die Betrachtung der Kurven wird wohl besser die Kenntnis der uns beschäftigenden Temperatursteigerungen vermitteln, als tabellarische Zusammenstellungen, welche über die Dauer des Fiebers, die Temperatur am Abend des Operationstages, die höchst erreichste Temperatur und den Zeitpunkt, an welchem diese höchste Temperatur eintrat, berichten. Ein solches Verfahren, wie es in sehr sorgfältiger Weise Bergeat eingeschlagen hat, würde vielleicht dann empfehlenswert sein, wenn ein konstanter Typus der Kurve vorhanden wäre oder wenigstens eine Rubrizierung in einzelne Gruppen sich als zweckmäßig ergäbe. Ein Ueberblick über das mir vorliegende Material zeigt jedoch, daß es nur gewaltsam gelänge, solche Klassifizierungen vorzunehmen, welche mehr ad hoc konstruiert werden müßten, als ungezwungen in die Augen fielen. Dennoch wird man wohl einiges Allgemeine aus den mitgeteillten Kurven mit Vorsicht entnehmen dürfen. Zum Verständnis derselben genügt es, zu bemerken, daß nur die Temperatur graphisch dargestellt und der Zeitpunkt der Operation durch einen vertikalen Strich angedeutet ist.

1) 2 Fälle müssen ausgeschieden werden.

Um mit dem am meisten augenfälligen — wenn auch bei der Betrachtung einer Temperaturkurve sonst nicht eigentlich *zuerst* erwähnenswerten — Befunde zu beginnen, nämlich der *Art der Entfieberung*, so ist zu betonen, daß die Defervescenz in der Regel *ausgesprochen lytisch* erfolgt. Einzelne meiner Kurven sind geradezu Paradigmen für den lytischen Ablauf einer Temperaturkurve; ich verweise speciell auf die Kurven No. 1, 2, 3, 4, 7 und 8. Die *Dauer* der Lysis beträgt gewöhnlich 4 Tage, mitunter auch 3 oder 5 und mehr. In einigen seltenen Fällen ist der rein lytische Charakter der Entfieberung nicht ganz deutlich ausgeprägt, aber immerhin noch erkennbar. Eine *kritische* Defervescenz habe ich in *keinem* Falle gefunden.

Weniger regelmäßig ist der *aufsteigende* Teil der Temperaturkurve. Gewöhnlich tritt die schon als fieberhaft zu bezeichnende Temperatur *nicht* am Tage (Abend) der Operation ein; meistens ist erst am Abend des 2. Tages die Temperatur fieberhaft. In einem Teil der Fälle ist schon an diesem Tage der *Höhepunkt* der Kurve erreicht; wenn nicht, so erfolgt mit verschwindenden Ausnahmen das Fastigium am 2. Tage *nach* der Operation. Bezüglich der absoluten Höhe des Fiebers ist zu betonen, daß *excessiv hohe* Temperaturen — über 40° — in unseren Fällen *niemals* beobachtet

No. 1. Josepha K., 33 Jahr. Struma parenchym. Oktober 1891.

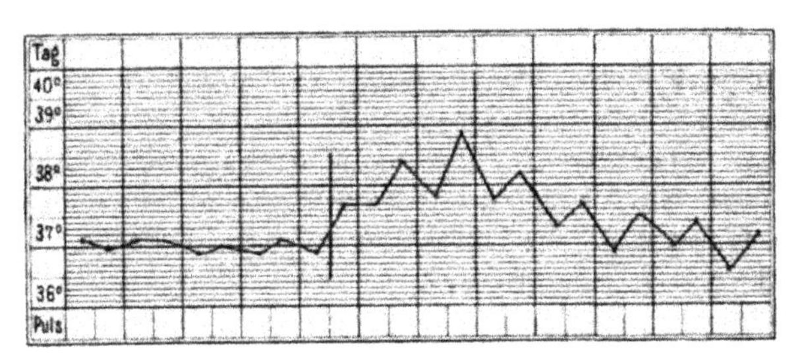


No. 2. Veronika B., 27 Jahr. Struma diff. parenchym. Oktober 1898.

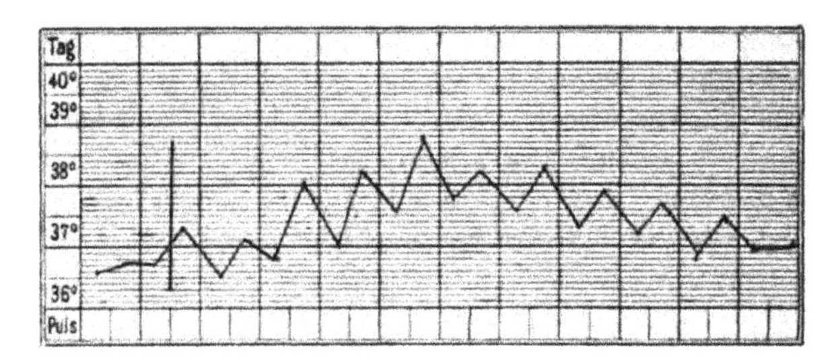

No. 3. Selma G., 13 Jahr. Struma nodosa. Oktober 1898.

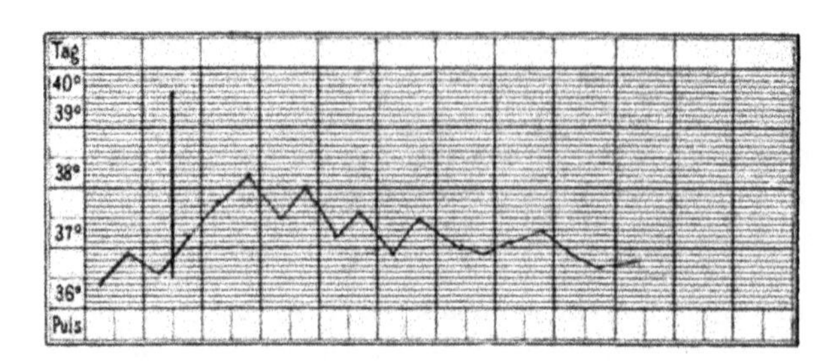


No. 4. Carl Str., 16 Jahr. Struma cystica Februar 1892.

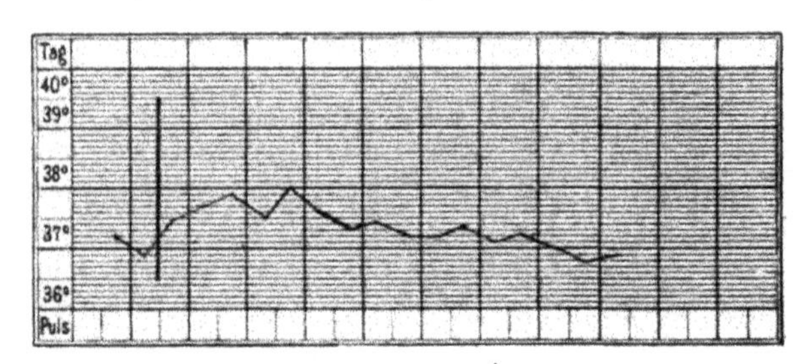


No. 5. Fanny St., 16 Jahr. Struma diffusa parenchyma. Juli 1898.

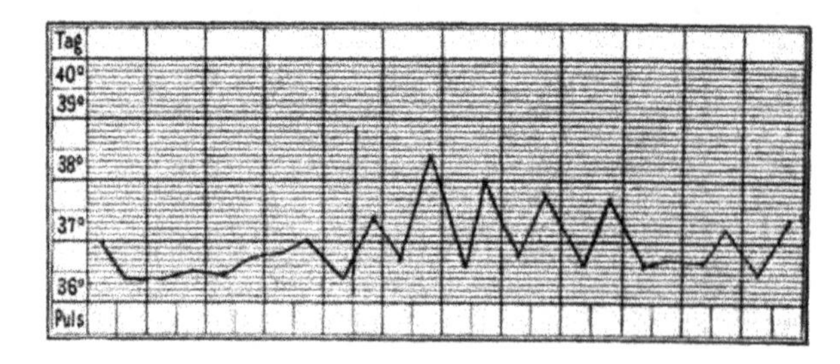


No. 6. Fritz V., 15 Jahr. Struma cystica. September 1898.

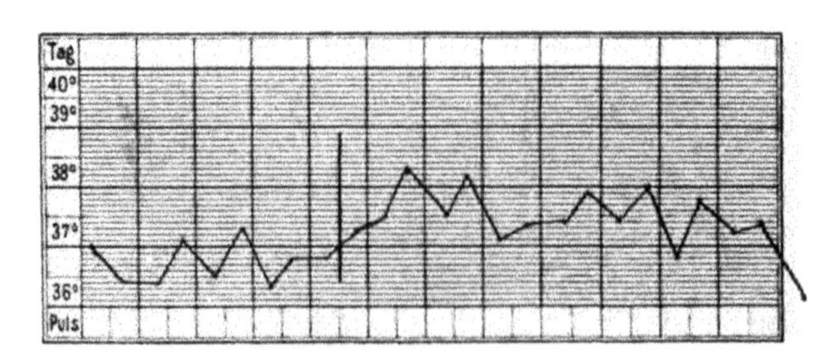

No. 7. Franz H., 17 Jahr. Struma parenchyma. Oktober 1891.

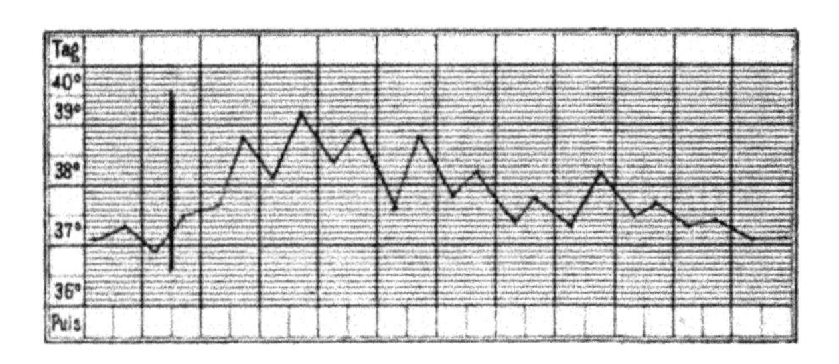


No. 8. Anna Sch., 18 Jahr. Struma nodosa. Januar 1895.

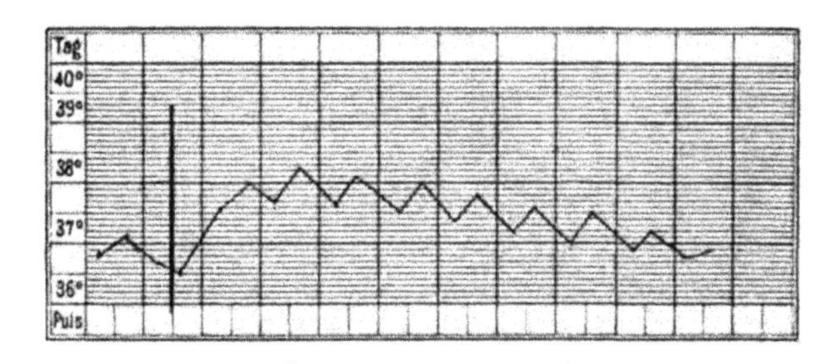


No. 9. Marie Sz., 28 Jahr. Struma cystica. Juli 1893.

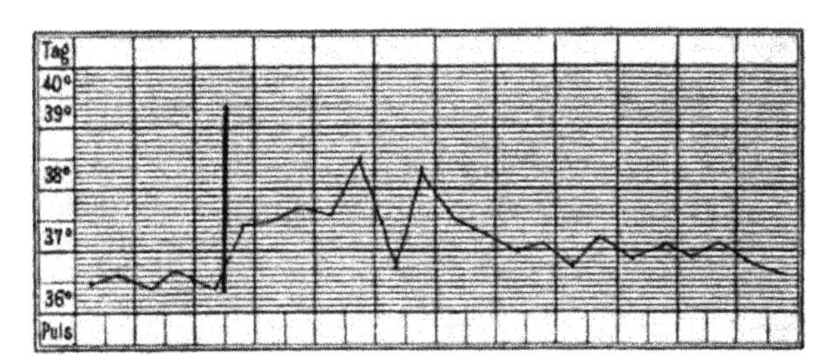


No. 10. Valentin R., 24 Jahr, Struma diff. parenchym. September 1898.

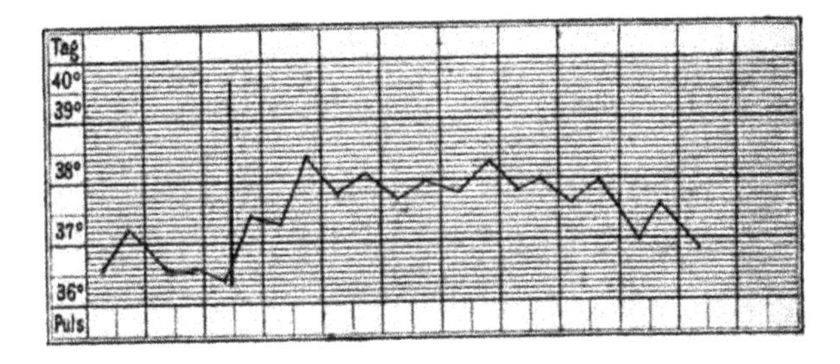

No. 11. Joseph Str., 36 Jahr. Struma parenchyma retrost. Januar 1898.

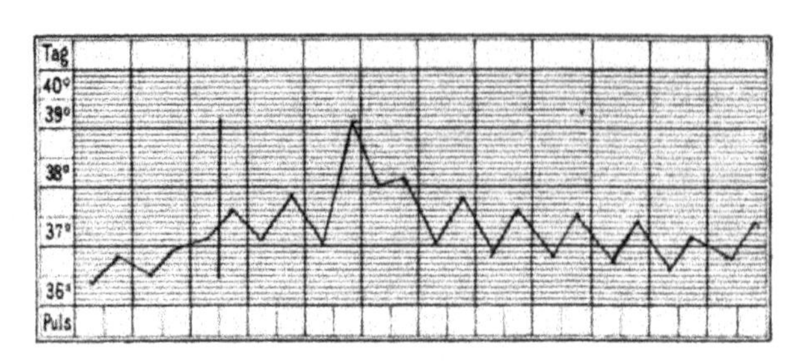


No. 12. Vincenz Z., 33 Jahr. Struma diffusa parenchyma. Juli 1894.

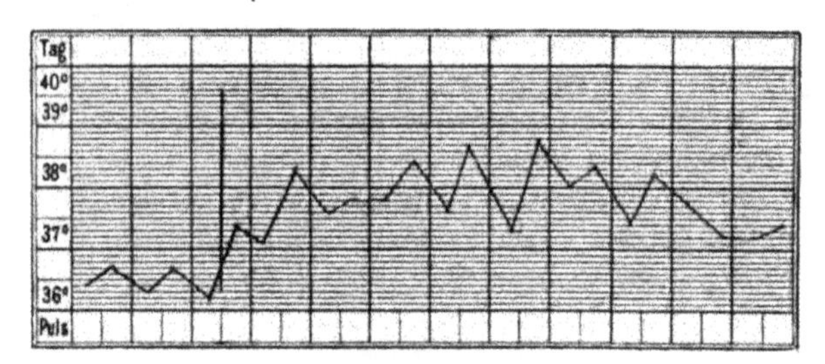


No. 13. Walther Z., 16 Jahr. Struma parenchyma et cystica. Juli 1891.

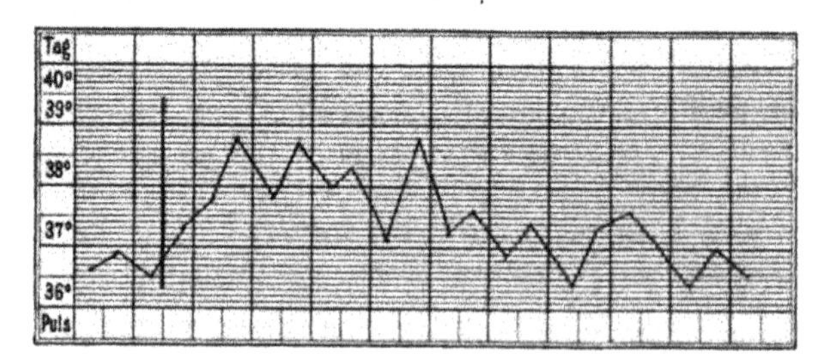


No. 14. Catharina K., 20 Jahr. Struma diffusa. November 1894.

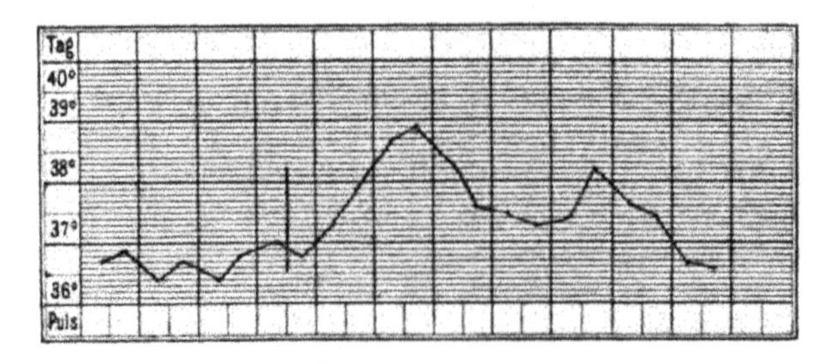

worden sind. Schon über 39° hinaus steigt die Quecksilbersäule nur ausnahmsweise, und wenn das der Fall ist, so überschreitet sie diese Grenze nur um wenige Zehntel eines Grades. Meistens liegt die höchst erreichte Temperatur um 38,5 oder zwischen 38,0 und 38,5 (vergl. die Kurven No. 5, 6, 9 und 10). Das Fieber ist also als ein überaus mäßiges in der überwiegenden Mehrzahl der Fälle zu betrachten.

In dieser Hinsicht stimmen unsere Erfahrungen mit denjenigen Bergeat's ziemlich gut überein. Unter 45 Fällen der Bruns'schen Klinik, in denen „das Fehlen jeder Komplikation von seiten der Wunde oder eines Organs ausdrücklichst betont ist", überschritt nur in einem die Temperatur 40°, in einem zweiten 39,5.

Eine eigentliche Continua ist selten; gewöhnlich tritt schon am Tage nachdem die Höhe erreicht ist, also am 2. oder 3. Tage post operationem der lytische Temperaturabfall ein; die Zahl der Fälle, in denen 3—4 Tage die Temperatur annähernd gleich hoch blieb, um erst dann zu sinken, ist gering.

Schon aus den bisherigen Angaben ist zu entnehmen, daß die Fieberkurve im ganzen einen Zeitraum von 4, 5—6 Tagen umfaßte; mitunter betrug dieser auch 8 Tage. Diese Grenze wurde jedoch nur ausnahmsweise überschritten. Eine Bestätigung dieses Verhaltens stellen auch die oben mitgeteilten Zahlen dar, welche die Aufenthaltsdauer der Kranken in der Klinik vom Zeitpunkt der Operation ab bezeichnen. Wir fanden als Mittelwert bei Fällen mit geschlossenen Wunden 10 Tage, bei solchen mit drainierten Wunden 13 Tage. Natürlich wurden die Kranken stets erst als definitiv entfiebert, d. h. einige Tage nach der letzten Temperatursteigerung, entlassen.

Erwähnenswert ist noch, daß in einigen Fällen die Dauer der Temperatursteigerung recht kurz war, indem sie nur 2 Tage, in ganz vereinzelten Fällen sogar nur einen Tag betrug.

Die mitgeteilten Thatsachen stehen im Gegensatz zu dem, was Rauzy berichtet. Dieser Autor hat in seiner „Thèse" 15 Fälle angeführt, welche teils dem Material Poncet's entstammen, teils aus der Litteratur gesammelt sind. Manche dieser Fälle, welche meistens viele Jahre zurückliegen, können als einwandsfrei im Sinne des Verfassers nicht angesehen werden. Rauzy fand als typisch für die Temperaturkurve ein brüskes Ansteigen auf 39, 39,5, 40°. Er beobachtete ferner durchschnittlich wesentlich höhere Temperaturen als wir; außerdem hielt das Fieber gewöhnlich 10—12 Tage an, was unseren Erfahrungen ebenfalls nicht entspricht; endlich hat Rauzy häufig eine Entfieberung „en chute brusque" gesehen; wir haben, wie erwähnt, eine solche niemals gefunden.

Recht wichtig ist die Frage, ob sich Differenzen in den Kurven je nach der Art der ausgeführten Operation ergeben haben. Darüber kann ich berichten, daß ein essentieller quantitativer Unterschied nicht besteht. Die Kurven No. 1, 3, 4, 6, 9, 12 stammen von Enucleationsfällen, die übrigen sind Fällen von Resectio strumae entnommen; ich glaube nicht, daß der Vergleich beider Gruppen von Kurven eine wesentliche Differenz zwischen ihnen finden lassen wird. Dagegen scheinen quantitative Differenzen doch vorhanden zu sein. Die höchsten Temperaturen, welche wir verzeichnen konnten, betrafen Resektionen. (Von denjenigen Fällen, deren Kurven ich beigefügt habe, sind No. 7 und 11 zu erwähnen.) Andererseits sind eine Reihe von Enucleationsfällen mit besonders — der Höhe und der Dauer nach — geringfügigen Steigerungen verknüpft gewesen (siehe die Kurven 3 und 4). Ich habe ferner den Eindruck gewonnen — mehr möchte ich nicht sagen — daß auch die Dauer der Temperatursteigerung bei Resektionen meistens länger war als bei Enucleationen. Besonders in die Augen fallend sind jedoch diese Differenzen nicht gewesen, und ich verzichte deshalb auf eine diese Verhältnisse noch besonders illustrierende tabellarische Uebersicht.

Dagegen war ein Einfluß der Wundversorgung (Drainage bezw. vollständiger Verschluß der Wunde) auf den Ablauf der Temperaturkurve bisher nicht vorhanden — eine recht bemerkenswerte Thatsache. Daß es sich so verhält, geht sowohl aus den mitgeteilten Kurven hervor, von denen No. 3, 4, 5 und 7 Fällen mit ganz verschlossenen Wunden, die übrigen solchen mit drainierten Wunden angehören, als auch besonders aus der großen Zahl der übrigen Fälle, welche durchaus die nämlichen Verhältnisse demonstrieren.

Ueber das Verhalten des Pulses läßt sich folgendes berichten. Was zunächst die Pulsfrequenz anlangt, deren graphische Darstellung auf den Kurven ich, um die Uebersichtlichkeit dieser nicht zu gefährden, unterlassen habe, so besteht in der Mehrzahl der Fälle eine vollständige Korrespondenz zwischen Puls- und Temperaturkurve sowohl bezüglich des Eintritts der Pulssteigerung wie ihrer Höhe und ihres allmählichen Rückgangs. Das kann man als die Norm ansehen; es finden sich jedoch auch Ausnahmen. So z. B. verfüge ich über einige Beobachtungen, in denen die Pulsfrequenz noch eine Zeit lang hoch blieb, nachdem die Temperatur schon abgefallen war und sich erst später langsam dem ursprünglichen Werte wieder näherte[1]). In

1) Ich will an dieser Stelle, wo Deutungen absichtlich vermieden werden sollen, nur darauf hinweisen, daß die Lehre von der Pulsfrequenz bei Kröpfen überhaupt — ohne Rücksicht auf die Operation — ein ebenso interessantes und wichtiges wie schwieriges Kapitel darstellt. Nur das eine sei hier betont, daß zweifellos in manchen Fällen — z. B. in den „formes frustes“ von BASEDOW — nicht nur bedeutende spontane Schwankungen der Pulsfrequenz, sondern auch auffallend hohe Werte derselben gefunden werden, ohne daß eine Operation vorangegangen war, eine Beziehung zu dieser also konstatiert werden könnte.

wieder anderen Fällen ist eine Parallelität überhaupt nicht zu erkennen, so zwar, daß der Puls dauernd niedrig bleibt, d. h. auf der Höhe, die er vor der Operation hatte, ohne Rücksicht auf die Aenderung der Temperatur. Endlich muß ich auch vereinzelte Beobachtungen erwähnen, in denen der Puls sofort nach der Operation hoch anstieg, während die Temperatur niedrig blieb, und später sank, zu einer Zeit, wo die Temperatur entweder im Steigen begriffen war oder noch in der „Continua" verharrte[1]).

Wichtiger als die Frequenz des Pulses ist die Qualität desselben. Darüber kann ich folgendes aussagen, ohne freilich in der Lage zu sein, zahlenmäßiges Material beizubringen. Letzteres ist erstens aus einem äußeren Grunde kaum möglich: In früheren Jahren wurden Krankengeschichtsaufzeichnungen, welche die Qualität des Pulses betreffen, nur vereinzelt gemacht; von regelmäßigen Notizen ist vollends keine Rede, deshalb, weil ein Grund, gerade diesem Momente eine besondere Aufmerksamkeit zu schenken, nicht vorlag, und speciell nichts dafür sprach, daß man den Puls nach Kropfoperationen eingehender berücksichtigen müsse als nach irgendwelchen anderen Operationen von ähnlicher Größe. Dazu kommt als innerer Grund, daß es häufig — Kropfoperationen sind ja mitunter sehr blutig — kaum möglich ist, präcis zu entscheiden, in welcher Weise die Qualität des Pulses durch den Blutverlust als solchen, in welcher Weise sie durch die Kropfoperation selbst, abgesehen vom Blutverlust, und endlich wie sie durch die Erhöhung der Bluttemperatur an sich beeinflußt worden ist.

Ich kann daher im wesentlichen nur den Eindruck wiedergeben, der sich auf die klinische Erfahrung stützt, und dieser Eindruck war, daß die verschiedenen Pulsqualitäten gewöhnlich der Norm entsprachen oder — vielleicht besser negativ ausgedrückt — nicht diejenigen Eigenschaften darboten, welche wir bei schweren Allgemeinerkrankungen, etwa bei septischem Fieber, überhaupt bei schweren Infektionen kennen.

Der Allgemeinzustand der Operierten war häufig durchaus gut, nachdem die ersten 24 Stunden post operationem verflossen waren. Unsere Kropfpatienten verlassen gewöhnlich am Tage nach der Operation das Bett. Daraus ist zunächst noch kein sicherer Schluß auf ihr gutes Allgemeinbefinden berechtigt. Dagegen finde ich in einer großen Zahl von Krankengeschichten der früheren Jahre den ausdrücklichen Vermerk, daß 2, 3, 5 etc. Tage nach der Operation trotz bestehenden „Fiebers" das Uebelbefinden fehlt, daß die Kranken sich sogar der besten Euphorie erfreuen und die für das Fieber

1) Hierbei spielt auch der Einfluß großer Blutverluste auf Puls und Temperatur — beide werden in entgegengesetztem Sinne dadurch beeinflußt — eine große Rolle.

charakteristische Schwäche nicht aufweisen. Auch aus eigener Erfahrung kann ich berichten, daß unter der nicht unbedeutenden Zahl von Fällen, die ich in den letzten $4^1/_2$ Jahren mitbeobachtet habe, das Mißverhältnis zwischen Allgemeinzustand und Temperatur häufig ein auffallendes gewesen ist.

Dem vorstehenden Bericht über Temperatur, Puls, Allgemeinbefinden sind absichtlich zunächst nur diejenigen Fälle zu Grunde gelegt, welche wir als sicher reaktionslos geheilt abgesondert haben. Es erübrigt sich nunmehr noch hinzuzufügen, daß auch die anderen, nicht im obigen Sinne als kompliziert zu betrachtenden Fälle durchaus die soeben gemachten Angaben bestätigen.

Wie sind die Temperatursteigerungen aufzufassen?

Die nächstliegende Vermutung, welche jeder Beurteiler fieberhafter Temperaturen nach Operationen haben muß, ist die, daß es sich um Infektionen der Wunden handle. Dies ist, wie schon oben erwähnt wurde, der Gedanke, den auch wir uns lange Zeit fast regelmäßig gemacht haben; in manchen Fällen, zumal in früheren Jahren, zweifellos mit Recht! Wir fanden in solchen beim ersten oder zweiten[1]) Verbandswechsel die für eine infizierte Wunde charakteristischen Veränderungen und konnten auch aus dem Verlauf der Erkrankung, speciell aus dem Einfluß gewisser therapeutischer Eingriffe an der Wunde auf den Ablauf der lokalen und Allgemeinerscheinungen eine Bestätigung dieser Deutung finden. Dazu kommen natürlich diejenigen Beobachtungen, in welchen die bakteriologische Untersuchung das Vorhandensein der specifischen Wundinfektionserreger ergab.

Wie verhält es sich aber in denjenigen Fällen, wo sicher keine Infektion vorliegt? Wir sehen, daß es eine große Zahl von solchen giebt, bei deren Auswahl ich auf das Gewissenhafteste vorgegangen zu sein glaube.

Nach unseren jetzigen Kenntnissen müssen wir diese Temperatursteigerungen zunächst als zur Gruppe des „aseptischen“ Fiebers gehörig betrachten. In der That wird man alle Charakteristika, welche Genzmer und Volkmann seiner Zeit für jene Fieberform angaben, in unseren Fällen wiederfinden. Die Temperaturerhöhung ist fast das einzige auffallende Symptom. Es fehlt das Uebelbefinden, das Bewußtsein des Unwohlseins, es fehlen die Alteration des Pulses, überhaupt alle toxischen Erscheinungen seitens des Nervensystems.

Mit dieser Erkenntnis ist jedoch noch wenig erreicht. Wir müssen versuchen, einen tieferen Einblick in das Wesen jenes Phänomens zu gewinnen, und dazu ist ein kurzes Eingehen auf die Lehre vom aseptischen Fieber überhaupt erforderlich. In ihrer bahnbrechenden Arbeit

1) Sicherlich sind gar nicht so selten beim ersten Verbandwechsel „sekundäre“ Infektionen verursacht worden.

haben schon GENZMER und VOLKMANN darauf hingewiesen, daß auch das „aseptische" Fieber ein Resorptionsfieber sei, ebenso wie das „septische". Die Differenz zwischen beiden erblickten sie darin, daß bei dem septischen „heterologe, giftige und faulige Stoffe oder Flüssigkeiten, die irgendwelche specifisch wirkende Zersetzungsmengen enthalten, ins Blut gelangen, während beim aseptischen Fieber nur eine Zufuhr von Stoffen stattfindet, die von denjenigen, welche die physiologische regressive Gewebsmetamorphose und der physiologische Stoffwechsel liefern, nicht allzu verschieden sind".

Das ist im großen ganzen der auch heute noch geltende Standpunkt. Nur über die Art der beim aseptischen Fieber wirksamen, d. h. resorbierten Stoffe wissen wir heute Näheres. So sind eine Reihe von Fermenten specieller studiert. Als das wichtigste derselben muß das Fibrinferment (ALEXANDER SCHMIDT, EDELBERG) angesehen werden. Es findet sich häufig im Blute fiebernder Kranken, aber nicht konstant (HAMMERSCHLAG, SCHNITZLER und EWALD), so daß trotz seiner Kenntnis eine einheitliche ätiologische Auffassung des aseptischen Fiebers nicht möglich ist. Nach SCHNITZLER und EWALD ist sogar die Annahme einer Wirksamkeit des Fibrinferments überhaupt unrichtig. In der Gestalt anderer Fermente, z. B. des Histozyms (SCHMIEDEBERG), welches aus dem Blute dargestellt ist, ferner des Pepsins und Pankreatins (BERGMANN und ANGERER), des Pyretogenins (ROUSSY), des Chymosins (FILEHNE, HILDEBRANDT, JOTTKOWITZ und HILDEBRANDT) sind eine Reihe weiterer Substanzen als Erreger aseptischen Fiebers kennen gelehrt, durch deren Injektion arteficiell Fieber erzeugt werden kann.

Unter den Formen des genuinen aseptischen Fiebers ist als reinstes dasjenige aufzufassen, welches sich nach subkutanen Verletzungen der Weichteile und Knochen einstellt. Nach allgemeiner Erfahrung ist das Vorhandensein großer Blutextravasate, die bei Frakturen großer Röhrenknochen häufig vorhanden sind, oder schwerer Weichteilquetschungen ein das Eintreten aseptischen Fiebers ungemein begünstigendes, wenn nicht bedingendes Moment, und es wird von keiner Seite bezweifelt, daß durch den Untergang zelliger Elemente, welcher Art auch immer — vornehmlich der Blutkörperchen — und der Resorption ihrer Trümmer bezw. der sich bei diesem Untergang bildenden chemischen Substanzen das Fieber hervorgerufen wird. Man kennt schon eine ganze Reihe solcher Stoffe, welche beim Absterben von Zellen frei werden, z. B. Nucleoalbumin aus den Blutkörperchen (PEKELHARING), Nucleohiston aus Leukocytenkernen (LILIENFELD) u. a. Sicher fiebererregend wirken Albumosen (MATTHES), Nucleine plus Albumosen (SCHNITZLER und EWALD).

Es haben jedoch schon VOLKMANN und GENZMER darauf hingewiesen, daß nicht in allen Fällen subkutaner schwerer Verletzungen Fieber eintritt; sie fanden es z. B. in 3 unter 14 Oberschenkelfrakturen nicht. Es muß aus dieser Beobachtung geschlossen werdeu, daß in dem Gewebsuntergang allein die Ursache für das Fieber nicht in allen Fällen liegen kann.

Hier ist noch eine empfindliche Lücke unserer Kenntnisse vorhanden.

Unverständlich bleibt ferner, warum das Fieber nach subkutanen Verletzungen — speciell Knochenbrüchen — nicht immer den rein „aseptischen" Charakter zeigt. Namentlich bei Schenkelhalsbrüchen beobachteten Genzmer und Volkmann schwere febrile Zustände mit ausgesprochen infektiösem Charakter trotz des Mangels jeder örtlichen Störung bei der Heilung. „Handelte es sich hier um übersehene entzündliche Komplikationen in den inneren Organen oder waren hier ausnahmsweise in der Bruchspalte giftige Exsudate gebildet worden?"

Der zweite, ungemein viel seltener vorkommende klinische Haupttypus des aseptischen Fiebers ist an das Vorhandensein von Wunden geknüpft, daher „aseptisches Wundfieber".

„Es wird von der Wahrheit nicht sehr weit abliegen, wenn man annimmt, daß von 1000 korrekt und mit vollem Erfolge antiseptisch behandelten Schwerverwundeten oder Schweroperierten nur ein Drittel gar nicht, das zweite mäßig, das letzte jedoch hoch fiebert." Das sind die Erfahrungen Volkmann's.

Was die Auffassung dieses Wundfiebers betrifft, so glaube ich, daß man der Ansicht Tillmanns' beipflichten muß, welcher dieses aseptische Wundfieber Volkmann's für eine Folge allzu energischer Anwendung der Karbolsäure hält. Daß in jener Zeit, wo Volkmann das Lister'sche Verfahren in Deutschland einführte, erschreckend große Quantitäten giftiger, chemischer Desinficientia — vor allem von Karbolsäure — den Operierten einverleibt wurden, ist allbekannt. Seit der Einführung der Asepsis hat Tillmanns aseptisches Wundfieber nicht mehr gesehen, und in diesem Punkte begegnen sich wohl die Erfahrungen aller Chirurgen. Im Zeitalter der aseptischen Operationen kennen wir ein aseptisches Wundfieber nicht mehr, geschweige denn in einer so enormen Häufigkeit wie Volkmann, nämlich in 66 Proz. aller Fälle.

Gewiß, es kommen nach aseptischen Operationen bei ganz reaktionslosem Verlauf geringe Temperatursteigerungen gar nicht selten zur Beobachtung. Dieselben stellen jedoch in der Regel nur geringfügige, 38° kaum überschreitende, häufig nicht erreichende abendliche Erhöhungen der Körperwärme dar, welche meist nur an einem Tage gefunden werden. Indessen bin ich in der Lage, was das Material der Breslauer Klinik betrifft, zu berichten, daß wir über eine ganze Reihe von Fällen — besonders Laparotomien — verfügen, in denen jeder, selbst der geringfügigste Anstieg der Temperatur fehlt. Herr Kollege GOTTSTEIN wird darüber an anderer Stelle ausführlich berichten. Will man jene geringfügigen Temperatursteigerungen nach aseptischen Operationen überhaupt als fieberhafte bezeichnen oder nicht — in jedem Falle muß man die erhebliche Differenz betonen, welche zwischen diesen und denjenigen unserer Kurven besteht. Ich will dabei gar nicht die Frage berühren, ob hier qualitative oder nur quantitative Unterschiede vorliegen. Sie sind vorhanden und bedürfen einer Erklärung.

Aus den bisherigen Ausführungen läßt sich entnehmen, daß der ursprünglich verlockend erscheinende Erklärungsversuch — die Annahme aseptischen Wundfiebers — keine Lösung der Frage, sondern nur eine Verschiebung des fraglichen Punktes darstellt.

Können die erwähnten allgemeinen Gesichtspunkte für die Deutung der Temperatursteigerungen nicht ausreichen, so werden wir dazu gedrängt, uns der Frage zuzuwenden, ob vielleicht in der Kropfoperation als solcher die Erklärung für jenes Verhalten der Temperatur gefunden werden kann. Es giebt zwei Möglichkeiten, sich einen Einfluß der Kropfoperation auf das Phänomen der Temperatursteigerungen zu konstruieren; einmal kann man an Momente denken, welche in den gewissermaßen „topographischen" Verhältnissen der Operation bestehen, und zweitens an den Effekt der Schilddrüsenalteration selbst.

Bezüglich des erstgenannten Punktes muß zugegeben werden, daß im allgemeinen mit der Kropfoperation die Eröffnung einer ungewöhnlich großen Zahl von Blutgefäßen verknüpft ist, sei es, daß man den Blutreichtum der Halsregion an sich berücksichtigt, sei es, was im Vordergrunde steht, daß man die häufig außerordentliche Vaskularisation des Kropfes betont. Daraus würde ein Einfluß der Blutung als solcher sowie der erleichterten Resorption des ergossenen Blutes abzuleiten sein. Das thut im wesentlichen BERGEAT. Er faßt das Fieber als „protrahiertes Resorptionsfieber" auf, erinnert an die Temperatursteigerungen bei subkutanen Verletzungen, ferner daran, daß auch bei den meisten Operationen trotz aseptischer Heilung an einem oder zwei Abenden etwas Fieber vorhanden ist, er rekurriert auf die Kompliziertheit der Wunde selbst bei Kropfoperationen und endlich darauf, daß „durch den Sitz der Affektion in der Tiefe des Halses die Resorptionsverhältnisse außerordentlich günstig" seien.

Was mich veranlaßt, in den soeben genannten, mit der Operation selbst verknüpften Verhältnissen nicht die Ursache der Temperatursteigerungen zu erblicken, ist folgendes:

Zunächst giebt es ohne Zweifel Fälle von Kropfoperationen, in denen der Blutverlust vom Beginn des Hautschnittes bis zum Ende der Operation ungemein gering ist. In technisch unkomplizierten Fällen, sei es bei Enucleationen, sei es bei der Resektion nach MIKULICZ, können wir sogar mitunter die Operation bei richtiger Ausführung als geradezu unblutig bezeichnen. Ich erinnere mich einer Reihe eigener Beobachtungen speciell von Resektionen, in denen Zuschauer den Eindruck einer „Operation unter lokaler Anämie“ hatten. Es fragt sich nun, ob in diesen Fällen die Temperatursteigerungen regelmäßig fehlen. Das ist keineswegs der Fall. Wir haben wohl oben eine Reihe von Fällen erwähnt — im ganzen 7 — in denen sie nicht eintraten. Es waren — beiläufig bemerkt — lauter Enucleationsfälle, einige sicherlich auch leicht und mit nur geringem Blutverlust verbunden. Demgegenüber umfaßt aber unser Material auch zahlreiche Enucleations- und Resektionsfälle, welche trotz des Mangels eines irgendwie erheblichen Blutverlustes die Temperatursteigerungen ebenso ausgesprochen darboten, ja mitunter sogar noch intensiver zeigten wie die schwersten Fälle von Kropfoperationen, welche mit starker Blutung einhergingen.

Ueberhaupt ist es schwer ersichtlich, inwiefern die mehr oder weniger starke Blutung — die Frage der Anämie kommt bei diesen Erwägungen nicht in Betracht — in einem Sinne verwertet werden kann, wie sie offenbar BERGEAT verwertet wissen will: je geringer die Blutung, desto geringer das resorbierbare Bluttrümmermaterial, desto geringer das Fieber. Das wäre im Falle vollständigen Wundverschlusses plausibel; denn ohne Zweifel wird trotz gleichmäßig exakter Blutstillung das postoperative Blutextravasat der geschlossenen Wunde ceteris paribus größer sein nach blutreichen als nach blutarmen oder unblutigen Operationen. Dieses Moment fällt aber, jedenfalls zu einem großen Teil, fort, sobald wir ausgiebig drainieren, was, wie die oben angeführten Tabellen zeigen, ungemein oft geschehen ist. Mit zwingender Konsequenz müßte man erwarten, daß in den Fällen von totalem Wundverschluß die Temperatursteigerung ausgesprochener ist als in den drainierten Fällen. Während hier ein großer Teil des in die Wunde gelangenden Materials, nach außen fließend, sich der Resorption entzieht, muß dort alles ergossene Blut zur Resorption gelangen.

Ein Einwand ist naheliegend: wir verschließen eben nur dann exakt, wenn der Verlauf der Operation eine Gewähr oder große Wahrscheinlichkeit dafür bietet, daß eine nur geringe Nachblutung erfolgen wird. Aber auch dieser Einwand läßt sich an der Hand von Thatsachen widerlegen. Es sind in der Breslauer Klinik wiederholt in Fällen von ganz verschlossenen Wunden Hämatome [1]) zur Beobachtung gekommen, welche offenbar ganz allmählich und stets ohne alarmierende

1) Ich fasse unter diesem Namen hier nicht bloß Ansammlungen von reinem — geronnenem oder nicht geronnenem — Blut, sondern auch die blutig gefärbten — natürlich nicht eiterigen — Wundabsonderungen geschlossener Wunden zusammen.

Symptome entstanden. Die Diagnose ist durch das Ergebnis der zum Zweck anderer Untersuchungen [1]) und auch therapeutisch ausgeführten Punktionen gesichert. Solche Hämatome haben wir nach Struma- ebenso wie nach anderen Operationen (z. B. Mammaamputationen) beobachtet. Ob alle, bezw. wie viele von ihnen ohne Temperatursteigerungen verliefen, kann ich nicht sagen. Das eine aber läßt sich mit größter Bestimmtheit konstatieren, daß wir wiederholt trotz des Bestehens der Hämatome einen nicht nur reaktionslosen, sondern fieberfreien Verlauf fanden. Die Kurven No. 15, 16, 17 beziehen sich auf derartige Fälle.

No. 15. Julius Prz., 49 Jahr, Sarcoma colli.

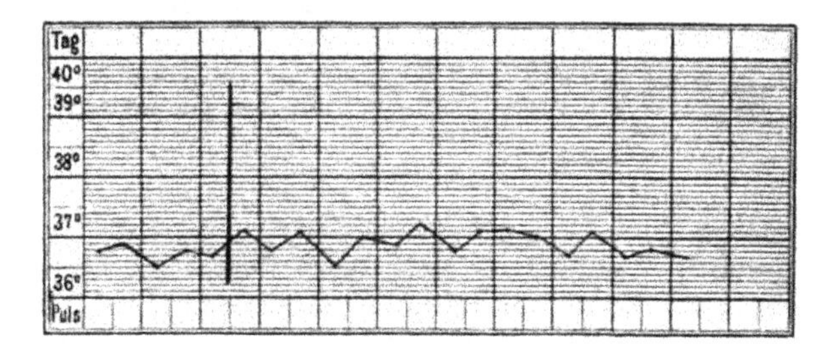


No. 16. Ida St., 62 Jahr, Carcinoma mammae.

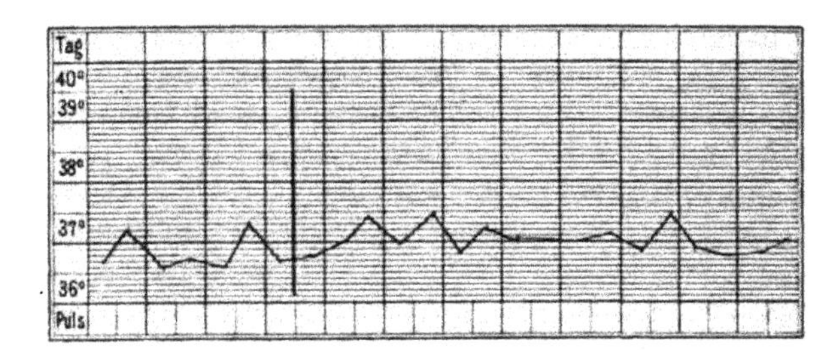


No. 17. Lina C., 57 Jahr, Carcinoma mammae.

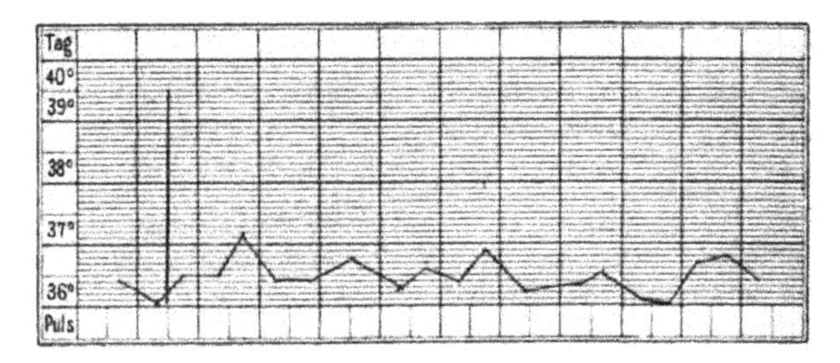


1) Ueber diese Untersuchungen wird Herr Dr. ANSCHÜTZ demnächst berichten.

Ueber eine ohne Temperatursteigerung verlaufene Beobachtung von Hämatom nach Strumaoperation bin ich nicht in der Lage zu berichten, dagegen über solche, welche gleichfalls die Halsregion betrafen und nach Geschwulstexstirpationen entstanden waren.

Ein Beispiel illustriert folgender Fall, dessen wichtigste Daten ich kurz anführe (siehe Kurve 15):

49-jähriger Mann. Tumor der rechten Halsseite, vom Ohrläppchen bis fast zur Clavicula, vom vorderen Cucullarisrand bis fast zur Medianlinie reichend. Der Kopfnicker zieht über ihn hinweg. Glatte Oberfläche, nur an den seitlichen Partien mehrere höckerige Prominenzen. Konsistenz weich. Verschieblichkeit auf der Unterlage und der Haut darüber. 29. Nov. 1898: Exstirpation des Tumors, der sich leicht ausschälen läßt. Wunde verschlossen bis auf ein kurzes Drain am unteren Wundwinkel (zur Vermeidung einer Hämatombildung). Drain am nächsten Tage entfernt. 9. Dez. 1898: Verbandwechsel. Prima intentio. Hämatom. Nähte entfernt. 11. Dez. Punktion des Hämatoms: Blutig gefärbte Flüssigkeit. 13. Dez.: Patient geheilt entlassen.

Der Tumor war ein Lymphosarkom.

Dem Umstand, daß es sich auch in diesen Fällen um Halsgeschwülste handelt, muß ich eine wesentliche Bedeutung beimessen, insofern, als ja auch hier die von Bergeat angenommen, außerordentlich günstigen Resorptionsverhältnisse vorliegen, ihre Verwertung also nicht angefochten werden kann, was man gegenüber Hämatomen an anderen Regionen (z. B. der Mamma) thun könnte. Ich halte es übrigens durchaus nicht für gerechtfertigt, einen Einwand in dieser Hinsicht zu erheben und kann — um speciell auf die Verhältnisse bei Brustkrebsoperationen zu exemplifizieren — nicht finden, daß die Resorptionsverhältnisse bei Kröpfen prinzipiell günstigere seien als in jenen Fällen. Im Gegenteil! Wer sich die oft enorme Ausdehnung der Wunden mancher radikal operierter Brustkrebse vergegenwärtigt, wird zugeben müssen, daß hier nicht nur reichlich soviel Gefäßlumina eröffnet werden können wie dort, sondern daß auch die kompliziert gestaltete, buchtige Wundhöhle die Resorption des resorbierbaren Materials ebenso gut gestattet, wie die Wunden nach Kropfoperationen.

Der eine der beiden Fälle von Hämatombildung nach Amputatio mammae et Exstirpatio glandul. axill., deren Kurven ich wiedergebe, (Kurve 17) ist deshalb von besonderem Interesse, weil in diesem Falle aus hier nicht zu erörtenden Gründen absichtlich eine exakte Blutstillung durch Unterbindung nicht vorgenommen wurde. Keine Drainage. Mäßig starker Kompressivverband. Beim ersten Verbandwechsel (9. Tag) wurde das Hämatom konstatiert. 2 Tage später Entleerung einer chokoladenbraunen Flüssigkeit durch Punktion. „Anscheinend ziemlich viel geronnenes Blut“ in der Hämatomhöhle.

Auch absolut betrachtet ist die Kompliziertheit einer nach Strumaentfernung zurückbleibenden Wunde für mich nicht ersichtlich, ganz besonders bei der früher üblichen Art der Schnittführung[1]) Die V- oder Y-artigen Schnitte verliefen außer der Durchtrennung des Platysma im wesentlichen ohne Muskeltrennung. Deshalb erübrigte sich auch jede Muskelnaht, und es legten sich die stumpf zurückgehaltenen Muskeln (Kopfnicker — Zungenbeinmuskeln) nach Vollendung der Resektion über den Drüsenrest, ohne dabei einen absolut festen Abschluß des letzteren nach außen zu bewirken.

Noch ein Umstand ist bei der Beurteilung der eigentümlichen, mit der Operation verknüpften Verhältnisse — die Drüsenalteration selbst immer noch ausgeschlossen — recht beachtenswert. Ein Charakteristikum vieler Kropfoperationen ist es ohne Zweifel, daß wichtige Nervenstämme, Sympathicus, Vagus, Recurrens u. a., geschädigt werden. Natürlich ist hierbei nicht von Verletzungen der Stämme durch das Messer — Kunstfehlern — die Rede, sondern nur von Durchschneidungen feiner Aeste und Fasern, oder sogar nur leichter mechanischer Irritationen dieser Nerven (Druck der Spatel, Zerrung durch allerlei bei der Assistenz notwendige Instrumente). Ich denke an das nervöse Fieber. Vor der Hand giebt es ein solches noch, mag auch die eine oder andere Fiebererscheinung sich gelegentlich als andersartig erweisen und die Lehre vom Wesen dieses Fiebers noch sehr im Argen liegen.

Daß es sich in unseren Fällen um ein nervöses Fieber handelt, kann wohl niemand ausschließen. Ich halte es jedoch für unwahrscheinlich, und zwar deshalb, weil der Verlauf derjenigen Formen, welche wir bisher als Typen des nervösen Fiebers kennen, ein durchaus anderer ist wie in unseren Beobachtungen. Der nervöse Fieberanfall tritt paroxysmenartig auf. Die Temperaturkurve steigt plötzlich hoch an, und zwar zu höheren Graden, als sie in unseren Kurven zu verzeichnen sind; ebenso brüsk ist der Temperaturabfall, so daß die Kurve, da außerdem die Dauer des Fiebers eine sehr kurze ist, am ehestens an diejenige einer Intermittens erinnert. Ein wichtiges Merkmal des Fiebers ist sein Auftreten kurze Zeit nach dem nervenreizenden Eingriff; auch das trifft in unserem Falle nicht zu. Es zeigt sich also in verschiedenen wichtigen Punkten eine wesentliche Differenz. Wollte man trotzdem eine Art nervösen Fiebers annehmen, so wäre es eine neue Form desselben. Diese höchst gezwungene Annahme würde jedoch erst dann berechtigt sein, wenn wir keine andere plausiblere Deutung fänden. Diesem Ziele glaube ich doch in dem folgenden Abschnitt näherzukommen.

Nachdem in den bisherigen Ausführungen verschiedene, der Kropfoperation eigentümliche Momente in ihren Beziehungen zur Temperatursteigerung besprochen sind, ist es ein Postulat, daß wir uns jetzt der

1) Wir wenden jetzt sehr viel den Kocher'schen Kragenschnitt an.

Frage zuwenden, ob das Specifische der Kropfoperation, nämlich die Verletzung der Drüse selbst und deren Folgen, eine Erklärung unseres Problems zu liefern vermag.

Bei allen Kropfoperationen, die wir ausführen, entsteht eine Verletzung des Organs, also eine Wunde. Das gilt von den Enucleationen ebenso wie von den Resektionen. Andere Operationen als diese beiden bezw. deren Kombinationen führen wir in der Regel nicht aus; auch die einseitige Exstirpation, ein anderwärts außerordentlich beliebtes, bei uns sehr seltenes Verfahren, verursacht eine Drüsenwunde.

Ueberlegen wir die Folgen dieser Verwundung. Es gelangen Teile des Drüsenparenchyms, welche unter normalen Verhältnissen, d. h. bei intakter Drüsenkapsel, von jeder unmittelbaren Berührung mit den außerhalb der Drüse liegenden Geweben abgeschlossen sind, an die Oberfläche. Dadurch tritt die Möglichkeit ein, daß die normalen Produkte der Drüsenzellen, seien sie sekretorischer oder regressiver Natur, sich nach einer abnormen Richtung hin entleeren, nämlich nicht in das Follikellumen bezw. die Lymphspalten der Drüse, sondern in den Raum der gesamten Operationswunde.

Angenommen, es träten keine weiteren, eine Heilung der Drüsenwunde bezweckenden Veränderungen ein, so würde sich demnach konstant von dem Drüsensekret ein Teil, und zwar entsprechend der Größe des freigelegten Drüsenabschnitts, in jenen Raum entleeren. Nun erfolgen aber wie bei jeder so auch bei der Drüsenwunde, welche niemals per primam intentionem heilt, wie auch immer man mit dem Drüsenrest operativ verfährt, diejenigen Veränderungen, welche wir unter dem Begriff der Heilung per granulationem zusammenfassen. Es kommt also zu dem primären Drüsensekret das Drüsenwundsekret, korrekter ausgedrückt, zu dem Produkt der epithelialen Follikelzellen dasjenige der Blut- bezw. Lymphgefäßcapillaren des Granulationsgewebes. Schließlich tritt die Vernarbung, Heilung der Drüsenwunde ein. Offenbar bestehen je nach der Art des Eingriffs, der an der Drüse vorgenommen wird, die größten quantitativen Differenzen. Als Extreme erwähne ich den Fall einer doppelseitigen Drüsenresektion ohne Vernähung des Drüsenrestes (ursprüngliche Mikulicz'sche Methode) bei ausgedehnter Struma, andererseits die Enucleation eines kleinen Knotens nach Socin. Qualitativ existiert kein Unterschied. Beide Wunden heilen per granulationem, in beiden Fällen gelangt Drüsenprodukt in die extraglanduläre Wundhöhle.

Betrachten wir nun die Vorgänge kurze Zeit nach der Operation, etwa 24—48 Stunden nach einer Resektion, zu einer Zeit also, wo ein eigentliches Granulationsgewebe noch fehlt.

Ist das Produkt der ihrer normalen Bedeckung beraubten Drüsenzellen jetzt das nämliche wie früher? Es ist verändert, und zwar durch bedeutenden Zellenuntergang. Für jede Verwundung ist es charakteristisch, daß Zellen zu Grunde gehen, und zwar um so leichter und reichlicher, je höher organisiert das verletzte Gewebe ist. Bei Drüsenwunden erfolgt also ohnehin schon ein größerer Zellenzerfall als z. B. bei Hautwunden. Dazu kommen noch einige speciell schädliche Wirkungen der Operation. So wird bei der Resektion durch die Unterbindung der einen Hauptarterie die Ernährung der Drüse zeitweise geschädigt; durch die Naht resp. Massenligatur des Drüsenrestes wird ferner ein, wenn auch kleiner Teil des Drüsengewebes eingeschnürt und nekrotisch. Daß es sich in der That so verhält, hatte ich neulich Gelegenheit festzustellen, wo ich eine in Heilung befindliche Resektionswunde 100 Stunden nach vollzogener Operation untersuchen konnte. Es war in diesem Falle der Exitus an doppelseitiger Pneumonie eingetreten. Ohne daß die Zeichen einer lokalen Infektion erkennbar waren, bestand eine ausgedehnte Nekrose des Drüsengewebes sowohl an den freiliegenden Stellen wie den durch die Naht der Drüse zur Berührung gebrachten Rändern ihrer Wunde.

Auf diese Veränderung des normalen Drüsensekrets ist Wert zu legen. Das in die extraglanduläre Wundhöhle gelangende abgesonderte Produkt wird, soweit es nicht durch die Drainröhren nach außen geleitet wird, resorbiert nnd findet sogar in der Beschaffenheit der Wundauskleidung, speciell in der ausgezeichneten Vascularisation derselben für die Resorption ungemein günstige Bedingungen. Ueber die Frage, welches die Folgen der Resorption seien, habe ich mir folgende Gedanken gemacht. Der Austausch des Zellenproduktes der gesunden Schilddrüse an die Gesamtsäftemasse scheint ein ungemein träger zu sein, muß aber, besonders nach den Untersuchungen Hürthle's, als in der That vorhanden angenommen werden. Daß er träge ist, schließen wir u. a. aus dem Mangel von Ausführungsgängen und aus dem Fehlen konstanter gangbarer Verbindungen zwischen Drüsenprodukt und Gefäßbahn. Wahrscheinlich stellen die intercellulären Gänge Hürthle's solche, freilich recht spärliche, Kommunikationen dar. Angenommen, die Resorption normalen Drüsensekrets könne überhaupt Temperatursteigerungen hervorrufen, so wäre es denkbar, daß wesentlich erleichterte Aufnahmebedingungen dieses Sekrets ins Blut von Bedeutung sind. Während unter gewöhnlichen Verhältnissen vielleicht nur Spuren resorbiert werden, tritt jetzt eine ausgiebige Resorption ein; diese quantitativen Differenzen würden genügen, um zu erklären, daß jetzt Fieber auftritt, welches sonst fehlt. Nun sind aber die Verhältnisse beim Kropf andere, als bei normaler Schilddrüse. Der Kolloidkropf sondert ein Produkt ab, welches im Vergleich zu demjenigen normaler Drüsen nicht bloß quantitativ gesteigert, sondern qualitativ verändert ist. Ich glaube nachgewiesen zu haben (a. a. O.), daß, unbeschadet des Vorhandenseins sekretorischer Vorgänge, eine regressive Metamorphose — Zellenuntergang — bei der Kolloidbildung in Kröpfen im Vordergrunde steht. Nach der Drüsenverletzung finden nun diese Massen, deren Anteil an untergehenden Zellen noch, wie erwähnt, durch die mit der Operation selbst verknüpften Vorgänge reichlich vermehrt wird, eine außerordentlich günstige Gelegenheit zur Resorption.

Ich glaube, daß die bei dem Untergang der Drüsenzellen entstehenden chemischen Stoffe (Fermente, Nukleine, Albumosen) imstande sind, wenn sie in abnorm reichlicher oder auch bloß geeigneter Weise — z. B. durch direkten Uebergang in die Blutbahn — resorbiert werden, Temperatursteigerungen zu erzeugen. Um diesen Glauben zu bekräftigen, wäre es erwünscht, wenn wir aussagen könnten, ob Drüsenzellen des Menschen im allgemeinen bei akutem Untergang und günstigen Resorptionsbedingungen Fieber — „aseptisches" Fieber — erzeugen können, und wie sich in dieser Hinsicht die Produkte des Untergangs von Drüsenzellen gegenüber denjenigen anderer Zellen, z. B. der Blutkörperchen, verhalten. Leider fehlen darüber exakte Kenntnisse der menschlichen Pathologie. Wir kennen wohl solche Zustände — ich erinnere an die schweren akuten Leberdegenerationen, z. B. bei der Phosphorvergiftung; bei ihnen ist aber wegen der gleichzeitigen allgemein-speciell Blutkörperchenalteration eine eindeutige Entscheidung nicht möglich. Das Ergebnis der Tierversuche spricht jedenfalls für die Berechtigung der erwähnten Anschauung. Zahlreiche Mitteilungen zeigen übereinstimmend, daß man durch die Injektion von Gewebsbrei in die Blutbahn von Tieren außer anderen Erscheinungen auch Temperaturerhöhungen hervorrufen kann. Immerhin muß man bekennen, daß die Berechtigung, auf die menschlichen Verhältnisse das Ergebnis dieser Tierversuche zu übertragen, noch nicht so einwandsfrei erscheint. Die Differenz liegt vor allem darin, daß es bei den Tierversuchen niemals Substanzen waren, welche demselben Organismus entstammten, dem sie einverleibt wurden; und das scheint mir nicht ohne Bedeutung zu sein.

Die klinischen, aus der Betrachtung unserer Kropffälle sich ergebenden Thatsachen, welche vielleicht für die Berechtigung der erwähnten Annahme sprechen, jedenfalls mit ihr gut im Einklang stehen, sind zunächst die Beobachtung, daß in Fällen ausgedehnter Drüsenwunden die Temperatursteigerungen stets vorhanden waren, während sie in einigen schon oben angegebenen Fällen von unbedeutender Drüsenverletzung gefehlt haben. Jene 7 ohne Temperatursteigerungen verlaufenen Kropfoperationen waren ausnahmslos Enucleationen, welche ceteris paribus kleinere Drüsenwunden setzen als Resektionen.

Die Forderung des steten Fehlens von Fieber bei Enucleationen wäre nicht berechtigt, weil ja auch von kleinen Wunden aus eine

Resorption erfolgen kann, außerdem die Enucleationswunden nicht stets unbedeutend sind.

Dagegen könnte man aus den klinischen Beobachtungen doch einen Einwand entnehmen. Man müßte eine Differenz in dem Verhalten der Temperaturkurven erwarten, je nachdem die Wunden drainiert oder geschlossen sind. Anscheinend mit Recht; denn zweifelsohne wird durch die Drainage ein großer, sogar der größte Teil des Sekrets wenigstens eine Zeit lang nach außen geleitet, also jeder Resorption entzogen. Wir haben eine solche Differenz nicht beobachtet. Indessen wäre jener Einwand nicht berechtigt, denn offenbar würde wohl ein positiver Ausfall jenes Experimentes in vivo beweiskräftig sein, ein negativer absolut nicht zwingend. Nur wenn bei drainierten Wunden die Resorption von Drüsensekret ausgeschlossen wäre, würde jene Theorie sich mit den Thatsachen nicht vereinigen lassen. Da jedoch trotz reichlicher Drainage Wundsekret stets noch in der Wunde zurückbleibt, so sprechen die klinischen Thatsachen lediglich dafür, daß eine Kongruenz zwischen der Quantität des resorbierten Drüsensaftes und der Reaktion nicht zu bestehen braucht. Auch dieser Schluß ist nur vorsichtig zu verwerten, denn die drainierten Fälle waren meistens die schwereren, diejenigen mit geschlossener Wunde die leichteren; jene lieferten also von vornherein unter sonst gleichen Bedingungen größere Sekretmengen als diese; es kann demnach sehr wohl trotz eines durch Drainage erzeugten Defizits die absolute Menge der zur Resorption gelangten Stoffe ebenso groß wie in den anderen Fällen gewesen sein. Dazu kommt, daß gewiß die Resorptionsbedingungen nicht stets dieselben sind, sondern von individuellen und sonstigen Momenten verschiedener Art abhängen; es kann aus diesem Grunde von reichlich vorhandenem Material nur wenig langsam, von spärlichem viel und rasch resorbiert werden. Ferner bedarf es bekanntlich gar nicht großer Mengen jener vermutlich wirksamen Zerfallsprodukte zur Erzielung einer Reaktion. Endlich ist die Größe der Reaktion selbst, nach zahlreichen Analogien zu schließen, auch in unserem Falle individuellen Schwankungen unterworfen. Im übrigen bedenke man noch folgendes. Die Drains einer aseptischen Wunde entleeren in der Regel nur innerhalb der ersten Stunden in reichlicher Menge das aus der Tiefe sickernde noch flüssige Blut. Später koaguliert der zurückgebliebene Rest des Blutes sowohl in der Tiefe der Wunde als auch in den Drainröhren; diese sind, solange das Blut geronnen bleibt, also bei aseptischem Verlauf, verstopft und können nur noch geringe Mengen serösen Sekretes durchsickern lassen. Vielleicht ist durch diesen Umstand auch das verspätete Auftreten des Fiebers (2. Tag!) bei unseren Kropfoperierten zu erklären.

Man sollte meinen, daß es durch Tierversuche gelingen müsse, der Hypothese, daß die Resorption von Drüsensubstanz die Temperatursteigerungen hervorrufe, eine Stütze zu geben. Es liegen in der That darüber schon einige Arbeiten, z. B. von GEORGIEWSKI, von BALLET und ENRIQUEZ vor. Die eingehendsten und jüngsten Untersuchungen hat EMILE RAUCY, ein Schüler PONCET's ausgeführt. Dieser Autor hat Stückchen von Strumen, besonders von BASEDOW-Kröpfen, die operativ gewonnen waren, mit Glycerin extrahiert und das Extrakt Kaninchen intravenös (Ohrvene) injiziert. Darauf trat in 6 Versuchen konstant Fieber auf. Daraus folgert der Verfasser die „Giftigkeit" des Drüsensaftes. Es ist ersichtlich, daß diesen Tierversuchen eine nur geringe Beweiskraft zukommt. Zunächst ist das zur Lösung des Gewebssaftes verwendete Medium, Glycerin, keine indifferente Substanz, sondern selbst giftig. Daß Injektionen von Glycerin allein gleichfalls Temperatursteigerungen bewirken können, ist trotz eines negativ ausgefallenen Kontrollversuch RAUZY's nicht ausgeschlossen. Ferner ist es nicht bekannt, wie sich die injizierten Substanzen hinsichtlich ihres Keimgehalts verhielten. Waren sie steril oder schon infiziert? RANZY hat zwar „aseptisch" gearbeitet, allein wir wissen aus eigener Erfahrung, daß trotzdem die Keimfreiheit seines Materials kaum eine vollständige gewesen sein kann. Abgesehen von diesen speciellen Bedenken lassen sich auch allgemeine Einwände gegen die Verwertung dieser Tierversuche erheben. Die Temperatur der Kaninchen schwankt erheblich und ist offenbar von Momenten abhängig, deren Zahl und Art wir noch nicht ermessen können. Auch SCHNITZLER und EWALD teilen diese Auffassung. „. . . Wir haben die Messungen unserer Versuchstiere bald aufgegeben, da wir uns überzeugt haben, daß die physiologischen Temperaturschwankungen bei Kaninchen die Resultate der Messungen, wenn nicht ganz besonders hohe Temperatursteigerungen vorliegen, völlig entwerten." Aehnlich verhält es sich übrigens bei Hunden.

Doch abgesehen davon — selbst die Temperatursteigerungen als konstant und thatsächlich durch die Einspritzung bedingt zugegeben — sind die Versuchsbedingungen total verschieden von den beim Menschen obwaltenden Zuständen. Beim Tier erfolgt die Einverleibung eines fremdartigen Gewebes — menschliche Schilddrüse — beim Menschen die Resorption eines seinem Organismus angehörenden Stoffes. Ferner läßt sich in den Versuchen die von uns als sehr wesentlich betrachtete Gewebsnekrose weder quantitativ noch qualitativ auch nur annähernd so herbeiführen, wie sie beim Kropfoperierten vorhanden ist. Endlich steht überhaupt der Beweis aus, daß die Tierspecies der Kaninchen auf die Einverleibung von Schilddrüsen- bezw. Kropfgewebe in ähnlicher Weise reagieren müsse, wie Menschen.

Trotz des Bewußtseins der mangelhaften Beweiskraft solcher Tierversuche habe ich aus noch zu erörternden Gründen ähnliche Experimente wie RAUZY angestellt, deren Protokolle ich kurz mitteilen will.

Herr Kollege LENGEMANN, welchen Injektionsversuche tierischer Gewebe aus anderen Gründen interessierten, hat mir bei der Ausführung dieser Injektionen geholfen, wofür ich ihm herzlich danke.

Die einfache Anordnung der Versuche war folgende:

Das durch die Kropfoperation gewonnene Material wurde in einer sterilen Schale aufgefangen, darauf in einer sterilisierten Fleischpreßmaschine ausgepreßt und der Saft in einem sterilen Gefäß gesammelt. Auf diese Weise gelang es — nicht ein ganz keimfreies Produkt zu erzielen; dieses Ziel ist sicher wohl erreichbar, erfordert aber ganz andere Vorsichtsmaßregeln, als wir sie aus äußeren Gründen beobachten konnten. Wir haben dagegen einen Gewebssaft bezw. -brei erhalten, welcher nur wenige Keime enthielt. Die Verdünnung erfolgte mit steriler 0,6-proz. Kochsalzlösung.

### Versuch I.

Objekt: Struma parenchymatosa (Kolloidkropf).

Injektion von 1 ccm Gewebssaft (10 ccm einer 10-proz. Lösung in Kochsalzwasser) in die Vena jugularis eines mittelgroßen Kaninchens.

Keine Temperatursteigerungen. Die gemessenen Temperaturen schwanken zwischen 36,8 und 37,5. Das Tier bleibt mehrere Tage ohne Spur einer Reaktion. Es wird am 4. Tage zum Zweck anderer Untersuchungen getötet. Sektionsbefund negativ.

### Versuch II.

Zur Injektion verwendetes Objekt: das nämliche wie in Versuch I.

Injektion von 9 ccm Gewebssaft (wiederum verdünnt) in die Vena jugularis eines 1000 g schweren Kaninchens. Letzteres stirbt nach $2^1/_2$ Tg. Höchste Temperatur (einmal erreicht) 38.

Obduktion: Auffallend nur der Lungenbefund. Lungen gefleckt. Mikroskopisch ziemlich zahlreiche Knochenmarksriesenzellenemboli (LENGEMANN). Hier und da lobulär-pneumonische Herde.

### Versuch III.

Zur Injektion verwendetes Objekt: Struma partim nodosa partim cystica, durch Enucleation gewonnen.

1,5 ccm des ausgepreßten Saftes werden einem Kaninchen von Mittelgröße subkutan injiziert. Keine Temperatursteigerungen. Keine Reaktion.

### Versuch IV.

Zur Injektion verwendetes Objekt: Struma parenchymatosa.

Injektion von 2 ccm Saft in die Vena jugularis eines 900 g schweren Kaninchens.

Höchst erreichte Temperatur 37,3.

### Versuch V.

Objekt: Großes Strumaadenom (auf Malignität höchst verdächtig). Der durch die Fleischpreßmaschine gewonnene Saft wird, wie stets, in einem sterilen Kolben aufgefangen. Bei Oeffnung des Kolbens intensiver Geruch der Flüssigkeit nach Schwefelwasserstoff.

Es werden injiziert 3 Kaninchen von etwa gleichem Gewicht:

I: 0,1 ccm
II: 1,0 „
III: 5,0 „

Alle Tiere bleiben fieberfrei und werden nach einigen Tagen getötet. Die Sektion ergab nichts Besonderes.

Versuch VI.

Objekt der Injektion: Cysteninhalt einer Struma cystica. Braunrote Flüssigkeit, die ziemlich viel Cholesterin enthält.

Auch diese Substanz, 10 Tage „steril" aufbewahrt, mit deutlichem $H_2S$-Geruch. Injektion von 1 ccm in die Vena jugularis.

Das Tier bleibt fieberfrei, ohne jede Reaktion. Die nach 5 Tagen vorgenommene Sektion ergiebt außer 4 subpleuralen, stecknadelkopfgroßen, knorpelharten Knötchen keine Veränderungen. Betreffs der mikroskopischen Untersuchung dieser Knötchen verweise ich auf die Arbeit von Dr. Lengemann.

Will man das Ergebnis dieser Versuche zusammenfassen, so wird man sagen, daß wiederholt die Injektion beträchtlicher Mengen von Gewebssaft verschiedener Strumenarten in die Vena jugularis von Kaninchen kein Fieber hervorgerufen hat. Es steht also den Befunden von Rauzy, welcher allerdings, wie erwähnt, Glycerinlösungen angewandt hat, der entgegengesetzte dieser Versuche gegenüber. Wenn, abgesehen davon, diesen Versuchen ein Interesse zukommt, so ist es wohl die auffallende Thatsache, daß auch in Zersetzung begriffene Substanzen $H_2S$-Entwickelung) keine Fieberreaktion hervorgerufen haben (Versuch V und VI).

Wie ich im übrigen über den Wert dieser Versuche denke, habe ich schon oben dargelegt.

Beweiskräftig wäre meines Erachtens am ehesten nur eine Versuchsanordnung, bei der allerdings der Mensch das Objekt sein müßte: Man wartet nach einer Kropfoperation ab, bis der Patient jede Reaktion überstanden hat, speciell bis seine Temperatur bis zur Norm zurückgekehrt ist. Darauf injiziert man ihm — subkutan — den Saft seines eigenen, durch die Operation gewonnenen, sterilen (ev. durch Filtration sterilisierten) Kropfes in anfänglich geringen, ev. steigenden Dosen und sieht nach, ob sich auch jetzt wieder eine der früheren, postoperativen ähnliche. Temperatursteigerung einstellt. Auch diese Versuchsanordnung würde sich noch erheblich von den natürlichen Vorgängen unterscheiden. Da man außerdem ernste Bedenken tragen muß, solche Versuche am Menschen anzustellen, bevor ihre Gefahrlosigkeit beim Menschen selbst unzweifelhaft sichergestellt, habe ich selbstverständlich solche Versuche nicht angeführt.

In dem letzten Abschnitt über die Erklärung unserer Temperatursteigerungen habe ich die Resorption von Drüsenprodukten in den Vordergrund gestellt. Gewisse klinische Thatsachen, welche ich erst bei der Durchsicht des gesamten Strumenmaterials unserer Klinik kennen und würdigen lernte, veranlassen mich jedoch, zu den obigen Erklärungsversuchen noch einen kleinen, vielleicht wesentlichen Zusatz zu machen. Es handelt sich um zwei Beobachtungen, denen übrigens auch noch eine praktische Bedeutung kommt. In beiden schwankte die Diagnose vor der Operation zwischen Strumitis und akuter Blutung in eine Kropfcyste.

Fall I. Dezember 1892.

Selma Sch., Landwirtsfrau aus Schweidnitz. 48 Jahr. Auftreten der Halsgeschwulst vor 20 Jahren nach der ersten Niederkunft. Seitdem Wachsen des Tumors zu Gänseeigröße bis vor 4 Jahren, dann Stillstand. Vor 8 Tagen, angeblich nach starker Einreibung des Halses mit einer Salbe, plötzlich auftretendes starkes Anschwellen des Kropfes, der hart und schmerzhaft wurde. Bisher angeblich Fieber. — Die ganze vordere Halsregion stark geschwollen. Halsumfang 45 cm. Die Geschwulst gehört der vergrößerten Schilddrüse an, fluktuiert. Haut darüber frei von Rötung. Ziemlich starke Druckempfindlichkeit. Kein Stridor. Temperatur abends 38,2. Operation. Vertikalschnitt in der Medianlinie. Enucleation einer gänseeigroßen, völlig mit geronnenem Blut erfüllten Cyste. Keine Spur eines entzündlichen oder gar eiterigen Exsudates. Starke Blutung. — Tamponade. Verlauf ohne Störung. Heilung.

Fall II. August 1894.

Johannes N., Oberlehrer, 30 Jahr. Pat. leidet seit einer Reihe von Jahren an einer Struma. Niemals Beschwerden, obgleich der Kropf an Größe zunahm. Am Tage vor der Aufnahme plötzliche Volumenszunahme der Geschwulst, verbunden mit schmerzhafter Empfindung im Halse und einem Druck daselbst. In wenigen Minuten wurde angeblich die linke Halsseite dicker und härter, im Verlauf von einer Viertelstunde bildete sich eine so starke Anschwellung aus, daß die Haut gespannt, glatt und schmerzhaft wurde. Dyspnoë. — Diffuse starke Schwellung der linken Halsseite vom Kieferwinkel bis zur Supraclaviculargrube. Deutliche Fluktuation. Hautverfärbung. Rechter Lappen der Schilddrüse wesentlich vergrößert. Kehlkopf stark nach links gedrängt. Schlingen sehr erschwert. Kein Fieber. 3 Stunden nach der Aufnahme Operation. Gänseeigroße Cyste mit dünner Wand. Sie enthält blutig-seröse Flüssigkeit und Blutkoagula. Exstirpation der Cyste mit teilweiser Resektion des fest verbundenen Strumagewebes. Tamponade mit Jodoformgaze. Haut zum Teil genäht. Verlauf ungestört. Temperaturen vom Operationstage an 7 Tage lang abends um 38,0. Puls dabei niedrig. Heilung nach 14 Tagen.

In beiden Fällen steht, wie sich aus dem Befund bei der Operation ergiebt, die Diagnose: Durch Hämorrhagie entstandene, akute Vergrößerung einer Kropfcyste, außer jedem Zweifel. In dem einen, schwereren Falle (II) fehlte Fieber vor der Operation, in dem anderen war eine fieberhafte Temperatursteigerung vorhanden. In diesem Verhalten kann man zunächst eine Bestätigung der schon oben vertretenen Anschauung erblicken, daß eine Blutung allein — selbst unter günstigen

Resorptionsverhältnissen — nicht Temperatursteigerungen hervorzurufen braucht, aber hervorrufen kann. Zur Erklärung derselben im Falle I läßt sich aber auch annehmen, daß eine erleichterte Resorption von Kropfsaft selbst — die Möglichkeit einer solchen liegt offenbar durch die Eröffnung von Blutgefäßen bei der Hämorrhagie vor — jenen Effekt gehabt habe.

Schließlich ließ mich jedoch gerade die Betrachtung jenes Falles (I) daran denken, daß vielleicht eine Kombination beider Momente, Blut- plus Kropfgewebsresorption, für die Temperatursteigerung verantwortlich gemacht werden kann. Auf die Möglichkeit einer derartigen Deutung einmal aufmerksam geworden, mußte ich gestehen, daß in allen unseren Fällen von Kropfoperationen das Zusammenwirken beider Momente durchaus möglich ist. In jeder unserer Wunden ist ja natürlich neben dem austretenden Kropfsaft mehr oder weniger reichlich Blut vorhanden, welches ebenso wie jener resorbiert wird. Ein Zusammenwirken beider Momente kann man sich so vorstellen, daß die beim Untergang der Kropfzellen einerseits, der Blutkörperchen andererseits entstehenden chemischen Substanzen, in statu nascendi aufeinander einwirkend, eine neue Substanz — X — erzeugen, welche vielleicht konstanter und intensiver als jede, mindestens als die eine der genannten Komponenten, Temperaturerhöhungen herbeizuführen vermag.

Ob diese Vorstellung den thatsächlichen Verhältnissen entspricht, werden vielleicht weitere Untersuchungen lehren.

---

Am Schluß meiner Erörterungen kann ich nicht umhin, nochmals mit Nachdruck darauf hinzuweisen, wie hypothetisch der von mir angeführte Erklärungsversuch ist. Es würde mich freuen, wenn durch die Beachtung oder den Widerspruch, den er vielleicht findet, dem Studium des Verhaltens der Temperatur nach Kropfoperationen ein Interesse zu teil wird, welches die angeführten Thatsachen sicherlich rechtfertigen. Wenn das geschieht, und dadurch die Lehre von Kropf und Schilddrüse eine neue Förderung erfährt, so ist der Zweck dieser Mitteilung erreicht.

---

## Litteratur.

1) Bally, citiert bei Bergeat.
2) Ballet et Enriquez, Méd. mod. 1895 et 1896 (Rauzy).
3) Bergeat, Hermann, Ueber 300 Kropfexstirpationen an der Bruns'schen Klinik 1884—1894. Bruns' Beiträge, Bd. 15.
4) Bergmann u. Angerer, Festschrift, Würzburg.

5) Edelberg, Arch. f. exper. Pathol., Bd. 12.
6) Filehne, Zur Frage nach dem Heilwerte des Fiebers. Virchow's Arch., Bd. 131.
7) Genzmer, Alfred, u. Volkmann, Richard, Ueber septisches und aseptisches Wundfieber. Samml. klin. Vortr., 1877, Bd. 12.
8) Georgiewsky, Centralbl. f. Wissensch., 1895 (Rauzy).
9) Hammerschlag, Arch. f. exper. Pathol., 1890, Bd. 27.
10) Hildebrandt, H., Weiteres über hydrolytische Fermente etc. Virchow's Arch., 1893, Bd. 131.
11) Hürthle, Beiträge zur Kenntnis des Sekretionsvorganges in der Schilddrüse. Pflüger's Arch., Bd. 56, 1894.
12) Jottkowitz u. Hildebrandt, Ueber einige pyretische Versuche. Virchow's Arch., Bd. 131.
13) Lilienfeld, Zeitschr. f. physiol. Chemie, 1895.
14) Matthes, Deutsches Arch. f. klin. Med., Bd. 54. — Centralbl. f. inn. Med., 1893.
15) Mikulicz, Ueber Thymusfütterung bei Kropf und Basedow'scher Krankheit. Berl. klin. Wochenschr., 1895, No. 16.
16) Idem, (Operationshandschuh), Centralbl. f. Chir., 1898.
17) Idem, (aseptische Wundbehandlung), Chir.-Kongr. 1898. — Langenbeck's Arch., Bd. 57, 1898.
18) Rauzy, Emile, De l'intoxication thyroidienne dans les opérations pour goitres. Thèse de Lyon, 1897.
19) Pekelharing, Deutsche med. Wochenschr., 1892, No. 50.
20) Reinbach, Erfolge der Thymusfütterung bei Kropf. Mitteil. a. d. Grenzgeb., Bd. I., 1896. — Weitere Beiträge zur Gewebssafttherapie etc., Mitteil. a. d. Grenzgeb., Bd. 3, 1898.
21) Idem, Ueber die Bildung des Kolloids in Kröpfen. Ziegler's Beiträge, 1895.
22) Roussy, Sur la pathogénie de la fièvre etc. Gaz. des hôpitaux, No. 19, p. 31.
23) Schmidt, Alex., Die Lehre von den fermentativen Gerinnungserscheinungen. Dorpat 1876.
24) Schmiedeberg, citiert bei Samuel, Art. Fieber. Eulenburg's Realencyklopädie.
25) Schnitzler u. Ewald, Zur Kenntnis des aseptischen Fiebers. Dtsch. Gesellsch. f. Chir., 1896.
26) Tillmanns, Allgem. Chir., 1897.
27) Wunderlich, Das Verhalten der Eigenwärme in Krankheiten. 1870.
28) Ziegler, E., Lehrb. d. path. Anatomie.

---

Frommannsche Buchdruckerei (Hermann Pohle) in Jena. — 1943

# XXI.

# Peritoneale Verwachsungen nach schweren Bauchquetschungen als Ursache andauernder, schwerer Koliken und hochgradiger Stuhlverstopfung[1]).

Von

Dr. med. **Johann Noack,** Kamenz i. Sa.

---

Die soziale Gesetzgebung unserer modernen Staaten veranlaßt uns Aerzte, in höherem Maße die Anfmerksamkeit einem Gebiet unserer Wissenschaft zuzuwenden, welches vordem lange nicht von so weittragender Bedeutung und sozialer Wichtigkeit war: nämlich dem inneren Zusammenhang zwischen Verletzungen und den daraus entspringenden Krankheitszuständen. Oft liegt ja ein derartiger Zusammenhang klar zu Tage und er ist uns bei der heutigen Kenntnis über die Pathogenese vieler Erkrankungen ohne weiteres verständlich. Die an offene Wunden sich anschließenden fieberhaften Krankheiten sind durch die bakteriologischen Forschungen unserer Erkenntnis näher gerückt, und mit Recht wird die Verwundung als mittelbare Ursache der Erkrankung angesehen. Schwerer jedoch ist es, den ursächlichen Zusammenhang nachzuweisen zwischen Verletzungen durch stumpfe Gewalt ohne Durchtrennung der Haut und einer sich anschließenden akuten Erkrankung. Experimentelle Untersuchungen an Tieren haben uns einen genügenden Aufschluß gegeben über die Entstehung akuter Osteomyelitis nach subkutanen Frakturen oder nach starken Quetschungen der Knochen ohne nachweisbare Weichteilverletzungen. Sogenannte Kon-

---

1) Als Vortrag gehalten im November vorigen Jahres im ärztlichen Verein zu Dresden: „Verein für Natur- und Heilkunde“.

2) Die unten angeführten Fälle 4, 5 und 6 hatte ich als Assistenzarzt an der chirurgischen Abteilung des Carolahauses zu beobachten Gelegenheit.

tusionspneumonien stehen ohne Zweifel im inneren Zusammenhang mit dem erlittenen Trauma. Die mit der Inspirationsluft eingeführten Keime finden in dem stark gequetschten, von Blut und Lymphe durchtränkten Lungenabschnitt den geeignetsten Nährboden zu ihrer Entwickelung, zumal da die natürlichen, physiologischen Abwehr- und Schutzvorrichtungen in dem betroffenen Abschnitt stark beeinträchtigt sind, wenn nicht vollkommen durch Cirkulationsstörungen aufgehoben. Mit großer Wahrscheinlichkeit führt LEYDEN [1]) die Entstehung einer ulcerösen Endocarditis auf einen Sturz mit der linken Brustseite gegen eine Eisenstange zurück. Abgesehen von Traumen, die durch ihre Gewalt an sich so ausgiebige Zerreißungen im Endocard oder Myocard verursachen, daß der baldige Tod die unmittelbare Folge ist, können auch chronische Erkrankungen des Herzens in Verletzungen der Brust durch stumpfe Gewalt ihren Ursprung haben. Arbeiten von HOCHHAUS [2]), LUCKINGER [3]) und REUBOLDT [4]) weisen auf die Möglichkeit hin, daß durch derartige Quetschungen, Zerreißungen und Blutungen im Endocard oder Myocard entstehen können, durch deren „allmähliche Verheilung und Vernarbung" ganz gut das klinische Bild einer chronischen Endocarditis oder Myocarditis zustandekommen kann. Allgemein bekannt ist ja auch die Entwickelung von tuberkulösen Herden an Stellen, die durch stumpfe Gewalteinwirkung zum Locus minoris resistentiae geworden sind. Ebenso bekannt und durch die umfangreiche Litteratur der letzten beiden Jahrzehnte erhärtet ist der ursächliche Zusammenhang zwischen Verletzungen und den chronischen Nervenübeln, welche je nach ihrem Sitz, sei es peripher, sei es im Centralnervensystem, die verschiedensten qualvollsten Leiden und schwere Funktionsstörungen zur Folge haben können. Nicht so zahlreich sind die Arbeiten über schwere Quetschungen des Bauches und ihre Folgen. Vor etwa drei Jahrzehnten noch waren derartige Fälle nur für den Secanten von Interesse. Aber bereits Ende der 70er Jahre beginnt in der Litteratur unter den Chirurgen der Streit, ob nach schweren Kontusionen des Unterleibs der Bauchschnitt der expektativen Behandlung vorzuziehen sei.

Je nach dem Ort derartiger Verletzungen kann schwere Blutung oder Infektion das Leben ernstlich bedrohen. Ausgedehntere Zerreißungen in der Leber, Milz oder Nieren können in kurzer Zeit den Tod durch Verbluten in die Bauchhöhle herbeiführen, während Wunden im Verdauungstraktus die Veranlassung zur schweren Infektion und

1) Charité-Annalen, 1894, p. 102.

2) HOCHHAUS, Beiträge zur Pathologie des Herzens. Ueber Contusio cordis. Deutsches Archiv für klin. Medizin, Bd. 51, p. 10.

3) LUCKINGER, Münchener medizinische Wochenschrift, Jahrg. 1893, No. 18, p. 344.

4) REUBOLDT, FRIEDREICH's Blätter für gerichtliche Medizin, 1890.

somit die mittelbare Ursache zum Tode sein können. Und sind alle diese ernsten und schweren Gefahren glücklich überwunden, so können sich allmählich neue pathologische Prozesse entwickeln, die zuweilen von neuem wieder das Leben ernstlich bedrohen oder dem Träger qualvolle Leiden verursachen können.

Chronische Enteritiden, ulceröse Prozesse im Magen oder Darm [1]) und daraus sich entwickelnde Strikturen [2]) sind des öfteren Gegenstand von Abhandlungen gewesen und als Folgezustände schwerer Bauchquetschungen beschrieben worden. Neben diesen pathologischen Veränderungen, die zeitlich mehr oder weniger direkt im Zusammenhang mit der Verletzung stehen, können aber auch erst nach Jahr und Tag allmählich Zustände eintreten, die dem Kranken die qualvollsten Leiden verursachen können, und die durch den in dem pathologischen Substrat sich abspielenden naturgemäßen Schrumpfungsprozeß selbst zu Funktionsstörungen ernstester und bedrohlichster Art führen können: es sind die Verwachsungen der verletzten Darmschlingen untereinander und mit den Nachbarorganen.

Um derartige Verwachsungen und Strangbildung nach schweren Bauchquetschungen besser zu würdigen und in ihrer Entstehungsart besser zu verstehen, sei hier kurz auf andere pathologische Prozesse hingewiesen, welche auch die Veranlassung sein können zur Bildung peritonealer Adhäsionen.

Alle entzündlichen Vorgänge am Peritoneum lassen nach Resorption der Exsudate mehr oder weniger feste Adhäsionen zurück. Am öftesten und am deutlichsten findet dies der Chirurg bei den Appendixoperationen in anfallsfreier Zeit bestätigt. Mehrere Millimeter dicke Schwarten, bis kleinfingerdicke Stränge sieht man nach den Beckenorganen oder nach den benachbarten Darmschlingen übergreifen, und es ist leicht verständlich, daß man gerade in ihnen die permanente Ursache zu den sich immer von neuem wiederholenden Attacken erblickt; kann doch bei diesem Befund jede vermehrte, durch zufällige Diätfehler hervorgerufene Peristaltik den Appendix zur vollkommenen Abknickung bringen, und so die Ursache sein zu all den pathologischen Veränderungen, von der einfachen katarrhalischen Schwellung der Schleimhaut bis zur Eiteransammlung, welche je nach ihrer Intensität eine Entzündung der Umgebung hervorrufen und so das Leben ernstlich bedrohen können. Ganz ähnlich können entzündliche Vorgänge an der Gallenblase, ulceröse Prozesse im Magen oder Darm, welche stets mehr oder weniger mit einer Alteration der Serosa verknüpft sind,

---

1) Poland, Kontusionen des Unterleibs, verbunden mit Verletzungen des Magens oder der Därme. Schmidt's Jahrbücher, Bd. 105, p. 74. — Leube, Krankheiten des Darmes. Enteritis, Ziemssen's Handbuch der spec. Pathologie und Therapie. Bd. 7. S. 252.

2) Studsgaard, Centralblatt für Chirurgie, Jahrgang 1894. S 934.

zu Verwachsungen oder Strangbildungen führen. Des öfteren bereits sind uns derartige Fälle beschrieben, die bei der großen Schwierigkeit der Diagnose zum Teil unter dem Namen der Neurasthenie, Hysterie oder Visceralneuralgie wochen-, monate-, ja jahrelang mit inneren Mitteln behandelt wurden, bis die Kranken beim Fortbestehen ihrer qualvollen Leiden entweder selbst zur Operation drängten, oder ernste ileusartige Erscheinungen einen chirurgischen Eingriff erheischten. Dieselbe Aetiologie haben die zahlreichen Verwachsungen im kleinen Becken, die jeder Gynäkologe fast bei jeder Laparotomie zu sehen Gelegenheit hat, und es ist ohne weiteres klar, daß dieselben bei den verschiedenen Füllungsverhältnissen im Mastdarm und in der Blase, oder bei dem periodischen Anschwellen der Geschlechtsorgane durch Zerrung und Dehnung recht unangenehme und schmerzhafte Störungen zur Folge haben können, die sich bis zur Unerträglichkeit steigern, sobald ein oder der andere Nervenplexus oder die großen Nervenstämme in Mitleidenschaft gezogen sind. Nicht so verständlich und klar in ihrer Aetiologie sind die so gefürchteten Adhäsionen nach Laparotomien. Jeder Chirurg oder Gynäkolog, der jemals vor die Aufgabe gestellt war, an einer Person zum zweiten Male den Bauchschnitt vorzunehmen, kennt die Schwierigkeiten, welche sich häufig in solchen Fällen nach Eröffnung der Bauchhöhle ihm entgegenstellen, und er ist froh, wenn er nach Entwirrung all der Stränge und Schwarten endlich über die anatomische Lage der einzelnen Organe sich ein klares Bild verschafft hat. Es ist daher verständlich, wenn zahlreiche Arbeiten eingehend sich mit der Frage nach der Entstehungsursache derartiger Gebilde befassen, um so Mittel und Wege zu finden, diesen unangenehmen, zuweilen so verderbenbringenden Zufällen vorzubeugen.

Beim Beginn derartiger Beobachtungen war man geneigt, die Ursache zu diesen Verklebungen in dem Luftzutritt zu suchen. Doch wurde diese Annahme von Wegner [1]) durch experimentelle Untersuchungen an Tieren widerlegt. Auch chemische Reize, wie Sublimat- und Karbollösung oder Origanumöl und Terpentin, sind nach den Versuchen von Th. von Dembowski [2]) und Thomson [3]) an sich nicht imstande, peritoneale Verwachsungen hervorzurufen. Fremdkörper scheinen die Bildung von Adhäsionen oder ähnlicher Vorgänge zu begünstigen. So fand Wegner nach Einführen von verschiedenen pulverförmigen Körpern Verklebungen vor, während jedoch v. Dembowski bei seinen Versuchen mit Jodoformpulver niemals Adhäsionen zu bemerken Gelegenheit hatte. Wenn bei diesen sich widersprechenden Befunden

1) Wegner, Archiv für klin. Chirurgie, Bd. 20, p. 51.
2) v. Dembowski, Archiv für klin. Chirurgie, Bd. 37, p. 745.
3) Thomson, Centralblatt für Gynäkologie, Jahrg. 1891, No. 5.

M. TEN BRINK [1]) geneigt ist, die negativen Resultate DEMBOWSKI's mit Jodoformpulver „als beweisend anzunehmen", den Untersuchungen WEGNER's aber „nicht zu sehr zu trauen" sich berechtigt hält, weil sie in der „vorantiseptischen Zeit" stattfanden, so darf wohl bei der Schlußfolgerung auch nicht ganz der Umstand außer Acht gelassen werden, daß Jodoform im Säftestrom des Körpers chemische Veränderungen eingeht und in kurzer Zeit der Resorption anheimfällt.

Auf diese seine Eigenschaft ist man ja geneigt und nach den Untersuchungen wohl auch berechtigt, seinen Erfolg bei der Wundbehandlung zurückzuführen; und für seine enorme Resorptionsfähigkeit sprechen die zahlreichen Fälle von Jodoformvergiftung. Aus diesem Grunde ist es vielleicht nicht ratsam, Jodoform als reinen Fremdkörper anzusehen. Auf diesen Umstand macht v. DEMBOWSKI selbst aufmerksam, indem er sagt: „Der Mangel jeglicher Reaktion von Seite der Serosa mag hier wohl mit den chemischen Eigentümlichkeiten des Jodoforms in Zusammenhang stehen." Fremdkörper tierischer Abkunft, wie Gewebsstückchen, Catgut, Blutkoagula, werden nach den vorliegenden Untersuchungen allmählich resorbiert und sind in verhältnismäßig kurzer Zeit aus der Bauchhöhle verschwunden, während nicht resorptionsfähige Körper fast durchgängig abgekapselt und mit ihrer Unterlage adhärent gefunden wurden [2]). So waren Jodoformgazestückchen nach einer Woche „zum größten Teil durch Wucherung des Peritoneums parietale abgekapselt" (v. DEMBOWSKI, Archiv für klin. Chirurgie, Bd. 37, p. 748). „Eingeheilte Schwämme waren zertrümmert, die einzelnen Reste ihres Geästes teilweise verdünnt, zugespitzt und eng vom Gewebe umschlossen" (HALLWACHS, Archiv für klin. Chirurgie, Bd. 24, p. 152). „Die Gefäßligaturen erwiesen sich nach 4 Wochen allseitig in bereits vollständig reifes Bindegewebe eingehüllt" (SPIEGELBERG und WALDEYER, VIRCHOW's Archiv, Bd. 44, p. 75).

Bei dem Zustandekommen derartiger Abkapselungen bei Ligaturen verdient vielleicht ein Moment noch besonderer Beachtung, nämlich die durch das Umschnüren entstandene Läsion der Serosa, und so komme ich zur Besprechung einer Ursache, welche für die Entstehung des Verklebens der Serosa von großer Bedeutung ist, ja vielleicht die notwendige Vorbedingung hierzu bildet — wenigstens für die Adhäsionen nach Kontusionen. Experimentelle Untersuchungen und chi-

1) M. TEN BRINK, Zeitschrift für Geburtshilfe und Gynäkologie, Bd. 38, Heft 2, p. 281.

2) TILLMANNS, VIRCHOW's Archiv, Bd. 78, p. 437. — SPIEGELBERG und WALDEYER, VIRCHOW's Archiv, Bd. 44, p. 75. — v. DEMBOWSKI, Archiv für klin. Chirurgie, Bd. 37, p. 745. — HALLWACHS, Archiv für klin. Chirurgie, Bd. 24, p. 122. — ROSENBERGER, Archiv für klin Chirurgie, Bd. 25, p. 771. — WALTHAND, Korrespondenzblatt für Schweizer Aerzte, 1893.

rurgische Erfahrung rechtfertigen die Annahme, daß ein Verkleben zweier wunder Serosaflächen ohne Exsudation und Emigration, also ohne nennenswerte Entzündungsvorgänge, möglich ist. Diese Möglichkeit hat GRASER[1]) an der Hand mühsam gewonnener mikroskopischer Präparate zweifellos nachgewiesen. Und auch die Erfahrungen mit den zweizeitigen Operationen, wenn sie auch nur in den makroskopischen Befunden der reaktionslosen Laparotomiewunde ihre Stütze finden, dürften die meisten Chirurgen veranlassen, jene mikroskopischen Untersuchungen GRASER's als beweisend anzunehmen.

Noch eine andere klinische Thatsache scheint mir dafür zu sprechen, daß Läsionen der Serosa für das Zustandekommen von Verklebungen von großer Bedeutung sind: nämlich die zahlreichen und ausgedehnten Adhäsionen bei den gutartigen, schnell wachsenden Geschwülsten im kleinen weiblichen Becken, besonders bei der Extrauteringravidität. Sollte es sich hier nicht um kleinste Zerreißungen in der Kapsel handeln, hervorgerufen durch das allzu rasche Wachstum, ähnlich den Striae der Bauchdecken! Freilich ist dies eine Vermutung, für die ein Beweis durch Tierexperimente nicht zu bringen ist. Ja, gerade experimentelle Arbeiten scheinen dagegen zu sprechen. So fanden v. DEMBOWSKI, KELTERBORN und THOMSON nach Erzeugung von Peritonealdefekten Verwachsungen nicht vor[2]). Aber ist für die negativen Resultate dieser Tierversuche nicht der Umstand von großer Bedeutung, daß die geringste peristaltische Bewegung — die Ausschaltung jedweder Peristaltik lag ja nicht in der Absicht jener Arbeiten — ein längeres Anhaften der verletzten Serosa mit ein und derselben Peritonealfläche unmöglich macht und so die erste und notwendigste Vorbedingung für das Zustandekommen von Verklebungen ohne Entzündungsvorgänge nicht erfüllt bleibt. Und auch die Thatsache, daß bei jenen obenerwähnten pathologischen Prozessen im kleinen weiblichen Becken gerade die Organe, welche in ihrer Lage mehr oder weniger fixiert sind, wie das Netz, der auf- und absteigende Dickdarmast, am öftesten an diesen Verwachsungen beteiligt sind, während Dünndarmschlingen verhältnismäßig seltener mit den Geschwülsten adhärent gefunden werden, dürfte als Stütze für diese Anschauung dienen. Doch dürften allerdings hier, wo es sich nur um eine Wundfläche der Serosa handelt, noch andere Noxen bei dem Entstehen von Verklebungen in Betracht kommen; die Wunde mit ihrer verminderten Widerstandsfähigkeit dürfte mehr oder weniger nur die erste Veranlassung sein zur Entwickelung jener Noxen: nämlich die Ansiedelung

---

1) GRASER, Deutsche Zeitschrift für Chirurgie, Bd. 27, p. 533 und Bericht über den 24. Kongreß der deutschen Gesellschaft für Chirurgie.

2) v. DEMBOWSKI, Archiv für klin. Chirurgie, Bd. 37, p. 745. — KELTERBORN, Centralblatt für Gynäkol., Jahrg. 1890, No. 31. — THOMSON Centralblatt für Gynäkol., Jahrg. 1891, No. 5.

von Mikroorganismen an diesen Stellen, mögen sie nun aus der Geschwulst selbst oder aus dem benachbarten Darm stammen. Durch zahlreiche bakteriologische Arbeiten ist die Durchlässigkeit der kranken Darmwand für Darmbakterien nachgewiesen. Bereits nach 4 Stunden fand BÖNNECKEN[1]) im Bruchwasser Mikroorganismen vor, und er kommt zu dem Schluß, „daß es keiner schweren Veränderung in der Textur der Darmwand bedarf, um sie für Mikroorganismen durchgängig zu machen, daß vielmehr eine stärkere venöse Stase, eine stärkere seröse Durchtränkung des Gewebes genügt, um das Eindringen der Bakterien in die Darmwand und den Durchtritt durch dieselbe zu ermöglichen". Daß derartige Darmstörungen auch bei jenen Geschwülsten durch Druck auf den Darm vorkommen können, mithin eine Durchwanderung von Mikroorganismen und ihre Ansiedelung an jenen kleinen Rißwunden der Kapsel, einem locus minoris resistentiae, möglich sei, läßt sich nicht in Abrede stellen. E. D'ANNA[2]) hat bei Unterleibsgeschwülsten das Vorhandensein des Bacterium coli in der Peritonealflüssigkeit nachgewiesen. Läsionen des Peritoneums mit dem Pacquelin hingegen führen nach den letzten vorliegenden experimentellen Untersuchungen niemals zu Verwachsungen. An der Hand zahlreicher bakteriologischer Untersuchungen stellt M. TEN BRINK fest, daß nach Verschorfungen Adhäsionen nur bei Anwesenheit von Mikroorganismen vorkommen. Es scheint also, daß der aseptische trockene Brandschorf geradezu ein Hindernis für die Verklebung der lädierten Stellen darstellt; und ist er allmählich durch den unter demselben sich abspielenden Heilungs- und Vernarbungsprozeß abgestoßen und der Resorption anheimgefallen, so bleiben vollkommen verheilte, glatte Flächen zurück, denen nun die Vorbedingungen zum Verkleben fehlen; vielleicht ein Fingerzeig für den Operateur dort, wo Verklebungen nicht erwünscht sind, mit dem Pacquelin zu arbeiten.

Für alle Verwachsungen nach Kontusionen sind Verletzungen in der Bauchhöhle ohne Zweifel von ursächlicher Bedeutung. Liegen zwei Rißwunden gegenüber und werden sie längere Zeit durch das geronnene Blut und Lymphe aneinander festgehalten, so ist eine feste Vereinigung dieser beiden Wundflächen ohne nennenswerte Entzündungsvorgänge wohl denkbar. Begünstigen kann diese Art des Entstehens die vermehrte Gerinnungsfähigkeit des Blutes, welche, wie PARASCANDOLO experimentell nachwies[3]), nach heftigen Traumen gegen den Bauch oder die Brust einzutreten pflegt. Auch ist der nach solchen Verletzungen zuweilen auftretende Meteorismus nicht ohne Einfluß, da er nach JÜRGENSEN eine bedeutende Verminderung des Blutdrucks herbeiführen soll, wodurch eine rasche Resorption des die beiden Wundflächen aneinanderhaltenden Blutgerinnsels hintangehalten wird.

1) BÖNNECKEN, VIRCHOW's Archiv, Bd. 120, p. 11.
2) D'ANNA, E., Centralblatt für Chirurgie, 1898, p. 198.
3) PARASCANDOLO, Centralblatt für Chirurgie, 1898, No. 15.

Doch ist diese Art des Entstehens von Verklebungen an so viele Zufälligkeiten gebunden, daß in der Mehrzahl der Fälle die Verwachsungen nach Kontusionen auch in entzündlichen Vorgängen im Bereich der Serosa ihre Ursache haben dürften. Jede Rißrunde in den inneren Schichten des Darmes bildet eine Eingangspforte für die Darmbakterien, und nach dem anatomischen Verlauf der Lymph- und Blutgefäße des Darmes ist ihre Ansiedelung gerade in der Nähe der Serosa unausbleiblich, auch wenn die Kontinuitätstrennung sich nicht bis in die oberen Schichten erstreckt. Und auch etwaige kleine, subseröse Hämatome, wie sie in der Bauchwand, im Netz und im Darm nach schweren Bauchquetschungen vorzukommen pflegen, dürften infolge anormaler Spannungs- und Druckverhältnisse in diesen Bezirken die neuerdings festgestellte Thätigkeit des Peritoneums gegen Mikroorganismen beeinträchtigen und so eine cirkumskripte Entzündung und Adhäsionsbildung begünstigen.

Der Grund, warum diese Verwachsungen und Strangbildungen in der Bauchhöhle von dem Praktiker von jeher so sehr gefürchtet werden, ist nicht allein in dem Umstand zu suchen, daß dieselben unter Umständen zu den qualvollsten Leiden gehören, sondern daß sie in der Mehrzahl der Fälle zu jener unheilvollen und verderbenbringenden Krankheit, dem Ileus, führen. Fast 30 Proz. aller Ileusfälle lassen sich auf ihre Anwesenheit zurückführen. Und es war ohne Zweifel ein Fortschritt in der Bauchchirurgie, als man in diesen Gebilden allein, ohne daß ernstere ileusartige Erscheinungen zu einem operativen Eingriff drängten, die Indikation zur Laparotomie erblickte. B. Credé [1]) war der erste, welcher beim 16. Chirurgenkongreß in seinem Vortrag: „Zur Prophylaxe des Ileus“ an der Hand dreier glücklich operierter Fälle diesen Eingriff dringend empfahl.

In demselben Jahre bespricht von Hacker in der Septembernummer der Wiener medizinischen Wochenschrift eingehend die Bedeutung ähnlicher Verwachsungen bei malignen Geschwülsten des Magens und berichtet uns über einen Fall von Pylorusstenose, die allein durch Abknickung infolge von Verwachsungen mit der geschrumpften, Steine enthaltenden Gallenblase entstanden war. Später haben Lauenstein [2]), Lücken [3]), Riedel [4]) und Mikulicz [5]) zahlreiche

1) Credé, B., Verhandlungen der deutschen Gesellschaft für Chirurgie 16. Kongreß, p. 64.

2) Lauenstein, Archiv für klin. Chirurgie, Bd. 45, Heft 1.

3) Lücken, Festschrift zur Feier des 25-jährigen Jubiläums des ärztlichen Vereins des Regierungsbez. Arnsberg.

4) Riedel, Korrespondenzblatt des allgemeinen ärztlichen Vereins von Thüringen (nur für den II. Teil dieser Arbeit erreicht), Archiv für klin. Chirurgie, Bd. 47, Heft 3 und 4. — Mitteilungen aus den Grenzgebieten der Medizin und Chirurgie, Bd. 2, Heft 3 und 4.

5) Mikulicz, Die chirurgische Behandlung des chron. Magengeschwürs. Mitteilungen aus den Grenzgebieten, Bd. 2.

Beobachtungen von Adhäsionen des Magendarmkanales beschrieben und ihre klinische Bedeutung eingehend gewürdigt. In den meisten dieser Fälle sind abgelaufene oder chronische Entzündungsvorgänge als Ursache nachgewiesen.

Nur zwei Fälle konnte ich in der Litteratur auffinden, in denen ein vorausgegangenes Trauma in ursächlichen Zusammenhang mit der Adhäsionsbildung gebracht wird.

Bei dieser geringen Zahl derartiger Beobachtungen und bei der praktischen Wichtigkeit, die solche Fälle infolge der Unfallgesetzgebung und des privaten Versicherungswesens erlangt haben, hielt ich mich berechtigt, dies niederzuschreiben, zumal da ich in der Lage bin, über vier neue Beobachtungen zu berichten, welche ich als Assistenzarzt der chirurgischen Abteilung des Carolahauses zu sehen Gelegenheit hatte. Für die freundliche Ueberlassung dieser Krankengeschichten zur freien Bearbeitung sage ich hiermit meinem hochgeehrten Chef Herrn Hofrat Credé meinen verbindlichsten Dank aus.

Zuvor ein kurzer Bericht über die zwei bereits veröffentlichten Fälle.

Fall I (Credé, 16. Chirurgenkongreß, 1887, p. 65) betrifft „eine 50-jährige Sattlersfrau, die nach mehreren Traumen in der rechten Oberbauchgegend seit 1 1/2 Jahren über heftige kolikartige Schmerzen in dieser Gegend und über häufig eintretende, bis 10 Tage dauernde, qualvolle Verstopfung klagte. Später trat in der rechten Parasternallinie, etwa dem unteren Leberrande entsprechend, eine umschriebene Härte auf. Nach Eröffnung der Bauchhöhle fand man den Querdarm nach oben an einer schwieligen, rundlichen Gewebsmasse fest verwachsen, die jener Härte entsprach, und diese wieder ausgedehnt und innig mit der Leber verlötet. Der Darm zeigte sich durch Adhäsionen mehrfach geknickt; dieselben wurden gelöst, die parenchymatöse Leberblutung durch Pacquelin gestillt. Die Koliken sind bis heute, nach 3/4 Jahren, nicht wieder aufgetreten".

Fall II (Riedel, Archiv für klin. Chirurgie, Bd. 47, p. 156). H., 53 Jahre alt, Fuhrmann. Pat. hatte vor einem Jahr einen Hufschlag gegen den rechten Rippenbogen erhalten. Nach einem kurzen Krankenlager genas er bis auf unbestimmte Schmerzen im rechten Hypochondrium. Bei seiner Aufnahme in die Klinik (22. Sept. 1892) klagte Pat. über heftige Schmerzen besonders morgens beim Aufstehen, die den Tag über etwas nachließen, bei jeder Anstrengung aber so heftig würden, daß völlige Arbeitslosigkeit resultiere.

Druck auf die Gallenblasengegend wurde konstant als schmerzhaft angegeben.

30. Sept. 1892 Laparotomie. Es fand sich zunächst die Leber weithin mit der vorderen Bauchwand durch hartes, schwieliges Gewebe verwachsen, das Netz überall adhärent mit der Leber und Gallenblase. Die hintere Fläche der Gallenblase war ebenfalls von Netzmassen überzogen. Die Gallenblase war vollkommen unversehrt; sie enthielt keine Steine. Es fanden sich noch einzelne Verwachsungen mit Magen und Duodenum vor.

Normaler Wundverlauf.

Fast nach einem Jahre (25. Mai 1893) stellte sich der Kranke wieder vor. Seine früheren Beschwerden waren nicht wiedergekehrt. Nach zwei Monaten (16. Juli 1893) kam er wieder, wesentlich schlechter aussehend. Beim Arbeiten wollte er Schmerzen in der Narbe haben, die jedoch tadellos aussah. Durch genaue Untersuchung der Lungen ließ sich später beginnende Phthise feststellen.

Fall III. Aus der früheren Privatklinik CREDÉ's 1888.

E., 24 Jahre alt, Mühlenbesitzer aus Serkowitz.

Pat. hatte vor 2 Jahren als Grenadier mit dem Knopf eines Bajonetts beim Fechten einen heftigen Stoß gegen die rechte Unterleibsgegend, etwa in Nabelhöhe, bekommen. Nach einem dreiwöchentlichen Krankenlager war er wieder soweit hergestellt, daß er aus dem Garnisonlazarett entlassen werden konnte.

Im Jahre 1888 kam er in die Behandlung CREDÉ's. Er klagte besonders über kolikartige Schmerzen an der verletzten Stelle, die sich bei jeder körperlichen Anstrengung bis zur Unerträglichkeit steigerten, und über fortwährende Stuhlbeschwerden, so daß er „ganz nervenschwach geworden sei". Er hatte mehrmals ileusartige Zustände durchgemacht.

Laparotomie im Frühjahr 1888. Längsschnitt an der äußeren Seite des Rectus. Es fanden sich zahlreiche, derbe Verwachsungen zwischen der vorderen Bauchwand, dem Netz, Dickdarm und einigen Dünndarmschlingen. Durchtrennen derselben. Naht. Normaler Wundverlauf.

Im Jahre 1897 konnte der Pat. meinem Chef persönlich versichern, daß er sich seitdem wohl befinde und daß besonders jene kolikartigen Schmerzen und jene qualvollen Stuhlbeschwerden gänzlich verschwunden seien. Auch diesen Sommer, also 10 Jahre nach der Operation, ist sein Zustand ein normaler, keine Koliken, regelmäßige Defäkation.

Fall IV. Ms. T., 39 Jahre alt, aus New Orleans.

Pat. war vor mehreren Jahren im dunklen Zimmer mit großer Heftigkeit gegen ein Möbelstück gerannt und hatte hierbei einen sehr heftigen Stoß gegen die rechte obere Bauchgegend erhalten. Nach einem verhältnismäßig kurzen Krankenlager erholte sich Pat. wieder soweit, daß sie ihrer Beschäftigung nachgehen konnte. Nach Jahr und Tag aber traten allmählich nach längerer körperlicher Anstrengung Schmerzen in jener Gegend auf, und seit mehreren Jahren leidet Pat. an andauernder, hartnäckiger Stuhlverstopfung. Alle inneren Mittel hat sie ausprobiert, sich in verschiedenen Bädern, diätetischen und Massageanstalten aufgehalten. In den letzten Jahren hat sich ihr Zustand derartig verschlimmert, daß sie sich nicht richtig satt zu essen getraute. Bereits vor Jahren war ihr ärztlicherseits zur Operation geraten worden, doch konnte sie sich damals hierzu nicht entschließen. Jetzt ist sie zu jeder Operation bereit, weil sie so nicht weiterleben könne.

Die Anamnese ergab keine Anhaltspunkte für Gallensteine noch für ein altes Ulcus. Die Magenuntersuchungen sprachen nicht für eine Magenerkrankung. Rechts unterhalb der Leber, zweifingerbreit von der Mittellinie entfernt, ist eine diffuse Resistenz fühlbar.

26. Jan. 1897 Laparotomie. Kreuzschnitt zum Freilegen. Es finden sich zahlreiche und derbe Verwachsungen zwischen Netz, Duodenum, Gallenblase, Magen und Dickdarm. Namentlich ist letzterer ganz eingehüllt in derben Strängen. Eine Neubildung ist nirgends zu finden; am Magen nichts Abnormes durchfühlbar. Die Gallenblase ist intakt, sie ent-

hält keine Steine. Lostrennen der Adhäsionen. Naht. Itrol-Silbergazeverband.

20. Febr. Reaktionsloser Wundverlauf.

15. März. Geheilt entlassen.

Pat. sieht wohl aus und fühlt sich selbst vollkommen gesund. Keine nennenswerten Schmerzen mehr im Leib. Stuhlgang ohne Beschwerden.

In diesem Jahre erfuhr CREDÉ durch eine Freundin der Pat., daß der günstige Zustand fortbestehe, daß sie nur zuweilen zu milden Abführmitteln ihre Zuflucht nehmen müsse; im übrigen sei ihre Verdauung in Ordnung.

Fall V. L., Robert, 39 Jahre alt, Zimmermann aus Dresden.

Pat. war vor 7 Jahren von einem Gerüst gestürzt und hatte sich hierbei eine starke Quetschung des Bauches zugezogen.

Nach einem kurzen Krankenlager war er wieder soweit hergestellt, daß er seine Arbeit wieder aufnehmen konnte. In demselben Jahre ließ er sich wegen einer Phimose operieren. Er hatte bemerkt, „daß das Präputium sich öfters schloß, so daß er allemal, bevor er urinieren konnte, mit einem Nagel eine Oeffnung herstellen mußte".

Im Dezember 1892 lag er wegen einer Cystitis und einer Hypertrophie der Prostata auf der inneren Abteilung des Carolahauses. Er war vor etwa 20 Wochen mit Kopfschmerzen, Harnbeschwerden und Schmerzen in der Blasengegend erkrankt. Später gesellten sich Schmerzen längs des rechten Ureters und in der rechten Niere hinzu.

Objektiv wurde damals eine Cystitis und eine Hypertrophie der Prostata festgestellt. Erwähnt sei noch aus der Krankengeschichte die Bemerkung, daß Pat. schon damals den Eindruck eines schweren Neurasthenikers gemacht habe. Etwaige Verdauungsstörungen oder kolikartige Anfälle finden sich nicht verzeichnet. Ob die erwähnten Ureteren- und Nierenschmerzen als Symptome der Verwachsungen aufzufassen sind, läßt sich bei der nachgewiesenen Cystitis nicht entscheiden.

17. Juni 1897 aufgenommen.

Pat. giebt an, daß er schon seit Jahren an Magendarmbeschwerden zu leiden habe, und daß dieselben seit letztem Herbst sich so gesteigert hätten, daß er bald darauf ärztliche Hilfe in Anspruch genommen habe, die bis jetzt einen Erfolg nicht gehabt hätte. Seine Schmerzen gingen namentlich von einer rechts neben dem Nabel gelegenen Stelle aus und träten häufig krampfartig auf. Die Verdauung sei unregelmäßig und schwierig und mit lästigen, langandauernden Stuhlverhaltungen verknüpft. Bei jeder körperlichen Anstrengung steigerten sich die kolikartigen Leibschmerzen ganz bedeutend.

In einem Gutachten CREDÉ's vom 21. Juni 1897 heißt es folgendermaßen: „Bei einer Untersuchung am 31. Mai fühlte ich (CREDÉ) deutlich eine etwa kindsfaustgroße, weiche, elastische Geschwulst rechts und etwas unterhalb des Nabels, und unter Berücksichtigung seiner Angaben, des erwähnten Befundes, und der sonstigen Erscheinungen, die der Kranke darbot, drängte sich mir (CREDÉ) der Gedanke auf, daß es sich um Verwachsungen zwischen Bauchwand und dem Netz, eventuell auch dem Darm handle und dadurch die Funktionen der Organe beeinträchtigt und seine Beschwerden veranlaßt würden. Ohne eine Ahnung von einem früheren Unfall zu haben, fragte ich L., ob er sich nicht einmal eine Quetschung oder Dehnung des Unterleibes zugezogen hätte. Er erzählte mir darauf von seinem Unfall am 3. Juni 1890, und ich konnte nicht umhin, diesen Zustand, der sich immer erst Jahre nach der Verletzung durch Festerwerden der Verwachsungen deutlich ausprägte, in Beziehung zu dem Unfall zu bringen. Da innere Mittel aussichtslos erschienen, lehnte ich die weitere Behandlung ab, darauf hinweisend, daß durch eine Operation möglicherweise ihm geholfen werden könne. Einige Tage später kam er wieder, um mir mitzuteilen, so könne er nicht weiterleben, er wolle operiert sein."

21. Juni Laparotomie. Schnitt. Bei Eröffnung des Leibes zeigte sich, daß das Netz klumpig verwachsen, in fast handtellergroßer Ausdehnung rechts und unterhalb vom Nabel mit der vorderen Bauchwand fest verlötet war. Derbe, flächenhafte Verwachsungen zwischen dem Colon transversum und Netz. Einige Dünndarmschlingen waren durch Verlötungen in Netztaschen wie gefangen und konnten nicht frei arbeiten. Ebenso war das Netz dicht am Pylorus mit der Magenwand flächenhaft fest verlötet; im übrigen an der Magenwand nichts Abnormes zu fühlen. Gallensteine nicht vorhanden.

Der Wundverlauf erlitt durch ein am 28. Juni hinzutretendes Erysipel, welches sich allmählich über den unteren Abschnitt des Unterleibs und das obere Drittel beider Oberschenkel ausbreitete, eine vorübergehende Störung bis zum 8. Juli.

Am 6. Juli entwickelte sich in der linken Beckenvene eine Thrombose.

Am 13. Aug. war Pat. wieder soweit hergestellt, daß er seinem Wunsche gemäß das Krankenhaus verlassen konnte. Doch war bei dem schweren Krankheitszustand zuvor, dem ernsten chirurgischen Eingriff, den langwierigen Störungen während des Krankenlagers die völlige Wiederherstellung des Kranken nicht zu erwarten. Sein Allgemeinzustand war ein derartiger, daß er als völlig erwerbsunfähig entlassen werden mußte. Ausgesprochene allgemeine Schwäche, hochgradige neurasthenische Beschwerden, die sich vor allem in erhöhten Sehnenreflexen und starker Spinalirritation, zuweilen auch in schwerer psychischer Depression oder übergroßer Gereiztheit kundthat, waren deutlich am Kranken wahrzunehmen. Auch die Folgen der überstandenen Thrombose machten sich noch beim längeren Sitzen, Stehen oder Gehen durch Anschwellen der linken unteren Extremität bemerkbar. Zudem war in der Muskulatur derselben durch die langandauernde Inaktivität und durch die infolge der Cirkulationsstörung hervorgerufene Verminderung des Stoffumsatzes eine deutliche Herabsetzung der rohen Kraft festzustellen.

In Bezug auf seine Unterleibsbeschwerden fühlte sich der Kranke seinen eigenen Angaben gemäß wesentlich gebessert. Jene qualvollen kolikartigen Schmerzen waren verschwunden. Die Verdauung war eine gute. Der Stuhlgang war in Ordnung.

In einem Gutachten vom 23. Okt. 1897 heißt es: L. klagt über schmerzhafte Empfindungen im Unterleib beim Sitzen und Liegen, über das Gefühl von Völle im Leibe, über Anschwellung des linken Beines beim Gehen und über noch vorhandene allgemeine körperliche Schwäche. Dagegen seien seine früheren ernsten und hauptsächlichsten Beschwerden bezüglich der Störungen des Appetits und der schweren Behinderung des Stuhlgangs so gut wie ganz gehoben. Bei einer erneuten Begutachtung am 18. Febr. d. J. gab L. neben anderen Beschwerden, die mehr oder weniger als Folgen der Thrombose oder der Neurasthenie anzusehen waren, Schmerzen in der Brust, links unterhalb des Brustbeins an, auch sei der Stuhlgang wieder träger geworden, so daß er ab und zu mit

Klystieren nachhelfen müsse. Inwieweit diese Beschwerden auf von neuem entstandene Verwachsungen zurückzuführen seien, ließ sich nicht entscheiden. Auf jeden Fall hielt sich CREDÉ berechtigt, bei dem entschieden gebesserten Allgemeinbefinden und Kräftezustand des Kranken aus psychischen und pädagogischen Gründen die bisher gewährte Vollrente auf $66^2/_3$ Proz. zu kürzen.

Fall VI. F., Dr. med., Oberstabsarzt z. D., 53 Jahre, Dresden, aufgenommen 27. März 1897.

Mutter an Typhus gestorben. Vater an Lungenentzündung gestorben. In jungen Jahren hat Pat. Typhus gehabt; im Jahre 1866 die Cholera.

Im Sommer 1889 wurde Pat. bei einer Partie in der Schweiz von einem wütenden Stier überrannt; derselbe kam im gestreckten Galopp auf ihn zugerannt und traf ihn mit aller Gewalt unterhalb der Nabelgegend, so daß er einen Abhang heruntergeschleudert wurde, wo er an Sträuchern hängen blieb. Nachdem Pat. bald wieder zur Besinnung gekommen war, verspürte er unterhalb des Nabels und links die heftigsten Leibschmerzen, die ihm jede Bewegung vorerst verboten. Nach etwa $^1/_2$ Stunde vermochte er, wenn auch mit größter Mühe, den Abhang hinaufzukriechen. In einem Wagen ließ er sich nach einem Hotel bringen, woselbst er zwei Tage lang im Bett liegend zubrachte. Kalte Umschläge milderten seine Schmerzen etwas. Doch bemerkte er bei jedem Aufrichten noch heftige Schmerzen links unterhalb des Nabels, so daß er seine Bergtour aufgeben mußte. Noch mehrere Wochen lang litt Pat. an unregelmäßigem Stuhlgang; zuweilen stellte sich Durchfall ein. Bei ausgiebigeren peristaltischen Bewegungen hatte Pat. an jenem Punkt immer heftige Schmerzen.

Im Winter 1889 hatte Pat. eine „Rückenmarkshautentzündung“ durchzumachen, und viele seiner Abdominalbeschwerden schob Pat. lange Zeit auf diese Erkrankung. Nach und nach stellten sich immer heftigere und öfters recidivierende Leibschmerzen ein, die sich besonders beim Klettern, Reiten in flotteren Gangarten bis zur Unerträglichkeit steigerten. Bei sorgsamer Diät und bei Vermeidung jeder körperlichen Anstrengung war das Befinden des Pat. leidlich.

Im Sommer 1894 hatte Pat. beim Probieren eines Pferdes — Pat. sollte das Manöver mitmachen — nach einem dreistündlichen Ritt die furchtbarsten Schmerzen, so daß er nur mit der allergrößten Energie vom Pferde steigen konnte. Eine genaue ärztliche Untersuchung war negativ. Man vermutete Neurasthenie. Pat. sah sich daher veranlaßt, um seinen Abschied einzukommen. Er selbst war geneigt, diese seine Beschwerden auf die überstandene Rückenmarkshautentzündung zurückzuführen. Bei den Untersuchungen, die Pat. selbst öfters an sich unternahm, glaubte er eine Resistenz im linken Hypochondrium zu fühlen. Auch jetzt besserte sich sein Zustand wieder auf Zeit.

Ende September 1896 verspürte Pat. nach einer forcierten Turnübung plötzlich einen heftigen Stich in der linken Inguinalgegend, und von diesem Tage an steigerten sich die Beschwerden immer mehr. Allmählich gesellten sich lästige Stuhlbeschwerden hinzu. Die Ausleerungen wurden immer unregelmäßiger, so daß er immer von nun an zu Laxantien greifen mußte, um überhaupt Ausleerungen zu erzielen. Dieser Zustand verschlimmerte sich von Woche zu Woche, so daß er im Dezember 1896 auch auf Laxantien allein keinen Stuhl mehr erzielte. — Wenn Pat. Laxantien nahm, so fühlte er ganz deutlich, daß die Fäkalien bis zu einem bestimmten Punkt im linken Hypochondrium gingen; von da an aber traten Schmerzen auf, die sich durch die nachrückenden Massen immer mehr steigerten. — Jetzt wußte sich Pat. noch durch hohe Einläufe zu helfen. In Knie-Ellenbogenlage applizierte er sich dieselben, legte sich dann auf die linke Seite, und etwa nach einer Viertelstunde hatte er genau das Gefühl, daß der Einlauf an dem bestimmten Punkt angelangt war. Durch die Schwere des Einlaufs wurde die Abknickung gelöst; es kamen zuerst Winde und nun merkte er ganz deutlich, wie die von oben nachrückenden Massen die Stelle passierten. Als Abführmittel benutzte Pat. nur salinische; ohne Einlauf hat er in den letzten Monaten nie Stuhlgang erzielt.

Bei diesem qualvollen Zustand ist es wohl erklärlich, daß Pat. schon seit Monaten nur flüssige Nahrung zu sich nahm und diese auch nur in minimalsten Mengen, und daß allmählich sich auch Beschwerden neurasthenischer Art einstellten.

Links unterhalb vom Nabel dreiquerfingerbreit vom oberen Rand der linken Darmbeinschaufel ist eine Resistenz fühlbar.

Die Wahrscheinlichkeitsdiagnose lautete: Maligne Neubildungen oder Verwachsungen.

Laparotomie. Es finden sich einzelne derbe Verwachsungen des Netzes mit der vorderen Bauchwand, dicke, strangartige Verwachsungen zwischen Netz, Dünndarmschlingen und Dickdarm, fast in der Mitte zwischen Nabel und der linken Darmbeinschaufel (Stelle des Stoßes). Dieselben werden durchtrennt. Naht. Itrol-Silbergaze.

Bei einem heftigen Niesreiz trat eine Blutung zwischen den Wundflächen der Bauchdecken ein; dadurch wurde die primäre Wundheilung gestört.

10 Mai entlassen. Die Schmerzen links sind fast gänzlich verschwunden. Nur bei starken peristaltischen Bewegungen hat Pat. daselbst noch eine Empfindung, aber ohne Schmerzgefühl. Winde, die in den letzten Monaten des Krankenlagers nie spontan gingen, gehen jetzt ohne irgendwelche Beschwerden durch. Das Gefühl des ruckweisen Vorrückens der Fäkalmassen an jener Stelle ist vollkommen verschwunden. Breiige Stühle machen nicht die geringsten Beschwerden.

Im Frühjahr dieses Jahres traf ich Pat. auf einem Spaziergang. Derselbe sah wohl und frisch aus. Er versicherte mir, daß er sich gesund fühle und daß seine Verdauung in Ordnung sei. Vor kurzem erst konnte derselbe auch Credé nur Günstiges über sein Befinden mitteilen. In diesem Sommer teilte er mir mit, daß er wieder Bergtouren gemacht und sich an Gemsjagden beteiligt habe.

Anführen muß ich hier noch einen Fall, den Fürbringer ausführlich zu begutachten hatte, der aber nicht Gegenstand eines chirurgischen Eingriffs wurde, und, um litterarische Irrtümer zu vermeiden, sei auch noch ein Fall Riedel's erwähnt, welcher im Archiv für klin. Chirurgie, Bd. 47, p. 156, unter dem Kapitel: „Durch Kontusionen des Bauches entstandene Verwachsungen" angeführt ist, über welchen aber Riedel im 2. Bd. der Mitteilungen aus den Grenzgebieten der Chirurgie und Medizin (Bd. 2, H. 3 u. 4, p. 540) folgendes mitteilt: „Weil der Kranke 4 Jahre zuvor einen Stoß gegen die linke Bauchseite bekommen hatte, nahm ich an, daß eventuell ein Bluterguß ins Mesenterium schuld an der Narbenbildung gewesen sei. Möglich ist dies ja, wahrscheinlich ist es nicht, zumal in meinen weiteren Fällen niemals Trauma notiert ist." Diese Mitteilung war die Veranlassung, auf jenen Fall nicht näher einzugehen.

Die einzelnen Symptome derartiger Verwachsungen nach Bauchquetschungen bieten im großen und ganzen dieselben klinischen Erscheinungen dar wie die Adhäsionen und Strangbildungen, hervorgerufen durch andere, bereits obenerwähnten pathologischen Vorgänge in der Bauchhöhle; und ich kann füglich auf die Veröffentlichungen erfahrener Kliniker verweisen, insbesondere auf die ausführlichen Arbeiten von LAUENSTEIN und RIEDEL; und vor kurzem hat FÜRBRINGER[1]) in eingehender und lehrreicher Weise solche Störungen des Magendarmkanals als Folgezustände von Verwachsungen nach Bauchquetschungen beschrieben. Nur ein Umstand scheint mir von solcher Bedeutung zu sein, daß auf denselben näher eingegangen werden muß; nämlich der Zeitraum zwischen der Verletzung und den ersten Krankheitserscheinungen. Es ist auffallend, daß bei allen Fällen — nur in Fall I ist der Zeitpunkt der Verletzung nicht angegeben — ernstere Symptome erst nach Jahr und Tag sich bemerkbar machten, zuweilen in einer Zeit, wo der Kranke gar nicht mehr daran dachte, daß sein Zustand im Zusammenhang mit dem Unfall stehen könnte. Die Fälle II und III, bei denen in verhältnismäßig kurzer Zeit, nämlich nach 1 bezw. 2 Jahren, der ersten Symptome in Erscheinung traten, betrafen Leute, welche körperlich schwere Arbeiten zu verrichten hatten; in beiden Krankenberichten ist ausdrücklich der Einfluß der körperlichen Anstrengungen erwähnt, ebenso bei Fall V und VI. Bemerkenswert erscheint mir, daß bei Fall VI bereits 3 Jahre vor der Operation ein forcierter Ritt derartig schwere Kolikanfälle auslöste, daß Patient sich gezwungen sah, seinen Abschied einzureichen. Bei Fall IV traten die ersten Beschwerden erst nach mehr als einem Jahrzehnt in Erscheinung; derselbe betraf eine Frau der besseren Stände, welche körperliche Anstrengungen nicht zu verrichten hatte.

Die Prognose des chirurgischen Eingriffs dürfte im allgemeinen, solange nicht ernste, ileusartige Erscheinungen längere Zeit zuvor bestanden, eine günstige sein. Allerdings liegt die Befürchtung vor, daß die getrennten wunden Flächen neue Verwachsungen eingehen. Doch ist diese Befürchtung bei dem ältesten dieser Fälle (Fall III), den CREDÉ vor kurzem noch, also nach 10 Jahren, auszufragen Gelegenheit hatte, nicht eingetreten. Und nach den experimentellen Untersuchungen von M. TEN BRINK steht zu erwarten, daß die Durchtrennung derartiger Adhäsionen mit dem Pacquelin eine noch

---

1) FÜRBRINGER, Zur Frage der peritonealen Verwachsungen nach Unfällen. Aerztliche Sachverständigen-Zeitung, Jahrg. 1897, p. 129.

günstigere Prognose giebt, da „Brandschorfe an sich keine Adhäsionen hervorrufen“[1]).

Nur noch einige Worte über die Diagnose. Es ist gewiß nicht zu leugnen, daß dieselbe große Schwierigkeiten darbieten kann, daß wochen-, monatelange Beobachtungen und genaueste Untersuchungen vorausgehen müssen, um die Diagnose einigermaßen zu sichern. Bei öfters sich wiederholenden kolikartigen Schmerzanfällen, verbunden mit tagelang andauernder Stuhlverhaltung, werden, solange nicht ernstere ileusartige Erscheinungen beobachtet wurden, differentialdiagnostisch vor allem Visceralneuralgie, Hysterie, Neurasthenie und traumatische Neurose in Erwägung zu ziehen sein. Mit der Diagnose Visceralneuralgie wollen wir wohl in den allermeisten Fällen kund thun, daß wir trotz aller physikalischen und chemischen Untersuchungsmethoden nicht imstande sind, die pathologisch-anatomische Grundlage für diese Krankheitserscheinung zu finden. Je länger wir einen solchen Fall zu beobachten Gelegenheit haben, je genauer wir die einzelnen Organe der Bauchhöhle zu verschiedenen Zeiten und bei verschiedenen Füllungsverhältnissen absuchen, oder je öfter wir, um Systemerkrankungen auszuschließen, das Centralnervensystem absuchen können, desto gewisser werden wir, wenn auch zuweilen erst nach Monaten, zu der Ueberzeugung gelangen, daß das Leiden, welches wir vordem mit dem Namen Visceralneuralgie belegten, nicht die Diagnose einer Krankheit bedeute, sondern nur als ein frühes Symptom einer pathologisch-anatomisch wohlbekannten Krankheit aufzufassen war. Und wie viele pathologischen Prozesse in der Bauchhöhle werden nur als interessante Nebenbefunde registriert, weil ihre klinischen Erscheinungen durch das Hinzutreten einer akuten interkurrenten Krankheit vollkommen in den Hintergrund gedrängt wurden, oder weil ihre Symptome zu diffus und zu unklar sind, um eine präzise Diagnose aufzubauen. Ich erinnere nur an jene dem Pathologen seit mehreren Jahrzehnten bereits bekannten Schrumpfungsprozesse im Mesenterium, und an einige andere seltene Vorgänge, welche vor kurzem erst durch Riedel[2]) an einigen operativen Fällen in der chirurgischen Litteratur eingehend gewürdigt worden sind.

Die Diagnose Hysterie auszuschließen, dürfte nicht mit allzugroßen Schwierigkeiten verknüpft sein. Das Vorhandensein jener so charakteristischen Symptome, wie sensorielle Anästhesien oder Hyperästhesien, Hemianästhesien in einzelnen Sinnesgebieten, Fehlen des Pharynxreflexes, Spinalirritation werden uns schon im Beginn der Erkrankung auf die richtige Fährte führen. Und sind gar Zeichen der großen

---

1) M. ten Brink, Zeitschrift für Geburtshilfe und Gynäkologie, Bd. 28, Heft 2, p. 298.

2) Riedel, Mitteilungen aus den Grenzgebieten der Medizin und Chirurgie, Bd. 2, Heft 3 u. 4, und Archiv für klin. Chirurgie, Bd. 57, Heft 3.

Hysterie vorhanden, so wird kaum der Gedanke an Verwachsungen auftauchen. Schwerer jedoch dürfte es sein, die Diagnose Neurasthenie auszuschließen; weil bei den langandauernden, immer wiederkehrenden schmerzhaften Anfällen, den lästigen Stuhlbeschwerden sich naturgemäß allmählich Störungen nervöser Art, wie Schlaflosigkeit, Depression, Hypochondrie hinzugesellen können. Bei diesem mannigfaltigen Krankheitsbilde kann es zuweilen entschieden Schwierigkeiten bereiten, die primäre Erkrankung von der sekundären zu trennen. In diesen Fällen wird das Urteil des Hausarztes von größter Wichtigkeit sein; und sind bereits einigemal ernstere ileusartige Erscheinungen beobachtet worden, und sind bei diesen Anfällen jedesmal grobe Diätfehler erwiesen, oder ist stets ein reichlicher Genuß von Speisen vorausgegangen, die erfahrungsgemäß große Kotmassen bilden, so wird der Schluß, daß ein mechanisches Hindernis vorliege, und das Leiden nicht auf nervöser Grundlage beruhe, wohl berechtigt sein.

Da bei den Verwachsungen nach Bauchquetschungen die ersten klinischen Symptome fast durchgängig erst nach Jahren in Erscheinung treten, so dürfte die Diagnose traumatische Neurose, die mehr oder weniger sich zeitlich unmittelbar an die Verletzung anschließt, mit großer Wahrscheinlichkeit auszuschließen sein.

Sollte diese Arbeit den einen oder anderen Arzt veranlassen, in ähnlichen Fällen an derartige Adhäsionen zu denken, oder sollte öfter nach längerer Beobachtung die Diagnose mit aller Wahrscheinlichkeit auf peritoneale Verwachsungen, hervorgerufen durch Bauchquetschungen, gestellt werden, mithin ein das Interesse des Kranken wahrendes Gutachten ausgefertigt werden, so wäre das Ziel dieser Mitteilungen erreicht und diese Arbeit nicht umsonst geschrieben.

---

## Litteratur.

Fürbringer, Zur Frage der peritonealen Verwachsungen nach Unfällen. Aerztl. Sachverständ.-Ztg., Jahrg. 1897, p. 129.

Credé, Ueber die chirurgische Behandlung schwerer Unterleibskoliken. Bericht üb. d. Verhandl. d. deutsch. Gesellsch. f. Chir., 16. Kongr., 1887.

Lauenstein, Verwachsungen und Netzstränge im Leibe als Ursache andauernder schwerer Koliken. Verhandl. d. 22. Chir.-Kongr., 1892, Arch. f. klin. Chir., Bd. 45, Heft 1.

Lürken, Gesammelte Beiträge aus dem Gebiete der Chirurgie und Medizin des praktischen Lebens. Festschr. z. Feier d. 25-jähr. Jubiläums d. ärztl. Ver. d. Reg.-Bez. Arnsberg, redigiert v. Löbker u. Nieden. — Bericht über Verwachsungen und Netzstränge im Leibe als Ursache andauernder schwerer Koliken.

Riedel, Die Entfernung von Narbensträngen und Verwachsungen entstanden durch entzündliche Prozesse in der Gallenblase und in den weiblichen Genitalien. Korrespondenzblatt d. allgem. ärztl. Vereins v. Thüringen, 1891. (Von dieser Arbeit war mir nur der 2. Teil zugängig.)

Idem, Ueber Adhäsiventzündung in der Bauchhöhle. Arch. f. klin. Chir., Bd. 47, Heft 3 u. 4.

Idem, Ueber Peritonitis chronica non tuberculosa und ihre Folgen: Verengerung des Darmes und Dislokation der rechten Niere. Arch. f. klin. Chir., Bd. 57, p. 645.

Idem, Ileus infolge von etwas außergewöhnlichen Strangbildungen, Verwachsungen und Achsendrehungen, sowie von Darmsyphilis. Mitteil. a. d. Grenzgeb. d. Med. u. Chir., Bd. 2, Heft 3 u. 4.

Landerer, Zur Chirurgie des Magens. Vortrag, geh. in der chir. Sekt. der 65. Naturforschervers., 1893. — Münch. med. Wochenschr., 1893, No. 39.

von Hacker, Ueber Verengerung des Magens durch Knickung infolge des Zuges von Adhäsionssträngen. Wiener medizin. Wochenschr., 1887, No. 37 u. 38.

Fränkel, Zur Chirurgie des Gallensystems. Centrålbl. f. Chir., 1892, p. 697.

Wegner, Chirurgische Bemerkungen über die Peritonealhöhle, mit besonderer Berücksichtigung der Ovariotomie. Arch. f. klin. Chir., Bd. 20, p. 51.

Spiegelberg u. Waldeyer, Untersuchungen über das Verhalten abgeschnürter Gewebspartien in der Bauchhöhle, sowie der in dieser zurückgelassenen Ligaturen und Brandschorfe. Ein Beitrag zur Ovariotomie. Virchow's Arch., Bd. 44, p. 75.

Rosenberger, Ueber Einheilen unter antiseptischen Kautelen und das Schicksal frischer und toter Gewebsstücke in serösen Höhlen. Arch. f. klin. Chir., Bd. 25, p. 771.

Tillmann, Experimentelle und anatomische Untersuchungen über Wunden der Leber und Nieren. Ein Beitrag zur Lehre von der antiseptischen Wundbehandlung. Virchow's Arch., Bd. 78, S. 437.

von Dembowski, Ueber die Ursachen der peritonealen Adhäsionen nach chirurgischen Eingriffen mit Rücksicht auf die Frage des Ileus nach Laparotomien. Arch. f. klin. Chir., Bd. 37, p. 745.

Hallwachs, Ueber Einheilung von organischem Material unter antiseptischen Kautelen. Arch. f. klin. Chir., Bd. 24, p. 123.

Graser, Untersuchungen über die feineren Vorgänge bei der Verwachsung peritonealer Blätter. Deutsche Zeitschr. f. Chir., Bd. 27, p. 533.

Idem, Die erste Verklebung der serösen Häute. Bericht über die Verhandl. der deutsch. Gesellsch. f. Chir., Centralbl. f. Chir., 1895, p. 9.

Thomson, Experimentelle Untersuchungen über die Entstehung von Adhäsionen in der Bauchhöhle nach Laparotomien. Centralbl. f. Gynäkol., 1891, No. 5.

Kelterborn, Versuche über die Entstehungsbedingungen peritonealer Adhäsionen nach Laparotomien. Centralbl. f. Gynäkol., 1890, No. 51.

Walthard, Ueber Aetiologie peritonealer Adhäsionen nach Laparotomien und deren Verhütung. Korrespondenzbl. f. Schweizer Aerzte, 1893, No. 15.

Kader, Ein experimenteller Beitrag zur Frage des lokalen Meteorismus bei Darmocclusion. Dtsch. Zeitschr. f. Chir., Bd. 33, p. 57—124 u. p. 214—272.

ten Brink, M., Ueber die Bedingung der Entstehung peritonealer Adhäsionen durch Brandschorfe. Zeitschr. f. Geburtsh. u. Gynäkologie, Bd. 38, Heft 2.

Sonnenburg, Pathologie und Therapie der Perityphlitis. Dtsch. Zeitschr. f. Chir., Bd. 38, p. 155.
Reichel, Zur Pathologie des Ileus und Pseudoileus. Dtsch. Zeitschr. f. Chir., Bd. 35. p. 495.
Leyden, Ein Fall von ulceröser Endocarditis (vielleicht auf ein Trauma zurückzuführen). Charité-Annalen, 1894, Jahrg. 19, p. 99.
Luckinger, Kasuistische Mitteilungen aus Hospitälern und aus der Praxis. Traumatische Endocarditis. Münch. med. Wochenschr., 1893, No. 18, p. 344.
Hochhaus, Beitrag zur Pathologie des Herzens. Arch. f. klin. Med., Bd. 53, p. 415.
Reuboldt, Friedreich's Blätter f. gerichtl. Med., 1890.
Poland, Kontusionen des Unterleibes verbunden mit Verletzungen des Magens und der Därme. Schmidt's Jahrb., Bd. 105, p. 74.
Ziemssen, Handb. d. spec. Pathol. u. Therapie, Bd. 7.
Petry, Ueber subkutane Rupturen und Kontusionen des Magendarmkanals. Beitr. z. klin. Chir., Bd. 16, p. 543.
Bönnecken, Ueber Bakterien des Bruchwassers eingeklemmter Hernien und deren Beziehungen zur peritonealen Sepsis. Virchow's Archiv, Bd. 120, 9. Folge, Bd. 10.
d'Anna, Bakteriologische Untersuchungen der Peritonealflüssigkeit. Centralblatt f. Chir., 1898, p. 198.
Parascandolo, Ricerche sulla commozione toracica e abdominale. Centralbl. f. Chir., 1898, No. 15.
Heidenhain, Beiträge zur Pathologie und Therapie des akuten Darmverschlusses. Centralbl. f. Chir., 1897, p. 101. Bericht über die Verh. die 26. Chir.-Kongr.
Studsgaard, Strictura ilei traumatic. Centralbl. f. Chir., 1894, p. 934.
Budberg-Boeninghausen u. Koch, Darmchirurgie bei ungewöhnlichen Lagen und Gestaltungen des Darmes. Dtsch. Zeitschr. f. Chir., Bd. 42 u. 43.
Noetzel, Ueber peritoneale Resorption und Infektion. Arch. f. klin. Chir., Bd. 57, p. 311.
Waterhouse, Experimentelle Untersuchungen über Peritonitis. Virchow's Arch., Bd. 119, p. 342.

---

# XXII.
# Beiträge zur Lehre der Skoliose nach Ischias.

Von

Dr. H. Ehret,

Privatdocent u. I. Assistent der Klinik.

(Hierzu Tafel VII—IX, 2 graph. Kurventafeln u. 4 Abbild. im Text.)

## Anatomischer Teil.

### I. Normaler Verlauf der Nerven.

#### A. Nervus cruralis sive femoralis, sive ischiadicus anticus.

Die systematische Schilderung des Verlaufes des N. cruralis, sowie seiner Beziehungen zu den anliegenden Gebilden findet sich mit einer Genauigkeit, die seither wenig Fortschritte gemacht hat, bei fast allen älteren Autoren. Räuber kann dem von Boyer, Cruveilhier, Bichat, Aeby und Henle Gesagten wesentlich Neues nicht mehr hinzufügen. Die feinen Rami articulares des Nerven, die zu der vorderen und äußeren Partie der Hüftgelenkkapsel und zu der Kapsel des Kniegelenkes verlaufen, finden sich bei Cruveilhier und sind von Schwalbe und Rüdinger später bestätigt worden. Mit besonderer Vorliebe wird in topographischen Lehrbüchern die Beziehung des mit dem Musculus psoas in der Muskelscheide unter dem Ligamentum Poupartii durchtretenden Nerven (Lacuna musculorum) zu der durch ein anderes Fach (Lacuna vasorum) austretenden Arterie geschildert. Nach Gerlach, Jössel u. a. befindet sich der Nervus crur. an dieser Stelle 1 cm lateral von der Arterie. Bald nach seinem Austritt aus dem Becken zerfällt der dicke Stamm in seine zahlreichen Endäste, deren längster (Nervus saphenus intern.) an der Scheide derselben durch den Adduktorenkanal (Tillaux, Jössel) zur inneren Seite des Knies verläuft. Diese Endäste werden von den verschiedenen Autoren in verschiedener Weise gruppiert. Für unseren Zweck scheint mir Schwalbe's Einteilung in ein äußeres oder oberflächliches und ein inneres etwas tieferes Bündel die zweckmäßigste zu sein.

Aus diesen Angaben ergiebt sich nun, daß der Nervus crur. lateralwärts neben und unter dem M. psoas zum Poupart'schen Bande verläuft und 1 cm lateral von der Arterie durch dasselbe Fach, wie der Psoas unter demselben hindurchtritt, um sich bald in seine zahlreichen Endäste zu teilen. Abbildungen, in denen der ganze Verlauf des Nervus cruralis sich findet, geben Heitzmann (Fig. 602), Henle, Rüdinger (Fig. 30), Gerlach (Fig. 156). Dieselben sind nach genau ausgeführten anatomischen Präparaten gewonnen. Die Endäste sind dabei möglichst genau und möglichst weit verfolgt. Nach Heitzmann verläuft der Nervus cruralis direkt von oben nach unten ohne jede Winkelbildung. Derselbe Verlauf findet sich bei Rüdinger, wo Stamm und Endbündel vertikal gezeichnet sind. Bei Gerlach zeigt der Verlauf des Nerven oberhalb des Poupart'schen Bandes einen schrägen Verlauf von oben innen nach außen und unten und behält diese Richtung auch unterhalb des Poupart'schen Bandes bei. Durch die bei der Präparation unumgänglichen Verschiebungen, die an jedem Präparat anders ausfallen, sind die Verschiedenheiten der Richtungen bei den verschiedenen Autoren gut zu erklären. Außerdem kommt es sämtlichen Autoren in erster Linie darauf an, eine möglichst getreue Wiedergabe der Aeste des Nerven und seiner Beziehungen an einzelnen wichtigen Stellen zu den Nachbargebilden zu geben. Für den Verlauf des Nerven als solchen hat keiner ein besonderes Interesse. Aus diesen Abbildungen ist außerdem jeweils nur der Verlauf des Nerven in einer Ebene zu erkennen. Eine zweite Abbildung desselben Präparates in der gleichen Lage in einer auf die erste senkrecht gestellten Ebene findet sich nirgends. Und so läßt sich kein Bild des Verlaufes im Raum konstruieren. Die in den Abbildungen der größeren Deutlichkeit wegen möglichst auseinander präparierten Endäste präsentieren sich in der Natur im Gegenteil als ein ganz geschlossenes Bündel (langgestreckter Kegel), das ein Stück weiter als Ganzes im lockeren Bindegewebe eingeschlossen zu verfolgen ist. Dieses Bündel muß als direkte Fortsetzung des Nervenstammes angesehen werden. Besonders deutlich tritt diese geschlossene Lage der Endäste bei einwärts gerolltem Oberschenkel hervor.

Um zahlenmäßige Anhaltspunkte über den Verlauf des Nerven einschließlich des terminalen Bündels zu gewinnen, wurden die in Rückenlage aufbewahrten Leichen auf den Meßtisch, ihre Längsachse mit der des Tisches parallel gelagert, und der Kopf mit einem verschiebbaren keilförmigen Holzklotz, die Füße mit einer 3—4 cm hohen Holzleiste unterlegt. Nasenspitze, Symphyse und Berührungsstelle zwischen den Fersen lagen in einer Linie. Die Fußspitzen waren unter möglichst normalem Winkel durch Schnüre befestigt. Die Bauchdecken der von den Eingeweiden befreiten Leiche wurden zur Seite geschlagen und durch einen Schnitt oberhalb des Poupart'schen Bandes der Nervus crur. bloßgelegt. Derselbe Schnitt wurde in schräger Richtung nach unten und innen mit Ueberspringung des Poupart'schen Bandes in der Richtung des Condylus internus des gleichseitigen Knies weitergeführt und zwar rücksichtslos durch Haut, Unterhautzellgewebe und Muskel, oben bis auf den Nervenstamm oder sein Endbündel, weiter unten bis auf den Nervus saphenus. Dann wurden nach oben, ebenfalls durch einen einzigen Schnitt, die laterale Partie des Musculus psoas, soweit sie den Nerven bedeckt, abgetrennt. Mit einiger Uebung war es bald möglich, auf diese Weise den ganzen Nerven durch einen Schnitt von oben bis unten freizulegen. Am Boden der klaffenden Spalte befanden sich dann Nerv oder Nervenbündel gut durch ihre Scheide hindurch sichtbar. An der Seite des Meßtisches lief auf einem Messingmaß ein galgenförmiger Schlitten. Von dem wagerecht über die Leiche hinragenden Arm dieses beweglichen Schlittens wurde mittels eines in eine feine Spitze auslaufenden Senkels entweder die Mitte oder der äußere Rand des Nerven eingestellt. Nach jeder Einstellung (von 2 zu 2 cm entlang des ganzen Nerven) wurde die Entfernung des Fadens von dem senkrechten Arm und die Länge des Fadens selbst bestimmt. Aus den Unterschieden der verschiedenen Maße in senkrechter und horizontaler Richtung ließ sich nun der Verlauf des Nerven in senkrechter und horizontaler Ebene konstruieren.

Die in der ersten Tabelle aufgenommenen Zahlen geben in Centimetern die horizontalen Abstände des Nervus cruralis von der Nulllinie. Als solche ist die durch den am meisten lateralwärts gelegenen Punkt des Nerven gedachte Sagittallinie angenommen. (Siehe nachstehend Tabelle I.)

Tabelle I.

Abstandsmaße des Nervus cruralis.

| | | | | | | | | | | | | | | | | | |
|---|---|---|---|---|---|---|---|---|---|---|---|---|---|---|---|---|---|
| 1. K. J., 49 J., † Magen- | rechts | 4,6 | 3,7 | 2,8 | 1,6 | 1,0 | 0,6 | 0,4 | 0,1 | 0,0 | 0,4 | 0,7 | 1,0 | 1,2 | 1,3 | 1,4 | |
| blutung, Mann | links | 4,6 | 3,7 | 2,7 | 1,5 | 1,1 | 0,6 | 0,5 | 0,2 | 0,0 | 0,4 | 0,8 | 1,1 | 1,3 | 1,4 | 1,4 | |
| 2. O. geb. K., 30 J., Frau, | rechts | | 3,4 | 2,8 | 2,4 | 1,6 | 1,2 | 0,5 | 0,0 | 0,0 | 0,2 | 0,5 | 0,7 | 1,1 | 1,5 | 1,8 | |
| † Nephritis | links | | 2,4 | 2,8 | 2,3 | 1,6 | 1,1 | 0,5 | 0,1 | 0,0 | 0,2 | 0,4 | 0,6 | 1,0 | 1,5 | 1,8 | |
| 3. B. C., 49 J., Frau, | rechts | | 5,3 | 4,7 | 3,7 | 2,8 | 2,0 | 1,1 | 0,6 | 0,1 | 0,0 | 0,3 | 0,6 | 0,8 | | | |
| † Phthisis pulm. | links | | 5,2 | 4,7 | 3,6 | 2,7 | 2,0 | 1,0 | 0,5 | 0,2 | 0,0 | 0,4 | 0,5 | 0,7 | | | |
| 4. P. J., 53 J., Mann, | rechts | 4,5 | 3,6 | 2,7 | 1,6 | 1,1 | 0,5 | 0,3 | 0,2 | 0,0 | 0,2 | 0,3 | 0,6 | 0,8 | 1,1 | | |
| † Apoplexia sang. | links | 4,5 | 3,6 | 2,7 | 1,6 | 1,1 | 0,6 | 0,3 | 0,2 | 0,0 | 0,2 | 0,4 | 0,5 | 0,7 | 1,2 | | |
| 5. N. M., 41 J., † Sepsis, | rechts | | | 3,9 | 3,0 | 2,3 | 1,2 | 0,3 | 0,1 | 0,0 | 0,3 | 0,6 | 0,8 | 1,0 | 1,2 | 1,2 | |
| Frau | links | | | 3,8 | 3,1 | 2,2 | 1,3 | 0,4 | 0,2 | 0,0 | 0,4 | 0,6 | 0,7 | 1,1 | 1,3 | 1,3 | |
| **6. K. K., 31 J., Mann,** | **rechts** | | 3,4 | 2,7 | 2,4 | 1,5 | 1,2 | 0,6 | 0,3 | 0,0 | 0,1 | 0,2 | 0,4 | 0,5 | 0,6 | 0,7 | 0,9 |
| **† Lungenembolie** | **links** | | 3,3 | 2,7 | 2,3 | 1,4 | 1,2 | 0,6 | 0,3 | 0,0 | 0,2 | 0,2 | 0,5 | 0,6 | 0,7 | 0,8 | 0,9 |
| **7. H. H., Phthisis pulm.,** | rechts | | 3,7 | 2,8 | 2,5 | 1,6 | 1,3 | 0,7 | 0,2 | 0,0 | 0,3 | 0,5 | 0,8 | 0,9 | 1,2 | | |
| **25 J., Frau** | links | | 3,7 | 2,8 | 2,4 | 1,6 | 1,2 | 0,7 | 0,1 | 0,0 | 0,4 | 0,5 | 0,8 | 1,9 | 1,2 | | |
| | | proximal | | | | | | | | Lig. poupartii | | | | | | | distal |

Die Zahlen bezeichnen in Centimetern die Horizontalabstände der betreffenden Punkte von der durch den am meisten lateral gelegenen Punkt gedachten Vertikalebene.

Kurvenmäßig dargestellt, geben diese Zahlen folgende für alle Fälle fast gleichen Linien. Ich ziehe es vor, statt der Kurve aus den Mittelwerten die eines speciellen Falles herauszuwählen. Es ist dies die Leiche (No. 1) eines jugendlichen, gut gebauten, an Nephritis verstorbenen Individuums (Kurve 1 A).

Die Kurve 1 A stellt den Verlauf des rechten Nervus cruralis, in eine Frontalebene projiziert, dar. Aus derselben sind die Veränderungen des Verlaufes im Sinne von lateral und medial unmittelbar herauszulesen. Nach seinem Ursprung aus den Wurzeln des Plexus lumbalis verläuft der Nerv gleichmäßig lateralwärts gerichtet nach unten. Diese laterale Richtung behält er noch unterhalb des POUPART'schen Bandes auf eine Strecke von $1^1/_2$—$2^1/_2$ cm bei. Kurz nachher liegt die Spitze des kegelförmigen Endbündels, dessen Hauptstamm der Endlinie der Kurve entspricht. Dieselbe bildet die Berührungsgrenze der beiden von SCHWALBE beschriebenen Bündel, in die das Ganze zerfällt.

Kurz vor der Teilung oder auch erst mit der Zergliederung in die einzelnen Nerven ändert sich die Richtung: mit Bildung eines nach innen offenen stumpfen Winkels geht der Verlauf nun wieder gerade nach unten oder medialwärts. Diese gerade nach unten oder etwas medialwärts verlaufende Partie liegt im Oberschenkel. Es ist deshalb ihre Richtung mit der des Oberschenkels zu verändern. Beständig lateralwärts bis $1^1/_2$—$2^1/_2$ cm unterhalb des POUPART-schen Bandes, von da ab wieder medialwärts, lautet kurz die Beschreibung des Verlaufes des Nervus cruralis in der Frontalebene.

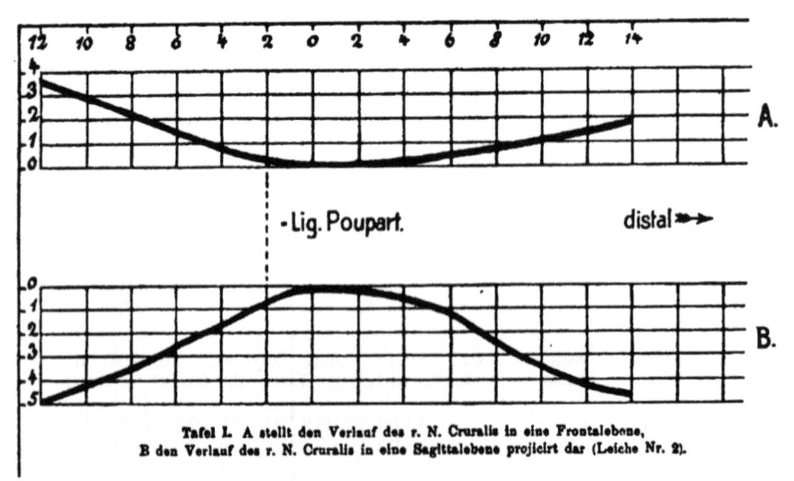


Tafel I. A stellt den Verlauf des r. N. Cruralis in eine Frontalebene, B den Verlauf des r. N. Cruralis in eine Sagittalebene projicirt dar (Leiche Nr. 2).

Durch die Längenunterschiede des Senkelfadens bei den aufeinanderfolgenden Messungen (von 2 zu 2 cm) sind die Niveaudifferenzen des

Nervenverlaufes im Sinne von ventral und dorsal genau festzustellen. In der folgenden Tabelle sind die hierher gehörigen Werte, wie sie sich an den in der vorigen Tabelle angeführten Leichen ergeben haben, zusammengestellt. (Siehe nachstehend Tabelle II.)

Tabelle II.

Abstandsmaße des Nervus cruralis.

| | | | | | | | | | | | | | | | | |
|---|---|---|---|---|---|---|---|---|---|---|---|---|---|---|---|---|
| 1. | K. J., 49 J., † Magenblutung, Mann | rechts | 5,1 | 4,2 | 2,1 | 1,7 | 0,4 | 0,0 | 0,3 | 0,7 | 1,8 | 2,5 | 3,2 | 3,9 | 4,3 | |
| | | links | 5,1 | 4,0 | 2,0 | 1,6 | 0,4 | 0,0 | 0,4 | 0,7 | 1,7 | 2,6 | 3,3 | 3,9 | 4,4 | |
| 2. | O. geb. K., 30 J., † Nephritis, Frau | rechts | 5,0 | 4,0 | 3,5 | 2,2 | 1,7 | 0,8 | 0,0 | 0,3 | 0,6 | 1,1 | 2,4 | 3,1 | 4,3 | 4,8 |
| | | links | 4,9 | 4,1 | 3,4 | 2,2 | 1,6 | 0,7 | 0,0 | 0,4 | 0,6 | 1,2 | 2,4 | 3,2 | 4,3 | 4,9 |
| 3. | B. C., 45 J., Frau, † Phthisis pulmonum | rechts | 5,0 | 4,2 | 3,6 | 2,4 | 1,0 | 0,3 | 0,1 | 0,5 | 1,7 | 2,7 | 4,7 | | | |
| | | links | 5,1 | 4,1 | 3,6 | 2,4 | 1,1 | 0,2 | 0,0 | 0,4 | 1,5 | 2,7 | 4,6 | | | |
| 4. | P. J., 53 J., Mann, † Apoplexia sang. | rechts | 4,9 | 4,1 | 3,5 | 2,4 | 1,0 | 0,2 | 0,0 | 0,6 | 1,7 | 2,7 | 4,8 | | | |
| | | links | 5,0 | 4,0 | 3,3 | 2,3 | 1,1 | 0,0 | 0,1 | 0,5 | 1,6 | 2,7 | 4,5 | | | |
| 5. | N. M., 41 J., † Sepsis, Frau | rechts | 5,1 | 4,1 | 3,6 | 2,2 | 0,9 | 0,1 | 0,0 | 0,6 | 1,6 | 2,8 | 4,7 | | | |
| | | links | 5,0 | 4,1 | 3,5 | 2,3 | 1,0 | 0,1 | 0,0 | 0,6 | 1,6 | 2,7 | 4,5 | | | |
| 6. | K. K., † Lungenembolie, 31 J. | rechts | 5,1 | 4,0 | 3,4 | 2,1 | 1,1 | 0,0 | 0,3 | 0,5 | 1,7 | 2,9 | 4,9 | | | |
| | | links | 5,1 | 4,0 | 3,3 | 2,0 | 1,2 | 0,0 | 0,3 | 0,4 | 1,6 | 2,8 | 4,8 | | | |
| 7. | H. H., † Phthisis pulm., 25 J. | rechts | 4,9 | 3,9 | 3,1 | 2,0 | 1,0 | 0,0 | 0,2 | 0,4 | 1,6 | 2,6 | 4,6 | | | |
| | | links | 4,9 | 3,9 | 3,2 | 2,0 | 0,9 | 0,0 | 0,3 | 0,5 | 1,7 | 2,6 | 4,5 | | | |
| | | | proximal | | | | | | Lig. poupartii | | | | | | distal | |

Die Zahlen bezeichnen in Centimetern die Vertikalabstände der betreffenden von 2 zu 2 cm entfernten Punkte von der durch den am meisten dorsal gelegenen Punkt gedachten Horizontalebene.

Die Kurve 1 B stellt den Verlauf des Nervus cruralis bei der Leiche No. 1, in eine Sagittalebene projiziert, dar. Als Nullebene ist die durch den am meisten ventral gelegenen Punkt gelegte Horizontalebene gedacht. Die Zahlen geben in Centimetern die ventralen Abstände der betreffenden Nervenpunkte von dieser Nullebene an (Kurve 1 B).

Derselben ähnlich, in vielen Fällen identisch sind die Kurven des Verlaufes an den anderen Leichen, wie man sich durch Konstruktion derselben aus den Zahlen überzeugen kann. Die kleinen Unterschiede sind nicht allein auf Konto der individuellen Verschiedenheiten des Verlaufs, je nach dem Ernährungszustand u. s. w. der Leichen zu setzen; es muß auch die Fehlerquelle des Messens in Berechnung gezogen werden. Dieselbe ist gering; die durch zahlreiche Abstandsmessungen derselben stets festgestellten Grenzen haben nie einen größeren Ausschlag als 1—2 mm ergeben.

Von der Seite gesehen, hat der Nervus crur. einen dachförmigen Verlauf. Der höchste Punkt liegt 1 bis 2 bis 3 cm unterhalb des Poupart'schen Bandes und fällt mit dem am meisten lateralwärts gelegenen zusammen (siehe Kurve I A). Von diesem Punkt senkt sich der Verlauf des Nerven annähernd nach beiden Seiten gleichmäßig dorsalwärts.

Verbinden wir nun die auf diese Weise gewonnenen zwei Bilder des Verlaufs des Nervus crur. in der Sagittal- und in der Frontalebene, so haben wir den Verlauf des Nervenstammes vor Augen: zunächst ventral- und lateralwärts gerichtet, erreicht er in gleichmäßig progredientem Verlauf seinen am meisten ventral und lateral gelegenen Punkt $1^1/_2$—3 cm unterhalb des Poupart'schen Bandes. Von da ab wendet sich der Nerv in leicht schräger Richtung ebenfalls gleichmäßig progredient wieder medial- und dorsalwärts. Der erste Schenkel des so gebildeten, nach innen und hinten offenen stumpfen Winkels liegt auf resp. im Becken, der zweite dagegen im Oberschenkel.

Die Abbildung I A zeigt diesen Verlauf des Nerven nach der Natur in $^1/_2$ natürlicher Größe gezeichnet. Die Richtungsveränderungen im Sinne der Lateralität sind ohne weiteres ersichtlich; die eingetragenen Zahlen geben in Centimetern die Entfernung der entsprechenden Stelle von der durch den höchsten, d. h. am meisten ventral gelegenen Punkt des Nerven gedachten Horizontalebene.

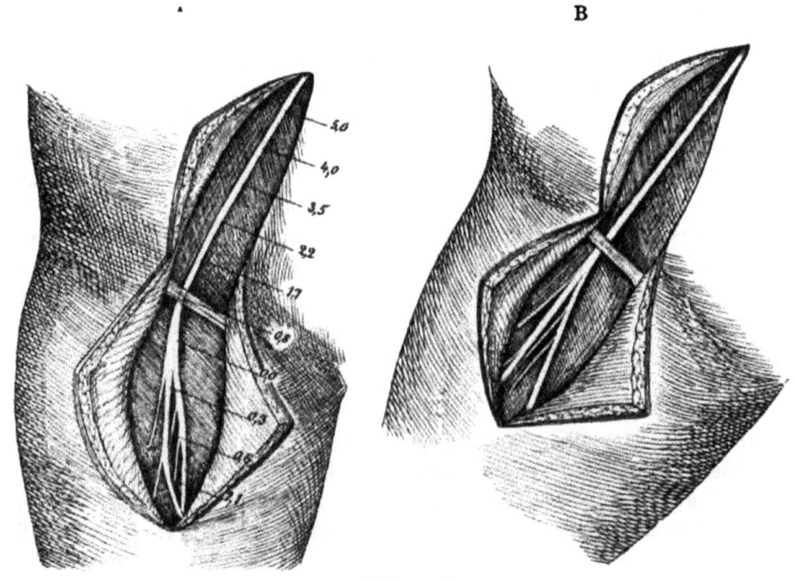


Abbildung I.

### B. Nervus ischiadicus, sive N. ischiadicus posticus.

Als mächtigster Nerv des Körpers hat der Nervus ischiadicus besonderes Interesse bei den älteren Autoren gefunden. Sein Verlauf zwischen, durch und unter den Gebilden der Hüfte und des Oberschenkels ist im wesentlichen schon meisterhaft in den älteren Lehrbüchern zu finden. Ich möchte sogar meinen, daß die knappe positive Klarheit der Beschreibung bei Bichat und Boyer z. B. gerade bei den modernen Autoren, deren Hauptaugenmerk auf andere Dinge gerichtet ist, vermißt wird. Daß die Kniegelenkkapsel durch den Nervus ischiadicus versorgt wird, ist eine längst bekannte Thatsache. Ueber die Innervation des Hüftgelenkes dagegen herrscht nur insofern Einigkeit, als eine direkte Versorgung durch den Nervus ischiadicus nicht angenommen wird. Nach Gegenbaur kommen die Zweige für das Hüftgelenk direkt vom Plexus sacralis. Derselben Ansicht ist Rüdinger. Bichat läßt den Nervus ischiadicus externus zum Hüftgelenk Zweige absenden. Schwalbe hebt dagegen mit Recht hervor, daß die angeblich aus dem Plexus oder anderswoher kommenden Nerven distal von der Vereinigungsstelle des Plexus entspringen, also eigentlich dem Nervus ischiadicus zuzurechnen sind. Ueber die Teilungsstelle des Nervus peroneus und tibialis differieren die Ansichten ebenfalls. Boyer giebt die Teilungsstelle 3—4 Zoll oberhalb der Kniekehle an. Cruveilhier, nach ihm Beaunis und Bouchard, verlegt die Trennungsstelle in den oberen Winkel der Kniekehle. Nach Aeby ist der Nervus peroneus von vornherein selbständig und verläßt das Becken gleich wie der Ischiadicus am unteren Rande des Musculus piriformis, nicht selten mit dessen Durchbohrung. Gerlach hebt als häufige Varietät hervor, daß der Nervus ischiadicus das Becken nicht selten in zwei Strängen, der eine an normaler Stelle, der andere unter Durchbohrung des Musculus piriformis, verläßt. Offenbar hat jeder Autor durch Spiel des Zufalles mehr die einen oder anderen Verhältnisse gesehen. Schwalbe faßt seine Ansicht, meines Erachtens mit vollkommenem Recht, dahin zusammen, daß der Nervus ischiadicus von vornherein aus zwei getrennten, künstlich immer zu unterscheidenden, jedoch bald länger, bald kürzer in derselben Scheide verlaufenden Strängen besteht; die effektive Trennung könne an jedem Punkte des Verlaufes vor sich gehen oder schon von vornherein bestehen. Dann sei die Durchbohrung des Musculus piriformis die Regel. Eine Wiedervereinigung unterhalb des Musculus piriformis nach getrenntem Ursprung aus dem Becken (Gerlach) kennt Schwalbe nicht. Topographisch wird nur die Stelle des Verlaufes speciell berücksichtigt, an der der Nerv am unteren Rand des Glutaeus magnus direkt unter der Haut liegen soll. Für die Erklärung des bekannten Ischiasphänomens fehlen genaue anatomische Grundlagen. Der Nervus ischiadicus, bestehend aus Nervus tibialis und Nervus peroneus, entspringt aus dem Plexus sacralis und verläßt das Becken am unteren Rande des Musculus piriformis durch die Incisura ischiadica major, um seinen Weg über die Spina iliaca, gegen die er gedrückt werden kann (TILLAUX), nach unten zu nehmen. Zwischen den tiefen Muskeln der Glutäalgegend und dem Musculus glutaeus magnus verläuft der Nervus ischiadicus in lockerem Bindegewebe lateralwärts. In diesem Teile seines Verlaufes sind Bewegungen des Nerven im lateralen oder medialen Sinne durch das lockere Bindegewebe ermöglicht. So soll bei Hebung des Beines der Nerv dem Trochanter major näherrücken (GERLACH). Am unteren Rande des Glutaeus magnus erreicht der Nervus ischiadicus die oben erwähnte oberflächlichste Stelle seines Verlaufes. Daselbst ist er in der Mitte zwischen Trochanter major und Tuber ischii zu finden (SCHWALBE). Er liegt jedoch nicht, wie angegeben wird, direkt unter der Haut, sondern ist hier ebenso wie weiter unten durch den lateralen Rand der Beugemuskeln des Knies und des sehnigen Randes des Musculus semimembranosus bedeckt. Von da verläuft er an der hinteren Fläche des Adductor magnus zur Kniekehle, wo, gleichgiltig an welcher Stelle die effektive Teilung stattgefunden hat, der Nervus peroneus eine laterale, der Nervus tibialis eine mediale Richtung einschlägt.

Aus der Kenntnis dieses Verlaufes ist es nicht möglich, ein räumliches Bild der Bahn des Nerven zu konstruieren. Die vorhandenen, nach Präparaten gewonnenen Abbildungen zeigen, wohl aus denselben, bei der Besprechung des Nervus cruralis erörterten Gründen, einen je nach den Autoren verschiedenen Verlauf. Bei RÜDINGER z. B. liegt die Bahn des Nervus ischiadicus in einer gerade von oben nach unten verlaufenden Linie; nach HEITZMANN verläuft der Nerv fast gleichmäßig von oben nach unten. Die französischen Autoren dagegen (TILLAUX, BEAUNIS und BOUCHARD) lassen in ihren Abbildungen den Nerven einen nach außen konvexen Bogen beschreiben und zwar an der Stelle, die zwischen Trochanter major und Tuber ischii liegt. Diese Abbildungen zeigen den Nerven von hinten gesehen. Eine Seitenansicht findet sich nur bei BEAUNIS und BOUCHARD; ob dieselbe sich jedoch auf das gleiche Präparat wie die Ansicht von hinten bezieht, ist nicht gesagt.

Zur Erlangung des genauen stereometrischen Bildes des Verlaufes des Nervus ischiadicus wurde nach derselben Methode wie beim Nervus cruralis verfahren. Die Sache lag hier insofern leichter, als wir es mit einem einzigen, sehr dicken Nervenstamm zu thun hatten. Es gelang deshalb sehr gut, unter größter Wahrung der normalen topographischen Verhältnisse durch einen bis auf die Nervenscheide durchdringenden Schnitt den Nerven in seiner ganzen Länge freizulegen und dann nach der oben beschriebenen Methode die zahlenmäßigen Angaben über den im Grunde des klaffenden Spaltes sich befindenden

Nerven zu gewinnen. Die Leiche lag auf dem Bauch und zwar so, daß die Fußspitzen frei über den unteren Rand des Tisches ragten. In der angeschlossenen Tabelle finden sich die Zahlen, aus denen der in eine Frontalebene projizierte Verlauf des Nervus ischiadicus konstruiert werden kann. Sie geben in Centimetern die Abstände der verschiedenen Stellen des Nerven von der durch seinen am meisten lateral gelegenen Punkt gedachten Vertikalebene an. Ueber die Grenzen der Fehlerquellen hinausgehende Verschiedenheiten sind bei den angeführten Fällen kaum zu finden. (Siehe nachstehende Tabelle III.)

Tabelle III.

**Abstandsmaße des Nervus ischiadicus.**

| | | | | | | | | | | | | | | | | |
|---|---|---|---|---|---|---|---|---|---|---|---|---|---|---|---|---|
| 1. | K. J., 49 J., † Magenblutung | rechts | 3,0 | 1,7 | 0,4 | 0,0 | 0,4 | 0,7 | 0,8 | 0,10 | 1,1 | 1,3 | 1,4 | 1,4 | 1,5 | 1,5 |
| | | links | 3,0 | 1,7 | 0,3 | 0,0 | 0,4 | 0,6 | 0,8 | 0,10 | 1,1 | 1,3 | 1,4 | 1,4 | 1,5 | 1,5 |
| 2. | O. geb. K., 30 J., † Nephritis | rechts | 3,0 | 1,6 | 0,3 | 0,0 | 0,5 | 0,7 | 0,8 | 0,9 | 1,1 | 1,2 | 1,4 | 1,5 | 1,9 | 2,0 |
| | | links | 2,9 | 1,6 | 0,2 | 0,0 | 0,5 | 0,8 | 0,8 | 1,0 | 1,2 | 1,3 | 1,4 | 1,6 | 1,9 | 2,1 |
| 3. | B. C., 49 J., † Phthisis pulm. | rechts | 3,1 | 1,5 | 0,2 | 0,0 | 0,5 | 0,8 | 0,9 | 1,2 | 1,4 | 1,6 | 1,8 | 2,0 | | |
| | | links | 3,0 | 1,5 | 0,2 | 0,0 | 0,5 | 0,8 | 1,0 | 1,2 | 1,4 | 1,5 | 1,8 | 2,0 | | |
| 4. | P. J., 53 J., Mann, † Apoplexia sang. | rechts | 3,2 | 1,8 | 0,5 | 0,0 | 0,3 | 0,7 | 0,8 | 1,1 | 1,2 | 1,4 | 1,6 | 1,6 | | |
| | | links | 3,1 | 1,8 | 0,3 | 0,0 | 0,3 | 0,7 | 0,9 | 1,2 | 1,2 | 1,4 | 1,6 | 1,6 | | |
| 5. | N. M., 41 J., † Sepsis, Frau | rechts | 3,0 | 1,7 | 0,4 | 0,0 | 0,5 | 0,6 | 0,9 | 1,2 | 1,5 | 1,7 | 1,7 | 1,7 | | |
| | | links | 3,0 | 1,6 | 0,4 | 0,0 | 0,4 | 0,6 | 0,9 | 1,2 | 1,5 | 1 7 | 1,7 | 1,7 | | |
| 6. | K. K., 31 J., † Lungenembolie | rechts | 3,1 | 1,8 | 0,4 | 0,0 | 0,5 | 0,7 | 0,8 | 1,0 | 1,5 | 1,8 | 1,9 | | | |
| | | links | 3,1 | 1,8 | 0,4 | 0,0 | 0,4 | 0,7 | 0,8 | 1,1 | 1,6 | 1,8 | 1,9 | | | |
| 7. | H. H., † Phthisis pulmon, 25 J. | rechts | 2,9 | 2,2 | 1,0 | 0,5 | 0,0 | 0,9 | 1,1 | 1,2 | 1,4 | 1,5 | 1,5 | 1,5 | 1,5 | 1,5 |
| | | links | 2,8 | 2,2 | 1,0 | 0,6 | 0,0 | 0,9 | 1,2 | 1,3 | 1,4 | 1,4 | 1,4 | 1,4 | 1,4 | 1,4 |
| | | | proximal | | | | | | | | | | | | | distal |

Die Zahlen bezeichnen die Horizontalabstände der betreffenden Punkte von der durch den am meisten lateral gelegenen Punkt gedachten Vertikalebene.

Die Tafel II (Kurve A) zeigt den Verlauf eines speciellen Falles (Leiche No. 1), nicht den Mittelwert obiger Zahlen. Der Nervus ischiadicus entspringt darnach in schräger Richtung von oben innen nach unten und außen. Diese schräge Richtung nach unten und außen wird bald nach dem Ursprunge des Nerven sehr ausgeprägt. Am oberen Rande des Trochanter major erreicht der Nerv seinen lateralsten Punkt, um sich unter Bildung eines nach außen konvexen Bogens dann wieder medialwärts zu wenden und so zum Oberschenkel zu gelangen, auf dem er nun gerade nach unten oder in leicht medialer Richtung das Knie gewinnt (Tafel II).

Zur Bestimmung des Verlaufes des Nervus ischiadicus in der Sagittalebene habe ich mit 0 die durch den am meisten dorsal

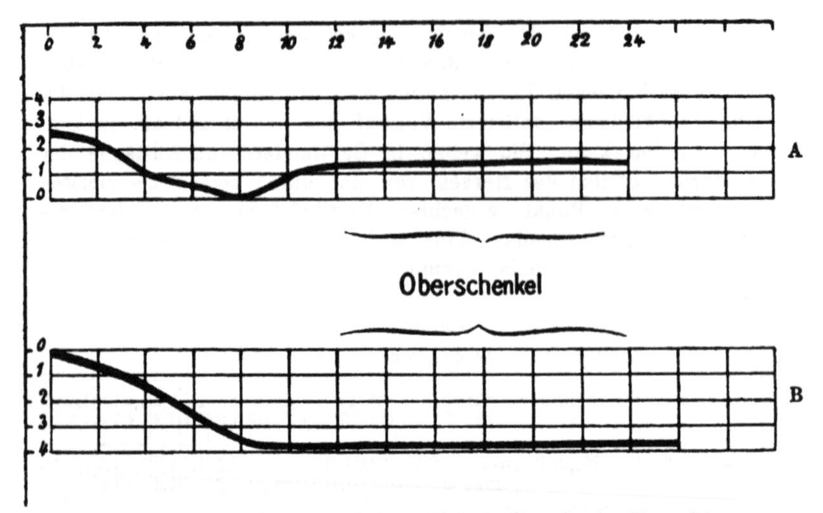


Tafel II. A stellt den Verlauf des r. N. ischiadicus in eine Frontalebene, B den Verlauf des r. N. ischiadicus in eine Sagittalebene projiziert dar.

**gelegenen Punkt des Verlaufes gelegte Horizontalebene bezeichnet. Die Zahlen folgender Tabelle geben in Centimetern die Abstände der betreffenden Punkte in ventraler Richtung von der 0-Ebene an. (Siehe Tabelle IV.)**

**Tabelle IV.**

**Abstandsmaße des Nervus ischiadicus.**

| Nr. | Fall | Seite | | | | | | | | | | | | | |
|---|---|---|---|---|---|---|---|---|---|---|---|---|---|---|---|
| 1. | K. J., 49 J., † Magenblutung | rechts | 0,0 | 0,4 | 1,6 | 2,5 | 3,3 | 3,8 | 3,8 | 4,0 | 4,1 | 4,1 | 4,1 | 4,2 | |
| | | links | 0,0 | 0,3 | 1,6 | 2,5 | 3,1 | 3,8 | 3,8 | 4,1 | 4,1 | 4,1 | 4,1 | 4,1 | |
| 2. | O. geb. K., 30 J., † Nephritis | rechts | 0,0 | 0,3 | 1,6 | 2,4 | 3,5 | 3,8 | 3,8 | 3,9 | 3,9 | 3,9 | 3,9 | 3,9 | |
| | | links | 0,0 | 0,4 | 1,5 | 2,5 | 3,4 | 3,7 | 3,7 | 3,7 | 3,7 | 3,7 | 3,7 | 3,7 | |
| 3. | B. C., 49 J., † Phthisis pulm. | rechts | 0,0 | 0,3 | 1,5 | 2,7 | 3,7 | 3,9 | 3,9 | 3,9 | 4,0 | 4,0 | 4,0 | | |
| | | links | 0,0 | 0,3 | 1,6 | 2,7 | 3,7 | 3,9 | 3,9 | 3,9 | 3,9 | 4,0 | 4,0 | | |
| 4. | P. J., 53 J., † Apoplexia sang. | rechts | 0,0 | 0,2 | 1,7 | 2,6 | 3,7 | 3,7 | 3,8 | 3,9 | 3,9 | 4,0 | 4,0 | | |
| | | links | 0,0 | 0,3 | 1,7 | 2,7 | 3,7 | 3,8 | 3,8 | 4,0 | 4,0 | 4,0 | 4,0 | | |
| 5. | N. M., 41 J., † Sepsis | rechts | 0,0 | 0,4 | 1,6 | 2,7 | 3,6 | 3,8 | 3,9 | 4,2 | 4,1 | 4,1 | 4,1 | | |
| | | links | 0,0 | 0,4 | 1,5 | 2,6 | 3,6 | 3,8 | 4,0 | 4,2 | 4,2 | 4,2 | 4,2 | | |
| 6. | K. K., 31 J., † Lungenembolie | rechts | 0,0 | 0,4 | 1,5 | 2,6 | 3,6 | 3,7 | 3,9 | 4,0 | 3,9 | 3,9 | 3,9 | 4,0 | |
| | | links | 0,0 | 0,3 | 1,5 | 2,6 | 3,6 | 3,7 | 3,9 | 3,9 | 3,9 | 3,9 | 3,4 | 3,1 | |
| 7. | H. H., 25 J., † Phthisis pulm. | rechts | 0,0 | 0,2 | 0,3 | 1,2 | 2,2 | 3,1 | 3,5 | 3,5 | 3,5 | 3,7 | 3,9 | 3,9 | 4,0 |
| | | links | 0,0 | 0,2 | 0,4 | 1,2 | 2,3 | 3,0 | 3,5 | 3,5 | 3,5 | 3,8 | 3,9 | 3,9 | 4,1 |

Die Zahlen geben die Vertikalabstände der betreffenden Punkte in Centimetern von der durch den am meisten dorsal gelegenen Punkt gedachten Horizontalebene an.

Aus den Zahlen des Falles No. 1 läßt sich die Kurve B (Tafel II) konstruieren.

Dieselbe fällt für die übrigen Fälle, von unbedeutenden Unterschieden abgesehen, identisch aus. Der am meisten dorsal gelegene Punkt ist der des Nervenursprungs aus dem Plexus sacralis. Die am meisten ventral gelegene Partie liegt auf dem Oberschenkel kurz oberhalb des Knies. Es ist jedoch der Verlauf des Nerven, um diese extremsten Niveaudifferenzen zu verbinden, kein gleichmäßig von hinten oben nach vorn unten progredienter. Zunächst, bis zum unteren Rande der Spina ischii, ist der Verlauf nur leicht ventral gerichtet. Von dort ab fällt der Nerv steil nach vorn und erreicht nach kurzem Verlauf fast seine tiefste (ventralste) Lage, um dann bis dicht oberhalb des Knies fast horizontal zu verlaufen.

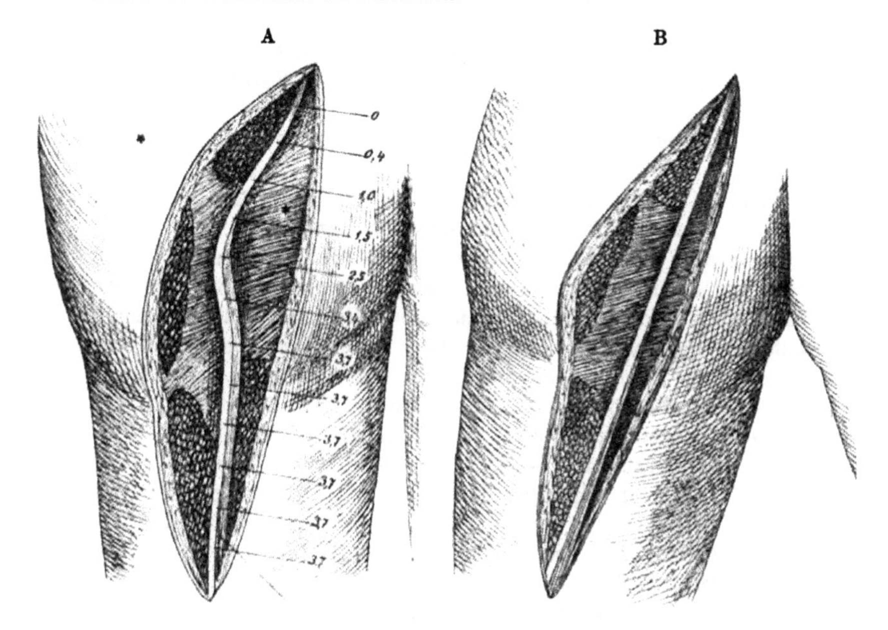


Abbildung II.

Durch Kombination der beiden Kurven (Verlauf in eine Frontalebene [Tafel II, A] und Verlauf in eine Sagittalebene [Tafel II, B] projiziert) erhält man das komplette Bild des Verlaufes des Nerven im Raume; denselben soll die nach der Leiche No. 8 aufgenommene Abbildung II A veranschaulichen. Die an den betreffenden Stellen in Abständen von 2 zu 2 cm beigefügten Zahlen bedeuten den Abstand dieser Punkte in ventraler Richtung von der durch den am meisten dorsal gelegenen Punkte gedachten Horizontalebene. Wir ersehen daraus, daß der nach außen konvexe Bogen des Nerven mit dem steilen Abfall in ventraler Richtung in den unteren Partien zusammenfällt. An dieser Stelle bildet der Nervus ischiadicus einen nach unten (ventral) und innen konkaven Bogen. Die untere Partie dieser beträchtlichen Krümmung des Verlaufes liegt auf dem Schenkelhals bezw. auf dem Oberschenkel.

Entsprechen nun unsere Kurven dem thatsächlichen Verlauf im lebenden Körper? Es ist mir aufgefallen, daß an den Leichen die untere horizontale Partie des Nerven so dicht auf oder neben die Femurröhre zu liegen kam. Ich prüfte deshalb unter anderem die Entfernung des Nerven vom Knochen an einer Serie von Gefrierquerschnitten, die von demselben Oberschenkel angelegt worden waren. Vom Mittelpunkt des Nervs zum Mittelpunkt des Knochens ergaben sich folgende Abstände:

| | | |
|---|---|---|
| 16 | cm unterhalb des POUPART'schen Bandes | 33 mm[1]) |
| 20½ | „ „ „ „ „ | 34 „ |
| 24½ | „ (Mitte des Oberschenkels) . . . . | 32 „ |
| 28 | „ unterhalb des POUPART'schen Bandes | 32 „ |

Es war also die fast unmittelbare Annäherung des Nerven an den Knochen ein Kunstprodukt. Die Gefrierquerschnitte zeigten zugleich auf das Evidenteste den Mechanismus dieses Fehlers. Während seines Verlaufes im Oberschenkel liegt der Nerv im erwähnten sehr lockeren und reichlichen Bindegewebe eingebettet zwischen Adductor magnus, biceps, semimembranosus und dem Knochen. Für die Größe der mit Bindegewebe angefüllten Spalte ist schon die Spannung und Entspannung der betreffenden Muskeln von Bedeutung (durch Spannung der Muskeln wird die Spalte größer, durch Entspannung klappt sie zusammen). Werden die Weichteile nun durch Schnitt bis auf den Nerven durchtrennt, so klappt unter dem Zuge der durchschnittenen Muskeln die Bindegewebsspalte bis auf ihren Grund, d. h. den Knochen, auseinander. Der Nerv, der sich gewöhnlich in der Mitte der Höhe dieser Spalte befindet, kommt dabei natürlich dicht auf den Boden, also auf den Knochen, zu liegen. Diese Bindegewebsspalte ist bei TILLAUX, ferner bei JÖSSEL an den betreffenden Oberschenkelquerschnitten deutlich zu sehen, ohne jedoch im Text besonders erwähnt zu sein. Die Ausgleichung der Niveaudifferenzen in dorso-ventralem Sinne scheint im Leben nicht durch einen steilen Abfall an einer Stelle, sondern durch eine gleichmäßige Verteilung des Gefälles auf den größeren Teil des Verlaufs des Nerven am Oberschenkel vor sich zu gehen.

1) Es entspricht diese Stelle dem unteren Winkel des Trigonum subinguinale.

Aus klinisch praktischen Gründen muß ich noch auf einige Beziehungen des dreieckförmigen, auf der vorderen Fläche des Musculus piriformis liegenden Plexus sacralis zu sprechen kommen. Sowohl in seinem Ursprung, d. h. an den Wurzeln des Plexus sacralis, als an seinem Ausgang (Stamm des Nervus ischiadicus) ist derselbe an der Leiche der Palpation per rectum resp. per vaginam zugänglich. Löst man das Peritoneum des kleinen Beckens derart ab, daß die Organe nur am Rectum und am Uterus hängen, so kann man die Exkursion des in die Vagina oder in das Rectum eingeführten Fingers deutlich verfolgen und die verschiedenen Gebilde der Beckenwandungen, die der Finger erreicht, feststellen. Gleitet der palpierende Finger an der vorderen Fläche des Kreuzbeinrandes von möglichst oben nach unten, so fühlt man auf der harten Unterlage einige derbe Querstränge: die Wurzeln des Plexus sacralis, durch deren Zusammenfließen der Nervus ischiadicus entsteht. Diese Manipulation ist bei manchen (besonders bei männlichen) Leichen nicht immer möglich, dagegen ist ein anderer, ebenfalls leicht festzustellender Punkt der Palpation immer zugänglich. Seitlich nach oben eingehend, erreicht der Finger immer den oberen Rand des straffen Ligamentum spinoso-sacrum. Oberhalb desselben, möglichst weit nach vorn, dicht an der Spina ischiadica, liegt die Vereinigungsstelle der Wurzeln zum Nervus ischiadicus. Es gelingt leicht, hier mit der Fingerspitze einen Druck auf den Nervenstamm auszuüben. Da derselbe auf einer weichen Unterlage liegt (M. piriformis), kann er nicht als Strang gefühlt werden.

Es erübrigt noch, einiges über den Verlauf des Nervus tibialis und des Nervus peroneus in der Kniekehle zu sagen. Vom Oberschenkel gelangen diese Nerven zum Unterschenkel, in den sie bis über die Medianebene nach vorn dringen, durch einen großen, nach hinten konvexen Bogen ihres Verlaufes. Unter diesen Bogen sind die Kondylen des Oberschenkels und die hintere Fläche der Kniegelenkkapsel eingeschoben. Die Nerven ruhen also, während sie diesen Bogen, der ein Umweg für sie bedeutet, beschreiben, auf einer harten Unterlage und gelangen erst nach Umgehung derselben an den Unterschenkel. Diese Angaben beziehen sich auf das vollständig extendierte (durchgedrückte) Knie.

## II. Verlauf der Nerven bei Lageveränderungen.

Die Veränderung des eben beschriebenen Verlaufes der betreffenden Nervenstämme bei Lagewechsel des Körpers, d. h. im wesentlichen bei Veränderungen der Lage des Oberschenkels gegen den Rumpf, läßt sich in den Versuchen an der Leiche mit großer Genauigkeit besonders für die Projektion in der Frontalebene sicherstellen. Bei der Projektion in die Sagittalebene fällt bei derartigen Versuchen die Veränderung eines wichtigen Faktors, der intra vitam von großer Bedeutung ist, ins Gewicht: Die Elasticität der Muskeln und der Nerven selbst, d. h. die Fähigkeit der Muskeln und der Nerven, sich durch Verkürzung oder Verlängerung der Verkürzung oder Verlängerung des von ihnen zu durchlaufenden Weges anzupassen. Die Elasticität des Nerven selbst ist ebensowenig ganz aufgehoben als die der Muskeln. Wird ein Stück Nerv aus der Kontinuität herausgeschnitten, so pflegt sich dasselbe nachträglich ganz erheblich zu verkürzen, auch wenn der vorher auf den Nerven in toto ausgeübte Zug nur ein geringer war. Für Ischiadicusstücke erreicht z. B. diese Verkürzung an 12—18 Stunden post mortem entnommenen Nerven nicht selten ein Zehntel der Stücklänge. Aus diesem beträchtlichen Ueberrest der Fähigkeit, sich zu kontrahieren, der jedoch bei weitem nicht ausreicht, um jede bei Lagewechsel mögliche Verkürzung des Weges des Nerven in situ auszugleichen, scheint mir der Schluß erlaubt, daß der lebende Nerv in sehr erheblichem Maße dazu befähigt ist, sich zusammenzuziehen und auszudehnen. Die Wirkung der postmortalen Verringerung dieser Elasticität der Nerven und der Muskeln kommt besonders bei Verkürzung des zu durchlaufenden Weges in Betracht: Muskel und Nerv folgen der Schwere und gleichen die Verkürzung ihrer Bahn nicht nur durch Kontraktion, sondern auch durch Ausbuchtung meistens nach unten aus. Bei beträchtlicher Verlängerung des zu durchlaufenden Weges hingegen kann der Nerv durch den Zug, sofern er demselben durch Ausdehnung nicht nachkommen kann, aus seiner natürlichen Bahn herausgezerrt werden.

Die Methoden, die ich zur annähernd genauen Fixierung des Verlaufs der Nerven bei Lageveränderung des Oberschenkels gegen den Rumpf angewandt habe, sind dreierlei:

1) Nach der Darstellung und der Aufnahme des Präparates in der normalen Lage (siehe Kapitel I) wurde die Leiche durch Unterlegen mit Holzblöcken, Fixieren mit Riemen u. s. w. in die gewünschte Stellung gebracht. Kurz vorher wurde der Nervenstamm an einer Stelle (Nervus cruralis in der Mitte des Verlaufes unter dem Psoas, Nervus ischiadicus in der Mitte des Verlaufes am Oberschenkel) durchschnitten und an beiden Enden ein Faden befestigt. Nach der Veränderung der Lage der Leiche wurden dann mittels der beiden Faden unter Anwendung eines möglichst geringen Zuges beide Schnittflächen einander soweit angängig genähert, und der Abstand, der zwischen denselben übrig blieb, oder die Strecke, auf welche die Endstümpfe übereinander zu liegen kamen, mit dem Zirkel fixiert und auf dem Maßstab abgelesen. Sofort nachher wurde an der wieder in die normale Stellung zurückgebrachten Leiche die spontane Retraktion, i. e. die Lücke, die jetzt zwischen den möglichst genäherten Schnittflächen übrig blieb, bestimmt und dieselbe zu der vorher ermittelten Zahl hinzugerechnet (Kreuzung) oder abgezogen (Abstand).

Beispiel: Nach Lageveränderung kommen die Endstücke $1^1/_2$ cm übereinander zu liegen. Bei der in normale Lage zurückgebrachten Leiche klaffen die Schnittflächen um $1^1/_2$ cm. Es beträgt also die Verkürzung des Weges bei der Lageveränderung 3 cm, da die sofort nach der Durchschneidung eingetretene Retraktion des Nerven in Betracht gezogen werden muß.

2) Die Durchschneidung und der nach der Lageveränderung auf beide Endstücke auszuübende, nicht mit genügender Genauigkeit zu regulierende Zug bringt gewisse Fehlerquellen mit sich. Um dieselben zu vermeiden, habe ich in anderen Fällen einen Gummistreifen mäßiger Dicke in geringer Spannung, die eine Verlängerung des Gummis um 6—10 cm bedingte, dem Nervenstamm entlang von 2 zu 2 cm mit Bindfaden bei normaler Lage der Leiche angelegt. Der Gummistreifen muß stark genug sein, um bei Entspannung den Nerven zur Verkürzung zu zwingen. Andererseits schadet zu mächtiger Zug, da er unter Umständen den Nerven aus seiner natürlichen Lage herauszerren kann. Am besten erwiesen sich schwarze Gummistränge von $^1/_3$ bis $^1/_2$ cm Dicke. Die Länge des entlang dem Nerven gespannten Gummi wurde vor und nach der Lageveränderung bestimmt. Der Längenunterschied ergab die durch die Lageveränderung verursachte Verlängerung oder Verkürzung. Dieses Verfahren giebt, richtig gehandhabt, ein möglichst genaues Bild des Verlaufes vor und nach Lageveränderung auch in der Sagittalebene.

3) Das einfachste Verfahren, welches hauptsächlich dazu dient, die Verkürzung oder die Verlängerung des Nerven bei Lagewechsel zu messen, ist folgendes: Möglichst proximal um den Nervenstamm wird eine dünne Schnur fixiert; der Faden wird dann bei normaler Lage der Leiche entlang des Nerven bis zu einem gewissen distal gelegenen Punkt angelegt, und die Länge des Fadens bis dahin sowie der Punkt des Nervens gekennzeichnet. Nach der Lageveränderung wird die Nervenstelle wieder aufgesucht, und der Abstand zwischen den beiden Zeichen der Schnur giebt die Verkürzung oder die Verlängerung an.

Mit Rücksicht auf den klinischen Teil dieser Arbeit wollen wir uns hier vornehmlich mit zwei Fragen beschäftigen:

a) In welcher Lage des Oberschenkels gegen den Rumpf hat der Nerv den kürzesten Weg zurückzulegen? Und damit teilweise zusammenhängend:

b) In welcher Lage des Oberschenkels nähert sich die Bahn des Nerven am meisten der geraden Linie? In der Litteratur habe ich über diese Fragen irgendwelche Angaben nicht finden können.

### A. Nervus cruralis.

a) Mit der Methode des Fadens läßt sich mit Leichtigkeit folgendes feststellen: Jede Bewegung des Oberschenkels im Sinne der Flexion,

d. h. Hebung desselben, bringt eine Verkürzung des durch den Nerven zu durchlaufenden Weges hervor. Diese Verkürzung ist bei der Flexionmittelstellung am größten, von da ab nimmt diese Verkürzung des zu durchlaufenden Weges wieder ab. Sie dokumentiert sich durch mehr oder weniger große Entspannung des Nerven in der gegebenen Lage, und hängt mit der Ausgleichung des in normaler Lage der Leiche durch den Nerven gebildeten stumpfen, nach hinten offenen Winkels zusammen, der etwas unterhalb des Poupart'schen Bandes seine Spitze hat (siehe Tafel I, B); bei weiterer Flexion über die Mittelstellung nimmt die Verkürzung wieder ab, jedenfalls nicht mehr zu, weil das Ligamentum Poupart. den Nerven hindert, sich erheblich von seiner Unterlage zu lösen. Bei extremer Flexion kommt auf diese Weise eine Winkelbildung des Nerven im entgegengesetzten Sinne (nach vorn offen) zustande. Die durch die Flexion bedingte Verkürzung des Nerven ist keine geringe, nach obiger Methode festgestellt, beträgt sie 2—3—3½ cm. Möglicherweise ist sie am Lebenden durch die Kontraktion der Vorderschenkelmuskeln, die an der Leiche wegfällt, noch beträchtlicher.

Nächst der Flexion, der die größte Bedeutung für die Verkürzung zukommt, trägt die Abduktion, jedoch in wesentlich geringerem Maße, dazu bei, den vom Nervus cruralis zu durchlaufenden Weg zu verkürzen. Durch die Abduktion des Oberschenkels wird die durch die Flexion bedingte Verkürzung um ½—1—1½ cm vergrößert. Die größte Verkürzung wird durch Abduktionsstellung von ca. 30—45° erreicht (spitzer Winkel zwischen Längsachse des Oberschenkels und Längsachse des Rumpfes), sie kommt durch Ausgleichung des nach innen offenen stumpfen Winkels zustande, der unterhalb des Poupart-schen Bandes an derselben Stelle, wie der vorher erwähnte, seine Spitze hat (siehe Tafel I, A).

Etwas anders wirkt eine dritte Lageveränderung, die Rotation nach außen. Diese bringt zunächst eine ganz geringe Verkürzung für den ganzen Nerven hervor, indem sie die Verkürzungszahlen bei flektiertem und abduziertem Oberschenkel um ½—1 cm vergrößert, ihre Hauptwirkung ist jedoch die Entspannung des terminalen Nervenbündels. Es tritt dies an der Leiche mit großer Deutlichkeit hervor; nur bei stark nach außen rotiertem Bein ist es möglich, die Endzweige zu präparieren und voneinander zu trennen.

Durch die Kombination dieser drei Bewegungen läßt sich schon bei geringem Ausschlag derselben eine nicht unwesentliche Verkürzung zustande bringen. Durch stärkeren Ausfall der einen Bewegung kann der geringere Ausschlag oder auch das gänzliche Fehlen einer anderen kompensiert werden. Die dominierende Rolle spielt jedoch für die Verkürzung des vom Nervus cruralis zu durchlaufenden Weges die Flexion des Oberschenkels.

b) In welcher Lage nähert sich der Verlauf des Nerven am meisten der geraden Linie? Die Antwort auf diese Frage geht nach zwei Richtungen schon aus dem eben Gesagten hervor, da die hauptsächliche Verkürzung mit der Ausgleichung der zwei größten, durch den Nerven beschriebenen Winkel Hand in Hand geht. Durch Ausprobieren läßt sich an der Leiche diejenige Lage leicht feststellen, in der sich der Verlauf des Nerven am meisten oder auch vollständig der Geraden nähert. Dazu eignet sich die Methode 2 (Gummistreifen) besonders gut. Bei stärkerer Rotation nach außen, bei Abduktion von ca. 30° neben mäßiger Flexion, ist der Verlauf des Nervus cruralis sowohl in der Frontalebene als in der Sagittalebene ein fast geradliniger. In dieser Stellung sind alle durch den Nerven gebildeten Winkel ausgeglichen. Zu dieser Ausgleichung sind jedoch alle drei Bewegungen nötig. Eine Kompensation des geringeren Ausfalls der einen durch den größeren jeder der anderen findet nicht statt.

Die Abbildung I B ist nach der Natur von derselben Leiche nach der Lageveränderung mit dem Zeichenapparat zunächst in natürlicher Größe aufgenommen und dann auf den Maßstab $^1/_2$ reduziert. Der Verlauf in der Frontalebene ist aus dem Bild ohne weiteres zu ersehen. Die Zahlen geben die Entfernung der entsprechenden Punkte dorsalwärts von der Nullebene an. Aus denselben ist der Verlauf in sagittaler Richtung bildlich darzustellen (siehe p. 665).

### B. Nervus ischiadicus.

a) Die größte Verkürzung des durch den Nervus ischiadicus zu durchlaufenden Weges wäre durch Hyperextension des Oberschenkels zu erreichen. Die Hyperextension würde die Ursprungsstelle des Nervus ischiadicus aus dem Becken der Kniekehle erheblich nähern. Der Grad der Verkürzung wäre dabei von dem Maße abhängig, in dem der Nervus ischiadicus sich direkt von dem einen Punkt (Austrittsstelle am unteren Rande des Musculus piriformis) zum anderen (Kniekehle) verlaufen könnte. Dazu müßte er sich in der Gegend des Hüftgelenkes und dem oberen Teile des Oberschenkels erheblich von der Unterlage abheben können. Die mächtigen Muskeln, die ihn hier bedecken, würden ihn jedoch daran nicht unerheblich hindern. Abgesehen davon, ist von vornherein eine Hyperextension, die nennenswerte Verkürzung hervorzubringen imstande wäre, thatsächlich unmöglich; das Ligamentum ileofemorale, das stärkste Band des menschlichen Körpers (es erreicht eine Dicke von 1,4 cm, Jössel), läßt die Extension nur bis zur Geraden zu. Es kommt darum die Hyperextension bei unseren Versuchen nicht in Betracht; sie wäre lediglich als ein postmortales Kunstprodukt zu bezeichnen.

Für das Zustandekommen einer Verkürzung des Weges des Nervus ischiadicus erwies sich in erster Linie die Abduktion als sehr wirksam. Die durch dieselbe hervorgebrachte Verkürzung beträgt zwischen $1^{1}/_{2}$ bis 4 cm, d. h. in den meisten Fällen weit mehr als die beiden anderen noch zu besprechenden Lageveränderungen zusammen. Durch die Abduktion kommt der Verlauf des Nervenstammes im beweglichen Oberschenkel unter Ausgleichung des in normaler Lage der Leiche gebildeten Winkels in die Verlängerung der unbeweglich auf dem Becken verlaufenden Partie des Nerven zu liegen. Der lateralste Punkt des Nerven liegt etwa 1 cm unterhalb des Schenkelhalses (siehe Tafel II, A). Wird nun das Bein abduziert, so rückt jede Stelle des Nerven um so mehr nach außen, als sie weiter nach unten, d. h. distalwärts am Hebelarm, welcher in diesem Falle durch den Oberschenkel dargestellt wird, gelegen ist. Die durch Rotation nach außen verursachte Verkürzung des Weges des Nervenstammes ist eine geringe. Noch unbedeutender ist die durch Rotation nach innen hervorgebrachte Verkürzung. Bemerkenswert ist die Thatsache, daß die Normalstellung (Mittelstellung zwischen extremer Rotation nach außen und extremer Rotation nach innen) für den Nerven den längsten Weg bedeutet, während stärkere Rotation in jedem Sinne, besonders nach außen, eine Verkürzung mit sich bringt. Die Rotation nach außen bringt die Verkürzung dadurch zustande, daß sie den unteren Teil des Verlaufs des Nerven am Oberschenkel mehr medialwärts, somit dem Ursprung aus dem Becken näher rückt. Die Rotation nach innen wirkt dagegen hauptsächlich durch die Entspannung der zwischen Tuber ischii und Becken einerseits und den Trochanteren andererseits verlaufenden Muskeln und Sehnen, auf welchen der Nervus ischiadicus ruht.

Endlich wird eine Verkürzung durch leichte Flexion hervorgebracht. Ueber einen leichten Flexionsgrad hinaus findet eine Verkürzung nicht mehr statt. Bei stärkerer Flexion geht im Gegenteil die durch leichte Flexion gewonnene Verkürzung wieder verloren, und bei extremer Flexion findet sogar eine Verlängerung des durch den Nerven zu durchlaufenden Weges statt. Diese Verlängerung, d. h. der auf den Nerven ausgeübte Zug, ist bei gleichzeitiger Ueberstreckung des Knies aus näher zu beschreibenden Gründen eine recht bedeutende.

b) Die Bedeutung einer Flexion leichten Grades für die Verkürzung ist nur eine geringere; für den geradlinigen Verlauf des Nervus ischiadicus ist sie dagegen unentbehrlich. Um denselben in möglichst geradlinige Bahn zu bringen, bedarf es in erster Linie einer stärkeren Abduktion, ferner einer leichten Flexion und einer erheblichen Rotation nach außen. Durch diese Bewegungen werden die bei normaler Lage durch die Nervenbahn beschriebenen Krümmungen möglichst ausgeglichen und der Nerv verläuft von seinem Ursprung unterhalb des Musculus piriformis in Sagittal- und Frontalebene fast geradlinig zur Kniekehle. Die

Abbildung II B ist nach derselben Leiche in bezeichneter Lageveränderung aufgenommen wie Abbildung II A in normaler Lage (siehe p. 670). Zum Verständnis der beigefügten Zahlen verweise ich auf das beim Nervus cruralis Gesagte.

Für den Spannungszustand des Nervus ischiadicus an der Leiche ist auch, wie oben angedeutet, die Stellung des Kniegelenks von nicht zu unterschätzender Wichtigkeit; ist das Knie durchgedrückt, so kommt die Rollenwirkung der die Kondylen verbindenden Erhebung und der Kapsel in besonders hohem Maße zur Geltung. Wird das Knie jedoch nicht durchgedrückt, d. h. nicht überstreckt, dann fällt dieselbe zum großen Teile weg; die leiseste Flexion des Knies genügt schon, um der vorher als Hypomochlion zu einem Umwege zwingenden Rolle jede spannende Wirkung zu entziehen und zwar dadurch, daß der Punkt des Unterschenkels, an dem der Nervus tibialis und der Nervus peroneus in die Tiefe geht, über die die Kondylen verbindende Erhebung zu liegen kommt so daß der Nerv geradlinig über dieselbe hinwegziehen kann. Abduktion, Rotation nach außen, geringe Flexion des Hüftgelenkes, verbunden mit leisester Flexion des Knies, genügen, um eine mächtige Verkürzung des Weges des Nervus ischiadicus zustande zu bringen (5—6 cm).

Der Vollständigkeit halber möchte ich die Wirkung der Adduktion hervorheben. Wird das Bein in stärkere Adduktionsstellung gebracht, so tritt in der Gegend des Hüftgelenkes eine Verlagerung des Nerven gegen die Medialebene ein. Mit zunehmender Adduktion tritt aber, da der Nerv durch das Tuber ischii sehr bald an dieser Bewegung medialwärts gehemmt wird, eine Winkelbildung ein, die, abgesehen von dem auf den Nerven ausgeübten Druck, eine weitere durch die Adduktion entstehende Verkürzung des Weges vereitelt.

Ueber die Wirkung des Muskelzuges auf die Nervenstämme geht, besonders was Kontraktion der Muskeln anbelangt, aus den Versuchen an der Leiche, da die Fähigkeit, sich zu kontrahieren, zum größten Teil verloren gegangen ist, nicht viel hervor. Ein ganz evidenter Zug der passiven Dehnung der Flexoren des Knies muß jedoch an dieser Stelle kurz erwähnt werden. Ich meine die passive Dehnung des Musculus biceps und semimembranosus. Diese beiden Muskeln begrenzen, wie oben dargelegt, die mit lockerem Bindegewebe angefüllte Spalte, in deren Mitte der Nervus ischiadicus in der hinteren Hälfte des Oberschenkels seinen Verlauf nimmt. Durch die passive Dehnung dieser Muskeln wird die Spalte ganz erheblich vergrößert, der Nervus ischiadicus gewinnt mehr Raum und wird vom Druck der umliegenden Gebilde möglichst entlastet.

Fassen wir das Ergebnis dieser Versuche zusammen, so gelangen wir zu folgenden Schlüssen: Durch bestimmte Veränderungen der Lage des Oberkörpers zum Beine lassen sich auf die Nervenstämme des Ischiadicus und Cruralis gewisse entspannende Effekte hervorrufen. Es sind dies die Lageveränderungen, welche den möglichst geradlinigen Verlauf der Nerven bedingen. Die die Entspannung bewirkenden Lageveränderungen sind für Nervus cruralis und Nervus ischiadicus annähernd die gleichen, in ihrer Wirkung nur quantitativ unterschieden. Bei der Entspannung des Nervus cruralis spielt die Flexion des Oberschenkels, bei der Entspannung des Nervus ischiadicus die Abduktion desselben die Hauptrolle.

## Klinischer Teil.

Ueber die Ursachen der nach Ischias nicht selten beobachteten Verkrümmungen der Wirbelsäule — in Betracht kommt die weitaus häufigste heterologe (Konkavität im dorso-lumbalen Teil nach der gesunden Seite gerichtet), die seltenere homologe (Konkavität im dorso-lumbalen Teil nach der kranken Seite gerichtet) und die ganz seltene alternierende Skoliose — weichen die Ansichten der verschiedenen Autoren in auffallender Weise auseinander[1]).

Instinktive Entlastung des erkrankten Beines (Charcot, Babinski), Erweiterung der Zwischenwirbellöcher, um Druckverminderung auf die erkrankten Nervenwurzeln zu bewerkstelligen (Nicoladini), Erkrankungen der sensiblen Fasern, die die Becken- und Lendenmuskulatur versorgen, und infolgedessen mangelhafte Kontraktion dieser Muskeln (Schüdel, Kocher, Gussenbauer), Miterkrankungen des Plexus lumbalis (Fischer, Schönwald), Parese des Musculus erector trunci (Mann) wurden in Betracht gezogen, um die Verkrümmungen der Wirbelsäule nach Ischias zu erklären. Daß unter Umständen die meisten dieser angeführten Momente, jedes für sich allein oder mit anderen zusammen, auf die Bildung der Skoliose nach Ischias von Einfluß sein oder dieselbe begünstigen können, steht nach den in der Litteratur niedergelegten Fällen außer Zweifel. Diesen Erklärungen fehlt indessen ein einheitliches, allen gemeinsames Prinzip, wie man es, entsprechend dem prägnanten, immer und immer in bestimmten Formen wiederkehrenden Bild der Skoliose nach Ischias zu erwarten berechtigt wäre. Die Verbiegung der Wirbelsäule in

1) Eingehende historische Schilderungen der Skoliose finden sich bei Bernhardt, ferner bei Phulpin. Ich möchte hier ausdrücklich hervorheben, daß die Skoliose nach Ischias allerdings erst seit den Arbeiten Nicoladini's und Albert's (1886) Beachtung gefunden hat, aber schon lange vorher bekannt war; — ich will nur Lagrelette, Thèse de Paris 1851, als Beispiel citieren; daß Kocher und Gussenbauer dieselbe auch schon gesehen hatten, dürfte bekannter sein.

dieser oder jener Richtung gilt als direkte Folge der von den Autoren angegebenen Ursachen. Sie wird nirgends als Vorkommnis angesprochen, das mit der Verlegung des Schwerpunktes und den dadurch gegebenen statischen Momenten (wie die Skoliose bei Verkürzung eines Beines nach Fraktur, Coxitis, Coxa vara u. s. w.) im Zusammenhang stände. Besonders die französischen Autoren sehen in der Skoliose nach Ischias lediglich den Ausdruck einer schlechten Haltung, die durch verschiedene, auf die Wirbelsäule direkt wirkende Umstände bedingt wird und die Entlastung des kranken Beines zum Endzweck hat. In einem Falle von Schmidt wurde eine gleichmäßig auf Ober- und Unterschenkel verteilte Verlängerung des kranken Beines gefunden; dieselbe wurde als Ursache der bestehenden heterologen Skoliose angesehen. Dieses Vorkommnis steht mit den allgemein giltigen Regeln nicht im Einklang; eine Verlängerung des erkrankten Beines sollte in der That eine homologe Skoliose bedingen. Das Bestreben, die Skoliose nach Ischias den gewöhnlichen Schwerpunktsgesetzen zu entziehen, giebt sich ferner in Higier's Vorschlag kund, die Bezeichnung Scoliosis neuralgica für dieselbe einzuführen.

Als am meisten charakteristisch und beständigste Merkmale der heterologen Skoliose, mit der wir uns im folgenden vorzüglich beschäftigen wollen, muß ich mit der Mehrzahl der Autoren folgende hervorheben:

1) Konvexität der Wirbelsäule im dorso-lumbalen Teile nach der kranken Seite gerichtet. Damit in gewissem Maße zusammenhängend:

a) Höherstehen der Schulter der kranken Seite,
b) Vergrößerung des Flankenabstandes (Spina iliaca anterior et superior — costae spuriae) auf der kranken Seite;

2) Drehung der Wirbelsäule um ihre Längsachse;

3) Anomalien in der Stellung der Rumpfachse gegen das Becken (Neigung des Rumpfes nach vorn).

Charcot und seine Schüler, auch die Mehrzahl der deutschen Autoren, nehmen geradezu als selbstverständlich an, daß die zur Skoliose drängenden Momente lediglich beim Stehen und Gehen des Patienten in Wirkung treten. Sie sehen in der Skoliose eine instinktiv angenommene Körperhaltung, um das kranke Bein zu entlasten. Hallion sagt ausdrücklich: Le malade atteint de sciatique adopte quand la douleur n'est pas assez vive pour le confiner au lit une attitude assez particulière pour permettre à elle seule un diagnostic à distance.

Eine Entlastung des kranken Beines durch die Skoliose kann nicht mehr nachgewiesen werden, wenn die Kranken aufzustehen beginnen. Ließ ich derartige Patienten den einen Fuß auf einen, dicht neben eine Plateauwage gestellten, gleich hohen Schemel, den anderen auf die Plateauwage selbst oder noch besser je einen Fuß auf zwei dicht nebeneinander gerückte Plateauwagen stellen, so fand ich dabei niemals eine geringere Belastung des kranken Beines. Vielmehr trug nicht selten, und zwar gerade in solchen Fällen, in denen später stärkere Skoliose sich ausbildet, das kranke Bein einige Kilogramm mehr.

Die Beobachtungen über die Skoliose nach Ischias haben sich in letzter Zeit derart gehäuft, daß es wirklich mit Schwierigkeiten verbunden ist, einen Ueberblick über das ganze vorliegende Material zu gewinnen. Nirgends findet sich jedoch etwas über eine andere Anomalie in der Körperstellung von Ischiaskranken, deren Kenntnis für die nachfolgende Skoliose von grundlegender Bedeutung sein muß: ich meine die Lage im Bett der an Ischias Erkrankten. Vielleicht kann durch die Kenntnis dieser Lage im Bett die Frage entschieden werden, ob die zur Skoliose drängenden Bedingungen nur im Stehen gegeben sind, oder ob die ursächlichen Grundlagen mehr oder weniger unabhängig vom Stehen sind.

Nachdem meine Aufmerksamkeit einmal auf die Lage im Bett der an Ischias Erkrankten gerichtet war, stellte sich besonders bei frischen Fällen von Ischias eine wirklich überraschende Regelmäßigkeit und Uebereinstimmung derselben heraus. Zur Erklärung dafür, daß bisher nichts hierüber vorliegt, läßt sich zweierlei anführen: Einerseits kommen Fälle von Ischias selten in den ersten Stunden oder Tagen in die Krankenhäuser, noch seltener entsteht Ischias direkt unter den Augen des Arztes; andererseits sind die Eigentümlichkeiten der Lage im Bett schon oft nach Stunden derart verdeckt, daß sie leicht der Beobachtung entgehen. Die Eigenart dieser Lage fiel mir an Bord eines Kriegsschiffes zum erstenmal auf. Ein plötzlich an heftiger rechtsseitiger Ischias erkrankter Matrose lag derart in seiner schmalen Hängematte, daß das gesunde Bein vollständig aus derselben heraushing (bei 20° Kälte!); der Oberkörper war nach der kranken Seite verlagert. Diese Lage hielt Patient zwei Tage ein, trotzdem er an dem heraushängenden Bein wegen der grimmigen Kälte nicht unerheblich fror; am dritten Tage dagegen lagen beide Beine nebeneinander in der Hängematte, obwohl in der Schmerzhaftigkeit keine Veränderung eingetreten war; der Oberkörper lag noch immer nach der kranken Seite.

Später hatte ich im Rekonvalescentenhause für Unfallverletzte zu Straßburg (Prof. LEDDERHOSE) öfters Gelegenheit, mehr chronische Fälle von Ischias zu beobachten, und dabei fielen mir oft Eigentümlichkeiten der Lage der Kranken im Bett auf. Aus den von mir auf der medizinischen Klinik beobachteten Fällen möchte ich besonders zwei hervorheben, die unter meinen Augen entstanden. Unter auswärts in der Praxis beobachteten Fällen verdient ein Ischiasrecidiv bei einem Gichtkranken besondere Erwähnung. Der Kranke starb auf der Höhe des Anfalles an Herzkomplikation. Ueber den pathologisch-anatomischen Befund am Nervus ischiadicus werde ich an anderer Stelle berichten.

### A. Die Lage im Bett.

1. Bei frischer Ischias. Meine Beobachtungen über die Lage der an Ischias erkrankten Individuen beziehen sich auf 8 Fälle; 5 davon sind ganz frische erstmalige Erkrankungen; 3 betreffen Recidive; bei allen handelt es sich um schwere Formen. Von den frischen Fällen waren 2 echt neuritischer Natur [1]) (postgonorrhoisch). Beim dritten handelte es sich um eine Erkältungsischias, die sich streng auf den Nervus ischiadicus posticus begrenzte, während bei den zwei postgonorrhoischen auch der Nervus cruralis affiziert war. Beim vierten Falle handelte es sich, bei gleichzeitiger Affektion des Nervus irchiadicus posticus, in erster Linie um sehr schmerzhafte Prozesse im Gebiete des Nervus cruralis. Bei dem fünften Falle war lediglich der Nervus cruralis affiziert und zwar war dieser letzte Fall wahrscheinlich ebenfalls postgonorrhoischer Natur. Die drei Recidivfälle verteilen sich folgendermaßen: ein Ischiasrecidiv (das vierte) bei einem Gichtkranken; ein Recidiv (das zweite) bei einem Manne im besten Lebensalter ohne speciell nachzuweisende Ursachen; der dritte Fall (erstes Recidiv) betraf einen Rückfall nach Erkältung. Einen Fall doppelseitiger Ischias habe ich nicht zu verzeichnen. Sechs betreffen das rechte, zwei das linke Bein. Es bestätigen also meine Erfahrungen, wenn ich auch hierauf der geringen Gesamtzahl wegen viel Wert nicht legen will, die Angaben Eulenburg's, Seligmann's, Bernhardt's, daß doppelseitige Ischias bei genuinen Formen, d. h. nicht durch Affektion des Markes oder der Wirbelsäule bedingter Ischias, zu den Seltenheiten gehört. Ferner scheint danach die Rolle der chronischen Obstipation von manchen Autoren (Henle, Eulenburg) etwas überschätzt worden zu sein; es müßte sonst der linke Nervus ischiadicus wegen der anatomischen Verhältnisse öfters affiziert sein, als der rechte (Hyde).

Außer diesen von mir sorgfältig beobachteten Fällen habe ich unter den älteren Krankengeschichten der Klinik mehrere gefunden, die sich ebenfalls auf ganz frische Ischias bezogen. In denselben fand ich wohl einige Anhaltspunkte, aber keine eingehenden Beobachtungen der mich interessierenden Verhältnisse.

Als hauptsächliche Anomalien der Lage im Bett der mit frischer Ischias behafteten Patienten muß ich nennen:

a) Abduktion des befallenen Beines;

b) Rotation desselben nach außen;

c) Flexion desselben in der Hüfte.

1) Der eine davon ist in einem Vortrage Naunyn's erwähnt. B. Naunyn, „Ueber Neuritis gonorrhoica, klinischer Vortrag“, mitgeteilt durch Ehret, Zeitschr. f. prakt. Aerzte, 1898, No. 11.“

Später auftretend und als durch erstere Stellung des Beines bedingt, sind gewisse Veränderungen in der Lage des Beckens hervorzuheben. Diese — ich muß es hier ausdrücklich vorwegnehmen — sekundären Veränderungen der Beckenlage sind so eng mit den Stellungsveränderungen des Beines verbunden, daß ihre Besprechung Hand in Hand gehen muß.

a) Die Abduktion. Bei akuter Ischias ist die Abduktion des erkrankten Beines das von vornherein am meisten auffallende Symptom. Je heftiger, je plötzlicher die schmerzhaften Zustände auftreten, um so bedeutender pflegt dieselbe zu sein. Ganz fehlt die Abduktion nie; ich habe sie auch in mäßigen Nachschüben chronischer Fälle gesehen, die ein eigentliches akutes Stadium nie durchgemacht hatten. Sie ist für alle frischen Fälle charakteristisch; ob der Nervus cruralis mitbefallen ist oder nicht, ist für das Zustandekommen derselben von keiner Bedeutung; bei ausschließlicher Erkrankung des Nervus cruralis besteht die Abduktion aber ebenfalls. Aus der Abduktionsstellung lassen sich keine differentialdiagnostischen Anhaltspunkte für Erkrankungen des Nervus cruralis oder Nervus ischiadicus ableiten.

Versuche, das Bein aus der Abduktion zu bringen, sind sehr schmerzhaft, sie scheitern an der fast sofortigen Mitbewegung des Beckens. In manchen Fällen ist eine passive Verstärkung der Abduktion möglich, während der Versuch, die Abduktion zu verringern, immer mißlingt. Bei plötzlich einsetzender Ischias ist die Abduktion in den ersten Stunden oder in den ersten Tagen eine ganz offenkundige, d. h. der Fuß des erkrankten Beines ist gegen den Rand des Bettes gelagert, während das gesunde Bein die normale Lage ungefähr in der Mitte des Bettes behält. Nach einigen Stunden, häufig am zweiten oder dritten Tage, selten später, kann die Abduktion scheinbar oft ganz verschwunden sein. In der That ist dieselbe nur selten mit dem Nachlassen der intensiven Schmerzhaftigkeit geringer geworden, vielmehr wird sie regelmäßig durch entsprechende Senkung des Beckens auf der erkrankten Seite verdeckt. Diese Senkung scheint mit der Unbequemlichkeit, welche die Lage mit gespreizten Beinen für die Kranken hat, zusammenzuhängen. Die Kranken gewöhnen sich an die Abduktionsstellung und zeigen das in dem instinktiven Bestreben, Beine und Rumpf in eine Achse zu bringen. Der erwähnte Fall des Matrosen zeigt, daß unter Zwangsumständen die Abduktion von vornherein durch Senkung des Beckens auf der kranken Seite bewerkstelligt werden kann. In der schmalen, am Rande scharf ansteigenden Hängematte war die Lagerung des Beines in offener Adduktionsstellung nicht zu bewerkstelligen. Infolgedessen wurde gleich von vornherein das Becken auf der kranken Seite gesenkt und so die Abduktion ermöglicht; das gesunde, zum Becken normal gestellte Bein kam so außerhalb der Hängematte zu liegen. Gleichzeitig mit der Senkung des Beckens auf der erkrankten Seite geht, um beide Beine nebeneinander zu bringen und so die Senkung zu kompensieren, das gesunde Bein in entsprechende Adduktionsstellung über. Bei dem Matrosen kamen erst infolge dieser nach einigen Tagen eingetretenen Adduktion wieder beide Beine nebeneinander in die Hängematte zu liegen.

Hat sich die Senkung des Beckens und die Adduktion des gesunden Beines vollzogen, dies geschieht in akuten Fällen oft sehr rasch, Stunden bis wenige Tage nach dem Beginn der Krankheit, so bedarf es in den meisten Fällen schon genauer Feststellung des Standes der Spinae iliacae anteriores und superiores und der Errichtung der Mittelsenkrechten auf die Verbindungslinie, um die Anomalie der Stellung des Beines zum Becken festzustellen. Bei subakuten und besonders chronischen Fällen, d. h. bei solchen, die nicht mit heftigen Schmerzen plötzlich einsetzen, vollziehen sich diese Vorgänge nicht in so kurzen und scharf von einander zu trennenden Zeiträumen. Die Stellung (Abduktion des kranken, Adduktion des gesunden Beines, Senkung des Beckens auf der kranken Seite) bildet sich allmählich heraus, ohne daß es möglich wäre, den Zeitpunkt ihres Einsetzens festzustellen oder die einzelnen Phasen zu trennen: Adduktion des befallenen Beines, Senkung des Beckens auf der erkrankten Seite und Abduktion des gesunden Beines gehen annähernd gleichzeitig vor sich.

Als Ursache der Abduktion muß das allgemein gültige Bestreben, das erkrankte Organ, nämlich den Nervenstamm, unter möglichst günstige Zug- und Druckverhältnisse zu bringen, angesprochen werden. Unsere experimentellen Untersuchungen an der Leiche zeigen, daß die Abduktion sowohl für den Nervus cruralis, wie für den Nervus ischiadicus nennenswerte Entspannung hervorbringt. Ferner ist dieselbe nötig, um den Verlauf beider Nerven möglichst geradlinig zu stellen.

Die Lage des Rumpfes zeigt nichts Konstantes. In der Anfangszeit ist die Lagerung des Kranken eine möglichst flache; dabei liegt der Rumpf nicht selten etwas nach der kranken Seite entsprechend der bald eingetretenen Beckensenkung. Diese Lage des Rumpfes kann lange Zeit, ja beständig, beibehalten werden. Früher oder später kann der Rumpf in die Mitte zu liegen kommen; dieses ist wegen des Eintretens der oben besprochenen Schiefstellung des Beckens nur unter kompensatorischer Verkrümmung der Wirbelsäule in ihrem unteren Teile möglich.

b) Die Rotation nach außen. Gleichzeitig mit der Abduktion und ebenso plötzlich als dieselbe stellt sich, wiederum besonders bei heftigem Einsetzen der Schmerzen, von vornherein eine Rotation des erkrankten Beines nach außen ein. Dieselbe charakterisiert sich durch Drehung der Fußspitze nach außen. Nicht selten geht dieselbe so weit, daß der äußere Fußrand seiner ganzen Länge nach auf die Unterlage zu liegen kommt. Fälle, in denen die Abduktion ganz ausgeblieben wäre, habe ich nicht gesehen, ebensowenig kann ich über Fälle mit Rotation nach innen berichten. Entgegen der Abduktion ist ein bedeutender Unterschied im Grade der Rotation nach außen bei den verschiedenen Fällen zu verzeichnen. Und zwar scheint der Grad mit der Intensität der Schmerzen, aber auch mit gewissen Lokalisationen derselben im Zusammenhang zu stehen. So bestand in einem Falle mehr vorübergehender Erkältungsischias, in dem die Schmerzen bei weitem nicht so heftig waren, wie bei unseren neuritischen Fällen, die denkbar größte Rotation nach außen.

Jeder Versuch der weiteren Rotation nach außen ist mit großen Schmerzen verbunden. Diese pflegen bei dem Versuch, das Bein nach innen zu rotieren, stärker zu sein, als bei dem Versuch, die Rotation nach außen, sofern dies überhaupt noch möglich ist, zu verstärken. Hat sich die Allgemeinempfindlichkeit bei manchen Fällen genügt anfangs leiseste Berührung schon, um heftige Schmerzanfälle auszulösen einmal gelegt, so werden die Schmerzen beim Versuch, das Bein passiv aus der Rotationsstellung zu bringen, in der Tiefe der Gefäßgegend lokalisiert; mitunter sind dieselben von in die Ischiadicus- oder Cruralisstämme ausstrahlenden Schmerzen begleitet. Während in den Anfangsstadien jede erhebliche Bewegung im Sinne der Drehung mit großen Schmerzen verbunden ist, gelingt sie später anscheinend viel besser. Es stellt sich bei näherer Betrachtung aber bald heraus, daß die Drehung nicht im Hüftgelenk, sondern in der Wirbelsäule vor sich geht: das Bein bleibt in der Rotationsstellung nach außen fixiert, das Becken dreht sich mit; die Mitbewegung des Beckens tritt schon bei Bewegungen ganz geringer Exkursion ein.

Die Größe der Rotation nach außen hängt, wie schon gesagt, nicht davon ab, ob der schmerzhafte Prozeß sich im Nervus ischiadicus posticus allein oder zu gleicher Zeit im Nervus cruralis oder in letzterem allein sich abspielt. Die Rotation nach außen ist in allen diesen Fällen vorhanden.

Kann auch für die Rotation, gerade wie wir das für die Abduktion sahen, eine Verdeckung eintreten? In der Regel wird von vornherein die Rotation nach außen durch eine Eigentümlichkeit der Fußstellung undeutlich gemacht. Bei ausgedehnten Schmerzen ist der Fuß des erkrankten Beines nicht selten stark plantar flektiert. Durch diese Spitzfußstellung wird die Rotation nach außen maskiert: häufig beurteilt man die Rotation nach der Richtung der Fußachse nach außen; durch die Spitzfußstellung, die den Hebelarm verkürzt, wird diese Richtung nach außen weniger auffällig. Es ist deshalb empfehlenswert, sich bei der Beurteilung hauptsächlich an die Lage und Richtung der Kniescheibe zu halten; durch den Vergleich mit der anderen Seite wird dann die Rotation am sichersten festgestellt. Außerdem kann schon in der Bettlage eine Verdeckung der Rotation des Oberschenkels nach außen durch entgegengesetzte Drehung des Beckens stattfinden. Der Oberkörper liegt dann zum größten Teile auf der Hinterbacke der gesunden Seite, indem die Beckenquerachse von hinten der gesunden Seite nach vorn der kranken Seite sich einstellt. Im Oberkörper wird das Flachliegen auf beide Schultern durch eine Drehung der Wirbelsäule in der Lendengegend nach der kranken Seite ermöglicht. Dies Vorkommen ist als Ausnahme zu bezeichnen; es pflegt nur bei längerem Krankenlager und zwar gegen Ende desselben aufzutreten. Die Maskierung der Rotation nach außen ist übrigens nie so vollständig, wie die oben besprochene Verdeckung der Abduktion.

Daß die Rotation nach außen zu der Verkürzung des von den Nerven zu durchlaufenden Weges beiträgt, indem sie den möglichst geradlinigen Verlauf desselben begünstigt, geht aus dem ersten Teil der Arbeit hervor: da eine Rotation nach innen, wenigstens bei Versuchen an der Leiche, jedoch fast dieselbe Wirkung hat, müssen sich noch andere Momente beibringen lassen, die das nach unseren Beobachtungen konstante Vorkommen der Rotation nach außen plausibel machen. Hierfür könnte folgendes von Wichtigkeit sein.

*α*) Die Kapsel des Hüftgelenks ist zum großen Teil durch den Nervus ischiadicus, zum geringeren durch den Nervus cruralis versorgt. Nach Schwalbe's Ansicht sind die hinteren Fasern, obwohl dieselben gewöhnlich noch dem Plexus sacralis zugerechnet werden, thatsächlich als aus dem Ischiadicus entspringend anzusehen. Es ist denkbar, daß die schmerzhafte Erkrankung des Stammes des Ischiadicus sich bis oberhalb des Abganges der in Frage kommenden Nerven erstreckt; in diesem Falle würden die Nervenendigungen in der Hüftgelenkkapsel ebenfalls miterkranken können. Das Gleiche gilt für die vom Nervus cruralis kommenden Fasern. Zu der Stellung, in der die Kapsel am wenigsten gespannt ist, gehört nach Jössel neben einer geringen Flexion und einer starken Abduktion auch die Rotation nach außen.

*β*) Die meisten Muskeln des Oberschenkels, speciell diejenigen, die die Rotation nach außen besorgen, sind durch den Plexus sacralis versorgt. Es wird deshalb nicht nur jede aktive Kontraktion, sondern auch die passive Dehnung derselben schmerzhaft sein. Am wenigsten schmerzhaft dürfte vollständige Erschlaffung empfunden werden. Diese läßt sich am besten durch Verkürzung des von den Muskeln zu durchlaufenden Weges ohne aktive Kontraktion derselben bewerkstelligen. Das, wie wir noch sehen werden, in Flexionsstellung sich befindende Bein wird durch den Musculus psoas, der diese Flexion zum großen Teile bewirkt, zu gleicher Zeit auch nach außen gedreht. Durch diese unter Ausschluß der Kontraktion der Rotatoren nach außen hervorgebrachte Drehung dürfte für diese Muskeln die oben erwähnte günstige Stellung geschaffen sein. Durch die Erschlaffung dieser

Muskeln wird jedenfalls auch der Druck auf den unter dem unteren Rande des Musculus piriformis hervortretenden Nerven vermindert.

In denjenigen Fällen, in denen ein Teil des Ischiadicus (der spätere Nervus peroneus) das Becken unter Durchbohrung des Musculus piriformis verläßt, ist die günstige Wirkung der Entspannung dieses Muskels ohne weiteres klar. Als bemerkenswerte und neue Beobachtung muß ich an dieser Stelle hervorheben, daß sich bei manchen Menschen durch forcierte Rotation des Beines nach innen lebhafte Parästhesien im Gebiete des Nervus peroneus auslösen lassen; ich glaube, daß sich hieraus auf jene häufige Varietät (getrennter Ursprung des Nervus peroneus aus dem Becken unter Durchbohrung des Musculus piriformis) schließen läßt.

γ) Ist die Schmerzhaftigkeit, wie oft, über große Muskelgebiete ausgedehnt, so wird in allen diesen jede aktive Spannung möglichst vermieden werden. Dann tritt, dem Gesetz der Schwere folgend, Rotation nach außen auf. Dies um so mehr, als bei Flexion im Hüft- und Kniegelenk durch die Rotation nach außen, wegen der durch die Rotation geschaffenen Möglichkeit, die ganze Außenfläche des Oberschenkels flach zu lagern, dem Kranken die Lage viel bequemer wird.

c) Die Flexion. Die Flexion im Hüftgelenk tritt gerade wie die Abduktion und Rotation von vornherein mit dem Einsetzen der Schmerzhaftigkeit auf. Dieselbe kann jedoch im Gegensatz zu den beiden eben genannten Stellungsanomalien sich erst nach mehreren Tagen zu ihrer vollen Höhe ausbilden und auch ihrem Grade nach konstant werden. Selten erreicht sie von vornherein ihren höchsten Grad. Nach der Flexion sind zwei Gruppen von Fällen zu unterscheiden: starke Flexion ist ein Zeichen, daß auch der Nervus cruralis der Sitz von erheblichen Schmerzen ist; stärkste Flexion, oft vollständiges Anziehen des Beines an den Bauch, ist bei fast ausschließlich auf den Nervus cruralis beschränkter Schmerzhaftigkeit zu beobachten.

Dagegen findet sich bei vorwiegend oder reiner Ischias postica nur eine geringe Flexion. Sie ist jedoch bei unseren Fällen nie vollständig ausgeblieben. Nicht selten ist die Flexion eine ganz offenbare, d. h. der Oberschenkel befindet sich bis zum Knie in schräger Richtung nach oben gestellt. Dabei ist der Unterschenkel im Knie, der Flexion des Hüftgelenks entsprechend, ebenfalls gebeugt. Der Unterschenkel ruht mit der Fußsohle auf dem Bett; durch das aufgerichtete Knie sind die Bettdecken weit abgehoben. Meistens erscheint wegen der Rotation nach außen, die diese Hochstellung des Knies zum Teil beseitigt, zum Teil verdeckt, die Flexion im Hüftgelenk schon geringer, als sie thatsächlich ist. Dazu tritt, wohl infolge der Gewöhnung und der Unbequemlichkeit dieser Lage, eine andersartige Verdeckung der

Flexion ein: durch Vergrößerung der Beckenneigung wird es dem Oberschenkel ermöglicht, nahezu in gerader Lage unter möglichster Beseitigung der Beugung im Knie, gelagert zu werden. Diese Senkung des Beckens giebt sich ihrerseits in einer Vergrößerung der Luftfigur im dorso-lumbalen Teile der Wirbelsäule infolge kompensatorischer Verstärkung der normalen lordotischen Biegung kund. Auf den Lichtdrucktafeln findet sich eine nach einer Photographie wiedergegebene Abbildung einer mit frischer Ischias behafteten Frau in Rückenlage, daneben zum Vergleich die Photographie einer normalen gleichalterigen, nicht an Ischias leidenden Patientin (Photographie I und II). Diese Lendenhöhlung kann bei Ischias antica einen ganz erheblichen Grad erreichen. Infolge eines der Platte zugestoßenen Unglückes bin ich leider nicht in der Lage, eine Photographie von einem solchen Fall zu geben. Wir werden übrigens weiter unten noch auf diese Lordose zurückkommen und sie an der Hand von Photographien erläutern können.

Es ist ebensowenig möglich, das erkrankte Bein aus seiner Flexion wie aus den früher beschriebenen Stellungen zu bringen. In manchen Fällen gelingt es, bei nicht durchgedrücktem oder mäßig gebeugtem Knie, die Flexion im Hüftgelenk passiv etwas zu vergrößern; meist geht das Becken in der Richtung der Flexion oder Extension sofort mit. In späteren Stadien, bei langem Krankenlager, ist die Beweglichkeit des Beckens unter Umständen so weitgehend, daß passiv fast normale Exkursionen des Oberschenkels (im Sinne von Flexion und Extension), zum größten Teile durch Mitbewegung des Beckens und nur zum geringsten Teile durch wirkliche Veränderung der Stellung im Hüftgelenk, erzielt werden können. Das Verhältnis des einen zum anderen hängt von der jeweiligen Schwere des Falles ab.

Den Grund der Flexionsstellung haben wir in den anatomischen Verhältnissen zu suchen. Sowohl für den Nervus ischiadicus wie für den Nervus cruralis trägt sie zur Verkürzung und Herstellung eines geradlinigen Verlaufes der Nervenstämme bei. In denselben anatomischen Verhältnissen, die zur Entspannung des Nervus cruralis eine weit größere Flexion erheischen als zur Entspannung des Nervus ischiadicus, finden wir die Erklärung für unsere klinische Beobachtung, daß die Flexion bei vorwiegenden oder ausschließlichen Ischias-antica-Fällen stärker zu sein pflegt als bei Ischias postica. Den geringen Gradunterschied bei den einzelnen Fällen der beiden verschiedenen Gattungen kann man durch die dargelegte entspannende Wirkung der Flexionsstreckung des Musculus semimembranosus, auf den mit Bindegewebe angefüllten Spalt, in dessen Mitte der Nervus ischiadicus in der hinteren Hälfte des Oberschenkels verläuft, erklären. Bei größerer Schmerzhaftigkeit wird das Bedürfnis, den Nerven vor Druck zu schützen, ebenfalls größer sein, und deshalb möglichst große passive

Streckung des Musculus semimembranosus durch Flexion des Oberschenkels angestrebt werden.

Außer den wichtigen besprochenen Stellungsanomalien des Oberschenkels im Hüftgelenk zeigen die an frischer Ischias bettlägerigen Kranken noch einige Besonderheiten in der Stellung der anderen Gelenke des befallenen Beines. Daß das Fußgelenk bei heftigen, bis in den Fuß und die Fußsohle ausstrahlenden Schmerzen häufig stark plantar flektiert ist, wurde bei der Besprechung der Rotation nach außen schon erwähnt. Diese Plantarflexion des Fußes ist besonders bei Ischias postica zu beobachten; bei vorwiegender Ischias antica habe ich sie nie gesehen. Die Plantarflexion kann als günstigste Stellung des Fußes zur Vermeidung von Schmerzen in den erkrankten Zweigen des Nervus peroneus und Nervus tibialis aufgefaßt werden. Dafür scheinen die durch passive Bewegungen im Fußgelenk im Sinne von Dorsalflexion ausgelösten, sich nicht selten über das ganze Bein bis in die Gesäßgegend erstreckenden Schmerzen zu sprechen. Ich halte jedoch die Berechtigung für größer, die Plantarflexion einfach als Produkt der Schwere aufzufassen, deren Gesetze wegen der größtmöglichen Außergebrauchsetzung der Muskeln infolge der Schmerzhaftigkeit sich hier geradeso wie bei einem paretischen Bein geltend machen. Der durch Bewegung verursachte Schmerz ist diffus und ausgebreitet genug, um auf das plötzliche Inwirkungtreten größerer oder kleinerer Muskelgruppen zurückgeführt werden zu können (Photographie III).

Die beständig beobachtete Flexionsstellung des Kniegelenks wurde schon erwähnt. Für das Zustandekommen dieser Flexionsstellung, deren Intensität mit der Flexion im Hüftgelenk Hand in Hand geht, wirken meines Erachtens zwei Faktoren in verschiedenem Maße zusammen. Der eine läßt sich aus dem Verlauf des Nervus tibialis und des Nervus peroneus in der Kniekehle ableiten. Durch die geringste Flexion im Kniegelenk, eigentlich genügt schon dazu die Nichtüberstreckung, wird den Nerven nicht nur der bogenförmige, nach hinten konvexe Umweg über die Kondylen und die Kniegelenkkapsel erspart, sondern dieselben werden von ihrer harten Unterlage (Kondylen), auf der sie jedem Druck sehr ausgesetzt sind, abgehoben. Durch geringe Flexion des Knies wird aus diesem Grunde eine erhebliche Entspannung des Nervus ischiadicus hervorgebracht. Der andere Faktor ist in der Bequemlichkeit zu finden, die eine Flexion des Kniegelenks für die die oben beschriebene Stellung des Hüftgelenks zeigenden Kranken mit sich bringt. Bei auswärts rotiertem und abduziertem Oberschenkel käme der Fuß dicht an den äußeren Bettrand oder auch darüber hinaus zu liegen. Durch Flexion im Knie werden Unterschenkel und Fuß in das Bett zurückgebracht. Desgleichen ist wegen der Beugung des Oberschenkels eine entsprechende Flexion im Kniegelenk nötig, damit der Fuß überhaupt im Bett ruhen kann. Die

Flexion im Knie ist also zu einem Teile, und zwar dem geringeren, den anatomischen Verhältnissen zuzuschreiben. Zum anderen, und zwar zum größeren Teil, ist sie lediglich als Behelf zu betrachten, um ein bequemes Liegen zu ermöglichen. Beweise für das Ineinanderspielen dieser zwei ganz differenten Momente lassen sich gut erbringen. Es gelingt immer, einen Teil der Flexion im Knie, und zwar den größten, ohne Schmerzen durch passive Streckung auszugleichen, während die Ausgleichung des letzten Restes der Flexion, besonders das Durchdrücken des Knies (Hyperextension), mit großen Schmerzen verbunden ist. Bei der Ausgleichung der Flexion im Knie beginnen die Schmerzen um so früher, als die Flexion im Hüftgelenk eine größere ist (sog. Ischiasphänomen). Bei unbedeutender Schmerzhaftigkeit des Nervus cruralis findet im Kniegelenk eine ganz bedeutende Flexion statt (entsprechend der bei Cruralis-Erkrankung sehr starken Flexion in der Hüfte). Diese Flexion läßt sich passiv ohne Schmerzen vollständig beseitigen, und bei hinreichender Unterlage des Fußes und des Unterschenkels können die Kranken dann ohne Schmerzen in dieser Lage verbleiben.

Differentialdiagnostisches: Die Differentialdiagnose zwischen Ischias und Coxitis ist meistens mit keinen großen Schwierigkeiten verbunden. In schweren, im Beginn mit größter Empfindlichkeit des ganzen Beines einhergehenden Fällen, bei denen die leiseste Berührung der Haut genügt, um große Schmerzen auszulösen, kann sich die Differentialdiagnose unter Umständen äußerst schwierig gestalten. Dieselbe wird durch die Stellungsanomalien des erkrankten Beines noch erschwert. Ich möchte auf ein in dieser Beziehung bis jetzt nicht beachtetes Hilfsmittel hinweisen, das seltener bei Männern, häufiger bei Frauen für die Entscheidung der Frage, ob Ischias, ob Coxitis, von Nutzen sein kann: das Ergebnis der Untersuchung per vaginam oder per rectum. Am Lebenden ist die Palpation der Wurzeln des Plexus sacralis (s. p. 672) nur selten zu bewerkstelligen; viel häufiger gelingt es dagegen, den Stamm des Nervus ischiadicus dicht oberhalb der Spina ischii zu erreichen. An dieser Stelle besteht schon beim normalen Menschen eine gewisse Druckempfindlichkeit [1]). Bei schmerzhaften Prozessen in den Gebieten des Nervus ischiadicus und des Nervus cruralis können an dieser Stelle lebhafte, in den Oberschenkel ausstrahlende Schmerzen ausgelöst werden, die die Kranken als die gleichen wie die spontan empfundenen bezeichnen. Uebrigens

---

1) Nach Abschluß dieser Arbeit machte mich Herr Dr. W. H. Freund auf eine seiner Publikationen aufmerksam, in der er auf Grund zahlreicher Untersuchungen diesen physiologischen Druckschmerz ebenfalls hervorhebt: W. H. Freund, Die bimanuelle Untersuchung der hinteren und seitlichen Beckenwand. Separatabdruck aus den Verhandlungen der deutschen Gesellschaft f. Gynäkologie, 1893.

zeigt die Beobachtung, daß fast regelmäßig Druck auf den Nervus ischiadicus an der bezeichneten Stelle auch im Nervus cruralis ausstrahlende Schmerzen auslöst, den engen Zusammenhang zwischen beiden Nervengebieten. Diese Methode der Palpation des Nervus ischiadicus per rectum oder per vaginam ist besonders dann ausschlaggebend, wenn Druck von innen auf das Sitz- und Schambein ganz schmerzlos ist. Bei Gelegenheit der Untersuchung per vaginam oder per rectum wird öfters die Vergrößerung der Beckenneigung auch daran bemerkbar, daß man die betreffenden Orificien weiter nach hinten gerückt findet.

Als für die Differentialdiagnose wichtig heben die meisten Lehrbücher die Prüfung auf Mitbewegung des Beckens bei passiver Bewegung des erkrankten Beines hervor. Bei Coxitis bewege sich das Becken sofort mit, während es sich bei Ischias nicht mitbewege. Demgegenüber muß ich feststellen, daß ich nie einen schweren Ischiasfall gesehen habe, bei dem sich das Becken bei passiven Bewegungen nicht mehr oder weniger mitbewegt hätte [1]). Es wird dies allerdings häufig durch die Beweglichkeit im unteren Teile der Wirbelsäule verdeckt. Anfangs bestand bei mir die Neigung, eben wegen dieser Mitbewegung des Beckens in zweifelhaften Fällen Coxitis diagnostizieren zu wollen; ich will darum mit besonderer Betonung hervorheben, daß eine Mitbewegung des Beckens keineswegs nur für Coxitis oder gar gegen Ischias spricht. Die Mitbewegung des Beckens findet sich sowohl bei Coxitis wie bei Ischias. Um Stellungen zu entgehen, die die Schmerzhaftigkeit verstärken, wird das Becken beim Versuch, passive Bewegungen in Scene zu setzen, durch Muskelzug in der einmal angenommenen, oben beschriebenen Prädilektionsstellung gegen den Oberschenkel fixiert und geht unter Innehaltung dieser Prädilektionsstellung nach jeder Richtung mit. Die Rotation, Flexion, Abduktion u. s. w. sind scheinbar, die betreffenden Bewegungen finden im unteren Teil der Wirbelsäule statt. Es greifen also hier dieselben Verhältnisse wie bei Coxitis Platz; auch bei dieser ist die Fixation im Hüftgelenk anfangs lediglich durch Muskelzug bewerkstelligt. Bei Untersuchung in Narkose besteht bei Ischias in den Anfangsstadien unbeschränkte Beweglichkeit ohne jede Mitbewegung des Beckens, ohne jeden zu überwindenden Widerstand, ohne jedes Knacken. Bei Coxitis ist oft Knacken, Reiben und Widerstand nachzuweisen. Weit größeren Wert als auf diese überall erwähnte Prüfung auf Mitbewegung des Beckens lege ich der Prüfung auf Knochenschmerzen bei. Wird von der Ferse aus unter möglichst schonendem Zugreifen versucht, den Femurkopf in die Pfanne zu drücken, so verursacht dieser Handgriff

1) Nur in den ersten Stunden ist bisweilen bei plötzlich einsetzenden Fällen eine Ausnahme zu verzeichnen.

bei Ischias auffallend wenig Schmerzen. Beklopfen und Druck auf das Darmbein, Beklopfen des Trochanter, Druck per vaginam oder per rectum auf das Ischion pflegen im Gegensatz zur Coxitis mit keinen oder nur geringen Schmerzen verbunden zu sein.

2) Die Lage im Bett bei chronischer Ischias. Ueber die Lage im Bett bei subakuten und chronischen Ischiasfällen, bei denen es oft zu einem längeren initialen Krankenlager nicht kommt, kann ich mich kurz fassen und auf das bei akuter Ischias Gesagte verweisen: Die Stellung des Beines zum Becken ist je nach dem Grade der Schmerzhaftigkeit mehr oder weniger die gleiche wie bei dieser. Das Zustandekommen dieser Lage zieht sich über größere Zeitabschnitte hin und geschieht unmerklich. Es ist meistens mit den oben beschriebenen sekundären Veränderungen der Beckenlage verquickt.

Von besonderem Interesse ist für uns die Frage: Wie gestaltet sich die Bettlage bei Kranken, die mit Ischiasskoliose behaftet, herumlaufen? Zunächst ist hervorzuheben, daß viele Fälle von Skoliose, die schon lange bestehen (Monate bis Jahre), ihre Skoliose bei der Lage im Bett beibehalten. Es sind dies jene Patienten, bei denen durch Suspension eine Ausgleichung der Skoliose nicht mehr erreicht werden kann. Die sekundären Anpassungsveränderungen der Knochen, Bänder, Muskeln sind soweit gediehen, daß selbst bei Nachlassen der die Skoliose bedingenden Ursachen eine Wiederausgleichung nicht mehr möglich ist. Ich kenne zwei Fälle von Skoliose, die bei mehrjähriger Ischias entstanden und jetzt, nachdem jede Schmerzhaftigkeit schon lange gewichen ist, noch recht ausgesprochen sind. Im Gegensatz zu diesen Fällen haben alle erst kurze Zeit bestehenden Skoliosen die Tendenz, sich beim Hinlegen auszugleichen. Die stärksten Skoliosen bei noch recht schmerzhaften Fällen gleichen sich nicht selten ganz aus. Prüft man nun sowohl bei den Fällen, in denen die Skoliose im Liegen ausgeglichen wird, wie bei denen, die weder durch Suspension, noch durch Liegen eine vollständige Ausgleichung der Skoliose zulassen, unter den erforderlichen Kautelen die Lage des Oberschenkels zum Bein, so stellen sich nach wie vor bei der Lage im Bett an denselben gewisse Eigentümlichkeiten heraus, die gewöhnlich mit den von mir oben beschriebenen zusammenfallen.

Gerade wie das Ergebnis der Wägung des von jedem Bein getragenen Körpergewichtes gegen die reine Entlastungstheorie (Charcot, Babinski, Albert) spricht, scheint diese Beobachtung Bedenken gegen andere Theorien, wenigstens was ihre Allgemeingiltigkeit für die Entstehung der Skoliose betrifft, erwecken zu müssen. Ich will zunächst nur die von Nicoladini stammende Erklärung in Bezug auf diese Beobachtung prüfen. Nach Nicoladini's Ansicht ist die Erweiterung der Zwischenwirbellöcher, die Bewahrung der erkrankten Seite der

Cauda equina vor Druck die Konsequenz und folglich auch der Endzweck der Skoliose. Es ist nachgewiesen, daß die Skoliose unter Umständen in der That eine Erweiterung der Zwischenwirbellöcher und dadurch eine Entlastung der etwa erkrankten Wurzeln des Plexus sacralis — um dessen Wurzeln handelt es sich — herbeiführen kann (Erben). Es giebt aber zahlreiche Fälle von Ischiasskoliose, in denen irgendwelche Zeichen einer Erkrankung des Plexus lumbalis vollständig vermißt werden (Phulpin, Higier, Masurke, Gorhan, Schönwald, Mann, Remak, Valentin, Erben). Die Bewahrung der erkrankten Seite der Cauda equina vor Druck durch Verlagerung nach der anderen Seite des Wirbelkanals infolge der Skoliose erscheint dagegen sehr fraglich. Sogar bei den stärksten Skoliosen pflegt das Mark in der Mitte des Wirbelkanals zu bleiben. Die Vermeidung von Druck auf die erkrankte Seite wäre aber auch dann, wenn das Mark sich verschieben würde, nicht denkbar (Schüdel). Wie müßte sich eine auf diese (Nicoladini's) Weise bedingte Skoliose im Liegen, wie bei der Suspension verhalten? Eine Ausgleichung der Skoliose im Liegen wäre nicht erklärlich, da diese Verhältnisse auch im Liegen bestehen blieben. Da die Gesetze des Schwerpunktes, mit denen im Stehen viel mehr gerechnet werden muß als im Liegen, in dieser letzten Stellung für eine größere Verkrümmung der Wirbelsäule sich günstiger gestalten, dürfte man im Gegenteil im Liegen ein deutlicheres Hervortreten dieser die erkrankten Nervenwurzeln vor Druck bewahrenden Skoliose erwarten. Durch die Suspension dagegen sollte die Skoliose unter erheblichen Schmerzen auszugleichen sein. Derartige Fälle habe ich nicht gesehen. Die Möglichkeit jedoch, daß schmerzhafte Prozesse in den Wurzeln des Plexus lumbalis eine Erweiterung der Zwischenwirbellöcher bedingen und so dazu beitragen können, die Skoliose in dem betreffenden Falle in der oder jener Richtung zu beeinflussen, ist ohne weiteres zuzugeben. In diesen mehr zufälligen Verhältnissen die Ursachen der Skoliose im allgemeinen zu sehen, hieße zu weit gehen.

Es würde zu weit führen, wollte ich auf alle die zahlreichen Erklärungen für das Zustandekommen der Skoliose hier näher eingehen. Ich möchte nur zwei Auffassungen hervorheben, die mit unseren klinischen Beobachtungen im Einklang stehen. Nach der ersten dieser Auffassungen ist die Skoliose die Folge einer zum Zweck, den Druck des unteren Randes des Musculus piriformis auf den Nervus ischiadicus zu vermindern, angenommenen Beckenstellung (Lesser, Guse, 1894). Nach der anderen ist die Skoliose eine rein statische: je nachdem das erkrankte Bein durch Ueberstreckung des Knies oder der Hüfte verlängert (!) oder durch Beugung in denselben Gelenken verkürzt ist, entstehe die homologe oder heterologe Skoliose (Bähr, 1895). Diese beiden Erklärungen haben teils wenig Beachtung gefunden, teils sind sie, weil nicht genügend ausgeführt und begründet, besonders hinsichtlich der Schiefstellung des Beckens, zurückgewiesen worden (ERBEN). Auf diese Weise zustande gekommene Skoliosen würden sich beim Liegen oder bei der Suspension entsprechend den unserigen verhalten und, so lange die sekundäre Anpassung der Knochen, Bänder, Muskeln u. s. w. es nicht verhindert, sich ausgleichen.

Fassen wir das über die Lage im Bett der an Ischias erkrankten Patienten kurz zusammen: Es treten konstant primäre Anomalien in der Stellung des erkrankten Beines zum Becken auf. Diese Stellungsanomalien entsprechen denjenigen, in welchen beim Versuch an der Leiche die geringste Druck- und Zugwirkung auf die Nervenstämme ausgeübt wird. Daß die Stellungsanomalien des Beines zum Becken primär sind, ist deutlich an ganz frischen schweren Fällen zu sehen. Die diese Stellungsanomalien des Beines verdeckenden kompensierenden Veränderungen in der Lage des Beckens treten erst später auf: sie sind sekundärer Natur. Bei chronischen und subakuten Fällen, in welche Kategorie die meisten der Ischiasfälle einzurangieren sind, ist die zeitliche Unterscheidung der primären Stellung des Beines und der sekundären Beckenstellung mit großen Schwierigkeiten verknüpft. Die Anomalien in der Lage des Beines zum Becken bleiben, wenn mit Skoliose nach Ischias behaftete Patienten sich hinlegen, mehr oder weniger deutlich bestehen, während die Skoliose sich in frischen Fällen regelmäßig ausgleicht.

Als häufigste dieser primären Anomalien der Lage des Beines zum Becken sind zu nennen: Abduktion, Rotation nach außen und Flexion. Während die Abduktion, Rotation nach außen und Flexion einen mäßigen Grad bei Ischias postica nicht überschreiten, besteht bei vorwiegend im Gebiete des Cruralis sitzenden Neuralgien eine sehr starke Flexion.

Als entsprechende sekundäre Veränderungen der Beckenlage habe ich zu nennen: Senkung der erkrankten Seite, Drehung nach der gesunden, Vergrößerung der Beckenneigung. Während bei Ischias postica die drei Bewegungen des Beckens einen mäßigen Grad nicht überschreiten, pflegt bei Ischias antica die Verstärkung der Neigung eine ganz erhebliche zu sein [1]).

1) Das Photographieren der Lage der Patienten im Bett ist wegen der durch Perspektive verursachten Täuschungen nur mittels eines direkt oberhalb des Bettes parallel mit demselben stationierten Apparates auszuführen. Auf diese Weise ist die Abbildung des liegenden Patienten (siehe Lichtdrucktafeln) gewonnen.

### B. Stellungen ausserhalb des Bettes.

Zunächst werden wir untersuchen, was aus den Bein-Beckenstellungen wird, wenn der Kranke aufsteht, und nachher uns zur Besprechung der Skoliose wenden, um das Verhältnis, in welchem dieselbe zu den Bein-Beckenstellungen steht, dazulegen.

a) Stellung des Beines und Beckens beim Sitzen, Aufrichten, Bücken, Gehen und Stehen. Ueber diese Fragen liegen nur sehr spärliche Mitteilungen vor, obgleich aus denselben sich ebenfalls wichtige Anhaltspunkte für die Kenntnis der Skoliose gewinnen lassen. Außer einem kürzlich erschienenen Aufsatz von Minor[1]) über die Verschiedenheiten der Art und Weise, wie Ischias- und Lumbagokranke vom Erdboden aufstehen, habe ich in der mir zugängigen Litteratur nichts finden können.

Je länger das Krankenlager dauert, oder vielmehr je längere Zeit seit dem Aufhören der intensiven Schmerzen verstrichen ist, um so vollständiger pflegt sich schon im Bett die Kompensation der Beinstellungen durch Veränderungen in der Lage des Beckens zu gestalten. Die Geschicklichkeit und Vollständigkeit dieser Kompensation ist derart, daß nicht selten die Anomalien der Stellung des Beines nach jeder Richtung verdeckt und sehr leicht übersehen werden.

Es wäre jedoch zu weit gegangen, wollte man dies Uebersehen für alle Fälle nur auf die Kompensation beziehen. Meistens ist zu diesem Zeitpunkt die Intensität der Anomalien in der That eine viel geringere geworden. Dies Nachlassen im Grade der Stellungsanomalien pflegt sich mit dem Ende der initialen großen Allgemeinempfindlichkeit bereits einzustellen. Bei großen Schmerzen geben die Patienten aus Furcht vor denselben noch ein Plus zu dem notwendigen Ausschlag der Stellungen hinzu. Diese Aengstlichkeit läßt mit dem Aufhören der heftigsten Schmerzen nach und die Kranken begnügen sich, die Stellung innezuhalten, in der sie keine Schmerzen empfinden. Daß schon bei sehr geringen Ausschlägen der kombinierten Stellungen die erreichte Verkürzung eine ganz erhebliche ist, wurde im anatomischen Teil dargelegt.

Bei chronischen Fällen, in denen die Periode der heftigsten initialen Schmerzen fehlt, gestalten sich die Verhältnisse gerade wie bei den eben besprochenen akut einsetzenden Fällen in den späteren Stadien. Auch hier ist das Endprodukt eine völlige Kompensation der Anomalien der Beinstellungen durch sekundäre Aenderung in der Stellung des Beckens. Diese Anomalien sind hier gewöhnlich sehr gering.

Ein Erkennen derselben ist selbst für den Geübteren nur bei genauer Untersuchung möglich. Diese völlig kompensierte Endstellung

---

1) Minor, L., Ueber eine Bewegungsprobe und Bewegungsstörung bei Lumbago und Ischias. Dtsch. med. Wochenschr., 1898, No. 23.

erreichen chronische Fälle durch eine stetige gleichmäßige Entwickelung. Je chronischer der Verlauf, um so seltener pflegen offenkundige nicht kompensierte Abduktions-, Flexions- oder Rotationsstellungen aufzutreten oder einen Grad zu erreichen, von dem sie sich später wieder zurückbilden müßten.

*α*) Sitzen. Der normale Mensch pflegt, um sich zu setzen, die Achse des Oberschenkels und die Achse des Rumpfes, die beim Stehen annähernd eine Gerade bilden, in eine nach vorn und nach oben offene stumpfe bis rechtwinkelige Stellung zu bringen. Diese winkelige Stellung der Achsen geschieht lediglich im Hüftgelenk, wo die Spitze des veränderlichen Winkels liegt. Jede Beeinträchtigung der willkürlichen Veränderlichkeit dieses Winkels muß sich deshalb beim Versuch zu sitzen, geltend machen. Wir dürfen deshalb a priori auf Besonderheiten in sitzender Stellung bei unseren Kranken gefaßt sein.

*α*1) Sitzen auf dem Stuhl. Ich verweise auf die nach Photographien durch Lichtdruck gewonnenen Abbildungen. Die Kranken sitzen auf dem Rande des Stuhles. Die Beckenlängsachse und die untere Partie des Rumpfes gehen in schräger Richtung nach hinten und oben; die obere Partie des Rumpfes und der Kopf werden durch eine Biegung der Wirbelsäule wieder nach vorn gebracht. Der Oberschenkel liegt nicht wagerecht, sondern geht schräg von oben, distalwärts nach unten. Die Kranken sitzen derart, daß sie den Winkel zwischen Oberschenkel und Rumpf möglichst stumpf, d. h. möglichst unverändert lassen. Das gelingt ihnen beim Sitzen auf dem Stuhle durch zwei Behelfe: sie sitzen am Rande des Stuhles, um die steil, fast senkrecht, ansteigende Lehne, d. h. den rechten Winkel zu vermeiden, dem sie sich anpassen müßten; das Becken und den Oberkörper richten sie dadurch auf, daß sie den Oberschenkel nicht wagerecht stellen, sondern das Knie möglichst senken. Durch Vorbeugung der Wirbelsäule im Dorso-lumbal-Teil wird dann der obere Rumpf möglichst nach vorn gebracht. Die Veränderung der Stellung der Achse des Oberkörpers zur Achse des Oberschenkels geschieht nur teilweise im Hüftgelenk; teilweise, bald mehr, bald weniger, je nach der Schwere des Falles, in der unteren Partie der Wirbelsäule. Die Kranken sitzen nicht auf der unteren Fläche der Tubera ischii, sondern mehr auf der hinteren. Es dokumentiert sich dies auf den Bildern durch das Umschlagen der physiologischen Lordose oder der krankhaft gesteigerten Lordose (Photogr. IV) in eine Kyphose (Photogr. V u. VI). Bei normalen Menschen bleibt die physiologische Lordose beim Sitzen unverändert (Photogr. VII).

*α*2) Sitzen auf dem Erdboden oder auf der Tischplatte. Da unsere Kranken das Sitzen zum großen Teile dadurch bewerkstelligen, daß sie Knie und Oberschenkel senken, und dadurch die Längsachse des mit im Winkel fixierten Beckens aufrichten, der Vertikalen nähern, muß die Behinderung des Sitzens deutlicher hervortreten, wenn der Oberschenkel nicht gesenkt werden kann, sondern horizontal liegen muß. Das ist beim Sitzen auf dem Erdboden oder auf einem Tisch der Fall: die Unterlage hindert ein Zurückweichen des Oberschenkels. Hier tritt uns (Photogr. VIII) die Behinderung des Sitzens d. h. die Unmöglichkeit, den Winkel zwischen Oberschenkel und Beckenlängsachse beliebig zu gestalten, besonders über einen gewissen Grad hinaus zu verkleinern, sofort evident entgegen. Die Kranken sitzen sozusagen auf dem Kreuzbein; von da strebt der Körper nach oben; es gelingt ihm dies jedoch trotz Ausgleichung der normalen Lordose, ja einer deutlichen kyphotischen Krümmung, nur unvollständig. Der Oberschenkel ist möglichst dicht auf die Tischplatte aufgedrückt; die im Liegen deutliche Flexion des Knies ist verschwunden. Lehrreich ist es, die Kranken aus sitzender in liegende Stellung zu bringen: das Liegen kommt durch Umschlag der Kyphose im dorso-lumbalen Teil in lordotische Biegung zustande (über die dabei zu beobachtende Vergrößerung der Luftfigur siehe p. 688). Das Becken bewegt sich nur wenig mit und nimmt in seiner Bewegung den Oberschenkel, dessen Flexion auf diese Weise offenkundig wird, mit. Der beim Sitzen auf die Unterlage fest aufgedrückte Oberschenkel wird wieder abgehoben, so daß eine leichte Beugung im Knie nötig ist, damit der Fuß auf der Tischplatte aufliege.

*β*) Das Aufstehen. Das Aufstehen aus sitzender Stellung zeigt ebenfalls Besonderheiten.

*β*1) Vom Stuhl. Der normale Mensch beginnt den Akt des Aufstehens vom Stuhl dadurch, daß er den Körper nach vorn neigt. Anders der an Ischias Erkrankte. Zunächst rückt er soweit wie möglich nach dem vorderen Rande des Stuhles und stellt dabei die Füße, besonders den erkrankten, möglichst zurück, erst dann richtet er sich ganz gerade auf, ohne dabei viel an der Stellung des Oberkörpers zu ändern.

*β*2) Vom Erdboden. Ueber einige Besonderheiten des Aufstehens vom Erdboden hat, wie gesagt, Minor berichtet und dieselben zur Differentialdiagnose von Lumbago und Ischias verwendet. Der am Boden in der unter *α* 2) beschriebenen Stellung sitzende Kranke gebraucht zunächst beim Aufstehen vorwiegend das gesunde Bein. Der nach rückwärts gerichtete Oberkörper wird mit beiden Händen unterstützt, dann der gesunde Fuß durch starke Beugung des Knies und Oberschenkels soweit als möglich unter den durch die Hände in Schwebe gehaltenen Oberkörper gebracht. Jetzt folgt vorsichtig das kranke Bein in derselben Bewegung. Während der Fuß der affizierten Seite nach rückwärts gebracht wird, wird der Oberkörper stark nach der gesunden Seite hinüber gelehnt: Dadurch wird die Beugung des Oberschenkels gegen den Rumpf, im Gegensatz zu der gesunden Seite, vermieden, während die Flexion des Knies sehr stark ausfällt. Nach

Erlangung des nötigen Gleichgewichtes richtet sich der Kranke auf. Dabei stützt er den nach der kranken Seite verlagerten Oberkörper auf das entsprechende Bein. (MINOR nennt diesen Vorgang: Hinterpose-Balancieren). Diese meine Beobachtungen decken sich im wesentlichen mit denen MINOR's.

γ) Bücken. Bückt sich der Ischiaskranke, um z. B. etwas vom Erdboden aufzuheben, so werden Fuß, Unterschenkel und Oberschenkel, also das ganze Bein der kranken Seite, um so mehr nach rückwärts gestellt, als der Kranke sich tief bückt. Die Körperlast ruht auf dem gesunden, in Knie und Hüfte entsprechend gebeugten Bein. Es ist dem Kranken unmöglich, mit nebeneinanderstehenden Füßen sich genügend zu bücken, um etwas vom Boden aufzuheben. Versucht er es, sich in dieser Stellung zu bücken, so gelingt ihm das nur sehr unvollständig und zwar vorwiegend durch Biegung in dem unteren Teile der Wirbelsäule. Am deutlichsten ist die Hemmung des Bückens bei geschlossenen Füßen und durchgedrücktem Knie.

δ) Stehen und Gehen. Beim Stehen ist die Fußspitze der kranken Seite, entsprechend der Rotation des Beines, nach außen gerichtet. Unter Umständen geht und steht der Kranke mit quer gerichteter Fußachse. Wird er aufgefordert, mit geschlossenen Füßen gerade zu stehen, so rollt er das gesunde Bein soweit nach innen, bis die inneren Fußränder nebeneinander liegen. Dann richtet er beide, nach der kranken Seite gestellten Fußspitzen durch eine Drehung des Beckens möglichst nach vorn. Diese Drehung des Beckens geschieht natürlich nach der gesunden Seite. Wenn der Patient in dieser Stellung längere Zeit verbleibt oder in derselben geht, stellt er den infolge der Beckendrehung schief gerichteten Oberkörper (die Querachse des Körpers ist von vorn der kranken, nach hinten der gesunden Seite gerichtet) wieder gerade nach vorn, und zwar durch eine kompensierende Drehung der Wirbelsäule (Lumbalteil) nach der gesunden Seite. Im weiteren Verlauf der Dinge machen sich diese kompensatorischen Drehungen des Beckens und der Wirbelsäule, die anfangs mehr ausnahmsweise eintreten, spontan immer mehr geltend. Die Verbindungslinie der Spinae iliacae anteriores et superiores läuft wie früher im Bett schief, und zwar steht gewöhnlich die Spina der kranken Seite tiefer. Diese, wie wir gesehen haben, nicht selten infolge der Neigung, den Körper in eine Achse zu bringen, schon im Bett, d. h. im akuten Stadium, zu beobachtende Senkung des Beckens auf der kranken Seite ist im Stehen notwendig, um den Fuß des abduzierten Beines auf den Boden zu bringen. In den Fällen, in denen das Cruralisgebiet der Sitz größerer Schmerzen ist, besteht entsprechend der hier stärkeren Beugung des Oberschenkels eine stärkere Neigung des Beckens nach vorn. Ausdruck davon ist in den einen Fällen, denjenigen mit mäßiger Beckenneigung, eine entsprechende

Verlagerung des Oberkörpers nach vorn, in den anderen, denjenigen mit starker Neigung, eine entschiedene Vergrößerung der physiologischen Lordose im dorso-lumbalen Teil der Wirbelsäule. In diesen letzteren Fällen genügt die Neigung des Rumpfes nach vorn zur Ausgleichung der Neigung des Beckens nicht mehr. Die Verstärkung der Beckenneigung kann nur durch eine lordotische Verbiegung im unteren Teile der Wirbelsäule kompensiert werden, die den Körper nach rückwärts bringt. Beim Gehen und Stehen sind folgende Zeichen Ausdruck dieser Veränderungen: Die Drehung des Beckens nach der gesunden Seite und die kompensatorische Drehung der Wirbelsäule nach der kranken giebt sich im Vorspringen der kranken Hüfte und der entsprechenden Regio iliaca kund. Die Senkung des Beckens auf der kranken Seite ist in der Vergrößerung des Flankenabstandes (Crista iliaca — Costae spuriae) der kranken Seite und in der Verkleinerung desselben auf der gesunden Seite zu erkennen. Die Verkleinerung giebt sich nicht selten durch eine oder mehrere Hautfalten in der entsprechenden Flanke zu erkennen. (Diese Falten wurden schon von Brissaud beobachtet.) Es wäre jedoch falsch, wollte man diese Anomalien in den beiderseitigen Flankenabständen allein auf Konto der Beckenneigung setzen (siehe p. 670). Zwei andere Merkmale sind dagegen ausschließlich der Neigung des Beckens zuzuschreiben. Davon ist das eine von verschiedenen Autoren bei der Besprechung der Skoliose nach Ischias schon hervorgehoben worden. Es ist dies das Tieferstehen der Glutäalfalte auf der kranken Seite. Daneben muß ich ein anderes Zeichen nennen, das ich konstant gefunden habe und in dem sich schon geringste Senkungen geltend machen. Es ist dies die Schiefstellung der Falte zwischen beiden Hinterbacken. Dieselbe ist von der kranken Seite oben nach der gesunden Seite unten gerichtet (Photographie IX).

Stellt man die anatomische Thatsache, daß gewisse und zwar dieselben Bewegungen des Beines für beide Nervenstämme eine Dehnung bedeuten, der klinischen Beobachtung gegenüber, daß die Erkrankungen der Nerven gewisse Stellungen des Beines involvieren (diejenigen, die eine Entspannung und eine Entlastung der Nerven mit sich bringen), so werden obige Vorgänge leicht verständlich; es kommt immer und immer wieder darauf hinaus, die einen Stellungen zu vermeiden und die andere innezuhalten. Dazu kommt noch in späteren Stadien die Fixierung der ursprünglichen Stellung durch Anpassung der Gelenkkapseln, der Ligamente, Muskeln u. s. w. Bei meiner Darlegung habe ich mich mehr an schwere Fälle gehalten. Selbstverständlich sind jedoch diese Eigentümlichkeiten von den undeutlichsten Anfängen, von der kaum nach der einen oder anderen Richtung angedeuteten Stellung, bis zum vollständig und allseitig entwickelten Bilde unserer Symptome in allen Abstufungen zu treffen.

Noch ein Wort über die Bedeutung dieser Eigenheiten der Lage und der Bewegungen für das Gebiet der gutachtlichen Thätigkeit. Objektive Anhaltspunkte sind dem zwecks gutachtlicher Aeußerung untersuchenden Arzte um so mehr willkommen, als er bei der Beurteilung des Kranken in größerem Maße auf dessen Angaben angewiesen ist. Die Natur der Unfallgesetzgebung bringt es mit sich, daß die betreffenden Kranken im Kampf um ihre Rente zu stärkerer Uebertreibung geneigt sind als andere Patienten. Ischias ist nun eine in der Praxis der Unfallheilkunde oft zu treffende Krankheit. Sie ist dazu noch derart, daß ihr Bestehen, noch mehr der Grad der durch ihre Intensität hervorgebrachten Erwerbsunfähigkeit nicht selten mehr oder weniger zweifelhaft bleiben muß. Der Arzt ist vornehmlich auf das angewiesen, was der Patient ihm erzählt oder vormacht [1]). Ich glaube nun, daß aus der Beobachtung der Lage, des Stehens und Gehens, besonders des Sitzens, Bückens, Aufrichtens mit Berücksichtigung des oben Gesagten einigermaßen zuverlässige Anhaltspunkte gewonnen werden können, um sich ein auf objektive Symptome gegründetes Urteil zu schaffen und allzu beträchtliche Uebertreibungen und Simulationen als solche zu erkennen.

b) Verhalten der Wirbelsäule. Schon oben habe ich gewisse, von der Beckenstellung im Sitzen und Bücken nicht zu trennende Eigentümlichkeiten der Wirbelsäule genannt. Dieselben bezogen sich auf Verbiegungen im dorso-ventralen Sinne. Ich wiederhole, daß in manchen Fällen eine Neigung der ganzen Wirbelsäule nach vorn, in anderen dagegen eine Verstärkung der physiologischen Lordose im lumbalen Teile derselben zustande kommt. In letzteren besteht, um Hals und Kopf nach vorn zu bringen, eine entsprechende Verstärkung der physiologischen, nach vorn konkaven Verbiegung dieser Stellen.

Hier interessieren uns speciell etwa bestehende skoliotische Veränderungen, die sich beim Gehen und Stehen entwickeln. Bei meinen sämtlichen Fällen haben sich, nachdem die Kranken aufgehört hatten, bettlägerig zu sein, in kurzer Zeit skoliotische Veränderungen eingestellt. Die Entwickelung derselben pflegte, sobald die Kranken einmal das Bett verlassen hatten, rasch vor sich zu gehen. Die eigentliche Skoliose kommt vorwiegend nur durch das Stehen und Gehen zustande. Es scheinen keine Ursachen vorhanden zu sein, die auch im Liegen eine Skoliose notwendig machen oder bedingen. Außer in einem einzigen Falle, auf den ich noch genauer zurückkommen werde, bildete sich bei allen unseren Kranken von vornherein

---

1) Während meiner Assistentenzeit am Rekonvalescentenhause für Unfallverletzte in Straßburg (Direktor Prof. Ledderhose) habe ich diese Erfahrung oft gemacht.

eine heterologe Skoliose aus; die seitliche Verkrümmung im dorsolumbalen Teil war mit der Konkavität nach der gesunden Seite gerichtet, während die zweite kompensatorische Verkrümmung im dorsocervikalen Teile der Wirbelsäule sich in entgegengesetztem Sinne orientierte. Diese Skoliosen entsprechen, statisch-mechanisch gesprochen, vollständig der durch die primäre, oben beschriebene Beinstellung bedingten Senkung des Beckens auf der kranken Seite. Da diese Senkung des Beckens auf der kranken Seite, wie wir gesehen haben, vornehmlich ein Produkt der Abduktion des Beines ist, so muß diese Abduktion als hauptsächliche Ursache der Skoliose angesprochen werden. In Fällen von Higier, Phulpin, Erben findet man nicht selten diese Abduktion erwähnt. In anderen wiederum, bei denen die Abduktion des kranken Beines nicht speciell hervorgehoben ist, findet sich oft eine Senkung des kranken Hüftbeinkammes verzeichnet. In zahlreichen von den in der Litteratur niedergelegten Fällen von Skoliose findet sich über Besonderheiten der Bein- und Beckenstellung überhaupt nichts erwähnt. Es ist dies dahin zu erklären, daß die Hauptaufmerksamkeit der Beobachter auf die Verkrümmung der Wirbelsäule gelenkt war. Außerdem wird nach längerem Bestehen der oft nur noch sehr geringe Tiefstand durch ein anderes, mehr in die Augen fallendes Symptom, das im vorhergehenden Abschnitt beschriebene Vorspringen der kranken Hüfte, verdeckt. Die heterologe Skoliose unserer Fälle trug zur Vergrößerung des Flankenabstandes auf der kranken und zur Verkleinerung desselben auf der gesunden Seite bei. Der andere, diese Anomalie bewirkende Faktor ist (siehe p. 665) die Senkung des Beckens auf der kranken Seite. Die Annahme, daß in manchen der Fälle, wo diese Veränderungen im Flankenabstand speciell hervorgehoben oder als sehr ausgesprochen bezeichnet werden, beide sie bewirkenden Faktoren (also auch der Beckentiefstand) vorhanden gewesen sind, dürfte wohl zutreffen. Die Häufigkeit der Skoliosen überhaupt muß, wenn unsere Annahme richtig ist, derjenigen der krankhaften Beinstellung entsprechen. Da die abnorme Beinstellung bei der Ischias nach unserer Erfahrung nie vollständig fehlt, muß in jedem Falle von Ischias Verbiegung der Wirbelsäule vorhanden sein. Leichteste Grade der Skoliose werden häufig nicht beachtet oder übersehen. Daß Skoliose in allen Ischiasfällen, oft allerdings nur ganz unerheblich, beobachtet werden kann, sagt Phulpin: „La scoliose est un phénomène à peu près constant dans la sciatique.“ Auf 83 Fälle vermißt dieser Autor nur 1mal die Skoliose. Seit der Erkenntnis der Skoliose sind schwerere Ischiasfälle ohne Skoliose nicht beschrieben worden.

Gegen eine rein statisch-mechanische Theorie des Zustandekommens der Skoliose nach Ischias wären folgende Einwände möglich:

1) Kann aus derselben Beckenstellung in dem einen Falle eine heterologe, in dem anderen eine homologe Skoliose entstehen?

2) Es finden sich in der Litteratur gut beschriebene Fälle von Skoliose nach Ischias, in denen eine Beckenschiefstellung nicht bestanden zu haben scheint.

3) Es giebt Fälle von Skoliose nach Ischias, in denen die Schmerzen schon lange verschwunden sind, und trotzdem die Skoliose weiter besteht, obgleich also ein Grund zu Anomalien der Bein- und Beckenstellung, infolgedessen zur Skoliose nicht mehr vorhanden ist.

ad 1) Daß heterologe und homologe Skoliosen immer aus derselben Bein- und Beckenstellung entstehen, will ich keineswegs behaupten. Andere Bein- und Beckenstellungen als die oben beschriebenen habe ich nicht gesehen. Ich darf aber diese nur als die weitaus häufigste Ursache bezeichnen, ich kann sie nicht die einzig mögliche nennen. Daß eine geringe Adduktion des Beines und eine Rotation desselben nach innen ebenfalls eine Verkürzung des Weges bedingen — diese Verkürzung ist allerdings weniger beträchtlich als die durch die entgegengesetzten Stellungen hervorgebrachte — haben uns die anatomischen Untersuchungen gelehrt. Daß dieselben unter gewissen Umständen thatsächlich bei Ischias vorkommen und zwar gerade bei der von homologer Skoliose begleiteten Ischias, geht aus Beschreibungen von Brissaud, Higier, Phulpin, Erben und Guse hervor. Diese Autoren heben in einigen ihrer Fälle Adduktion des kranken Beines und Rotation desselben nach innen hervor. Diese von mir nicht gesehene, von anderen sicher konstatierte Bein-Beckenstellung kann die seltenere, denselben nach statisch-mechanischen Gesetzen entsprechende homologe Skoliose bedingen. Diese Beckenstellung ist jedoch für das Zustandekommen der homologen Skoliose keineswegs durchaus nötig. Der zur Rechtfertigung der anderen Theorien gemachte Einwurf richtet sich insofern gegen diese Theorien selbst, als es unlogisch wäre, einerseits den zahlreichen, als Ursachen der Skoliose angesprochenen Thatsachen die Fähigkeit zuzuschreiben, allein eine Skoliose bedingen zu können, andererseits ihnen die Fähigkeit abzusprechen, eine durch die Bein-Beckenstellung notwendig gewordene Skoliose in der einen (heterologen) oder anderen (homologen) Richtung zu beeinflussen. So bestand in unserem oben erwähnten Falle zunächst eine homologe Skoliose: infolge einer nach der kranken Seite konkaven Krümmung hing der Körper stark nach der kranken Seite; dieser Zustand dauerte circa 2 Monate, dann schlug innerhalb eines kurzen Zeitraumes die homologe Skoliose in eine heterologe um. Die Beckenstellung blieb konstant dieselbe. Daß sich zunächst eine homologe Skoliose ausbildete, war in diesem Falle durch sehr schmerzhafte Zustände der Lenden-, Rücken- und Glutäalmuskulatur bedingt. Dieselbe hinderte die für die Gestaltung der Skoliose zur heterologen Form notwendige Streckung dieser Muskulatur (Brissaud). Erst nach dem Schwund dieser Schmerzhaftigkeit konnte die Skoliose die normale heterologe Form annehmen. Auf diese Weise zu deutende Fälle finden sich bei genauer Betrachtung ziemlich zahlreich. Hierher gehören die Fälle von alternierenden Skoliosen. Ueber die anderen willkürlich bald homolog, bald heterolog zu gestaltenden Skoliosen zu sprechen, liegt keine Notwendigkeit vor. Es sind nur einige wenige Fälle derart bekannt, in denen dann immer ganz besondere Verhältnisse mitspielten, z. B. Einübung der Beweglichkeit, bestimmte Berufe, die eine große Beweglichkeit bedingen (Kunstreiter). Die willkürlich beliebig oft alternierende Skoliose hat eine Bedeutung bis jetzt nicht erlangt.

ad 2. Wenn in einzelnen Krankenbeobachtungen hervorgehoben ist, daß zur Zeit der Untersuchung eine Beckenschiefstellung nicht bestanden hat, so bedeutet das nicht, daß eine solche überhaupt nie vorhanden gewesen ist. Außerdem entgehen geringe Abnormitäten der Bein- und Beckenstellung sehr leicht der Beobachtung. In manchen Fällen sind übrigens begleitende Umstände denkbar, die die durch unbedeutende Beckensenkung bedingte leichte Skoliose in verschlimmerndem Sinn beeinflussen.

ad 3. Wenn trotz des vollständigen Aufhörens der schmerzhaften Zustände die Skoliose in einzelnen Fällen weiter besteht, so will das nicht heißen, daß diese schmerzhaften Zustände und die durch sie bedingten Veränderungen in der Bein- und Beckenstellung nichts mit dem Zustandekommen der Skoliose zu thun haben. Ob nach Schwund der Schmerzen die Skoliose weiter bestehen oder sich ausgleichen wird, hängt mit der Dauer der Schmerzhaftigkeit, dem Alter des Patienten, der Anpassung der Gewebe und endlich mit der mehr oder weniger großen Neigung des Patienten, sich kürzer oder länger innegehabte und angewöhnte Körperstellungen wieder abzugewöhnen, zusammen. Bei Berbez finden wir eine Skoliose, die, obwohl schon lange Zeit die Schmerzen nachgelassen hatten, auch in Narkose nicht mehr auszugleichen war. Die Ischias, die diese Skoliose bedingte, hatte 14 Jahre gedauert! Dahin gehören auch die von mir oben angeführten Fälle, die von ihrer Ischias eine dauernde Skoliose zurückbehielten. Schließlich ist es auch denkbar, daß, während die Skoliose weiter besteht, sich die Bein-Beckenstellung mehr oder weniger zurückbildet (siehe ad 2).

Fassen wir unsere Anschauung über das Zustandekommen der Verkrümmung der Wirbelsäule bei und nach Ischias, wie wir sie aus den Untersuchungen an der Leiche und durch unsere klinischen Beobachtungen festgestellt haben, der Uebersichtlichkeit halber zusammen:

1) Die Ursache der Verbiegung der Wirbelsäule im lateralen Sinne ist die durch die Ischias bedingte Abduktion des Beines.

2) Die Ursache der Verbiegung der Wirbelsäule in dorso-ventralem Sinne (Lordose, Kyphose, Neigung des Rumpfes nach vorn) ist die durch die Ischias bedingte Flexion des Beines.

3) Die Ursache der Besonderheiten im Sinne der Drehung ist die durch die Ischias bedingte Rotation des Beines nach außen.

4) Entsprechend dieser drei häufigsten primären Stellungen des Beines ist die heterologe Skoliose die häufigste. Durch Behinderung der kompensatorischen Krümmung im dorso-cervicalen Teil kann in manchen Fällen eine homologe Skoliose zustande kommen; dieselbe geht, nachdem die behindernden Ursachen gehoben sind, in eine heterologe über.

5) Ob andere seltenere Stellungen des Beines direkt eine homologe Skoliose bedingen können, lasse ich dahingestellt; unwahrscheinlich ist es nicht.

## Schluss.

Therapeutisches: Meine Auffassung der Skoliose bei oder nach Ischias ist für die Therapie derselben nicht ohne Bedeutung. Ist die Skoliose die Folge einer bestimmten mehr oder weniger unveränderlichen Stellung des Beines gegen das Becken, dann muß die Bekämpfung und die Beseitigung dieser Stellung des Beines zum Becken das beste Mittel sein, um die Skoliose zum Schwinden zu bringen. Je früher es möglich ist, gegen diese Stellung anzukämpfen, um so größer sind die Chancen für das Gelingen, da die sekundäre Anpassung der Gewebe an die skoliotische Stellung in frühen Zeitpunkten oder die kürzere Gewöhnung nur ein geringes Hindernis darstellt. Wie oft, so ist auch hier die indizierte Therapie (Mobilisierung) ein zweischneidiges Schwert. Durch die Mobilisierung werden die Nerven infolge der dabei erlittenen Zerrung in Mitleidenschaft gezogen; dadurch kann bei vorzeitiger und allzu energischer Mobilisationstherapie der schmerzhafte Zustand gleichsam unterhalten oder von neuem entfacht werden.

Ueber die sehr zahlreichen gegen den Schmerz angewandten therapeutischen Eingriffe zu sprechen, liegt hier keine Veranlassung vor. Ich will kurz hervorheben, daß wir von den Leiter'schen Röhren oder von entlang des Nerven aufgelegten, 20—30 cm langen, 4 cm breiten spanischen Fliegen schöne Erfolge zu verzeichnen haben.

Soll nun jede gegen die Fixierung der Stellung des Beines zum Becken gerichtete therapeutische Maßnahme so lange unterbleiben, als

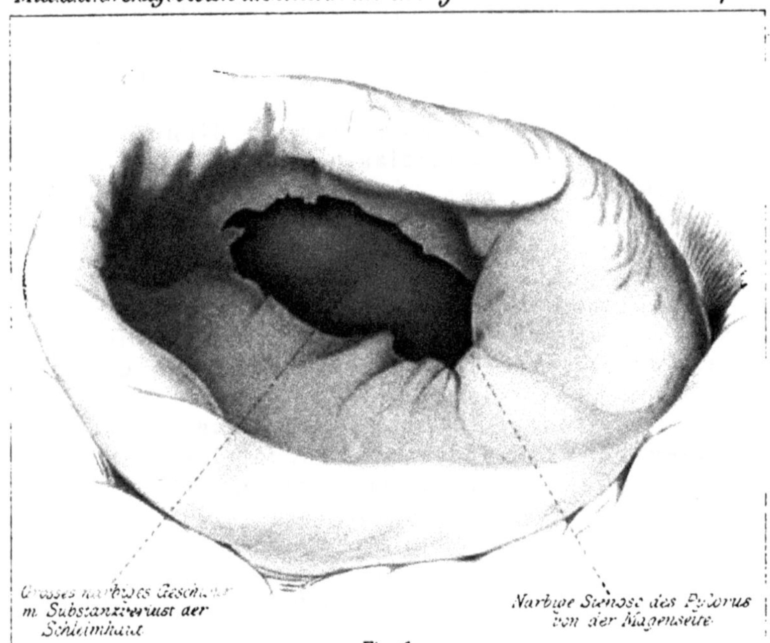


*Fig. 1.*

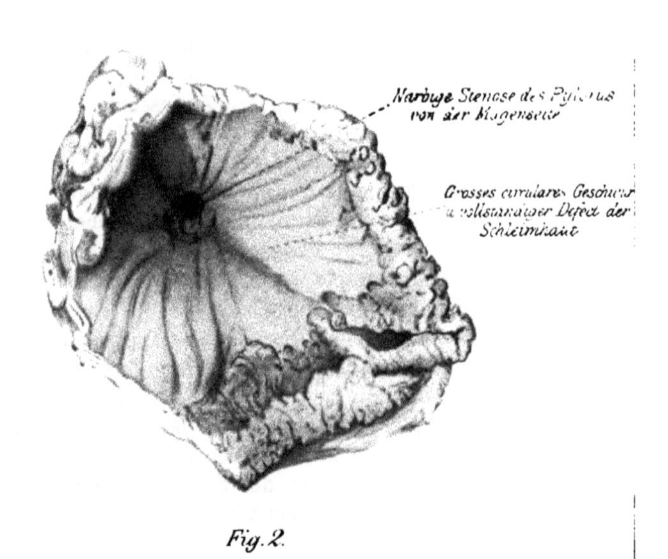


*Fig. 2.*

L. Schröter gez. Verlag von Gustav Fischer in Jena Lith. Anst. v. K. Wesser, Jena

INNENSEITE DER PARS PYLORICA.

überhaupt noch Schmerzen vorhanden sind? Zunächst sei gesagt, daß unter Schmerzen an dieser Stelle lediglich solche gemeint sind, die in die Nervenstämme ausstrahlen, also nicht diffuse Schmerzhaftigkeit, z. B. der Muskeln. Die ausstrahlenden Schmerzen sind für die Mobilisierungsversuche insofern eine Kontraindikation, als durch dieselben derartige Schmerzen nie ausgelöst werden dürfen. In diesem Satze liegt das Maß, in dem die Mobilisierungsversuche zu geschehen haben. Werden durch geringe passive Bewegungsversuche schon ausstrahlende Schmerzen ausgelöst, dann ist lediglich Massage der Weichteile am Platze, unter Umständen auch hydro-therapeutische Eingriffe. Können geringe Bewegungen ohne Schmerzen ausgeführt werden, dann ist mit geringen passiven, oft wiederholten Bewegungen zu beginnen. Je größere Ausschläge der Bewegungen schmerzlos möglich sind, um so mehr sind die passiven Bewegungen bis zur Grenze, an der die ausstrahlenden Schmerzen beginnen, auszuführen. Auf diese Weise wird die Fixierung im Gelenk durch Retraktion der Kapsel, Bänder, Muskeln u. s. w. während der schmerzhaften Periode auf ein Minimum beschränkt und der Gewöhnung an die bestimmte Stellung entgegengearbeitet. Aktive Bewegungen können gewöhnlich erst dann ausgeführt werden, wenn der Kranke beginnt aufzustehen. Als Kriterium dienen auch da die ausstrahlenden Schmerzen; dieselben dürfen durch zu weite Exkursionen nie ausgelöst werden.

Das zweite Stadium unserer Therapie fällt in die Periode, in der lancierende Schmerzen überhaupt nicht mehr auftreten oder nur bei extremsten Bewegungen ausgelöst werden. Die Skoliose kommt naturgemäß zu jenem Zeitpunkte, wo der Kranke viel mobiler geworden ist und beginnt, seinen Beschäftigungen wieder nachzugehen, zu ihrer größten Entwickelung. In diesem Stadium handelt es sich darum, die nach der schmerzhaften Periode zurückgebliebene und durch die Massage und passive Bewegungen möglichst eingeschränkte Fixation zu lösen. Neben den auch hier angebrachten passiven Bewegungen räume ich die erste Stelle folgenden körperlichen Uebungen ein: Radfahren, Reiten, Rudern (auf beweglichen Sitzen), Fechten (Fleuret). Alle diese Uebungen haben den Vorzug, konstant und ohne Uebertreibung auf die Mobilisation des Hüftgelenkes hinzuarbeiten und sind dabei sehr viel weniger langweilig und deshalb täglich viel länger und mit größerer Konsequenz auszuführen, als einfache passive Bewegungen. Sie ersetzen für Erwachsene das Schaukelpferd, auf das Lücke seine an Coxitis erkrankten Kinder zur Mobilisierung des Hüftgelenkes setzte.

---

## Litteratur.

### Anatomie.


1) Aeby, Der Bau des menschlichen Körpers. Leipzig (Vogel) 1868.
2) Arnold, Handbuch der Anatomie des Menschen. Freiburg i. B. (Herder) 1847.
3) Bardeleben u. Haeckel, Atlas der topographischen Anatomie.
4) Beaunis et Bouchard, Noveaux éléments d'anatomie descriptive. Paris 1873.
5) Bichat, Traité d'anatomie descriptive. Paris 1855.
6) Boyer, Traité d'anatomie. T. 3. Paris 1815.
7) Cruveilhier, Traité d'anatomie descriptive. T. 4. Paris 1852.
8) Gegenbaur, Lehrbuch der Anatomie des Menschen. Leipzig (Engelmann) 1890.
9) Gerlach, Handbuch der speciellen Anatomie des Menschen. München (Oldenbourg) 1898.
10) Heitzmann, Die deskriptive und topographische Anatomie. Wien 1896.
11) Henle, Handbuch der Gefäßlehre. Braunschweig 1868.
12) Idem, Grundriß der Anatomie des Menschen. Atlas, 1880.
13) Hyrtl, Lehrbuch der Anatomie des Menschen. Wien 1873.
14) Jössel, Lehrbuch der topographisch-chirurgischen Anatomie. Extremitäten. Bonn 1884.
15) Räuber, Anatomie des Menschen. Leipzig 1898.
16) Rüdinger, Atlas des peripheren Nervensystems. München 1872.
17) Schwalbe, Lehrbuch der Neurologie. Erlangen 1881.
18) Tillaux, Traité d'anatomie topographique. Paris 1892.


### Ischias scoliotica.


19) Albert, Eine eigentümliche Art der Totalskoliose. Wiener medizin. Wochenschr., 1886, 1. März.
20) Brunnelli, Revue d'orthopédie, 1892, p. 389.
21) Babinski, Sur une déformation particulière du tronc causée par la sciatique. Arch. de nevrologie, T. 15, 1888, p. 43.
22) Ballet, Soc. méd. des hôpitaux, Séance du 8 Juillet 1887.
23) Brissaud, Des scolioses dans les névralgies sciatiques. Arch. de nevrologie, T. 19, 1890, p. 55.
24) Berbez, Deux cas de sciatique déformante. France médicale, 1887.
25) Idem, Sciatique d'une durée de 14 ans. France méd. 1888.
26) Bouchaud, Attitude du corps dans la sciatique. Journ. des sciences méd. de Lille, 1888.
27) Bonsdorff, Et Fall of Ischias scoliotica. Ref. im Neurolog. Centralbl., 1890, No. 24.
28) Bähr, F., Zur Entstehung der Scoliosis ischiadica. Centralbl. f. Chir., 1896, p. 760.
29) Bregmann, Ueber die Entstehung der Skoliose bei Ischias. Wiener med. Wochenschr., 1895, p. 1185.
30) Brühl et Soupault, Scoliose homologue. Méd. mod., 1892.
31) Bernhardt, Erkrankungen der peripheren Nerven. Nothnagel XI, Bd. 2. Wien (Hölder) 1898.
32) Beurmann, de, Note sur un signe peu connu de la sciatique. Recherch. expériment., Arch. de physiolog. norm., 1884, No. 8.
33) Charcot in Babinsky, Arch. de nevrolog., 1888.
34) Idem, Leçons du mardi, 1888, 30 Oct.

## Litteratur.

[illegible]


[illegible]

[illegible]

[illegible]

[illegible]

[illegible]

[illegible]

[illegible]

[illegible]

27\) [illegible] 1888.

28\) [illegible]

29\) Benedict [illegible] 1885, No. 24.

29\) Bonn [illegible]

29\) [illegible] nien. Wochenschr. 1880 [illegible]

30\) [illegible] 1882.

31\) Benedikt [illegible] Bd. 2. Wien [illegible]

32\) [illegible] expérimentale. Arch. de physiol. [illegible] No. 3.

33\) Charcot [illegible] Arch. de neurol. 1882.

34\) [illegible] 1888, 30 déc.

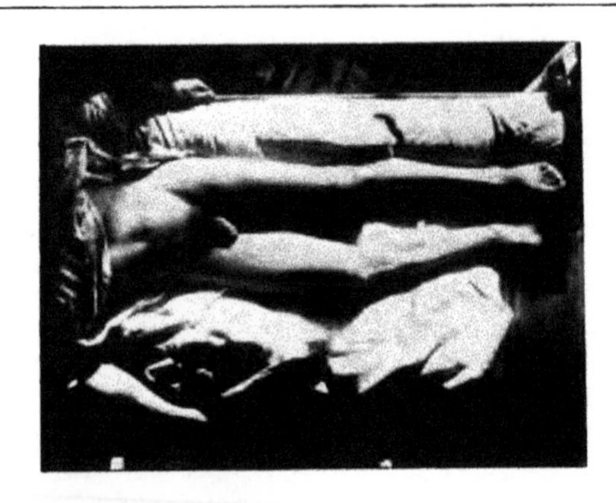

Bettlage bei rechtsseitiger Ischias.

*Photographie III.*

*Photographie I.*

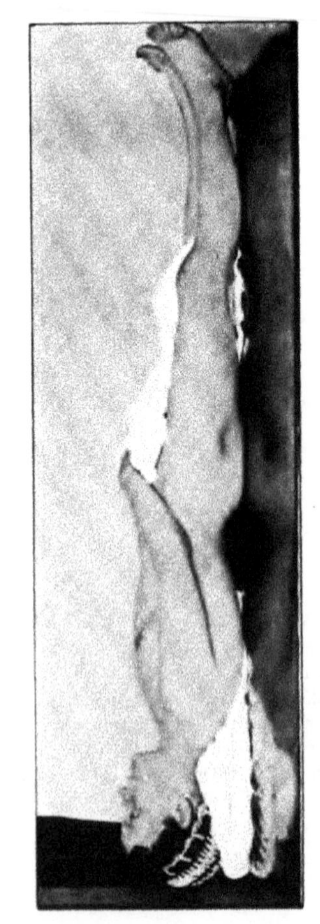

*Photographie II.*

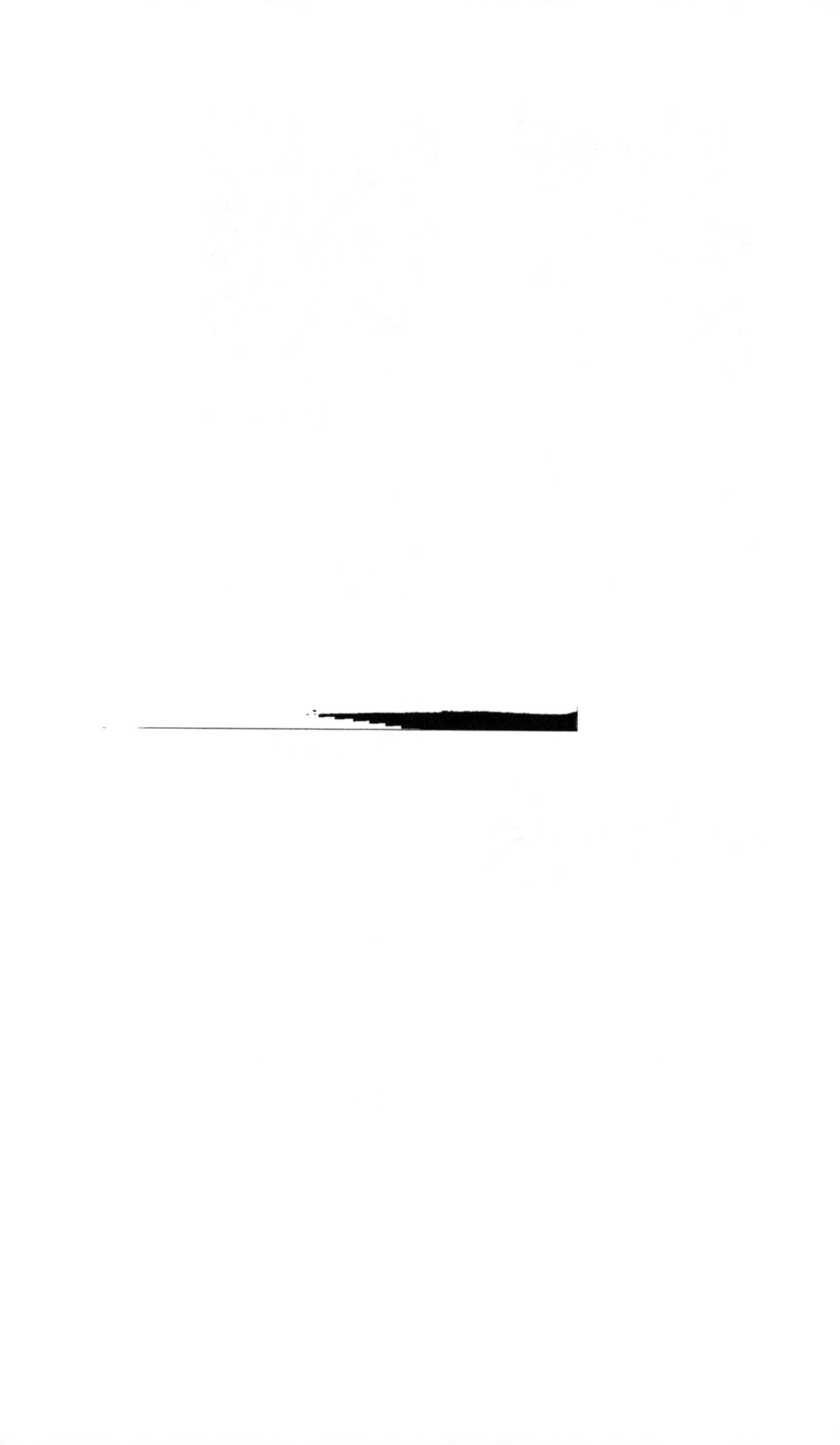

Photographie IV.

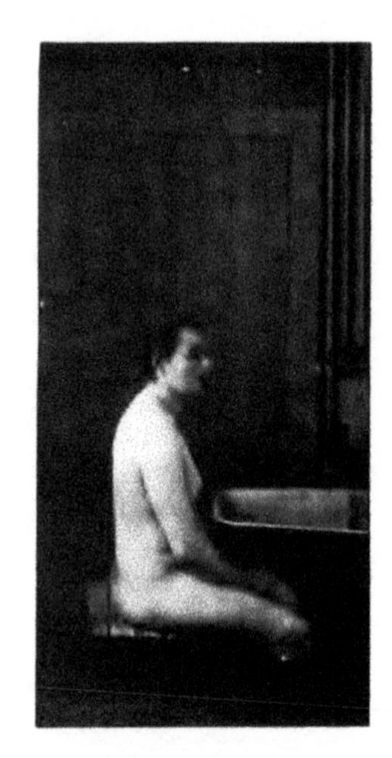

Photographie V.

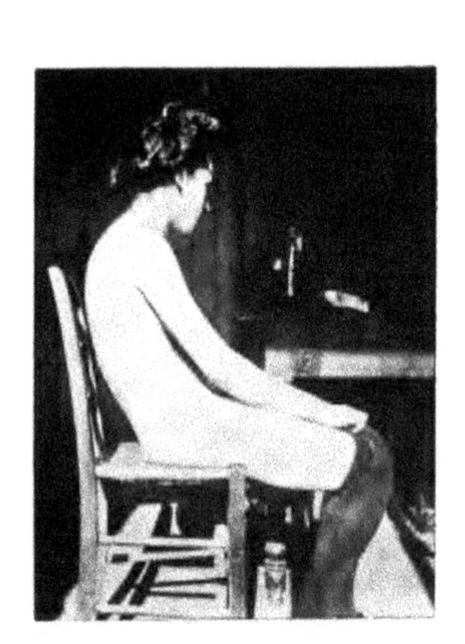

Photographie VI.

Photographie VII.

Ehret. Verlag von Gustav Fischer in Jena.

35) Idem, Nouv. inconogr., T. 1, 1888, p. 83.
36) Dumolard, Lyon méd., 1888.
37) Debove in Phulpin, Thèse de Paris, 1895.
38) Idem et Rendu, Bull. de la soc. méd. des hôpitaux, 1891, Oct., p. 472.
39) Erben, Ischias scoliotica. Beitr. zur klin. Med. u. Chir., Heft 16, Wien 1897.
40) Idem, Sitzungsprotokoll d. Ver. f. Psychiatrie. Wiener klin. Wochenschrift, 1895, p. 515.
41) Idem, Zur Klinik und Pathologie der Ischias. Wiener klin. Wochenschrift, 1894, No. 47.
42) Erb, Brief im Neurolog. Centralbl., 1888, No. 24.
43) Fischer, H., u. Schönwald, W., Ueber Ischias scoliotica. Wien. med. Wochenschr., 1893, p. 689.
44) Françon, Lyon med., 1893.
45) Gussenbauer, Rapport de la clinique chirurgicale de Liège, 1878, p. 184.
46) Idem, Prager med. Wochenschr., 1890, No. 17 u. 18.
47) Idem, Ueber Ischias scoliotica. Wiener klin. Wochenschrift, 1890, No. 10.
48) Gorhan, A., Ueber Scoliosis ischiadica. Wiener klin. Wochenschr., 1890, No. 24.
49) Guse, Ueber Ischias scoliotica. Wien. med. Presse, 1894, p. 1149.
50) Gibson, An analysis of 1000 cases of primary sciatica. Lancet, 1893, 15 April.
51) Hallion, Maladie des muscles et des nerfs. Charcot-Bouchard, T. 6, Paris 1894.
52) Hyde, Analysis of two hundred cases of sciatica. Lancet, 1896, No. 19.
53) Heyem, Rev. de méd., 1890, Août.
54) Hallion, Des déviations vertébrales nevropathiques. Thèse de Paris, 1892.
55) Higier, Fünf Fälle von Ischias scoliotica. Dtsch. med. Wochenschr., 1892, p. 627.
56) Jasinski, Skoliozy powstajace wskuted u. s. w. (Polnisch.) Vortrag, gehalten auf dem chir. Kongr. in Krakau, 1889, Okt.
57) Kocher, cit. bei Schüdel, Arch. f. klin. Chir., Bd. 38, Heft 1.
58) Lasègue, Arch. gén. de méd., 1869.
59) Landouzi, De la sciatique et de l'atrophie musculaire qui peut la compligner. Arch. gén., 1875, Avril, Mai.
60) Lamy, Deux cas de sciatique spasmodique. Progrès médical, 1891, 10 Janvier.
61) Idem, Rev. d'orthopédie, 1891.
62) Lorenz, Rückgratverkrümmungen. Eulenburg's Realencyklop., Bd. 17, Heft 2, p. 96.
63) Lagrelette, Thèse de Paris, 1869.
64) Lebon, Scoliose homologue. France méd., 1891, 16 Janv.
65) Mann, L., Ueber das Vorkommen motorischer Störungen bei Ischias u. s. w. Dtsch. Arch. f. klin. Med., Bd. 51, 1893, p. 583.
66) Masurke, Vier Fälle von Ischias scoliotica. Inaug.-Dissert. Königsberg, 1891.
67) Massalongo, L'atrophia musculare nelle paralise isterio de anal. Giorn. de Nevrop. anno 5, p. 46.
68) Nicoladini, Ueber eine Art des Zusammenhanges zwischen Ischias und Skoliose. Wiener med. Presse, 1886, No. 26 u. 27.

69) Idem, Ein weiterer Fall von durch Ischias bedingter Skoliose. Wien. med. Presse, 1887, No. 39.
70) Pospishil, Zur hydriatischen Therapie der Ischialgien. Blätter für klin. Hydrotherapie, Bd. 1, 1892.
71) Phulpin, La sciatique. Contribution à l'étude des scolioses. Thèse de Paris, 1895.
72) Remak, Alternierende Skoliose bei Ischias. Dtsch. med. Wochenschr., 1891, No. 17.
73) Idem, Verhandl. des Vereins f. inn. Med., 1890—91, p. 176—181.
74) Idem, Ueber Ischias scoliotica. Dtsch. med. Wochenschr., 1892, No. 27.
75) Salomonson, Ischias scoliotica. Ref. im Jahresbericht f. d. ges. Med., 1890, p. 148.
76) Schüdel, Ueber Ischias scoliotica. Arch. f. klin. Chir., Bd. 38, 1889, Heft 1.
77) Souques, Sur deux cas de guérison complète de la déformation du tronc dans la sciatique. Nouvell. iconograph. de la Salpêtr., 1890, No. 5.
78) Schmidt, Med. Gesellsch. zu Leipzig, 1893, April.
79) Idem, Dtsch. med. Wochenschr., 1896, No. 52.
80) Texier, Déformation particulière du tronc causée par la sciatique. Thèse de Paris, 1888.
81) Tóralbo, Etiologia della sciatica e di una deformazione particulare del trunco, causata dell sciatica. Gaz. med. Lomb., 1887.
82) Valentini, Ein Fall von Ischias scoliotica. Dtsch. med. Wochenschr., 1851, No. 16.
83) Vulpius, Zur Kenntnis der Scoliosis neuropathica. Dtsch. med. Wochenschrift, 1895, No. 36.
84) Idem, Ein Fall von alternierender Scoliosis neuroparalytica. Zeitschr. f. orthop. Chir., Bd. 4.
85) Wolfer, cit. bei Guse, Wien. med. Presse, 1896, No. 30—32.

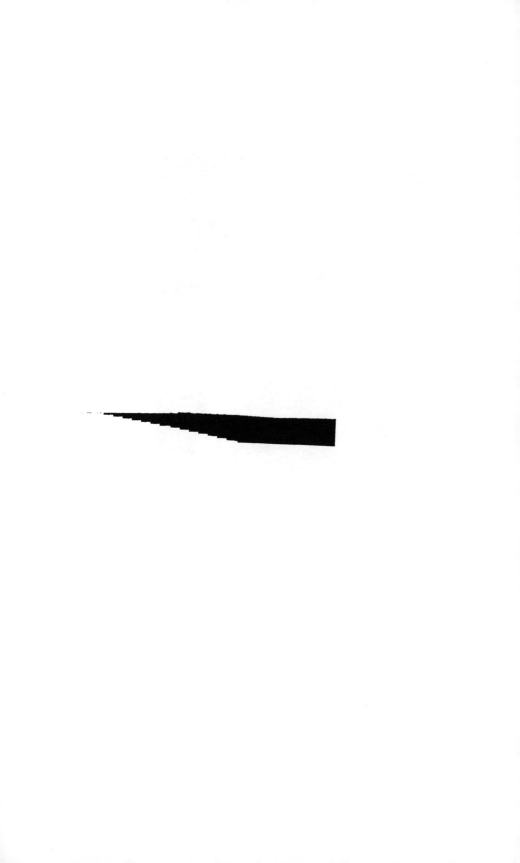

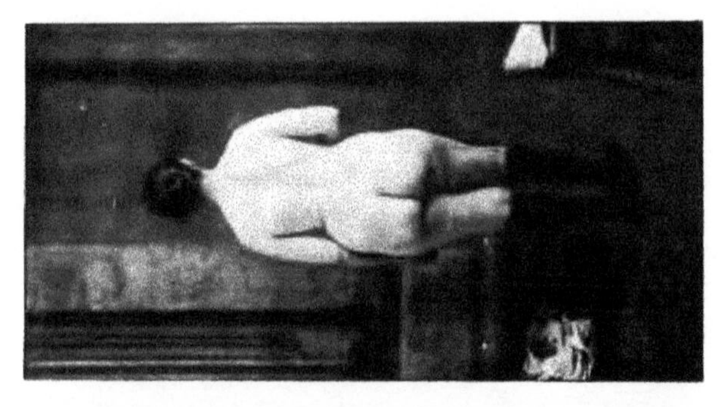

*Photographie IX*

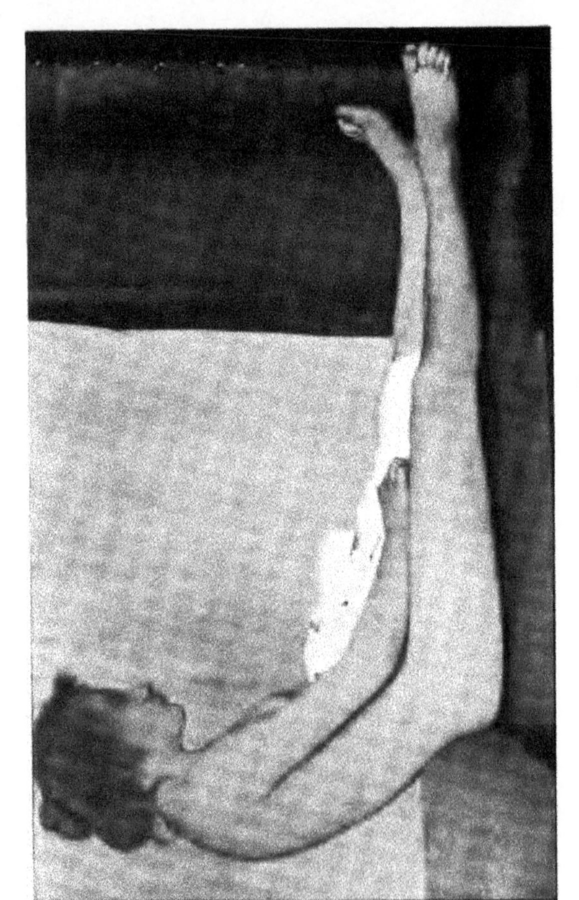

*Photographie VIII.*

*Ehret.* Verlag von **Gustav Fischer** in **Jena.**

Aus der chirurgischen Klinik München.



# XXIII.
# Beitrag zur Trepanation bei Epilepsie.

Von

Dr. **Höfer,**

II. Assistenten der Klinik.

---

Es ist nicht zu leugnen, daß trotz der zahlreichen Arbeiten über die operative Behandlung der Epilepsie, welche in den letzten drei Jahrzehnten erschienen sind und trotz der großen Fortschritte, welche auf diesem der Chirurgie neu erschlossenen Arbeitsfelde dank der Ausbildung der Lehre von der Gehirnlokalisation und dank der modernen Wundbehandlung und Operationstechnik errungen wurden, wir doch immer noch weit davon entfernt sind, uns auf diesem Gebiet so heimisch und sicher zu fühlen wie in den meisten anderen unserer Disciplin. Die Ursache für dieses Gefühl der Unsicherheit, welches auch in den neueren einschlägigen Arbeiten mehr oder minder deutlich zum Ausdruck kommt, liegt vor allem in den außerordentlich zahlreichen Mißerfolgen, welche die Chirurgie in der Behandlung der Epilepsie auch bei anscheinend günstigen Fällen zu verzeichnen hat und in den — trotz der bedeutend vertieften und erweiterten Erkenntnis der in Betracht kommenden Gehirnerkrankungen — immer noch zahlreichen diagnostischen Schwierigkeiten und den daraus hervorgehenden Irrtümern in der Indikationsstellung und Prognose. Dessenungeachtet dürfen wir auf Grund der bisher erreichten Fortschritte auf diesem schwierigen Gebiet mit Bestimmtheit hoffen, daß auch hier durch unermüdliches, gemeinsames Zusammenwirken der experimentellen Physiologie, der normalen und pathologischen Anatomie und der klinischen Beobachtung die auf anderen Gebieten der Chirurgie gewonnene Sicherheit und Planmäßigkeit des Handelns und damit die Aussicht auf Erfolg immer mehr erreicht wird.

Ueber einen Punkt herrscht unter den Chirurgen vollkommene Uebereinstimmung, nämlich daß die genuine allgemeine Epilepsie von der operativen Behandlung vollkommen auszuschließen sei, und daß für eine solche nur diejenigen Epilepsiefälle in Betracht kommen, bei denen irgendwelche Symptome auf einen mehr oder minder umschriebenen und dem Messer zugänglichen Herd schließen lassen.

Der Hinweis, daß ein solcher Herd bei bestimmten Epilepsieformen in der Hirnrinde zu suchen sei, ist das große Verdienst Hughlin Jackson's [1]). Experimentell begründet wurde (1870) diese Lehre durch die Versuche von Hitzig und Fritsch und wesentlich erweitert und ausgebaut durch die schönen Untersuchungen von Ferrier [2]), Luciani [3]), Frank und Pitres [4]), Albertoni [5]) und Unverricht [6]). Indem diese Forscher durch elektrische Reizung motorischer Rindencentren beim Tier epileptische Anfälle auszulösen vermochten, welche in ihrem typischen, von der gegenseitigen anatomischen Anordnung der motorischen Centren abhängigen Verlauf den beim Menschen beobachteten durchaus analog waren, machten sie es wahrscheinlich, daß die Mehrzahl der menschlichen Epilepsiefälle auf einer Erkrankung der Hirnrinde beruht, und förderten gleichzeitig außerordentlich unsere lokalisatorische Diagnostik der Hirnrindenaffektionen.

Allgemein anerkannt als diejenigen Symptome, aus denen wir mit großer Wahrscheinlichkeit auf einen circumskripten und eventuell zu beseitigenden Krankheitsherd in der Hirnrinde schließen dürfen, sind in erster Linie Krämpfe, welche regelmäßig in einem bestimmten Muskelgebiet auftreten und sich von diesem aus mit einer gewissen Gesetzmäßigkeit auf die übrige Muskulatur ausdehnen; sehr wichtig sind ferner für die Diagnose sog. postepileptische oder auch dauernde Paresen oder Lähmungen in den zunächst krampfenden Muskelgruppen und endlich subjektive sensible Störungen in den zuerst befallenen Gebieten.

Bedeutend weniger Sicherheit und Uebereinstimmung ist indes bis jetzt erreicht in der Beantwortung der Frage, welche Fälle sich mit Aussicht auf Erfolg für eine operative Behandlung eignen und welche hiervon auszuschließen sind. Die bisher vorliegenden, von verschiedenen Seiten mit großer Mühe und Sorgfalt zusammengestellten Statistiken [D'Antona [7]), Sembianti [8]), van Eyck [9]),

1) The medic. Times and Gazette, 1861, June.
2) The functions of the brain. London 1886.
3) Rivista speriment., 1878.
4) Le progrès méd., 1878.
5) Moleschott's Untersuchungen.
6) D. Arch. f. klin. Med., Bd. 44, 1883.
7) La nuova chirurgia del sist. nervoso centr. Napoli 1894.
8) La craniotomia nel epilessia traum. Milano 1897.
9) Partielle Epilepsie en hare kellkundige Behandeling. Amsterdam 1897.

GRAF[1]), BRAUN[2])] sind wegen der großen Verschiedenartigkeit des Materials und vor allem wegen der vielfach ganz ungenügenden Beobachtungszeit der angeblich geheilten Fälle leider nur in sehr beschränktem Maße verwertbar, immerhin wird durch dieselben die schon längst bekannte Thatsache bestätigt, daß diejenigen Fälle von JACKSON-Epilepsie, welche auf ein Schädeltrauma sich zurückführen lassen, für eine chirurgische Behandlung die günstigsten sind, besonders dann, wenn der Angriffspunkt des Traumas ungefähr mit dem angenommenen Sitze der Rindenaffektion übereinstimmt und äußerlich nachweisbare Folgen desselben in Gestalt von adhärenten Narben-, Knochenimpressionen oder Defekten sich noch vorfinden.

v. BERGMANN[3]) zieht aus den Tabellen seines Assistenten GRAF außerdem noch folgende Schlüsse: „erstens, daß, je früher nach einer Kopfverletzung die Krampfanfälle oder ihre Aequivalente sich einstellen, desto besser die Prognose der Operation ist“, und zweitens, daß die Fälle, in welchen an der Stelle des früheren Schädelbruches ein Defekt im Knochen vorliegt, eher als alle anderen durch eine Operation, und zwar den Verschluß des Defektes nach dem KÖNIG-MÜLLER'schen Verfahren, geheilt werden können.

Sehr geringe Aussicht auf Erfolg bieten — wie besonders v. BERGMANN ausdrücklich betont — diejenigen Fälle, in denen sich im Gefolge eines Kopftraumas allgemeine epileptische Krämpfe einstellen, wenngleich die Berechtigung eines Versuches operativer Heilung nach Fehlschlagen interner Behandlungsmethoden nicht ganz in Abrede zu stellen ist, zumal das Tierexperiment dafür spricht, daß gegenüber der JACKSON-schen Epilepsie kein principieller, sondern nur ein gradueller Unterschied besteht.

Relativ geringe Chancen für die operative Therapie boten bis jetzt auch die Fälle von JACKSON-Epilepsie mit unbekannter Genese, bei welchen in der Regel der Lokalbefund an der Rinde ein negativer oder geringfügiger ist, so daß v. BERGMANN sich für solche Fälle geradezu zu der Annahme einer „partiellen, essentiellen Epilepsie“ gedrängt sieht. Möglicherweise bessern sich indes die Erfolge hier ebenso wie bei den von v. BERGMANN als ganz analog bezeichneten Fällen von traumatischer partieller Epilepsie ohne anatomischen Befund am Schädel wie dessen Inhalt mit der ausgedehnteren Anwendung des HORSLEY'schen Verfahrens der Excision des elektrisch bestimmten primär affizierten Centrums, für welche v. BERGMANN ebenso wie für die stets vorauszuschickende Ventrikelpunktion ganz entschieden plädiert; denn „nur dadurch erhalte die Operation gegenüber

1) Dtsch. Arch. f. Chir., Bd. 56, 1898, Heft 3.
2) Dtsch. Arch. f. Chir., Bd. 48, 1898, Heft 2 u. 3, p. 228.
3) Die chirurg. Behandlung der Hirnkrankheiten. 3. Aufl., 1899.

den bei der allgemeinen genuinen Epilepsie in Vorschlag gebrachten Schädeleröffnungen eine bestimmte und reale Aufgabe, die sie thatsächlich und sicher zu lösen vermag".

Hinsichtlich der Frage, ob die Zeitdauer des Bestehens der Epilepsie für den Erfolg der Operation von Einfluß sei, sind die meisten Autoren (D'ANTONA [1]), CHAMPIONNÈRE [2]), SACHS und GERSTER [3]), STARR [4]), v. BERGMANN [5]) u. a.) der Ansicht, daß die Chancen um so ungünstiger seien, je längere Zeit die Epilepsie bestehe, da das Gehirn immer mehr und mehr der sog. epileptischen Veränderung anheimfalle; andererseits zeigen eine Anzahl von Heilungen nach 7- und 10- [HORSLEY [6]), TAYLOR [7])], ja nach 11- und 17-jährigem Bestande [SCHEDE [8])], daß auch ganz veraltete Fälle noch heilbar sind, während andererseits vollständige Mißerfolge bei anscheinend sehr günstigen, frischen Fällen verzeichnet sind. Aus der Statistik von GRAF geht hervor, daß die resultatlos operierten Fälle durchschnittlich kürzere Zeit bestanden, wie die gebesserten oder geheilten.

Eine Frage, die noch der Erledigung harrt und verschieden beantwortet wird, ist die nach der zweckmäßigsten und rationellsten Art des operativen Eingriffes. Während man sich früher in den meisten Fällen mit der einfachen Trepanation und eventuellen Entfernung von Anomalien der Knochen oder Hirnhäute begnügte, machte 1886 HORSLEY auf Grund der damals experimentell gefundenen hirnphysiologischen Thatsachen den ingeniösen Vorschlag, das den Krampfanfall primär einleitende Centrum auch beim Fehlen makroskopischer Veränderung zu excidieren, auch auf die Gefahr einer postoperativen Lähmung in den betreffenden Muskelgebieten, eine Gefahr, die übrigens nach den Erfahrungen am Menschen insofern relativ gering ist, als die Lähmungen meist wieder ganz oder teilweise zurückgehen.

Wesentlich an Exaktheit hat diese radikale Methode HORSLEY's durch seine weitere Forderung gewonnen, das zu exstirpierende Centrum vorher genau mittels des faradischen Stromes zu bestimmen, der natürlich, um in die Ferne wirkende Stromschleifen zu vermeiden, nur in geringer Stärke in Anwendung kommen darf.

Jedenfalls ist dies Verfahren der anatomischen Methode, welche lediglich nach äußeren Anhaltspunkten am Schädel die verschiedenen Centren zu finden sucht — schon in Anbetracht der zahlreichen indi-

---

1) l. c.
2) Bull. de la soc. de chirurgie, 1891, Juin 10.
3) The Americ. Journ. of the med. science, 1896, Oct.
4) Gehirnchirurgie. Deutsch v. WEISS, Wien 1894.
5) l. c.
6) Nach VAN EYCK (l. c.).
7) Journ. of nervous and mental diseases, 1895, Apr.
8) Centralbl. f. Chir., 1898.

viduellen Schwankungen — an Präzision weit überlegen und für den gedachten Zweck geradezu unentbehrlich.

Ueber die Vorzüge des eingreifenderen HORSLEY'schen Verfahrens gegenüber den konservativeren Methoden ist bis jetzt ein abschließendes Urteil noch unmöglich, da die Zahl der so operierten Fälle noch eine viel zu ungenügende ist; unter den 30 Fällen, welche BRAUN [1]) in seiner Statistik zusammenstellen konnte, lassen sich bis jetzt nur 3 als definitiv geheilt betrachten. Die bei der HORSLEY'schen Methode ziemlich zahlreichen Mißerfolge werden von BRAUN wohl für die meisten Fälle mit Recht auf eine ungenügende und unvollständige Entfernung des betreffenden Centrums zurückgeführt, während er die von anderer Seite (LUCAS, CHAMPIONNÈRE, PUTNAM, FRÄNKEL) angenommene sekundäre Veränderung der benachbarten Rindenpartien als Ursache der Recidive nicht gelten lassen will, da die Anfälle nach der Operation sonst nicht immer genau denselben Verlauf haben könnten wie vorher. — Von anderen Autoren wird als Hauptursache für das Wiederauftreten der Krämpfe in erster Linie die nach der Operation sich bildende Narbe, die einen Reiz auf das Gehirn ausüben könne, verantwortlich gemacht.

Da, wie eben erwähnt, angesichts der bisherigen Resultate eine definitive Entscheidung über den relativen Wert und die Indikationen des konservativeren und radikaleren Verfahrens noch nicht möglich erscheint, so dürfte BRAUN wohl den richtigen Standpunkt einnehmen, wenn er — nach Mitteilung eines sehr interessanten, 2 mal vergeblich operierten und schließlich durch Excision des primär krampfenden Centrums definitiv geheilten Falles — auf Grund einer sorgfältigen Zusammenstellung der einschlägigen Statistik zu folgendem Schlusse kommt: Man solle in der Regel bei circumskripten Verletzungen des Schädels, wenn dieselben in der Gegend der motorischen Rindencentren gelegen sind, zunächst die Trepanation an der Stelle der Verletzung vornehmen; erst wenn dadurch kein Erfolg erzielt wurde, sei man berechtigt, das betreffende, elektrisch bestimmte Centrum, auch wenn es keine pathologischen Veränderungen zeigen sollte, in genügender Ausdehnung zu excidieren. Für den Fall, daß die auf das stattgehabte Trauma hinweisende Narbe oder Depression oder eine besonders druckempfindliche Stelle nicht mit der anatomisch bestimmten Lage des den Anfall einleitenden Centrums übereinstimmt, giebt BRAUN den wohl von den meisten Chirurgen befolgten Rat, zunächst an der Stelle der Verletzung zu trepanieren und erst, wenn dies erfolglos, das betreffende Centrum selbst aufzusuchen und eventuell beim Fehlen pathologischer Veränderungen nach elektrischer Bestimmung zu excidieren, während z. B. STARR [2]) vorzieht, ohne Rücksicht auf den Sitz

1) l. c.
2) Gehirnchirurgie, l. c.

der Verletzung direkt auf das betreffende Centrum zu trepanieren, wofür er 2 interessante Fälle Mc BURNEY's citiert. Für den Fall, daß eine ausgedehnte Schädelverletzung vorliegt, rät auch BRAUN, direkt auf das anatomisch bestimmte Centrum loszugehen.

v. BERGMANN fordert, daß in jedem Falle einer Trepanation wegen partieller Epilepsie die Dura eröffnet werde, selbst wenn an der Innenfläche des zurückgeschlagenen Knochenlappens sich stärkere Veränderungen vorfinden, denn wenn diese Unregelmäßigkeiten auch manchmal die alleinige Ursache der Epilepsie sein mögen, so können sich doch neben ihnen auch subdurale Veränderungen (Cysten oder andere Degenerationen) in der betreffenden Rindenpartie finden; abgesehen davon könne der Abfluß von Liquor nur günstig auf die Krämpfe wirken.

Obgleich nun die in der Münchener chirurgischen Klinik zur Operation gekommenen Fälle von Epilepsie keineswegs geeignet sind, die Statistik der chirurgischen Behandlung der Epilepsie zu verbessern und auch keine der oben angeführten Fragen in dem einen oder anderen Sinne zu entscheiden vermögen, so sind sie dennoch in mancher Beziehung lehrreich und bilden zum mindesten eine willkommene Bereicherung des bis jetzt vorliegenden Materiales; jedenfalls wäre es durchaus falsch, mit ihrer Veröffentlichung deshalb zurückzuhalten, weil der Erfolg der vorgenommenen Eingriffe ein größtenteils negativer war, denn die Mißerfolge sind für die Beurteilung des Wertes irgend einer therapeutischen Maßnahme ebenso wichtig wie die günstigen Ausgänge.

Die in der hiesigen Klinik in den Jahren 1893—96 operativ behandelten 10 Fälle von Epilepsie scheiden sich in drei verschiedene Gruppen:

1) 4 Fälle von JACKSON-Epilepsie ohne vorausgegangenes Trauma;

2) 2 Fälle von traumatischer JACKSON-Epilepsie;

3) 3 Fälle von allgemeiner Epilepsie nach Trauma, denen 1 Fall mit epileptischen Aequivalenten im Anschluß an Trauma anzureihen wäre.

Die Fälle der ersten Gruppe, für welche nach den bisherigen Erfahrungen die Prognose ja relativ ungünstig ist, sind folgende:

1) Grf. Ph. D. 24 J. alt.

Neuropathische Belastung; Epilepsie mit Herdsymptomen seit 4 Jahren. Psychische Anomalien. Trepanation. Ungeheilt.

Anamnese: Der mütterlicherseits psychopathisch belastete Pat. soll schon als Kind in der Schule geistig sehr zurückgeblieben sein; er zeigte seit seinem 10. Lebensjahre, abgesehen von Störungen des Schlafes, ein auffallendes psychisches Verhalten: neben häufigen nächtlichen Angstzuständen unter tags eine ganz abnorme Ausgelassenheit, und soll der Onanie schon früh und excessiv ergeben gewesen sein Im 20. Lebensjahre (1889) trat, nach verschiedenen vorausgegangenen leichten Attacken von plötzlicher Schwäche und pelzigem Gefühl im r. Bein, zum erstenmal ein epileptischer Anfall auf, dem bald weitere folgten. Dieselben sollen immer nach allgemeinen, hauptsächlich vom Magen ausgehenden Sensationen mit Streckung und krampfhaften Zuckungen des r. Beines begonnen haben. Nachdem verschiedene Brom- und Kaltwasserkuren erfolglos waren, mußte Pat. wegen ausgesprochener geistiger Störungen schließlich Mai 1893 der Münchener Irrenanstalt übergeben werden. Irgendwelche Besserung wurde auch hier nicht erzielt, und am 31. Aug. 1893 wurde er auf sein dringendes Verlangen, operiert zu werden, der chirurgischen Klinik überwiesen.

Die Anfälle beschreibt Pat. folgendermaßen: „Zuerst steigt ein eigentümliches Gefühl vom r. Bein gegen den Kopf auf, dann zuckt es im Bein, der r. Unterschenkel wird gestreckt, er sinkt zurück, während schon das ganze r. Bein und der Arm zucken, worauf er das Bewußtsein verliert. Nach dem Anfall längerer Schlaf, der aber immer von lichteren Momenten unterbrochen ist, wo er sich in großer Gefahr wähnt.“

Objektiver Befund: Graciler Körperbau. Innere Organe ohne abnormen Befund.

Schädel normal entwickelt. 3 cm vor dem Mittelpunkt der Sagittallinie und ca. 2—3 cm links davon eine druckempfindliche Stelle.

Sensorium frei; fortwährende ängstliche Vorstellungen, einerseits Furcht vor einem Anfall, andererseits Sorge um die Zukunft. Klagen über drückenden Stirnkopfschmerz und Gefühl von Schwere des Denkens.

2. Sept. 1893 wird von Prof. Angerer die Operation ausgeführt:

Bildung eines Wagner'schen Hautknochenlappens mit unterer Basis, entsprechend dem nach Kocher bestimmten l. Sulcus Rolandicus in der Ausdehnung eines Handtellers und bis 1 cm an die Mittellinie heranreichend. Nach Durchschneidung der stark blutenden Kopfschwarte wird mittels einer kleinen Kreissäge der Knochen nur teilweise durchsägt und die innere Lamelle mit einem Meißel durchschlagen, hierauf das Knochenstück mittels Elevatorium umgebrochen. In der medialsten und vordersten Partie der Oeffnung ist der Knochen in einer Ausdehnung von ca. 3 cm auffallend hart, ohne Spongiosa und vielleicht etwas nach innen vorgewölbt. Die Dura scheint etwas abgeplattet, sonst normal, auch sonst, soweit man mit dem Elevatorium unter dem Knochen fühlen kann, nirgends Adhärenzen oder Verdickungen. Nach Ausschneidung eines nach unten gestielten, fünfmarkstückgroßen Lappens aus der Dura, dessen Mitte genau der Centralfurche entspricht, zeigt das Gehirn auffallend wenig Pulsation und eine leichte Einsenkung in der Mitte, jedoch keine Abplattung der Gyri und normale Konsistenz und Farbe. Vernähung der Dura mit 3 Catgutnähten, Reposition des Knochenlappens, Hautnaht.

Der Wundverlauf war völlig reaktionslos, keine Temperatursteigerung.

Bis zu der am 21. Sept. erfolgten Entlassung traten, abgesehen von zahlreichen leichteren Zuckungen im r. Bein, vielfach auch im r. Arm, 3 stärkere Anfälle mit Bewußtseinsverlust auf. Da das psychische Verhalten unverändert war, wurde er der Irrenanstalt zurückgegeben, wo neben zahlreichen leichteren Krämpfen die schwereren Anfälle in gleicher Häufigkeit und Intensität wie früher auftreten.

2) J. S., cand. med., 23 J. alt.

Nicht traumatische JACKSON-Epilepsie seit 6 Jahren. Trepanation. Ungeheilt.

Anamnese: Keine neuropathische Belastung; früher immer gesund. 1885 Fall aufs Knie ohne weitere Folgen. 1887 traten ohne irgend bekannte Ursache unwillkürliche Zuckungen in der rechten Hand auf von etwa 1 Minute Dauer, die sich anfangs täglich etwa 4 mal, später bis 10 mal wiederholten, trotz Bromkalibehandlung. Sie bedingten jedoch im übrigen so wenig Störungen, daß Pat. 1889 unbehindert 1/2 Jahr als Einjährig-Freiwilliger dienen konnte. Ende 1889 oder Anfang 1890 trat zum erstenmal unter einleitenden Zuckungen an der rechten Hand ein nächtlicher Anfall mit Bewußtlosigkeit auf von einigen Minuten Dauer, von welchem ihm selbst noch die Atemnot und starke Bewegungen mit Armen und Beinen in Erinnerung sind. Das Erwachen erfolgte erst, nachdem er völlig ruhig geworden war. In der Folge wiederholten sich diese Anfälle, zeitweise täglich, dann wieder in Pausen von mehreren Tagen, meist nachts, und dauerten nie länger als 2—3 Minuten; dabei des öfteren unwillkürliche Urinentleerung und Bißwunden in der Zunge. Vor den Anfällen empfindet Pat. im rechten Vorderarm ein zusammenschnürendes Gefühl, nach denselben meist einen drückenden Schmerz an umschriebener Stelle nahe dem Scheitel. Die täglich oftmals auftretenden Zuckungen in der rechten Hand bestanden nebenbei fort.

Aufnahme am 27. Sept. 1893.

Objektiver Befund: Schlanker, muskulöser Körperbau. Innere Organe ohne Befund. Kopf normal entwickelt, keine Narbe. Die schmerzhafte Stelle am Kopf nach den Anfällen entspricht dem mittleren Drittel der l. vorderen Centralwindung nach KOCHER. Nirgends am Schädel Druckempfindlichkeit. Grobe Kraft beider Arme gleich. Augenbefund, abgesehen von Myopie, normal.

In geistiger Beziehung ist Abnahme des Gedächtnisses und auch der Urteilsfähigkeit zu konstatieren. Gemütszustand ruhig.

4. Okt. 1893 Operation (Prof. ANGERER).

Nach Bestimmung des mittleren Drittels der l. vorderen Centralwindung nach KOCHER wird ein nach unten gestielter WAGNER'scher Hautknochenlappen gebildet. Sowohl aus der Kopfschwarte wie aus dem mittels Kreissäge durchtrennten, ganz normalen Knochen verliert Pat. ziemlich viel Blut.

Nach Umklappung des Lappens wölbt sich die normale Dura gut vor und wird nach doppelter Ligatur der Art. meningea media gespalten. Weiche Hirnhäute etwas livid, an 2 Stellen sulziges Oedem mit einigen an Tuberkelknötchen erinnernden, opaken, weißen Flecken; Liquor fließt reichlich ab. An den 2 ödematösen Stellen wird die Pia durchrissen, die Gehirnrinde selbst scheint normal, auch in der Konsistenz. Blutstillung. Naht der Dura, Einfügung des Knochenlappens, Hautnaht unter Offenlassen des hinteren Wundwinkels.

Schon während der Narkose große Blässe und kaum fühlbarer Puls. — Kampher.

Nach der Operation große Schwäche und in den nächsten Tagen noch hochgradige Apathie. Am darauffolgenden Tag ein 10 Minuten langer epileptischer Anfall.

Nach Besserung der Apathie am 3. Tag läßt sich eine Lähmung der r. Hand und Finger und Aufhebung der Pro- und Supinationsbewegungen konstatieren. Beugung und Streckung im Ellbogen sehr schwerfällig. Sprache sehr verlangsamt und stockend.

Im Lauf der weiteren Beobachtung ging die erwähnte Lähmung größtenteils zurück; am 10. Tag nach der Operation 3 nächtliche allgemeine epileptische Anfälle mit Zuckungen sämtlicher Extremitäten und des Gesichts von 1—3 Minuten Dauer. Im übrigen hatte Pat. bis zu seiner am 30. Okt. erfolgten Entlassung, abgesehen von öfteren vorübergehenden Zuckungen in der r. Hand, keine Anfälle. Die Wunde heilte per primam; höchste Temperatur am 4. Tag nach der Operation 38,5°.

In der Folgezeit sistierten zunächst die Anfälle, kehrten jedoch später nach der vollständigen physischen Erholung des Kranken in wechselnder Intensität wieder. Hochgradige Aufregungszustände infolge einer KNEIPP-Kur veranlaßten seine Verbringung in eine Irrenanstalt, wo er schließlich Lungentuberkulose acquirierte, welcher er März 1896 erlag. Während seiner Erkrankung sollen die Anfälle vollständig ausgeblieben sein, eine interessante Beobachtung, welche auch sonst in der Litteratur des öfteren erwähnt wird.

3) Z. Sch. Melber, 37 J. alt.

Nicht traumatische JACKSON-Epilepsie seit 8 Jahren; Trepanation. Negativer Lokalbefund. Ungeheilt.

Anamnese: Ein Bruder „nervenleidend". Von früheren Erkrankungen nichts bekannt. Vor 8 Jahren trat ohne jede Veranlassung unter Kältegefühl und Ameisenkriechen („wie wenn Blut laufen würde") ein Krampf im l. Arm auf, woran sich ein Krampf im l. Bein anschloß, darauf etwa 10 Min. dauernde Bewußtlosigkeit. Nach dem Anfall, abgesehen von Kopfschmerz, Wohlbefinden. Eine Medizin soll das Wiederauftreten der Anfälle 4 Jahre lang verhindert haben; der 2. damals einsetzende Anfall wurde mittels Aderlaß behandelt. Nach einer weiteren 2-jährigen Pause 3 Anfälle in Abständen von einigen Wochen. Vor 4 Wochen und vor 4 Tagen je ein weiterer ähnlicher Anfall. Seit 4 Wochen gesellen sich zu den Anfällen eigentümliche Sensationen und pelziges Gefühl sowohl im l. Arm wie auch — jedoch seltener — im l. Bein. Im l. Arm und Fuß hat Pat. zeitweilig Kältegefühl, ersterer ist zeitweise wie tot, worauf Streckung der Finger eintritt. Vor einem Jahr soll auch einmal ein Beugekrampf in der l. großen Zehe eingetreten sein. Die grobe Kraft soll nicht nachgelassen haben, auch will sich Pat. in den anfallsfreien Zeiten vollständig wohl fühlen und keine Gedächtnisabnahme bemerkt haben; immerhin kann sich Pat. der Zeit der Anfälle nicht genauer entsinnen. Infektion entschieden negiert. Vor 4 Jahren erlitt Pat. eine kleine Kopfwunde durch einen herabfallenden Ast.

Aufnahme am 19. Febr. 1896.

Objektiver Befund: Kräftiger Körperbau, mittlere Ernährung. Schädel nicht ganz symmetrisch, der hintere Teil des r. Scheitelbeins mehr vorspringend als links. Schädel nirgends druckempfindlich. Im hintersten Teil des Scheitels eine nicht adhärente, kleine Narbe. Auf Beklopfen des Schädels tritt einmal Kopfschmerz und sodann eine eigentümliche Sensation im l. Arm ein.

Innere Organe ohne Befund.

Grobe Kraft auf beiden Seiten gleich; l. Hand etwas cyanotisch.

Am 22. Febr. traten nach vorherigem Krampf in der rechten großen Zehe Zuckungen im linken Arm und Bein auf ohne Bewußtseinsverlust.

Abgesehen von zeitweiligen Zuckungen im l. Vorderarm, die ärztlich nicht beobachtet wurden, waren die nächsten Tage anfallsfrei.

26. Febr. Operation (Prof. ANGERER).

Während der Narkose Zuckungen an beiden l. Extremitäten.

Nach Bestimmung des motorischen Centrums für den l. Arm wird ein Hautknochenlappen nach WAGNER mit der Basis des Lappens am Jochbogen umschnitten. Die Blutung aus der Kopfschwarte ziemlich gering, dagegen macht die Durchsägung des sehr dicken, harten und brüchigen Knochens für die Rotationssäge ziemliche Schwierigkeiten. Der Knochen ist selbst in der Schläfengegend noch über 1 cm dick, oben ca. $1^1/_2$ cm. Nach Umbrechen des Lappens zeigt sich die Dura etwas unregelmäßig vorgewölbt und wird nach Umstechung einer kleinen Vene kreuzförmig eingeschnitten, wodurch die Gegend des Sulcus centr. freigelegt wird, in welchem eine große Vene verläuft. Die Gehirnoberfläche zeigt nichts Abnormes, Vorwölbung und Konsistenz ganz gleichmäßig. Eine Probepunktion bis zu 3 cm Tiefe ergebnislos, dagegen entleert sich auf Druck aus einem kleinen Einriß der Pia reichlich Liquor. Naht der Dura; Einpassung des Knochens, Hautnaht.

Die Wunde heilte reaktionslos, abgesehen von einer geringen Retention von Blut, doch bestanden vom 2.—7. Tag nach der Operation Temperatursteigerungen bis 39° am 1. März.

Während des Krankenhausaufenthaltes traten keinerlei Anfälle oder Zuckungen mehr auf, nur ab und zu Sensationen in den Fingern der l. Hand. Bei vollem Wohlbefinden wurde Pat. am 17. März entlassen.

Bezüglich des weiteren Verlaufes teilt Pat. mit, daß die Anfälle sich einige Zeit nach der Entlassung in gleicher Weise wie früher mit etwa 14-tägigen Intervallen wieder einstellten; sie treten angeblich nur im Schlaf auf, beginnen im l. Arm und Fuß und gehen mit 5—10 Minuten langer Bewußtlosigkeit einher. Im übrigen fühlt sich Pat. — abgesehen von zeitweiligem Reißen und Zucken im l. Arm — vollkommen wohl und arbeitsfähig.

4) E. D., Rentier, 18 J. alt.

Nicht traumatische JACKSON-Epilepsie seit 5 Jahren. Trepanation; negativer Lokalbefund. Nicht geheilt.

Anamnese: Keine neuropathische Belastung. Bis März 1891 gesund, als nach Plombierung eines Zahnes nachts plötzlich ein etwa $^1/_2$ Minute dauernder Krampfanfall auftrat, der sich seitdem etwa alle 14 Tage wiederholte. Im März 1892 zum erstenmal Zuckungen in der l. Gesichtshälfte und Daumen und mangelhafte Empfindung daselbst; diese leichten, ohne Bewußtseinsstörung auftretenden Anfälle wiederholten sich nun sehr oft, dazwischen wurden auch, meist nur nachts, starke Anfälle mit Bewußtseinsverlust und allgemeinen Konvulsionen beobachtet, welche sich allmählich häuften und steigerten, so daß Ende April 1892 oft alle Viertelstunden heftige Anfälle bei Tag und Nacht eintraten. In einer hiesigen Nervenheilanstalt nahmen unter energischer Brombehandlung die Anfälle bald an Zahl und Stärke ab, so daß unter Tags nur leichte Zuckungen im l. Arm und Facialis, nachts allerdings auch stärkere Anfälle noch ab und zu sich einstellten. 1895 traten nur noch unter Tags 1—2 leichte Zuckungen im l. Facialis und Arm auf, und auch diese pausierten im Sommer 1895 oft 8—14 Tage. Dann begann jedoch wieder trotz großer Bromdosen eine wesentliche Verschlimmerung, und in den letzten

Monaten erfolgten mehrmals, auch am Tage, schwere Anfälle mit Bewußtseinsverlust.

Gleichzeitig machte sich eine von Jahr zu Jahr zunehmende geistige Schwäche, besonders des Gedächtnisses, geltend.

Die grobe Kraft der l. Körperhälfte ist besonders nach einem Anfall herabgesetzt.

Jeder Versuch, die Bromdosis zu verringern, führte zu einer Steigerung der Anfälle und einem Verfall der ganzen Kräfte.

Aufnahme am 4. Juli 1896.

Objektiver Befund: Schlanker Körperbau, mittlere Ernährung. Schädel unregelmäßig, asymmetrisch. Hinterhauptschuppe abgeflacht, unter derselben auffallende Prominenzen; linke Gesichtshälfte vielleicht etwas kleiner wie die rechte. Sprache schleppend. Sehr ruhiger Gemütszustand, bedeutende geistige Schwäche. Grobe Kraft der l. Hand bedeutend herabgesetzt (Dynamometer: r. 43, l. 29 kg).

7. Juli 1896 Operation (Prof. Angerer).

Kurz vor der Narkose starker epileptischer Anfall von 3 Min. Dauer mit Bewußtseinsverlust.

Nach Bestimmung und Einzeichnung der Centralfurche sowie der Centren für Arm und Facialis wird ein Wagner'scher Hautknochenlappen mit der Basis an der Schläfenbeinschuppe gebildet. Durchsägung des Knochens mittels Kreissäge; stärkere Blutung aus einer Duralvene wird mittels Tamponade gestillt. Die hintere Sägelinie hat auch die Dura breit eröffnet, welche von hier aus nach doppelter Umstechung der Art. meningea media quer und dann senkrecht eingeschnitten wird. Das in Handtellergröße vorliegende Gehirn, überall von gleichmäßiger Konsistenz, zeigt nirgends etwas Abnormes, Hirnvenen stark gefüllt. Eine Probepunktion an der nach den Messungen dem Daumencentrum entsprechenden Stelle ergiebt keine Flüssigkeit, wiederholte Reizungen mit einer Nadel daselbst erzeugen keine Zuckungen, auch nicht, als Pat. etwas aus der Narkose erwacht. Naht der Dura; Einfügung des Knochens, nach Einlegung eines Tampons an die Stelle der Duralblutung Hautnaht.

Während der Operation große Blässe, sonst nichts Abnormes.

Am Tage nach der Operation zwei kleine Zuckungen. Finger der l. Hand, besonders der Daumen, schwer beweglich, aber nicht gelähmt, die Zehen des l. Fußes sowie das l. Fußgelenk aktiv vollständig unbeweglich. Am 3. Tag 5 je 2—3 Minuten dauernde Anfälle, die dann bis zum 25. Juli, also 15 Tage lang, vollständig sistieren, wo ein sehr starker, fast 15 Minuten dauernder Anfall nachts auftritt, der sich in den nächsten 2 Tagen wiederholt. Die Wunde heilte per primam, die Temperatur stieg am 3. und 4. Tag nach der Operation auf 38,4 und war vom 8. Tag ab völlig normal. Die Parese der Hand ging vollständig zurück, die Beweglichkeit der Zehen und des Fußes besserte sich etwas, auch in psychischer Beziehung wurde Pat. etwas frischer.

30. Juli 1896 Entlassung.

Nach gütiger Mitteilung des behandelnden Arztes kehrten die Anfälle während des darauffolgenden Jahres trotz hoher Bromdosen in demselben Typus, derselben Häufigkeit und Intensität wie früher wieder, es stellte sich Hemiplegie mit sekundären Kontrakturen ein und ein zunehmender geistiger Verfall. Sommer 1898 starb Pat. an Nierentuberkulose.

Die Diagnose „Jackson-Epilepsie“ darf wohl bei allen berichteten 4 Fällen als genügend gesichert gelten, wenngleich die schwereren Anfälle dieser Kranken mit Bewußtseinsverlust und allgemeinen Krämpfen einhergingen. Das wesentliche Kriterium, der Beginn der Anfälle in einem bestimmten Muskelgebiet, ließ sich überall konstatieren, teils anamnestisch, teils durch die Beobachtung, eine entsprechende subjektive Aura wurde von allen Kranken angegeben; bei sämtlichen 4 Kranken traten außer den schweren Anfällen auch leichtere ohne Bewußtseinsverlust auf, die regelmäßig denselben Verlauf nahmen. Bei Fall 1 begann der Krampf im r. Bein, bei 2. und 3. in der Hand, bei 4. in Hand und Facialis. Paresen in den zuerst befallenen Extremitäten sind bei Fall 1 und 4 verzeichnet. Bemerkenswert ist außerdem bei Fall 1 und 2 eine ungefähr dem zuerst krampfenden Centrum entsprechende druckempfindliche resp. nach den Anfällen spontan schmerzhafte Stelle am Kopf.

Die Dauer der Epilepsie betrug bei Fall 1 und 4 vier, bei Fall 2 fünf und bei Fall 3 acht Jahre.

Der objektive Befund an den Meningen und der Hirnrinde war, abgesehen von Fall 2, wo sich etwas sulziges Oedem mit kleinen opaken Knötchen fand († an Lungentuberkulose), in sämtlichen Fällen für das bloße Auge ganz normal, es beschränkte sich dementsprechend der operative Eingriff überall nur auf die Freilegung des Hirns, war also eigentlich lediglich eine Probetrepanation.

Der Wundverlauf war, abgesehen von mäßigen Temperatursteigerungen, in 2 Fällen vollständig reaktionslos, der Erfolg der Operation jedesmal gleich Null.

Es erscheint bei diesen Fällen entschieden die Frage gerechtfertigt, ob nicht vielleicht die Horsley'sche Methode der elektrischen Aufsuchung und Excision des den Krampfanfall auslösenden Centrums indiziert gewesen wäre und möglicherweise bessere Erfolge ergeben hätte. Bei Fall 3, welcher nur halbseitige Anfälle ohne Bewußtseinsverlust und ohne alle weiteren Störungen hatte, muß entschieden zugegeben werden, daß dies Verfahren vielleicht zum Ziel geführt hätte, ob bei den übrigen 3 Fällen, welche zum Teil an sehr schweren Anfällen litten und auch psychische Veränderungen zeigten, ein besseres Ergebnis erzielt worden wäre, erscheint sehr zweifelhaft, in letzteren Fällen müssen doch schon allgemeinere sekundäre Veränderungen in der Hirnrinde angenommen werden.

Ich versuchte es, aus der Litteratur, soweit ich sie erreichen konnte, eine Anzahl von Fällen von nicht traumatischer Jackson-Epilepsie zusammenzustellen, um vielleicht daraus ein Urteil über die Erfolge der Trepanation mit oder ohne Rindenexcision zu gewinnen, allein leider war das Resultat sehr unbefriedigend. Von den 22 zum großen Teil in der amerikanischen Litteratur mitgeteilten Fällen sind

6 als „geheilt" bezeichnet, 3 davon sind aber nur bis zu 6 Wochen beobachtet, also vollständig wertlos; der viel erwähnte, mit Rindenexcision behandelte Fall HORSLEY's [1]) ist nur $^1/_2$ Jahr beobachtet, und die 2 hierhergehörigen Fälle PÉCHADRE's, bei denen einfache Trepanation Heilung bewirkt haben soll, bezeichnet v. BERGMANN, der sie citiert, als nicht recht verwertbar; 6 Fälle sollen gebessert sein, 3 davon sind nur ein paar Monate, die anderen 1—1$^1/_2$ Jahre beobachtet, also auch nur mit großer Reserve zu verwenden; von den 3 länger beobachteten „gebesserten" Fällen wurde in einem Falle an der Stelle des primär affizierten Centrums eine Narbe und sarkomatöse Partie entfernt, in den beiden anderen wurde das elektrisch aufgesuchte Centrum excidiert.

8 Fälle blieben ungeheilt, bei diesen wurde 4mal mangels eines abnormen Befundes nichts excidiert, 2mal wurde das Krampfcentrum nach elektrischer Bestimmung exstirpiert, wobei in dem einen EULENBURG'schen [2]) Fall die Anfälle erst nach 7 Monaten wiederkehrten; 1mal wurde eine kleine Cyste entleert und 1mal ein kleiner „sarkomatöser" Tumor entfernt. 2 Fälle endeten letal, doch dürfte dieser Ausgang kaum der Operation zur Last zu legen sein, da dieselbe beidemal als ultimum refugium bei allgemeinem Status epilepticus vorgenommen wurde.

Trotz der ziemlich geringen Aufschlüsse, welche die bisherige spärliche Statistik giebt, glaube ich doch mit v. BERGMANN in Anbetracht der unbefriedigenden Erfolge der konservativen Probetrepanation bei negativem Gehirnbefunde das HORSLEY'sche Verfahren der elektrischen Bestimmung und Excision des Krampfcentrums befürworten zu müssen, um so mehr, als die Gefahr der Operation dadurch nicht nennenswert erhöht wird (Mortalität bei einfacher Trepanation 5,6 Proz., bei der gleichzeitigen Rindenexcision 6,7 Proz. nach GRAF), und auch die etwa resultierenden Lähmungen meist sich wieder erheblich bessern oder ganz verlieren. Daß v. BERGMANN der Exstirpation des verdächtigen Rindenfeldes stets die Punktion des Seitenventrikels vorausgeschickt wissen will, wurde bereits oben erwähnt.

Die zweite, leider sehr kleine Gruppe unserer Fälle umfaßt 2 Beobachtungen von traumatischer JACKSON-Epilepsie, bei welcher ja nach allgemeinem Urteil auch der maßgebendsten Autoren (HORSLEY, v. BERGMANN, SCHEDE, BRAUN u. a.) die Indikation zu operativer Behandlung und die Aussicht auf Erfolg am besten begründet ist.

Ich lasse zunächst die Krankengeschichten folgen:

---

1) The Brit. med. Journ., Vol. 2, 1890, p. 1286.
2) Berl. klin. Wochenschr., 1895, No. 5, p. 317.

5) J. Kl., 25-jähr. Dienstknecht.

JACKSON-Epilepsie nach Depressionsfraktur seit 1 Jahr (3 Monate nach der Verletzung); Trepanation, Abmeißelung der gesplitterten Lamina interna. Nicht geheilt.

Anamnese: Am 23. Mai 1894 erlitt Pat. einen Hufschlag gegen das r. Scheitelbein und den Oberkiefer mit einer kleinen äußeren Verletzung über dem letzteren. Er war 6 Tage lang bewußtlos und nahm nach 6-wöchentlichem Krankenhausaufenthalt trotz fortbestehender Kopfschmerzen und allgemeiner Schwäche seine Arbeit wieder auf. 3 Monate später, am 24. Aug. 1894, traten während der Arbeit ohne besondere Veranlassung (Ueberanstrengung oder Alkoholgenuß) plötzlich Zuckungen in den Fingern der l. Hand auf, die rasch auf den ganzen Arm übergriffen, worauf Pat. das Bewußtsein verlor und nach Angabe der Umstehenden in allgemeine Krämpfe verfiel, die etwa $^1/_4$ Stunde dauerten. Nach dem Anfall vermehrter Kopfschmerz an der Stelle der Verletzung. Am selben Tag noch wiederholte sich der Anfall, und ähnliche Anfälle sollen von da ab in Zwischenräumen von 2—7 Wochen sich mit dem gleichen Beginn und von derselben Dauer immer wieder eingestellt haben.

Der letzte Anfall am 5. Aug. 1895 soll ohne vorherige Zuckungen im l. Arm mit sofortiger Bewußtlosigkeit eingesetzt haben, und seitdem klagt auch Pat. über beständiges Schwindelgefühl. Eine Abnahme seiner geistigen Kraft will Pat. nicht bemerkt haben, wohl aber eine deutliche Schwäche im l. Arm.

Aufnahme am 16. Aug. 1895.

Objektiver Befund: Schlanker Körperbau, mäßiger Ernährungszustand, stupider Gesichtsausdruck. Das Gedächtnis ist entschieden herabgesetzt (Pat. weiß nicht einmal die Zahl der Anfälle sicher anzugeben). Bei geschlossenen Augen Schwanken.

Etwas unter der Mitte des r. Scheitelbeines eine über fünfmarkstückgroße, trichterförmige Depression, mit einem sagittalen Durchmesser von 5 cm und einem vertikalen von 4 cm. Haut darüber ist normal, verschieblich; die ganze Gegend druckempfindlich.

Händedruck links entschieden schwächer wie rechts.

23. Aug. 1895 Operation in Morphium-Chloroform-Narkose. Dauer 60 Minuten.

Umschneidung der ganzen Depression — 1 cm davon entfernt — und Bildung eines WAGNER'schen Hautknochenlappens mit unterer Basis; Durchtrennung des Knochens mittels Rotationssäge. Nach Eröffnung der Schädelhöhle findet sich, entsprechend der tiefsten Depression, eine hochgradige Splitterung der Lamina interna, welche eine 4 cm lange und 5 cm breite, mit mehreren Zacken nach innen vorragende Leiste bildet. Die Dura, an dieser Stelle innig adhärent, reißt bei der Ablösung im untersten Teil etwas ein, woselbst eine starke Blutung längere Zeit zur Stillung beansprucht. Unterhalb der vorspringenden Leiste ist der Knochen normal. Die erstere wird mit der Knochenzange vorsichtig abgezwickt, die Blutung sorgfältig gestillt. Einpassung des Lappens. Naht. Der Blutverlust war im ganzen nicht unbedeutend.

Der Wundverlauf war reaktionslos. Die Temperatur stieg in den ersten 3 Tagen bis auf 38,8 und war vom 6. Tag ab vollständig afebril. Am 5. Tag (27. Aug.) traten nach vorherigem Kältegefühl im l. Arm plötzlich Zuckungen in Hand und Arm auf mit nachfolgender Bewußtlosigkeit von 5 Minuten Dauer. Danach keinerlei Beschwerden. Ein ebensolcher Anfall von 3—4 Minuten Dauer, aber ohne Bewußtlosigkeit, am

3. und 6. Sept., am 11. Sept. pelziges Gefühl in der l. Hand bis zum Ellbogen, aber ohne Zuckungen.

Mit der Angabe, daß Schwindelgefühl und Kopfschmerz bedeutend gebessert seien, wird Pat. am 16. Sept. entlassen.

Bei der im Juni 1898 vorgenommenen Nachuntersuchung giebt Pat. an, daß einige Zeit nach der Entlassung sich die Anfälle wieder einstellten und sich in unregelmäßigen Zwischenräumen bald tags, bald nachts wiederholen, und zwar jetzt häufiger wie vor der Operation. Sie beginnen ohne besondere Veranlassung stets in der l. Hand, gehen dann auf den Arm und das l. Bein und nach Bewußtseinsverlust auf den übrigen Körper über. Subjektiv besteht Schwächegefühl im l. Arm, objektiv ist ein wesentlicher Unterschied zwischen rechts und links nicht zu konstatieren. Gang normal, kein Romberg'sches Phänomen; Pupillen reagieren prompt. Intelligenz und Gedächtnis nicht auffallend vermindert. Narbe am Kopf nur wenig adhärent, nicht druckempfindlich.

6) F. E., 19-jähr. Tapezierer.

Traumatische Jackson-Epilepsie. Trepanation. Verdickung und Verwachsung der Dura; alter Blutungsherd in der Rinde. An Nachblutung und Gehirnkompression gestorben.

Anamnese: 11. Aug. 1895 Hieb auf die rechte Scheitelgegend ohne äußere Verletzung mit nachfolgender 4-tägiger Bewußtlosigkeit und gleichzeitigen schweren Krämpfen. Trotz fortbestehender Kopfschmerzen und Mattigkeit begann Pat. nach 9 Wochen die Arbeit wieder; 10 Wochen nach der Verletzung 1. Anfall mit Bewußtlosigkeit, der sich nach 14 Tagen und später alle 8—10 Tage ebenso wiederholte. Vom 4. Anfall ab wurde derselbe regelmäßig eingeleitet durch Ameisenkriechen in der Zunge, später in der rechten Hälfte des Gaumens, und eigentümlichen Zuckungen in den Zähnen, worauf Zuckungen in der linken Gesichtshälfte, dann im linken Arm folgen. Dann Bewußtlosigkeit. Die fast stets bestehenden rechtsseitigen Kopfschmerzen steigern sich nach den Anfällen sehr stark. Seit 3 Monaten erhebliche Abnahme des Gedächtnisses.

Aufnahme am 20. Juli 1896.

Objektiver Befund: Schlanker Körperbau. Rechte Pupille etwas weiter als die linke, beide prompt reagierend. Augenhintergrund normal.

Zäpfchen weicht etwas nach rechts ab; Zunge wird gerade vorgestreckt.

Schädel regelmäßig; in der Mitte der rechten Coronarnaht eine flache, der Stelle des Traumas entsprechende Depression. Ganzer Schädel gegen Beklopfen empfindlich, besonders nahe der Depression.

In der Nacht nach der Aufnahme ein epileptischer Anfall von 10 Min. Dauer.

25. Juli 1896 Operation (Prof. Angerer) in Aethernarkose.

Nach Markierung des Facialiscentrums (nach Kocher), das nahe der Depression liegt, Bildung eines Wagner'schen Lappens. Weichteilblutung mäßig. Der mit der Kreissäge durchtrennte Knochen, im ganzen dünn, gegen die Depression zu auffallend verdickt, bricht nicht in toto, sondern in mehreren zusammenhängenden Stücken aus. An einer Stelle, starke Diploëblutung. Nach Eröffnung der gut gespannten Dura, entlang der Art. meningea media, zeigt sie sich, entsprechend der Depression, um mehr als das Doppelte verdickt und mit der ebenfalls verdickten und getrübten Arachnoidea allenthalben verwachsen. Unter den weichen Hirnhäuten zahlreiche gelbe Flecke, auf dem Hirn ein größerer, offenbar von Blutresten herrührender Erweichungsherd. Nach doppelter Unterbindung der Art. meningea wird die Dura noch quer gespalten und aufgeklappt. In dem Erweichungsherd keine Flüssigkeit. Naht der Dura. Reposition des Lappens. Hautnaht.

In den nächsten Stunden nach der Operation 3 mal Zuckungen in der linken Gesichtshälfte und fortwährendes Angstgefühl.

7 Uhr und 11 Uhr abends schwerer, in der linken Gesichtshälfte beginnender Anfall. Dann Schlaf.

Am nächsten Tage 7 Uhr früh Blick ganz starr, 8 Uhr vollkommene Bewußtlosigkeit, r. Pupille sehr weit. Puls sehr klein, große Blässe, oberflächliche Atmung.

In der Annahme einer Blutung Wiedereröffnung der Wunde, wobei sich sowohl zwischen Knochen und Galea, wie zwischen Knochen und Dura, die weit abgelöst und stark abgeplattet ist, ein großes Blutgerinnsel findet. Blutung aus dem Gehirn selbst, welche gestillt wird. Tamponade, Naht. Während der Ausräumung der Gerinnsel reagiert Pat. wieder, die Atmung wird tiefer, die Extremitäten bekommen wieder Tonus. Nirgends Zuckungen.

Nach vorübergehenden Zuckungen im linken Arm und Bein Exitus um 2 Uhr nachm.

Aus dem Sektionsbefund, der im übrigen normale Organe ergab, ist folgendes hervorzuheben: Schädeldach überall von mäßiger Dicke; entsprechend der hühnereigroßen Trepanationsöffnung ist die Dura mit geronnenen Blutmassen bedeckt und von den weichen Häuten nur unter Substanzverlust lösbar. An der Gehirnoberfläche im unteren Teil des Scheitel- und Stirnlappens in der Ausdehnung eines Hühnereis ein hämorrhagischer Erweichungsherd mit reichlichen geronnenen Blutmassen, wodurch die Rinde an dieser Stelle zum großen Teil zerstört ist, an den übrigen Partien von gelblicher Farbe. Auf der Schnittfläche ist daselbst graue und weiße Substanz nicht überall deutlich geschieden. Im übrigen nichts Bemerkenswertes.

Da bei beiden Fällen die Diagnose traumatische Jackson-Epilepsie vollkommen gesichert war und außerdem die Stelle des Traumas, resp. der Depression am Schädel dem jeweiligen Krampfcentrum ziemlich gut entsprach, so konnte über die Indikation eines operativen Eingriffes kein Zweifel bestehen. Daß sich der Eingriff im ersten Fall lediglich auf die Beseitigung der stark nach innen vorspringenden und das Gehirn komprimierenden Knochenleisten beschränkte, welche als eine völlig hinreichende Ursache für die epileptischen Anfälle angesehen werden konnte, und daß deshalb von einer Freilegung des Gehirns selbst abgesehen wurde, kann kaum als ein Fehler angesehen werden; aber immerhin spricht die gänzliche Erfolglosigkeit dieser Operation dafür, daß man sich in derartigen Fällen von einer Inspektion des Gehirns selbst nicht abhalten lassen sollte, da sich doch mit großer Wahrscheinlichkeit bei so schweren Schädelimpressionen auch cerebrale Veränderungen finden dürften, deren Beseitigung unter Umständen möglich erscheint, eine Auffassung, welche besonders von BERGMANN ausdrücklich vertritt. Freilich zeigen andererseits die letzten größeren Statistiken von GRAF und BRAUN über traumatische Epilepsie, daß nach dem bis jetzt vorliegenden, allerdings sehr mangelhaften Material ein wesentlicher Unterschied in dem Erfolg der Trepanationen mit oder ohne Operationen an der Rinde nicht zu konstatieren ist. GRAF sagt: „Die Beseitigung einer knöchernen Depression, die Excision eines Stückes der narbig verdickten Dura sind ebenso imstande, dauernde Befreiung von den Krämpfen zu schaffen, wie die Exstirpation einer Cyste, einer Narbe oder eines Stückes der anscheinend nicht veränderten Hirnrinde." Nach BRAUN wurde bei 7 von den 87 von ihm verwerteten Fällen die Dura nicht eröffnet, wozu noch ein von KRABBEL (Centralbl. f. Chir., 1898, p. 1178) mitgeteilter Fall kommt — und dabei 4 Heilungen (2 definitive), 3 Besserungen und ein Mißerfolg erzielt. BRAUN kommt beim Vergleich der ohne Duraeröffnung, der mit Freilegung des Gehirns und event. Excision von Dura- oder Pianarben, der mit Eröffnung von Cysten resp. Entfernung von Knochensplittern operierten Fälle zu dem Ergebnis, daß die Erfolge am besten zu sein scheinen in den Fällen, wo Knochensplitter gefunden wurden, die das Gehirn gedrückt oder verletzt hatten, oder ein infolge der Verletzung sehr verdickter Teil des knöchernen Schädels, der einen Druck auf das Gehirn ausgeübt hatte, entfernt wurden. Unser Fall ist entschieden zu letzteren zu rechnen. Unter diesen (15) Fällen waren 7 Besserungen und 8 Heilungen, kein völliger Mißerfolg zu verzeichnen.

Was den zweiten, an Nachblutung zu Grunde gegangenen Fall von traumatischer JACKSON-Epilepsie betrifft, so lehrt derselbe, daß man erstens nicht vorsichtig genug mit der exakten Blutstillung nach Trepanationen sein kann, obgleich nach den mir vorliegenden größeren Statistiken von BRAUN und GRAF die Nachblutung unter den Todesursachen nur eine sehr geringe Rolle spielt. BRAUN verzeichnet unter 87 Trepanationen 2 mal Tod infolge Shock, 1 mal infolge Vereiterung einer eröffneten Cyste. GRAF fand unter 146 Trepanationen 7 postoperative Todesfälle, darunter nur 1 mal infolge einer Hämorrhagie in die vordere Centralwindung (3 mal infolge Meningitis, je 1 mal infolge Shock, Pleuropneumonie, Erschöpfung und nicht erwähnter Ursache). Höchst wahrscheinlich war die Veranlassung zu der Nachblutung in unserem Fall die durch die heftigen abendlichen Anfälle bedingte starke Blutdrucksteigerung, und es frägt sich, ob es nicht geraten wäre, durch Darreichung von Opiaten und Brom nach einer Trepanation derartigen üblen und lebensgefährlichen Zufällen nach Möglichkeit vorzubeugen. Außerdem zeigt unser Fall, daß der vollständige Verschluß der Wunde ohne Anlegung einer als Sicherheitsventil wirkenden Tampon- oder Drainöffnung nicht unbedenklich ist. In unserem Fall war der Verband trotz des starken, auch extrakraniellen Hämatoms nur sehr wenig blutdurchtränkt.

Ich gehe nun über zur III. Gruppe unserer Fälle, welche zwei ziemlich schwere allgemeine Epilepsien nach Trauma und eine leichtere traumatische Epilepsie, die man fast der JACKSON'schen Form zurechnen könnte, umfaßt; diesen 3 Fällen möchte ich einen vierten anreihen mit epileptischen psychischen Aequivalenten nach Trauma.

Die Prognose der operativen Eingriffe bei allgemeiner traumatischer Epilepsie ist nach den bisherigen Erfahrungen eine ziemlich schlechte, besonders v. BERGMANN steht dieser Form sehr pessimistisch gegenüber, ebenso SCHEDE u. a. Allein trotzdem ist es nur zu erklärlich, wenn im Einzelfalle der Chirurg angesichts der trostlosen Lage des Kranken und angesichts einer greifbaren äußeren Veränderung, deren Beseitigung vielleicht doch einige Besserung oder Heilung bringen könnte und ferner in Anbetracht der relativ geringen Gefahren des Eingriffes, sich doch zu einer Probeoperation bestimmen läßt.

Ich lasse zunächst die Krankengeschichten folgen:

7) J. M., 30jähr. Fleischführer. (JACKSON-?) Epilepsie nach komplizierter Schädelfraktur seit 3/4 J. Trepanation; Exkochleation der Wandung von 4 Cysten. Vorübergehende Heilung. Dauernde Besserung. (Bereits mitgeteilt von ZIEGLER, Münch. med. Wochenschr., 1895, p. 373.)

Anamnese: Am 23. Juli 1893 Stockhieb über den Kopf. Bewußtlos zusammengestürzt wurde Pat. sofort in die Klinik gebracht. Ueber dem rechten Scheitelbein fand sich eine große komplizierte Schädelwunde mit starker Zertrümmerung der benachbarten Hirnpartien, gleichzeitig eine vollständige linksseitige Hemiphlegie. Bei der Extraktion eines tief im Gehirn steckenden Knochensplitters heftiger Facialiskrampf. Der Wundverlauf war ein normaler, das Bewußtsein kehrte in einigen Tagen zurück, die Lähmungen des Gesichts, der Zunge und unteren Extremität bildeten sich rasch bis auf geringe Paresen zurück, dagegen blieb eine große Schwäche und teilweise Lähmung des linken Armes bestehen. Bei der Ende September erfolgten Entlassung war die Wunde fest vernarbt, die Lücke im Schädel thalergroß. Nach fast 1/2 Jahre trat plötzlich ohne Veranlassung ein ca. 10 Min. langer epileptischer Anfall mit anfänglichen Krämpfen in beiden Armen auf, der sich anfangs alle 3—4 Wochen, später alle 14, alle 8 Tage und schließlich mehrmals täglich wiederholte. Pat. klagte außerdem über Abnahme des Verstandes und Gedächtnisses und will ein paarmal auch isolierte Zuckungen im linken und rechten Bein gehabt haben.

Aufnahme 25. Sept. 1894.

Objektiver Befund: Etwas unterhalb des rechten Scheitelbeinhöckers eine eingezogene Narbe und unter dieser ein ca. zweimarkstückgroßer Knochendefekt mit deutlicher Pulsation. Leichte Facialisparese links. Finger und Daumen links in leichter Beugekontraktur, können nicht gestreckt bezw. abduziert werden; Hand kann ebenfalls nicht gestreckt werden. Im übrigen an der l. oberen Extremität nur Herabsetzung der groben Kraft und subjektiv pelziges Gefühl und geringe Sensibilitätsstörungen. Das linke Bein schleppt etwas nach.

In der Klinik traten ein paarmal Anfälle mit Bewußtlosigkeit von 10—15 Minuten Dauer auf, deren Beginn nicht beobachtet werden konnte, einmal soll die linke Hand zuerst gezuckt haben und ein eigentümliches Gefühl über der Brust aufgetreten sein.

6. Okt. 1894 Operation.

Umschneidung der Hautnarbe mit Abpräparierung eines Lappens nach beiden Seiten bis zur Knochenlücke. Unter der Haut wölbt sich eine bindegewebige, stark pulsierende Schicht vor, die incidiert wird, worauf gelbliche, offenbar degenerierte Gehirnmassen und 3 kleine Cysten von Hanfkorn- bis Kirschkerngröße, aus denen gelbliche Flüssigkeit sich entleert, zu Tage treten. Bei Exkochleation der gelblichen Massen gelangt man auf eine vierte haselnußgroße Cyste nach vorn. Nach Exkochleation auch ihrer Wandungen bis auf normale Gehirnsubstanz wird die Höhle locker mit Jodoformgaze austamponiert, die als Dura fungierende Bindegewebslage mit Catgut vernäht. Hautnaht. Von einer Deckung des Knochendefektes wurde zunächst abgesehen. Während der Operation öfters Zuckungen an der linken und rechten oberen Extremität. Die Wunde heilte per primam, die einzige Temperatursteigerung am 3. Tage 38,4. Abgesehen von einem Anfall von 10 Minuten am 1. November und einigen leichten Zuckungen trat kein Zwischenfall ein.

Bei der am 9. Jan. 1895 erfolgten Vorstellung im ärztlichen Verein konnte Pat. als vorläufig geheilt bezeichnet werden, da er bis dahin ganz frei von Anfällen geblieben war.

In der Folgezeit traten jedoch wieder etwa alle 3—4 Wochen Anfälle von etwa 2 Minuten Dauer mit Bewußtlosigkeit auf, die stets mit Beugekrampf in der linken Hand beginnen, worauf nach der Aussage von Augenzeugen auch Krämpfe im linken Bein und der rechten Seite sich anschließen.

Sonst fühlt sich Pat. sehr wohl, hat nie Schwindel, ist mit seinen geistigen Kräften und seinem Gedächtnis sehr zufrieden. In dem Schädeldefekt fühlt man knöchernen Widerstand, keine Pulsation.

Hand und Finger in leichter Beugekontraktur, die kleinen Handmuskeln deutlich atrophisch, grobe Kraft in der linken oberen Extremität herabgesetzt, neben geringer Ataxie und beträchtlicher Steigerung der Sehnenreflexe. Sensibilität etwas herabgesetzt; Haut an der linken Hand kühler und blasser wie rechts. Das linke Bein etwas atrophisch und unsicher.

8) J. J., 27jähr. Landwirt. Allgemeine traumatische Epilepsie seit 5 Jahren nach Depressionsfraktur in der Kindheit. Trepanation; subdurale große Cyste. Ungeheilt.

Anamnese: Keine Belastung. Mit $1^1/_2$ Jahren Sturz aufs Hinterhaupt und 3tägige Bewußtlosigkeit. Seitdem soll linksseitiges Schielen und zeitweise Kopfschmerz bestehen, sonst keine Störungen.

Vor 5 Jahren nach einer kalten Douche plötzlich heftiger Kopfschmerz und nachts ein 10 Minuten langer Anfall mit Bewußtlosigkeit und allgemeinen Krämpfen, der sich in ähnlicher Weise seitdem alle 8 Tage wiederholt. Während aber früher die Anfälle ohne Vorboten unvermittelt auftraten, gehen ihnen seit $^1/_2$ Jahr krampfhafte Kontraktionen der Lippen und des Kiefers voraus und seitdem stellen sich auch abwechselnde Zuckungen ohne Bewußtseinsstörung ein.

Seit 2 Jahren Gedächtnisabnahme. Da alle möglichen therapeutischen Versuche erfolglos waren, wurde er von seinem Arzte der Klinik überwiesen.

Aufnahme am 19. Juli 1896.

Objektiver Befund: Kräftiger Körperbau. Strabismus divergens l., Schädel regelmäßig; am äußersten Teil der rechten Hinterhauptschuppe eine ca. markstückgroße, flache, druckempfindliche Depression, von der jedoch kein Anfall auszulösen ist. Gesichtsfeld bedeutend eingeengt mit hemianopischem Typus. — Mitralinsufficienz.

In der Nacht vom 19.—20. Juli epileptischer Anfall von 10 Minuten Dauer, der im linken Arm begonnen haben soll.

Am 26. Juli ein zweiter Anfall, der in beiden oberen Extremitäten, speciell in den Daumen begonnen haben soll.

31. Juli 1896 Operation in Aethernarkose. Umschneidung eines Hautknochenlappens entsprechend der Depression mit hinterer Basis. Der mittels Kreissäge durchtrennte Knochen in den unteren Partien sehr hart und dick, an der Konvexität des Lappens aber so weich und dünn, daß ihn die Säge kaum nach dem Ansetzen durchtrennt, worauf sich etwa $^1/_2$ l schwachgelblicher Flüssigkeit unter starkem Druck entleert. Die Lücke läßt sich wegen der Weichheit des Knochens leicht stumpf erweitern, die innig adhärente und dünne Dura wird mit dem Knochen nach außen umgeklappt. Hierauf liegt im Grunde einer großen Höhle das stark abgeplattete, weiche Gehirn ohne Gyri und Sulci frei vor. Stillung der Knochenblutung durch Tamponade, Einlegung eines Tampons in die Höhle. Reposition des Lappens. Naht.

Pat. zeigte in den nächsten 14 Tagen unregelmäßige Temperatursteigerungen, einmal bis 39,8 °, klagte viel über Kopfschmerz, hatte öfters Erbrechen; aus der Wunde entleerte sich 14 Tage lang reichlich gelbliche Flüssigkeit. Am 14. und 23. Tage nach der Operation je ein typischer epileptischer Anfall von je 10 Minuten Dauer mit Bewußtlosigkeit. Am 6. Sept. wurde Pat. mit fest verheilter Wunde und mit normalem physischem und psychischem Befinden entlassen.

Am 1. Jan. 1897 wurde er in hochgradig tobsüchtigem Zustande, der 4 Tage dauerte, in die Irrenanstalt Deggendorf eingeliefert, wo auch weiterhin in unregelmäßigen Intervallen derartige epileptische Aequivalente neben typischen Anfällen auftraten und deutlicher Verfall der geistigen Kräfte sich allmählich einstellte.

9) E. K., 15jähr. Juweliersssohn. Encephalitis (?) nach Schädeltrauma in der Kindheit; geistige Schwäche. Nach schwerer Gehirnerschütterung seit $^3/_4$ Jahren epileptische Zustände, Hemiparese rechts. Trepanation. Kein Erfolg. Tod nach 7 Monaten.

Anamnese: Keine Belastung. Mit 3 Monaten Sturz vom Tisch ohne Verletzung, doch schrie das Kind sehr viel und blieb in seiner geistigen Entwickelung sehr zurück.

Vor $^3/_4$ Jahren nach einem heftigen Stoß gegen die Stirn ohne äußere Verletzung 8 tägige Bewußtlosigkeit mit Erbrechen und weitere Verschlechterung des geistigen Zustandes, und von da ab 2—3 Tage lang Anfälle von Kopfschmerz, Zuckungen des Kopfes, stundenlangem Würgen und endlichem Erbrechen. Vor $4^1/_2$ Monaten in einem erneuten Anfalle rechtsseitige Hemiplegie, die sich weiterhin besserte. Seit 4 Wochen leidet Pat. an häufigem Schwindel und bricht manchmal plötzlich zusammen, bald nach rechts, bald nach links.

Aufnahme 1. Mai 1894.

Objektiver Befund: Sehr schwächlich entwickelter Knabe. Kopf symmetrisch, starkes Vorspringen der Sagittalnaht, Gesichtsausdruck blöde; Sprache sehr schwerfällig, lallend; Pat. kann nicht lesen und schreiben und ist teilnahmslos; über Jahreszeit und Datum nicht orientiert.

Ausgesprochene Facialisparese nicht zu konstatieren; rechte obere Extremität sehr schwach, ataktisch, wird meist in leichter Beugung steif gehalten. Manchmal athetoseartige Fingerbewegungen. Das rechte Bein schwächer wie das linke, wird beim Gehen etwas nachgeschleppt und steif gehalten.

Augenbefund: Weite, starre Pupillen; Chorioiditis, im Gefolge beiderseitiger Stauungspapille, Bindegewebsentwickelung in deren Umgebung und Perivasculitis obliterans.

Obwohl eine chronische Encephalitis nicht auszuschließen war, wurde doch in Anbetracht der rasch zunehmenden Verblödung und Erblindung die Operation am 8. Mai 1894 von Prof. Angerer vorgenommen:

Nach Bestimmung der linken motorischen Region nach Kocher Bildung eines fast handgroßen Wagner'schen Lappens mit unterer Basis; Durchtrennung des ziemlich dicken Knochens mit Kreissäge und Aufklappung desselben. Nach Unterbindung zweier Aeste der Meningea wird die Dura gespalten, welche an ihrer Innenseite etwas verdickt ist. Die weichen Hirnhäute stark getrübt, in den Sulci stark sulziges Exsudat; Gehirn von normaler Konsistenz; nirgends ein Tumor. Nach zwei vergeblichen Punktionen gelangt man das 3. Mal offenbar in den Ventrikel, wobei sich helle, klare Flüssigkeit entleert. Naht der Dura mit Catgut. Reposition des Knochens. Hautnaht.

Wundheilung per primam. Keine Temperatursteigerung.

In der Folgezeit täglich mehrmals bald länger, bald kürzer dauernde auf die rechte Körperhälfte beschränkte Zuckungen, wobei aber auch der linke Arm spastisch wird. Im übrigen zeigte Pat. keine wesentlichen Veränderungen gegen vorher und wird am 24. Mai entlassen.

Im weiteren Verlauf verschlimmerte sich der Zustand des Kranken immer mehr, die Anfälle häuften sich und wurden heftiger; dazu gesellte sich vollständige rechtsseitige Lähmung, die schließlich auch die linke Seite ergriff. Die Sprache wurde bei zunehmender geistiger Verblödung immer unverständlicher und im Dezember 1894, also 7 Monate nach der Operation, starb Pat. unter den Erscheinungen einer Gehirnhautentzündung.

Eine Sektion wurde nicht vorgenommen.

Was die Diagnose „traumatische Epilepsie" betrifft, so dürfte dieselbe für den 1. und 2. Fall dieser Gruppe kaum anfechtbar sein, während beim 3. Fall Zweifel entstehen können, ob hier die Epilepsie als Folge der vor $^3/_4$ Jahren erlittenen Gehirnerschütterung oder nicht vielmehr als die Folge einer in der Kindheit durchgemachten — allerdings scheinbar auch nach Trauma entstandenen — Encephalitis aufzufassen sei. Wahrscheinlich spielte das letzte Trauma die Rolle einer Gelegenheitsursache für den Ausbruch der Epilepsie in dem pathologisch veränderten Gehirn.

Die Indikation zu einem operativen Eingriff war in den beiden ersten Fällen angesichts der vorhandenen Depressionsfraktur mindestens naheliegend; der erste Fall schien sogar im Hinblick auf den ziemlich eindeutigen und klaren objektiven Befund (einer mit dem Gehirn verwachsenen Schädelnarbe) relativ gute Chancen zu bieten. Im 3. Fall war trotz der zweifelhaften Genese der Erkrankung und trotz der ungünstigen Prognose in Anbetracht des sehr traurigen Zustandes des Kranken und der doch immerhin ein Lokalsymptom darstellenden Hemiplegie einer Probetrepanation wenigstens nicht alle Berechtigung abzusprechen.

Was den Lokalbefund am Gehirn und das Operationsverfahren betrifft, so zeigte der 1. Fall (mit komplizierter Schädelfraktur) einen oberflächlichen Erweichungsherd mit 4 Cysten in der rechten motorischen Region, die veränderte Partie wurde exstirpiert. Im 2. Fall fand sich eine große subdurale Cyste über dem rechten Hinterhauptslappen, als Folge eines wahrscheinlich in der Kindheit stattgehabten großen Blutergusses nach Trauma; die Cyste wurde mittels Tampon drainiert, während der 3. Fall die Zeichen chronischer Pachy- und Leptomeningitis bot, so daß ein weiterer Eingriff unterblieb.

Der Erfolg war im 1. Fall 3monatliches Sistieren der Anfälle, die dann aber im Gegensatz zu dem früher regellosen Beginn charakteristischen Jackson-Typus zeigten und stets mit Krämpfen in der rechten Hand einsetzten; da sie aber seltener wurden, kann man immerhin von einer gewissen dauernden Besserung sprechen. Die Hemiparese blieb unverändert. Angesichts des jetzt vorhandenen Jackson'schen Typus der Anfälle darf man wohl annehmen, daß infolge der Operation Veränderungen in dem Centrum der rechten Hand gesetzt wurden, und man könnte daran denken, ob nicht eine zweite Operation nach dem Horsley'schen Verfahren in Betracht zu ziehen sei.

Der Erfolg im 2. Fall war negativ, bemerkenswert ist nur das spätere Auftreten psychischer epileptischer Aequivalente in Form von Tobsuchtsanfällen neben gewöhnlichen Anfällen.

Beim 3. von vornherein ganz aussichtslosen Fall trat unter zunehmender Verschlimmerung des Zustandes nach 7 Monaten der Tod ein.

Im großen ganzen bestätigen unsere Fälle die allgemeine Erfahrung von der Undankbarkeit operativer Eingriffe bei allgemeiner traumatischer Epilepsie.

Ich lasse nun den letzten unserer Fälle folgen, der insofern besonderes Interesse bietet, als es sich bei demselben nicht um epileptische Krämpfe, sondern um psychische Aequivalente infolge eines Traumas handelte.

10) C. M., 23jähr. Schriftsetzer.

Depressionsfraktur vor 9 Jahren am Hinterhaupt. Seitdem anfallsweise Aufregungs- und Tobsuchtszustände. Trepanation. Wesentliche Besserung.

Anamnese: Pat. soll von Jugend auf geistig abnorm, insbesondere sehr jähzornig gewesen sein.

Vor 9 Jahren fiel ihm ein Setzerkasten aufs Hinterhaupt, der eine stark blutende Wunde verursacht haben soll. Nach Heilung derselben sollen einige Monate später Anfälle von hochgradiger Aufgeregtheit meist auf geringfügige Anlässe hin aufgetreten sein, die mehrere Tage anhielten und während welcher er äußerst gewaltthätig war, so daß er einigemal seine Umgebung, darunter auch seine Mutter, mit dem Revolver bedrohte. Auch kam es bei derartigen Anfällen öfter vor, daß Pat. tagelang von zu Hause weglieb und planlos herumirrte. Besonders gegen das weibliche Geschlecht soll sich seine Reizbarkeit immer mehr gesteigert haben, wobei der geringste Widerspruch gegen seine oft unerfüllbaren Wünsche den heftigsten Jähzornausbruch hervorrief. Eigentliche epileptische Anfälle traten nie auf.

30. Jan. 1896 Aufnahme.

Objektiver Befund: Mittelkräftiger Körperbau. Schädel symmetrisch, Gaumen sehr stark gewölbt. Sprache etwas näselnd und anstoßend. Pupillen gleichweit und prompt reagierend. Direkt oberhalb des Hinterhaupthöckers eine ziemlich quer verlaufende 3 cm lange, 2 cm breite, bis zu 1 cm tiefe Impression. In der Tiefe derselben starke Empfindlichkeit selbst auf leisen Druck; auch die nächste Umgebung der Depression auf Beklopfen empfindlich, sonst nirgends Druckempfindlichkeit.

Augenbefund normal.

4. Febr. 1896 Operation in Aethernarkose.

Querer Schnitt parallel der Narbe in ungefähr 6 cm Länge. Das Periost haftet fest auf der Depression, die genau 1 cm oberhalb der Protuberantia occip. ext. liegt. Mit großer Vorsicht wird nun unter Vermeidung einer Verletzung des Sinus die Depression ausgemeißelt, in deren Bereich der Knochen enorm verdickt ist, so daß man bis in eine Tiefe von 3 cm gelangt, bis der Sinus in Erbsengröße freiliegt. Die starke Blutung aus dem Knochen wird durch Tomponade gestillt, die Wunde offen gelassen und am 8. Febr. sekundär genäht.

Der Wundverlauf war fieberfrei und reaktionslos. Die Kopfschmerzen verschwanden fast ganz und auch in psychischer Beziehung wurde Pat. viel weniger aufgeregt und lenksamer.

Eine persönliche Vorstellung des Kranken war leider, da er auswanderte, nicht zu erreichen, doch teilte derselbe auf eine briefliche Anfrage mit, daß sein Zustand gegen früher erheblich gebessert sei; nur stellen sich bei Witterungswechsel und nach stärkeren psychischen Alterationen noch öfters heftige Kopfschmerzen, welche von der Operationsnarbe ausstrahlen, manchmal auch Schwindel und gewisse Aufgeregtheit ein, die jedoch bei weitem nicht den früheren Grad erreiche; seinem jetzigen Beruf als Lageraufseher könne er sehr gut vorstehen.

Es ist dieser Fall, dem ich aus der mir zugänglichen Litteratur keinen an die Seite zu stellen weiß, insofern sehr interessant und lehrreich, als er zeigt, daß nicht nur typische mit Krämpfen verlaufende Epilepsie, sondern auch deren psychische Aequivalente, falls sie auf einem Trauma, das greifbare anatomische Veränderungen setzte, beruhen, unter Umständen einer operativen Behandlung zugänglich sein können.

Ziehe ich zum Schluß kurz das Resumé aus der vorliegenden Arbeit, so bringt sie, abgesehen vielleicht von dem zuletzt mitgeteilten Fall, nichts wesentlich Neues.

Sie bestätigt die schon so vielfach gemachte Erfahrung von den geringen Aussichten, welche die nicht traumatische Jackson-Epilepsie bei fehlenden grob-anatomischen Veränderungen an der Hirnrinde — wenigstens für die einfache Trepanation bietet und legt deshalb für solche Fälle den Gedanken nahe, das Horsley'sche Verfahren der elektrischen Bestimmung und Excision des primären Krampfcentrums zu versuchen.

Sie vermehrt zweitens die zahlreiche Kasuistik der erfolglos trepanierten traumatischen Jackson-Epilepsie um zwei weitere Fälle und liefert bezüglich der allgemeinen traumatischen Epilepsie wiederum ein paar Belege für die vielfachen entmutigenden Erfahrungen, welche die Chirurgie bei dieser Form zu verzeichnen hat.

Andererseits zeigt sie, daß auch psychische epileptische Aequivalente nach Trauma unter Umständen mit Aussicht auf Erfolg der chirurgischen Behandlung unterworfen werden können.

Hinsichtlich der Gefahren der Trepanation liefert unser Material einen wertvollen und gleichzeitig warnenden Beitrag, der beweist, daß die Möglichkeit einer tödlichen Nachblutung trotz ihres anscheinend relativ seltenen Vorkommens doch sehr zu berücksichtigen ist.

Es erübrigt mir noch die angenehme Pflicht, meinem hochverehrten Chef, Herrn Professor v. Angerer, für die freundliche Anregung zu dieser Arbeit und für die Ueberlassung des wertvollen Materials meinen verbindlichsten Dank auszusprechen.

# XXIV.

# Beitrag zur Lehre des spinalen Oedems und der Arthropathien bei Syringomyelie.

Von

Dr. **Max Gnesda**,
Operateur der Klinik.

(Hierzu Tafel X und XI.)

---

**Im folgenden sollen einige Beobachtungen bei Fällen von Syringomyelie zur Besprechung gelangen, die einige bemerkenswerte Momente bieten und dadurch ihre Mitteilung rechtfertigen.**

V. J., 48 J., Gastwirt, aufgenommen 20. Dezember 1898, entlassen 23. Dez. 1898.

Anamnese: Der Vater des Pat. starb an einer „Gemütskrankheit", wegen welcher er 3 Wochen zu Hause gelegen ist, die Mutter, die viel an Magenkrämpfen litt, an Pat. unbekannter Krankheit. Der einzige Stiefbruder lebt und ist gesund.

Pat. ist seit 24 Jahren verheiratet; von 14 Kindern leben nur fünf Knaben, die gesund sind, neun starben im zartesten Kindesalter, sämtliche innerhalb der ersten drei Lebensmonate; doch waren alle Kinder ausgetragen, abortiert hat seine Frau niemals. Lues negiert, Potus zugegeben.

Ernstlich krank war er nur im Jahre 1868, wo er einen Typhus durchmachte. Kleinere Verletzungen erlitt er aber zu wiederholten Malen, sein Beruf brachte sie mit sich, doch verursachten sie ihm niemals besondere Beschwerden, „da Pat. gar nicht wehleidig sei".

So fiel ihm in seiner Lehrlingszeit als Schlosser im Jahre 1867 ein etwa 1 Ctr. schweres Reifeisen auf die linke große Zehe, welches ihm den Nagel herausriß, ohne daß er dabei besondere Schmerzen empfunden hätte. Im Jahre 1884 erlitt er beim Weinabladen durch Darüberrollen eines Fasses über den rechten Zeigefinger eine Quetschung desselben, die anfangs gar nicht beachtete, weil sie eben keine nennenswerten Besch[illegible] verursachte. Erst nach mehreren Tagen, als der Finger „ge[illegible] wurde traten Schmerzen auf. Die nach einigen Tagen [illegible]

Incision war schmerzlos, im Verlaufe des nächsten Monates wurden wiederholt Knochenstückchen extrahiert, welche Manipulation von beträchtlichen reißenden Schmerzen begleitet war.

Bereits vor fünf oder sechs Jahren beobachtete Pat. ein auffallend lautes Krachen bei Bewegungen des rechten Schultergelenkes und gleichzeitig begann die Beweglichkeit in demselben zwar ganz allmählich, aber doch konstant abzunehmen, so daß Pat. vor der jetzigen Erkrankung den Arm nicht einmal bis zur Horizontalen mehr elevieren konnte.

Ebensolange ist es her, daß ab und zu Blasen auf der rechten Hand auftraten, die manchmal bis hühnereigroß wurden, im Verlaufe von ca. 3 Wochen eintrockneten und dann ausheilten. Diese waren ebenfalls ganz schmerzlos und Pat. weiß für die meisten keine Entstehungsursachen anzugeben. Manche waren wohl durch Verbrennung hervorgerufen, doch ist Pat. bei heißem Wasser sehr vorsichtig, da er sich bewußt ist, daß er kein rechtes Unterscheidungsvermögen für seine Temperaturgrade hat.

Seit 2 Jahren überkommt Pat. öfters Schwindel, der nach 2—3 Min. wieder vorüber ist.

Eine auffallende Beobachtung machte Pat. noch in betreff des Urinierens. Seit ca. 2—3 Jahren geht Pat. innerhalb 24 Stunden nur 1 mal urinieren, wobei er dann — Pat. ist Potator — bis über 2 l klaren Harn entleert. Manchmal ereignet es sich, daß er nach dieser Urinentleerung in etwa 10 Minuten abermals urinieren muß, wobei dann ungefähr ein halbes Wasserglas voll Harn abgeht.

Der Stuhl ist retardiert, jeden 2. Tag. Kein unwillkürlicher Urin- oder Kotabgang.

Die Erkrankung, wegen welcher er nun in die Klinik kommt, ereignete sich ganz plötzlich.

Am 17. Dez. verfehlte er beim Bieranschlagen sein Ziel, er schlug ins Leere, es überkam ihn ein Schwindel, der beim Sitzen nach einigen Minuten verging. Der Arm war sofort ganz kraft- und gefühllos. Seine Frau rieb ihn mit Kamphergeist ein und legte eine Flanellbinde an, worauf er zu Bett ging und einschlief. Nach etwa einer Stunde erwachte er und mußte sofort die Binde ablegen, da der Arm sehr bedeutend angeschwollen war. Die Finger waren mäßig kontrahiert, alle Gelenke an der oberen Extremität unbeweglich, der ganze Arm gefühllos „wie aus Holz". Das Ellbogengelenk konnte allerdings gestreckt werden, indem Pat. den Vorderarm der Schwere nach fallen ließ, beugen mußte er ihn mit Hilfe der linken Hand. Eigentümlich war die Empfindung beim Anlehnen der Schulter an einen Gegenstand, indem er die Berührung erst etwa in der Medianlinie des Körpers verspürte.

Er legte nun in lauwarmes, abgestandenes Wasser eingetauchte Bauschen auf; die Schwellung fiel am 19. etwas ab, am meisten noch am Handrücken, die Beweglichkeit kehrte allmählich wieder, ebenso das Gefühl im Arme.

Pat. suchte die Klinik auf, wo er tags darauf zur Aufnahme gelangte.

Status praesens (aufgenommen von Herrn Doc. Schlesinger, wofür ich demselben zu Dank verpflichtet bin):

Großer, kräftig gebauter, gut genährter Mann.

An den inneren Organen läßt sich nichts Pathologisches nachweisen.

Pupillen beiderseits gleich eng, starr auf Lichteinfall, reagieren auf Konvergenz und Accommodation (Argyll Robertson). Ptosis des rechten oberen Augenlides. Bulbusbewegungen nach allen Richtungen frei.

Portio minor nervi trigemini funktioniert beiderseits gleich gut.

Die taktile Sensibilität im Bereiche der ganzen rechten Gesichtshälfte stark herabgesetzt und zwar am stärksten in den am weitesten von der Mittellinie gelegenen Punkten und am geringsten in den der Mittellinie gelegenen Abschnitten. Die Sensibilität ist eine derartige, daß die Grenzen der Störung gegeben sind durch annähernd halbkreisförmige konzentrische Linien, welche parallel dem Kontour des Gesichtes verlaufen. Cornealreflex auf der rechten Seite herabgesetzt.

In Bezug auf die Schmerzempfindung gleiche Anordnung, wie bei taktiler Sensibilität, im allgemeinen sehr stark herabgesetzt.

Für die Temperaturempfindung gilt das gleiche, sowohl für kalt, als für warm.

Bei der Untersuchung der Mundhöhle mit einem gekrümmten Troiquart ergiebt sich folgendes: Die Berührungsempfindung an der Zunge entsprechend den hinteren Abschnitten der rechten Hälfte gegenüber der linken erheblich herabgesetzt. Die Berührungsempfindung an den Zungenrändern beiderseits gleich, ebenso an den vorderen Abschnitten der Zunge. Am Gaumen werden Stiche beiderseits gleich gut empfunden, nur an der Innenfläche des Processus alveolaris der rechten Seite, etwa entsprechend den 3 ersten Zähnen, eine Abstumpfung der Berührungsempfindung. An der Vorderfläche des Processus alveolaris weiter in der Umschlagstelle der Schleimhaut und der Wangenschleimhaut in ihren hintersten und am weitesten nach oben gelegenen Anteilen erhebliche Abstumpfung der Berührungsempfindung auf der rechten Seite, während auf der linken eine grobe Störung nicht nachweisbar ist. Schmerzempfindung im gleichen Bereiche erheblich herabgesetzt, während auf der linken Seite keine Störung derselben besteht.

Gaumenreflex, Würgreflex und Schlingreflex erhalten. Fehlschlucken findet nicht statt, keine Regurgitation durch die Nase.

Facialis weist keine Störungen auf.

Die Gegend des rechten Schultergelenkes, der ganze rechte Ober- und Vorderarm mächtig geschwollen. Die Schwellung setzt sich einerseits auch auf die rechte obere Thoraxhälfte, vorn bis zum Sternum nach rückwärts bis über den inneren Rand der Scapula hinaus, andererseits auch auf die rechte Hand fort, ist aber an letzterer nur mehr angedeutet. Die Hautfarbe der erkrankten Extremität war bei der Aufnahme blaß, heute (21.) aber an der Innenseite des Oberarmes und der Ulnarseite des Vorderarmes blaßrot.

Das Schultergelenk selbst erscheint verbreitert. Die Achse des Oberarmes zieht nicht zur Gelenkpfannne, sondern schneidet in der gedachten Verlängerung den lateralen Schlüsselbeinanteil, während man den hinteren freien Rand der Cavitas glenoidalis gut abtasten kann. Unter und etwas außerhalb des Rabenschnabelfortsatzes eine leichte Vorwölbung, gebildet von dem beträchtlich verdickten Humeruskopfe, der bei den Armbewegungen präzise mitgeht. Diese Luxation läßt sich ohne weiteres reponieren, doch bald kehrt der Kopf in die alte Lage zurück. Die aktive Beweglichkeit im Schultergelenke im Sinne der Elevation vollständig aufgehoben, passiv im ganzen Umfange möglich.

Der Zeigefinger der rechten Hand stark verbildet und zwar erscheinen Mittel- und Endphalanx atrophisch, der Nagel sehr stark gekrümmt, längsgerieft, die Haut vollständig glatt und faltenlos. An der Ulnarseite der Hand ein über bohnengroßer Substanzverlust hervorgerufen aus einer Blase.

Muskulatur, so weit man beim Oedem was sagen kann, im ersten Intercarpalraum eingesunken, Thenar und Antithenar nicht ausgesprochen atrophisch. Läßt der Kranke seine Arme sinken und betrachtet man ihn von rückwärts, so bemerkt man, daß der Kontour des Cucullaris auf der rechten Seite verstrichen ist, weiters, daß die Scapula der rechten Seite nach vorn gesunken ist, so daß ein viel größerer Abstand der rechten Scapula von der Wirbelsäule daraus resultiert. Die Fossa infraspinata erscheint im Vergleiche zur linken Seite abgeflacht.

Im Bereiche der ganzen rechten oberen Extremität und an der rechten Rumpfhälfte bis etwa 3 Querfinger unter der Mamilla grobe Störungen der taktilen Sensibilität. Auch rückwärts auf der rechten Seite bis zur Höhe des Schulterblattwinkels eine gleichförmige Abschwächung der taktilen Sensibilität. Nadelkopf und Spitze werden nicht unterschieden. Von dem Schulterblattwinkel nach abwärts Berührungsempfindung normal.

Auch auf der linken Thoraxhälfte und der linken oberen Extremität eine grobe Störung der taktilen Sensibilität. Auf der Rückenhaut etwa in gleichem Umfange wie auf der rechten Seite Hypästhesie. Auf der Haut der Brust ebenfalls, jedoch ist daselbst die Hypästhesie weniger markiert, als auf der anderen Seite. Auf dem Bereiche der ganzen linken oberen Extremität, besonders an Vorderarm und Hand, sowie an den Fingern mit Ausnahme des Daumens sehr erhebliche Abstumpfung der Berührungsempfindung.

Schmerzempfindung: Die Läsion derselben ist sehr ausgesprochen. Vollständiger Verlust der Schmerzempfindung an der rechten oberen Extremiträt, an der Brust etwa in derselben Ausdehnung, wie die Störung der Berührungsempfindung, rückwärts jedoch besteht auf der rechten Seite Analgesie nahezu bis zum Darmbeine, während auf der linken Seite das Territorium der Störung der Berührungsempfindung mit den analgetischen Bezirken sich deckt. Auf der linken Brusthälfte findet sich in der Höhe der Mamilla eine mehr als handbreite Zone, welche sich gürtelförmig vom Sternum nach rückwärts erstreckt und sich sehr scharf gegenüber der normal empfindenden Haut abgrenzt. An der linken oberen Extremität ist im Bereiche der ulnaren Seite des Vorderarmes, der Hand und der Finger die Schmerzempfindung verloren gegangen, während in einem ziemlich breiten Streifen an der Radialseite des Vorderarmes und der Außenseite des Oberarmes nur Hypalgesie und keine Analgesie besteht.

Die Temperaturempfindung ist verloren gegangen im Bereiche der ganzen rechten oberen Extremität und auf der Brust und dem Rücken im Bereiche desselben Territoriums, in welchem eine Störung der Berührungsempfindung nachweisbar ist. (Das Territorium der Analgesie und der Thermoanästhesie deckt sich demzufolge nicht.) Nach abwärts von der thermoanästhetischen Zone befindet sich eine etwa handbreite Zone am Rumpfe, in deren Bereiche Perversion der Temperaturempfindung besteht. Auf der linken Seite ist entsprechend der Scapula und dem Interscapularraume Verlust der Temperaturempfindung vorhanden; vorn bis etwa zum Rippenbogen Perversion der Temperaturempfindung (kalt für heiß, heiß für kalt). An der linken oberen Extremität ist der Temperatursinn fast ganz verloren gegangen. Am ausgesprochensten sind die Störungen an den Fingern.

Im Bereiche der Fingergelenke der rechten oberen Extremität, des Handgelenkes, Ellbogen- und Schultergelenkes ist das Gefühl für passive Bewegungen fast ganz verloren gegangen, Lagevorstellung der Glieder höchstgradig gestört, während an der linken Seite diese Empfindungsqualitäten erhalten sind.

Grobe Ataxie bei Bewegungen der rechten oberen Extremität (der Kranke fährt mit dem Finger an das Auge, statt an die Nasenspitze etc.). Keine Ataxie an der linken oberen Extremität.

Die Sehnenreflexe an der rechten oberen Extremität nicht auslösbar (Schwellung des Armes?), an der linken oberen Extremität Bicepsreflex gesteigert, Tricepsreflex erloschen.

Bauchdeckenreflex, Kremasterreflex, Fußsohlenkitzelreflex beiderseits prompt, Patellarreflexe beiderseits gesteigert, kein Fußclonus.

Beiderseits findet sich an dem inneren Fußrande und am medialen Anteile der Sohlenfläche eine hypästhetische und hypalgetische Zone, welche sich auf der rechten Seite bis zur Wade, auf der linken Seite aber über dieselbe hinaus in Form eines analgetischen Streifens verfolgen läßt, die am Unterschenkel breiter ist und die Rückseite desselben (Wadenhaut) einnimmt und auf dem Oberschenkel in Form eines schmäleren Streifens auf der lateralen Seite der Hinterfläche sich verfolgen läßt.

Grobe Störung des Muskelsinnes für passive Bewegungen und Lagevorstellung der Glieder an den unteren Extremitäten nicht vorhanden.

Eine grobe Störung der Temperaturempfindung ist an den unteren Extremitäten nicht vorhanden.

ROMBERG'sches Phänomen nicht vorhanden.

Testikelschmerz auf der rechten Seite verloren gegangen.

Verlust des Gefühles für Blasenvölle (der Kranke uriniert nur 1 mal innerhalb 24 Stunden, bisweilen 2 l auf einmal, muß jedoch nicht auffällig pressen). Nie unwillkürlicher Abgang von Urin oder Stuhl. Der Durchtritt des Urins oder Stuhles wird stets gefühlt.

23. Dez. Die Rötung an der Innenfläche des Armes geschwunden. Schwellung schon beträchtlich abgefallen. Pat. bringt heute die Hand etwa bis zur Nasenwurzel, wobei er den Oberarm in der sagittalen Ebene etwas hebt.

Pat. wird heute entlassen. Mitella, Ol. lavend. gtt. V. auf Unguent. emoll. 30,0. Natr. salicyl.

Es finden sich demnach bei dem Patienten eine Reihe von nervösen Störungen.

Am ausgesprochensten erscheint die Schädigung der Sensibilität; doch ist die Läsion der einzelnen Empfindungsqualitäten wesentlich verschieden. Während die Berührungsempfindung nirgends vollständig verloren gegangen ist — in einzelnen Bezirken findet sich eine sehr grobe Störung — besteht in manchen Abschnitten vollständiger Verlust der Schmerz- und Temperaturempfindung, und zwar derart, daß in den am meisten geschädigten Gebieten wohl die Zonen der Hypästhesie, Analgesie und Thermoanästhesie sich decken, nicht aber an deren Grenzen, mithin die eine Empfindungslähmung das sonst schon in normaler Weise percipierende Territorium noch in beträchtlichem Umfange überragt. So besteht an der rechten oberen Extremität und an der rechten Rumpfhälfte vorn bis etwa 3 Querfinger unter der Mamilla, rückwärts bis zur Höhe des Schulterblattwinkels eine gleichförmige erhebliche Abschwächung der taktilen Sensibilität, in gleicher Ausdehnung findet sich Thermoanästhesie, während das Gebiet der Analgesie nur vorn an der Brust mit jenem der Hyperalgesie und Thermoanästhesie zusammenfällt, am Rücken jedoch nahezu bis zum Darmbeine reicht. Nach abwärts von dem thermoanästhetischen Gebiete an der rechten Brusthälfte befindet sich nun eine etwa handbreite Zone mit Perversion der Temperaturempfindung (kalt für heiß und umgekehrt), also in einem Gebiete, wo wiederum Tast- und Schmerzempfindung normal sind. — Auch linkerseits, wo das Territorium mit perverser Temperaturempfindung noch beträchtlich größer ist, fallen die Grenzlinien der einzelnen geschädigten Empfindungsqualitäten nicht zusammen. An den unteren Extremitäten wiederum finden sich streifenartige hypästhetische und hypalgetische Zonen ohne einer gröberen Störung der Temperaturempfindung.

Die Ausbreitung der Sensibilitätsstörung entspricht mithin nicht dem Versorgungsgebiete der peripheren Hautnerven, sondern scheint vielmehr spinaler Natur zu sein (vgl. LAEHR, HAHN).

In besonders schöner Weise findet sich dieser Typus ausgesprochen in der rechten Gesichtshälfte, indem hier die Läsion der Sensibilität durchaus nicht dem Versorgungsgebiete der einzelnen Trigeminusäste zukommt, sondern die Abstumpfung der einzelnen Empfindungsqualitäten nach der Peripherie zu in bogenförmigen, dem Gesichtskontour parallelen Linien zunimmt. Auch in der Mundhöhle bestehen rechterseits Zonen mit beträchtlicher Herabsetzung der Berührungs- und Schmerzempfindung.

Die Konstatierung dieser Thatsache scheint mir von besonderer Wichtigkeit, nachdem SCHLESINGER erst jüngst darauf aufmerksam gemacht hat, daß segmentale Sensibilitätsstörungen im Trigeminusgebiete ebenfalls centralen Ursprungs sind und auf Läsionen der Medulla oblongata distalwärts vom Pons zurückzuführen sind. Sie beanspruchen auch von chirurgischer Seite ein gewisses Interesse, als sie bei Beurteilung der Operabilität gewisser rätselhafter Trigeminusneuralgien eine strikte Gegenindikation gegen jedes Einschreiten stellen können.

Ein weiteres Symptom, welches Pat. bietet, ist die Muskelatrophie und die Paresen. Dieselbe betrifft in deutlich ausgeprägtem Maße den rechten Cucullaris, den Musculus infraspinatus, ferner die Muskulatur des rechten ersten Intercarpalraumes. Weitere Muskelatrophien im Bereiche der oberen Extremität lassen sich infolge des hochgradigen Oedems nicht mit Sicherheit nachweisen.

Ferner findet sich eine Steigerung der Patellarsehnenreflexe, eine hochgradige Arthropathie des rechten Schultergelenkes und eine Reihe von trophischen Störungen, das Geschwür an der Ulnarseite der rechten Hand, die Difformität des rechten Zeigefingers mit der glatten, faltenlosen Haut und den charakteristischen Veränderungen des Nagels. Zu den trophischen Störungen müssen wohl auch die anamnestisch angegebenen schmerzlosen Blaseneruptionen gerechnet werden, die Patient in den letzten Jahren so häufig belästigten und für welche er keine ursächliche Veranlassung zu geben weiß.

Faßt man alle diese Erscheinungen zusammen, so ergiebt es sich, daß in dem vorliegenden Falle alle Kardinalsymptome der Syringomyelie vorhanden sind. Als solche werden ja bekanntlich die Muskelatrophie, die Sensibilitätsstörung in Form der partiellen Empfindungslähmung und trophische Störungen der Haut und des Unterhautzellgewebes genannt, zu denen sich dann noch unterstützende Merkmale gesellen können, wie Skoliose, Veränderungen der Sehnen- und Hautreflexe, Blasen-Mastdarmstörungen, vasomotorische Störungen, bulbäre Symptome, Arthropathien, Spontanfrakturen etc.

Doch dürfen einige Symptome nicht unerwähnt bleiben, die zum Bilde einer Syringomyelie nicht gehören.

So hat Patient Argyll Robertson'sches Phänomen, Ptosis des rechten oberen Augenlides (letztere kann als Symptom einer Sympathicusaffektion auch bei einer Syringomyelie vorkommen), Verlust des Gefühles für Blasenvölle, höchstgradige Störung für Lagevorstellung der Glieder, Verlust des Gefühles für passive Bewegungen in der rechten oberen Extremität, Romberg'sches Phänomen hingegen nicht vorhanden, mithin bis auf letzteres Symptom lauter Erscheinungen, die für eine Tabes charakteristisch sind; allerdings könnte es sich dabei nur um eine solche mit cervikalem Typus handeln. Und doch glaube ich letztere ausschließen zu dürfen, trotzdem Fälle von Tabes bekannt sind, bei welchen partielle Empfindungslähmung in größerer Ausdehnung, ja selbst erhebliche Muskelatrophien, hervorgerufen durch schwere, periphere Neuritiden, beschrieben worden sind und zwar aus dem Grunde, weil bei dem der Anamnese zufolge doch schon lange Jahre bestehenden Krankheitsbilde doch noch stets eine Steigerung der Patellarreflexe besteht (Schlesinger).

An eine Kombination der Syringomyelie mit einer weiteren Erkrankung muß jedoch gedacht werden, nachdem Schlesinger auf dem Moskauer Kongresse dargelegt hat, daß die bulbäre Erkrankung bei Syringomyelie nur in den vom unteren Ende des Pons distalwärts liegenden Teilen des Hirnstammes sich vorfindet, Symptome aber, die auf Läsionen über diesem Abschnitte hinweisen, auf einen anderweitigen komplizierenden Prozeß zurückgeführt werden müssen.

Welcher Art nun dieser im vorliegenden Falle ist, wage ich nicht zu entscheiden, vielleicht handelt es sich um eine Kombination mit beginnender progressiver Paralyse.

Als die Grundkrankheit aber glaube ich mit allergrößter Wahrscheinlichkeit eine Syringomyelie annehmen zu dürfen. Aus dem Umstande, daß die Sensibilitätsstörung die rechte Gesichtshälfte, beide oberen Extremitäten (insbesondere die rechte), einschließlich der angrenzenden Thoraxpartien, befällt, daß aber auch an den unteren Extremitäten streifenartige Zonen mit Herabsetzung der Berührungs- und Schmerzempfindung bestehen, daß im Bereiche des rechten Schultergürtels und der rechten Hand Muskelatrophien sich vorfinden, glaube ich unter Berücksichtigung des Umstandes, daß die centrale Gliose, resp. Syringomyelie mit Vorliebe das Rückenmark in längerer Strecke befällt, als Ausdehnung der Affektion die Strecke vom obersten Cervikalmarke (in welchem ja schon ein Teil des Trigeminus entspringt) durch die Medulla cervicalis bis ins Lendenmark hinein annehmen zu müssen. Im Cervikalmarke dürfte die Höhlenbildung wohl den größten Querschnitt erreichen, indem sie daselbst rechterseits auch gegen das Vorderhorn sich auszubreiten scheint, während die Hinterhörner in ausgedehntem Maße daselbst geschädigt sein dürften mit wahrscheinlich mäßigem Uebergreifen der Höhlenbildung auf die Seitenstrangbahn (Steigerung der Patellarreflexe). Im Dorsalsegmente dürfte sich die Spaltbildung verengern, zu Beginn der Lendenanschwellung jedoch wiederum eine leichtere Verbreiterung nach der linken Seite hin erfahren.

Die Ursache aber, wegen welcher Pat. in die Klinik kam, lag nicht in den oben angeführten Störungen, sondern in einer geradezu enormen Anschwellung der rechten oberen Extremität und den angrenzenden Thoraxpartien, die ganz plötzlich entstanden war.

Am 19. Dezember vorigen Jahres wurde er bei einer intendierten Bewegung von einem leichten Schwindelanfalle ergriffen, er schlug ins Leere, der Arm war sofort ganz kraft- und gefühllos und nach etwa einer Stunde hatte dieser Körperabschnitt einen so mächtigen Umfang erreicht. Bis zum 19. fiel die Schwellung wohl etwas ab, am meisten noch am Handrücken, tags darauf gelangte Patient zur Aufnahme. Man konnte nun ein umfangreiches, schön eindrückbares Oedem konstatieren, die Haut blaß, nirgends Streifen oder Zeichnungen von durchscheinenden, erweiterten Gefäßen zeigend. Am 23. verließ Patient wieder die Klinik, die Schwellung war schon beträchtlich abgefallen, Venenektasien nicht nachweisbar.

Bevor ich nun auf dieses zweifellos interessanteste Phänomen des Falles eingehe, möchte ich noch das Fehlen allgemeiner Cirkulationsstörungen, sowie pathologischer Bestandteile im Harne ausdrücklich feststellen, ebenso den Mangel jeder entzündlichen Erscheinung.

Es lag nun die Frage vor, welche Momente wohl für das Zustandekommen dieses außerordentlichen Zustandes in Betracht kamen.

In erster Linie mußte man an eine Thrombose denken, hervorgerufen möglicherweise durch Kompression. Wo aber müßte dieselbe statthaben? Jedenfalls schon centralwärts vom Gebiete der Vena subclavia, da eine Verlegung derselben die ausgedehnte Schwellung am Thorax nicht erklären könnte. Gegen eine Schädigung der Anonyma spricht aber wieder der Mangel jeden Oedems an Hals und Kopf. Außerdem muß gegen eine derartige Annahme auch der Umstand hervorgehoben werden, daß bereits nach beträchtlichem Abfalle der Schwellung keine Venennetze sichtbar waren, die als kollaterale Bahnen zu einem benachbarten Strombezirke geführt hätten.

Da nun ein Tumor weder sichtbar, noch durch Palpation, Perkussion oder Auskultation (Gefäßgeräusche) nachweisbar ist und sich auch keine anderen Bedingungen vorfinden lassen, welche das Oedem durch mechanische Behinderung der Abflußwege erklären könnten, so muß man offenbar auf die regulatorischen Apparate des Gefäßsystems rekurrieren, nämlich auf das Nervensystem. Neuropathische Oedeme ohne Muskellähmungen sind schon wiederholt beobachtet worden.

So beschreibt Lewinsky einen Fall mit Oedem am rechten Vorderarme und an der Hand, der auch mit Lähmungserscheinungen des Halssympathicus kombiniert war, wobei er den Druck einer Struma auf die vom Plexus brachialis noch getrennt verlaufenden (keine myopathischen Störungen) Sympathicusfasern verantwortlich macht.

Aber auch bei Schädigungen des Centralnervensystems selbst wurden bereits mehrfach Oedeme vorgefunden. Kaiser berichtet über eine halbseitige vasomotorische Störung der ganzen rechten Körperhälfte (mit Ausnahme des Kopfes) und meint, daß der Nucleus caudatus ein vasomotorisches Centrum für die kontralaterale Körperhälfte birgt. Schlesinger sah in einem Falle von kleinzelligem Sarkom in der Lendenanschwellung des Rückenmarkes eine Reihe von stets wechselnden vasomotorischen Störungen in Form des Raynaud'schen Symptomenkomplexes, der Erythromelalgie, anfallsweise auftretende hochgradige ödematöse Anschwellungen an beiden Beinen, die durch mehrere Stunden persistierte, plötzlich wieder verschwand. Bei Syringomyelie liegen nun auch vereinzelte Beobachtungen über Oedem bei unveränderter Haut vor. In dem von Fürstner und Zacher beschriebenen Falle, der sich unter anderem durch besonders schöne vasomotorische Phänomene auszeichnet, trat plötzlich eine gleichmäßige Schwellung des rechten Oberarmes auf, die sich in weiteren 2 Tagen auch auf das obere Drittel des Vorderarmes ausbreitete (Fingerdruck hinterläßt allerdings keine Vertiefung). Nach weiteren 4 Tagen war die Anschwellung vollständig geschwunden. An beiden oberen Extremitäten entwickelte sich ein Oedem beim Falle Remak. Vielleicht gehört auch Beobachtung II von Roth hierher.

Was nun den vorliegenden Fall anbelangt, so glaube ich auch in diesem das Oedem auf die Veränderungen im Rückenmarke zurückführen zu dürfen.

Mechanische Hindernisse im Gefäßapparate liegen — wie bereits dargethan — nicht vor, für die Läsion peripherer Nerven sind ebenfalls keine Anhaltspunkte gegeben; wenn man aber bedenkt, daß das

Oedem gerade in jenem Körperabschnitte aufgetreten ist, der am meisten geschädigt ist, welchem mithin auch der am meisten destruierte Rückenmarksquerschnitt zukommt, so scheint es mir am wahrscheinlichsten, in diesem Bezirke die Ursache für die pathologischen Funktionen des Gefäßapparates zu suchen, das Oedem mithin als spinales aufzufassen. Ob diese Ursache immer durch anatomische Läsionen bedingt ist, scheint mir bei dem transitorischen Charakter — Fall Förstner-Zacher, Fall Schlesinger, bei der eigenen Beobachtung war in einigen Tagen schon ein beträchtlicher Abfall der Schwellung zu konstatieren — zum mindesten zweifelhaft. Ebensowenig läßt sich auch eine genauere Lokalisation über die Anordnung der Vasomotoren im Rückenmarke daraus deduzieren. Indessen erscheint es mir nach den diesbezüglichen klinischen Beobachtungen nicht unwahrscheinlich, daß die vasomotorischen Bahnen den sensiblen Bahnen und deren Centren in der grauen Rückenmarkssubstanz räumlich näher liegen dürften, als den motorischen, wie dies auch schon vor einer Reihe von Jahren Charcot angenommen hat. Remak läßt die Frage, welche Abschnitte des Rückenmarkquerschnittes für die Oedeme verantwortlich sind, offen, gelangt aber zu der Annahme, daß bestimmte Anteile der grauen Substanz in Betracht kommen. Ebenso halten Förstner und Zacher die Angioparese spinalen Ursprunges, wobei die graue Substanz, die Seitenstränge und die hinteren Wurzeln in Betracht kommen, die alle drei auch anatomische Veränderungen darboten.

In dem vorliegenden Falle könnte man sich das Oedem durch folgenden Vorgang entstanden denken: Das Auftreten der Schwindelattacken ist bei Syringobulbie nichts Ungewöhnliches und mag bisweilen mit dem Auftreten kleiner Blutungen in die Medulla oblongata und dem obersten Halsmarke zusammenhängen, da sich den Attacken öfters unmittelbar folgend Lähmungserscheinungen bulbärer Nerven anschließen; bevorzugen ja gerade die Blutungen in die Medulla oblongata nach Schultze die Stellen des Querschnittes, welche nach Schlesinger typisch bei Syringobulbie erkranken. Wenn man diesen Vorgang im vorliegenden Falle supponiert, so hätte man vielleicht eine Erklärung für das plötzliche Einsetzen des Oedems: Zufolge eines leichten Traumas ist durch Zerreißung eines Gefäßes — welche ja bei Syringomyelie so oft im Rückenmarke erkrankt sind — eine Hämorrhagie in die Medulla erfolgt, welche die vasomotorischen Bahnen lädierte. Daher plötzlich einsetzendes Oedem. Es mag dann nicht bloß der Ort der Schädigung der vasomotorischen Bahnen, sondern auch der Mechanismus der Läsion maßgebend gewesen sein für das Auftreten der Oedeme.

Ausdrücklich erwähnt zu werden verdient noch der eine Umstand, daß es sich in meinem Falle um ein typisches, eindrückbares Oedem handelt, dasselbe somit mit der von Marinesco beschriebenen Gewebshyperplasie, der „main succulente“ nichts gemein hat. Bei dieser Gelegenheit sei übrigens erwähnt, daß diese Form der Schwellungen seit langer Zeit bekannt ist. So schreibt ROTH Bd. 16, p. 211: „La formation de tumeurs pâteuses limitées dans le tissu cellulaire souscutané . . . Ces tumeurs ne sont pas accompagnées de rougeurs de la peau, ne dépendent pas seulement de l'oedème locale, mais d'une infiltration de consistance plus solide; tantôt elles durent pendant de longs mois, tantôt elles se résolvent toutes seules.“

Ebensowenig kann es mit dem akuten umschriebenen Hautödem QUINCKE's in Beziehung gebracht werden, welches in exquisiter Weise transitorisch, doch nur ganz circumskripte Partien der Haut und des Unterhautzellgewebes befällt.

Zum Schlusse möchte ich noch mit einigen Worten der Arthropathie des rechten Schultergelenkes Erwähnung thun.

Nach Angabe des Patienten datiert der Beginn der Bewegungseinschränkung schon auf 6 Jahre zurück, die Funktionsstörung nahm ganz allmählich zu und ist jetzt gewiß nur durch das plötzliche Oedem eine komplette. Dabei war der ganze Verlauf vollkommen schmerzlos und häufig waren die Bewegungen von einem lauten, dem Patienten selbst höchst auffälligen Krachen begleitet. Die Untersuchung ergiebt eine Luxation nach vorn und unten, die sich ohne Kraftaufwand reponieren läßt, wobei alle passiven Bewegungen vollständig frei sind. Am RÖNTGEN-Gramme sind keine besonderen Veränderungen an der Pfanne sichtbar, wohl aber vermißt man den aus dem Humerusschafte vortretenden Gelenkskopf, sondern ersterer verbreitert sich allmählich gegen das proximale Ende zu immer mehr und erreicht an demselben ein dem oberen Tibiakondyl nicht unähnliches Aussehen. Freie Gelenkkörper sind nicht sichtbar, ebensowenig extrakapsuläre Verknöcherungen. — Die einzelnen Gelenksveränderungen bei Syringomyelie bieten eben kein einheitliches Bild, sondern ahmen nur in großen Zügen jenes der Arthritis deformans nach, sei es in der atrophischen oder hypertrophischen Form oder in Kombination beider, von welcher sie sich jedoch häufig durch extrakapsuläre Ossifikationen in geradezu klassischer Weise unterscheiden. Diese Verknöcherungen erreichen manchmal infolge einer ossifizierenden Myositis der periartikulären Muskeln einen ganz enormen Umfang und gerade auf diese Verknöcherungen im periartikulären Gewebe, die sich speciell bei neuropathischen Gelenkserkrankungen und Frakturen entwickeln, möchte ich besonders aufmerksam machen, da sie nur allzuleicht zur fälschlichen Diagnose eines Tumors verleiten und infolge der derben, oft knochenharten Konsistenz und des raschen Wachstums als Osteosarkome angesprochen, zu den eingreifendsten Operationen Veranlassung geben können.

Folgender höchst traurige Fall möge zur Illustrierung dieser Verhältnisse dienen:

H. T., 35 J., k. u. k. Offizial, aufgenommen 3. Dez. 1896, † 9. Dez. 1896.

Anamnese: Vor 4 Jahren stellten sich bei dem sonst stets gesunden Pat. schießende Schmerzen im Bereiche des linken Ischiadicus ein, die einige Monate andauerten.

Am 20. Aug. 1896 spürte Pat., während er auf der Straße ging, plötzlich einen heftigen Schmerz im linken Beine; momentan konnte er nicht weiter, er mußte sich von einem Passanten halten lassen, um nicht zu fallen, und erst nach ca. 10 Minuten konnte er sich mit Beihilfe Fremder, allerdings hinkend, nach Hause begeben. Er hatte dabei das Gefühl, daß das Bein sich oben in der Nähe des Hüftgelenkes in anormaler Stelle bewege. Er lag hierauf 7 Wochen zu Bette. 2 Tage nach dem Unfalle auf der Straße schwoll der linke Oberschenkel an seiner Vorderseite an, es bestand angeblich bei Rückenlage Parallelstellung der Beine mit Auswärtsrollung und Verkürzung des linken um $1^1/_2$ cm. Die Schwellung des Oberschenkels in der Mitte des Schaftes bessert sich und trat mehr in der Leistenbeuge auf. Das Auftreten gelingt ihm jetzt viel leichter, er kann ohne Stütze gehen, bekommt aber nach längerem Gehen ein dumpfes Gefühl in der linken Hüfte.

Pat. hat einmal eine Gonorrhöe überstanden, nie Lues.

Seit Jahren leidet er an rheumatischen Schmerzen, die sich anfallsweise im rechten Oberschenkel einstellen,

Status praesens: Kräftiger, gut genährter, muskulöser Mann von etwas blassem Aussehen.

Sensorium frei.

Arteria radialis geschlängelt, etwas rigide.

Puls voll, nicht arythmisch.

An den Gesichtsnerven keine Störungen.

Die Pupillen reagieren auf Licht etwas träger.

Zweiter Aortenton deutlich verstärkt, Thorax- und Abdominalorgane weisen keine pathologischen Veränderungen auf. Retroperitoneale Drüsenschwellungen sind nicht nachweisbar.

In der Rückenlage ruhen bei normal stehendem Becken die Beine in Parallelstellung, das linke ist etwas auswärts gerollt, eine Verkürzung läßt sich nicht nachweisen. Der linke Oberschenkel in seiner oberen Hälfte beträchtlich verbreitert, erscheint daselbst ungefähr um ein Drittel voluminöser, als jener der anderen Seite. Die Haut darüber ist vollständig unverändert und zeigt keine erweiterten Venen; die Arteria femoralis deutlich unter der Haut fühlbar.

Verfolgt man das Femur von unten her, so findet man es im unteren Teile vollständig normal. In der Mitte aber nimmt es, nachdem man daselbst über eine Stufe gekommen ist, an Umfang beträchtlich zu. Die Diaphyse scheint sich in der natürlichen Verlängerung fortzusetzen, nach innen jedoch begegnet man einem knochenharten Tumor, der stellenweise unregelmäßig geformte Protuberanzen zu Tage treten läßt; bei der Palpation von der Rückseite her tastet man durch die Muskulatur hindurch in der Tiefe eine Resistenz und zwar nach innen vom Femur und ihm anliegend. Der Trochanter erscheint nach vorn verbreitert, seine Spitze über der Roser-Nélaton'schen Linie zu stehen. Bewegt man das Bein passiv, so geht es, wie alle Teile des Tumors, mit, eine Einschränkung der Beweglichkeit im Hüftgelenke besteht nicht. Diese Bewegungen, sowie Stöße auf den Trochanter sind nicht schmerzhaft, ebensowenig wie Palpation des Tumors. Nirgends Krepitation oder abnorme Beweglichkeit nachweisbar.

Pat. geht gut mit auswärtsgerolltem Beine, doch fällt er beim Gehen gleichsam auf das kranke Bein.

Im rechten Beine anfallsweise neuralgische Schmerzen längs des Nervus ischiadicus.

Urin klar, sauer, kein Eiweiß, kein Zucker, keine Hemialbumosen.

Die Blutuntersuchung ergiebt: Geringe Größenunterschiede der Erythrocyten, keine Leukocytose, keine Vermehrung der eosinophilen Zellen. In 4 Präparaten keine Markzelle, kein kernhaltiges rotes Blutkörperchen, stark ausgesprochene perinucleare Basophilie.

Klinische Diagnose: Die mächtige Tumorentwickelung in so kurzer Zeit ließ es als zweifellos erscheinen, daß es sich um einen malignen Tumor handle, so auffallend auch das Fehlen jedes Oedems, erweiterter Venennetze, der Mangel uachweisbarer Drüsenschwellungen war. Die Stellung des Beines in Auswärtsrollung, die anamnestische Mitteilung des Unfalles am 20. Aug. mit der angeblichen Verkürzung um $1^1/_2$ cm, die aber in der Klinik nicht mehr nachweisbar war, machten eine Schenkelhalsfraktur nicht unwahrscheinlich, welcher Umstand aber gerade in der Diagnose eines periostalen Chondrosarkoms bestärkte, indem man dieselbe als durch den Tumor bedingte Spontanfraktur auffaßte.

8. Dez. Operation Assistent Dr. v. Friedländer: Rechte Seitenlage. Chloroform-, später wegen oberflächlicher Atmung Aethernarkose.

Bogenförmiger Hautschnitt von der Beugeseite nach außen bis gegen den Tuber ichii reichend. Nach Durchschneidung des mächtigen Fettlagers wird nach Freilegung des Femurschaftes dessen Durchtrennung mit der Kettensäge versucht, welche sich jedoch schlecht applicieren läßt, weshalb die Absetzung des Knochens mit Meißel und Hammer vollzogen wird. Die starke Blutung wird stets sofort gestillt. Nun wird der centrale Stumpf mit Knochenhacken stark flektiert und an seine Isolierung geschritten, was an der Vorderseite und außen ziemlich leicht gelingt, wo man bald auf einen von schwieligem Gewebe bedeckten, glatten, harten Tumor kommt. Man kann nun die Sägefläche des Femur gut überblicken und sieht daselbst Femur und Tumor scharf voneinander getrennt. Schwierig gestaltet sich die Präparation an der Hinterseite, wo ein fibröser, bogenförmig gekrümmter Zapfen von Kleinfingerdicke gegen den Tuber ischii hinzieht. Nach innen zu ist die Geschwulst von matschen, atrophischen, speckig aussehenden Muskeln bedeckt und besitzt gleichfalls einen vorspringenden Zapfen. Nachdem unter großer Mühe und Anstrengung und Anlegung zahlreicher Blutstillungsinstrumente der Tumor freigemacht ist, geht man an die Eröffnung der enorm verdickten Hüftgelenkkapsel, wobei sich etwas seröse Flüssigkeit entleert. Man erblickt im Gelenke den Schenkelhals frakturiert, die Bruchflächen gegeneinander abgeschliffen. Nun wird nach Durchtrennung des Ligamentum teres der Schenkelkopf entfernt, sowie das Femurstück mit dem Tumor und die anscheinend sarkomatös, degenerierte Gelenkskapsel exstirpiert, desgleichen noch einige Muskelstücke, an denen die knöcherne Aftermasse haften blieb. Nach exakter Blutstillung wird die Muskelwunde im unteren Wundwinkel vernäht, die große Höhle ausgiebig mit Jodoformgaze drainiert, die Hautwunde mit Knopfnähten geschlossen. Schienenverband.

Der Blutverlust während der Operation war sehr groß infolge der parenchymatösen Blutung.

Diagnosis inter operationem: Chondrosarcoma.

Pat. erwacht bald aus der Narkose, klagt nicht über Schmerzen.

Reichliches Erbrechen, Temp. 35, macht aber am Abend einen einigermaßen gekräftigteren Eindruck.

9. Dez. Nacht schlaflos, vormittags leichte Atembeschwerden, die wieder vorübergehen. Temp. 34,5.

Pat. fühlt sich bedeutend wohler.

Nach 2 Uhr plötzlich heftige Atemnot mit Angstgefühl verbunden, keine Expektoration, Puls frequent, klein, jedoch der Schwere der Symptome nicht entsprechend. Auffallend ist die blaue Verfärbung der Genitales, halbe Erektion des Penis. Pat. kollabiert rasch. 2 Kampferinjektionen, Infusion von 100 ccm physiologischer Kochsalzlösung in die Brusthaut. Unter Zunahme der Atembeschwerden erfolgt der Tod um 3¹/₄ Uhr nachmittags.

10. Dez. Sektion, vorgenommen von Prof. Kolisko.

Anatomischer Befund: Körper mittelgroß, kräftigen Knochenbaues, muskulös, ziemlich gut genährt, sehr blaß, Totenflecke auf der Rückseite. Pupillen gleich enge. sichtbare Schleimhäute blaß.

Hals kurz und dick, Brustkorb lang, breit gewölbt. Abdomen aufgetrieben.

Linke untere Extremität nach auswärts gerollt, um 5 cm verkürzt, an der Außenseite des Oberschenkels in der Hüftgegend eine dreistrahlige je 15 cm lange, Schenkel besitzende, durch Nähte vereinigte Wunde, welcher entsprechend der obere Teil des Femurknochens zu fehlen scheint, indem hier die Extremität nach allen Richtungen verschoben und gedreht werden kann.

Kopfhaut blaß, Schädel geräumig, mesocephal, dickwandig, größtenteils kompakt, mit der Dura verwachsen; das Gehirn etwas geschwellt, ziemlich blutarm, stark serös durchfeuchtet; die inneren Meningen mäßig mit Blut versehen, zart, nur die Arachnoidea hinten am Kleinhirn und entsprechend der Cysterna chiasmatis getrübt und verdickt. Die basalen Hirngefäße fleckig sklerosiert, geschlängelt, erweitert, namentlich die Basilararterie, welche nur eine linke Profunda abgiebt, während die rechte aus der Communicans posterior entspringt. Kammern enge, in den Sinus dunkles flüssiges Blut.

Panniculus adiposus der Brust und des Bauches ziemlich mächtig. Zwerchfell hochstehend.

Schilddrüse von mäßiger Größe, grobkörnig, kolloid.

Die rechte Lunge im vorderen Umfange der Spitze locker angewachsen, beide etwas gedunsen, überall flaumig weich, in den vorderen Partien blutarm, in den hinteren blutreicher und in letzteren Partien fleckig an der Oberfläche erbleichend.

Beide Lungen von frischschaumigem Serum überschwemmt. Die Bronchien erster und zweiter Ordnung mit einer schleimigen, schwarzen Flüssigkeit ausgefüllt, ihre Schleimhaut leicht gerötet.

Im Herzbeutel einige Tropfen klaren Serums. Das Herz um die Hälfte größer, stumpf-konisch geformt, starr kontrahiert, in seinen Höhlen ziemlich reichliche Cruormassen und rechts in dieselben eingeschlossen ein über haselnußgroßes weiß-gelbliches, fast kugeliges, festeres Blutgerinnsel. Die Wand des linken Ventrikels auf nahezu das Doppelte verdickt. Endocard und Klappen zart, das Herzfleisch braun, mit einem Stich ins Gelbliche, unter dem Endocard des linken Ventrikels suffundiert. Die Intima aortae leicht hier und da gelblich gefleckt, die Media deutlich verdickt.

Die Präparation der mittleren Aeste der Pulmonalarterie zeigt in einzelnen an den Teilungsstellen reitende Gerinnsel einer rötlich-braunen

Thrombusmasse, an welche sich peripher und central schwarz-rote Gerinnsel ansetzen.

Die Leber in circumskripten Herden fettig infiltriert, die Milz klein, schlaff, mäßig mit Blut versehen, die Nieren in mächtige Fettkapseln gehüllt, normal gelagert, von gewöhnlicher Größe, etwas weicher, in der Rinde erbleichend, die Oberfläche beider mit zahlreichen tiefgreifenden, einen injizierten Grund besitzenden Absumptionen versehen. Rinde von gewöhnlicher Breite, blaßgelb, Pyramiden blaß-violett, Becken und Kelche normal.

Blase kontrahiert, aber trüben, sedimentierenden Harn enthaltend. Ihre Schleimhaut am Trigonum und am Orificium internum injiziert, mit zahlreichen, tautropfenähnlichen Cystchen besetzt.

Der Magen, von Gas gebläht, enthält eine schlammige, schwarze, schleimige Flüssigkeit, seine blasse Schleimhaut mit zahlreichen hämorrhagischen Erosionen bezeichnet.

Pankreas blaß, derbe.

Die rechte Nebenniere an die hintere Fläche der oberen Hälfte der Niere verlagert, die linke normal liegend, beide verfettet.

Därme, von Gasen mäßig gebläht, enthalten mäßig reichliche, bräunlich gefärbte, dünnflüssige chymöse resp. fäculente Stoffe, ihre Schleimhaut blaß.

Die Präparation der linken Vena cruralis zeigt, daß etwa daumenbreit unter dem Abgange der Vena saphena unterhalb zweier Klappen die Wand durch einen queren $^1/_3$ der Peripherie betreffenden Riß durchtrennt ist und in den unmittelbar darüber liegenden Klappentaschen die Reste eines Thrombus wahrnehmbar sind.

Die Eröffnung der erwähnten Wunde zeigt, daß das obere Drittel des Femur entsprechend einem etwa kopfgroßen, von zerwühlter, blutig tingierter Muskulatur begrenzten Wundcavum entfernt ist. An der Abtragungsstelle des Femur Spuren von callusartigen, in den Adduktoren liegenden Gewebsmassen. Das Wundcavum bis an die erwähnte Rißstelle der Cruralvene hinreichend und daselbst eine knapp an der Rißstelle abgehende Vene ligiert.

Das Rückenmark mit zarten Häuten versehen, von mäßigem Blutgehalte, zeigt in seinem untersten Teile eine Spur grauer Verfärbung (?) der Hinterstränge und an der Grenze zwischen Lenden- und Brustmark etwa durch ein Segment hindurch eine das Gebiet der rechten hinteren Wurzel einnehmende spaltförmige, von einer vascularisierten Membran ausgekleideten Höhle.

Befund des exstirpierten oberen Femurstückes: Muskelcallus nach Spontanfraktur des Femurhalses, Abschleifung der Frakturstellen. Kopf frei in der Pfanne, deren Kapsel polypöse Wucherungen zeigt; die Callusmassen größtenteils den Adduktoren, teilweise den kleinen Glutäalmuskeln entsprechend. Ein spiralig gewundener Zapfen des Muskelcallus dem Quadratus femoris entsprechend. Aller Wahrscheinlichkeit nach neuropathischer Grund der Spontanfraktur.

Anatomische Diagnose: Embolia ramorum arteriae pulmonalis per thrombos in vena crurali sinistra ortos post exstirpationem superioris partis femoris sinistri.

Fractura spontanea colli femoris cum callo musculoso permagno.

Syringomyelia (?) partis infimae regionis dorsalis medullae spinalis.

Das Fragezeichen bei der Diagnose Syringomyelie erscheint aus dem Grunde beigefügt, weil ein Befund über die mikroskopische Untersuchung des Rückenmarkes nicht verzeichnet ist. Leider findet sich das Rückenmark behufs zweifelloser histologischer Sicherung der Diagnose nicht mehr vor.

Herr Prof. WEICHSELBAUM hatte die Güte, die Reproduktion des Knochenpräparates zu gestatten, wofür ich hiermit danke.

Tafel X und XI, Fig. 1 und 2, stellen die Vorder- und Rückansicht des exstirpierten Femurstückes dar. An dem Schenkelhalse sind die abgeschliffenen, gut adaptierten Bruchflächen mit einem Bindfaden aneinander gehalten. Die Hauptmasse der knöchernen Neubildung sitzt der inneren Femurfläche auf (siehe Befund oben).

Eine weitere Auseinandersetzung erscheint wohl überflüssig. Sie ist durch den Fall selbst gegeben; diagnostizierbar sind derartige, ich möchte sagen monströse Prozesse als neuropathische, selbst wenn sie als Initialsymptome einer spinalen Erkrankung auftreten, vorausgesetzt, daß man eben daran denkt. Uebrigens dürfte die Röntgenisierung sehr wertvollen Aufschluß über derartige Verhältnisse geben. Möge die ausführliche Mitteilung dieser Krankengeschichte als warnendes Beispiel dienen und dazu beitragen, daß man sich gegebenen Falles auf die Möglichkeit einer derartigen neuropathischen Affektion erinnert.

Was nun die Therapie der so überaus häufigen Arthropathien bei Syringomyelie anbelangt — bringt doch jedes Jahr mehrere neue Beobachtungen — so ist es wohl selbstverständlich, daß es nicht strikte Indikationen, geschweige denn ein einheitliches Verfahren diesbezüglich geben kann, was schon einerseits in dem verschiedenartigen Auftreten des Gelenksprozesses begründet ist, andererseits darin, daß beträchtlicher Rückgang der Erscheinungen noch nach monatelangem Bestande beobachtet wurde (BRUHL, SCHLESINGER). Ich möchte meinen, daß zahlreiche Arthropathien überhaupt eine therapeutische Maßnahme weder zulassen, noch einer solchen bedürfen, wie Fälle mit geringer Exsudation und dabei stark entwickelter periarticulärer Knochenneubildung. In manchen derartigen Fällen dürfte unter Umständen letztere einen genügenden Halt für die Funktion abgeben; an den unteren Extremitäten könnte allenfalls mit einem entsprechenden Apparate die gewünschte Festigkeit des Beines als Stelze erreicht werden. Bei frischen Fällen mit starkem intrakapsulärem Ergusse sah SCHLESINGER günstigen Erfolg nach Punktion und nachträglicher Kompression des Gelenkes.

Immerhin aber giebt es Fälle, welche ein radikaleres Vorgehen verlangen, wie z. B. vollständige Berufsstörung, Gelenkempyeme, welche letztere ja leicht entstehen können, wenn man bedenkt, wie wenig die in ihrer Schmerzempfindung gelähmten Kranken auch erheblichere Verletzungen beachten. Zumeist wird man bei letzteren Zuständen mit ausgiebigen Incisionen auskommen, doch sahen sich CZERNY (Fall 6) und FISCHER genötigt, den Oberarm zu amputieren; in einem anderen

Falle (4) erreichte ersterer bei einer Omarthritis suppurativa mit Subluxation rasche Heilung mit auffällig guter, schmerzfreier Beweglichkeit nach Resektion des verkleinerten, stark abgeschliffenen Humeruskopfes.

Resektionen an den Gelenken der oberen Extremität wurden mit mehr oder minder gutem Erfolge noch ausgeführt von Czerny, Nissen, Sokoloff, Tiling, Fischer, Blasius, von den drei ersteren zum Teil ohne Narkose; dabei empfanden die Patienten keine Schmerzen, sondern hatten nur ein Druckgefühl.

Ein recht gutes funktionelles Resultat wurde in hiesiger Klinik bei nachfolgendem Falle erreicht:

P. W., 54 J., Zimmermannsgehilfe.

1. Spitalsaufenthalt.

Aufnahme 31. März 1897. Luxatio humeri sinistri subglenoidea inveterata, Reposition, geheilt entlassen 23. April 1897.

Anamnese: Pat. hereditär nicht belastet. Von Krankheiten weiß er sich nur an Gicht, die er in den 70er Jahren gehabt, zu erinnern. Vor ca. 4 Monaten mußte er bei der Arbeit einen Balken mit den hocherhobenen Armen stützen. Plötzlich spürte er ein Brennen, das blitzartig vom linken Schultergelenke bis in die Fingerspitzen ging; die Last konnte er noch niederlassen. Einen eigentlichen Schmerz hatte er nicht, nur den Arm konnte er schlecht bewegen. Das Brennen und Ameisenlaufen in den Fingern, namentlich 3., 4. und 5. Finger und am distalsten Teile der Vola blieben von Anfang an bestehen. Nächsten Tag bewegte er den Arm ziemlich gut, nur konnte er ihn nicht bis zur Horizontalen erheben. Seither arbeitete er leichtere Sachen ganz gut, nur hatte er permanent Parästhesien und intensives Kältegefühl, sowie das Gefühl, als ob die 3 Finger der linken Hand tot wären.

Status praesens: Pat. unter Mittelgröße, sehr kräftig gebaut, Muskulatur gut entwickelt, guter Ernährungszustand.

Innere Organe zeigen bis auf leichtes Emphysem der Lungen und Atherom der Aorta keine pathologischen Veränderungen.

Die Längsachse des Armes scheint etwas nach einwärts gerichtet und der linke Oberarm etwas verlängert zu sein. Die Schulterwölbung nicht abgeflacht; greift man mit dem Finger unter das Acromion, so sinkt man tief ein, während man von rückwärts den freien Rand des Cavitas glenoidalis abtasten kann. In der Axilla fühlt man den Humeruskopf als rundliche knochenharte Resistenz, die bei Bewegungen des Armes prompt mitgeht. Pat. ist nur in der Rückwärtsbewegung und im Heben bis zur Horizontalen eingeschränkt.

2. April. Reposition in Chloroformnarkose nach dem Extensionsverfahren. Fixation des Armes mit einem Blauenbindenverbande.

9. April. Verbandabnahme wegen Ekzem, Mitella.

20. April. Keine Mitella mehr, passive Bewegungen.

23. April. Pat. geheilt entlassen.

2. Spitalsaufenthalt.

Aufgenommen 24. Mai 1897 — 8. Aug. 1897.

Anamnese: Seit seinem Spitalsaustritte hat er wieder gut gearbeitet bis vor 8 Tagen, zu welcher Zeit er merkte, daß ihm der Arm anschwoll und die Arbeit schwerer fiel; besondere Schmerzen hatte er nicht. Als er aber bei einer Bohrung den Arm schnell abduzierte, verspürte er ein Brennen im Schultergelenke und merkte sofort, daß der Arm nicht in seiner früheren Lage war. Er sucht nun abermals die Klinik auf.

Status praesens: Der Oberarmkopf erscheint wieder luxiert. Unter dem Processus coracoideus tastet man einen zarten rundlichen Körper, der bei den Humerusbewegungen unter einem leisen Krachen mitgeht.

31. Mai. Reposition in Chloroformnarkose gelingt beim ersten Versuche nach der Elevationsmethode. Blauerbindenverband.

3. Juni. Abnahme des Verbandes, Anlegung eines viereckigen Tuches.

8. Juni. Mitella.

11. Juni. Bei der Untersuchung zeigt es sich, daß der Kopf nach vorn drängt und daß der hintere freie Rand der Cavitas glenoidalis gut abtastbar ist.

9. Juli Operation, Assistent Dr. Ewald, in Chloroformnarkose. Schnitt vom Acromion fast bis zur Insertion des Deltoides, Durchtrennung des Muskels. Der laterale Teil der Kapsel, die schwielig verdickt ist, wird abgetragen; trotzdem kann der Kopf, der unter dem Processus coracoideus steht, nicht vorgewälzt werden. Erst nach mehreren Versuchen gelingt es, ihn an seine richtige Stelle zu reponieren. Er wird nun am Collum chirurgicum abgemeißelt. Achternaht durch Haut und Muskeln, am unteren Ende Jodoformgazedrainage, Blauerbindenverband.

Der Kopf ist hochgradig deformiert: seine hintere Peripherie ist durch das Aufliegen auf den Rippen ganz plan abgeschliffen, auch die vordere ist mehr plan, so daß der Kopf nur mit einer kleinen Spitze nach seiner Reposition auf der Cavitas glenoidalis aufsaß und deshalb bei der nächsten Bewegung leicht nach vorn abrutschte, zumal der Kapselriß an der vorderen Seite nicht verheilt war. Weder am Kopfe noch an der dicken Kapsel, noch an der Gelenkspfanne Zeichen einer Arthritis deformans, wenn auch der Knorpel des Kopfes abgeschliffen war. Man muß daher annehmen, da es zuerst nur eine traumatische Luxation war; da der Kopf lange Zeit an den Rippen unter dem Musculus pectoralis auflag und der Arm von Anfang viel bewegt wurde, erlangte er eine solche Gestalt, daß er nicht mehr in der Pfanne festgehalten werden konnte, immer wieder nach vorn abrutschte und so auch der Kapselriß offen blieb.

17. Juli Verbandwechsel prima intentio, Entfernung der Nähte und des Streifens Mitella.

31. Juli. Beginn der passiven Bewegungen.

8. Aug. Pat. kann aktiv den Arm etwa 60° weit abduzieren. Passiv sind nahezu sämtliche Bewegungen in normalem Umfange möglich. Lineare Narbe. Pat. tritt in ambulatorische Behandlung.

Es entwickelte sich also hier eine Luxation, die von Anfang an keine Schmerzen und nur eine Bewegungsstörung zur Folge hatte, so daß Patient schon nach dem ersten Unfalle in der Lage war, leichtere Arbeit zu verrichten. Die Reposition gelang beide Male in Narkose sehr leicht, doch bereits 12 Tage nach der zweiten Einrichtung drängte der Humeruskopf wieder nach vorn, während man gleichzeitig den hinteren freien Rand der Cavitas glenoidea abtasten konnte. Dies schien wohl nur dadurch erklärlich, daß bereits vor der 2. Reposition der Humeruskopf nurmehr als zarter rundlicher Körper unter dem Processus coracoideus — mithin schon beträchtlich deformiert — tastbar war und als solcher nicht mehr in genügender Ausdehnung mit der Pfanne artikulierte. Diese rasch fortschreitende Destruktion und der Umstand, daß bereits beim ersten Spitalsaufenthalte die einer Luxation zukommende charakteristische Abflachung der Schulterwölbung fehlte, für welche Erscheinung man bei dem Mangel eines größeren Gelenkergusses eine beträchtliche Kapselverdickung verantwortlich machen mußte, ließen es nunmehr als nahezu zweifellos erscheinen, die Luxation als pathologische in einem voraussichtlich durch Arthritis deformans erkrankten Gelenke aufzufassen; in dieser Annahme wurde man noch durch die Aussage des Patienten bei einer neuerlichen eindringlicheren Anamnese bestärkt. Patient erklärte nämlich nachträglich, daß er vor der ersten Aufnahme in hiesige Klinik bereits mehrere chirurgische Stationen konsultiert hatte und immer nur eine Verstauchung, doch keine Verrenkung konstatiert wurde. Und doch war die Luxation so zweifellos klar, daß sie sicher überall diagnostiziert worden wäre, wenn sie thatsächlich von Anfang an bestanden hätte. Unter der Diagnose pathologische Luxation, voraussichtlich auf Grundlage von Arthritis deformans, war somit die Indikation zum blutigen Eingriffe gegeben. Die erhoffte Klarheit wurde durch ihn nicht erbracht — wie ja aus der Krankengeschichte ersichtlich — man mußte doch wieder auf die Annahme einer ursprünglich traumatischen Luxation zurückgreifen.

An eine neuropathische Affektion wurde wohl gedacht, doch lagen zum mindesten vom Anfange her keine ausgeprägteren Symptome zu deren Annahme vor, weder von der Arthropathie selbst noch vom allgemeinen Status. Allerdings war die tastbare Defformität nach der 2. Reluxation schon höchst auffällig. — Nach der Entlassung wurde der Kranke nicht mehr außer Augen gelassen und bereits nach kurzer Zeit war Herr Docent Schlesinger in der Lage, bei demselben eine zweifellose Syringomylie zu konstatieren. Sie trat also in diesem Falle mit einer Arthropathie als Initialsymptom auf.

---

## Litteratur.

Blasius, cit. nach Schlesinger.

Bruhl, ibid.

Czerny, Ueber neuropathische Gelenkaffektionen. Centralbl. f. Chir., 1886, No. 24, Beilage.

Fischer, cit. nach Schlesinger.

Fürstner u. Zacher, Zur Pathologie und Diagnostik der spinalen Höhlenbildung. Arch. f. Psychiatrie u. Nervenkrankh., Bd. 14.

HAHN, Form und Ausbreitung der Sensibilitätsstörung bei Syringomyelie. Jahrb. f. Psychiatrie u. Neurologie, Bd. 17.
KAISER, Ueber eine halbseitige vasomotorische Störung cerebralen Ursprungs. Neurolog. Centralbl., 1895, p. 457.
LAEHR, Ueber Störungen der Schmerz- und Temperaturempfindung infolge von Erkrankungen des Rückenmarks. Arch. f. Psychiatrie, Bd. 28.
LEWINSKY, Zur Pathologie des Nervus sympathicus (Lähmung des Hals- und Armsympathicus durch Druck einer Struma). Berl. klin. Wochenschrift, 1885, No. 34 u. 35.
MARINESCO, cit. nach Jahresber. über die Leistungen u. Fortschr. auf dem Gebiete der Neurologie u. Psychiatrie, 1897.
NISSEN, Ueber Gelenkerkrankungen bei Syringomyelie. Arch. f. klin. Chir., Bd. 45, 1893.
QUINCKE, Ueber akutes umschriebenes Hautödem. Monatshefte f. prakt. Dermatologie, Bd. 1, No. 5.
REMAK, Oedem der Oberextremitäten auf spinaler Basis (Syringomyelie). Berl. klin. Wochenschr., 1889, No. 3.
ROTH, Contribution à l'étude symptomatologique de la gliomatose médullaire. Arch. de Neurologie, T. 14—16.
SCHLESINGER, Die Syringomyelie. Wien 1895.
Idem, Pathogenese und patologische Anatomie der Syringomyelie. Wien. med. Wochenschr., 1897, No. 38 u. 39.
Idem, Beiträge zur Klinik der Rückenmarks- und Wirbeltumoren. Jena 1898,
Idem, Wien. klin. Wochenschr., Gesellsch. d. Aerzte, 1899, No. 5.
SCHULTZE, Ueber Befunde von Hämatomyelie und Oblongatablutung mit Spaltbildung bei Dystokien. Dtsch. Zeitschr. f. Nervenheilkunde, Bd. 8, 1896.
Idem, Lehrbuch der Nervenkrankheiten. Stuttgart 1898.
SOKOLOFF, Die Erkrankungen der Gelenke bei Gliomatose des Rückenmarks (Syringomyelie). Dtsch. Zeitschr. f. Chir., Bd. 34, 1892.

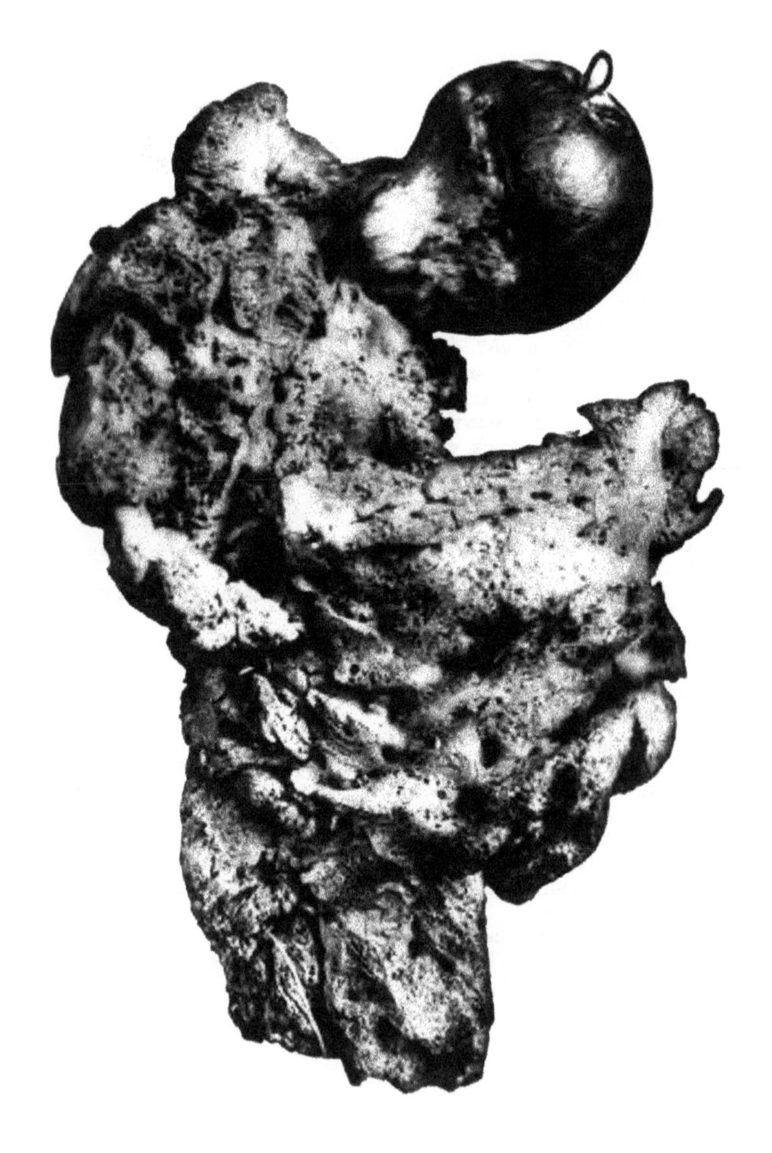

Gnesda. Reprod. v. J. B. Obernetter, München.

Verlag von Gustav Fischer, Jena.

Lightning Source UK Ltd.
Milton Keynes UK
UKHW010416151218
333983UK00007B/255/P